D0287952

1781

Von Siegfried Lenz erschienen

Romane:
Es waren Habichte in der Luft, 1951
Duell mit dem Schatten, 1953
Der Mann im Strom, 1957
Brot und Spiele, 1959
Stadtgespräch, 1963
Deutschstunde, 1968
Das Vorbild, 1973

Erzählungen:
Jäger des Spotts, 1958
Das Feuerschiff, 1960
Lehmanns Erzählungen, 1964
Der Spielverderber, 1965
Leute von Hamburg, 1968
Gesammelte Erzählungen, 1970
Der Geist der Mirabelle, 1975

Szenische Werke:
Zeit der Schuldlosen, 1962
Das Gesicht, 1964
Haussuchung, 1967
Die Augenbinde, 1970

Essays:
Beziehungen, 1970

Ein Kinderbuch:
So war das mit dem Zirkus.
Mit farbigen Bildern von Klaus Warwas, 1971

SIEGFRIED LENZ

So zärtlich war Suleyken

MASURISCHE GESCHICHTEN

Zeichnungen von Erich Behrendt

HOFFMANN UND CAMPE

13. Auflage, 126. bis 150. Tausend 1975

Umschlag Werner Rebhuhn,
unter Verwendung der Zeichnungen von Erich Behrendt
Gesetzt aus der Borgis Janson-Antiqua
Gesamtherstellung:
Kleins Druck- und Verlagsanstalt, Lengerich
ISBN 3-455-04236-8. Printed in Germany

Inhalt

DIE ERSTE DER MASURISCHEN GESCHICHTEN

Der Leseteufel

Hamilkar Schaß, mein Großvater, ein Herrchen von, sagen wir mal, einundsiebzig Jahren, hatte sich gerade das Lesen beigebracht, als die Sache losging. Die Sache: darunter ist zu verstehen ein Überfall des Generals Wawrila, der unter Sengen, Plündern und ähnlichen Dreibastigkeiten aus den Rokitno-Sümpfen aufbrach und nach Masuren, genauer nach Suleyken, seine Hand ausstreckte. Er war, hol's der Teufel, nah genug, man roch gewissermaßen schon den Fusel, den er und seine Soldaten getrunken hatten. Die Hähne von Suleyken liefen aufgeregt umher, die Ochsen scharrten an der Kette, die berühmten Suleyker Schafe drängten sich zusammen - hierhin und dorthin: worauf das Auge fiel, unser Dorf zeigte mannigfaltige Unruhe und wimmelnde Aufregung - die Geschichte kennt ja dergleichen.

Zu dieser Zeit, wie gesagt, hatte sich Hamilkar Schaß, mein Großvater, fast ohne fremde Hilfe die Kunst des Lesens beigebracht. Er las bereits geläufig dies und das. Dies: damit ist gemeint ein altes Exemplar des Masuren-Kalenders mit vielen Rezepten zum Weihnachtsfest; und das: darunter ist zu verstehen das Notizbuch eines Viehhändlers, das dieser vor Jahren in Suleyken verloren hatte. Hamilkar Schaß las es wieder und wieder, klatschte dabei in die Hände, stieß, während er immer neue Entdeckungen machte, sonderbar dumpfe Laute des Jubels aus, mit einem Wort: die tiefe Leidenschaft des Lesens hatte ihn erfaßt. Ja, Hamilkar Schaß war ihr derart verfallen, daß er sich in ungewohnter Weise vernachlässigte; er gehorchte nurmehr einem Gebieter, welchen er auf masurisch den »Zatangä Zitai« zu nennen pflegte, was soviel heißt wie Leseteufel, oder, korrekter, Lesesatan.

Jeder Mann, jedes Wesen in Suleyken war von Schrecken und Angst geschlagen, nur Hamilkar Schaß, mein Großvater, zeigte sich von der Bedrohung nicht berührt; sein Auge leuchtete, die Lippen fabrizierten Wort um Wort, dieweil sein riesiger Zeigefinger über die Zeilen des Masuren-Kalenders glitt, die Form einer Girlande nachzeichnend, zitternd vor Glück.

Da kam, während er so las, ein magerer, aufgescheuchter Mensch herein, Adolf Abromeit mit Namen, der zeit seines Lebens nicht mehr gezeigt hatte als zwei große rosa Ohren. Er trug eine ungeheure Flinte bei sich, trat, damit fuchtelnd, an Hamilkar Schaß heran und sprach folgendermaßen: »Du tätest«, sprach er, »Hamilkar Schaß, gut daran, deine Studien zu verschieben. Es könnte sonst, wie die Dinge stehen, leicht sein, daß der Wawrila mit dir seine Studien treibt. Nur, glaube ich, wirst du nachher zerplieserter aussehen als dieses Buch.«

Hamilkar Schaß, mein Großvater, blickte zuerst erstaunt, dann ärgerlich auf seinen Besucher; er war, da die Lektüre ihn stets völlig benommen machte, eine ganze Weile unfähig zu einer Antwort. Aber dann, nachdem er sich gefaßt hatte, erhob er sich, massierte seine Zehen und sprach so: »Mir scheint«, sprach er, »Adolf Abromeit, als ob auch du die Höflichkeit verlernt hättest. Wie könntest du mich sonst, bitte schön, während des Lesens stören.« - »Es ist«, sagte Abromeit, »nur von wegen Krieg. Ehrenwort. Wawrila, dem Berüchtigten, ist es in den Sümpfen zu langweilig geworden. Er nähert sich unter gewöhnlichsten Grausamkeiten diesem Dorf. Und weil er, der schwitzende Säufer, schon nah genug ist, haben wir beschlossen, ihn mit unseren Flinten nüchtern zu machen. Dazu aber, Hamilkar Schaß, brauchen wir jede Flinte, die deine sogar besonders.«

»Das ändert«, sagte Hamilkar Schaß, »überhaupt nichts. Selbst ein Krieg, Adolf Abromeit, ist keine Entschuldigung für Unhöflichkeit. Aber wenn die Sache, wie du sagst, arg steht, könnt ihr mit meiner Flinte rechnen. Ich komme.«

Hamilkar Schaß küßte seine Lektüre, verbarg sie in einem feuerfesten Steinkrug, nahm seine Flinte und lud sich ein gewaltiges Stück Rauchfleisch auf den Rücken, und dann traten sie beide aus dem Haus. Auf der Straße galoppierten einige der intelligenten Suleyker Schimmel vorbei, herrenlos, mit vor Furcht weitgeöffneten Augen, Hunde winselten, Tauben flohen mit panisch klatschendem Flügelschlag nach Norden - die Geschichte kennt solche Bilder des Jammers.

Die beiden bewaffneten Herren warteten, bis die Straße frei war, dann sagte Adolf Abromeit: »Der Platz, Hamilkar Schaß, auf dem wir kämpfen werden, ist schon bestimmt. Wir werden, Gevatterchen, Posten in einem Jagdhaus beziehen, das dem nachmaligen Herrn Gonsch von Gonschor gehörte. Es ist etwa vierzehn Meilen entfernt und liegt an dem Weg, den Wawrila zu nehmen gezwungen ist.« - »Ich habe«, sagte mein Großvater, »keine Einwände.«

So begaben sie sich, nahezu wortlos, zu dem soliden Jagdhaus, richteten es zur Verteidigung ein, schnupften Tabak und bezogen Posten. Sie saßen, durch dicke Bohlen geschützt, vor einer Luke und

beobachteten den aufgeweichten Weg, den Wawrila zu nehmen gezwungen war.
Sie saßen so, sagen wir mal, acht Stunden, als dem Hamilkar Schaß, der in Gedanken bei seiner Lektüre war, die Zehen derart zu frieren begannen, daß selbst Massage nicht mehr half. Darum stand er auf und sah sich um, in der Hoffnung, etwas zu finden, woraus sich ein Feuerchen machen ließe. Er zog hier was weg und da was, kramte ein bißchen herum, prüfte, ließ fallen, und während er das tat, entdeckte er, hol's der Teufel, ein Buch, ein hübsches, handliches Dingchen. Ein Zittern durchlief seinen Körper, eine heillose Freude rumorte in der Brust, und er lehnte hastig, wie ein Süchtiger, die Flinte an einen Stuhl, warf sich, wo er stand, auf die Erde und las. Vergessen war der Schmerz der Kälte in den Zehen, vergessen war Adolf Abromeit an der Luke und Wawrila aus den Sümpfen: Der Posten Hamilkar Schaß existierte nicht mehr.
Unterdessen, wie man sich denken wird, tat die Gefahr das, was sie so besonders unangenehm macht: sie näherte sich. Näherte sich in Gestalt des Generals Wawrila und seiner Helfer, die, sozusagen fröhlich, den Weg heraufkamen, den zu nehmen sie gezwungen waren. Dieser Wawrila, ach Gottchen, er sah schon aus, als ob er aus den Sümpfen käme, war unrasiert, dieser Mensch, und hatte eine heisere Flüsterstimme, und natürlich besaß er nicht, was jeder halbwegs ehrliche Mensch besitzt - Angst nämlich. Kam mit seinen besoffenen Flintenschützen den Weg herauf und tat, na, wie wird er getan haben: als ob er der Woiwode von Szczyli-

pin selber wäre, so tat er. Dabei hatte er nicht mal Stiefel an, sondern lief auf Fußlappen, dieser Wawrila.

Adolf Abromeit, an der Luke auf Posten, sah die Sumpfbagage herankommen; also spannte er die Flinte und rief:

»Hamilkar Schaß«, rief er, »ich hab' den Satan in der Kimme.« Hamilkar Schaß, wen wird es wundern, hörte diesen Ruf nicht. Nach einer Weile, Wawrila war keineswegs dabei stehengeblieben, rief er abermals: »Hamilkar Schaß, der Satan aus dem Sumpf ist da.« - »Gleich«, sagte Hamilkar Schaß, mein Großvater, »gleich, Adolf Abromeit, komme ich an die Luke, und dann wird alles geregelt, wie sich's gehört. Nur noch das Kapitelchen zu Ende.«

Adolf Abromeit legte die Flinte auf den Boden, legte sich dahinter und visierte und wartete voller Ungeduld. Seine Ungeduld, um nicht zu sagen: Erregung, wuchs mit jedem Schritt, den der General Wawrila näher kam. Schließlich, sozusagen am Ende seiner Nerven angekommen, sprang Adolf Abromeit auf, lief zu meinem Großvater, versetzte ihm - jeder Verständige wird's verzeihen - einen Tritt und rief: »Der Satan Wawrila, Hamilkar Schaß, steht vor der Tür.« - »Das wird«, sagte mein Großvater, »alles geregelt werden zur Zeit. Nur noch, wenn ich bitten darf, die letzten fünf Seiten.« Und da er keine Anstalt machte, sich zu erheben, lief Adolf Abromeit allein vor seine Luke, warf sich hinter die Flinte und begann dergestalt zu feuern, daß ein Spektakel entstand, wie sich niemand in Masuren eines ähnlichen entsinnen konnte. Wiewohl er keinen von der Sumpfbagage hinreichend treffen konnte, zwang er sie doch in Deckung, ein Umstand, der Adolf Abromeit äußerst vorwitzig und waghalsig machte. Er trat offen vor die Luke und feuerte, was die ungeheure Flinte hergab; er tat es so lange, bis er plötzlich einen scharfen, heißen Schmerz verspürte, und als er sich, reichlich betroffen, vergewisserte, stellte er fest, daß man ihn durch eines seiner großen rosa Ohren geschossen hatte. Was blieb ihm zu tun? Er ließ die Flinte fallen, sprang zu Hamilkar Schaß, meinem Großvater, und diesmal sprach er folgendermaßen: »Ich bin, Hamilkar Schaß, verwundet. Aus mir läuft Blut. Wenn du nicht an die Luke gehst, wird der Satan Wawrila, Ehrenwort, in zehn Sekunden hier sein, und dann, wie die Dinge stehen, ist zu fürchten, daß er Druckerschwärze aus dir macht.«

Hamilkar Schaß, mein Großvater, blickte nicht auf; statt dessen sagte er: »Es wird, Adolf Abromeit, alles geregelt, wie es kommen soll. Nur noch, wenn ich bitten darf, zwei Seiten vom Kapitelchen.« Adolf Abromeit, eine Hand auf das lädierte Ohr gepreßt, sah sich schnell und prüfend um, dann riß er ein Fenster auf, schwang sich hinaus und verschwand im Dickicht des nahen Waldes.

Wie man vermuten wird: kaum hatte Hamilkar Schaß weitere Zeilen gelesen, als die Tür erbrochen ward, und wer kam hereinspaziert? General Zoch Wawrila. Ging natürlich gleich auf den Großvater zu, brüllte heiser und lachte, wie er das so

an sich hatte, und dann sagte er: »Spring auf meine Hand, du Frosch, ich will dich aufblasen.« Das war, ohne Zweifel, eine Anspielung auf seine Herkunft und seine Gewohnheiten. Doch Hamilkar Schaß entgegnete: »Gleich. Nur noch anderthalb Seiten.«

Wawrila wurde wütend und zog meinem Großvater eine über, und dann fühlte er sich bemüßigt, so zu sprechen: »Ich werde dich jetzt, du alte Eidechse, halbieren. Aber ganz langsam.«

»Eine Seite nur noch«, sagte Hamilkar Schaß. »Es sind, bei Gottchen, nicht mehr als fünfunddreißig Zeilen. Dann ist das Kapitelchen zu Ende.«

Wawrila, bestürzt, beinahe nüchtern geworden, lieh sich von einem hinkenden Menschen aus seiner Begleitung eine Flinte, drückte den Lauf auf den Hals des Hamilkar Schaß und sagte: »Ich werde dich, du stinkende Dotterblume, mit gehacktem Blei wegpusten. Schau her, die Flinte ist gespannt.«
»Gleich«, sagte Hamilkar Schaß. »Nur noch zehn Zeilen, dann wird alles geregelt werden, wie es sein soll.«
Da packte, wie jeder Kundige verstehen wird, Wawrila und seine Bagage ein solch unheimliches Entsetzen, daß sie, ihre Flinten zurücklassend, dahin flohen, woher sie gekommen waren - dahin: damit sind gemeint die besonders trostlosen Sümpfe Rokitnos.
Adolf Abromeit, der die Flucht staunend beobachtet hatte, schlich sich zurück, trat, mit seiner Flinte in der Hand, neben den Lesenden und wartete stumm. Und nachdem auch die letzte Zeile gelesen war, hob Hamilkar Schaß den Kopf, lächelte selig und sagte: »Du hast, Adolf Abromeit, scheint mir, etwas gesagt?«

DIE ZWEITE
DER MASURISCHEN GESCHICHTEN

Füsilier in Kulkaken

Kurz nach der Kartoffelernte erschien bei meinem Großvater, Hamilkar Schaß, der Briefträger und überbrachte ihm ein Dokument von ganz besonderer Bedeutung. Dies Dokument: es kam direkt von allerhöchster Stelle, wofür allein schon die Tatsache spricht, daß es unterschrieben war mit dem Namen Theodor Trunz. Es gab, Ehrenwort, wohl keinen Namen in Suleyken und Umgebung, der geeignet gewesen wäre, mehr Respekt, mehr Hochachtung, mehr Furcht, Schaudern und Ehrerbietung hervorzurufen, als Theodor Trunz. Hinter diesem Namen nämlich steckte niemand anderes als der Kommandant der berühmten Kulkaker Füsiliere, die, elf an der Zahl, jenseits der Wiesen in Garnison lagen. Der Ruf, der ihnen nicht nur voraus, sondern auch hinterher ging, war dergestalt, daß jeder, der in dieser Truppe die Ehre hatte zu dienen, unfehlbar in den Geschichtsbüchern Suleykens und Umgebung Aufnahme fand. Ganz zu schweigen von der mündlichen Überlieferung.
Gut. Hamilkar Schaß, mein Großvater, witterte in besagtem Dokument sofort eine neue ausgedehnte Lektüre, erbrach, wie man sagt, die Siegel und begann zu lesen. Und er las, während der Briefträger, Hugo Zappka, neben ihm stand, heraus, daß er im Augenblick und auf kürzestem Weg nach Kul-

kaken zu eilen habe - als Ersatz für den Oberfüsilier Johann Schmalz, der wegen allzu rapidem Zahnausfall hatte entlassen werden müssen. Und darunter, in riesigen Buchstaben: Trunz, Kommandant.

Hugo Zappka, der Briefträger, verbeugte sich, nachdem er alles vernommen hatte, vor meinem Großvater, beglückwünschte ihn aufrichtig und empfahl sich; und nachdem er gegangen war, zog mein Großvater seine alte Schrotflinte hervor, band sich ein Stück Rauchfleisch auf den Rücken, nahm langwierigen Abschied und schritt über die Wiesen davon.

Schritt forsch aus, das rüstige Herrchen, und gelangte alsbald zur Garnison der berühmten Kulkaker Füsiliere, welche dargestellt wurde durch ein schmuckloses, ungeheiztes Häuschen am Waldesrand. Der Posten, ein langer, verhungerter, mürrischer Mensch, hieß meinen Großvater nah herankommen, und als er unmittelbar vor ihm stand, schrie er: »Wer da?!« Worauf mein Großvater in ergreifender Schlichtheit antwortete: »Hamilkar Schaß, wenn ich bitten darf.« Sodann wies er das Dokument vor, schenkte dem Posten ein Stück Rauchfleisch und durfte passieren.

Na, er besah sich erst einmal alles von unten bis oben, inspizierte den ganzen Nachmittag, und plötzlich geriet er an eine Tür, hinter der eine Stimme zu hören war. Mein Großvater, er öffnete das Türchen, schob seinen Kopf hinein und gewahrte eine Anzahl Füsiliere, die gerade ergriffen einem Vortrag lauschten, welcher übergetitelt war:

Was tut und wie verhält sich der Kulkaker Füsilier, wenn der Feind flieht? Da er nach längerem Zuhören Interesse an dem Vortrag fand, mischte er sich unter die Lauschenden und blickte nach vorn.
Wer da vorn saß? Trunz natürlich, der Kommandant. War ein kleiner, schwarzer, jähzorniger Mensch, dieser Theodor Trunz, und außerdem trug er ein Holzbein. (Das richtige hatte er, wie er sich auszudrücken beliebte, dem Vaterland in den Schoß geworfen.) Jedenfalls: er war, alles in allem, ein ungewöhnlicher Mensch, schon aus dem Grunde, weil er sein Holzbein bei den taktischen Vorträgen abzuschnallen pflegte und damit die vor den Kopf stieß, die einzuschlafen drohten.
Also Hamilkar Schaß, mein Großvater, kam hier herein und wollte es sich gerade gemütlich machen, als Trunz seinen Vortrag abbrach und, nach erprobter Gewohnheit, Fragen stellte zum Zwecke der Wiederholung. Fragte er also zum Beispiel einen üppigen Füsilier in der ersten Reihe: »Was wird«, fragte er, »getan, wenn der Feind sich anschickt zu fliehen?«
»Lauschen und abwarten von wegen heimlichem Hinterhalt«, kam die Antwort.
»Richtig«, sagte Trunz, überlegte rasch und rief: »Und wie ist es bei Nahrung? Darf man essen zurückgelassene Nahrung?«
»Man darf«, rief ein anderer Füsilier, »aber nur Eingemachtes. Anderes könnte sein unbekömmlich.«
»Auch richtig«, sprach Trunz. »Aber wie verhält

es sich mit Büchern? Du da, in der letzten Reihe. Was würdest du machen mit den Büchern?«

Mein Großvater, dem die Frage galt, sah sich zunächst um, weil er glaubte, hinter ihm säße noch jemand. Es war jedoch niemand da, und darum sagte er: »Ich würde schnell lesen und dann dem Feind einheizen mit der Flinte.«

Diese Antwort, aus argloser Leidenschaft gegeben, rief, wie man sich denken kann, den Jähzorn des Theodor Trunz hervor; er schwang jachrig das Holzbein, fuchtelte damit herum, wurde rein tobsüchtig, dieser Mensch. Dann rief er meinen Großvater nach vorn und schrie: »Wer, zum Teufel, bist du?«

»Ich bin«, sagte mein Großvater, »Hamilkar Schaß. Und ich möchte zunächst um Höflichkeit bitten von Füsilier zu Füsilier.«

Na, jetzt kam Theodor Trunz nahezu um den Verstand, wurde abwechselnd weiß, blau und rot im Gesicht, fast hätte man sich sorgen können um ihn. Schließlich schnallte er sein Holzbein an, schrie: »Der Feind ist da!« und jagte seine Füsiliere auf den Hinterhof. Und jetzt ging es los: winkte sich zuerst Hamilkar Schaß, meinen Großvater, heran und rief: »Füsilier Schaß«, rief er, »der Feind ist hinter der Scheune. Was mußt du tun?«

»Ich fühle mich«, sagte mein Großvater, »unpäßlich heute. Auch war der Weg über die Wiesen nicht sehr angenehm.«

»Dann zeig mal«, schrie Trunz, »wo überall ein Füsilier kann Deckung finden. Aber schnell, wenn ich bitten darf.«

»Das ergibt sich«, sagte mein Großvater, »von Fall zu Fall.«
»Zeigen sollst du uns das«, schrie Trunz und wurde rein verrückt.
»Eigentlich«, sagte mein Großvater, »möchte ich jetzt ein wenig schlummern. Der Weg über die Wiesen war nicht sehr angenehm.«
Theodor Trunz, der Kommandant, warf sich jetzt auf die Erde, um Hamilkar Schaß, meinem Großvater, zu zeigen, worauf es ankäme. »So«, rief er, »so macht ein Füsilier.«
Mein Großvater beobachtete ihn eine Weile erstaunt und sprach dann: »Es sind«, sprach er, »nach Suleyken nur ein paar Stunden. Wenn ich jetzt gehe, bin ich noch zu Hause vor Mitternacht.«
Darauf wurde Theodor Trunz zunächst einmal von einem Schreikrampf heimgesucht, und zwar hallte sein Geschrei so eindringlich durch das Gehölz, daß sämtliches Wild floh und die Umgebung nachweislich mehrere Jahre mied. Dann aber kam er allmählich zu sich, blinzelte umher, riskierte ein unsicheres Lächeln und verkündete den Befehl: »Feind tot« - worauf die Füsiliere mit einer gewissen Erleichterung der Garnison zustrebten.
Auch Hamilkar Schaß, mein Großvater, strebte ihr zu, suchte sich ein Kämmerchen, ein Bett und legte sich nieder zum Schlummer. Schlummerte vielleicht so vier Stunden, als eine Trompete gegen sein Ohr blies, was ihn dazu bewog, auf seine Taschenuhr zu blicken und sich, bei der Feststellung, daß Mitternacht erst gerade vorbei war, wieder hinzulegen. Gelang ihm auch, dem Großväterchen, wie-

der einzudruseln, als die Tür aufgerissen wurde, der Kommandant hereinstürzte und schrie: »Es ist, Füsilier Schaß, gegeben worden Alarm!«

»Der Alarm«, sagte mein Großvater, »ist gekommen zur unrechten Zeit. Könnte man ihn nicht, bitte schön, nach dem Frühstück geben?«

»Es handelt sich«, schrie Trunz, »um einen Alarm auf Schmuggler. Sie sind gesichtet worden an der Grenze. Zu *dieser* Zeit, nicht nach dem Frühstück.«

»Dann muß ich«, sagte Hamilkar Schaß, »auf den Alarm verzichten.«

Rollte sich auch gleich wieder in sein Deckchen und befand sich schon nach wenigen Atemzügen in lieblichem Schlummer. Schlummerte durch bis zum nächsten Morgen, frühstückte von seinem Rauchfleisch im Bett und ging dann hinunter, wo bereits ein taktischer Vortrag lief, übergetitelt: Was tut und wie verhält sich ein Kulkaker Füsilier, wenn er zu fangen hat Schmuggler? Trunz saß vorn und redete, und die Füsiliere lauschten ergriffen und voll verhaltenen Zornes - voll Zornes, weil sie seit sechsundzwanzig Jahren fast täglich Alarme hatten auf Schmuggler, aber noch nie einen von dieser Sorte fangen konnten. Das hörte Hamilkar Schaß, mein Großvater, und er stand einfach auf und wollte hinausgehen. Doch Trunz schrie gleich: »Füsilier Schaß, wohin?«

»An die frische Luft, wenn es beliebt«, sagte mein Großvater, »erstens möchte ich mir, wenn es genehm ist, die Beine vertreten, und zweitens möchte ich fangen ein paar Schmuggler.«

»Um Schmuggler zu fangen, Füsilier Schaß, müssen wir erst geben Alarm. Du wirst jetzt bleiben und anhören die Lehre von der Taktik. Jetzt ist Dienst.«

Worauf mein Großvater sagte: »Von Füsilier zu Füsilier: Jetzt sind die Haselnüsse soweit, und *mir* leckert, weiß der Teufel, so nach Haselnüssen. Ich werde mir schnell ein paar pflücken.«

Na, daraufhin war es wieder soweit: Theodor Trunz, der Kommandant, ließ sämtliche Füsiliere strammstehen und rief: »Hiermit wird gefragt der Füsilier Hamilkar Schaß, ob es ihm ein Bedürfnis ist, dem Vaterland zu dienen.«

»Es ist Bedürfnis«, sagte mein Großvater. »Aber erst einmal will ich Haselnüsse holen.«

»Dann«, rief Trunz »muß ich dem Füsilier Schaß geben den Befehl zu bleiben. Befehl ist Befehl.«
»Nach Suleyken«, drohte mein Großvater freundlich, »sind es nur vier Stunden. Wenn ich jetzt losgehe, bin ich noch zum Kaffee da.«
Und er verneigte sich vor dem erstaunten Trunz, streichelte, im Vorübergehen, einige der strammstehenden Füsiliere und ging hinaus. Ging, mein Großväterchen, in den Stall, suchte sich eine ausgestopfte Schafhaut und verließ mit ihr die Garnison. Er pflückte sich Haselnüsse, knackte so viele, wie er gerade begehrte, und näherte sich dabei der Grenze. Und als er nahe genug war, zog er sich die Schafhaut über den Körper, ließ sich auf alle viere hinab und mischte sich unter eine grasende Schafherde.
Die Schafe, sie waren nicht unfreundlich zu ihm, nahmen ihn in ihre Mitte, stupsten ihn kameradschaftlich und suchten eine Unterhaltung mit ihm - in die er sich, aus gegebenen Gründen, nicht einlassen konnte.
Gut. Er zuckelte mit den Schafen so eine ganze Zeit herum, als er, in der Dämmerung, unvermutet folgendes entdeckte: er entdeckte, wie sich zwei besonders schwerfällige Schafe von der Herde lösten und, in reichlich schaukelndem Gang, der Grenze zustrebten. Mein Großvater, er setzte ihnen wie übermütig nach, umsprang die beiden, stupste sie mit dem Kopf und neckte sie so anhaltend, bis er hörte, was er hören wollte. Er hörte nämlich, wie das eine Schaf zum andern sprach: »Hau«, sprach es, »diesem Lamm eins auf den

Dassel, sonst macht es mir noch die Flaschen kaputt.«

Jetzt, wie man ganz richtig erwartet, sprang mein Großvater auf, tat den beiden das, was sie mit ihm hatten tun wollen, fesselte sie vorn und hinten und trieb sie frohgemut zur Garnison. Summte ein Liedchen dabei und erschien gerade, als ein Kampfunterricht stattfand, welcher übergetitelt war: Wie sticht und wohin der Kulkaker Füsilier einen Schmuggler mit dem Seitengewehr?

Die Füsiliere, sie fielen fast in Ohnmacht, als sie Hamilkar Schaß, meinen Großvater, als summenden Hirten erlebten, der seine Schäfchen vor sich hertrieb. Und Trunz, der Kommandant, raste auf ihn zu und schrie: »Die Beschäftigung, Füsilier Schaß, mit Tieren während des Dienstes ist verboten.«

Worauf mein Großvater antwortete: »Eigentlich«, antwortete er, »möchte ich jetzt schlummern. Aber vorerst werd' ich sie häuten.«

Und er zog den schwanger aussehenden Schafen die Häute ab und brachte zwei ausgewachsene Schmuggler zum Vorschein, welche überdies beladen waren mit einer Anzahl Schnapsflaschen.

Muß ich noch viel mehr erzählen?

Nachdem der Jubel der Füsiliere sich gelegt hatte, trat Theodor Trunz, der Kommandant, an meinen Großvater heran, küßte ihn und sprach: »Du darfst jetzt, Brüderchen, schlummern, und wenn du aufwachst, dann ist der Füsilier Schaß tot. Leben wird der Unterkommandant Schaß, ausgezeichnet mit der Kulkaker Ehrenspange für Höhere Füsiliere.“

»Zunächst«, sprach mein Großvater, »muß ich mir aber noch ein paar Haselnüsse holen.«
Übrigens blieb er bei den Kulkaker Füsilieren nicht bis zu seinem Tode; im Frühjahr verschwand er eines Tages zum Kartoffelpflanzen und kam nicht mehr zurück.

DIE DRITTE
DER MASURISCHEN GESCHICHTEN

Das war Onkel Manoah

Zum Markttag kam neuerdings auch ein Wanderfriseur nach Suleyken, ein kleiner vergnügter Mann, der den Leuten das Haar im Freien abnahm, mitten im Quieken der Ferkel, im heiseren Brummen der Ochsen, zwischen all den Gerüchen eines masurischen Marktes, zwischen dem erdigen Geruch nach neuen Kartoffeln und dem Gestank nach altem Kohl, zwischen dem scharfen Geruch nach Kisten und Bretterzeug, nach Fischen, Hafer und Terpentin, zwischen dem sanften Kalkgeruch ausgenommener Hühner und dem sauberen Duft nach Äpfeln und Mohrrüben. Zwischen all diesen Gerüchen und Geräuschen, in dieser hochschwangeren Luft, bediente der Wanderfriseur an einem trauten Herbstmorgen einen großen, schönen, schwarzhaarigen Mann, den schönen Alec, wie er genannt wurde, ein Wunder von Wuchs, auch wenn dieses Wunder barfuß ging.

Der Wanderfriseur hüpfte mit fleißiger Höflichkeit um ihn herum, unterhielt ihn auf das angenehmste, während seine Schere, lustig wie eine Schwalbe, über Alecs Ohren flatterte, hier und da ein Härchen schnappte, zart und schnell, und zum Schluß, wie sich's gehört, öffnete der Friseur ein kleines Fläschchen und tröpfelte eine Essenz auf Alecs Kinn. Sofort begann es in weitem Umkreis nach persischem Flieder zu duften, der Duft verdrängte all die Gerüche des Marktes, der Orient siegte über Masuren. »Erlauben Sie, bitte, daß ich

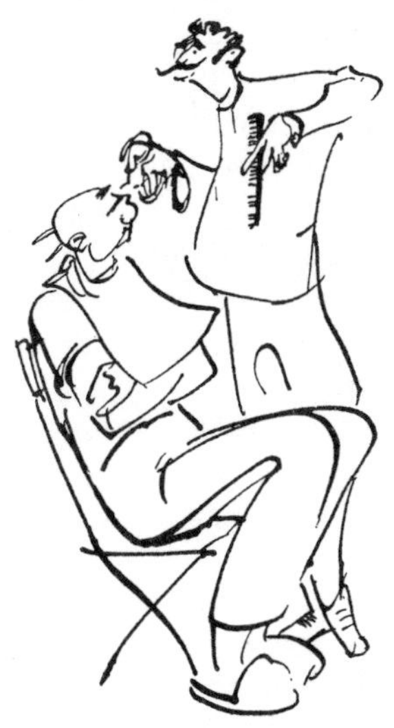

nun noch unter Ihre Jacke fahre«, sagte der Friseur, schob eine weiche Bürste unter den Kragen und strich mit den feinen Borsten über Alecs Haut, so daß sich dieser vor Behagen ein wenig krümmte; dann entfernte er mit berechnetem Schwung das Barbiertuch, sagte »Dank« und wartete auf Bezahlung.

Alec faßte in die Tasche, aber an Stelle von Geld zog er einen alten schmutzigen Brief heraus, entfaltete ihn vorsichtig und bat den Friseur zu lesen. »Es ist«, sagte Alec, »ein Brief meines Onkels Manoah, Besitzer eines Schleppkahns, der heute nach Hause gekommen ist. Dreißig Jahre hat er sich über alle bekannten Ströme und Kanäle ziehen lassen, nun ist er, wie aus dem Brief hervorgeht, heimgekehrt, um hier zu sterben. Da ich der alleinige Erbe des Schleppkahns bin, werden Sie, ich bin sicher, mir das Geld bis heute abend stunden, ich bringe es Ihnen nach Ende des Marktes.«

Der Friseur vertiefte sich in den Brief, las ihn, als ob er in ein Geheimnis hineingezogen würde, mit dankbarer Andacht, reichte ihn nickend zurück und trat mit Alec an die Böschung, von wo aus sie den Fluß übersehen konnten. Da lag der Schleppkahn, ein breites, schwarzes Wesen, wohlvertäut, und auf dem Heck sahen sie einen großen hageren Mann mit grauem Stoppelhaar, das war Onkel Manoah. Er saß auf einer Kiste, sinnierte und trank zwischendurch Kaffee.

»Es wird mir«, sagte der Friseur, »ein Vergnügen sein, dem Erben dieses Schiffes die Bezahlung bis heute abend zu stunden. Allerdings könnte ich länger nicht warten.«

»Niemand«, sagte darauf Alec, »hat bisher Ursache gehabt, am Wort meines Onkels zu zweifeln. Am Abend werde ich der Besitzer des Schleppkahns sein, und dann regelt sich alles zum Besten.«

Die Männer verbeugten sich voreinander, und während der Friseur zu seinem Schemel zurückging, trug Alec die Düfte des Orients über den Markt spazieren, flanierte an Ständen und Wagen vorbei, beantwortete Grüße und wich aus, wenn auszuweichen ihm geraten schien.

Vor einer redseligen Fischfrau blieb er stehen, beugte sich zu den Körben hinab, in denen goldgelbe, geräucherte Maränen lagen, und da er Eindruck auf die Frau machte und sie es ihm nicht verwehrte, nahm er sich eine Maräne heraus, zog die Haut ab und aß von dem warmen, köstlichen Rückenfleisch.

»Diese Fische«, sagte er dann, »sind leidlich gut. Auf die Gefahr hin, enttäuscht zu werden, könnte ich es mit einem Kilochen, nicht zu knapp, versuchen.« Die Frau beeilte sich, seinem Wunsch zu entsprechen, legte zwei Maränen über das Kilo hinzu und reichte Alec das Päckchen hinüber. Aber anstatt zu zahlen, zog Alec wieder den Brief aus der Tasche, hieß die verwirrte Frau ihn lesen und trat mit ihr zur Böschung, von wo aus er ihr das wohlvertäute Erbe zeigte. »Heute abend«, sagte er, »werden Sie im Besitz Ihres Geldes sein, so wie ich im Besitz dieses Schleppkahns sein werde.«

Die Fischfrau zeigte sich anfangs zufrieden damit, aber plötzlich wurde sie argwöhnisch und fragte nach dem Mann auf dem Heck.

»Dieser Mann ist kein geringerer als mein Onkel Manoah«, sagte Alec, »der Mann, den ich zu beerben gedenke. Er ist hergekommen, nach dreißigjähriger Wanderschaft, um hier zu sterben.«

»Aber«, sagte die Frau, »wer garantiert mir, daß Gott ihn nicht länger leben läßt?«

»Dieser Einwand«, sagte Alec mit mildem Vorwurf, »ist unangebracht. Onkel Manoah ist nur heimgekehrt, um hier zu sterben. Seine Güte ist grenzenlos. Er wird mich nicht im Stich lassen.«

Mit solchen Worten beschwichtigte Alec die Maränenfrau und drängte sich, das fette Päckchen unterm Arm, an einen Eierstand heran. Hier gelang es ihm, mit Hilfe des Briefes und des Augenscheins, daß sein Erbe wirklich auf dem Fluß schwamm, ein Körbchen mit Eiern auszuhandeln, an einem anderen Stand ein nicht zu kleines Stück Rauchspeck, und nachdem er auch noch Käse, Kaffee, Äpfel und Butter erworben hatte, ging er zum Fluß hinunter und balancierte über den schmalen Laufsteg an Bord des Schiffes. Er ging auf das Heck zu Onkel Manoah, verneigte sich höflich vor ihm und breitete die Dinge, deren er hatte habhaft werden können, vor seinen Füßen aus.

»Ich bitte«, sagte er dann mit ausgestreckter Hand, »sich nach Laune zu bedienen. Die Maränen sind gut, der Speck leidlich verführerisch und die Äpfel angenehm herb. Willkommen daheim!«

»Das ist«, sagte Onkel Manoah, »eine gute Idee und eine anständige Begrüßung.« Seine Stimme klang wie eine anlaufende Kreissäge. Er schob die Kaffeetasse mit dem Fuß zur Seite und begann zu essen, und er aß sämtliche Maränen, den Käse und die Äpfel auf, dann briet er Speck, schlug acht Eier in die Pfanne und aß weiter, während Alec still zu seinen Füßen saß, mit einem Ausdruck unterwürfigen Respekts und vollkommener Dienstbarkeit. Und nachdem Onkel Manoah gegessen hatte, tranken sie mehrere Tassen Kaffee, langsam, ohne ein Wort zu sprechen, sie saßen stumm wie Vögel zusammen, und der Mittag kam heran und ging vorüber.

Erst als die letzte Tasse Kaffee getrunken war, sagte Onkel Manoah:
»Wie du siehst, Alec, bin ich gekommen.«
»Gekommen, um zu bleiben«, sagte Alec.
»Gekommen, um zu gehen«, verbesserte Onkel Manoah.
»Wir werden in der Dämmerung noch ein Täßchen trinken, und wenn der Mond kommt, werde ich mich aufmachen, dann gehört das Schiff dir. Du hast mich anständig begrüßt, du sollst ein anständiges Erbe bekommen.«
Sie saßen schweigend bis zur Dämmerung beisammen, dann kochte Manoah Kaffee, und beide tranken, und nachdem sie getrunken hatten, warf Manoah Tauwerk und Lappen in eine Ecke und setzte sich bequem hin. Er hielt den Mund geschlossen, und sein Atem drang summend durch die Nase, als ob in den Nasenlöchern zwei Fliegen säßen. Alec beobachtete unterdessen die Böschung, und er brauchte nicht lange zu warten, da erkannte er die Silhouette der Fischfrau und dann die des Friseurs, und schließlich bemerkte er fast alle Gläubiger, die auf dem Weg zu ihm und ihrem Geld waren. Alec versuchte bei diesem Anblick Zuflucht zu angenehmen Kindheitserinnerungen zu nehmen, aber es wollte ihm nicht recht gelingen. Die Gläubiger näherten sich unerbittlich, und er war immer noch nicht Besitzer dieses Schiffes, denn Onkel Manoah lebte, wie der Summton aus seiner Nase hinreichend verriet. In dieser Bedrängnis sah Alec zu Onkel Manoah hinüber, und in seinem Blick lag so viel kreatürliches Flehen, daß Manoah gespannt

den runzligen, schuppigen Hals reckte - einen Hals wie Baumrinde -, er reckte den Hals und drehte ihn nach allen Seiten, und er schien zu begreifen, was vorgegangen war, denn er kannte Alec zur Genüge. Und er sagte: »Du, Alec«, sagte er, »hast keinen Grund, dich zu sorgen. Wir werden unseren Gläubigern jetzt ein Schnippchen schlagen, an das sie ihr Leben lang zu denken haben werden. Paß nur auf!« Und er erhob sich von dem Tauwerk, lehnte den riesigen Oberkörper in eine Ecke und winkte den Gläubigern zu, schnell herbeizukommen. Dann gab er Alec zu verstehen, die Leute auf den Kahn zu führen, höflich, wie es sich gehört, und Alec ging ihnen zitternd entgegen und sagte leise: »Nichts, meine Freunde betrübt mich mehr, als daß ich mein Versprechen nicht einhalten kann. Aber, Gott sei's geklagt, nicht einmal auf den Tod ist heutzutage noch Verlaß, mich trifft keine Schuld.«

Sodann half er den Gläubigern über den schmalen Laufsteg und hieß sie nach hinten gehen, wo Onkel Manoah in der Ecke lehnte, und sie versammelten sich in schweigender Anklage um Manoah, als erwarteten sie von ihm Aufklärung und Bezahlung. Zuletzt trat auch Alec hinzu, mit bangem Herzen, aber voll Vertrauen in Onkel Manoahs Listenreichtum, und er trat nah an ihn heran, tippte ihm auf die Schulter, und als Manoah sich nicht rührte, drehte er ihn vorsichtig um. Alle sahen, daß Onkel Manoah tot war, und sie bemerkten das triumphierende Lachen in seinem Gesicht, und die Scham machte sie unruhig und drängte sie zum Aufbruch.

Sie beeilten sich, von Bord zu kommen, und ihre Eile war aufrichtig.

Alec wandte sich, des Lobes voll, an Manoah und sagte wörtlich: »Manches, Onkel Manoah, habe ich in meinem Leben erfahren, aber noch nie, daß sich jemand so vollkommen tot stellen konnte. Die Gläubiger sind weg, die Gefahr ist vorüber, nichts hindert Euch, wieder lebendig zu werden und ein neues Täßchen Kaffee zu trinken.«

Aber Manoah, groß und starr, lehnte in der Ecke und bewegte sich nicht. Der schöne Alec begann ihn ängstlich abzutasten und zu untersuchen, hastig und mit ehrfurchtsvollem Erschrecken, und dann entdeckte er, daß Onkel Manoah wirklich gestorben war. Da verneigte sich Alec tief und flüsterte: »Auf solch ein Schnippchen, Onkelchen, wahrhaftig, war ich nicht gefaßt.«

DIE VIERTE
DER MASURISCHEN GESCHICHTEN

Der Ostertisch

Alec Puch, ein schöner gesunder Vater, hatte seine Brut auf einem Schleppkahn untergebracht, den ihm sein Onkel, ein riesiger Mensch namens Manoah, vererbt hatte. Die Brut: damit sind gemeint die drei zarten Söhne des Alec Puch, welche, wie er sich auszudrücken beliebte, redlich erworben waren. Ob redlich oder nicht - die drei zarten Menschen, Wunder an Anmut und Abrichtung, stammten alle von verschiedenen Müttern, ein Umstand, den man nur dadurch erklären kann, daß Alec Puch einst Gehilfe war bei einem wandernden Scherenschleifer. Und da er, aus verschiedenen Gründen, Kinder liebte, hatte er sie zu sich geholt. Allerdings, bitte sehr, ehrte er das Andenken der Mütter, indem er seine Söhne nach den Ortschaften rief, in denen sie die masurische Welt erblickt hatten. Diese Ortschaften hießen: Sybba, Schissomir und Quaken.

Seit geraumer Zeit also, wie gesagt, lebten die drei Knaben mit Alec Puch, ihrem schönen, gesunden Vater, auf dem Schleppkahn. Dieser Kahn sah aus - na, wie wird er ausgesehen haben: wie ein schwarzer Holzschuh voll Flöhe, so sah er aus. Hier wimmelte es, da bewegte sich was, hier roch es, da gab es piepsenden Laut: überall Interessantes, überall Neuigkeit und Abenteuer. Man aß angenehm, man

badete gelegentlich, man schlief unter dem milden Glucksen der Flußwellen bis in den späten Vormittag - das Paradies war niemals näher.
Eines Tages, gleich wird gesagt wann, erhob sich, während noch Nebel auf der Wiese lagen, ein nie gehörtes Gebrüll auf dem Vorschiff. Der da brüllte: es war Alec Puch höchstpersönlich. Er brüllte, fast wie im Schmerz, die Namen der zarten Knaben, und da sein Gebrüll den Trompeten von Jericho in nichts nachstand, flog die Brut aus den ererbten Hängematten und rannte augenreibend an Deck. Die Söhne stellten sich, in der Reihe der Ortschaften, die ihr Vater durchlaufen hatte, auf dem Achterschiff auf, fröstelten leicht und warteten auf den, der ihnen den Schlaf gestohlen hatte. Und plötzlich erschien er, ein schönes, gesundes Gesicht, rosige Backen, schwarze Haare, ein annehmbares Herrchen sozusagen, wenngleich dieses Herrchen etwas zur Schau trug, das seine Söhne tief erschreckte. Alec Puch nämlich trug eine so ungeheure Leidensmiene zur Schau, als hätte man ihm gleich sämtliche Zehen abgeklemmt. Na, er stellte sich hin vor die fröstelnden Knaben, ein Blick voll düsterer Liebe lief die Reihe entlang, und plötzlich, was geschah dann? Alec Puch weinte. Weinte einmal kurz, aber ausgiebig, sah dann die Söhne mit versonnener Zärtlichkeit an und sprach folgendermaßen: »Der Tag«, sprach er, »meine Söhne, ist nahe. Wehe, wenn ihr noch nichts habt gehört vom Lamm: Ostern. Wer von euch noch nichts gehört hat vom Lamm, ich werd' ihn prügeln, bis er weiß das und sogar noch mehr. Aber

das Lamm, ihr Lachudders: klein, ganz ganz klein, und sauber. Und ausgeschlafen. Und gaaanz weiß. Ehrenwort. Und sagt nichts, das kleine, weiße, liebliche Lamm. Eine Schneeflocke, verstanden! Das ist das Lamm. Ostern: Wehe, wer nicht kennt das Lamm. Kleines, gewaschenes, fröhliches Lamm. Anders als ihr.«

Alec Puch, der rosige Vater, konnte nicht weitersprechen, denn, wie man schon gespürt haben wird, ersticken Tränen die weitere Rede, und er trat, in haltloser Rührung, an die Reling, weinte hingebungsvoll und ließ die zarten Knaben frieren.

Doch unvermutet - die Knaben waren nicht darauf gefaßt und aßen, was sie in ihren Taschen gefunden hatten - schoß er herum, lachte, ging mit ausgebreiteten Armen auf seine Lachudders zu, küßte sie intensiv, und nachdem er sich etwas Eßbares von ihnen geliehen hatte, sprach er so: »Wir haben, Cholera, lange genug ohne gesellschaftlichen Verkehr gelebt. Das ist, was soll ich viel sagen, nicht gut. Und darum werden wir, Söhne, morgen das geben, was man einen Ostertisch zu nennen pflegt. Vielleicht gleich vor dem Schiffchen. So ein Ostertisch: wer ihn mitgemacht hat einmal - vergessen kann er ihn nie. Man braucht Fische und Schinken, und, wie sich's gehört, einige Fläschchen zum Trinken. Nur, wenn ich bitten darf, nicht zu knapp.«

»Den Tisch«, sagte die Ortschaft Quaken, »den Tisch, bitte sehr, haben wir schon.«

»Und wir haben«, fügte die Ortschaft Sybba hinzu, »auch die Bänke. Hier liegen, dreht euch nur um, Bretter genug.«

»Damit«, sprach Alec Puch, »kommen wir zu dem Unwichtigen: worunter ihr zu verstehen habt Fische, Schinken, und, wenn ich bitten darf, nicht zu knapp zu trinken.«
»Es wird«, sagte die Ortschaft Schissomir, schon im Stimmbruch, »alles beschafft werden zur Freude. Unser Ostertisch wird fröhlich sein und lieblich wie das Lamm. - Habe ich richtig gesprochen?«
»Richtig«, sagten die Brüder und nickten.
Sodann küßte Alec Puch seine Söhne, und sie begaben sich, getrennt voneinander, in das Dorf hinüber, wo, wie gemeinhin vor Ostern, einer der bewegten und erstaunlichen masurischen Märkte stattfand. Und hier, worauf man vielleicht gespannt sein mag, geschah folgendes zum Nutzen des beschlossenen Ostertisches: Alec Puch, ein, wie gesagt, rosiges, annehmbares Herrchen, spazierte ein wenig auf und ab, trat, leidlich interessiert, an einen Fischstand heran, rümpfte die Nase, beklopfte die Fische - na, spielte so nach Herzenslust den hochmütigen Käufer. Die Fischfrau, eilfertig, ziemlich bedripst obendrein, plierte dazu, sagte auch gelegentlich was, aber das Herrchen ließ sich nicht beschabbern. Und während das Herrchen, äußerst kritisch, die Fische drückte, beklopfte, beroch, in manche sogar hineinhorchte, wer kam da an? Gut, sagen wir mal, es war die Ortschaft Quaken, die da ankam. Tat natürlich so, als ob das Herrchen nie dagewesen wäre, einfach unbekannt war man sich. Und während so die Fischfrau das unentschlossene Herrchen anplierte, griff Quaken, gewissermaßen die Entschlossenheit höchstpersön-

lich, ohne zu riechen und zu klopfen, in den Kasten, schnappte sich die beiden Jonasse - womit gemeint sind die größten - und verschwand. Rannte natürlich den Markt entlang, schrie in einem fort »Platz da«, »Zur Seite«, »Aufgepaßt« - und da er unter wilden Schreien die schleimigen Schwänze der »Jonasse« mal hierhin wirbelte, mal dahin, wagte keiner, in seiner Nähe zu bleiben, man stob quasi auseinander.

Stob, ja, derweil das annehmbare Herrchen, immer noch bei der Fischfrau, sich bemüßigt fühlte, so zu sprechen: »Mir scheint, Madamchen«, sprach er, »als schulde Ihnen der letzte Käufer noch Geld. Ich werde jetzt, Ehrenwort, dem Burschen nachsetzen, kann sein, daß ich ihn gleich erwische, kann sein auch ein bißchen später. In jedem Fall, Madamchen, nur Mut, werde ich ihn einholen. Ich finde ihn wieder.« Die Fischfrau sagte darauf: »Schnell, Herrchen, schnell. Er hat die größten.« - »Das ist«, sagte Alec Puch, »um so besser«, und er wandte sich um und verfolgte die diebische Ortschaft Quaken.

So traf man sich also am Schleppkahn, verwahrte die Fische, träumte einen spärlichen Augenblick lang vom bevorstehenden Ostertisch - man sah ihn schon köstlich gebogen - und zog wieder los. Wieder: das war notwendig zur Erfüllung des zweiten Wunsches, wonach auf einem Ostertisch prangen, oder sollen wir sagen: blühen muß ein hinreichend kolossaler Schinken, frisch angeschnitten nach Möglichkeit.

Die - wenn es erlaubt ist zu sagen - Blume allen Fleisches war lange entdeckt, blühte gleichsam schwitzend in einem Rauchfang, nur ein bißchen hoch ohne Leiter, und war Eigentum eines finsteren Menschen namens Bondzio. Dieser Bondzio, je nun, er war höflich, hatte ein Einsehen, dieser finstere Einzelgänger, und verließ sein Haus, als der Schinken vonnöten war, um das Kunstwerk des Ostertisches zu vollenden.

Auf den Plan trat diesmal die Ortschaft Sybba, ein Jüngelchen von anmutiger Magerkeit, oder, wenn man will: ein Bindfaden mit Beinen. Die Leiter war zur Hand, sie stand schon an Bondzios Haus, und hoch auf dem Sims, in gnädiger Dunkelheit, turnte der Bindfaden herum, ging glatt durch den Rauchfang wie unsereins durch die Tür, lupfte die Schinkenblume vom Haken, pflückte sie auf seine Art und schleppte sie keuchend nach oben. Doch kaum war er oben, wer kam heranspaziert? Das Unglück selbst, noch dazu uniformiert. Das Unglück hieß Schneppat, lachte blöd und wichtig und war von Beruf Gendarm. Na, steckte seine gebrochene Nase auch prompt in diese Angelegenheit und begann ungefähr so: »Was geht hier, Alec Puch, vor sich?« Alec Puch - wer wird es ihm nicht nachfühlen - zitterte; zitterte so lange, bis er sich ausgezittert hatte, und dann sprach er folgendermaßen: »Es ist, hol's der Teufel, doch Ostern. Das Lamm, sauber, lieblich, kleine, gaaanz kleine Schneeflocke. Und weiß! Wir wollten, ach Gottchen, von wegen Ostern dem Bondzio einen Schinken bringen. Er hat abgeschlossen, du meine Güte, und nun, um uns zu helfen, wollten wir ihm eine Freude machen und den Schinken hineinwerfen in das Haus. Gerade durch den Kamin.«

»Das ist«, sagte Schneppat nach langer Gedankenarbeit, »verboten. Es könnte, Alec Puch, leicht sein, daß unter dem Kamin Zerbrechliches steht, Eier vielleicht oder so. Ihr solltet den Schinken, aber wirklich, wieder 'runterbringen, und es einmal, sagen wir, später versuchen.«

»Wir waren, Max Schneppat, noch nie aufsässig«, sagte Alec. »Das Gesetz geht uns, nun, es geht uns, wollen wir mal sagen: es geht uns einfach über alles.« Und damit flötete er dem Bindfaden auf dem Dachfirst, fing den Schinken auf, den Bindfaden hinterher; man wünschte sich friedlichen Ostertisch und empfahl sich.

Somit fehlten, wie man errechnet hat, auf dem Ostertisch nur noch ein paar Fläschchen, die zu

besorgen die Ortschaft Schissomir ausersehen war - aus folgendem Grund: dieses melancholische, stimmbrüchige Bürschchen hatte eine höchst seltene Begabung, die nämlich, zu jeder Zeit, wo immer es stand, ohnmächtig zu werden. Verkniff sich einfach nur ein Weilchen die Luft, lief grün an, das Bürschchen, zauberte sich eine tragische Blässe ins Gesicht und kippte mit verdrehten Augen um. So.

Und diesmal erlaubte es sich umzukippen vor der Kneipe eines Menschen namens Ludwig Karnickel, was zur Folge hatte, daß sich alsbald ein Menschenauflauf bildete. Ludwig Karnickel hüpfte aus seinem Kneipchen heraus, machte Männchen sozusagen, um das Unglück auch mitzubekommen, und stellte auf solche Art, und nicht zu knapp, die Fläschchen für den Ostertisch. Denn während er das Unglück begutachtete, begutachtete der schöne Alec nebst zwei Söhnen seine Regale: wonach der Ostertisch komplett war.

So saß man, mit friedlichen Aussichten, an Bord des Schleppkahns und dachte an das liebliche Lamm, als Alec Puch ein Gebrüll vernehmen ließ, wie es zu Anfang beschrieben wurde. Die Brut flog aufs Achterschiff, bildete eine zitternde Reihe, während Alec, den schönen Kopf gesenkt, herausstürzte und rief:

»Es ist«, rief er, »alles Dreck. Der ganze Ostertisch, sag' ich euch, Schmutz. Denn wir haben vergessen das Wichtigste. Und was wird, bitte schön, das Wichtigste sein? Die Gäste natürlich! Wir haben vergessen die Gäste. Wo wollt ihr, könnt ihr das sagen, zu dieser Stunde Gäste besorgen? Stehlen?« - »Es ist«, sagte die Ortschaft Quaken, »nie zu spät für alles, was sein soll. - Hab' ich richtig gesprochen?«

»Richtig«, bestätigten seine Brüder und nickten.

Dann verließ man in eiligem Schwarm das Schiffchen, schwärmte hierhin und dorthin - Fragen, Bedauern, Kopfschütteln, mit einem Wort: es war ein Kreuz mit den Gästen, denn wie zu erwarten stand, hatten sich schon fast alle verpflichtet. Nur drei - niemand wird sich unterstehen, dies Osterwunder anzuzweifeln - drei Gäste, mithin, waren noch frei. Es handelte sich: um die Fischfrau, um den finsteren Menschen Bondzio und den bereits

bekannten Ludwig Karnickel. Man bat sie - sie kamen.
Kamen schon am frühen Morgen zum Flüßchen herab, wo der Schleppkahn vertäut lag, inspizierten die Umgebung, man wechselte Höflichkeiten, und schließlich wurde der Ostertisch gedeckt. Und dann wurde gegessen und getrunken bis in den späten Abend, man plauderte angenehm über das liebliche Lamm, vertrieb sich die Zeit mit Komplimenten und versicherte sich gegenseitiger Sympathie.

Bis - ja, bis der Schinken einmal so lag, daß Bondzio die Kerbe erkennen konnte, die er hineingeschnitten hatte. Da begann der Spektakel, an dem sich, wie es bei solchen Geschichten üblich ist, bald auch die Fischfrau beteiligte, die ihre glotzäugigen Jonasse wiedererkannt hatte, und natürlich auch Ludwig Karnickel. Man rannte über die Wiesen, verfolgte einander, schwang Knüppel und drohte, bis unversehens Alec Puch einen Schrei ausstieß, einen Schrei, welcher folgendes wiedergab: »Das Lamm!«

Und wirklich, was kam da am Flüßchen entlangspaziert? Ein Lamm, klein und weiß wie eine Schneeflocke. Die Gesellschaft stürzte hinzu, vergessen waren Streit und Drohung, man rupfte zarteste Blättchen für das Tier, streichelte es, na, man brachte sich fast um.

»Es ist«, sagte der schöne Alec, »das reine Wunder. Ehrenwort.«

Die Gäste sahen sich gezwungen, ihm beizupflichten, man schüttelte sich die Hände, umarmte einander, die Luft war erfüllt von Flötenton und Jubelklang, und als man auseinanderging, sprach der finstere Mensch Bondzio: »Es war«, sprach er, »Gevatterchen, insgesamt ein ansprechender Ostertisch. Vor allem, unter uns gesagt, weil jeder auf seinen persönlichen Geschmack angesprochen wurde. Das ist, wie man zugeben wird, nicht leicht.«

DIE FÜNFTE
DER MASURISCHEN GESCHICHTEN

Das Bad in Wszscinsk

Das Erlebnis, das sonderbare, hatten meine Verwandten an einem friedlichen Marktflecken unterhalb des Narew, Wszscinsk geheißen, was bei uns manche Zunge brechen könnte, im Polnischen aber ungemein melodiös klingt. Hierher, nach Wszscinsk am Flusse Narew, kam kurz nach Pfingsten eine kleine masurische Reisegesellschaft; sie hatte den Weg von der Grenze fast ohne Unterbrechung zurückgelegt, fuhr nach Feierabend in das schweigsame Dörfchen ein und hielt vor dem Gasthaus »Tchicha Woda«, was sowohl zum stillen als auch zum tiefen Wasser heißen kann. Still oder tief - als die Kutsche hielt, sprangen sofort meine beiden Vettern Urmoneit heraus; es waren gutgewachsene, barfüßige Herren, beide waren knapp über die Vierzig, rochen angenehm, trugen einen neuen Haarschnitt und in der Hand einen Kadick-Stock. Sie eilten, jeder von einer Seite, an den Bock heran und bemühten sich mit untertäniger Eile, ihrem Kutscher herabzuhelfen.

Auf dem Kutschbock saß, schwer und alt, den kurzen rundlichen Körper in ein schwarzes Dreieckstuch eingeschlagen, Tante Arafa; sie hatte ein großes nickendes Gesicht, fleischige Kapitänshände und sanft gebogene Schultern. Während die Vettern versuchten, Tante Arafa herabzuziehen,

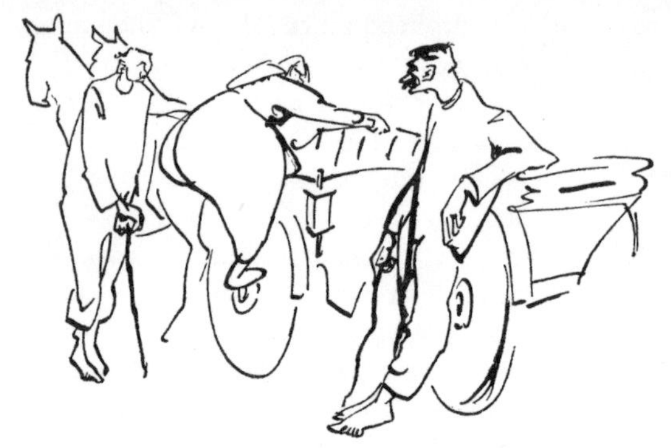

knallte sie einmal unwillig mit der Peitsche, warf die Lippen auf und sagte mit der Stimme eines defekten Blasebalgs: »Wir sind, Hosiannah, angekommen. Jetzt werde ich ein Bad nehmen, und hinterher werden wir essen, und wenn wir gegessen haben, kann's losgehen.«

Sie kletterte ohne den Beistand der Vettern vom Kutschbock herab, band die Zügel fest und ging auf den alten, niedrigen Gasthof zu, dessen Mauern schon schief und von der Zeit geschwärzt waren. Die Vettern folgten ihr demütig.

Tante Arafa also, wie gesagt, ging auf das schiefe Gasthaus zu, stieß die Tür auf und rief nach dem Besitzer. Der erschien alsbald, ein scheuer, kleiner Mensch mit wimpernlosen Lidern, er verbeugte sich linkisch, musterte Tante Arafa mit einigem Erschrecken und fragte nach ihren Wünschen.

»Sozusagen ein Bad«, sagte sie, »und nach dem Baden wollen ich und meine Neffen essen. Wir wa-

ren«, fügte sie drohend hinzu, »lange genug unterwegs.«
»Es wird«, sagte der Besitzer des Gasthauses, »alles geregelt werden zu Ihrer Zufriedenheit. Was zunächst das Bad betrifft, so bitte ich, mir zu folgen.«
Er ging voran durch die rauchgeschwärzte Wirtsstube, durchquerte mit Tante Arafa und den Vettern im Schlepptau den Stall und blieb in einem zugigen Schuppen stehen. Dieser Schuppen, so schien es, war das Badehaus, denn auf gestampftem Lehmboden, in der Nähe eines Feuerchens, stand eine riesige braune Holzbalje, mehr als zur Hälfte mit heißem Wasser gefüllt, und über dem Feuerchen, an einem Eisenhaken, baumelte ein großer Wasserkessel, der gerade von einer Magd mit sanften, dunklen Augen nachgefüllt wurde.
Die einzige Holzbalje war jedoch nicht leer, in ihr saß, badend, ein Greis; er grinste freundlich und blöd, als die Gesellschaft eintrat, plantschte albern und lachte, wobei sein letzter Zahn, Einsiedler seines Mundes, zu sehen war. Tante Arafa sah den badenden Alten mißtrauisch an und sagte: »Mir scheint es, Cholera, als sei das Bad noch besetzt.« - »Das ist«, sagte der wimpernlose Wirt, »kein Grund zur Besorgnis. Stanislaus Skrrbik, ein Bruder meiner Frau, sitzt den ganzen Tag hier im Wasser. Er ist, das sehen Sie, alt, und außerdem hat er Fieber. Er wird, Sie dürfen ganz sicher sein, keinen Anstoß nehmen, wenn Sie ins Bad steigen, in vielen anderen Fällen hat er auch keinen Anstoß genommen.«
»Das mag«, sagte Tante Arafa düster, »wohl sein.

Aber vielleicht nehme ich Anstoß, und das würde der Sache ein anderes Licht geben. Wir sind anderes gewohnt. Also gehen Sie und sagen Sie Stanislaus Skrrbik, daß er das Bad freigibt für andere Menschen. Wenn er den ganzen Tag hier sitzt, läßt es sich doch wohl machen, daß er für eine halbe Stunde im Trockenen steht. Wie denkt ihr darüber, Bogdan und Franz?«

»Du hast, Tantchen, nicht unrecht«, sagten die Vettern. Der Wirt wiegte bedenklich den Kopf, sein Blick hing versonnen an dem plantschenden Greis, der mit hohler Hand Wasser schöpfte, es zum Rand der Balje emporführte und auf seinen kahlen Schädel goß, alles von einem dünnen, mekkernden Lachen begleitet und von kleinen, irren Schreien des Entzückens.

»Nein«, sagte der Wirt, »der Wunsch, Stanislaus Skrrbik zum freiwilligen Verlassen des Bades zu bewegen, selbst für eine bemessene Zeit, wird nicht zu erfüllen sein. Dazu hängt er zu sehr an der Balje. Er würde, wie ich ihn kenne, so tun, als verstünde er unsere Aufforderung nicht.«

»Mit anderen Worten«, sagte Tante Arafa, »mir wird das Recht auf ein Bad streitig gemacht.«

»Niemand hat davon gesprochen«, sagte der Wirt.

»Gesprochen«, entrüstete sich Tante Arafa, »hat auch niemand davon, aber zu verstehen gegeben wird es mir in einem fort. Oder wollen Sie sich, bitte sehr, erklären, wie ich unter diesem Dach zu meinem Recht komme?«

»Es ist«, versicherte der Wirt, »nicht allzu viel nötig, damit Sie zu einem Bad kommen, vorausgesetzt, daß mir einer der Herren, die sich in Ihrer Begleitung befinden, für einen Augenblick zur Hand ginge.«

»Bogdan«, rief Tante Arafa sofort, und der Gerufene trat aus dem Hintergrund des Schuppens, legte den Kadick-Stock auf den Lehmboden und hielt sich bereit. »Bogdan, du wirst diesem Menschen helfen.« Bogdan nickte, der Wirt winkte ihm, und dann traten beide auf den badenden Greis zu, der in lächerlicher Weise gegen sie spritzte.

»Wir werden ihn«, sagte der Wirt, »da alles andere zwecklos ist, auf den Hof gießen. Die Luft ist warm heute abend, und so dürfte er keinen Schaden nehmen. Zur Sicherheit werde ich, auf jeden Fall, eine Pferdedecke über ihn werfen. Also - angefaßt!«

Sie trugen die Holzbalje mit dem badenden Alten auf den Hof hinaus, trugen ihn, während er fröhlich winkte, zu einem Abflußgraben, und auf ein schnelles Kommando kippten sie die Balje um, woraufhin die sich ganz und gar entleerte.

»Kommen Sie«, sagte der Wirt zu Bogdan, »für alles andere werde ich schon sorgen«, und er zerrte seinen ausgeliehenen Gehilfen über den Hof zurück in den Schuppen, wo er, mit triumphierendem Gesicht, die Holzbalje vor Tante Arafa niedersetzte.

»Es wird, Sie können sicher sein, nun nicht mehr lange dauern. Jadwiga Trczk, meine Magd, wird alles besorgen zu Ihrer Zufriedenheit.« Nach solchen Worten deutete er auf die sanften, dunklen Augen, und diese lächelten zustimmend.

Während er selbst hinausging, füllte Jadwiga Trczk neues Wasser in die Balje, die Vettern verließen den Schuppen, und Tante Arafa stieg ins Bad.

»Nun«, sagte der wimpernlose Wirt zu Bogdan, der ihm zur Hand gegangen war, »ist alles geregelt zu jedermanns Zufriedenheit. Die vornehme Dame hat ihr Bad allein, wie sie's gewohnt ist. Aber Ihnen, mein Herr, muß ich danken für die kundige Hilfe. Sie verstehen sich wohl darauf, eine Balje mit einem lästigen Menschen umzukippen.« - »Das macht«, sagte Bogdan geschmeichelt, »nichts als Übung. Ehrenwort.«

DIE SECHSTE
DER MASURISCHEN GESCHICHTEN

Ein angenehmes Begräbnis

Es starb, auf einer kleinen Reise im Polnischen - es war genau an dem trauten Marktflecken Wszscinsk am Flusse Narew -, mein Tantchen Arafa. War ein schwerer, fülliger Mensch, mein Tantchen, hatte mächtige Schultern und rötliche Kapitänshände, und außerdem war sie ungemein kräftig und gewohnt zu befehlen. Sie hatte während der ganzen Reise noch keine Anzeichen davon gegeben, daß sie zu sterben beabsichtige - im Gegenteil: sie machte, dann und wann, ein paar grollende Scherze, aß ständig mehr als meine beiden Vettern Urmoneit, die sie begleiteten, zusammen und versetzte beinahe jeden Wirt, mit dem sie verhandelte, in flatternden Aufruhr.

Das Tantchen: es starb mit einem Fluch auf den Lippen, lag gerade hinten in der Kutsche, als es geschah, während die Vettern, scheu und ahnungslos, vorn auf dem Bock saßen. Sie wunderten sich nicht einmal, daß es still wurde hinter ihrem Rükken, daß keine grollenden Scherze mehr erfolgten, keine Befehle - wußten rein nichts von dem Unglück, die beiden. Na, aber dann mußten sie ja mal anhalten, weil die Pferde Wasser brauchten, und als sie dem Tantchen herabhelfen wollten, damit es sich die Beine vertreten könnte, schlenkerten ihnen die rötlichen Kapitänshände entgegen, schlapp, ganz schlapp, und zudem war Tantchens Gesicht dermaßen friedlich, daß die Vettern, wie es jedem anderen auch ergangen wäre, mißtrauisch zu werden begannen.

Sie gingen daran, sich zunächst nach allen Regeln der Kunst zu versichern: beklopften das Tantchen, lauschten in es hinein, hielten ihm ein weiches Kükenfederchen unter die Nase, murmelten Sprüche, massierten es - aber das Tantchen tat, was Tote so zu tun pflegen: es interessierte sich einfach für nichts. Worauf denn Bogdan, einer der Vettern, so sprach: »Ich rieche«, sprach er, »Lunte. Wir sind, wie man sich erinnert, abgefahren mit einem Tantchen, das Ton und Laut gab. Dies Tantchen, bitte sehr, gibt keinen Ton mehr. Es ist sozusagen verschieden.« - »Verschieden«, sagte der andere, »ist das Tantchen schon. Aber in der Kutsche, mein Gottchen, sitzt es noch immer. Und es ist, wie die Dinge stehen, zu fürchten, daß unser Tantchen von allein die Kutsche nicht wird verlassen.«

»Wir werden es«, sprach Bogdan, »melden. Vielleicht bei der Polizei?«

»Nein«, rief der andere schnell und hob, in erschreckter Abwehr gegen diesen Gedanken, die Hände. »Wenn wir es melden: man wird untersuchen das Tantchen, man wird auch uns untersuchen, sogar verdächtigen, und wie die Gesetze betreffs einer Leiche in Polen liegen, kann es Winter werden, bis wir mit dem Tantchen nach Hause kommen.«

»Dem Tantchen, mein' ich«, sprach Bogdan, »wär' das doch egal.« - »Aber uns nicht«, sagte der andere

Urmoneit. »Schau doch, ich bitt dich, das Tantchen mal an. Sieht es nicht aus wie im Schlummer? Also werden wir losfahren, und wenn einer sich untersteht zu fragen, werden wir um Ruhe bitten für eine schlummernde Dame.«

So tränkten meine Vettern Urmoneit die Pferde und rollten gemächlich zur Grenze. Richteten es natürlich so ein, daß sie nachts vor dem Schlagbaum hielten, und da geschah folgendes: Bogdan, in leichtfüßigem Entschluß, sprang nach hinten zum Tantchen, umsteckte es mit Kissen, plusterte alles ordentlich auf, und als er fertig war, kam auch schon der Posten heraus. War ein schmächtiger, lederhäutiger Mensch, dieser Posten, beäugte die Vettern, beäugte die Kutsche und die Pferde, schnüffelte vor Langeweile alles durch. Na, und

dann sah er das Tantchen, kletterte gleich zu ihr 'rauf und sagte so: »Wer ist«, sagte er, »bitte schön, dies tote Madamchen?« Worauf die Vettern, in diskretem Chor, antworteten: »Es ist Arafa Gutz, unser Tantchen ersten Grades.«

»Erster Grad, zweiter Grad«, sagte der Posten, »aber warum, hol's der Teufel, gibt sie keinen Ton?«

»Weil sie, Ehrenwort, schlummert. Und vielleicht dürfen wir, Pan Kapitän, um Ruhe bitten für eine schlummernde Dame.«

»Gut«, sagte der Posten, »alles genehmigt, aber wer garantiert mir, daß euer Tantchen ersten Grades nicht beispielsweise verschieden ist?«

»Wenn sie«, sagten die Vettern, »verschieden wäre, könnte sie nicht schlummern, und unser Tantchen schlummert.« Der Posten überlegte, und da ihm die Logik zusagte, ließ er die Kutsche passieren.

Und die Vettern Urmoneit fuhren die ganze Nacht und kamen am Morgen in ein Dörfchen, welches Kulkaken hieß. Sie waren, wie man ihnen nachfühlen wird, ungewöhnlich hungrig - hatten ja lange genug gedarbt, die Vetterchen -, und darum stellten sie die Kutsche mit dem Tantchen vor einem Wirtshaus ab und gingen ins Haus, um sich zu stärken für den Rest des Weges. Hieben also ungeheuer drauf los, aßen Speck, Eier, Rauchfleisch, Kohlsuppe, Honig, Zwiebelkuchen und eingemachte Birnen, und außerdem tranken sie eine riesige Kanne Kaffee. Aßen beiläufig den halben Vormittag, die beiden, und als sie hinausgingen - ja, was mag da wohl passiert sein, als sie hinausgingen: die Pferde waren weg. Und mit den Pferden war die Kutsche weg, und mit der Kutsche das Tantchen.

Na, die Vettern sprangen, sagen wir mal: wie wilde Handfeger ums Haus, suchten und wedelten, schimpften und riefen, aber was nicht wiederkam: es war die Kutsche mit der Tante.
Nachdem sie sich müde und hungrig gesucht hatten, gingen sie abermals ins Haus und aßen, und nach dem Essen lächelte Bogdan auch schon wieder, lächelte eine ganze Weile, und dann sagte er so: »Wir haben«, sagte er, »Trost bei allem. Stell dir nur, Brüderchen, vor den Dieb unserer Kutsche. Nimm etwa seinen Schrecken: muß der nicht groß gewesen sein? Oder nimm seine Hand: muß die nicht schlimm gezittert haben, als er das tote Tantchen entdeckte?«
So trösteten sie einander, lachten über den Dieb und brachen, wie man es sich denken wird, erst ziemlich spät auf nach Suleyken. Sie schritten über die Wiesen, um den Weg abzukürzen, erstiegen den Damm der Kleinbahn und wurden bald ansichtig der Lichter Suleykens. Wurden aber auch einiger Menschen ansichtig, die beiden, und trauten sich nicht zu hören, was ihnen diese Menschen erzählten. Sie erzählten nämlich, daß nachmittags, so zur Kaffeezeit, Tante Arafa zurückgekommen sei, hinten in der Kutsche habe sie gelegen und geschlummert. Und als ob sie verschieden sei, so habe sie ausgesehen.
Die Urmoneits, schlau wie sie waren, begriffen augenblicklich, daß es den Pferden in Kulkaken zu langweilig geworden war. Hatten einfach keine Lust mehr zu warten, und waren allein losgezogen. »Du wirst«, sprach Bogdan, »sehen: die

Pferde werden sein im Stall.« Und sie eilten, angerührt von zehrender Sorge, nach Hause.

Kaum waren sie auf dem Hof, wer lief ihnen über den Weg? Glumskopp, ein alter, zahnloser Knecht. Er lachte, dieser Mensch, von einem Ohr zum andern, rieb sich die Hände und ließ sich, in seiner mümmelnden Art, so vernehmen: »Ein Fest, hehehe, wir werden zu feiern haben ein Fest. Und es wird zu essen geben Heringe in Schmand.«

»Wer hat«, sagte Bogdan, »anberaumt dieses Fest?«

»Das Fest«, mümmelte Glumskopp, »hat anberaumt das liebe Gottchen, hehehe. Er hat sterben lassen die Alte, und er wird, wie ich ihn kenne, sorgen für ein angenehmes Begräbnis.«

Die Vettern schoben ihn höflich zur Seite und betraten das von Trauer heimgesuchte Haus. Es roch nach Braten und Gebackenem und Geräuchertem und wer weiß nicht was allem. Aber die Urmoneits überwanden sich und gingen selbander in die Stube. Gingen hinein und wurden, als besonders Leidtragende, gleich umringt von zahlreicher Trauergesellschaft, Hände streckten sich ihnen entgegen, Lippen beugten sich herab; man sprach vom Tantchen als einer zarten, lieblichen Nelke, man flüsterte leise und weinte geläufig, gab sich Trost, soviel man nötig hatte, und nahm an einem langen Tisch Platz.

Die Vettern bemerkten, daß unter dem Fenster, noch von Tüchern verdeckt, die Instrumente einer Blaskapelle lagen: es war alles bereit. Gut. Aber erst einmal erhob sich Bogdan Urmoneit und sprach folgendermaßen: »Wir sollten«, sprach er, »ein ganz kleines Weilchen an den denken, der verschieden ist: unser Tantchen Arafa ... noch etwas länger, wenn ich bitten darf ... noch etwas ... so, jetzt ist gut. Und nun frage ich: wo ist unser Tantchen?«

»Verschieden«, rief jemand von der Kapelle.

»Nein«, sagte Bogdan ernsthaft, »ich meine, wo ist ihr Leib?« - »Ihr Leib«, sprach ein einäugiger Förster, »ist nicht mehr zu besichtigen. Was sterblich ist an ihr: wir haben es gelegt in einen entsprechenden Sarg. Und den Sarg, damit mehr Platz ist im Haus, haben wir hochkant gestellt, gegen den Ofen. Da steht der Leib bequem.«

Bogdan nickte. Aber er nickte abwesend, denn er hatte unter den trauernden Gästen jemand bemerkt, der sein Herz irgendwie - sagen wir mal: hold - berührte. Blühte mächtig drauflos, Bogdans Herz, begann sogar zu ranken, na, es rankte sich hold herum um die Gestalt einer gewissen Luise Luschinski, einer blassen, kleinen Person mit verweintem Vogelgesicht.

Bogdan vergaß, was um ihn vorging. Er lächelte der Luise Luschinski mit einer so ungeheuren Innigkeit zu, daß die ganze Gesellschaft es verfolgte. Die Musiker natürlich, immer hungrig dieses Volk, faßten das gleich wieder falsch auf, holten sachte ihre Instrumente hervor und begannen, einen langsamen Walzer zu spielen. Die Klänge jedoch, sie bewirkten, daß Bogdan zu lächeln aufhörte und sich, ruckartig, mit Trauer versah. Aber zu spät, zu spät: alles hatte schon seinen Anfang genommen.

Das Glück, es näherte sich ihm auf den kleinen Füßen der Luise Luschinski. Als ob die Musik sie herangeweht hätte, die kleine blasse Person, stand sie plötzlich vor ihm und sprach: »Dieser Walzer, Bogdan Urmoneit, er gehört dir.«
Worauf Bogdan sich unschlüssig umsah und, als er die zustimmenden, ja auffordernden Blicke der Trauergesellschaft bemerkte, antwortete: »Genehmigt. Aber wenn ich bitten darf, nur ganz langsam.«
Schwebten also los die beiden, und, wie man es erwartet hat, folgten ihnen bald andere Paare. Die Musik wurde lauter, hier und da ließ sich schon Lachen vernehmen, unter anderem das mümmelnde Lachen von Glumskopp - mit einem Wort: die Gesellschaft verschaffte sich Durst. Und Hunger, versteht sich. Durstete und hungerte so lange, bis der einäugige Förster aus der Küche zurückkam und rief: »Hosianna«, rief er, »der Hirsch ist tot.«
So, und dann wurde gegessen. Was gegessen wurde? Ich brauch' nur zu erzählen von mir: obzwar jung und unmündig, verzehrte ich acht Spiegeleier mit fettem Speck, fünf Klopse, etwas vom Hasen, einen Entenhals, einen Teller Blutsauer mit Gekröse vom Huhn, einen Teller Fleck, ein halbes Schweineohr und einige Bratäpfel. Dazu aß ich gebackene Zwiebeln, einen gerösteten Fisch und am späten Abend ein paar Flußkrebse, die der alte Glumskopp gefangen hatte. Ich war, wie gesagt, jung und unmündig.
Zuerst also wurde gegessen, und nachdem man

gegessen hatte, wurde getrunken, und der Trunk, wie er's so in sich hat, rief ein Ereignis hervor, das nicht anders genannt zu werden verdient als - aber zuerst das Ereignis. Edmund Vortz, ein Schneider, behauptete, nachdem er getrunken hatte, allen Ernstes, daß Hindenburg in seinen Augen nicht gebildeter gewesen sei als ein Suleyker Huhn. Darauf erhob sich ein kolossaler Lärm. Der einäugige Jäger sprang auf und schlug den Schneider dermaßen vor die Brust, daß der Beleidiger unter den Tisch flog und eine Weile, ohne ein Zeichen von Leben, liegen blieb. Schon wollte man ihn vergessen, da krähte er schon wieder, daß er selbst, Edmund Vortz, die Schlacht von Tannenberg noch besser gewonnen hätte - was wieder den einäugigen Förster auf den Plan rief. Er schlug den Schneider abermals nieder, wurde, nachdem die Ohnmacht vorbei war, wieder herausgefordert - es war nicht mehr viel übrig von dem Schneider, und es wäre noch weniger übriggeblieben, wenn nicht Bogdan dem Streit ein Ende gemacht hätte. Er sagte nur: »Tante Arafa«, und augenblicklich legte sich ein sinnender Friede über die Gesellschaft. Aber das Ereignis, es verdient nicht anders genannt zu werden als: ernst.

Was das Begräbnis betrifft: es hat, zwischendurch, auch mal stattgefunden. Tante Arafa erhielt ein schönes Grab, gleich neben einer masurischen Kiefer. Die Gesellschaft lobte das Plätzchen, sprach rührende Worte zum Tantchen hinunter und ging wieder nach Hause, wo das Fest einen erquicklichen Fortgang nahm. Drei Tage war man zusammen, und zum Schluß schenkte Bogdan jedem etwas von den Speisen, die übriggeblieben waren, und dazu ein ganzes Stück Seife. Und alle, die gekommen waren, sahen über den Streit hinweg und versicherten ungefähr wörtlich: es war, insgesamt, ein angenehmes Begräbnis.

DIE SIEBENTE
DER MASURISCHEN GESCHICHTEN

Schissomirs großer Tag

Sie waren beide barfuß, und der eine führte eine Ziege am Strick und der andere ein Kälbchen; so traf man sich an der Kreuzung, und während Ziege und Kalb erstaunt Notiz voneinander nahmen, begrüßten sich die barfüßigen Herren, boten einander Schnupftabak an und kamen, ohne viel Worte, überein, diesen Tag einen guten Markttag zu nennen, denn der Himmel dehnte die blaue Brust, die Heuschrecken zirpten, wie es ihnen zukam, und in der Luft lag ein ahnungsvolles Flimmern. Nachdem also, wie gesagt, der Tag für gut befunden war, besprenkelte man gemeinsam das Chausseegras, nahm noch ein Prieschen, und dann rief Herr Plew seine Ziege und Herr Jegelka sein Kalb, und beide wanden sich den Strick um den Hals und schritten, die Tiere im Rücken, forsch aus, denn Schissomir, der freundliche Marktflecken, lag sechs Meilen entfernt und wollte erreicht sein. Sechs Meilen, das weiß man, sind, mit Ziege und Kälbchen im Schlepptau, nicht unbedingt eine Promenade, und so gerieten die Herren, was ihnen keiner verdenken wird, ins Fluchen; sie fluchten nach Temperament, d. h. Herr Jegelka mehr als sein Nachbar, denn das Kälbchen, im Begriff die Welt zu entdecken, erwies sich als ausnehmend störrisch, wollte hierhin und dahin, äugte plötzlich versonnen auf glitzernde Tümpel oder auf seinen Gefährten, die Ziege. Diese war alt und wesentlich williger.

»Es ist«, sagte Jegelka, »kein einfacher Weg. Mit so einem Kälbchen an der Schnur hätte Napoleon, weiß Gott, nicht so schnell Rußland verlassen können.«

»Vermutlich«, sagte darauf Plew, »hätte Napoleon es anders gemacht. Er hätte, wie ich ihn kenne, Befehl gegeben, das störrische Kalb zu tragen.«

»Ja der«, sagte Jegelka mit Nachsicht, »der machte sich alles zu einfach.«

So gingen sie weiter, warfen Napoleon noch dies vor und jenes, aber schließlich kamen sie auf Preise zu sprechen, und Jegelka, dem der zerrende Strick die Hand schon gerötet hatte, erklärte: »Dieser Weg zum Markt, ich meine den Weg mit dem Kälbchen, ist schon so viel Geld wert wie das Kälbchen an sich. Darum werde ich es nicht unter dem üblichen Höchstpreis verkaufen. Ich lasse nicht mit mir handeln, ich gehe keinen Groschen vom Preis ab.«

»Das kann ich verstehen«, sagte Plew, »aber bei meiner Ziege ist es anders. Die ist schon alt, ziemlich ausgemolken und gerade ihr Fleisch wert. Ich bin froh, wenn jemand drauf 'reinfällt. Dir kann ich's ja sagen, wir sind ja aus einem Dorf.«

»Mir kannst du es sagen«, sagte Jegelka, »na, wir wollen mal sehen.«

Noch vor Mittag sahen sie Schissomir, den freundlichen Marktflecken, und die Luft war erfüllt von allem, was Ton und Geruch gab, die Leute waren

lustig und lebhaft, knallten mit Peitschen, lachten, hatten Stroh an den Stiefeln, aßen fetten Speck, schauten Pferden ins Maul und kniffen Ferkel in den Rücken, worauf ein wildes Quietschen anhob; dicke Frauen wurden am Rock gezogen, Kinder plärrten, Bullen brummten, eine Gans war unter eine Herde von Schafen geraten, was bewirkte, daß einige Schafe unter die Kühe kamen und einige Kühe sich losrissen und durch die staubige Gasse der Buden sausten, und als ein riesiger Mann die Gans einfing, schrie und flatterte sie so laut unter seinen Händen, daß er vor Angst fester zupackte, und dabei starb die Gans, was wieder die zungenfertige Eigentümerin auf den Plan rief - kurz gesagt, Schissomir, der freundliche Marktflecken, hatte einen seiner großen Tage.
Plew mit der Ziege und Jegelka mit dem Kälbchen waren alsbald von einigen Kauflustigen umlagert, man stritt und lachte, klopfte der Ziege das Euter ab und schaute dem Kälbchen in die Augenwinkel und Ohren, und plötzlich zog ein Mann, ein kurzer stämmiger Viehhändler, einen Briefumschlag heraus, zählte Geld ab, gab das Geld Plew, band sich, ohne Eile, den Strick um das Handgelenk und führte die Ziege davon. Plew zählte fröhlich das Geld nach, ging dann zu seinem Dorfnachbarn Jegelka hinüber und sagte: »Hosiannah! Die Ziege ist verkauft! Wenn du dich beeilst, können wir, bevor wir nach Hause gehen, uns noch einen genehmigen.« - »Ich könnte«, sagte Jegelka, »das Kälbchen längst los sein. Aber der Weg war mühselig, und ich denke nicht daran, mit mir handeln

zu lassen. Du brauchst, Nachbar Plew, nicht so mit deinem Kleingeld in der Tasche zu klimpern. Es macht keinen Eindruck auf mich. Von mir aus, wenn du willst, kannst du dir einen genehmigen. Ich warte hier, bis jemand den Preis bezahlt, den das Kälbchen und der Weg wert sind. Wenn sich niemand findet, nehme ich das Kälbchen wieder nach Hause.«

»Gut«, sagte Plew, »so werde ich also, etwas später, hierher kommen, denn der Weg, Nachbar Jegelka, ist weit, und zu zweit läuft es sich angenehmer.«

Plew ging, sich einen zu genehmigen, und dann schlenderte er durch die staubige Gasse der Buden, staunte, worüber zu staunen ihm wert schien, wechselte Grüße, säuberte, wenn ihn das Schicksal zu nah an den Kühen vorbeigeführt hatte, gewissenhaft seine Fußsohlen und erholte sich auf seine Weise. Als er zu Jegelka zurückkam, war der Viehmarkt vorbei, das Kälbchen aber immer noch nicht verkauft. »Du scheinst«, sagte Plew, »vom Unglück verfolgt zu sein.«

»Es ist nicht das Unglück«, sagte Jegelka, »ich will nur das Kälbchen nicht unter Preis verkaufen. Jetzt ist der Markt vorbei. Nun muß ich es wieder nach Hause nehmen. Von mir aus können wir gehen.«

Sie machten sich auf den gemeinsamen Heimweg; der eine zog sein Kälbchen, der andere, der ein Stückchen vorausging, klimperte fröhlich mit seinem Geld in der Tasche und konnte sich nicht genugtun zu erwähnen, wie glücklich er über den

Verkauf der Ziege sei, zumal sie, bei Licht betrachtet, nur den Wert ihres Fleisches gehabt habe. Das tat Plew mit so viel Ausdauer, daß Jegelka sich darüber zu ärgern begann; denn er spürte wohl, worauf es sein Nachbar abgesehen hatte, und darum verhielt er sich still und dachte nach.

Plötzlich aber blieb Jegelka stehen mit dem Kälbchen, rief Plew zurück und deutete auf die Erde. Auf der Erde saß, grün und blinzelnd, ein Frosch, ein schönes, glänzendes Tierchen.

»Da«, sagte Jegelka, »sieh dir diesen Frosch an, Nachbar Plew. Siehst du ihn?«

»Nun«, sagte Plew, »ich sehe wohl.«

»Gut«, sagte Jegelka, »dann will ich dir einen Vorschlag machen, einen Vorschlag, den anzunehmen du dich sofort bereit finden wirst. Du hast, Nachbar Plew, deine Ziege glücklich verkauft. Du hast Geld. Du kannst, wenn du willst, nicht nur das Geld vom Markt heimbringen, sondern auch noch mein Kälbchen. Dazu mußt du allerdings diesen Frosch essen.«

»Aufessen?« vergewisserte sich Plew.

»Aufessen!« sagte Jegelka mit Bestimmtheit. »Wenn der Frosch in deinem Hals verschwunden ist, kannst du mein Kälbchen an den Strick nehmen.«

»Das ist«, sagte Plew, »in der Tat ein hochherziger Vorschlag, und von mir aus ist er angenommen. Ich esse den Frosch, und du gibst mir, Nachbar Jegelka, dein Kälbchen.«

Plew, nachdem er so gesprochen hatte, bückte sich, schnappte den Frosch und biß ihn mit geschlosse-

nen Augen durch, während Jegelka ihm mit seltsamer Genugtuung zusah.
»Nur zu, Nachbar«, sagte er, »die erste Hälfte, das habe ich gesehen, ist in deinem Hals verschwunden. Jetzt die Schenkel.«
»Ich bitte«, sagte Plew verstört und mit verdrehten Augen, »mir ein wenig Aufschub zu gewähren. Das ist, weil der Magen Zeit finden soll, sich an den fremden Stoff zu gewöhnen. Können wir nicht, Gevatterchen, ein Stückchen laufen? Ich werde dann, zu gegebener Zeit, die andere Hälfte essen.«
»Gut«, sagte Jegelka, »damit bin ich einverstanden.« Und sie liefen stumm nebeneinander, und je weiter sie liefen, desto übler wurde es Nachbar Plew und desto größer wurde auch seine Gewißheit, daß er die zweite Hälfte des Frosches nie über die Lippen bringen würde, und er überlegte verzweifelt, wie er aus dieser Lage herauskommen könnte. Dabei gab er sich aber den Anschein des Mutes und der Zuversicht, so daß Jegelka, der sein Kälbchen nur mehr zur Hälfte besaß, schon zu bangen anfing.
Schließlich blieb Plew unvermutet stehen, hielt dem Nachbarn den halben Frosch hin und sagte: »Nun, Nachbar, wie ist's? Wir wollen uns nicht um Hab und Gut bringen, zumal wir aus demselben Dorf stammen. Wenn du den Rest des Frosches ißt, verzichte ich auf meinen Anspruch, und du darfst dein Kälbchen behalten.«
»Das«, sagte Jegelka glücklich, »ist echte Nachbarschaft.« Und er aß unter Halszucken und Magen-

stößen die zweite Hälfte des Frosches, und das Kälbchen hinter seinem Rücken gehörte nun wieder ganz zu ihm. »So bringe ich doch noch«, sagte er mit verzerrtem Gesicht, »etwas vom Markt nach Hause.«

Sie zogen nachdenklich ins Dorf, und als sie sich am Kreuzweg trennten, sagte Jegelka: »Es war, Nachbar, ein guter Markttag. Nur, weißt du, warum wir eigentlich den Frosch gegessen haben?«

DIE ACHTE DER MASURISCHEN GESCHICHTEN

Duell in kurzem Schafspelz

Stanislaw Griegull, mein Onkelchen, ein ernsthafter Mensch mit langen dünnen Beinen, wurde heimgesucht von einem Unglück ganz besonderer Art. Dies Unglück, um zu geben einen Eindruck von seiner Bedeutung, bestand darin, daß Stanislaw Griegull Geld bekommen sollte - eine Aussicht, die ihn zutiefst bekümmerte, oder, sagen wir mal, fislig machte. Er konnte nicht mehr, wie es seine Gewohnheit war, den Tag verdruseln, er nahm nichts Geräuchertes mehr zu sich, unterhielt sich wenig, grüßte nicht mehr so ausgiebig - mit einem Wort, der bevorstehende Reichtum, wie er's wohl zu tun pflegt, hatte ihn vorzeitig benommen gemacht. Ganz Suleyken, um nicht zu sagen: der ganze Kreis Oletzko, nahm grübelnden Anteil an seinem Mißgeschick, man erwog und überlegte, riet und verwarf, aber der Reichtum war nicht abzuwenden.

Dieser Reichtum, meine Güte, er war gekommen auf einem Weg, den Stanislaw Griegull, mein Onkelchen, nicht übersehen konnte. Er hatte, bitte sehr, nichts Schlimmeres getan als mit einem Viehhändler gewettet über die Vornamen Napoleons, und da die Tatsachen, hol sie der Teufel, Stanislaw Griegull recht gaben, mußte der Viehhändler zahlen.

Als der Tag, an dem der Reichtum hereinbrechen sollte, begann, legte sich Stanislaw Griegull ins Bett und beobachtete, rechtschaffen traurig, den Schneefall. Er lag so, der arme Mann, einen qualvollen Vormittag, als der Briefträger, ein ewig verfrorner Mensch namens Zappka, zu ihm hereinkam, in höflicher Trauer die Geldtasche öffnete und Stanislaw Griegull, meinem Onkelchen, das Geld vorzählte. Er tat es schweigend, in nachdenklicher Bekümmerung, und als er fertig war, trat er ans Bett heran, drückte dem Leidenden die Hand und sprach folgendermaßen:
»Niemand«, sprach er, »Stanislaw Griegull, bleibt auf dieser Welt verschont. Nehmen wir, nur zum Beispiel, den Hasen. Bleibt er verschont? Oder nehmen wir, auch nur zum Beispiel, das Reh. Bleibt es verschont? Und schon gar nicht zu reden von den wilden Schweinen. Es ist, Gevatterchen, ein einziges Leiden in der Welt.«
Stanislaw Griegull, mein Onkelchen, hörte sich die Rede einigermaßen ergriffen an und antwortete so: »Du hast, Hugo Zappka, wunderbar gesprochen. Aber nimm, nur zum Beispiel, den Hasen. Er wird, Gevatterchen, nicht verschont vom Hunger. Aber sein Hunger, bitte schön, bleibt nicht ewig. Der Reichtum, hingegen, er bleibt. Darum werde ich, Ehrenwort, nicht mehr aufstehen.« Nach solchen Worten drehte er sich zur Wand, zog die Decke über den Kopf und schwieg.
Hugo Zappka, in Trauer verbunden, überlegte angestrengt, und während er so überlegte, las er ein Kärtchen nach dem anderen, das er noch auszutra-

gen hatte, und wahrhaftig: die Lektüre inspirierte ihn. Plötzlich, beinahe triumphierend, warf er die Kärtchen in seinen Ledersack, kniff den Leidenden in die Schulter und sagte so: »Ich heiße«, sagte er, »nicht Dr. Sobottka. Darum bin ich kein Kreisphysikus. Aber heilen, Stanislaw Griegull, kann ich dich wie er. Du hast, auf dem Tisch ist's zu sehen, einhundertachtzig Mark, das ist die Krankheit.«

»Sie bleibt«, stöhnte Stanislaw Griegull, mein Onkelchen, und warf sich seufzend herum.

»Das ist«, sagte Zappka, »die Frage. Man könnte so, nur zum Beispiel, für das unerwünschte Geld Bienen einhandeln. Die summen angenehm im Sommer und produzieren Honig.«

»Sie stechen«, rief Stanislaw Griegull.

»Gut«, sagte Zappka, »ich meinte auch nur zum Beispiel. Aber wie wär's, sozusagen, mit einigen Ziegen?«

»Sie stinken«, rief der Kranke.

»Gut, schon gut«, beschwichtigte der Briefträger, sah ratlos durchs Fenster, und unvermutet, in Gedanken an seinen schwierigen Weg, kam ihm die Erleuchtung. Er wies auf den lockeren Schneefall und sprach: »Um diese Zeit«, sprach er, »Stanislaw Griegull, gibt es kein größeres Glück, als mit einem Schlitten und einem Pferdchen dazu, vielleicht für alt gekauft, durch die Wälder zu fahren. Es ist still, man freut sich, die Wege sind hübsch verlassen. - Nun, wie steht es?«

Stanislaw Griegull, nachdem er das gehört hatte, genas augenblicklich, schnappte den Reichtum und genehmigte sich Schlitten und Pferdchen. Die

Summe, man wird es schon gemerkt haben, langte natürlich nicht hin, aber ein Mensch namens Schwalgun, der Verkäufer, war bereit, auf den Rest bis zum Sommer zu warten. So spannte Stanislaw Griegull, über die Maßen zufrieden, das alte nickende Pferd an, stieg in den kurzen Schafspelz und fuhr, sagen wir mal: zur Erholung, den schmalen Waldweg hinauf. Geriet vor Freude natürlich gleich ins Singen, das Onkelchen, sang mal in diese Richtung, mal in jene, hielt Ansprachen vor gewissen Bäumen und lauschte hingegeben dem angenehmen Knirschen der Schlittenkufen.

Na, er fuhr so mindestens ein ganzes Weilchen, bis das alte Pferd nickend stehen blieb, und als Stanislaw Griegull, ziemlich überrascht, nach vorn sah, bemerkte er, unmittelbar vor sich, einen entgegenkommenden Schlitten auf dem engen Weg. Er bemerkte außerdem, daß in dem anderen Schlitten der Viehhändler Kukielka aus Schissomir saß, welchen in der Wette besiegt zu haben er die Ehre hatte. Sie standen sich also, wie gesagt, auf dem sehr schmalen Weg gegenüber, und der erste, der sich ein Wort faßte, war Kukielka. Und er faßte es so: »Ich hoffe, Stanislaw Griegull, das Geld ist angekommen.« Worauf sich mein Onkelchen bemüßigt fühlte zu sagen: »Es fährt bereits spazieren, Heinrich Kukielka. Und, wie man sieht, gleitet es nicht übel.«

Kukielka, ein Gnurpel von Wuchs: worunter zu verstehen ist ein kümmerlicher Mensch, stieg vom Schlitten herab, und ein gleiches tat Stanislaw

Griegull. Man gab sich höflich die Hand, plauderte angemessen, begutachtete Kufen und Beschläge, und dann erstieg jeder seinen Kutschbock. Die Herren sahen sich an, kreuzten über den Rükken ihrer Pferde einen gespannten Blick und warteten. Sie warteten, wie man richtig vermutet hat, darauf, daß der andere langsam zurückfahren werde, denn vorbeifahren, das war bei der Enge des Waldwegs unmöglich.

Schließlich rief Heinrich Kukielka: »Das Rückwärtsfahren, Stanislaw Griegull, ist gar nicht so schwer. Man muß die Zügel nur trennen, dann geht es langsam und sicher.«

»Ich bin«, rief Stanislaw Griegull, mein Onkelchen, »erfreut, daß du dich auskennst. Dann kannst du, wenn ich bitten darf, gleich anfangen, rückwärts zu fahren. Ich komme ganz langsam nach.«

Kukielka dachte nach, und dann sprach er so: »Ich habe«, sprach er, »die Wette ehrlich bezahlt. Daher kann ich wohl bitten, daß du rückwärts fährst und mir Platz machst.«

»Und ich«, sagte Stanislaw Griegull, ohne nachzudenken, »ich habe, wie sich's gezeigt hat, die Wette gewonnen. Daher kann ich wohl, ohne daß man gnaddrig wird, beanspruchen, daß man mir Platz macht.«

»Also«, sprach der Gnurpel Kukielka, »bleiben wir hier.« Hatte auch gleich, der verkümmerte Mensch, eine Zeitung zur Hand, schlug auf und blätterte angeregt, und dann kniffte er sie wie ein geübter Leser und vertiefte sich in einen Text.

Onkel Stanislaw, wer wird es schon anders er-

warten, suchte auch nach etwas Lesbarem, und als er, was vorherzusehen war, nichts fand, räusperte er sich mehrfach und begann, um sich die Zeit zu vertreiben, laut zu singen. So sang und las man sich an; man fühlte sich wohl unter kurzem Schafspelz und zeigte Geduld.

Die Herren saßen so, singend und lesend, einige Stunden, als, durch den intensiven Gesang angelockt, zwei Waldarbeiter erschienen. Da sie aus Suleyken stammten, war Stanislaw Griegull ihnen wohlbekannt. Sie traten an ihn heran, begrüßten ihn und ließen sich erzählen, worum es hier ging. Und nachdem sie alles erfahren hatten, beschworen sie, wie man sagt, Onkel Stanislaw und erklärten, daß, wenn er den Weg freigäbe, Suleyken eine komplette Schlacht verloren habe. Er solle Mut zeigen und Geduld, man werde ihm beistehen. Das sagten die Waldarbeiter, und dann trollten sie sich.

Unterdessen, wie könnte es anders sein, erschien ein grünbejoppter Mensch auf der Gegenseite, erschien und war niemand anderes als der Forstgehilfe von Schissomir. Natürlich hatte das Herrchen nichts zu tun, ließ sich also ausgedehnt aufklären von dem Gnurpel Kukielka und empfahl ihm zum Schluß, Geduld zu zeigen. Schissomir, sagte er lauthin, sei reich. Man werde ihm Zeitungen schicken und Käse und, wo es vonnöten sein sollte, ein eisernes Öfchen mit Koks.

Was sich im folgenden herausstellte, war das, was jeder Masure erhält als Wiegengeschenk: also Treue. Denn kaum war verflossen die übliche Zeit, als hüben und drüben blubbernde Menschen ankamen. Ganz Suleyken umringte Stanislaw Griegull, das Onkelchen, ganz Schissomir Kukielka, den Gnurpel.

Alle, die gekommen waren, trugen was in den Händen: getrocknetes Obst, Rauchfleisch, Gläser mit Gurken und Honig, Gesalzenes, Töpfe mit Sauerkohl, Bohnen, Johannisbeermarmelade, kalte Plinsen, Erbsen und Kohlrouladen. Und Seite und Gegenseite fütterte ihren Liebling und Helden, streichelte und massierte ihn, drückte ihm die Hand und empfahl, keinen Meter nachzugeben. Auch die Pferde, versteht sich, wurden nicht vergessen, erhielten Hafer und Fußlappen und nahmen nickend zahllose Liebkosungen zur Kenntnis.

Nachts, selbstverständlich, kehrten die aus Schissomir und die aus Suleyken zurück zu ihren Fami-

lien, und auf der Walstatt der Geduld hob erneutes Ringen an. Einer las, der andere sang. Gelegentlich - je länger der Kampf dauerte, desto öfter - verfiel man ins Plaudern, tauschte Leckerbissen aus, die der sorgende Nachschub gebracht hatte, und munterte sich beredsam auf, falls einer von ihnen nachgeben wollte.

Und die Kämpfer der Geduld harrten aus.

Sie standen so - na, wie lange werden sie gestanden haben? - Genaues kann niemand sagen. Aber gewonnen hat eigentlich keiner. Viel später, wie man hörte, wurde quer über die Walstatt eine Kleinbahn gelegt, und bei dieser Gelegenheit, Ehrenwort, wurden die Herren mit einem Kran fortgeschafft. Doch selbst dabei, wie verbürgt ist, baten sie sich aus, nicht rückwärts fortgeschafft zu werden. Und die Kleinbahn, über die noch allerhand zu sagen sein wird, konnte sich nicht genug tun, diesen Wunsch zu respektieren.

DIE NEUNTE
DER MASURISCHEN GESCHICHTEN

So war es mit dem Zirkus

Wie der Zirkus mit vollem Namen hieß, daran kann ich mich nicht mehr genau erinnern, aber er muß so ähnlich geheißen haben wie ›Anita Schiebukats Wanderbühne‹. War natürlich ein Ereignis ersten Ranges, dieser Zirkus, was man schon daraus entnehmen kann, daß es schulfrei gab für die Suleyker Jugend, daß die Arbeit auf den Feldern ruhte und in keinem Häuschen von etwas anderem gesprochen wurde als von ihm, dem Zirkus. Dabei war er gar nicht mal so groß; zumindest fand er Platz auf der Feuerwehrwiese, baute sich da ein Zeltchen und stellte seine Wagen hübsch in der Nähe auf.

Alles ging schnell und lautlos, und ehe sich die Suleyker Gesellschaft versah, war sie schon von Anita Schiebukats Wanderbühne gebeten, die erste Vorstellung zu besuchen. Eine Kapelle spielte werbende Weisen, ein alter Elefant wurde herumgeführt, vielsagende Geräusche lagen in der Luft – das Zeltchen füllte sich alsbald. Man brachte sich Eingemachtes mit, Salzgurken, Pellkartoffeln, geräucherte Fische, man begrüßte einander, promenierte ein Weilchen auf der Wiese und betrat dann, in plaudernden Gruppen, den Ort der Veranstaltung.

So. Und dann begrüßte Anita Schiebukat, ein kräftiges, wohlgenährtes Weibchen, die Gesellschaft höchstpersönlich, fand annehmbare Schmeicheleien, diese Person, ließ sich beklatschen und verschwand. Aber bevor sie verschwand, rief sie noch: »Es ist«, rief sie, »eröffnet«, und in selbigem Augenblick ging es los.

Da erschien also zunächst ein finsterer, halbnackter Mensch in der Arena, blieb stehen, glubschte düster nach allen Seiten, reckte sich und öffnete ein Kästchen. Was in dem Kästchen drin war? Was wird schon drin gewesen sein - Messer; lang, scharf und, wie man zugeben wird, gefährlich.

Aber was tat dieser halbnackte, drohende Sonderling: er nahm sich die Messer, eins, zwei, drei, fünf Messer, rief mit einer schrillen Stimme die Anita Schiebukat, und wahrhaftig, das wohlgenährte Weibchen stellte sich mit dem Rücken gegen eine Bretterwand. Aber nun passierte es: dieser Mensch schmiß seine Messer nach Anita Schiebukat, alle fünf sausten ins Holz, aber getroffen, gottlob, hat keines. Die Suleyker Gesellschaft stöhnte vor Entsetzen, verbarg das Gesicht hinter den Händen, wimmerte, und gelegentlich waren auch kleine Angstrufe zu hören.

Damit nicht genug. Dieser halbnackte, schwitzende Mensch zog die Messer aus dem Holz heraus, trat ein paar Schrittchen zurück und begann, die scharfen Dinger wieder nach dem Weibchen zu schleudern, so unzart wie möglich.

Na, da erwachte endlich bei einigen Suleyker Herren der Sinn für das, was erlaubt ist. Und am vollkommensten erwachte er bei dem riesigen Fluß-

fischer Valentin Zoppek. Der stand einfach auf von seinem Bänkchen, trat in die Arena, ging seelenruhig zu dem Menschen mit den Messern hin und sagte: »Dies Frauchen«, sagte er, »hat so freundliche Worte gefunden zur Begrüßung. Warum schmeißt du sie, hol's der Teufel, mit Messern? Noch ein Messer, sag' ich, und du bekommst es mit mir zu tun. Bei uns wird nicht mit Messern auf Menschen geworfen. Hab' ich richtig gesprochen?«
»Richtig«, murmelte die Suleyker Gesellschaft.
Anita Schiebukat kam schweratmig herbei, erkundigte sich rasch, erfaßte die Lage zur Genüge und gebot dem halbnackten Menschen, nach hinten zu gehen, - was er auch, begleitet vom Murren der Gesellschaft, tat. Er hätte nicht so mir nichts, dir nichts verschwinden können, wenn Anita Schiebukat nicht bereits wieder ein sorgloses Lächeln verströmt hätte, womit sie jedermann beruhigte.
Mit demselben Lächeln kündigte sich sodann ein verschmitztes buckliges Herrchen an, das, in Frack und Zylinder, in die Arena hüpfte, Kußhände in die Gesellschaft warf und auf Beifall wartete, bevor es überhaupt etwas gezeigt hatte. Plötzlich aber, ehe ihm jemand folgen konnte, griff dieser Bucklige schnell in die Suleyker Luft, und was er in der Hand hielt: es war ein mild duftender Fliederstrauß. Übermäßige Laute des Staunens erklangen im Zeltchen, man warf ihm in spontaner Begeisterung Salzgurken zu, die er geschickt auffing, auch Heringe flogen ihm zu, ganz zu schweigen von Herzen. Er sammelte alles ruhig ein.

Dann stellte er einen Tisch hin, auf den Tisch ein Kistchen, und zum Schluß verfügte er sich selbst in dies Kistchen hinein und schloß es von innen. Was bleibt mir zu sagen: dies Kistchen fiel auf einmal auseinander, und was fehlte, es war das verschmitzte, bucklige Herrchen. Schon wollten die Briefträger Zappka und der jüngere Urmoneit, von Sorge erfüllt, in die Arena steigen, als das zaubernde Herrchen, weiß der Kuckuck, trompeteblasend auf dem Balkon der Kapelle auftauchte, sich an einem Strick herunterließ und prasselnden Beifall entgegennahm. Ermutigt durch den ausschweifenden Beifall, trat der Zauberer überraschend an den Rand der Arena, langte meinem Onkelchen, dem Stanislaw Griegull, unter die Weste, und zum Vorschein kam - ja, wer weiß wohl, was zum Vorschein kam? Ein Hase natürlich, zappelnd und ganz lebendig. Die Suleyker, sie waren mit Sprachlosigkeit geschlagen, als solches geschah, und mein Onkelchen, Ehrenwort, erhob sich und begann, der Reihe nach seine Kleidungsstücke abzulegen. Hoffte natürlich, noch mehr Hasen zu finden, dachte sogar an ein fettes Erpelchen oder an einen Hahn, der aus der Unterhose flattern möchte. Aber nichts dergleichen geschah. So zog sich mein Onkel unter prallem Schweigen, wieder an, und der Beifall wäre auch prompt gekommen, wenn Stanislaw Griegull nicht plötzlich das Wort ergriffen hätte. Er wandte sich direkt an das zaubernde Herrchen und sprach folgendermaßen: »Ich sehe«, sprach er, »daß der Hase nach hinten gereicht wird. Dieser Hase aber ist mein Eigentum.

Denn, wie man gesehen hat, wohnte er an meinem Leib. Also möchte ich bitten um die sofortige Auslieferung des nämlichen Hasen.«

Jetzt, wirklich und wahrhaftig, wurde die Stille - na, sagen wir mal: beklemmend. Die Gesellschaft schwankte einen Augenblick, das zaubernde Herrchen äugte bestürzt auf den Redner. Aber es fing sich gleich, ging auf mein Onkelchen zu und sagte: »Wo«, sagte er, »gibt es Hasen, die zu leben pflegen unter der Weste eines Herrn? Es war doch, wie man gesehen hat, alles nur Zauberei, sozusagen Simsalabim.«

»Das ist«, sagte mein Onkelchen, »einerlei. Das Häschen hat gewohnt unter meiner Weste, es hat gezappelt, es war lebendig. Und so möchte ich beantragen die Auslieferung des Hasen. Er ist mein Eigentum.« Blickte sich, mein Onkelchen, schnell um zu dem Gendarmen, und als das Gesetz namens Schneppat nickte, forderte er mit unnachgiebiger

Stimme: »Aber schnell, wenn ich bitten darf.« So erhielt Stanislaw Griegull den Hasen, setzte ihn auf seinen Schoß, und die Vorstellung ging ohne Streit weiter.

Wie es weiterging? Nun, es wurde hereingetragen eine Waschwanne, in welcher, die Griesgrämigkeit in Person, ein alter, fetter Seehund lag, welcher auf den Namen Rachull hörte, der Unersättliche. An der Waschwanne hing ein großes Plakat, auf dem stand: »Es wird gebeten, dem Seehund nicht zu zergen« - was soviel heißt wie ärgern oder übel mitspielen. Dergleichen kam jedoch auch keinem der Gesellschaft in den Sinn; man beklatschte den Seehund lediglich, wogegen dieser nichts zu haben schien - wenigstens ließ er sich, ohne daß er die Wanne verlassen hätte, anstandslos wieder hinaustragen.

Nachdem er weg war, trat wieder das wohlgenährte Weibchen Anita Schiebukat in die Arena, streifte meinen Onkel mit einem sonderbaren Blick und verkündete: »Jetzt wird auftreten ein Mann namens Bosniak. Er ißt Eisenstangen zum Frühstück und trinkt zwölf Liter Milch am Abend. Seine Kraft ist grenzenlos. Wer mit ihm ringen möchte zwei Minuten und dabei stehenbleibt, bekommt den Eintritt zurück und drei Mark zwanzig außerdem!«

Sie trat zur Seite, und hereingewogt kam dieser Bosniak; ging so, daß die Bänke zitterten, zeigte seine Zähne, hieb sich auf seinen kleinen Kopf und tat alles, um einen Eindruck zu hinterlassen von seltener Fürchterlichkeit. Niemand wagte, gegen ihn aufzustehen. Niemand?

Doch, da hinten meldete sich ja einer, war nur so dünn, daß man ihn einfach übersah. Wer es war, der sich da meldete und ein unbegreifliches Beispiel von Tollkühnheit lieferte? Mein Oheim, der Schuster Karl Kuckuck. Wie gelähmt saßen die Suleyker da, als er an ihnen vorbeiging; sie verfolgten ihn mit wehmütigen, abschiednehmenden Blicken, aber keiner fand sich, der ihn in seinem Entschluß beeinflußt hätte.

Also er trippelte in die Arena, schaute den Bosniak sanft und mitleidig an und sagte: »Ich erwarte«, sagte er, »den Angriff.« Sofort stürmte dieser ungeheure Mensch mit dem kleinen Kopf auf ihn zu, breitete die Arme aus, schnaubte, schlug die Arme wieder zusammen, aber Karl Kuckuck war längst weggetaucht und befand sich im Rücken des Eisenfressers. Dieser, im Glauben, den Schuster vor seiner Brust zu haben, drückte dergestalt, daß ihm die Tränen in die Augen traten - was er drückte, es war niemand anderes, als er selbst. Na, das wiederholte sich so einige Male - wie soll man auch ein Stückchen Schustergarn, wie meinen Oheim, genau zu fassen kriegen -, und am Ende war dieser Bosniak dergestalt erschöpft, daß er sich schnaufend auf die Erde setzte und mit einem Eimer Wasser zur Besinnung gebracht werden mußte. Karl Kuckuck hingegen schlängelte sich zur Kasse, ließ sich das Geld auszahlen und schlängelte sich mit seinen Verwandten nach Hause.

So ungefähr ging es, wenn ich mich richtig erinnert habe, Anita Schiebukats Wanderbühne in Suleyken. Wie übrigens später zu erfahren war, ist danach lange Zeit kein Zirkus mehr in unser Dorf gekommen - wie man wissen wollte, aus Furcht vor dem allzu aufgeklärten Publikum.

DIE ZEHNTE
DER MASURISCHEN GESCHICHTEN

Der rasende Schuster

Viel Seltsames hat die gleichmütige Geschichte in Suleyken erlebt - nichts aber kommt an Seltsamkeit gleich jenem Streitfall, den mein Oheim, der Schuster Karl Kuckuck, mit einem Menschen namens Zoppek hatte. Kennt vielleicht schon jemand die Geschichte? Gut, dann will ich sie erzählen.

Karl Kuckuck, mein Oheim, ein schweigsames kleines Herrchen mit Trichterbrust und ungleich langen Armen, hatte gerade den Hammer weggelegt, als der Streit, höchst persönlich, auch schon zu ihm hereinspaziert kam. Dieser Streit kam herein auf den kolossalen Füßen des Valentin Zoppek, eines Flußfischers, der außer Aalen, Welsen, und Barschen auch allerhand sonderbare Gedanken fing.

Kam also, wie gesagt, herein, dieser Zoppek, und sprach folgendermaßen: »Ich bin«, sprach er, »Karl Kuckuck, gekommen, um dir Mitteilung zu machen von einigen Überlegungen. Beispielsweise habe ich mir überlegt, daß die Ritterchen, wenn sie gehabt hätten Fahrräder, noch weiter nach Rußland gefahren wären. Demgemäß wäre manches anders gekommen, als es gekommen ist. Hab' ich richtig gesprochen?«

Der Schuster, ungemein verblüfft über solche weltpolitische Betrachtung, sah an Zoppek hinauf, dachte nach, und nachdem er zu Ende gedacht hatte, sprach er so: »Du bist, Valentin Zoppek, der beste Schwimmer von Suleyken, wenigstens, wo es sich handelt um das Schwimmen auf dem natürlichen Flusse. Das ist bekannt und erwiesen. Sobald du aber zu schwimmen versuchst auf dem Flusse der Gedanken, ersäufst du jedesmal. Denn ein Fahrrad, bitte schön, hat mitunter eine Panne. Und woher, möcht' ich fragen, willst du wissen, ob die Ritter sich verstanden hätten auf das Flicken eines Reifens? Ich glaube, es wäre nichts anders gekommen.«

Na, was soll ich viel sagen - ein Wort ergibt ohnehin ein anderes -: die Herren gerieten darob in ein Gespräch, aus dem Gespräch in eine Zankerei und aus der Zankerei in jenen berühmten Streit. Schließlich, dicht unterhalb des Gipfels - denn vom Gipfel wird noch die Rede sein - ergriff Karl Kuckuck, mein Oheim, den Hammer, rannte auf die Lucht, das ist: der Boden, und trat vor sein Brett. Dies Brett, es diente ihm dazu, seinen Ärger regelrecht in die Wand zu schlagen: nahm sich, mein Oheim, jedesmal einen fünfzolligen Nagel, wenn er sich geärgert hatte, und schlug ihn stöhnend, fuchtelnd und schimpfend in besagtes Brett, wonach er wieder in seine berühmte, schweigsame Freundlichkeit verfiel. Aber diesmal, hol's der Teufel, hatte sich alles verbündet gegen meinen aufgebrachten, hohlbrüstigen Verwandten. Erstens war kein Nagel da, zweitens war das Brett voll, und drittens, um nichts auszulassen von der Tragödie, saß der Hammer nur lose auf dem Stiel -

Umstände, die den sonst schweigsamen und durchaus besonnenen Schuster zur Tollkühnheit trieben, zu einzigartiger Raserei.

Erst einmal raste er hinab zu jenem Valentin Zoppek, der unbekümmert auf dem Schusterschemel Platz genommen hatte, schleuderte ihm den Hammer vor die Füße und war vermessen genug, folgendes zu erklären: »In Zweifelsfällen«, so erklärte er, »können wir entscheiden lassen die Wahrheit. Diese Wahrheit, sie läßt sich finden in jedem Fall, auch in unserm. Du sagst, es wäre alles anders gekommen, wenn die Ritter Fahrräder gehabt hätten. Ich sage, nichts wäre anders gekommen. Gut. Und weil man zu sagen pflegt, daß die Wahrheit ist unbestechlich, wollen wir sie entscheiden lassen. Ich schlage vor, wir schwimmen um die Wette.«

Eine ungeheure Pause trat ein, während welcher mein Oheim, der rasende Schuster, wohl begriff, daß er durch seinen Vorschlag die Wahrheit geradezu herausgefordert hatte, denn es gab, wie gesagt, in ganz Suleyken keinen herrlicheren Schwimmer als den Valentin Zoppek. Aber der Schuster erläuterte in seiner Raserei noch weiter: »Wenn die Wahrheit«, so erläuterte er, »dich gewinnen läßt, so hast du recht mit deiner Ansicht. Wenn die Wahrheit aber mich zuerst durchs Ziel schwimmen läßt - nun, wir tun gut abzuwarten.«

So sprach er, und Zoppek, der riesige Mensch, stand auf, lachte einmal verächtlich, lachte gerade so, als ob er die Wahrheit schon in seinem Netz hätte, und empfahl sich bis zum Wettkampf.

Karl Kuckuck, mein Oheim, legte sich ins Bett und empfing Besuche, empfing und ließ sich bedauern, und auf alle übermäßigen Tröstungen versicherte er nichts als: »Wir tun gut abzuwarten.« Er wurde blasser mit jedem Tag, fühlte sich auch durchaus nicht wohl, das zierliche Herrchen, zumal der Wettkampf immer näher kam, und die Zeit tat das, was sie immer tut: sie verstrich.

Sie verstrich bis zu einem freundlichen Sonntag im Juli - und damit kommen wir zum Gipfel: bereits in unschuldiger Tagesfrühe versammelte sich die Suleyker Gesellschaft unterhalb der Pferdetränke am Fluß, um Zeuge zu sein des Schwimmwettkampfes im Zeichen der Wahrheit. Man begrüßte sich ausgedehnt, hielt Ausschau nach angenehmen Plätzen, stellte Vermutungen an, aß Salzgurken, bedachte und erwog: es war, mithin, ein beträchtliches Gewoge und Geraune unterhalb der Pferdetränke.

Das Gewoge: es legte sich, das Geraune: es unterblieb, als, kurz hintereinander, die streitenden Schwimmer auf die Birkenholzbrücke kamen - Zoppek als erster: geruhsam, siegessicher, mit behäbigem Schritt, und dahinter, trippelnd, blaß und aufgescheucht: Karl Kuckuck mit den ungleichen Armen.

Die Gesellschaft erhob sich - sie hatte sich, da sie den Streit kannte, natürlich in zwei Parteien gespalten -, und die einen jubelten Zoppek zu, die anderen Kuckuck, dem Schuster.

Und dann folgte, was ich nennen möchte die Adamisierung: Zoppek entkleidete sich rasch, er war nur, dieser Mensch, mit Hemd und einer alten Hose bekleidet und stand somit in wenigen Sekunden bereit. Und er hatte, wie seine Gegner bemerkten, nichts anderes im Sinn, als mit seiner Brust zu prahlen und sich zu drehen und zu scharwenzeln.

Na, und dann zog sich Kuckuck aus, und aller Augen richteten sich auf ihn. Aber aller Augen, Ehrenwort, kamen überhaupt nicht von ihm weg, denn was der kleine, rasende Schuster auf dem Leibe trug: es war ein halbes Wäschegeschäft. Niemand wird es für möglich halten, doch es dauerte, knapp gerechnet, eine halbe Stunde, ehe mein zartwüchsiger Oheim sich ausgewickelt hatte. Zum Vorschein kamen ungefähr diese Dinge: Joppe, Jacke, Strickjacke, Oberhemd, Unterhemd, Netzhemd, diverse Leibbinden, Brustschoner, Hüftwärmer, Lungenwärmer, und das alles, wie man sich bereits denkt, diente nur zur Bedeckung der oberen Oheimhälfte. Was er unten trug: das aufzuzählen würde zwei Seiten in Anspruch nehmen, aber ganz klein gedruckt. Nun, die Gesellschaft verfolgte mit zunehmender, atemloser Spannung die Entkleidung, und ein Raunen der Betroffenheit lief den Fluß entlang, als Karl Kuckuck, der Schuster, in seiner kreatürlichen Makellosigkeit und unbefleckten Weiße auf dem Birkenholzbrückchen stand. Betroffenheit deshalb, weil mein Oheim mit den ungleichen Armen dünn war wie das Garn, das er zu verwenden pflegte. Schon wurden Meinungen laut über ungleiche Voraussetzungen, doch der tobende Schuster verbat sich jegliches Mitleid und rief in einigermaßen drohendem Ton: »Wir tun gut abzuwarten.«

So, und jetzt beginnt es: Ludwig Karnickel, der Gastwirt, erschien hinter den beiden und ermahnte sie, sich weder zu behindern noch zu belästigen. Dann ließ er sie an den Rand des Birkenholzbrückchens treten, kommandierte etwas, und plötzlich sah die Gesellschaft gewissermaßen einen Körper und ein Stück Schusterschnur durch die Luft fliegen, hörte einen zirpenden und einen handfesten Aufschlag im Wasser, und vorn - ja, wer schwamm vorn? Valentin Zoppek natürlich. Hatte jetzt schon drei Meter Vorsprung, dieser Mensch, auch drei Meter Vorsprung an Wahrheit, und seine Partei: wer kann den Radau schildern, den seine Partei machte?

Unterdessen strampelte der rasende Schuster in Zoppeks Kielwasser, dünn und spitz und mit ängstlich emporgehaltenem Gesicht, er mühte sich ab, wie er nur konnte, dachte in verzweifelter Wut an Ratschläge, die ihm Freunde erteilt hatten, - aber es ging nicht, er blieb immer weiter zurück. Zu seiner Lähmung trug auch noch bei, daß Zoppek sich einmal umdrehte, um den Vorsprung abzuschätzen, und dabei ließ er es sich nicht nehmen, seinen Rivalen mit nachsichtiger Verachtung anzuschauen. Zwölf Meter, vierzehn Meter, achtzehn Meter war mein Oheim schon von Zoppek, dem Flußfischer, und damit auch von der Wahrheit entfernt. Er schwamm mit dem Mut des Besessenen, schwamm und ließ sich durch nichts aufhalten in seiner hoffnungslosen Lage - nicht einmal durch die Tatsache, daß er, wegen der ungleichen Arme, die Neigung zeigte, immer nach links auszuscheren. Der Sieger, wie die Gesellschaft erkannte, stand fest.

Aber plötzlich - wer hätte die Wahrheit schon im Verdacht gehabt -, plötzlich trat ein Ereignis ein, das man bezeichnen könnte als die ausgleichende Gerechtigkeit: Karl Kuckuck, leicht heimgesucht von beginnendem Kräfteschwund, spürte unversehens eine fremdartige Berührung an der Schulter - ein Vorkommnis, das ihm gemeinhin nichts ausgemacht hätte. Aber diese Berührung vollzog sich mit einem Roßapfel, der an der Pferdetränke herumzuschwimmen für sein Naturrecht hielt. Er war von so staunenswertem Umfang, daß Karl Kuckuck, mein Oheim, auf nichts anderes sann als auf Flucht. Panisch vorwärtsgetrieben, entwickelte er unerwartet neue Energien, säuselte auf einmal wie ein Aal durch das Wasser, schlängelte sich hierhin und dahin, um den lästigen Berührungen ein Ende zu machen. Aber der Roßapfel, einmal in Bewegung geraten, hielt offenbar nichts davon, abgeschüttelt zu werden; er setzte sich dem Karl Kuckuck flüssig auf die Fersen und verfolgte ihn zäh und anmutig in Strudeln und Wirbeln.

Der Schuster, er spürte das Entsetzen aus Roßdung am Hals, an der Schulter, an den Füßen und sogar an den ungleichen Armen, und er schlängelte sich panisch voran, um den ballrunden Verfolger abzuschütteln. Dabei, das wird man sich schon gedacht haben, holte er mächtig auf, machte Meter um Meter des Vorsprungs zuschanden und lag, wer wird sich noch wundern, bald auf gleicher Höhe mit Valentin Zoppek, dem Fischer. Dieser glubschte entsetzt, die Gesellschaft rief, trampelte und winkte angesichts dieser unheimlichen Überraschung, und alles, was Beine hatte, lief zum Ziel. Lief hin und kam gerade noch zur rechten Zeit, um zu sehen, wie Karl Kuckuck, mein Oheim, und dieser Zoppek Schulter an Schulter, Nase neben Nase durch das Ziel schwammen.

Ein ohrenbetäubender Jubel setzte ein, die streitenden Schwimmer wurden auf den Schultern zum Birkenholzbrückchen getragen, und hier kam es zu ergreifender Versöhnung. Die Herren umarmten sich, eine Photographie wurde angefertigt, und zum Schluß sprach Valentin Zoppek: »Mir scheint«, sprach er, »wie das Ergebnis lautet, stimmt weder deine Meinung, Karl Kuckuck, noch meine Meinung. Die Wahrheit will nichts von uns wissen.« Worauf mein Oheim, schon wieder etwas ärgerlich, sagte: »Nein. Im richtigen Augenblick, Valentin Zoppek, schickt die Wahrheit ihren Kinderchen, was sie brauchen. Mir scheint's, wir haben beide recht.«

DIE ELFTE
DER MASURISCHEN GESCHICHTEN

Die Kunst, einen Hahn zu fangen

Am frühen Nachmittag erwachte Titus Anatol Plock, Besitzer einer neuen Hose, und hob lauschend den Kopf. Er lag zwischen den Brombeeren hinter der Scheune, lag da an einem warmen, windstillen Plätzchen, wo die Gefahr, gesehen zu werden, nicht allzu groß war. Sobald er gesehen wurde, das wußte er, gab es auch etwas zu tun für ihn, und darum wählte er seine Verstecke mit Umsicht.

Er war, offen gesagt, ziemlich erschrocken an diesem Nachmittag, und als die Stimme seinen Schlaf unterbrach, fürchtete er schon das Schlimmste. Aber die Stimme, die ihn geweckt hatte, gehörte Gott sei Dank nicht seiner Mutter, Jadwiga Plock, sondern einem Mann, den er in Suleyken noch nicht gesehen hatte. Es war ein freundlich aussehender, unrasierter Mann, der zwischen den Brombeeren stand; er war schon älter, war barfuß und trug ein kragenloses Hemd und in einer Hand ein riesiges, rotes Taschentuch. Er hatte Titus noch nicht entdeckt und sprach mit süßer, werbender Stimme auf ein Wesen ein, das sich am Boden befinden mußte.

Dies Wesen, wie Titus gleich sah, war der einzige Hahn seiner Mutter, ein ausnehmend kräftiges Tier und schön dazu. Und zu diesem Hahn sprach der Fremde etwa in folgender Weise:

»Du«, sprach er, »mein Verehrter, wirst jedem leid tun, der ein fühlendes Herz hat. Schön, wie du bist, warten zu viele Gefahren auf dich in der Welt. Der Fuchs, beispielsweise, oder der Iltis. Keinen Stall gibt es, den der Iltis nicht öffnet. Oder stell dir vor, du kommst unter einen Wagen mit Weizen. Ein Pferd zertritt dich. Zertritt deine ganze Schönheit. Sag selbst: lohnt es sich noch bei diesen Aussichten zu leben?«

Unter solchen Worten trieb er den Hahn in eine Richtung, wo Scheune und Stall zusammenstießen und eine Ecke bildeten. Er wurde dabei nicht ungeduldig; selbst als der Hahn, die Klemme witternd, nach einer Seite auszubrechen versuchte, behielt er die Ruhe, flötete eine Schmeichelei und brachte das Tierchen, indem er es mit dem riesigen Taschentuch erschreckte, auf die gewünschte Bahn.

Titus, achter Sohn der Jadwiga Plock, sah ihm gespannt zu. Er zweifelte daran, daß es dem Mann gelingen werde, Krull, den Hahn, zu fangen. Krull: das heißt im Masurischen König, und dieser Name war dem Hahn gegeben worden, damit er sich in jeder Hinsicht als König erweise. Man wird, dachte Titus, ja sehen.

Der Mann, die Arme ausgebreitet, ging langsam gegen die Ecke vor, ohne Rücksicht auf Ranken, die sich im Stoff seiner Hose festsetzten und ihm zu sagen schienen: Mach's nicht so schnell. Doch der Mann achtete nicht darauf, er riß sich vielmehr gewaltsam los und hatte jetzt nur Augen für Krull. Der wurde immer nervöser, gackelte aufgeregt, tuckte unwillig, denn er war sich über die Schmeicheleien vollauf im klaren. Dem barfüßigen Herrn, weiß Gott, gelang es, Krull, den König des Komposts, in erwähnte Ecke zu drängen, die durch Stall und Scheune gebildet wurde, und nun legte er das Taschentuch auf die Erde und seine Hände bewegten sich wie eine Kneifzange auf den Hahn zu, genauer gesagt, auf den Hals des Hahnes. Der Hahn, hol's der Teufel, blickte zornig und rot, wand sich hierhin, wand sich dorthin, derweil die Hände schon zum Königsmord unterwegs waren. Aber plötzlich, ein Schauer von Wonne durchdrang Titus, plötzlich schrie der Hahn auf, flatterte steil empor, Federn flogen, und dann landete Krull in den Brombeeren. Er hatte seinen Attentäter überflogen, ihm, bei steilem Aufstieg, ins Gesicht geklatscht, und das Gackeln, das jetzt erklang, hörte sich an wie eitel Genugtuung, wie Warnung vor einer neuen Lektion.

Der Mann, indes, prüfte kurz, ob die Luft rein wäre, nahm sein Taschentuch auf, rieb, da er offenbar dazu genötigt war, sein Auge und sprach zu Krull folgendermaßen: »Du«, sprach er und ging dabei auf ihn zu, »du lahmer Satan von einem Hahn, falsch bist du, blöde, kannst nichts, tust nichts, nicht einmal ein Volk hast du - und gehorchen willst du auch nicht. So etwas wie dich, Ehrenwort, sollte man nicht ansehen, Luft bist du, pfft, reine Luft, und Mitleid verdienst du schon gar nicht. Was ist dabei, wenn der Iltis dich holt? Gar nichts! Was ist dabei, wenn du unter einen Wagen mit Weizen kommst? Erst recht nichts!

Nicht einmal als Braten taugst du zu etwas, so mager und blöd bist du. Blas dich nicht auf und bild dir nichts ein, mich interessierst du überhaupt nicht.« Um die Verachtung, die tief empfundene, noch durch eine Geste zu unterstreichen, warf der barfüßige Herr sein Taschentuch nach dem Hahn, doch: wer ist großzügig genug, das zu glauben, in diesem Augenblick, nachdem er lautlos den Anklagen gelauscht hatte, duckte sich Krull, spreizte sich, als ob er darauf wartete, gegriffen zu werden, und der Herr stand wie versteinert da. Als er sozusagen erweichte - es dauerte nicht lang -, bückte er sich schnell, packte Krull, schlug ihn mit staunenswerter Geläufigkeit in das riesige Taschentuch ein, äugte kurz und wollte hinüber zur Straße.
Doch da erhob sich Titus, er ging, ein Knabe von dreizehn Jahren, auf den Fremden zu und sagte: »Ich suche«, sagte er, »Herrchen, den Hahn meiner Mutter, Jadwiga Plock.«
»Ja«, sagte der Mann, und über sein Gesicht flatterten Gedanken wie kleine Vögel, dann hob er das Taschentuch hoch und sagte: »Ich glaube, das ist er. Ich habe ihn nur für den Augenblick in Sicherheit gebracht. Denn ich erkannte, Ehrenwort, einen Iltis zwischen den Brombeeren, der das Hähnchen beschlich. Vielleicht zeigst du mir den Hof, Jungchen, auf den dieser Hahn gehört. Ich möchte ihn gern in Sicherheit wissen.«

DIE ZWÖLFTE
DER MASURISCHEN GESCHICHTEN

Eine Kleinbahn namens Popp

Wovon soll ich erzählen zuerst? Von der Einweihung? Gut, von der Einweihung. Sie fand statt, wie verbürgt ist, an einem unschuldigen Frühlingstag zu Füßen der Suleyker Höhen, worunter man sich vorzustellen hat ein ansprechendes Hügelchen namens Goronzä Gora, was soviel heißt wie: Heißer Berg.

Der Tag, wie gesagt, war schön. Allerhand bunte Käferchen torkelten durch das Gras, die Bachstelzen am Fluß rannten um die Wette, und die berühmten Suleyker Schafe verzeipelten vor lauter Übermut ihre Ketten.

Eingeweiht sollte werden - das ist schon bekannt - die Kleinbahn von Suleyken über Schissomir, Sybba, Borsch, Sunowken nach Striegeldorf.

So eine Einweihung, man wird es zugeben, ist ein Akt voll tiefer Bedeutung. Ob geladen oder nicht geladen, die Gesellschaft von Suleyken versammelte sich auf dem Bahnsteig, man begrüßte einander mit ausdauernder Höflichkeit, erkundigte sich nach den Kinderchen, der Großmutter, dem Tantchen und dem Onkelchen, und dann machte man sich gemeinsam daran, die Kleinbahn zu inspizieren.

Sie war neu und braun. Stand mit ihren Rädern auf den Schienen, diese Kleinbahn, hatte drei Wagen, eine Lokomotive, sah ganz nach was aus. Die Lokomotive, wie es ihre Art ist, qualmte heiß vor sich hin - womit gezeigt werden sollte, daß sie unter Dampf stand -, und oben, zwischen allerhand Messingrädchen und Hebeln, stand ein Mensch namens Dziobek, stand da hochmütig herum und ließ sich bewundern.

Na, die Suleyker Gesellschaft prüfte alles genau, wimmelte durcheinander, klopfte, schraubte, drehte, machte hier was auf und da was, roch und schimpfte, stieß Laute der Verwunderung aus oder seltsame Rufe der Angst; auch Jubel konnte man hören.

Bis plötzlich ein uniformiertes Herrchen aus der Station kam, eine Glocke schwang und sich mit ihrer Hilfe Gehör verschaffte. Die Gesellschaft ordnete sich allmählich. Der Herr mit der Glocke winkte einmal zur Station, und wer kam heraus?

Niemand anders als die Witwe Amanda Popp, ein munteres, schwerhöriges Weibchen, das trotz seines Alters leicht über die Schienen hüpfte und zum Erstaunen der Suleyker Gesellschaft auf eine kleine Tribüne trippelte, welche man aus zwei Kaninchenkisten gebaut hatte. Gut. Soweit ist alles gut. Nun reichte das uniformierte Herrchen der Witwe Amanda Popp die Klingelglocke zum Halten, strammte sich, blickte auf die Gesellschaft und begann zu sprechen. Und er sprach so: »Amerika«, sprach er, dann folgte eine lange Pause, und er sah die Gesellschaft mit herausforderndem Triumph an. Plötzlich in die vielsagende Stille hinein, begann die Witwe Amanda Popp mit freundlicher Ahnungslosigkeit die Glocke zu schwenken, eine Handlung, die keineswegs vorgesehen war und die bewirkte, daß das Herrchen die Glocke zornig an sich riß und in seiner Rede fortfuhr. »Amerika«, fuhr er fort, »es war, hol's der Teufel, ein gutes Endchen weit weg. Wer hat schon gehabt die Möglichkeit, schnell mal 'rüberzufahren. Etwa du, Hamilkar Schaß? Oder du, Ludwig Karnickel? Und dich, Hugo Zappka, wollen wir gar nicht erst fragen. So. Erst einmal soweit. Stimmt doch? Oder hab' ich nicht richtig gesprochen?«

Die Gesellschaft von Suleyken nickte nachdenklich.

Sie hatte kaum ausgenickt, da rief das uniformierte Herrchen auch schon weiter: »Aber jetzt! Amerika - wißt ihr, was geschehen ist? Es ist nähergekommen. Wir sind geworden Nachbarn von Amerika. Ihr alle, Ehrenwort, könnt Amerika grapschen. So. Erst einmal soweit.«

»Weiter!« rief ein ungeduldiger Mensch.

»Gut«, sagte das Herrchen, »also weiter. Halt die Glocke, Amanda Popp. - Was hatte ich gesagt? Amerika, richtig. Es ist nähergekommen. Und wodurch, bitte schön, ist es nähergekommen? Möchte das vielleicht jemand sagen? Na, wir wollen keinen Streit anfangen: Amerika ist geworden unser Nachbar, weil - sagen wir mal - weil wir gebaut

haben - na, dreht euch doch mal um: unsere neue Kleinbahn!«
Die Gesellschaft drehte sich schweigend um, als Amanda Popp, das schwerhörige alte Weibchen, wieder mit der Glocke bimmelte, worauf der Redner in jähzorniger Weise die Glocke an sich riß und sie vor sich hinstellte.
»Du kannst«, sagte er wütend, »Amanda Popp, nicht bimmeln zur unrechten Zeit. Was soll, überleg dir mal, werden, wenn die Bahn einfach abfährt.«
Das schwerhörige Weibchen lachte und sprach so: »Die Kälberchen, die Kälberchen, rein zum dammlich werden ist das. Und wie die Sonne scheint.«
Diese Antwort, wie man sich denken kann, wurde überhört. Statt dessen nahm das Herrchen wiederum seine Rede auf und sagte folgendes: »Wir haben«, sagte es, »noch etwas vorzunehmen. Adolf Abromeit.«
»Hier«, sagte der Angerufene.
»Adolf Abromeit, deine Frau, nehmen wir mal an, kriegt eines Tages ein Kind. So einen runden, kleinen Lodschak. Gut. Erst einmal soweit. Was wirst du dann, bitte schön, mit ihm machen?«
»Waschen«, rief Adolf Abromeit.
»Richtig«, sagte das Herrchen, »und dann?«
»Füttern.«
»Auch richtig. Und was noch?«
»Mit Puder bestäuben.«
»Stimmt alles«, sagte das Herrchen, »aber nur, Adolf Abromeit, eines hast du vergessen. Das Kind muß haben einen Namen. Was, Gevatterchen, hast

du von ihm, wenn du ihn nicht kannst rufen. Darum, sage ich, ist für jedes Wesen von Wichtigkeit ein Name. Auch für die Kleinbahn, hol sie der Teufel.

Gut. Soweit ist alles gut. Und was wir jetzt vornehmen, wird sein eine Taufe. Wir taufen unsere Kleinbahn, wie vorgesehen, auf den Namen Paul Popp. Und wenn ihr wissen wollt, warum: Paul Popp ist ein Opfer geworden. Er hat gearbeitet an der Kleinbahn, er hat sich, wie bekannt, ein Bein ausgerenkt bei dieser Arbeit. Und weil er der erste ist, der Schmerzen ertragen hat um die Kleinbahn, heißt sie: Paul Popp! So. Übrigens, er muß noch immer liegen im Bett. Und darum ist, wie Augenschein zeigt, Amanda Popp gekommen, seine Mutter.«

Eine Stille von sonderbarer Bedeutsamkeit entstand. Die Gesellschaft, überrascht und zutiefst verwundert, blickte versonnen auf die Witwe Amanda Popp, die natürlich nichts anderes im Sinn hatte, als die Klingel zu greifen, was ihr jedoch das uniformierte Herrchen verwehrte, indem es energisch seinen Fuß darauf setzte. Eigentlich, unter uns gesagt, wartete das Herrchen auf Beifall. Na, dergleichen regte sich aber nicht, und um das Schweigen zu überbrücken, begann der Redner von den Vorzügen der Kleinbahn zu sprechen. Und jetzt, das muß gesagt werden, erwachte in der Gesellschaft ein Sinn, der ausdrückt das Suleyker Verhältnis zur Technik. Der Redner: er wurde immer wieder von subtilen Fragen unterbrochen, wurde regelrecht gepiesackt von diesen Fragen -

woraus folgte, na, aber soweit sind wir noch nicht. Erst einmal, wenn's interessiert, einige Fragen.

Also fragte zum Beispiel Hamilkar Schaß, mein Großvater: »Mir ist«, ließ er sich vernehmen, »zu Ohren gekommen, daß so eine Kleinbahn, gegebenenfalls, kann überfahren drei Schafe auf einmal. Ist das richtig?«

»Dann«, sagte das Herrchen, »sind die Schafe schuld.«

»He«, rief ein Mensch aus dem Hintergrund, »und was ist eigentlich mit den Augen! Werden sie nun blind, wenn man mit der Kleinbahn fährt, oder werden sie nicht blind? Der Stodollik sagt, sie werden blind.«

»Das trifft«, sagte das Herrchen, »nicht zu.«

»Und was ist mit Schlummern«, rief ein anderer, »kann man schlummern in so einer Kleinbahn?«

»Hilft«, rief ein Einbeiniger, der alte Logau, »so eine Kleinbahn auch gegen Rheuma?«

»Weiß ich nicht«, schrie das Herrchen, ja, es schrie diesmal schon.

Na, und dann fragte der finstere Mensch Bondzio: »Wie ist das eigentlich, Gevatterchen, bei Regen? Kann die Kleinbahn nicht, sagen wir mal, wenn es gehörig pladdert, einfach ausrutschen?«

Zum Schluß fiel die entscheidende Frage. Sie wurde, niemand hätte es vermutet, gestellt von Jadwiga Plock. »Warum«, kreischte sie, »hol's der Teufel, sollen wir alle fahren nach Amerika? Ist's hier nicht auch schön?«

Während das Herrchen in sprachlosem Zorn die Klingel zur Hand nahm, regte sich freundlicher

Beifall für Jadwiga Plock. Man ging zu ihr, drückte bewegt ihre Hand und machte ihr Komplimente.

So. Erst einmal bis hierher. Und jetzt geht's gleich los. Das Herrchen bimmelte wild, krähte »Einsteigen!«, zerrte das schwerhörige Weibchen Amanda Popp von der Tribüne und stieg mit ihr ein. Außer ihnen stiegen von der ganzen Gesellschaft nur noch drei Menschen ein: mein Großvater, Hamilkar Schaß, der alte einbeinige Logau und der Briefträger Hugo Zappka. Der alte Logau, mein Gottchen, holte gleich das Fenster herunter, legte sich ächzend auf eine Bank und hielt sein einziges Bein, von wegen Rheuma, zum Fenster hinaus.

Dziobek, wie man beobachtete, tat so einiges mit den Rädchen und Hebelchen, und plötzlich, zur heillosen Überraschung der Gesellschaft, setzte sich die Kleinbahn in Bewegung. Man winkte und weinte, wie bei endgültigem Abschied, lief noch ein Stückchen mit und sah bangend und wehmütig zu, wie das Bahnchen hinter Goronzä Gora, das ist: Heißer Berg, entschwand.

Hugo Zappka, dieser Mensch, er hatte nichts Eiligeres zu tun, als die Ehrendame des Tages, die Witwe Amanda Popp, untern Arm zu nehmen. Und dann ging er mit ihr, weiß der Kuckuck, durch alle Wagen nach vorn, bis zur Lokomotive. Das arme schwerhörige Weibchen war schon ganz grün vor Furcht, und es zeigte mit ordentlich zitternder Hand, schreckerfüllt, auf die Lokomotive. Zappka natürlich, er mißverstand diese Geste, dachte, das ansonsten muntere Weibchen wolle da 'rauf. Zögerte also nicht lange und schleppte

Amanda Popp über die Kohlen zum Führerstand. Dziobek, der Hochmütige, warf zwei Schaufeln voll Kohlen ins Feuer. »Jetzt geht's noch schneller«, schrie er.
»Das ist so erwünscht«, schrie Zappka und deutete auf die Ehrendame des Tages. »Amanda Popp kann es nicht schnell genug gehen.« Das alte Weibchen, es nickte ängstlich und dachte, man wolle jetzt Schluß machen. Aber Dziobek heizte den Kessel noch mehr ein, weil er annahm, es sei immer noch nicht schnell genug.
»Ist jetzt schnell genug?« fragte er das Weibchen.
»Barmherzigkeit«, sagte Amanda Popp benommen, »rein zum dammlich werden.«
»Siehst du«, schrie Zappka durch den Fahrtwind zu Dziobek, »diese Fahrt macht ihr Freude. Sie will noch schneller.«
Unterdessen, in einem luftigen Abteil, ging folgendes vor sich: Hamilkar Schaß, mein Großvater, probierte die Bänke aus und sprach schließlich zum alten Logau: »So ein Bänkchen«, sprach er, »nie hatt' ich gehabt solch ein bequemes Bänkchen. Ich könnte tatsächlich noch eins aufstellen hinter der Scheune. Hier sind, was meinst du, Logau, sowieso zuviel. Vor lauter Bänken kann man hier schon gar nicht mehr sitzen. Hast du, Gevatterchen, etwas dagegen?«
Was sollte der alte Logau schon groß dagegen haben. Gut. Also Hamilkar Schaß, mein Großvater, machte sich gleich daran, so ein Bänkchen abzumontieren. Ging natürlich nicht einfach, waren alle ziemlich fest, diese Bänkchen, alle hübsch

verschraubt. Jedenfalls, das war die Hauptsache, hatte Hamilkar Schaß erstmal ein bißchen zu tun während der Fahrt.

Er hatte so lange zu tun, bis, ziemlich überraschend, das uniformierte Herrchen hereinkam und, nachdem er gesehen hatte, was hier vor sich ging, dermaßen unhöflich wurde, daß mein Großvater folgendes tat: er flüsterte dem alten Logau was ins Ohr, ging nach vorn und flüsterte ausgiebig mit Hugo Zappka, der das schwerhörige Weibchen am Wickel hatte, und dann sprangen sie, kurz vor Schissomir, alle ab.

Na, sie erholten sich zunächst ein wenig, dann zuckelten sie in verstörtem Schweigen den Weg zurück und ließen die Kleinbahn - Kleinbahn sein. Als sie - auch das ist verbürgt - nach Suleyken zurückkehrten, wurde ihnen von der Gesellschaft ein Empfang bereitet, wie sich in Masuren niemand eines ähnlichen rühmen konnte. Sie erhielten von

allen Seiten Geschenke und wurden gefeiert, als ob totgeglaubte und fleißig betrauerte Söhne überraschend nach Hause gekommen wären, so ungefähr ging es zu. Und natürlich wurde getanzt. Wundert man sich vielleicht darüber?

Das ist auch, wie man bei uns zu sagen pflegte, fschistko jädno, was soviel heißt wie einerlei. Und einerlei: das wurde den Leuten von Suleyken allmählich auch die Kleinbahn. Das Schicksal, das sie ausersehen war zu nehmen, war über die Maßen traurig. Anfangs, selbstverständlich, fuhr sie noch ein paarmal, und wenn sie um Goronzä Gora herumschlich - denn das mußte sie schon -, da drohten die Leute von Suleyken, schwangen Knüppel, machten sogar unzüchtige Bewegungen zu den wenigen Fahrgästen und trieben ihre berühmten Schafe auf den Bahndamm - kurz gesagt, der Kleinbahn wurde dergestalt eingeheizt, daß sie ganz sacht verkümmerte. Aber wir wollen, um Himmels willen, nicht immer von Tragik reden. Zumal über die Geschichte, wie über den Damm der Kleinbahn, schon das gewachsen ist, was gegebenenfalls alles zudeckt: nämlich das wispernde Gras Suleykens.

DIE DREIZEHNTE
DER MASURISCHEN GESCHICHTEN

Die Reise nach Oletzko

Oft, Herrschaften, kann schon ein kleiner Mangel Anlaß geben zu einer Reise - beispielsweise der Mangel an einem Kilochen Nägel. Von diesem Mangel betroffen fand sich in Suleyken ein Mensch namens Amadeus Loch, dessen Liegenschaften sich in unmittelbarer Nähe von Goronzä Gora, das ist: Heißer Berg, erstreckten. Um also genügend Nägel zu haben für den Bau eines Schuppens, begab sich dieser Loch eines Tages zu seiner Frau und sprach ungefähr so: »Es ist«, sagte er, »moia Zonka, ein Mangel aufgetreten von einem Kilochen Nägel. Daher wird eine Reise nach Oletzko notwendig sein. Und damit sie angenehm wird, könntest du eigentlich mitfahren. Es sind dieselben Vorbereitungen, und wenn man schon in die Fremde muß, dann soll man achten, daß man nicht allein ist.«

So sprach der Amadeus Loch und ging hinaus, und nachdem er gegangen war, stellte seine Frau, eine geborene Popp, alles auf die Ofenbank, was für die Reise gebraucht wurde.

Was das Essen betrifft, so war auf der Ofenbank etwa zu finden: Speck, Fladen, Salzgurken, ein Topf Kohl, getrocknete Birnen, ein Korb Eier, gebratene Fische, Zwiebeln, ein Rundbrot und ein geschmortes Kaninchen. Dann legte sie, während Amadeus sich um das Fuhrwerk kümmerte, die

Joppe bereit, Gummigaloschen, Decken, Tücher und Pulswärmer. Und nachdem sie ihre vier Röcke zum Unterziehen hervorgekramt hatte, sprang sie hinüber zu ihrem Bruder, Paul Popp, und ließ sich so vernehmen:

»Amadeus und mich, uns zwingt der Mangel von einem Kilochen Nägel in die Fremde. Morgen, vielleicht auch übermorgen, müssen wir fahren nach Oletzko. Wenn man aber schon in die Fremde muß, dann soll man achten, daß man nicht allein ist. Da ich auf euch nicht verzichten kann, wäre es schon angenehm, wenn ihr mitkämt. Ich könnte sie leichter aushalten, die Reise.«

Damit ging sie, und nach kurzer Beratung begannen im Hause Popp die Vorbereitungen für die Reise: Eingemachtes wurde aufgemacht, es wurde Salzfleisch zurechtgelegt, Heringe wurden gebraten, ein Huhn geschlachtet und gekocht, Brot gebacken, ein Paar Wollsocken in wirbelnder Eile zu Ende gestrickt, ferner wurden die Pferde neu beschlagen, das Geschirr ausgebessert und die Leine des Hofhundes verlängert. Und nachdem die notwendigsten Vorbereitungen getroffen waren, eilte Paul Popp persönlich zu seinem Schwager, Adolf Abromeit, der, wie man sich erinnert, in seinem Leben nicht mehr gezeigt hatte als große, rosa Ohren. Und zu diesem sprach er: »Das Schicksal will, daß wir eine Reise machen müssen in die Fremde. Und wie die Dinge, Adolf Abromeit, nun einmal liegen, hat sich niemand wohlgefühlt in der Fremde - angefangen bei den Katzen und geendet bei den Schimmeln. Somit wäre es gut, wenn du anspannst und uns begleitest; die Reise wäre um manches angenehmer.«

Adolf Abromeit, ein ewig verscheuchter Mensch, rannte vom Keller auf den Boden, vom Boden in die Scheune, von der Scheune in den Stall und in die Küche, und als er alles halbwegs beieinander hatte, rannte er über die Felder zu seinem Onkel, dem Briefträger Hugo Zappka, und sprach: »Ein Unglück ist geschehen. Eigentlich eine Feuersbrunst. Wir müssen eine Reise machen in die Fremde, nach Oletzko. Wir können dich, Onkelchen, nicht entbehren. Schon wegen der Katzen und Schimmel.«

Und damit rannte er auch schon zurück.

Hugo Zappka, der Briefträger, er ordnete und bündelte die eingegangene Post, stellte so etwas wie eine Bilanz zusammen und setzte sich hin und schrieb sein Testament. Dann regelte er alles für die Reise und suchte meinen Großvater Hamilkar Schaß auf, dieser meinen Oheim Kuckuck, Kukkuck den Ludwig Karnickel, Karnickel die Urmo-

neits, und allmählich war ganz Suleyken in schöner Unbefangenheit bereit, einen seiner Bürger in die Fremde zu begleiten.
Wie ansehnlich die Reisegesellschaft war - man wird es ermessen, wenn ich sage, daß das Fuhrwerk von Amadeus Loch knapp vor Striegeldorf war, als sich der letzte, der finstere Mensch Bondzio, gerade in Suleyken in Bewegung setzte.

So fuhren sie los, und dem Vernehmen nach soll auf dieser Fahrt, neben vielem anderen, folgendes passiert sein: es wurden zwei Kinder geboren, der alte Logau verlor sein Holzbein, zwischen dem Schuster Karl Kuckuck und dem Flußfischer Valentin Zoppek brach ein Streit aus, der Holzarbeiter Gritzan ließ sich herab und sprach zwei ganze Sätze, ferner sichtete man einen wilden Auerochsen, der sich jedoch später als Kuh herausstellte, inspizierte die sagenhaften Rübenfelder von Schissomir, unterbrach die Fahrt, um den berühmten

Kulkaker Füsilieren beim Manöver zuzusehen, und erwarb natürlich ein Kilochen Nägel in Oletzko. Dem weiteren Vernehmen nach kehrte die Gesellschaft nach angemessener Zeit zurück und zerstreute sich mit der Versicherung, daß es angenehm sei, wenn man in der Fremde nicht allein sein muß.

DIE VIERZEHNTE DER MASURISCHEN GESCHICHTEN

Sozusagen Dienst am Geist

Sehr unangenehm ist es, wenn eine Inspektion droht; noch unangenehmer, Herrschaften, aber ist es, wenn man nicht weiß, zu welcher Stunde so eine Inspektion eintrifft. Diese Erfahrung mußte machen der Lehrer von Suleyken, ein gütiger Mensch namens Eugen Boll, der vierzig Jahre hingegeben hatte im Dienste am Geist. Hatte zwar gehört, daß der Horizont nicht ganz rein war, unser Eugen Boll, aber gewußt, welchen Tags die Inspektion erscheinen sollte, das hatte er nicht.

Demzufolge hatte er ausströmen lassen das Volk der Schüler zu seinem Stall und Düngerhaufen, gab ihnen Forken in die Hand, Schaufeln und Besen, und ließ sie lernen das Kapitelchen Geographie. Und nachdem der Düngerhaufen erhöht, frisches Stroh gestreut worden war, ließ er die Wißbegierigen hinabschwärmen zum Flüßchen, wo er, unter Uferweiden verborgen, seine Aalreusen ausgelegt hatte. Dies fiel unter das Kapitelchen Mathematik, denn wir, die Schüler, hatten auseinanderzuhalten die großen Aale und die kleinen, mußten die schlängelnden Haufen dividieren, mußten abzählen, wie viele auf eine Reuse kamen, lernten bei dieser Gelegenheit Greifen und Zupacken, was auch, wie Eugen Boll erklärte, alles von Wichtigkeit ist für die Mathematik. Sodann

ließ uns dieser gütige Mensch hinüberwechseln zu den Feldern, wo wir, in langer Kette auseinandergezogen, die Steine absammelten von seinem Kartoffelacker, was unter das Kapitelchen fiel: die Kunde von der Heimat.
Nun gut. Als das zarte Volk das Heu gewendet, einen Kiesweg ausgebessert und zwei Stapel Holz gesägt und gehackt hatte, beschloß Eugen Boll, sein Latrinchen vertiefen zu lassen - mit der Absicht, den Schülern zu verschaffen einen kritischen Blick in die Natur. Ließ auch gleich drei oder vier Bürschchen mit der Seilwinde in eine entsprechende Grube hinab, gab Anweisung, reichte Werkzeug und was gebraucht wurde hinterher und beaufsichtigte die Wissenschaft von der Natur.
So, und in diesem Augenblick will es die Erzählung, daß herangerollt kommt in seiner leichten Kutsche der Oberrektor Christoph Ratz samt einem dünnen, bebrillten Weibchen, welches zu seiner Begleitung gehört. Sie rollen heran zu dem Zwecke einer Inspektion, fahren unbemerkt zum Schulhäuschen, durchstöbern dasselbe, und da sie nichts finden, begeben sie sich hinaus, lauschen und halten verblüfft Ausschau. Kann man es sich vorstellen?
Gut. Gesehen wurde die Inspektion zuerst von dem vierten Sohn meines Vaters, von mir selbst. Wiewohl unfertig in der Ausbildung des Geistes, begriff ich, was sich anbahnte, faßte mir ein Herz und ging hinüber zu meinem Lehrer Eugen Boll. Ich verbeugte mich vor ihm und sprach: »Es ist,

Herrchen«, so sprach ich, »angekommen ein Paar, welches steht und herüberglubscht. Ich weiß nicht, was soll das bedeuten?«

Eugen Boll warf einen schnellen Blick in die bezeichnete Richtung, umarmte mich kurz und heftig und brach aus: »Es bedeutet«, so brach er aus, »Fürchterliches.« Und damit riß er den zarten Geschöpfen fort, was er ihnen in die Hände gegeben hatte, jagte sie auf einen Haufen zusammen, zog sich, das Lehrerchen, seine Jacke an und begann, fröhlich wie noch nie, zu dirigieren. Worauf wir Knaben zu singen anfingen, emsig und mit klopfenden Pulsen.

Na, der Rektor Ratz und das dünne Weibchen kamen über den Hof heran, blickten mißtrauisch, die beiden, und strichen ein paarmal um uns herum, bevor überhaupt gewechselt wurden geziemende Worte der Begrüßung. Dann war das Liedchen zu Ende, und bevor Eugen Boll weiterdirigieren konnte - er wollte es sofort -, fiel ihm der Oberrektor in den Arm, schüttelte den Kopf und dachte nach. Und nachdem er das hinter sich hatte, sprach er mit einer dunklen, üppigen Stimme: »Für wen«, sprach er, »und aus welchem Grund wird gesungen das Liedchen?«

»Es ist«, sagte Eugen Boll, »ein Liedchen zur Begrüßung. Sagen wir mal, zur Begrüßung des Frühlings.«

Der Ratz, er hob plötzlich die Nase, schnupperte, stellte sich, dieser Mensch, auf die Fußspitzen und sog die Luft ein, und auf einmal kam er, beroch uns Knaben und sprach: »Die Zöglinge«, sprach er, »sie stinken.« Und nach einem erklärenden Blick zu dem Latrinchen: »Wenn man schon, Lehrer Boll, den Frühling begrüßen will mit einem Liedchen im Grünen - warum denn, wenn ich fragen darf, muß das stattfinden neben dem Latrinchen. Warum nicht, wie es ziemlicher wäre, in Gottes schöner Flur?«

»Die Knaben«, sprach darauf unser Eugen Boll, »sie sind müde vom Dienste am Geist. Und außerdem haben sie sich, wenn es erlaubt ist, sozusagen, an die Umstände gewöhnt. Wo man sie auch hinstellt, sie singen und begrüßen den Frühling.«

»Aber trotzdem, Lehrer Boll, sollte man nicht suchen die Nähe des Stunks. Denn die Zöglinge, Ehrenwort, könnten Schaden nehmen dabei.«

In diesem Augenblick erhob sich - und es kam direkt aus der Erde - eindringliches Gebrüll. Dies Gebrüll, es stammte von den Bürschchen, die man mit der Seilwinde in die Grube hinabgelassen und, in den ersten flattrigen Sekunden, rein vergessen hatte. Sie brüllten so herzzerreißend, daß der Oberrektor und das Weibchen wie erstarrt dastanden und nicht wußten, wie sie sich verhalten

sollten. Aber nur ein Weilchen. Denn schon im nächsten Moment schoß Ratz auf den Eugen Boll zu und fragte: »Wer«, fragte er, »ruft da aus seinem Grab?« Worauf unser Lehrerchen sagte: »Mich deucht, es ist jemand hinabgefallen. So gesehen, empfiehlt es sich vielleicht zu suchen.« Gerade wollte er uns ausschwärmen lassen, als die Inspektion die Grube mit den brüllenden Knaben auch schon entdeckt hatte. »Was ist«, rief Ratz, »das für ein Zustand. Ich sehe diverse Zöglinge in Not. Warum, bitte schön, stochern sie in dem Latrinchen herum?«

Eugen Boll, unser Lehrer, hob traurig die Schultern und sprach: »Möglicherweise, Herr Oberrektor, ist einem hineingefallen die Hose.«

»Aber solch eine Hose«, ließ sich das verstörte Weibchen vernehmen, »wird doch nicht mehr sein zu gebrauchen.«

»Die Hose wie die Hose«, sagte Boll. »Aber vielleicht befindet sich in ihr, sagen wir mal, ein Betrag von zehn Pfennig. Ganz zu schweigen von einer Birne, die drin sein könnte, oder von einem rotwangigen Äpfelchen. Die Zöglinge, sie werden schon haben ihren Grund. Ich kenne sie sämtlich.«

»Man helfe ihnen«, sagte das Weibchen, »herauf.«

Na, jetzt wurden die Knaben mittels der Seilwinde befreit, und da sie einen ziemlich benommenen Eindruck machten, verzichtete Ratz einstweilen auf die Befragung. Ließ, statt dessen, die Knaben zurückmarschieren in das Schulhäuschen, um mit ihnen das vorzunehmen, was man nennt eine Prüfung.

Diese Prüfungen, sie standen ohnehin vor der Tür, und um sich zu orientieren über den Stand des Suleyker Geistes, fragte dieser Ratz gleich los in entsprechendem Sinne.
Fragte also zum Beispiel meinen Nachbarn, einen dicken, verschüchterten Knaben: »Sage mir, Heinrich Klumbies, wer hat gewonnen und wann die unvergeßliche Schlacht von Striegeldorf?« Was den Heinrich Klumbies nach einigen Minuten des Nachdenkens zu sagen bewog: »Herrchen, mich kitzelt einer von hinten, so daß ich vergessen hab' Nam' und Jahr. Aber in Striegeldorf wohnt mein Onkel. Er zieht dort Bienen.«
Der Ratz ging darauf an den Knaben Klumbies heran, so daß diesen niemand mehr kitzeln konnte, und sprach: »Heinrich Klumbies«, sprach er, »wenn nun die Prüfung kommt, was wirst du machen in nämlicher Prüfung, damit du bestehst?«
»Mein Vater«, sagte der Knabe, »hat schon zum Räuchern gegeben den Schinken für die Prüfung. Er wird ihn aushändigen dem Herrn Lehrer zur rechten Zeit.«
Eugen Boll, als er solches hörte, zog gleich seinen Schuh aus, um den Knaben Klumbies damit zu werfen; er unterließ es nur, weil diesem, zu jedermanns Überraschung, die Tränen herausstürzten. Er schluchzte so bewegt, daß das bebrillte Weibchen zu ihm kam, ihn streichelte und sanft fragte: »Warum, Heinrich Klumbies, drängt es dich so zu schluchzen?«
»Es ist«, sagte dieser, »wegen meines Onkelchens.

Dieses Jahr wird er keinen Honig schicken. Sonst, Madamchen, hat er immer Honig geschickt.«

Das bebrillte Weibchen, es hatte Mühe, den Knaben Klumbies zu trösten, aber schließlich gelang es ihm doch, und der Oberrektor schob sich vor ihn und schickte sich an, weiter zu fragen. Wandte sich diesmal an meinen Vordermann und fragte unerbittlich drauf los: »Sage mir, Titus Anatol Plock, wo und zu welcher Bedingung ein Herrchen ins Wasser springt, um zu tauchen nach einem Ring? Und füge hinzu den vollen Familiennamen des Dichters.«

Titus Anatol Plock erhob sich, schluckte irgend etwas 'runter, das er gerade gekaut hatte, krümmte die nackten Zehen, schob sie über den Fußboden und dachte nach. Und nach einem Viertelstündchen sagte er mit aufleuchtender Miene: »Herrchen«, sagte er, »mein Nebenmann läßt Luft, und außerdem habe ich mir eingezogen einen Splitter im Zeh. Es kommt schon Blut, und darum kann ich nicht richtig nachdenken.«

Sofort rannte das Weibchen von der Inspektion auf den Knaben zu, legte ihn auf die Bank, besah sich den Splitter und zog ihn, nach langwierigen Vorbereitungen, wieder heraus. Titus Anatol Plock setzte sich danach auf sein Bänkchen, wimmerte dünn vor sich hin und hatte damit beantwortet die Frage.

Wer jetzt glaubt, daß alles zu Ende war, kann nicht ermessen die bodenlose Geduld des Oberrektors Ratz. Er hob seinen Zeigefinger, zielte auf die Knaben und drückte, wenn man so sagen darf,

ab auf den Zögling Joseph Jendritzki. Dies war ein schiefgewachsener, rothaariger Knabe mit selbstgenügsamem Gesichtsausdruck, der eine große, blaue Milchkanne neben seiner Bank stehen hatte. Und zu ihm sprach die Inspektion folgendermaßen: »Sage mir, Knabe Joseph Jendritzki, einiges über Gottes schöne Welt. Erkläre mir beispielsweise, was du weißt und hast gehört über die Wölkchen - woher sie kommen, wohin sie eilen, und was sie mitunter machen. Denk und sprich.«
Joseph Jendritzki, ein gewandtes Geschöpf, plierte gleich zum Fenster 'raus, nahm in Augenschein Himmel und Wölkchen. Und dann ging er an das Fenster heran, öffnete es, stieg auf das Sims und plierte weiter. Und als ihm auch das nicht zu ausreichender Antwort zu verhelfen schien, sprang er ins Freie, kletterte auf einen Kastanienbaum und besah sich in aller Ruhe und Hingegebenheit die Wölkchen. Zum Schluß pflückte er sich noch einige Kastanien und kam dann freudestrahlend zurück. Der Oberrektor lächelte ihm zu, das Weibchen lächelte ihm zu, und auch Egon Boll in der Ecke blickte ihn erwartungsvoll lächelnd und voller Stolz an, als er wieder zu seinem Bänkchen ging.
»Also«, sprach Ratz, »sage du mir, was ich wissen will.«
Joseph Jendritzki schaute nach unten, seine Blicke glitten über den Boden und über die große, blaue Milchkanne, und plötzlich rief er: »Herrchen«, rief er, »man hat mir vollgestrullt meine Milchkanne. Das muß gewesen sein, als ich saß auf dem Baum zum Zwecke der Beobachtung.«

Ein Tumult entstand, ein Forschen und Fragen erhob sich, und es wäre mancherlei erfolgt, wenn jener Oberrektor Ratz nicht unvermutet gesagt hätte: »Ich bitte mich zu entschuldigen für ein knappes Minütchen. Ich bin gleich wieder zurück.« Und damit ging er hinaus.

Ging hinaus und wollte, während man ergeben auf ihn wartete, überhaupt nicht mehr wiederkommen. Na, als dann ferne Hilferufe erklangen, ging der Lehrer Egon Boll hinaus und fand den Oberrektor eingeschlossen im Latrinchen. Der Lehrer entschuldigte sich ziemlich ausschweifend und sprach: »Es muß liegen an jenem neuen Riegel. Weil er ein wenig klemmt, muß man das Türchen etwas anheben. Vielleicht darf ich es zur Erklärung zeigen.«

Worauf beide Herren noch einmal hineintraten, und Eugen Boll den Riegel vorschob aus Gründen des Versuchs.

Ganz recht: der Riegel klemmte auch diesmal, klemmte so gut, daß das Türchen nicht aufspringen wollte, auch als man es anhob. Sie klopften, hoben und stießen, trommelten sogar mit den Fäusten - nichts gab nach. So nahmen die Herren Platz und bedachten, was auch halbwegs zutraf: nämlich ihr finsteres Los. Bedachten es, so ungefähr, bis zum Abend, plauderten über dies und das, und wurden endlich befreit von dem bebrillten Weibchen, das verängstigt auf rasche Abreise drang.

Zu meiner Zeit ist dann keine Inspektion mehr gekommen, und wir lebten wie ehedem und ließen uns berauschen vom Dienst am Geist.

DIE FÜNFZEHNTE
DER MASURISCHEN GESCHICHTEN

Eine Sache wie das Impfen

Kaum war das Gerücht entstanden, da tat es auch schon das, was offenbar in seiner Natur liegen muß: es verbreitete sich. Verbreitete sich über ganz Suleyken, sprang über nach Schissomir, rannte den Bahndamm entlang nach Striegeldorf und gelangte, dieses Gerücht, nach Überquerung der Kulkaker Wiesen direkt in die Kreisstadt. Hier verlief es sich erstmals, hatte sich verirrt, wie es schien, aber dann fand es doch den Weg: stolzierte eines Tages über den Marktplatz, die Treppen zum Magistrat hinauf, klopfte an eine gewisse Tür und war, wie die Ereignisse zeigen werden, am Ziel.

Dies Gerücht: niemand kann sich mehr erinnern, wie es eigentlich entstanden ist, nur was es besagte, das ist noch im Gedächtnis. Und es besagte ungefähr, daß in der Suleyker Familie Plock, in punkto Gesundheit und auch sonst, alles ziemlich brach und darnieder lag. Die Angehörigen dieser Familie, so erzählte man, hätten entweder dicke Bäuche oder gar keine, sie äßen lebende Tiere, Schimmel vor allem, weiterhin bevorzugten sie, ihre Speisen von der Erde zu essen, und zeigten die sonderbare Neigung, sich mit den Tieren zu unterhalten. Auch sollte es Beispiele dafür geben, daß eine Anzahl der Plockschen Kinder mit den Schafen zusammen auf die Weide getrieben wurde -

man ahnt schon, wieviel Schrecken und Aufregung waren auf seiten von Dr. Sobottka, dem Kreisphysikus, als nämliches Gerücht in seine Ohren fiel. Nachdem es, jedenfalls, tief genug hinabgefallen war, verfiel unser Kreisphysikus in einen Zustand schwermütigen Nachsinnens, sann alles ordentlich durch, und als er damit zu Ende gekommen war, hob er den Kopf und sprach so: »Wir werden«, sprach er, »impfen!«

Noch im gleichen Augenblick wurde eine Kommission zusammengestellt, wurde mit Taschen ausgerüstet, mit mancherlei Medizin und Tabletten, auch Messer waren dabei, um, gegebenenfalls, die Plockschen Kinder von den Tauen zu schneiden, mit denen sie auf der Weide angepflockt waren. Sage und schreibe bestand die Kommission aus vier Herren; die Suleyker Hebamme, ein Weibchen namens Martha Mulzereit, sollte an Ort und Stelle zu ihr stoßen. So, und dann fuhr die Kommission, sagen wir mal, in hochoffiziellem Vierspänner, auf dem kürzesten Weg nach Suleyken, zur Quelle des düsteren Gerüchts. Fuhr hin und hielt also vor dem ersten Häuschen, welches auch gleich gehörte meiner Großtante, der Witwe Jadwiga Plock.

Gottes Segen, er ruhte mild über Jadwiga Plocks Häuschen, denn selbst nachdem sie Witwe geworden war, hatte sie nicht aufgehört, gesunden, etwa zehnpfündigen Kindern das Leben zu schenken, und zwar mit wunderbarer Regelmäßigkeit. Und es fügte sich, daß, als die Kommission eintrat, alle sechzehn anwesend waren, auch Titus Anatol, welcher das achte Kind war.

Was sich der Kommission zunächst bot, es war ein Anblick von bewegtem Leben: es krabbelte, plapperte und blubberte, es kroch vor und zurück, es wimmerte und schrie, lutschte und weinte, kaute und zankte, schluckte und miaute und aß unentwegt. Einiges saß auf den Stühlen, anderes auf dem Tisch oder auf dem Ofen, das meiste natürlich bewegte sich auf dem Fußboden.

Na, Martha Mulzereit, die ortskundige Hebamme, bildete sozusagen die Nase der Kommission, steckte sie also vorsichtig 'rein in die Höhle des Lebens, kundschaftete sorgfältig alles aus und zog die Kommission nach. Und jetzt gab Jadwiga Plock ein Beispiel häuslicher Selbstbehauptung: sie fegte die Stühle rein, den Tisch, den Ofen, säuberte sie quasi von jeglichem Leben und sagte nichts weiter als »Willkommen in Suleyken«. Dann bot sie der Kommission Rauchfleisch an, Bohnen, Kohl und Kaffee, verrichtete alles schweigend, mein Großtantchen, und musterte derweil mißtrauisch den Besuch. Der Besuch aß erst einmal.

Nachdem er aber gegessen hatte, sagte die Hebamme plötzlich: »Wir könnten jetzt eigentlich impfen.« Zog auch gleich eine Spritze heraus, lud sie in einer Flasche und ging, einige Locktöne ausstoßend, auf den Berg von Leben zu, der in einer Ecke zusammengekrochen war. Ein furchtbares Kreischen begann, ein Winseln und Johlen, der Berg geriet in Bewegung, floh teilweise aus dem Fenster, teilweise durch die Tür, kurz und gut, wie man schon vorauseilend bemerkt hat: es blieb nichts übrig zum Impfen. Die Kommission wartete ein Weilchen, und als nichts geschehen wollte, äußerte sie den Wunsch nach heißem Wasser. Das wurde gebracht, und die Kommission, einschließlich der Hebamme, zog die Schuhe aus und brühte die Füße. Dabei geriet man ins Plaudern, richtete es sich gemütlich ein und gab zu verstehen, daß man im Interesse der Gesundheit nötigenfalls auch längere Zeit warten werde, und Jadwiga Plock, mein Großtantchen, umsprang und umsorgte den Besuch, versah ihn mit allem, wonach er verlangte, sogar mit einem Nachtlager in der Scheune versah sie ihn.

Das zahlreiche Leben der Jadwiga Plock blieb indes verschwunden, nichts war zu hören, nichts zu sehen, als ob mein Großtantchen geradezu unfruchtbar gewesen wäre: so nahm es sich aus. Allerdings zeigte sie weder Furcht noch Besorgnis in Anbetracht der verschwundenen Brut, antwortete, wenn sie gefragt wurde, mit höflicher Gleichgültigkeit, hob ihre ansehnlichen Schultern und stellte sich rein dammlich.

Die Kommission ihrerseits machte tagsüber kleine Ausflüge, bestellte bei den Bauern Winterkartoffeln, nahm an einem Feuerwehrfest teil, spazierte und plachanderte, und ein Mitglied verlobte sich sogar. So ging der Sommer vorüber.

Eines Morgens, niemand hätte das mehr erwartet, tat die Kommission etwas Ungewöhnliches: sie schöpfte Verdacht. Und zwar schöpfte sie ihn, als Jadwiga Plock, sich allein glaubend, mit einem riesigen Topf Kohl auf den Hof trat, den Topf auf die Erde setzte und klanglos wieder in ihrem Häuschen verschwand. Sofort setzte die Kommission ihr nach und fragte sie: »Für wen«, fragte sie, »ist der Kohl?«

»Er ist«, sagte mein Großtantchen, »bestimmt für den Hund.«

Man wird, dachte die Kommission, den Hund ja sehen, und sie postierte sich, hinter bequemen Astlöchern, in der Scheune, verhielt sich stumm und wartete. Und alsbald, oh, schneller Erfolg des Lauschens, tauchten aus den Johannisbeerbüschen, aus den Brombeeren, aus den Bäumen und Heuhaufen Jadwiga Plocks Söhne und Töchter auf, schlichen auf den Hof, krochen hervor bis zu dem Topf mit Kohl und begannen zu speisen. Sie umlagerten den riesigen Topf, kniffen sich gegenseitig weg, zerrten und zogen, warfen sich mit Kohl: die Kommission stand wie gebannt.

Stand ungefähr bis zum Ende der Mahlzeit, die Kommission, dann handelte sie strategisch, will sagen, sie schlich sich hinaus auf den Hof und fing, von mehreren Seiten kommend, vier von der Plockschen Brut. Diese wurden, unter ohrenschmerzendem Kreischen, in die Scheune geschleppt, geimpft und danach in die Freiheit entlassen.

Und nun kam es zu verwirrenden Merkwürdigkeiten: es meldeten sich bei der Kommission alsbald einige Knaben, die freiwillig geimpft werden wollten, nach ihnen kamen neue und wieder neue, immer umfangreicher wurde die Zahl - nie hat man so viel fröhliche Bereitschaft unter der Suleyker Brut bemerken können, so viel andächtiges Stillhalten. Sie drängten sich vor, jedem konnte es nicht schnell genug gehen mit dem Impfen, sie zeigten schon auf die Stelle, wo sie den Stich hinhaben wollten, na, man wird sich ausmalen, was los war. Ein Wettbewerb hatte eingesetzt, einer suchte den andern zu übertreffen in der Anzahl der Impfstellen - manch einer hatte es verstanden, sich sechsmal unbemerkt anzuschließen. Und natürlich sparte die Kommission nicht an Tabletten und Medizin, sparte auch ebensowenig an hygienischen Ermahnungen gegenüber meiner Großtante Jadwiga Plock. »Es empfiehlt sich«, sagte beispielsweise die Kommission, »die Kinderchen aus Tellern essen zu lassen. So etwas verhindert unter anderem die Rachullrigkeit« - das ist: die Habgier, na und so weiter. Machte, diese Kommission, ihren ganzen Einfluß geltend, um der Gesundheit die Ehre zu geben, und nachdem das geschehen war, reiste sie ab in dem hochoffiziellen Vierspänner.

Doch kaum war sie weg - jeder Prophet wird sofort wissen, was auftrat, nachdem die Kommission weg war -: Krankheit nämlich. Die Plocksche Brut, verurteilt zu Teller und Löffel, bekam Fieber, begann an Appetitlosigkeit zu leiden und schleppte ein Übel herum, das später bekannt geworden ist als die Suleyker Darmnot.

So siechte eine der berühmtesten Suleyker Familien dahin, unter Fieber und bemerkenswerten Verdauungsnöten, und sie wäre wahrscheinlich ausgelöscht worden, wenn Jadwiga Plock, meine Großtante, das Siechtum nicht auf ihre Art beendet hätte: sie verbarg kurzerhand die Teller und stellte, am nächsten Tag, einen riesigen Topf Kohl auf die Erde. Und siehe da: das schon welke Leben begann - sacht, versteht sich - wieder zu knospen, das Fieber blieb langsam weg und schließlich auch die anderen Übelkeiten. Und nachdem, militärisch gesprochen, der Donner verraucht war, ereignete sich das Leben wieder nach Suleyker Art: nämlich blühend.

DIE SECHZEHNTE
DER MASURISCHEN GESCHICHTEN

Der Mann im Apfelbaum

Einen seltsamen Baum, Herrschaften, gab es bei uns in Suleyken; wohl den seltsamsten Baum von der Welt. Was sich auf seinen Zweiglein schaukelte, es waren die Blüten des Aberglaubens, und es waren - aber ich will der Reihe nach erzählen.

Vierunddreißig Apfelbäume, so wird berichtet, besaß der Adam Arbatzki, keinen aber pflegte und bevorzugte er mehr als den, welcher unmittelbar neben seinem Häuschen stand. Es war, betrachtete man alles aus der Entfernung, ein sonderbares Verhältnis, das dieser Adam Arbatzki mit seinem Bäumchen hatte: nicht nur, daß er ihm reichlich und vom besten Dünger gab, daß er zur Zeit der Nachtfröste ein Koksöfchen neben ihm aufstellte - zuweilen, wie mehrmals festgestellt wurde, pflegte er sich sogar mit ihm zu unterhalten. Plauderte schließlich so ungeniert mit dem Bäumchen, bis seine Frau, ein ganz junges Marjellchen namens Sofja, einiges mitbekam und ihn darob mit folgenden Worten zur Rede stellte: »Ich habe, Adam, im letzten Winter rechnen gelernt. Und ich habe ausgerechnet, daß du bei Sonne vier, bei Regen sieben Sätze mit mir redest. Mit meinen Ohren aber, die ich habe, um zu hören, habe ich erlauscht, daß du mit jenem Bäumchen, das immer mehr in die Breite geht und schon in alle Fenster hineinlugt, mehr als zehn Sätze sprichst. Demzufolge möchte ich bitten um Aufklärung. Das ist ja wohl möglich.«

Adam Arbatzki, er lächelte mild und müde, besann sich ein wenig und sprach dann mit leiser Stimme: »Die zehn Sätzchen, moia Zonka, die ich sprech' zu dem Baum, sprech' ich zu mir selbst. Denn dies Bäumchen ist niemand anderes als meine Wenigkeit. Ich habe es gepflanzt, damit ich schlüpfen kann in es, wenn ich tot bin. Und damit ich aufpassen kann auf dich, Sofja. Du bist noch jung, moia Zonka, und wer jung ist, stellt sich womöglich ziemlich dreibastig an. Somit möchte ich dich schon heute ein bißchen warnen. Das Bäumchen - und das heißt ich - kann hineinlugen in alle Fenster und sehen, was vor sich geht. Wenn zuviel vor sich geht nach meinem Tode, werd' ich mich schon auf gewisse Weise melden.«

Dies Gespräch fand statt an einem Dienstag; an einem Mittwoch legte sich Adam Arbatzki ins Bett, an einem Donnerstag schickte er nach dem Arzt, und da er sich an dem Arzt nicht vergriff, sondern schluckte, was dieser ihm verschrieb, starb er an einem Sonntag zur Kaffeezeit. Eigentlich war er auch alt genug dafür.

Na, die Sofja, das kribblige Marjellchen, sorgte sich, daß ihr Adam Arbatzki ein schönes Plätzchen fand, mottete seine Jacken und Hosen ein und verhielt sich ruhig. Wenigstens einstweilen. Aber nach und nach ließ sie die Trauer hinter sich - war ja auch zu jung, um sich künftighin nur zu grämen - und erging sich in dem, worin das Leben, scheint's, zur Hauptsache besteht: nämlich in Geschäftigkeit. Diese Geschäftigkeit führte sie, was keinen wundern wird, gelegentlich auch unter das Bäumchen des Adam Arbatzki. Aber statt ihm Dünger anzubieten, ein Eimerchen voll bester Jauche oder ein Koksöfchen für die Nachtfröste, bot sie ihm nur scheele Blicke. Rupfte sich, im Vorbeigehen, auch mal einen Zweig ab, schlug mit dem Fuß dagegen oder machte sonst was - alles nur, um

zu sehen, wie weit der alte Adam Arbatzki wirklich in dem Bäumchen enthalten sei. Und da auf ihre Versuche nichts Außergewöhnliches geschah, kein Ächzen erfolgte, kein Stöhnen, Rauschen oder Schimpfen, ließ sie eines Tages, weil der Baum ihr quasi ein ungeheurer Splitter im Auge war, einen fremden Knecht kommen und sprach zu dem: »Hacke mir«, sprach sie, »Knecht, dieses runzlige Ding weg. Schön ist es nicht, wachsen tut es nicht mehr, und die Äpfel, die es abwirft, kann kein

Mensch in den Mund nehmen. Außerdem nimmt mir das Gewächs das Licht weg für alle Stuben.«
Der Knecht, ein gewisser Sbrisny, holte sich darauf seine Axt, holte sich noch dazu ein Fuchsschwänzchen und ein Seil und schickte sich an, dem Adam Arbatzki im Baume den Garaus zu machen. Bis hierher ging auch alles gut.
Aber nun frage ich: wer, Herrschaften, würde von uns stumm zusehen, wenn ein gewisser Sbrisny käme, uns ein Seil um den Hals legte und dann anfinge, mit seinem Fuchsschwänzchen an unseren Beinen herumzusägen? Ich will doch hoffen, da würde sich niemand ruhig verhalten. Na also. Und darum ist auch nicht zu erwarten, daß sich der Adam Arbatzki im Baume ruhig verhielt: als sich der Knecht mit der Säge gerade bückte, flog ihm ein morscher Ast so eindrucksvoll auf den Schädel, daß er sich nicht wieder hochrecken konnte. Mußte im Fuhrwerk nach Hause geschafft werden, dieser Sbrisny, und mied den bezeichneten Baum von Stund an.
Darauf ging das Marjellchen Sofja wie wandelnd unter das Bäumchen, lauschte ein Weilchen, sah sich alles genau an und wisperte: »Der Knecht Sbrisny, Adam Arbatzki, hat immer geholfen bei den Rüben. Und das Heu hat er eingefahren. Es schickt sich nicht, wenn du ihm so schlägst auf den Dassel. Ein Ast zieht schlimmer als die Hand.«
Das Bäumchen schwieg dazu, und Sofja, die junge Witwe, ging in ihr Haus und überlegte.
Überlegte, ob er kommen solle oder nicht - er: damit ist gemeint das kräftige Bürschchen Egon

Zagel, ein Lachudder weit und breit, worunter man sich vorzustellen hat einen Lümmel. Schließlich, weil sie in sich pochen fühlte eine Sehnsucht, entschied sie, daß er gegen Abend zu ihr kommen solle, und sie gab ihm Bescheid.

So kam Egon Zagel auf seinen - wenn es erlaubt ist zu sagen - schiefgelaufenen Latschen der Liebe ins Häuschen und ging ohne Umschweife der Tätigkeit eines Freiers nach. Aber mitten im Prahlen und Ringeln, im Drehen und Scharwenzeln - was geschah da? Was man erwartet hat: Adam Arbatzki im Baum schlug mit den Ästen gegen die Fenster, knarrte im Wind und kratzte mit verschiedenen Zweigen am Strohdach. Tat das unablässig und derart aufdringlich, daß die Sofja sich erhob und zu dem Freier sprach: »Du könntest, Egon Zagel, bitte schön, hinausgehen und dem Baum ein paar Äste nehmen. Besonders die, mit denen er uns nicht in Ruhe läßt.«

»Das wird«, sprach der Freier, »geordnet in zwei Minuten.« Schnappte sich ein Küchenmesser und trat unter den Baum, um die fraglichen Äste auszumachen. In diesem Augenblick schüttelte sich Adam Arbatzki so, daß das Bürschchen erst einmal gehörig naß wurde, und als es sich, mit zwei, drei Schritten, in Sicherheit bringen wollte, stellte ihm der Adam Arbatzki ein Bein, genauer gesagt, er stellte dem Lachudder eine Wurzel, woraufhin dieser dergestalt stolperte und sich drehte, daß ihm das Küchenmesser in eine seiner bemerkenswerten Hinterbacken fuhr. Der jungen Witwe blieb es vorbehalten, das Küchenmesser herauszuziehen und zu säubern, und es braucht nicht gesagt zu werden, daß jener Freier ziemlich rasch verduftete.

Ja, und nun begann es sich allmählich herumzusprechen, was mit diesem Bäumchen los war, und es gab nicht wenige in Suleyken, die es höflich grüßten und hin und wieder auch ein Wörtchen zu ihm sprachen. Vor allem fand sich keiner, der bereit gewesen wäre, das Marjellchen Sofja als regelrechte Witwe anzusehen - ein Umstand, der ihr außerordentlich zu Herzen ging und sie, wo nicht schwermütig, so doch ratlos machte. Dieser Zustand hielt auch ein paar Jährchen an. Aber in ihrem Kopf rumorte es, rumorte so lange, bis ergrübelt war ein neuer Plan, wie dem Bäumchen zur Rinde zu gehen wäre. Und sie ließ kommen einen auswärtigen Knecht aus Schissomir, einen düsteren Menschen namens Strichninski, der von nichts wußte. Diesem wurde aufgetragen, eine Fackel an das Bäumchen zu legen und es sachte abpesern zu lassen.

Wickelte auch gleich, dieser Strichninski, ein Stück Sackleinwand um einen Knüppel, tauchte ihn in Teer, zündete ihn an und warf ihn gegen das Bäumchen. Und jetzt mag man es glauben oder nicht: die Fackel prallte so forsch ab, als ob der Baum sie zurückgeschleudert hätte; sie flog zu jenem Strichninski zurück und leckte ihm einmal über die Visage, was bewirkte, daß er schreiend davonrannte.

Wieder trat Sofja, die junge Witwe, in den Garten und beschimpfte Adam Arbatzki im Baum. Aber der blieb stumm.

Schon war das Marjellchen daran, sich für immer in ihr Geschick zu fügen, als sich ein kleiner lebhafter Gärtner mit Namen Butzereit bei ihr einstellte, der von ihrem Unglück vernommen hatte. Kam also zu ihr und sagte: »Was man zu hören bekommt über den Adam Arbatzki im Baum, es stimmt einen nachdenklich. Aber wer, frage ich, wird sich nicht wehren, wenn man ihm fährt an die Haut. Da muß man anders handeln. Gegen entsprechende Vergütung würde ich es schon übernehmen.«

»Es wird«, sagte Sofja, »alles vergütet bei Gelegenheit.«

Was bleibt mir zu sagen? Dieser kleine, lebhafte Gärtner nahm ihre Hand und sagte: »Ich werde«, sagte er, »das Bäumchen verschönern. Dagegen wird es wohl nichts haben. Es geht alles ohne Gewalt.«

Und er ging hin und begann das Apfelbäumchen auf verschiedene Weise zu veredeln: durch, wie es heißt, Äugeln, durch Geißfußpfropfen und Kerbeln. Setzte ihm hier einen Haselnußast an, da einen Zweig vom Birnbaum, verwendete Kastanien, Birken, Weiden und sogar Linden, und pfropfte dem Bäumchen alles auf unter ständigen Schmeicheleien. Und das Bäumchen, es ließ sich das auch gefallen - womit es, wie jeder Kundige einsehen wird, überlistet war. Denn es wuchs nun, ja, wohin wuchs es eigentlich? Auf einer Seite hingen Haselnüsse, auf der anderen Äpfel, hier waren es Kastanien, da Kruschken, mit einem Wort: Adam Arbatzki im Baum verlor so allmählich seine Natur, wuchs sich gewissermaßen aus. Was zuletzt von ihm nachblieb, war nur der Stamm. Sagt selbst, Herrschaften, geben Beine noch einen Menschen ab? So also verzweigte und verzettelte sich jener Adam Arbatzki, weil er nichts gegen eine Veredelung hatte. Wer nach Suleyken kommt, kann ihn übrigens immer noch dort sehen: den wahrscheinlich seltsamsten Baum von der Welt.

DIE SIEBZEHNTE DER MASURISCHEN GESCHICHTEN

Die große Konferenz

Manchmal, wie die Erfahrung zeigt, glaubt man etwas zu besitzen, nur weil man sich an den Gedanken des Besitzes gewöhnt hat. Dieser Tatbestand war gegeben im Fall der sogenannten Suleyker Poggenwiese, eines moorigen Landzipfelchens, das erfüllt war vom quakenden Palaver der Frösche, vom einzelgängerischen Brummen der Hummeln, von unablässigem Gepieps und Gezirp. Die Suleyker, sie sahen nämliche Poggenwiese als ihren rechtmäßigen Besitz an, weshalb sie ohne Arg hinaufließen, ihre berühmten Schafe, ihre Schimmel, ihre Kühe, ganz zu schweigen von den Enten, die es unaufhaltsam zu den Gräben zog.

Es ging gut, sagen wir mal - aber niemand hat die Jahre gezählt, wie lange es gut ging. Eines Tages nun zog sich ein Mensch aus Schissomir, Edmund Piepereit mit Namen, seine Schuhe aus, watete in so einen Graben hinein und schnappte sich ein ansehnliches Suleyker Erpelchen unter dem Hinweis, daß die Poggenwiese, von Rechts wegen, zu Schissomir gehöre. Und daher, meinte dieser Mensch, könnte er betrachten das Erpelchen gewissermaßen als Strandgut.

Jetzt möchte man wohl wissen, wie sich Suleyken verhielt. Na, zunächst drang es auf Vergeltung, dann horchte es auf, und nachdem es auch herumgehorcht hatte, stellte sich ein eine schmerzhafte Ratlosigkeit. Denn die sogenannte Poggenwiese hatte sich herausgestellt als umstrittener Besitz - worunter zu verstehen ist, daß sowohl Suleyken als auch Schissomir besagte Wiese als ihr Eigentum ansahen.

Da nun aber, wie es jedermann einleuchtete, eine Wiese nicht haben kann zwei Herren, wurde das einberufen, was sich in ähnlichen Fällen schon wiederholt bewährt hat: nämlich eine Konferenz. Diese Konferenz, sie sollte stattfinden in Schissomir, sollte den Streit schlichten und die Poggenwiese dem zusprechen, der die besten Worte finden konnte für den Nachweis des Besitzes. Alles in allem, wie man es sich denken kann, weckte diese Konferenz auf beiden Seiten große Erwartungen.

Nun wurde in Suleyken ein Vertreter gewählt, von dem zu hoffen war, daß er die besten Worte finden würde zum Nachweis des Besitzes. Es liegt nicht nur auf der Hand, daß niemand anderes gewählt wurde als mein Großvater, Hamilkar Schaß, der sich durch angespannte Lektüre geradezu den Ruf eines Suleyker Schriftgelehrten erworben hatte. Gut. Wer Suleyken kennt, wird jetzt nicht allzu kleinlich sein in der Vorstellung, was meinem Großväterchen, Hamilkar Schaß, mitgegeben wurde als Ausrüstung: Kniestrümpfe aus Schafwolle und Briefmarken, Rauchfleisch und Sicherheitsnadeln, Ohrenschützer, ein Gesangbuch, Streuselkuchen, eine ganz neue Peitsche, ferner zwei Kilo ungesponnene Schafwolle, ein Leibriemen und, natürlich, Lektüre über Lektüre, welche sich vornehmlich zusammensetzte aus älteren, aber geschonten Exemplaren des Masuren-Kalenders. Nimmt man das ganze zusammen, so waren es ungefähr zwei Fuhrwerke voll, die mein Ahn als Ausrüstung für die Konferenz erhielt.

Hamilkar Schaß, mein Großväterchen, hielt es indes für besonders notwendig, zur Konferenz ein Tütchen Zwiebelsamen mitzunehmen, und zwar aus dem Grunde, weil er dem Glauben anhing, Zwiebeln seien gut zur Beflügelung des Geistes. Er pflegte sie mit der gleichen Leidenschaft zu essen, mit der er sich auf seine Lektüre warf, und er weigerte sich abzureisen, bevor nicht die entsprechenden Tütchen mit den Zwiebelsamen vorhanden waren. So, und dann reiste er ab, begleitet von den Segenswünschen der Suleyker, reiste mitten hinein in die Höhle des Löwen von Schissomir.

Schissomir: es hatte vollauf erfaßt Sinn und Bedeutung solch einer Konferenz, wofür man, in Zweifelsfällen, nur folgende Tatsachen ins Auge zu fassen braucht: erstens wurde meinem Großvater zugewiesen eins der ansprechendsten Häuschen von ganz Schissomir, zweitens ein Gärtchen dazu, drittens allerhand ausgesuchte Bequemlichkeiten wie ein Badezuber mit Bürste, ein Stück Seife, ein Bänkchen vor dem Haus zum Nachsinnen, und, nicht zu vergessen, Moos zwischen den Doppelfenstern, für den Fall, daß es im Winter zieht. Man ließ ihm Zeit sich einzurichten, drängte ihn überhaupt nicht, und mein Großväterchen ging, um sich innerlich einzustellen auf die Konferenz, einige Wochen müßig.

Dann aber war es soweit: die Konferenz wurde bestimmt und festgesetzt.
Sie war festgesetzt auf sechs Uhr in der Früh' - man wollte frisch und ausgeruht sein. Es saßen sich gegenüber Hamilkar Schaß aus Suleyken und Edmund Piepereit aus Schissomir, derselbe, der das Erpelchen von einem der Gräben als Strandgut nach Hause getragen hatte. Die erste Sitzung, wenn man so sagen darf, nahm folgenden Verlauf: man begrüßte sich, aß eine riesige Pfanne voll Rührei, lachte und sprach über die Aussichten für den Hafer. Und man wäre fast auseinandergegan-

gen, wenn sich jener Piepereit nicht an das Erpelchen erinnert hätte, das sein Weibchen gerade für den nämlichen Abend schmorte. Stand auf, dieser Mensch, nahm sogar eine besondere Feierlichkeit an und sprach so: »Und was übrigens betrifft die

Poggenwiese, so gehört sie, wie Augenschein lehrt, nach Schissomir.«
Worauf Hamilkar Schaß, mein Großväterchen, in spürbarer Verwunderung den Kopf hob und antwortete: »Ich vermisse«, antwortete er, »Edmund Piepereit, die einfachsten Formen der Höflichkeit.« Stand damit auf und spazierte zu seinem Häuschen hinüber, wo er einen Spaten nahm, mit diesem in den Garten ging und gemächlich begann, mehrere Zwiebelbeete anzulegen. Da es gerade die Zeit war, säte er die Zwiebelchen aus, die nach der Ernte dienen sollten der Beflügelung seines Geistes. Und als er damit fertig war, setzte er sich auf das Bänkchen zum Nachsinnen.
Den Leuten von Schissomir war solches Treiben nicht verborgen geblieben; sie nahmen es hin und leiteten daraus ab das Verhältnis meines Großvaters zur Zeit. Und sie begannen zu spüren, daß sich dieser Mann auf das Warten verstand.
Nach, sagen wir mal, ein paar weiteren Wochen - die Zwiebelchen schauten schon ins Licht - wurde abermals eine Sitzung anberaumt. Zugegen waren dieselben Herren wie bei der ersten, es wurde auch das gleiche gegessen. Und nach einigen Einleitungsworten ließ sich der erwähnte Piepereit folgendermaßen vernehmen: »Es ist uns«, sagte er, »eine Ehre, Gastfreundschaft zu üben gegenüber einem Mann wie Hamilkar Schaß, dem Gesandten aus Suleyken. Und mit ihm ist es sogar eine besondere Ehre, denn er ist in mancher Lektüre bewandert, er kann Worte finden, die kaum ein anderer findet, und schließlich ist bekannt und geschätzt

seine Einsicht. An seiner Einsicht zu zweifeln wird sich niemand unterstehen, und schon gar nicht in dem Fall, wo es sich handelt um die Poggenwiese. Denn seit die Ritterchen hier waren, seit anno Jagello oder so, hat, wie jeder Einsichtige zugeben wird, die Poggenwiese immer gehört zu Schissomir. Und wenn auch nie viel hergemacht wurde von dem Besitz, es war unsere Wiese und ist, hol's der Teufel, unsere Wiese geblieben mit allem, was darauf herumstolziert oder zu schnattern beliebt. Nur ein Ungebildeter könnte hier zweifeln.«

Na, kaum war ihm das entschlüpft, als Hamilkar Schaß, mein Großvater, aufstand, sich höflich verneigte und sprach: »Eigentlich«, sprach er, »müßten die Zwiebelchen schon ziemlich weit sein. Habe sie tatsächlich ein paar Tage aus den Augen gelassen. Aber das kann man ja nachholen.«

Und schon war er draußen, wackelte zu seinem Gärtchen, setzte sich auf die Bank und beobachtete das Wachstum der Zwiebeln. Unterdessen flanierten die Leute von Schissomir an seinen Zwiebelbeeten vorbei, musterten den eingehend, der da auf dem Bänkchen saß, und verfielen in schwermütige Grübeleien, als sie das zuversichtliche Gesicht von Hamilkar Schaß sahen. Sorge regte sich hier und da - Sorge, weil man erkannt hatte, daß das Häuschen, in dem mein Großvater wohnte, und die ausgewählte Nahrung, die man ihm stellen mußte, immerhin etwas kostete, und zwar mehr, als man ursprünglich gedacht hatte.

Jeder wird es ihnen nachfühlen, daß sie deshalb auf eine dritte Sitzung drangen, welche in liebenswürdiger Weise verlief. Es gab gebratene Ente, es gab Rotwein und Fladen, und hinterher gab man Hamilkar Schaß, meinem Großvater, in versteckter, ja fast vorsichtiger Weise zu bedenken, daß die Poggenwiese von altersher Schissomir gehöre. Er allein wäre imstande, das einzusehen. Worauf Hamilkar Schaß nur sagte: »Die Zwiebelchen«, sagte er, »sind jetzt soweit. Ich könnte eigentlich gleich anfangen mit dem Ernten.« Worauf er sich höflich verabschiedete und zu seinen Beeten zurückkehrte.

Hat man schon gemerkt, wohin das Ende steuert? Aber ich möchte es trotzdem noch erzählen. Der Herbst ging vorüber, der Winter kam und empfahl sich, schon stand - grüßend, wie man sagt - das Frühjahr vor Schissomir: und immer noch brachten die Sitzungen keine Entscheidung. Jener Piepereit, von der Ungeduld seiner Auftraggeber angesteckt, bot eines Tages ganz überraschend an, die Poggenwiese vielleicht zu teilen - so weit war man schon in Schissomir. Aber Hamilkar Schaß, er verfügte sich sanft und freundlich in sein Gärtchen und zog Zwiebeln zur Beflügelung seines Geistes.

Aber schließlich passierte es dann: im frühen Frühjahr; bevor ein anderer daran dachte, fand sich mein Großväterchen im Garten ein, um seine Zwiebelchen für den nächsten Herbst zu bauen. Arbeitete so ganz treuherzig und unschuldig vor sich hin, als Edmund Piepereit unverhofft auftauchte und, mit einigermaßen schreckerfülltem Gesicht, bemerkte: »Du gibst dir, Hamilkar Schaß, wie man sieht, viel Mühe beim Säen von Zwiebeln.« Was meinen Großvater veranlaßte zu antworten: »Das ist nur, Edmund Piepereit, damit ich im nächsten Herbst eine gute Ernte habe.«

Dieser Piepereit, er zitterte vor diesem Gedanken derart, daß er sich ohne Gruß umwandte, jene aufsuchte, die einer Meinung mit ihm gewesen waren, und ihnen auseinandersetzte, was ihn beschäftigte. Und so kam es, daß sich Schissomir bereitfand, Suleyken die Poggenwiese zuzuerkennen für den Fall, daß Hamilkar Schaß, mein Großvater, auf die Zwiebelchen verzichtete. Was er auch tat.

Muß ich erzählen, welch ein Empfang ihm zuteil wurde, als er nach Suleyken zurückkehrte? Nur soviel möchte ich noch verlauten lassen, daß, auf allgemeinen Beschluß, der Poggenwiese ihr Name genommen und nach langer Gedankenarbeit geändert wurde in Hamilkars Aue - zur Erinnerung an den Sieg in der großen Konferenz von Schissomir.

DIE ACHTZEHNTE
DER MASURISCHEN GESCHICHTEN

Eine Liebesgeschichte

Joseph Waldemar Gritzan, ein großer, schweigsamer Holzfäller, wurde heimgesucht von der Liebe. Und zwar hatte er nicht bloß so ein mageres Pfeilchen im Rücken sitzen, sondern, gleichsam seiner Branche angemessen, eine ausgewachsene Rundaxt. Empfangen hatte er diese Axt in dem Augenblick, als er Katharina Knack, ein ausnehmend gesundes, rosiges Mädchen, beim Spülen der Wäsche zu Gesicht bekam. Sie hatte auf ihren ansehnlichen Knien am Flüßchen gelegen, den Körper gebeugt, ein paar Härchen im roten Gesicht, während ihre beträchtlichen Arme herrlich mit der Wäsche hantierten. In diesem Augenblick, wie gesagt, ging Joseph Gritzan vorbei, und ehe er sich's versah, hatte er auch schon die Wunde im Rücken.

Demgemäß ging er nicht in den Wald, sondern fand sich, etwa um fünf Uhr morgens, beim Pfarrer von Suleyken ein, trommelte den Mann Gottes aus seinem Bett und sagte: »Mir ist es«, sagte er, »Herr Pastor, in den Sinn gekommen zu heiraten. Deshalb möchte ich bitten um einen Taufschein.«

Der Pastor, aus mildem Traum geschreckt, besah sich den Joseph Gritzan ziemlich ungnädig und sagte: »Mein Sohn, wenn dich die Liebe schon nicht schlafen läßt, dann nimm zumindest Rücksicht auf andere Menschen. Komm später wieder, nach dem Frühstück. Aber wenn du Zeit hast, kannst du mir ein bißchen den Garten umgraben. Der Spaten steht im Stall.«

Der Holzfäller sah einmal rasch zum Stall hinüber und sprach: »Wenn der Garten umgegraben ist, darf ich dann bitten um den Taufschein?«

»Es wird alles genehmigt wie eh und je«, sagte der Pfarrer und empfahl sich.

Joseph Gritzan, beglückt über solche Auskunft, begann dergestalt den Spaten zu gebrauchen, daß der Garten schon nach kurzer Zeit umgegraben war. Dann zog er, nach Rücksprache mit dem Pfarrer, den Schweinen Drahtringe durch die Nasen, melkte eine Kuh, erntete zwei Johannisbeerbüsche ab, schlachtete eine Gans und hackte einen Berg Brennholz.

Als er sich gerade daranmachte, den Schuppen auszubessern, rief der Pfarrer ihn zu sich, füllte den Taufschein aus und übergab ihn mit sanften Ermahnungen Joseph Waldemar Gritzan. Na, der faltete das Dokument mit umständlicher Sorgfalt zusammen, wickelte es in eine Seite des Masuren-Kalenders und verwahrte es irgendwo in der weitläufigen Gegend seiner Brust. Bedankte sich natürlich, wie man erwartet hat, und machte sich auf zu der Stelle am Flüßchen, wo die liebliche Axt Amors ihn getroffen hatte.

Katharina Knack, sie wußte noch nichts von seinem Zustand, und ebensowenig wußte sie, was alles er bereits in die heimlichen Wege geleitet hatte. Sie kniete singend am Flüßchen, walkte und knetete die Wäsche und erlaubte sich in kurzen

Pausen, ihr gesundes Gesicht zu betrachten, was im Flüßchen möglich war.

Joseph umfing die rosige Gestalt - mit den Blikken, versteht sich -, rang ziemlich nach Luft, schluckte und würgte ein Weilchen, und nachdem er sich ausgeschluckt hatte, ging er an die Klattkä, das ist: ein Steg, heran. Er hatte sich heftig und lange überlegt, welche Worte er sprechen sollte, und als er jetzt neben ihr stand, sprach er so: »Rutsch zur Seite.«

Das war, ohne Zweifel, ein unmißverständlicher Satz. Katharina machte ihm denn auch schnell Platz auf der Klattkä, und er setzte sich, ohne ein weiteres Wort, neben sie. Sie saßen so - wie lange mag es gewesen sein? - ein halbes Stündchen vielleicht und schwiegen sich gehörig aneinander heran. Sie betrachteten das Flüßchen, das jenseitige Waldufer, sahen zu, wie kleine Gringel in den Grund stießen und kleine Schlammwolken emporrissen, und zuweilen verfolgten sie auch das Treiben der Enten. Plötzlich aber sprach Joseph Gritzan: »Bald sind die Erdbeeren soweit. Und schon gar nicht zu reden von den Blaubeeren im Wald.« Das Mädchen, unvorbereitet auf seine Rede, schrak zusammen und antwortete: »Ja.«

So, und jetzt saßen sie stumm wie Hühner nebeneinander, äugten über die Wiese, äugten zum Wald hinüber, guckten manchmal auch in die Sonne oder kratzten sich am Fuß oder am Hals.

Dann, nach angemessener Weile, erfolgte wieder etwas Ungewöhnliches: Joseph Gritzan langte in die Tasche, zog etwas Eingewickeltes heraus und

sprach zu dem Mädchen Katharina Knack: »Willst«, sprach er, »Lakritz?«
Sie nickte, und der Holzfäller wickelte zwei Lakritzstangen aus, gab ihr eine und sah zu, wie sie aß und lutschte. Es schien ihr gut zu schmecken. Sie wurde übermütig - wenn auch nicht so, daß sie zu reden begonnen hätte -, ließ ihre Beine ins Wasser baumeln, machte kleine Wellen und sah hin und wieder in sein Gesicht. Er zog sich nicht die Schuhe aus.
Soweit nahm alles einen ordnungsgemäßen Verlauf. Aber auf einmal - wie es zu gehen pflegt in solchen Lagen - rief die alte Guschke, trat vors Häuschen und rief: »Katinka, wo bleibt die Wäsch'!«
Worauf das Mädchen verdattert aufsprang, den Eimer anfaßte und mir nichts dir nichts, als ob die Lakritzstange gar nicht gewesen wäre, verschwinden wollte. Doch, Gott sei Dank, hatte Joseph

Gritzan das weitläufige Gelände seiner Brust bereits durchforscht, hatte auch schon den Taufschein zur Hand, packte ihn sorgsam aus und winkte das Mädchen noch einmal zu sich heran.
»Kannst«, sprach er, »lesen?«
Sie nickte hastig.
Er reichte ihr den Taufschein und erhob sich. Er beobachtete, während sie las, ihr Gesicht und zitterte am ganzen Körper.
»Katinka!« schrie die alte Guschke, »Katinka, haben die Enten die Wäsch' gefressen?!«
»Lies zu Ende«, sagte der Holzfäller drohend. Er versperrte ihr, weiß Gott, schon den Weg, dieser Mensch.
Katharina Knack vertiefte sich immer mehr in den Taufschein, vergaß Welt und Wäsche und stand da, sagen wir mal: wie ein träumendes Kälbchen, so stand sie da.
»Die Wäsch', die Wäsch'« keifte die alte Guschka von neuem.
»Lies zu Ende«, drohte Joseph Gritzan, und er war so erregt, daß er sich nicht einmal wunderte über seine Geschwätzigkeit.
Plötzlich schoß die alte Guschke zwischen den Stachelbeeren hervor, ein geschwindes, üppiges Weib, schoß hervor und heran, trat ganz dicht neben Katharina Knack und rief: »Die Wäsch', Katinka!« Und mit einem tatarischen Blick auf den Holzfäller: »Hier geht vor die Wäsch', Cholera!«
O Wunder der Liebe, insbesondere der masurischen; das Mädchen, das träumende, rosige, hob seinen Kopf, zeigte der alten Guschke den Tauf-

schein und sprach: »Es ist«, sprach es, »besiegelt und beschlossen. Was für ein schöner Taufschein. Ich werde heiraten.« Die alte Guschke, sie war zuerst wie vor den Kopf getreten, aber dann lachte sie und sprach: »Nein, nein«, sprach sie, »was die Wäsch' alles mit sich bringt. Beim Einweichen haben wir noch nichts gewußt. Und beim Plätten ist es schon soweit.«

Währenddessen hatte Joseph Gritzan wiederum etwas aus seiner Tasche gezogen, hielt es dem Mädchen hin und sagte: »Willst noch Lakritz?«

DIE NEUNZEHNTE
DER MASURISCHEN GESCHICHTEN

Die Schüssel der Prophezeiung

Die einen scheren sich überhaupt nicht um die Zukunft, die andern machen sich allerhand Gedanken und leiden. In Suleyken, das muß gesagt werden, litten manche unter dem, was die Zukunft so an sich hat: unter der Ungewißheit. Niemand aber litt in gleicher Weise wie der Gastwirt Ludwig Karnickel, ein neugieriger Mensch mit saubergekämmtem Haarkranz und ziellos irrenden Blicken. Also ging er, auf Empfehlung meines Onkels, kurz vor dem Schützenfest zu einem lederhäutigen Weibchen namens Elsbeth Zwiebulla, die berühmt war wegen ihrer Prophezeiungen. Ging hinüber in ihr Häuschen am Fluß, weckte die Dame aus rasselndem Schlummer und ließ sich ungefähr so hören: »Ich wünsche, Elsbeth Zwiebulla, zunächst frohes Erwachen. Was mich hertreibt, es ist die Ungewißheit vor dem Schützenfest. Dies Fest ist anberaumt, aber niemand weiß, wie alles kommen wird. Der Stanislaw Griegull, er hat mich hergeschickt. Meint, man könnte vielleicht riskieren einen Blick in jenes Schüsselchen, in welchem zu sehen ist Vergangenes und Zukünftiges. Unter anderem also auch, was zu erwarten ist von dem Schützenfest. Für den Fall, daß einiges zum Vorschein kommt, wäre ich bereit zu geben ein halbes Fläschchen Weißen.«

Das Weibchen krächzte anfangs ein wenig über den gestörten Schlaf, aber dann schlurfte es wortlos zu einem riesigen Pappkarton, der ihr als Schrank diente, öffnete diesen Karton und kramte hervor eine braune, zerbeulte Emailleschüssel.

»So«, sagte sie, »damit haben wir den Anfang. Und nun, Ludwig Karnickel, muß ich Sie bitten, in das Gärtchen zu springen und folgendes abzuschneiden: zwei Kirschzweige, einen Zweig vom Kruschkenbaum, ein paar Endchen vom Stachelbeerbusch und, sagen wir mal, einige Gräserchen aus einem Vogelnest. Aber diese nur, wenn sie gerade zu finden sind. Ich werde Wasser warm machen.«

Während nun die Elsbeth Zwiebulla Wasser aufsetzte, sprang Ludwig Karnickel in den Garten, um das Gewünschte zu beschaffen, und als er zurückkam, dampfte das Wasser in der Schüssel.

»Man wird«, sagte die Alte, »gleich Näheres erkennen.«

»Wenn ich bitten darf, speziell vom Schützenfest«, sagte Ludwig Karnickel.

Na, jetzt nahm das Weibchen ein Messer, schnitt die Zweige und Gräserchen kaputt und warf alles in die Schüssel. Dann begann sie ausgiebig zu rühren und sah sich um.

»Fehlt noch was?« fragte Ludwig Karnickel.

Elsbeth Zwiebulla antwortete nicht, sondern nahm einen Fingerhut, der da herumlag, und warf ihn ins Wasser; weiter schmiß sie einen Knopf hinterher, eine Schere, und, nach abermaligem Umsehen, ein Stück Seife, Haarnadeln, Papierschnitzel, zwei

Kartoffeln, einen Tannenzapfen und zum Schluß sogar noch ein Stückchen Leberwurst, das sie auf dem Fensterbrett entdeckt hatte. Sie begann wieder sorgfältig zu rühren, als Ludwig Karnickel sagte: »Ich habe«, sagte er, »noch ein Kämmchen da und eine alte Photographie. Vielleicht sollte man auch sie hineingeben.«

»Nur die Photographie«, sagte das lederhäutige Weibchen. »Dann können wir alles betrachten als ausreichend.«

Sofort warf Ludwig Karnickel die Photographie hinein, sah zu, wie die Alte rührte, und wartete voller Unruhe. Er sah, daß einiges schwamm und anderes unterging, und das schien ihm schon jetzt bedeutungsvoll. Worte sammelten sich in einem fort auf seiner Zunge, so daß er Mühe hatte, diese am Heraustreten zu hindern. Er begann schon hin- und herzurutschen auf seinem Stühlchen, als die Elsbeth Zwiebulla sich über das Schüsselchen neigte und angestrengt hineinspähte. Äugte so ein Viertelstündchen hinein, stupste zuweilen ein Zweiglein an, das schwamm, oder berührte etwas auf dem Schüsselgrund.

Ludwig Karnickel, er konnte sich nicht mehr halten, stürzte zum Tisch und fragte: »Was«, fragte er, »wird sich begeben zum Schützenfest? Sage mir, Elsbeth Zwiebulla, deine Prophezeiung.« Das Weibchen spähte noch einen Augenblick und sprach dann: »Was zum Vorschein kommt, ist nichts Besonderes. Da ist ein kleiner Mensch auf dem Schützenfest. Vielleicht schießt man ihm durch die Schulter, vielleicht auch nicht. Die Schützen, sie werden zu gegebener Zeit hineinströmen in dein Gasthaus. Sie werden essen, sie werden trinken. Und hinterher wird es geben eine Prügelei. Kann sein, daß sie einem die Fresse demolieren. Eine erhebliche Menge Glas wird zerschlagen auf einem gewissen Schützenschädel.« Sie machte eine Pause, zog die Leberwurst aus dem Wasser, roch daran und trug sie zum Fensterbrett zurück. Dann nahm sie wieder Platz und spähte in die berühmte Schüssel der Prophezeiung. »Wird es«, fragte Ludwig Karnickel, »sonst noch etwas geben?«

»Es wird«, sagte das Weibchen, »ganz bestimmt. Beispielsweise werden sich so ein paar von den besoffenen Schützen auf den Spargelbeeten im Gärtchen ausbreiten zum Schlafen. Vielleicht wird man sie darauf in die Dunggrube schmeißen, vielleicht auch woandershin. Auch könnte es sein, daß ein Frauchen ins Wasser fliegt. Und damit sind wir am Ende. Haben Sie, Ludwig Karnickel, das Fläschchen mitgebracht? Wenn nicht, könnte ich es mir holen.«

Ludwig Karnickel: er zog mit abwesendem Geiste ein halbes Fläschchen aus seiner Rocktasche, reichte es über den Tisch hinüber und wankte zur Tür. Alles in ihm war Nachdenklichkeit in Richtung auf das Kommende. Seine Stirn war verdüstert, sein Herz umwölkt. Er ging nach Hause, sprach mit keinem - nicht einmal mit meinem Onkelchen Stanislaw Griegull -, suchte sich nur einzurichten auf die prophezeiten Umstände des Schützenfestes. Das ging so Tage und Wochen, bis zu der Zeit, da fällig war das Suleyker Schützenfest.

Zuerst wollte Ludwig Karnickel überhaupt nicht aufstehen an diesem Tage, aber plötzlich beflog ihn doch die Neugierde, trieb ihn hinaus, denn es galt zu erleben das Prophezeite. Schnappte sich deshalb, der Ludwig Karnickel, seine Flinte und marschierte hinaus mit den Schützen zur Feuerwehrwiese, wo instandgesetzt waren Deckung, Schießstand und was sonst noch gehört zur Erquickung eines Schützen.
So, und wer jetzt nicht glauben will, was passierte, soll sich lieber die Füße brühen, aber nicht weiterlesen. Also: während die Schützen vergnügt drauflosballern, wer hüpft da zu aller Überraschung auf die Deckung hinauf? Der Schuster Karl Kuckuck. Prompt fällt ein Schuß - ausgerechnet aus der Flinte des Ludwig Karnickel - und wendet sich gegen die zarte Schulter des Schusters. Trifft sie auch, bleibt aber, Gott sei Dank, stecken in den verschiedenen Hemden, Jacken, Wickelbändern und Kaninchenfellen, die Karl Kuckuck zum Halten der Leibwärme an sich trug. Es gab eine fliegende Aufregung, Fragen über Fragen wurden gestellt, und es dauerte ein beträchtliches Weilchen, ehe die Schützen fortfahren konnten in erquickendem Wettbewerb. Damit begann es.
Und jetzt wurde so lange geschossen, bis ein einäugiger Jäger, dessen Namen mir entfallen ist, Schützenkönig wurde. Da blies man ab den Wettbewerb und strömte hinein in Ludwig Karnickels Gasthaus. Man aß und trank, wie prophezeit, doch unter Essen und Trinken tat sich eine sogenannte Maulhure hervor, ein großsprecherischer Mensch

namens Friedrich Armbrust, der sich, obwohl er nur zwölfter war, als den rechtmäßigen Schützenkönig betrachtete, da er, wie er immer wieder behauptete, geschossen hätte mit feuchter Munition. Er prahlte so lange herum, bis Ludwig Karnickel auf ihn zuging und ihn, im Interesse anderer Ohren, höflich ermahnte zu besonnener Rede.
Was soll ich sagen, dieser Armbrust fragte nicht erst lange, sondern fing gleich an, sich mit Ludwig Karnickel zu prügeln - worauf dieser dem Großsprecher das demolierte, wodurch er aufgefallen war: die Fresse. Aber kaum war das geschehen, und kaum war auch diese Prophezeiung eingetroffen, als sich so ein Freund der Maulhure bemerkbar machte. Machte sich derart bräsig, daß ihm jemand ein Bierglas, gar nicht so sanft, auf den Schützenschädel knallte. Bei dieser Gelegenheit zerbrach das Bierglas, desgleichen eine Reihe anderer Gläser, die plötzlich lebendig wurden und wie Sperlinge durch den Raum flogen.
Als dann wieder der Friede einkehrte bei Ludwig Karnickel, machten sich hier und da Stimmen bemerkbar, welche um Versöhnung warben. Diese Werbung hatte Erfolg, und man trank zur Versöhnung so viel, daß einige Schützen, von Müdigkeit befallen, nach Hause aufbrachen, um sich schlafen zu legen. Hielten indes die Spargelbeete des Ludwig Karnickel für Matratzen und schlummerten ein. Als Ludwig Karnickel, um die Prophezeiung zu kontrollieren, ins Gärtchen trat, zählte er mehr als zweiundzwanzig Schützen, die seine Schlafgäste waren. Da die Spargelchen sich

gerade hervortrauen wollten ins Licht, waren die Schützen nicht gerade erwünscht auf den Beeten. Ludwig Karnickel ging so lange mit sich zu Rate, bis er es für das Beste hielt, diese Frage zu lösen im Sinne der Prophezeiung: er schleppte die schlafenden Schützen auf eine Schubkarre und warf sie im Schweiße seines Angesichts in die Dunggrube. Sodann eilte er zurück zu seinen letzten Gästen, die sich, unter dem Vorwand seiner Abwesenheit, eingeschenkt hatten, wonach sie gerade dürsteten. Einer von ihnen hatte es so schlimm getrieben, daß sich Ludwig Karnickel, in ordnungsgemäßem Zorn, auf ihn stürzen wollte, doch der - es war

wohl der alte Glumskopp - rannte gleich schreiend hinaus. Sein Verfolger, er war wütend genug, um ihm nachzurennen in die Dunkelheit. Er jagte ihn zum Flüßchen hinab, wo er ihn, gewissermaßen mit schmerzhafter Plötzlichkeit, aus den Augen verlor.

Gut. Nun machte sich Ludwig Karnickel ans Suchen, während seine letzten Gäste sich eingossen, wonach es sie gerade dürstete. Suchte, schrie und schimpfte so lange, bis er auf einmal eine Gestalt am Flüßchen erkannte. Er tat, na, was wird er getan haben, er schoß auf die Gestalt zu, nahm sie und schmiß sie ins Wasser. Aber er sprang, hol's der Teufel, gleich hinterher, denn die Gestalt, die da ins Wasser geflogen war, es war niemand anders als das Weibchen Elsbeth Zwiebulla, das wegen des Schreiens und Schimpfens nicht hatte schlummern können und gekommen war, sich zu beschweren.

Ludwig Karnickel schleppte das Weiblein nach Hause und versprach ihr, zum Schluß, noch etwas von dem Weißen.

Sodann ging er zufrieden zurück.

Später wollte mein Onkelchen, Stanislaw Griegull, wissen, wie es sich denn verhalten habe mit der Prophezeiung. Und er fragte: »Ist denn, Ludwig Karnickel, auch alles eingetroffen?« Worauf Ludwig Karnickel antwortete: »Es ist, Stanislaw Griegull, alles gekommen wie prophezeit. Nur manchmal, Gevatterchen, hat es gekostet ein wenig Mühe, alles richtig zu machen.«

DIE ZWANZIGSTE
DER MASURISCHEN GESCHICHTEN

Die Verfolgungsjagd

In unseren Wäldern beliebte ein Hirsch zu wechseln, der so über die Maßen stattlich war, daß man ihn pani pronz nannte, was etwa heißt: Herr Stolz. Er hatte beiläufig achtundzwanzig Enden, dieser pani pronz, verfügte über eine legendäre Kraft, welche in seinen Lenden sitzen sollte, und war alles in allem Zierde und Reichtum der Suleyker Wälder. Sehen ließ er sich selten, aber wenn ihn mal einer zu Gesicht bekam, am Waldesrand vielleicht oder auf der Wiese, dann konnte er nichts anderes empfinden als Stolz und Hochachtung vor diesem erstaunlichen Geweihträger. Da er alle möglichen Verehrungen genoß, gedieh er vorzüglich und hatte bald die Größe eines der intelligenten Suleyker Schimmel erreicht; in der Dämmerung röhrte er gelegentlich zum Dorf hinüber, stellte sich, je nach Möglichkeit, vor irgend so ein Abendrot, wechselte auch manchmal bedächtig über die Landstraße - wo immer er sich zeigte: seine Auftritte waren Tagesgespräch.
Wie, bitte schön, sollte man es einrichten, daß derlei rühmende Tagesgespräche auf unser Dorf beschränkt blieben? Das war nachgerade unmöglich und liegt wohl auch allgemein nicht in den Interessen des Ruhms, dem es ja vor allem darauf ankommt, sich zu verbreiten. Also drang der Ruhm

von pani Stolz, dem Hirsch, eines Tages bis nach Striegeldorf vor, reiste von dort per Bahn weiter und gelangte zu den Ohren eines gewissen Kneck auf Knecken, eines hochmögenden Menschen und leidenschaftlichen Jägers dazu. Ließ also gleich, jener Kneck auf Knecken, seinen Drilling ölen, verhandelte um die Erlaubnis, die er auch rasch erhielt, und machte sich zu gegebener Zeit auf, um die Zierde Suleykens, wenigstens seine achtundzwanzig Enden, heimzubringen in das Knecksche Herrenzimmer.

Zu diesem Zwecke wurde bestellt und in die Wege geleitet eine sogenannte Schweißjagd, bei welcher Herr Stolz zunächst nur angeschossen werden, dann fliehen sollte, um auf seiner Flucht verfolgt und letztlich mit dem Hirschfänger aus dem röhrenden Leben gebracht zu werden. Demgemäß mietete sich jener Kneck auf Knecken Treiber, Hundeführer und Wegkundige und setzte die Stunde der Jagd fest.

Suleyken war nie zuvor so niedergeschmettert wie damals, als es sich der Gefahr ausgesetzt fand, des Ruhmes und wandelnden Denkmals seiner Wälder beraubt zu werden. Wohin man blickte, mit wem man auch sprach: überall herrschten Trauer, Schwermut und schmerzendes Mitgefühl, und wo sich noch Leben ereignete, da ereignete es sich gedämpft. Die Dämmerung, stellte man sich vor, würde leer sein ohne sein gelegentliches Röhren, das Abendrot nichtssagend ohne seine Silhouette, die Landstraße verödet ohne sein bedächtiges Herüberwechseln. Und während man sich das vorstellte, reifte der Widerstand, und mit diesem Widerstand einer der großen Suleyker Gedanken, vor denen sich zu beugen, schwerlich jemand umhin kann.

Dieser Gedanke, er reifte unter dem saubergekämmten Haarkranz des Gastwirts Ludwig Karnickel, der offenbar aus Gründen seines Namens besonders unter dem Schicksal litt, das der Hirsch ausersehen war zu nehmen. Er grämte sich und grübelte so lange, bis er dieses Gedankens habhaft wurde, und als er ihn fest hatte, rief er einige Suleyker Herren unter seinem Apfelbaum zusammen und sprach zu ihnen: »Uns soll«, sprach er, »genommen werden der Stolz unserer Wälder, pani pronz. Wer ist damit einverstanden?«

Er blickte den treuherzigen Kreis der Gesichter entlang, schneuzte sich und stellte fest: »Keiner ist einverstanden. Gut. Also werden wir etwas unternehmen. Ich schlage vor, daß wir täuschen den Jäger Kneck auf Knecken. Ich habe, weiß Gott, noch eine Kuhhaut im Keller, hab' sie schon braungefärbt, und ein entsprechendes Geweih läßt sich herstellen aus biegsamem Astwerk. Auch das ist bereits getan. So. Und nun schlage ich vor, daß zwei von uns schlüpfen in jene Kuhhaut und vor den Augen des Jägers erscheinen als Hirsch. Ohnehin wird ja alles stattfinden in der Dämmerung.«

Er unterbrach sich, eine Pause trat ein, man spürte intensive Grübelarbeit, und plötzlich ließ sich einer der Männer, Adolf Albromeit, so vernehmen: »Ich bin dabei. Nur, wie soll man sich verhalten, wenn man erhält eins aufgebrannt?«

Beifälliges Nicken begleitete diesen Einwand.
»Dafür«, sprach Ludwig Karnickel, »müssen jene Sorge tragen, die den Jäger begleiten. Sie müssen ihn im Augenblick des Schusses einfach ablenken. Vielleicht durch Husten, Hinfallen, oder auch, indem man den Zielenden an der Schulter zupft. Vielleicht übernimmst du das, Edmund Vortz?«
Der Schneider nickte. »Gut: in die Haut werden folglich steigen Adolf Abromeit und ich. Gott segne unsern Hirsch.«
Nach diesen Worten übermannte Rührung die Herren, sie schüttelten einander stumm die Hände und verabschiedeten sich. Verabschiedeten sich bis zu der Stunde, zu welcher der Hirsch zu erscheinen und zu sterben hatte. Und dann ging es wie folgt:
Der Schneider Edmund Vortz suchte die Nähe des Jägers, stellte sich vor als der Wald- und Wegkundige und wurde aufgefordert, die Führung zu übernehmen. Übernahm sie auch in der Weise, daß er jenen Kneck auf Knecken, einen dicken Menschen mit Backenbart, an eine Lichtung heranführte, auf welcher der Hirsch, nach des Schneiders Worten, nachzudenken pflegte. Und wie es sich fügte: nach einem Weilchen kam der Hirsch auch prompt hervor, blickte einmal zu seinem Hinterteil, kratzte sich mit einem Huf und schaukelte wie eine Ziehharmonika unter eine Tanne.
Dem Kneck auf Knecken entfuhr es: »Donnerwetter«, entfuhr es ihm, »ein elastischer Achtundzwanziger. Schwer zu treffen hinter der Tanne.«
»Das ist sein Lieblingsaufenthalt«, flüsterte der

Schneider. Der backenbärtige Jäger ließ sich das Glas reichen, schaute hindurch, wollte es anscheinend gar nicht mehr absetzen vor Verwunderung und Leidenschaft. Aber endlich keuchte er:
»Seltsam. Seltsam. Seltsam. Kräftig wie eine Kuh sieht er aus.«
»Zuweilen«, flüsterte der Schneider, »beliebt er sich auch aufzuhalten unter den Kühen. Immer allein im Wald, da treibt es ihn schon mitunter hinaus.«
»Pscht«, machte Kneck auf Knecken, »wir könnten ihn vertreiben. Möchte nur wissen, warum sein Hinterteil so unruhig ist.«
»Vielleicht fühlt er sich unwohl«, sagte der Schneider.
In diesem Augenblick ergriff der Jäger die Büchse, hob sie langsam und zielte. Edmund Vortz beobachtete mit völliger Atemlosigkeit den Zeigefinger, wie er sich krümmte und zog, und plötzlich knapp vor dem Schuß, stolperte er gegen den Jäger, was bewirkte, daß der Lauf in letzter Sekunde geschwenkt wurde, fast schon mitten im Schuß.
»Teufel«, schimpfte der Jäger, aber seine Augen waren vorn, und was seine Augen zu sehen bekamen, es war eine Absonderlichkeit, wie es ihm in einundvierzig Waidmannsjahren nicht unterlaufen war: der Hirsch, er sprang nach dem Schuß an erwähnter Tanne empor, kletterte mit seltsamer Geläufigkeit auf einen unteren Ast, während sein Hinterteil, zitternd und zerrend, auf der Erde blieb.
»Getroffen«, stöhnte der Schneider.

»Nanu«, entfuhr es dem Jäger, als das Hinterteil des Hirsches so zerrte, daß das Vorderteil vom Ast herabfiel.
»Es hat ihn erwischt«, rief Kneck auf Knecken, »man mache los die Hunde!« Sofort wurde die Meute befreit, und sie stürzte, heulend und bellend, in die Richtung davon, in welche sich der seltsame Hirsch schaukelnd fortbewegte. Er bewegte sich so gemütlich fort, daß der Jäger stehenblieb, sein Glas ansetzte und nach kurzer Beobachtung sprach: »Dieser Hirsch geht wie ein Matrose.«
»Er soll auch«, beeilte sich der Schneider zu versichern, »bereits mehrmals über den Fluß geschwommen sein. Man hat ihn verschiedentlich dabei gesehen.«
»Seltsam«, brummte der Jäger, »ich kann nichts sagen als seltsam.«
Dem Gekläff der Meute und damit dem Hirsch pani pronz folgend, brachen die jagenden Herren durch das Gehölz, blieben gelegentlich stehen, lauschten, vergewisserten sich, suchten auch den Waldboden ab, um etwaige Schweißspuren des Hirsches zu finden. Sie folgten ihm so etliche Kilometerchen, als sie unversehens und gebannt von dem Bild, das sich ihnen bot, stehenblieben: der sonderbare Hirsch, er stand auf einer stillen Waldwiese und fuhr der Meute, die ihn schweigend umlagerte, zärtlich über das Fell. Der Anblick war durchaus friedlich und versöhnlich.
Kneck auf Knecken entfuhr es abermals: »Kann ich«, entfuhr es ihm, »meinen Augen trauen?«

»Gewiß«, sagte der Schneider, »wahrscheinlich spricht sich der Hirsch gerade aus mit den Hunden.«

»Das beste«, sprach der Backenbart, »wird sein, ich brenn' ihm eins auf. Sonst geht sie noch durch mit mir, meine Leidenschaft. Gib mir das Gewehr.«

Er nahm den Drilling, zielte sorgfältig und drückte in dem Augenblick ab, als der Schneider Edmund Vortz lauthals zu husten begann. Das Hinterteil des Hirsches flog empor, ein Schmerzensschrei erklang, ein Fluch, ausgestoßen aus rätselhafter Hirschbrust, dann setzte sich das Tier, nach anfänglicher Unschlüssigkeit, welche Richtung zu nehmen sei, in Bewegung. Lief in befremdlichen Zickzacksprüngen davon, schlug Haken und fluchte in einem fort.

»Los«, kommandierte der Jäger Kneck auf Knekken, »ihm nach!« Und sie rannten über die idyllische Waldwiese, den Drilling in der Hand, in der anderen den blitzenden Hirschfänger. Und, weiß der Teufel, plötzlich stolperte der Hirsch, blieb liegen und verlor, ehe er wieder hochkam, mächtig an Vorsprung. Der Backenbart stieß einen Jubelruf aus und die Leidenschaft trug ihn noch näher: schon konnte er den Hirsch eigenartige Laute des Keuchens ausstoßen hören.

So. Und nun geschah etwas, was niemand in Suleyken je vergessen wird: der Hirsch, in seiner Not, lief unerwartet auf ein erleuchtetes Häuschen zu, öffnete die Tür und war in der nächsten Sekunde verschwunden.

Bestürzt blieben die Verfolger stehen, zumal der berühmte Hirsch auch nicht vergessen hatte, die Tür von innen zu schließen. Aber nachdem die Bestürzung vorbei war, drang Kneck auf Knekken in das nächtliche Häuschen ein und rief dem ersten besten Menschen, der ihm begegnete, zu: »Wo ist der Hirsch?« Es war ein zahnloses, altes Herrchen, und es sprach: »Wo wird der Hirsch schon sein? Im Wald!«

»Ich habe«, sagte der Jäger unerbittlich, »den Hirsch eintreten sehen in dieses Häuschen. Demzufolge hat er hier zu sein.«

»Vielleicht ist er in der Küche«, sagte der Alte grinsend. »Hilft wohl beim Kohlschneiden. Wir stampfen nämlich gerade Kohl ein.«

Darauf durchstöberte Kneck auf Knecken mit seiner Begleitung das Häuschen; sie fanden die Frau des Alten in der Küche, sie fanden auch zwei Männer in der Küche, die beim Kohleinstampfen halfen: wen sie nicht fanden, es war der Hirsch pani pronz, der Stolz der Suleyker Wälder.

Der Backenbart ließ sich nicht abschrecken; er gab Anordnung, vor dem Häuschen ein Jagdzelt aufzuschlagen, kroch in dasselbe hinein und lauerte auf den Hirsch. Lauerte so den ganzen Herbst, hörte auf keinen Rat mehr, entließ die gemieteten Treiber und Führer, wurde allmählich zum Sonderling, dieser Jäger. Er behauptete steif und fest, daß er selbst gesehen habe, wie der Hirsch in das Häuschen floh, und darum wollte er so lange warten, bis er wieder herauskäme.

Na, die Zeit ging ins Land, der Kohl säuerte längst im Fäßchen, und dann kam der Tag, an dem Kneck auf Knecken derart vom Rheuma gepackt wurde, daß eine Kutsche erschien, um ihn heimzuholen. Sie rollten gemütlich an einer Wiese entlang, als der Kutscher plötzlich rief: »Da ist er, Herrchen, pani pronz.« Und wahrhaftig, mitten zwischen den Kühen äste friedlich ein stattlicher Hirsch, äugte einmal herüber und mampfte weiter. Kneck auf Knecken lugte aus der Kutsche, besah sich das Tier und sprach: »Hier kannst du, Abel Przyball, deinen Augen nicht trauen. Fahr zu.«

Diskrete Auskunft über Masuren

Im Süden Ostpreußens, zwischen Torfmooren und sandiger Öde, zwischen verborgenen Seen und Kiefernwäldern waren wir Masuren zu Hause - eine Mischung aus pruzzischen Elementen und polnischen, aus brandenburgischen, salzburgischen und russischen.

Meine Heimat lag sozusagen im Rücken der Geschichte; sie hat keine berühmten Physiker hervorgebracht, keine Rollschuhmeister oder Präsidenten; was hier vielmehr gefunden wurde, war das unscheinbare Gold der menschlichen Gesellschaft: Holzarbeiter und Bauern, Fischer, Deputatarbeiter, kleine Handwerker und Besenbinder. Gleichgültig und geduldig lebten sie ihre Tage, und wenn sie bei uns miteinander sprachen, so erzählten sie von uralten Neuigkeiten, von der Schafschur und vom Torfstechen, vom Vollmond und seinem Einfluß auf neue Kartoffeln, vom Borkenkäfer oder von der Liebe. Und doch besaßen sie etwas durchaus Originales - ein Psychiater nannte es einmal die »unterschwellige Intelligenz«. Das heißt: eine Intelligenz, die Außenstehenden rätselhaft erscheint, die auf erhabene Weise unbegreiflich ist und sich jeder Beurteilung nach landläufigen Maßstäben versagt. Und sie besaßen eine Seele, zu deren

Eigenarten blitzhafte Schläue gehörte und schwerfällige Tücke, tapsige Zärtlichkeit und eine rührende Geduld.

Die hier vorliegenden Geschichten und Skizzen sind gleichsam kleine Erkundungen der masurischen Seele. Sie stellen keinen schwermütigen Sehnsuchtsgesang dar, im Gegenteil: diese Geschichten sind zwinkernde Liebeserklärungen an mein Land, eine aufgeräumte Huldigung an die Leute von Masuren. Selbstverständlich enthalten sie kein verbindliches Urteil - es ist *mein* Masuren, *mein* Dorf Suleyken, das ich hier beschrieben habe.

Suleyken, wie es hier vorkommt, hat es natürlich nie und nirgendwo gegeben; es ist eine Erfindung, so wie die Geschichten auch zum größten Teil Erfindung sind. Aber ist es von Wichtigkeit, ob dieses Dörfchen bestand oder nicht? Ist es nicht viel entscheidender, daß es möglich gewesen wäre? Gewiß, das ist zugegeben, wird in diesen Geschichten ein wenig übertrieben - aber immerhin, es wird methodisch übertrieben. Und zwar in der Weise, daß das besonders Eigenartige hervorgehoben wird und das besonders Charakteristische zum Vorschein kommt. Insofern steht das bewährte Mittel der Übertreibung ganz im Dienst der Wahrheitsfindung. Aber das ist, alles in allem, auch von geringer Bedeutung, wenn wir uns nur einig wissen in unserer grübelnden Zärtlichkeit zu Suleyken.

S. L.

HUGH JOHNSON'S POCKET WINE BOOK

GENERAL EDITOR
MARGARET RAND

2014

Acknowledgements

This store of detailed recommendations comes partly from my own notes and mainly from those of a great number of kind friends. Without the generous help and cooperation of innumerable winemakers, merchants and critics, I could not attempt it. I particularly want to thank the following for help with research or in the areas of their special knowledge:

Sarah Ahmed, Helena Baker, Susie Barrie MW, Nicolas Belfrage MW, Philipp Blom, Jim Budd, Michael Cooper, Terry Copeland, Cole Danehower, Michael Edwards, Sarah Jane Evans MW, Rosemary George MW, Caroline Gilby MW, Anthony Gismondi, Annie Kay, Chandra Kurt, James Lawther MW, Konstantinos Lazarakis MW, John Livingstone-Learmonth, Wes Marshall, Campbell Mattinson, Adam Montefiore, Jasper Morris MW, Fabricio Portelli, Margaret Rand, Ulrich Sautter, Eleonora Scholes, Stephen Skelton MW, Paul Strang, Marguerite Thomas, Larry Walker, Philip van Zyl

Contents

How to use this book

The top line of most entries consists of the following information:

1. Aglianico del Vulture Bas
2. r dr (s/sw sp)
3. ★★★
4. 96' 97 98 00 01' 02 (03)

1. Aglianico del Vulture Bas

Wine name and the region the wine comes from, abbreviations of regions are listed in each section.

2. r dr (s/sw sp)

Whether it is red, rosé, or white (or brown/amber); dry, sweet, or sparkling; or several of these (and which is most important):

r	red
p	rosé
w	white
br	brown
dr	dry*
sw	sweet
s/sw	semi-sweet
sp	sparkling

( ) Brackets here denote a less important wine.
* Assume wine is dry when dr or sw are not indicated.

3. ★★★

Its general standing as to quality: a necessarily rough-and-ready guide based on its current reputation as reflected in its prices:

★	plain, everyday quality
★★	above average
★★★	well known, highly reputed
★★★★	grand, prestigious, expensive

So much is more or less objective. Additionally there is a subjective rating:

★ etc.	Stars are coloured for any wine which in my experience is usually especially good within its price range. There are good everyday wines as well as good luxury wines. This system helps you find them.

4. 96' 97 98 00 01' 02 (03)

Vintage information: those recent vintages that can be recommended; and of these, which are ready to drink this year, and which will probably improve with keeping. Your choice for current drinking should be one of the vintage years printed in **bold** type. Buy light-type years for further maturing.

00 etc.	Recommended years that may be currently available.
96' etc.	Vintage regarded as particularly successful for the property in question.
97 etc.	Years in bold should be ready for drinking (those not in bold will benefit from keeping).
98 etc.	Vintages in colour are those recommended as first choice for drinking in 2013. (*See also* Bordeaux introduction, p.96.)
(02) etc.	Provisional rating.

The German vintages work on a different principle again: *see* p.157.

Other abbreviations & styles

DYA	Drink the youngest available.
NV	Vintage not normally shown on label; in Champagne this means a blend of several vintages for continuity.
CHABLIS	Properties, areas, or terms cross-referred within the section; all grapes cross-ref to Grape varieties chapter on pp.16–26.
Aiguilloux	Entries styled this way indicate wine (mid-2012–2013) especially enjoyed by Hugh Johnson.

Agenda 2014

How many momentous things have happened in wine in the past 37 years? On my watch, as it were, since I started this annual survey in 1977? Dozens, is the answer: a whole revolution, in fact – but gradually.

I'm a conservative at heart, and often found myself a lone voice in saying "too much oak", "too much alcohol", or whatever excess was in fashion. Happily the balance is generally redressed; the natural need for what wine naturally is – a miraculously digestible, infinitely various delight – asserts itself, and we are better served by winemakers than ever.

Taking the long view, though, I do believe we are at a tipping point: an historic pivot in taste and emphasis. Up to now the ultimate standards of style and quality have been fundamentally set by what I still call the Old World, which in wine terms is Europe. It was France that invented fine wine, or wine as a luxury, and refined it into an art form. French grape varieties were the first to be transplanted to new lands and used as models. They still dominate, but they are no longer the only ones, and may not even dominate forever. It was France that first needed, and devised, systems of naming wines by whatever combination of place, grape variety and style needed definition, and could be protected by law. It is still not 90 years since appellations became contrôlées. Now every region needs some way of organizing its labels. And indeed, it's still chaos, with a bedlam of brands that may or may not have any stable base or viticultural reality.

Turning point

So what is the pivot? What is the big change that we will (gradually) come to accept? It is the end of the hegemony of "the classics", the end of France as the cynosure (why all these Greek words? Because we're talking classics). It is weight of numbers, the sheer mass that is tipping the scales. There are more wines, and far more drinkers, in the world we see coming into being than in the one that was already completed 30 or 40 years ago. The question of whether they are better or not so good is fading from the headlines. It was once de rigueur to match the Médoc and the Napa Valley, the Côte d'Or and Chardonnay grown in many places, Pinot Noir from Burgundy and Oregon or New Zealand. The idea is becoming old hat. However good today's burgundy, other people's Pinot is no longer a mere substitute. That is the tipping point, the point where insisting on "the original" begins to seem precious, pretentious, or just plain dim.

Besides, we started with the New World (to stick to these now-archaic terms) imitating the Old; then the Old World started at least picking up technology from – if not downright imitating – the New. Now the New World is adopting Old World ideas: learning, for example, that ripeness is far from being all, that acidity is needed to balance sugar, that a nip of perceptible tannin is appetizing... and even (in hushed whispers) that a flavour once regarded with horror as "green" (or "herbaceous" or "bell-pepper") is an essential element in the finest Cabernets.

"Fruit" (as in that dreadful expression "fruit-driven") is no longer the be-all and end-all. Australians (some of them) keep the stems in their Pinot Noir and Shiraz. Chileans are discovering that less irrigation gives them better wine. Everybody is finding out that oak can be an expensive one-trick pony, and that its most important role is not in adding flavour but its historic one: toning wines for a more or less extended maturation in bottle.

And consumers are discovering that deep-red colour in no indication of quality; dye is not an expensive ingredient. Not that progress on any of these fronts will change consumers' minds overnight. Tankers can be easier to turn around. Wine seems to make people put their heads in the sand. The "I only drink..." school is not going away. Sauvignon is in, Riesling out, not for a season or two but for a generation. Question: what other product harbours such prejudices for so long?

So at last the playing field that is the world's ever-expanding vineyard begins to level out. Never forget, though, that it is a playing field with niches. Niches can appear from nowhere, too, but they can have extraordinary vigour and persistence. Do I like Madeira, or Tokaji, because history handed it down to me, or because it delivers a pleasure that no one, anywhere, can reproduce? Hunter Semillon, Mosel Riesling, Syrah from Côte-Rôtie are expressions of grape and ground completely *sui generis*. It's tempting to see them in biological terms, as species as distinct as a meerkat or an imperial fritillary – false, of course, but tempting. These distinct identities will survive, I am certain. But better, they will be joined by other uncopiable originals as yet undiscovered.

Overload?

There is another aspect to this cosmic expansion – the choice of enjoyable wines growing so fast that no agency, certainly no individual, and even this book only by superhuman effort, can keep up. There is a danger of overload. The internet, of course, is our instant recourse: there is probably a reference somewhere in cyberspace. Google before you gargle. But space is lonely, and it's easy to get lost. If you suddenly feel it is urgent to know the name of a winemaker, the precise extent of a vineyard, or the percentage of Merlot in a blend to three decimal points, go online and you'll probably find it. You can easily find the selling price and name of a supplier. There may well be tasting notes, various scores. So knowledge is at hand – opinion, too. But understanding?

The obverse of all these jostling facts is a sense of helplessness, a feeling very like drowning. It comes on when I read back labels that tell me more than I need or want to know – about the soil, the subsoil, the blend, the temperature of fermentation, the antiquity of the family, the name of the man who made the barrels. There is a forest of facts out there that do nothing for my enjoyment or appreciation, but everything for my feeling of inadequacy. Granted, all this may be meat and drink to statisticians, to hobbyists, to sommeliers. However, to the lumpen mass of us who just like wine and want to find fresh sources of pleasure, fresh liquid sweethearts, the technical stuff is a barrier. "Tell me something about this bottle," we plead, "that doesn't make me wish I'd stayed awake in chemistry." Tell us, in other words, a story. It's stories that draw us to new subjects. Stories stick; residual sugar doesn't – or not in the same sense. Some parts of the wine world know this; others need to find out before they drift off into oenospace.

Irritating as it may be to winemakers who are perfectionists in everything they do, and want the world to know it, it is human connectiveness that drives most wine-buying decisions, and nearly all of its enjoyment. It is faces and places most people think about as they clink their glasses – and quite right, too. What are the concerns of the immediate future? China is the topic of the moment. Will the Chinese gobble up all the world's wine? Myself, I doubt it. In the past three years or so wine has been a craze, a vehicle for conspicuous consumption first, for speculation second and for enjoyment maybe. But for most Chinese it will remain, for the foreseeable future, at best a game rather than an article of diet – happily for the rest of us. And in the future beyond that? At the rate China is planting vineyards, in 50 years she could be the world's biggest wine producer – so most of "ours" could be redundant.

Winespeak

When technical terms creep into our wine vocabulary they are often misused. Two that are often bandied about these days are "oxidative" and "reductive". It helps to have a degree in chemistry to understand these references to the behaviour of amino acids. In common use, though, oxidative refers to wine that has had sufficient access to oxygen to change its character without making it unstable (when it becomes oxidized). "Nutty", "mellow", "dried-fruits" are adjectives that might apply.

"Reductive" is said of wines starved of oxygen under certain circumstances (under screwcaps, for example). The result can be smells of rubber or bad eggs. It's all about sulphur.

Vintage report 2012

Bizarrely, in Bordeaux, 2012 was the sixth driest vintage in the last 50 years. That, anyway, is the word according to Château Cheval Blanc, which measures not rainfall but stem-water potential. (The next driest was 1989; the driest of all 2005.) The French aren't keen on picnics, admittedly, but anyone who arranged a picnic in Bordeaux in April, June, or even July might raise an eyebrow at this information. In Britain, of course, the summer of 2012 was a complete washout: rain, rain, rain, day after day. English sparkling wine did not have a good year, and some producers didn't have a year at all. Luckily for all of us, rain might have been the keynote of the year in northern Europe, but most places didn't have the sort of summer we did.

In **Bordeaux**, in fact, it was a year of extremes of wet and dry. It was the clay soils that regulated water availability best; gravel was either too wet or not wet enough. There was some rot, and by the time the sound grapes had been selected and the rest discarded, quantities were well down. Yquem, in fact, decided not to release a 2012 at all, and will only make the dry wine, Y. Cynics suggest that what Yquem really wants to do is reduce the amount of wine on the market so that it can boost prices. But who knows what goes on in the minds of luxury-goods companies?

Where the vintage was saved in Bordeaux, it was saved by a warm, dry August. It was the same story in **Champagne**, with the year a disaster until the end of July. Volumes were well down, though, and many non-vintage blends will rely on reserve wines. And in the **Loire** 2012 seems particularly unfair; Sancerre had a near-normal quantity, while Muscadet, already struggling financially, had a tiny quantity. **Burgundy** and **Beaujolais**, too, were both well down – the third tiny vintage in a row for Burgundy. Some Beaujolais growers are certainly having a tough time financially, just as the wines are starting to attract attention again, but the same can't be said for Burgundy. Here the story of the last year has been the rise of burgundy at auction. Is good burgundy about to become as unaffordable as good Bordeaux?

Luckily for all of us, the wine world is no longer composed only of France. In **Italy**, it was a challenging year, small just about everywhere except Prosecco, where enough new vineyards are coming on stream to keep volumes up. In **Spain**, it was exceptionally dry in most of the country, and a drop of rain in September helped things along nicely. Interestingly, the local varieties (Tempranillo, Garnacha, Monastrell, Cariñena and the rest) withstood the conditions far better than the incomers.

California was back to normal, with an even year and a large crop of ripe grapes.

What of the southern hemisphere? In **Australia**, Margaret River had a good vintage; the marri blossom, just before picking, was abundant, which meant the silvereye birds went for that rather than the grapes. But Western Australia always seems to have good vintages. It was also good, though relatively small, in South

Australia and Tasmania, though with much of Victoria defining the year by who picked before and who picked after the rain; while over in New South Wales producers were having a rather English sort of summer.

In **Chile**, 2012 was hot, hot, hot, at the tail-end of a La Niña weather pattern of heat and drought. Presumably that means the heavens will open soon. In Britain, we can only sympathize.

A closer look at 2011

Good but not great vintages don't make the headlines anywhere; it's as though the world no longer has room, or time, for them. Classic wines, it seems, are only interesting in top years – 2009, 2010. But 2011? So what?

And yet 2011 is exactly the right vintage for those of us who buy to drink. **Burgundy**, if you choose well (which normally means choosing your wine merchant well), has lovely wines in 2011. They're precise, balanced, focused, aromatic; everything you want from burgundy. The differences between vineyards aren't as sharply differentiated as in some years, but there are some delicious Bourgognes Rouges. Whites, too, are full of finesse and precision. It's a fairly early-drinking year, and one to look for in restaurants for its combination of purity and suppleness.

Bordeaux – well, what can you say? The Bordelais were going to come down in price, and did, but not by as much as they said, and while the wines, red and white, are often delicious, they were mostly rather more expensive than they should have been. And given that, at the time of writing, the classic, and classically hyped, 2010s have mostly not risen in price, thus making a nonsense of the pressure to buy *en primeur*, we can happily wait until the 2011s are in bottle (which they will be by the time this book appears) and then make up our minds. They are lovely drinking wines. And where the prices are drinking prices, they'll be a very nice addition to our cellars.

The **Rhône** is another region that produced lovely drinking wines in 2011. Supple, juicy, more forward than in classic years, they combine the best of modern viticulture and vinification with the traditional virtues of balance and elegance. They're not for very long cellaring; but they will make terrific drinking.

Northern **Italy** was a bit too hot for balance or elegance; soft and lush, yes; substantial, yes. Both Tuscany and Piedmont had a bit too much more alcohol than is really comfortable. But the **Douro** had a great year; all the more ironic, then, that the official limit for Port production in 2011 was set at nearly a quarter less than in 2010. The effect on the region's 38,000 growers could be severe: in the top-quality Upper Douro, wine costs €800 a pipe to grow, and while selling it as Port will make a profit, table wine can only be sold for around €200 a pipe. A good vintage, in that case, is neither here nor there. Over in **Germany** things were less uncomfortable. Germany seems to have the knack of pulling a rabbit out of the hat every year, and it managed it again in 2011, with terrific wines of concentration and pure raciness. And the Pinot Noirs, too, benefited from warm weather that was not too warm.

California, though, had the vintage that winemakers dread: cool and soggy, with rot racing through the vineyards. But early tastings suggest that it's far from being a disaster. If sweet, ripe wines are what you want from California, then this isn't the year for you; but if you long for freshness, brightness and lower alcohol, you'll find some wines you love. Higher acidity and lower pH are the key, and the best are beautiful. In **Oregon**, Pinot Noir had a great year in 2011. The ideal year for Oregon Pinot involves long hang times, lower-than-average yields and rainfall, and not too much heat, all of which were duly delivered. Many grapes were not picked until the first week of November, and the balance is beautiful.

In the southern hemisphere, **South Africa** was unusually hot and dry during picking, after a summer marked by heatwaves; a certain burliness can be seen in some wines. In **Chile** the growing season was gentle and rather cool, and the wines have extra finesse as a result. But in Chile, especially, the focus on new, cooler, fresher regions tends anyway to mitigate the effect of summer heat – much of the world, at last, is coming round to the idea of producing wines that we can actually drink. Not headline-making, maybe, but good news nevertheless.

If you like this, try this

It's not obligatory to like all wines. But when faced with a new wine it can be helpful to relate it to wines we already know. Wines can resemble each each other in texture, aroma, flavour, or structure – just as two people a continent apart may share the same sense of humour.

If you like Sauternes, try Bonnezeaux
Is Bonnezeaux Fido's favourite wine? Probably not, given its high acidity. Sweet wines need high acidity, or they become cloying and soupy, and neither Sauternes nor Bonnezeaux is ever cloying. Sauternes is, of course, the great sweet white of Bordeaux: botrytis-affected, golden yellow and aromatic with marzipan and apricots. Bonnezeaux is Chenin Blanc from the Loire: botrytis-affected, golden yellow, steelier and more appley than Sauternes in youth, with inherently even higher acidity, but living as long as any of us. (Lay some down for a godchild.) Both are vastly underpriced.

If you like Champagne, try top Cava
Cava generally is much better than it used to be (which, agreed, doesn't sound like a compelling reason to try it), but the top wines are simply splendid. Instead of the brioche and smoke flavours of good Champagne, imagine coriander and citrus zest, mineral edge and plenty of depth. These are wines of weight and power: drink them with food; Catalans do. Top Cava has guts (try Gramona, Recaredo, the new Gran Codorníu Gran Reserva wines from Codorníu).

If you like Soave, try Istrian Malvazia
Mention the word "Soave" and it's hoped you will instantly think of Classico wines from good growers: wines, in other words, of minerality, subtlety, vinosity and depth, rather than wines of upfront not-very-much. If you like that sort of Soave (and you should, you should), then Istrian Malvazia is a no-brainer. From Croatia, it has quite deep colour, honeysuckle aromas, quite low acidity and powerful minerality. A good one has nothing obvious about it, but you'll return to the glass again and again.

If you like white Rhône, try white Bairrada
By white Rhône I mean Roussanne and Marsanne wines, either together or separately, from places like Hermitage and St-Joseph or, less expensively and sometimes less interestingly, from the broad spread of the southern Rhône. With flavours of pears, nuts, herbs, honey and chamomile tea it's not the flashiest of white wines, nor the most acidic; and it has a lot in common with the nutty, herbal, honeyed flavours of white Bairrada, from Portugal. White Bairrada is probably less aromatic, but it has substance which will be entirely familiar.

If you like red burgundy, rediscover Beaujolais

Beaujolais is not the wine it used to be. Yes, Nouveau became a bit of a joke, but nobody's making you drink it if you don't want to. You know that precision of good burgundy – that wonderful tense balance of aroma and structure, depth and lightness? Beaujolais has it, too. The last few years have seen a new generation make their mark on the region, producing wines that reflect their individual terroirs just as much as good burgundies do. Choose from the ten cru villages, go for good growers, pay more than you might expect to for Beaujolais, but less than you would expect to for burgundy, and enjoy the fruits of several very good vintages. Burgundy is supposed to reflect its terroir, not taste just of Pinot; good Beaujolais shouldn't just taste of Gamay, either.

If you like Barossa Shiraz, try Amarone

Barossa Shiraz has become a bit of a statement; but if you lay aside the machismo, what you're left with is rich, black olive and soy fruit, a certain earthiness, the wild, herbal, garrigue flavours of Syrah translated to somewhere hotter, and good acidity to hold it all together. Amarone, the dried-grape wine of Valpolicella, doesn't have any of those flavours. It tastes of baked cherry pie and smells of it, too: what it has in common with Barossa Shiraz is a sweet savouriness of fruit, a lusciousness of tannin, a rich texture that coats the mouth, and pretty high alcohol: most are 15% and many are more. An apéritif it is not. The ideal would be two bottles: one to stew some beef in, very slowly, and the other to drink with it.

If you like Rioja, try Washington State Merlot

Rioja is probably the easiest to love of any red wine: strawberry-scented, vanilla-tinged, ripe and supple, with all the aroma of Tempranillo and the earthiness of Garnacha. It comes in many styles, from the most traditional, with its whiff of old furniture, to the modern, bright, glossy and international. Washington State Merlot is made from a different grape, but Merlot has the same suppleness, the same sweet ripeness, the same drink-me appeal. Washington reds generally have good freshness and a firm, tannic structure plus well-integrated oak; and in both regions you might want to beware of overoaked, overpriced trophy wines.

If you like Tawny Port, try Rivesaltes

Tawny, one might argue, is the true Port-lover's Port: less showy than Vintage, it's a wine of nutty complexity in which the sweetness is subsumed into a savoury richness with a dry edge: think walnut tart rather than Christmas cake. Rivesaltes is fortified Grenache from the Midi, just north of Perpignan. Along with Tawny Port, it's one of the wines you can drink with chocolate, though it's brilliant with cheese (try Comté) as well. Young wines are juicy; old ones gain a pungent *rancio* tang. Maison Cazes has released a few wines going back to the 1940s and 1930s; try them if you can.

Grape varieties

In the past two decades a radical change has come about in all except the most long-established wine countries: the names of a handful of grape varieties have become the ready-reference to wine. In senior wine countries, above all France and Italy, more complex traditions prevail. All wine of old prestige is known by its origin, more or less narrowly defined – not just by the particular fruit juice that fermented. For the present the two notions are in rivalry. Eventually the primacy of place over fruit will become obvious, at least for wines of quality. But for now, for most people, grape tastes are the easy reference point – despite the fact that they are often confused by the added taste of oak. If grape flavours were really all that mattered, this would be a very short book. But of course they *do* matter, and a knowledge of them both guides you to flavours you enjoy and helps comparisons between regions. Hence the originally Californian term "varietal wine", meaning, in principle, made from one grape variety. At least seven varieties – Cabernet Sauvignon, Pinot Noir, Riesling, Sauvignon Blanc, Chardonnay, Gewurztraminer and Muscat – taste and smell distinct and memorable enough to form international wine categories. To these add Merlot, Malbec, Syrah, Sémillon, Chenin Blanc, Pinots Blanc and Gris, Sylvaner, Viognier, Nebbiolo, Sangiovese, Tempranillo. The following are the best and/or most popular wine grapes.

NOTE: all grapes and synonyms listed in this section are cross-referenced through every section in the book.

Grapes for red wine

Aghiorgitiko Greek; grape of Nemea, planted almost everywhere. Versatile, delicious, from soft and charming to dense and age-worthy. A must-try.

Agiorghitiko *See* AGHIORGITIKO.

Aglianico Southern Italian. Dark, deep and fashionable.

Aragonez *See* TEMPRANILLO.

Auxerrois *See* MALBEC, if red. White Auxerrois has its own entry in white grapes.

Băbească Neagră Traditional "black grandmother grape" of Moldova; light body and ruby-red colour.

Babič Dark grape from Dalmatia, grown in stony seaside v'yds round Sibenik. Exceptional quality potential.

Baga Portugal. Bairrada grape. Dark and tannic. Great potential but hard to grow.

Barbera Widely grown in Italy, at its best in Piedmont: high acidity, low tannin, cherry fruit. Ranges from barriqued and serious to semi-sweet and frothy. Fashionable in California and Australia; promising in Argentina.

Blauburger Austrian cross: BLAUER PORTUGIESER and BLAUFRÄNKISCH. Simple wines.

Blauburgunder *See* PINOT N.

Blauer Portugieser Central European, esp Germany (Rheinhessen, Pfalz, mostly for rosé), Austria, Hungary. Light, fruity reds to drink slightly chilled when young. Not for laying down.

Blauer Zweigelt *See* ZWEIGELT.

Blaufränkisch (Kékfrankos, Lemberger, Modra Frankinja) Originally Hungarian; now big in Austria, widely planted in Mittelburgenland: medium-bodied, peppery acidity, a characteristic salty note, berry aromas and eucalyptus. Often blended with CAB SAUV or ZWEIGELT. Lemberger in Germany (speciality of Württemberg), Kékfrankos in Hungary, Modra Frankinja in Slovenia.

Boğazkere Tannic and Turkish. Produces full-bodied wines.

Bonarda Several different grapes sail under this flag. In Italy's Oltrepò Pavese, an alias for Croatina: soft, fresh *frizzante* and still red; Piedmont's Bonarda is different. Bonarda in Lombardy and Emilia-Romagna is an alias for Uva Rara. Argentina's Bonarda can be any of these, or something else.

Bouchet *See* CAB FR.

Brunello Alias for SANGIOVESE, splendid at Montalcino.

Cabernet Franc [Cab Fr] The lesser of two sorts of Cab grown in Bordeaux but dominant in St-Émilion. Outperforms CAB SAUV in the Loire (Chinon, Saumur-Champigny, rosé), in Hungary (depth and complexity in Villány and Szekszárd) and often in Italy. Much of northeast Italy's Cab Fr turned out to be CARMENÈRE. Used in Bordeaux blends of Cab Sauv/MERLOT across the world.

Cabernet Sauvignon [Cab Sauv] Grape of great character: spicy, herby, tannic, with characteristic blackcurrant aroma. Main grape of the Médoc; also makes some of the best California, South American, East European reds. Vies with Shiraz in Australia. Grown almost everywhere, and led vinous renaissance in eg. Italy. Top wines need ageing; usually benefits from blending with eg. MERLOT, CAB FR, SYRAH, TEMPRANILLO, SANGIOVESE, etc. Makes aromatic rosé.

Cannonau GRENACHE in its Sardinian manifestation; can be v. fine, potent.

Carignan (Carignano, Cariñena) Low-yielding old vines now v. fashionable everywhere from south of France to Chile; best: Corbières. Lots of depth and vibrancy. Overcropped Carignan is wine-lake fodder. Common in North Africa, Spain (as Cariñena) and California.

Carignano *See* CARIGNAN.

Carineña *See* CARIGNAN.

Carmenère An old Bordeaux variety that is now a star, rich and deep, in Chile (where it's pronounced *carmeneary*). Bordeaux is looking at it again.

Castelão *See* PERIQUITA.

Cencibel *See* TEMPRANILLO.

Chiavennasca *See* NEBBIOLO.

Cinsault (Cinsaut) A staple of southern France. V.gd if low-yielding; wine-lake stuff if not. Makes gd rosé. One of the parents of PINOTAGE.

Cornalin du Valais Swiss speciality, esp in Valais.

Corvina Dark and spicy; one of the best grapes in the Valpolicella blend. Corvinone, even darker, is a separate variety.

Côt *See* MALBEC.

Dolcetto Source of soft, seductive dry red in Piedmont. Now high fashion.

Dornfelder Deliciously light reds, straightforward, often rustic, and well-coloured, in Germany, parts of the USA, England. German plantings doubled since 2000.

Fer Servadou Exclusive to Southwest France, particularly important in Marcillac, Gaillac and St-Mont. Redolent of soft fruits and spice.

Fetească Neagră Romania: "black maiden grape" with potential as showpiece variety and being more widely planted. Needs care and low yields in v'yd, but can give deep, full-bodied wines with character.

Frühburgunder An ancient mutation of PINOT N, found mostly in Germany's Ahr but also in Franken and Württemberg, where it is confusingly known as Clevner. Lower acidity and thus more approachable than Pinot N.

Gamay The Beaujolais grape: light, v. fragrant wines, at their best young, except in Beaujolais crus (*see* France) where quality can be superb, wines for 2–10 yrs. Makes even lighter wine in the Loire Valley, in central France, in Switzerland and Savoie. "Napa Gamay" in California.

Gamza *See* KADARKA.

Garnacha (Cannonau, Garnatxa, Grenache) Becoming ultra-fashionable with *terroiristes*, who admire the way it expresses its site. Also gd for rosé and Vin Doux Naturel (esp in southern France, Spain, California) but also mainstay of beefy Priorat. Old-vine versions are prized in South Australia. Usually blended with other varieties. Cannonau in Sardinia, Grenache in France.

Garnatxa *See* GARNACHA.

Graciano Spanish; part of Rioja blend. Aroma of violets; tannic, lean structure reminiscent of PETIT VERDOT. Difficult to grow but fashionable, planted more now.

Grenache *See* GARNACHA.

Grignolino Italy: gd everyday table wine in Piedmont.

Kadarka (Gamza) Spicy, light reds in East Europe. In Hungary revived for Bikavér.

Kékfrankos Hungarian BLAUFRÄNKISCH.

Lagrein Northern Italian, deep colour, bitter finish, rich, plummy fruit. DOC in Alto Adige (*see* Italy).

Lambrusco Productive grape of the lower Po Valley. Quintessentially Italian, cheerful, sweet and fizzy red.

Lefkada Rediscovered Cypriot variety, higher quality than Mavro. Usually blended because tannins can be aggressive.

Lemberger *See* BLAUFRÄNKISCH.

Malbec (Auxerrois, Côt) Minor in Bordeaux, major in Cahors (alias Auxerrois) and the star in Argentina. Dark, dense, tannic but fleshy wine capable of real quality. High-altitude versions in Argentina are the bee's knees.

Maratheftiko Deep-coloured Cypriot grape with quality potential. Tricky to grow well but getting better as winemakers learn to manage it.

Mataro *See* MOURVÈDRE.

Mavro The most-planted black grape of Cyprus. Easier to cultivate than MARATHEFTIKO, but only moderate quality. Best for rosé.

Mavrodaphne Greek; the name means "black laurel". Used for sweet fortifieds;

speciality of Patras, but also found in Cephalonia. Dry versions on the increase and show great promise.

Mavrotragano Greek, almost extinct; now revived; found on Santorini. Top quality.

Mavrud Probably Bulgaria's best. Spicy, dark, plummy late-ripener native to Thrace. Ages well.

Melnik Bulgarian grape originating in the region of the same name. Dark colour and a nice dense, tart-cherry character. Ages well.

Mencía Making waves in Bierzo, Spain. Aromatic, with steely tannins, and lots of acidity. Excellent with a gd producer.

Merlot The grape behind the great fragrant and plummy wines of Pomerol and (with CAB FR) St-Émilion. An important element in Médoc reds: soft and strong (and *à la mode*) in California, Washington, Chile, Australia; lighter but often gd in north Italy (can be world-class in Tuscany), Italian Switzerland, Slovenia, Argentina, South Africa, New Zealand (NZ), etc. Perhaps too adaptable for its own gd: can be v. dull; less than ripe it tastes green. Much planted in East Europe; Romania's most planted red.

Modra Frankinja *See* BLAUFRÄNKISCH.

Modri Pinot *See* PINOT N.

Monastrell *See* MOURVÈDRE.

Mondeuse Found in Savoie; deep colour, gd acidity. Could be same as Italy's REFOSCO.

Montepulciano Deep-coloured grape dominant in Italy's Abruzzo and important along Adriatic coast from the Marches to southern Apulia. Also name of a famous Tuscan town, unrelated.

Morellino Alias for SANGIOVESE in Scansano, southern Tuscany.

Mourvèdre (Mataro, Monastrell) Star of southern France and Australia (sometimes as Mataro) and, as Monastrell, Spain. Excellent dark, aromatic, tannic grape, gd for blending. Enjoying new interest in eg. South Australia and California.

Napa Gamay *See* GAMAY.

Nebbiolo (Chiavennasca, Spanna) One of Italy's best red grapes; makes Barolo, Barbaresco, Gattinara and Valtellina. Intense, nobly fruity, perfumed wine but v. tannic: improves for yrs.

Negroamaro Apulian "black bitter" red grape with potential for both high quality or high volume.

Nerello Mascalese Medium-coloured, characterful Sicilian red grape capable of making wines of considerable elegance.

Nero d'Avola Dark-red grape of Sicily. Quality levels from sublime to industrial.

Nielluccio Corsican; plenty of acidity and tannin. Gd for rosé.

Öküzgözü Soft, fruity Turkish grape, usually blended with BOĞAZKERE, rather like MERLOT in Bordeaux is blended with CAB SAUV.

Pamid Bulgarian: light, soft, everyday red.

Periquita (Castelão) Planted throughout south Portugal, esp in Península de Setúbal. Originally nicknamed Periquita after Fonseca's popular (trademarked) brand. Firm-flavoured, raspberryish reds develop a figgish, tar-like quality.

Petite Sirah Nothing to do with SYRAH; rustic, tannic, dark wine. May be blended with ZIN in California; also found in South America, Mexico and Australia.

Petit Verdot Excellent but awkward Médoc grape, now increasingly planted in CAB areas worldwide for extra fragrance. Mostly blended but some gd varietals, esp in Virginia.

Pinotage Singular South African grape (PINOT N X CINSAULT). Has had a rocky ride, but is emerging engaging, satisfying, even profound, from best producers. Gd rosé, too. Fashionable "coffee Pinotage" is espresso-toned, sweetish and aimed at youth market.

Pinot Crni *See* PINOT N.

Pinot Meunier (Schwarzriesling) 3rd grape of Champagne, scorned by some, used by most. Softer, earlier drinking than PINOT N; useful for blending. Found in many places; vinified as a white for fizz or occasionally (eg. Germany's Württemberg, as Schwarzriesling) as still red. Samtrot is local variant in Württemberg.

Pinot Noir (Blauburgunder, Modri Pinot, Pinot Crni, Spätburgunder) [Pinot N] The glory of Burgundy's Côte d'Or, with scent, flavour and texture that are unmatched anywhere. Recent German efforts have been excellent. V.gd. in Austria, esp in Kamptal, Burgenland, Thermenregion. Light wines in Hungary; light to weightier in Switzerland, where it is the main red variety and also known as Clevner. Splendid results in California's Sonoma, Carneros and Central Coast, as well as Oregon, Ontario, Yarra Valley, Adelaide Hills, Tasmania, NZ's South Island (Central Otago) and South Africa's Walker Bay. Some v. pretty Chileans. New French clones promise improvement in Romania. Modri Pinot in Slovenia; probably country's best red. In Italy, best in northeast and gets worse as you go south. PINOT BL and PINOT GR are mutations of Pinot N.

Plavac Mali Croatian, and related to ZIN, like so much round there. Lots of quality potential, can age well, though can also be alcoholic and dull.

Primitivo Southern Italian grape, originally from Croatia, making big, dark, rustic wines, now fashionable because genetically identical to ZIN. Early ripening, hence the name.

Refosco (Refošk) In northeast Italy possibly a synonym for MONDEUSE of Savoie. Various DOCs in Italy, esp Colli Orientali. Deep, flavoursome and age-worthy wines, particularly in warmer climates. Dark, high acidity. Refošk in Slovenia and points east is genetically different but tastes similar.

Refošk *See* REFOSCO.

Roter Veltliner Austrian; the red version of GRÜNER VELTLINER. There is also a Frühroter and a Brauner Veltliner.

Rubin Bulgarian cross, NEBBIOLO x SYRAH. Peppery, full-bodied. Gd in blends, but increasingly used on its own.

Sagrantino Italian grape found in Umbria for powerful, cherry-flavoured wines.

St-Laurent Dark, smooth, full-flavoured Austrian speciality. Can be light and juicy or deep and structured; fashion for overextraction is over. Also in the Pfalz.

Sangiovese (Brunello, Morellino, Sangioveto) Principal red grape of west-central Italy with a reputation of being difficult to get right, but sublime and long-lasting when it is. Research has produced great improvements. Dominant in Chianti, Vino Nobile, Brunello di Montalcino, Morellino di Scansano and various fine IGT offerings. Also in Umbria generally (eg. Montefalco and Torgiano) and across the Apennines in Romagna and the Marches. Not so clever in the warmer, lower-altitude v'yds of the Tuscan coast, or in other parts of Italy despite its near ubiquity. Interesting in Australia.

Sangioveto *See* SANGIOVESE.

Saperavi Gd, balanced, v. long-lived wine in Georgia, Ukraine, etc. Blends v. well with CAB SAUV (eg. in Moldova). Huge potential, seldom gd winemaking.

Schiava *See* TROLLINGER.

Schwarzriesling PINOT MEUNIER in Württemberg.

Sciacarello Corsican, herby and peppery. Not v. tannic.

Shiraz *See* SYRAH.

Spanna *See* NEBBIOLO.

Spätburgunder German for PINOT N.

Syrah (Shiraz) The great Rhône red grape: tannic, purple and peppery wine that matures superbly. Important as Shiraz in Australia, increasingly gd under either name in Chile and South Africa, terrific in NZ (esp Hawke's Bay). Widely grown.

Tannat Raspberry-perfumed, highly tannic force behind Madiran, Tursan and other firm reds from Southwest France. Also rosé. Now the star of Uruguay.

Tempranillo (Aragonez, Cecibel, Tinto Fino, Tinta del País, Tinta Roríz, Ull de Llebre) Aromatic, fine Rioja grape, called Ull de Llebre in Catalonia, Cencibel in La Mancha, Tinto Fino in Ribera del Duero, Tinta Roríz in Douro, Tinta del País in Castile, Aragonez in southern Portugal. Now Australia, too. V. fashionable; elegant in cool climates, beefy in warm. Early ripening, long maturing.

Teran Close cousin of REFOSCO, same dark colour, high acidity, appetizing, esp on limestone (karst). Slovenia and thereabouts.

Teroldego Rotaliano Italian: Trentino's best indigenous variety makes serious, full-flavoured wine, esp on the flat Campo Rotaliano.

Tinta Amarela *See* TRINCADEIRA.

Tinta del País *See* TEMPRANILLO.

Tinta Negra Until recently called Tinta Negra Mole. Easily Madeira's most planted grape and the mainstay of cheaper Madeira. Now coming into its own in Colheita wines (*See* Port, Sherry & Madeira).

Tinta Roríz *See* TEMPRANILLO.

Tinto Fino *See* TEMPRANILLO.

Touriga Nacional Top Port grape in the Douro Valley, now widely used for floral, stylish table wines. Seen as Portugal's best red. Australian Touriga might be this or one of several others; California's Touriga is usually Touriga Franca.

Trincadeira (Tinta Amarela) Portugal; v.gd, spicy Alentejo. Tinta Amarela in Douro.

Trollinger (Schiava, Vernatsch) Popular pale red in Germany's Württemberg; identical with Tyrolean Vernatsch and Schiava. In Italy, snappy and brisk.

Vernatsch *See* TROLLINGER.

Xinomavro Greece's answer to NEBBIOLO. "Sharp-black"; the basis for Naoussa, Rapsani, Goumenissa, Amindeo. Some rosé, still or sparkling. Top quality can age for decades. Being tried in China.

Zinfandel [Zin] Fruity, adaptable grape of California with blackberry-like, and sometimes metallic, flavour. Can be structured and gloriously lush, ageing for decades, but also makes "blush" pink, usually sweet, jammy. Genetically the same as southern Italian PRIMITIVO and Croatia's Crljenak, which is almost extinct.

Zweigelt (Blauer Zweigelt) BLAUFRÄNKISCH x ST-LAURENT, it is popular in Austria for aromatic, dark, supple, velvety wines. Also found in Hungary and Germany.

Grapes for white wine

Airén Bland workhorse of La Mancha, Spain: fresh if made well.

Albariño (Alvarinho) Fashionable and expensive in Spain: apricot-scented, gd acidity. Best in Rías Baixas; shaping up elsewhere, but not all live up to hype. Alvarinho in Portugal just as gd: aromatic Vinho Verde, esp in Monção, Melgaço.

Aligoté Burgundy's second-rank white grape. Sharp wine for young drinking, perfect for mixing with cassis (blackcurrant liqueur) to make Kir. Widely planted in East Europe, esp Russia.

Alvarinho ALBARIÑO in Portugal.

Amigne One of Switzerland's speciality grapes, traditional in Valais, esp Vétroz. Total planted: 43ha. Full-bodied, tasty, often sweet but also bone-dry.

Ansonica *See* INSOLIA.

Arinto Portuguese; the mainstay of aromatic, citrusy wines in Bucelas; also adds welcome zip to blends, esp in Alentejo.

Arneis NW Italian. Fine, aromatic, appley-peachy, high-priced grape, DOCG in Roero, DOC in Langhe, Piedmont.

Arvine Rare Swiss speciality, from Valais. Also Petite Arvine. Dry and sweet, elegant, long-lasting wines with a salty finish.

Assyrtiko Greek; one of the best grapes of the Mediterranean, balancing power, minerality, extract and high acid. Built to age. Could conquer the world...

Auxerrois Red Auxerrois is a synonym for MALBEC. White Auxerrois is like a fatter, spicier version of PINOT BL. Found in Alsace, much used in Crémant; also Germany.

Beli Pinot *See* PINOT BL.

Blanc Fumé *See* SAUV BL.

Boal *See* BUAL.

Bourboulenc This and the rare Rolle make some of the Midi's best wines.

Bouvier Aromatic grape indigenous to Austria. Esp gd for Beerenauslese and Trockenbeerenauslese, rarely for dry wines.

Bual (Boal) Makes top-quality sweet Madeira wines, not quite so rich as Malmsey.

Carricante Italian. Principal grape of Etna Bianco, regaining ground.

Catarratto Prolific white grape found all over Sicily, esp in west in DOC Alcamo.

Cerceal *See* SERCIAL.

Chardonnay (Morillon) [Chard] The white grape of Burgundy and Champagne, now ubiquitous worldwide, partly because it is one of the easiest to grow and vinify. Also the name of a Mâcon-Villages commune. The fashion for overoaked butterscotch versions now thankfully over. Morillon in Styria, Austria.

Chasselas (Fendant, Gutedel) Swiss (originated in Vaud). Neutral flavour, takes on local character: elegant (Geneva); refined, full (Vaud); exotic, racy (Valais). Fendant in Valais. Makes almost a third of Swiss wines but giving way, esp to red. Gutedel in Germany, grown esp in southern Baden. Elsewhere usually a table grape.

Chenin Blanc [Chenin Bl] Wonderful white grape of the middle Loire (Vouvray, Layon, etc). Wine can be dry or sweet (or v. sweet), but with plenty of acidity. Bulk wine in California. Taken v. seriously (alias Steen) in South Africa; still finding its way there, but huge potential.

Cirfandl *See* ZIERFANDLER.

Clairette Low-acid; in many southern French blends. Improved winemaking helps.

Colombard Slightly fruity, nicely sharp grape, makes everyday wine in South Africa, California and Southwest France. Often blended.

Dimiat Bulgarian: perfumed, dry or off-dry, or distilled. More synonyms than it needs.

Ermitage *See* MARSANNE.

Ezerjó Hungarian, with sharp acidity. Name means "thousand blessings".

Falanghina Italian: ancient grape of Campanian hills. Excellent dense, aromatic dry whites.

Fendant *See* CHASSELAS.

Fernão Pires *See* MARIA GOMES.

Feteascǎ Albǎ / Regalǎ (Leányka / Királyleanyka) Romania has two Feteascǎ grapes, both with slight MUSCAT aroma. F. Regalǎ is a cross of F. Albǎ and GRAS; more finesse, gd for late-harvest wines. F. Albǎ is Leányka in Hungary; F. Regalǎ is Hungary's Királyleanyka. F. Neagrǎ is dark-skinned.

Fiano High-quality grape giving peachy, spicy wine in Campania, southern Italy.

Folle Blanche (Gros Plant, Picpoul) High acid/little flavour make this ideal for brandy. Gros Plant (Brittany), Picpoul (Armagnac). Respectable in California.

Friulano (Sauvignonasse, Sauvignon Vert) North Italian: fresh, pungent, subtly floral. Used to be called Tocai Friulano. Best in Collio, Isonzo, Colli Orientali. Found in nearby Slovenia as Sauvignonasse; also in Chile, where it was long confused with SAUV BL. Ex-Tocai in Veneto now known as Tai.

Fumé Blanc *See* SAUV BL.

Furmint (Šipon) Superb, characterful. The trademark of Hungary, both as the principal grape in Tokaji and as vivid, vigorous table wine, sometimes mineral, sometimes apricot-flavoured, sometimes both. Šipon in Slovenia. Some grown in Rust, Austria, for sweet and dry.

Garganega Best grape in Soave blend; also in Gambellara. Top, esp sweet, age well.

Garnacha Blanca (Grenache Blanc) White version of GARNACHA/GRENACHE, much used in Spain, southern France. Low acidity. Can be innocuous, or surprisingly gd.

Gewurztraminer (Traminac, Traminec, Traminer, Tramini) [Gewurz] One of the most pungent grapes, spicy with aromas of rose petals, face-cream, lychees, grapefruit. Wines are often rich and soft, even when fully dry. Best in Alsace; also gd in Germany (Baden, Pfalz, Sachsen), Eastern Europe, Australia, California, Pacific Northwest and NZ. Can be relatively unaromatic if just labelled Traminer (or variants). Italy uses the name Traminer Aromatico for its (dry) versions. The name comes from German *Gewürz* ("spice"), and keeps the umlaut in German.

Glera Uncharismatic new name for the Prosecco vine. Prosecco is now only a wine, no longer a grape.

Godello *See* VERDELHO.

Grasă (Kövérszölö) Romanian; name means "fat". Prone to botrytis; v. important in Cotnari: potentially superb sweet wines. Kövérszölö in Hungary's Tokaj region.

Graševina *See* WELSCHRIESLING.

Grauburgunder *See* PINOT GR.

Grechetto Ancient grape of central and south Italy noted for the vitality and stylishness of its wine. Blended, or used solo in Orvieto.

Greco Southern Italian: there are various Grecos, probably unrelated, perhaps of Greek origin. Brisk, peachy flavour, most famous as Greco di Tufo. Greco di Bianco is from semi-dried grapes. Greco Nero is a black version.

Grenache Blanc *See* GARNACHA BLANCA.

Grignolino Italy: gd everyday table wine in Piedmont.

Gros Plant *See* FOLLE BLANCHE.

Grüner Veltliner Austria's flagship white grape. Remarkably diverse: from simple, peppery everyday wines to others of great complexity and ageing potential. Found elsewhere in Central Europe to some extent, and now showing potential in NZ. The height of fashion.

Gutedel *See* CHASSELAS.

Hárslevelű Other main grape of Tokaji, but softer, peachier than FURMINT. Name means "linden-leaved". Gd in Somló, Eger as well.

Heida *See* SAVAGNIN.

Humagne Swiss speciality, older than CHASSELAS. Fresh, plump, not v. aromatic. Humagne Rouge (HR), also common in Valais, is not related but increasingly popular. HR is the same as Cornalin du Aosta; Cornalin du Valais is different. (Keep up at the back, there.)

Insolia (Ansonica, Inzolia) Sicilian; Ansonica on Tuscan coast. Fresh, racy wine at best. May be semi-dried for sweet wine.

Irsai Olivér Hungarian cross of two table varieties. Makes aromatic, MUSCAT-like wine for drinking young.

Johannisberg *See* SILVANER.

Kéknyelű Low-yielding, flavourful grape giving one of Hungary's best whites. Has the potential for fieriness and spice. To be watched.

Kerner Quite successful German crossing. Early ripening, flowery (but often too blatant) wine with gd acidity.

Királyleányka Aka FETEASCĂ REGALĂ.

Kövérszölö *See* GRASĂ.

Laski Rizling *See* WELSCHRIESLING.

Leányka "Little girl". *See* FETEASCĂ ALBĂ.

Listán *See* PALOMINO.

Loureiro Best Vinho Verde variety after ALVARINHO: delicate, floral whites. Also in Spain.

Macabeo *See* VIURA.

Malagousia Rediscovered Greek grape for gloriously perfumed wines.

Malmsey *See* MALVASIA. The sweetest style of Madeira, from grape of same name.

Malvasia (Malmsey, Malvazija) Italy and Iberia. An ancient Greek grape planted so widely for so long that various sub-varieties often bear little resemblance to one another – can be white or red, sparkling or still, strong or mild, sweet or dry, aromatic or neutral. Slovenia's and Croatia's version is Malvazija Istarka, crisp and light, or rich, oak-aged. "Malmsey" (as in the sweetest style of Madeira) is a corruption of Malvasia.

Malvoisie Not related to MALVASIA. Covers several varieties in France, incl PINOT GR, MACABEO, BOURBOULENC, CLAIRETTE, Torbato, VERMENTINO. Pinot Gr in Switzerland.

Manseng, Gros / Petit Gloriously spicy and floral whites from Southwest France. The key to Jurançon. Superb late-harvest and sweet wines, too.

Maria Gomes (Fernão Pires) Portugal: aromatic, ripe-flavoured, slightly spicy whites in Barraida and Tejo.

Marsanne (Ermitage) Principal white grape (with ROUSSANNE) of the northern Rhône (Hermitage, St-Joseph, St-Péray). Also gd in Australia, California and (as Ermitage Blanc) the Valais. Soft, full wines that age v. well.

Melon de Bourgogne *See* MUSCADET.

Misket Bulgarian: mildly aromatic; the basis of most country whites.

Morillon CHARD in parts of Austria.

Moscatel *See* MUSCAT.

Moscato *See* MUSCAT.

Moschofilero Pink-skinned, rose-scented, high-quality, high-acid, low-alcohol Greek grape. Makes white, some pink, some sparkling.

Müller-Thurgau [Müller-T] Aromatic wines to drink young. Gd sweet wines but usually dull, often coarse, dry ones. In Germany, most common in Pfalz, Rheinhessen, Nahe, Baden, Franken. Has some merit in Italy's Trentino-Alto Adige and Friuli. Sometimes called RIES X SYLVANER (incorrectly) in Switzerland.

Muscadelle Adds aroma to white Bordeaux, esp Sauternes. In Victoria used (with MUSCAT, to which it is unrelated) for Rutherglen Muscat.

Muscadet (Melon de Bourgogne) Makes light, refreshing, v. dry wines with a seaside tang around Nantes in Brittany. Also found (as Melon) in parts of Burgundy.

Muscat (Moscatel, Moscato, Muskateller) Many varieties; the best is Muscat Blanc à Petits Grains (alias Gelber Muskateller, Rumeni Muškat, Sarga Muskotály, Yellow Muscat). Widely grown, easily recognized, pungent grapes, mostly made into perfumed sweet wines, often fortified, as in France's Vin Doux Naturel. Superb, dark and sweet in Australia. Sweet, sometimes v.gd in Spain. Most Hungarian Muskotály is Muscat Ottonel, except in Tokaj where Sarga Muskotály rules, adding perfume (in small amounts) to blends. Occasionally (eg. Alsace, Austria, parts of south Germany) made dry. Sweet Cap Corse Muscats often superb. Light Moscato fizz in Italy.

Muskateller *See* MUSCAT.

Narince Turkish; fresh and fruity wines.

Neuburger Austrian, rather neglected; mainly in the Wachau (elegant, flowery), Thermenregion (mellow, ample-bodied) and north Burgenland (strong, full).

Olaszrizling *See* WELSCHRIESLING.

Païen *See* SAVAGNIN.

Palomino (Listán) The great grape of Sherry; with little intrinsic character, it gains all from production method. Of local appeal (on a hot day) for table wine. As Listán, makes dry white in Canaries.

Pansà Blanca *See* XAREL-LO.

Pecorino Italian: not a cheese but alluring dry white from a recently nr-extinct variety. IGT in Colli Pescaresi.

Pedro Ximénez [PX] Makes sweet Sherry under its own name; in Montilla, Málaga. Also grown in Argentina, the Canaries, Australia, California, South Africa.

Pinela Local to Slovenia. Subtle, lowish acidity; drink young.

Pinot Bianco *See* PINOT BL.

Pinot Blanc (Beli Pinot, Pinot Bianco, Weissburgunder) [Pinot Bl] Cousin of PINOT N, similar to but milder than CHARD. Light, fresh, fruity, not aromatic, to drink young. Gd for Italian spumante; potentially excellent in northeast, esp high sites in Alto Adige. Widely grown. Weissburgunder in Germany and best in south: often racier than Chard.

Pinot Gris (Pinot Grigio, Grauburgunder, Ruländer, Sivi Pinot, Szürkebarát) [Pinot Gr] Light and fashionable as Pinot Grigio in northern Italy, even for rosé, but top, characterful versions can be excellent (from Alto Adige, Friuli). Cheap versions are just that. Terrific in Alsace for full-bodied, spicy whites. Once important in Champagne. In Germany can be alias Ruländer (sweet) or Grauburgunder (dry): best in Baden (esp Kaiserstuhl) and south Pfalz. Szürkebarát in Hungary, Sivi Pinot in Slovenia (characterful, aromatic).

Pošip Croatia: mostly on Korčula. Quite characterful and citrusy; high yielding.

Prosecco *See* GLERA.

Renski Rizling *See* RIES.

Ribolla Gialla / Rebula Acidic but characterful. In Italy, best in Collio. In Slovenia, traditional in Brda. V. high quality potential in macerated and classical styles.

Rieslaner German cross (SILVANER X RIES); low yields, difficult ripening, now a rarity (less than 50ha). Makes fine Auslesen in Franken and Pfalz.

Riesling Italico *See* WELSCHRIESLING.

Riesling (Renski Rizling, Rhine Riesling) [Ries] As gd as CHARD, if not better, though diametrically opposite in style. Offers a range from steely to voluptuous, always positively perfumed, with more ageing potential than Chard. Great in all styles in Germany; forceful and steely in Austria; lime-cordial and toast fruit in South Australia; rich and spicy in Alsace; Germanic and promising in NZ, New York State, Pacific Northwest; has potential in Ontario, South Africa.

Rkatsiteli Found widely in Eastern Europe, Russia, Georgia. Can stand cold winters and has high acidity, which protects it to some degree from poor winemaking. Also grown in northeast States.

Robola In Greece (Cephalonia): top-quality, floral grape, unrelated to RIBOLLA GIALLA.

Roditis Pink grape grown all over Greece, usually producing white wines. Gd when yields are low.

Rotgipfler Austrian; indigenous to Thermenregion. With ZIERFANDLER, makes lively, lush, aromatic blend.

Roussanne Rhône grape of finesse, now popping up in California and Australia. Can age many yrs.

Ruländer *See* PINOT GR.

Sauvignonasse *See* FRIULANO.

Sauvignon Blanc [Sauv Bl] Makes distinctive aromatic, grassy-to-tropical wines, pungent in NZ, often minerally in Sancerre, riper in Australia. V.gd in Rueda, Austria, north Italy (Isonzo, Piedmont, Alto Adige), Chile's Casablanca Valley and South Africa. Blended with SÉM in Bordeaux. Can be austere or buxom (or indeed, nauseating). Sauvignon Gris is a pink-skinned, less aromatic version of Sauv Bl with untapped potential.

Sauvignon Vert *See* FRIULANO.

Savagnin (Heida, Païen) Grape of Vin Jaune from Savoie: related to GEWURZ? In Switzerland known as Heida, Païen or Traminer. Full-bodied, high acidity.

Scheurebe Grapefruit-scented German RIES X SILVANER (possibly), v. successful in Pfalz, esp for Auslese and upwards. Can be weedy: must be v. ripe to be gd.

Sémillon [Sém] Contributes the lusciousness to Sauternes but decreasingly important for Graves and other dry white Bordeaux. Grassy if not fully ripe, but can make soft, dry wine of great ageing potential. Superb in Australia; NZ and South Africa promising.

Sercial (Cerceal) Portugal: makes the driest Madeira. Cerceal, also Portuguese, seems to be this plus any of several others.

Seyval Blanc [Seyval Bl] French-made hybrid of French and American vines. V. hardy and attractively fruity. Popular and reasonably successful in eastern US states and England but dogmatically banned by EU from "quality" wines.

Silvaner (Johannisberg, Sylvaner) Germany's former workhorse grape, can be excellent in Rheinhessen, Pfalz, esp Franken, where its plant/earth flavours and mineral notes reach their apogee. V.gd (and powerful) as Johannisberg in the Valais, Switzerland. The lightest of the Alsace grapes.

Sipon *See* FURMINT.

Spätrot *See* ZIERFANDLER.

Sylvaner *See* SILVANER.

Tămâioasă Românească Romania: "frankincense" grape, with exotic aroma and taste. Belongs to MUSCAT family.

Torrontés Name given to a number of grapes, mostly with an aromatic, floral character, sometimes soapy. A speciality of Argentina; also in Spain. DYA.

Traminac / Traminec. *See* GEWURZ.

Traminer / Tramini Hungary. *See* GEWURZ.

Trebbiano (Ugni Blanc) Principal white grape of Tuscany, found all over Italy in different guises. Rarely rises above plebeian except in Tuscany's Vin Santo. Some gd dry DOCs Romagna or Abruzzo. Trebbiano di Soave or di Lugana, aka VERDICCHIO, only distantly related. Grown in southern France as Ugni Blanc, Cognac as St-Émilion. Mostly thin, bland; needs blending (and careful growing).

Ugni Blanc [Ugni Bl] *See* TREBBIANO.

Ull de Llebre *See* TEMPRANILLO.

Verdejo The grape of Rueda in Castile, potentially fine and long-lived.

Verdelho (Godello) Great quality in Australia, and in Spain as Godello – probably Spain's best white grape. Rare but gd (and medium-sweet) in Madeira.

Verdicchio Potentially gd, muscular dry wine in central-eastern Italy. Makes the wine of the same name.

Vermentino Italy: sprightly, satisfying texture and ageing capacity. Potential here.

Vernaccia Name given to many unrelated grapes in Italy. Vernaccia di San Gimignano is crisp, lively; Vernaccia di Oristano is Sherry-like.

Vidal French hybrid much grown in Canada for Icewine.

Viognier Ultra-fashionable Rhône grape, finest in Condrieu, less fine but still aromatic in Midi. Gd examples from California, Virginia, Uruguay, Australia.

Viura (Macabeo, Maccabéo, Maccabeu) Workhorse white grape of northern Spain, widespread in Rioja, Catalunya. Also in Southwest France. Gd quality potential.

Weissburgunder PINOT BL in Germany.

Welschriesling (Graševina, Laski Rizling, Olaszrizling, Riesling Italico) Not related to RIES. Light and fresh to sweet and rich in Austria; ubiquitous in Central Europe, where it can be remarkably gd for dry and sweet wines.

Xarel-lo (Pansà Blanca) Traditional Catalan grape for Cava, with Parellada, MACABEO. Neutral but clean. More character (lime cordial) in Alella, as Pansà Blanca.

Xynisteri Cyprus's most planted white grape. Can be simple and is usually DYA, but when grown at altitude makes appealing, minerally whites.

Zéta Hungarian; BOUVIER X FURMINT used by some in Tokaji Aszú production.

Zierfandler (Spätrot, Cirfandl) Found in Austria's Thermenregion; often blended with ROTGIPFLER for aromatic, orange-peel-scented, weighty wines.

Wine & food

Food these days is becoming almost as complicated as wine. We take Japanese for granted, Chinese as staple, look to Italian for comfort and then stir the pot with this strange thing called "fusion rules". Don't try to be too clever; wine you like with food you like is safest. And Riesling is the safest grape.

Before the meal – apéritifs

The conventional apéritif wines are either sparkling (epitomized by Champagne) or fortified (epitomized by Sherry in Britain, Port in France, vermouth in Italy, etc.). A glass of table wine before eating is an alternative. **Warning** Avoid peanuts – they destroy wine flavours. Olives are too piquant for many wines, especially Champagne; they need Sherry or a Martini. Eat almonds, pistachios, cashews, or walnuts, plain crisps or cheese straws instead.

First courses

Aïoli A thirst-quencher is needed for its garlic heat. Rhône, sparkling dry white; Provence rosé, Verdicchio. And marc or grappa, too, for courage.

Antipasti Dry or medium white: Italian (Arneis, Soave, Pinot Grigio, Prosecco, Vermentino); light but gutsy red (Valpolicella, straight or *ripasso*, can handle most things).

Artichoke vinaigrette An incisive dry white: NZ Sauv Bl; Côtes de Gascogne or a modern Greek; young red: Bordeaux, Côtes du Rhône.

with hollandaise Full-bodied, slightly crisp dry white: Pouilly-Fuissé, Pfalz Spätlese, or a Carneros or Yarra Valley Chard.

Asparagus A difficult flavour for wine, being slightly bitter, so the wine needs plenty of its own. Rheingau Ries goes well. Sauv Bl echoes the flavour. Sém beats Chard, esp Australian, but Chard works well with melted butter or hollandaise. Alsace Pinot Gr, even dry Muscat is gd, or Jurançon Sec.

Aubergine purée (*melitzanosalata*) Crisp New World Sauv Bl, eg. from South Africa or NZ; or modern Greek or Sicilian dry white. Baked aubergine dishes can need sturdier reds: Shiraz, Zin. Or try a Turkish red like the Imam.

Avocado and tiger prawns Dry to medium or slightly sharp white: Rheingau or Pfalz Kabinett, Grüner Veltliner, Wachau Ries, Sancerre, Pinot Gr; Sonoma or Australian Chard or Sauv Bl, or a dry rosé. Or *premier cru* Chablis.

with mozzarella and tomato Crisp but ripe white with acidity: Soave, Sancerre, Greek white.

Carpaccio, beef Seems to work well with most wines, incl reds. Top Tuscan is appropriate, but fine Chards are gd. So are vintage and pink Champagnes.

salmon Chard or Champagne.

tuna Viognier, California Chard or NZ Sauv Bl.

Caviar Iced vodka. Full-bodied Champagne (eg. Bollinger, Krug). Cuvée Annamaria Clementi from Ca' del Bosco.

Ceviche Australian Ries or Verdelho, Chilean Sauv Bl.

Charcuterie/salami Young Beaujolais-Villages, Loire reds (ie. Saumur), or NZ or Oregon Pinot N. Lambrusco or young Zin. Young Argentine or Italian reds. Bordeaux Blanc and light Chard like Côte Chalonnaise can work well, too.

Chorizo Fino, Austrian Ries, Grüner Veltliner, but not a wine-friendly taste.

Crostini Dry Italian white such as Verdicchio or Orvieto. Or standard-grade (not Riserva) Morellino di Scansano, Montepulciano d'Abruzzo, Valpolicella.

Crudités Light red or rosé: Côtes du Rhône, Minervois, Chianti, Pinot N; or Fino Sherry. For whites: Alsace Sylvaner or Pinot Bl.

Dim sum Classically, China tea. For fun: Pinot Gr or Ries; light Pinot N. For reds, soft, evolved tannins are key, and the more mature and complex the wine the better it will go. Bardolino, Rioja, or light Southern Rhône are also contenders. Plus NV Champagne or gd New World fizz.

Eggs *See also* SOUFFLÉS. These present difficulties; they clash with most wines and can ruin good ones. But local wine with local egg dishes is a safe bet, so ★→★★ of whatever is going. Try Pinot Bl or not-too-oaky Chard. As a last resort I can bring myself to drink Champagne with scrambled eggs.

quails eggs Blanc de blancs Champagne.

seagull (or gull) eggs Mature white burgundy or vintage Champagne.

oeufs en meurette Burgundian genius: eggs in red wine with glass of the same.

Escargots A comfort dish calling for Rhône reds (Gigondas, Vacqueyras). St-Véran or Aligoté, in Burgundy, . In the Midi, v.gd Petits-Gris ("little grey snails") go with local white, rosé or red. In Alsace, Pinot Bl or dry Muscat.

Fish terrine or fish salad Pfalz Ries Spätlese Trocken, Grüner Veltliner, *premier cru* Chablis, Clare Valley Ries, Sonoma Chard, or Manzanilla.

Foie gras Sweet white. In Bordeaux they drink Sauternes. Others prefer a late-harvest Pinot Gr or Ries (incl New World), Vouvray, Montlouis, Jurançon *moelleux*, or Gewurz. Tokaji Aszú 5 puttonyos is a Lucullan choice. Old, dry Amontillado can be sublime. With hot foie gras, mature vintage Champagne. But not on any account Chard or Sauv Bl. Or red.

Goats cheese, warm Sancerre, Pouilly-Fumé, or New World Sauv Bl.

chilled Chinon, Saumur-Champigny, or Provence rosé. Or strong red: Château Musar, Greek, Turkish, Australian sparkling Shiraz.

Guacamole Mexican beer. Or California Chard, Sauv Bl, dry Muscat, or even non-vintage Champagne.

Haddock, smoked, mousse, soufflé or brandade Wonderful for showing off any stylish, full-bodied white, incl *grand cru* Chablis or Sonoma, South African or NZ Chard.

Ham, raw or cured *See also* PROSCIUTTO. Alsace Grand Cru Pinot Gr or gd, crisp Italian Collio white. With Spanish *pata negra* or *jamón*, Fino Sherry or Tawny Port. *See also* HAM, COOKED (Meat, poultry, game).

Herrings, raw or pickled Dutch gin (young, not aged) or Scandinavian *akvavit*, and cold beer. If wine essential, try Muscadet.

Mackerel, smoked An oily wine-destroyer. Manzanilla Sherry, proper dry Vinho Verde or schnapps, peppered or bison-grass vodka. Or gd lager.

Mayonnaise Adds richness that calls for a contrasting bite in the wine. Côte Chalonnaise whites (eg. Rully) are gd. Try NZ Sauv Bl, Verdicchio or a Spätlese Trocken. Or Provence rosé.

Mezze A selection of hot and cold vegetable dishes. Fino Sherry is in its element.

Mozzarella with tomatoes, basil Fresh Italian white, eg. Soave, Alto Adige. Vermintino from the coast. Or simple Bordeaux Blanc. *See also* AVOCADO.

Oysters, raw Non-vintage Champagne, *premier cru* Chablis, Muscadet, white Graves, Sancerre, or Guinness. Some like cold, light Sauternes.

cooked Puligny-Montrachet, gd New World Chard. Champagne gd with either.

Pasta Red or white according to the sauce or trimmings:

cream sauce (eg. carbonara) Orvieto, Frascati, Alto Adige Chard.

meat sauce Montepulciano d'Abruzzo, Salice Salentino, Merlot.

pesto (basil) Barbera, Ligurian Vermentino, NZ Sauv Bl, Hungarian Furmint.

seafood sauce (eg. vongole) Verdicchio, Soave, white Rioja, Cirò, Sauv Bl.

tomato sauce Chianti, Barbera, Sicilian red, Zin, South Australian Grenache.

Pastrami Alsace Ries, young Sangiovese or St-Émilion.

Pâté, chicken liver Calls for pungent white (Alsace Pinot Gr or Marsanne), a smooth red like a light Pomerol, Volnay or NZ Pinot N, or even Amontillado Sherry. More strongly flavoured pâté (duck, etc.) needs Châteauneuf-du-Pape, Cornas, Chianti Classico, Franciacorta, or gd white Graves.

Pipérade Navarra rosado, Provence or southern French rosés. Or dry Australian Ries. For a red: Corbières.

Prawns, shrimps, or langoustines Fine dry white: burgundy, Graves, NZ Chard, Washington Ries, Pfalz Ries, Australian Ries – even fine mature Champagne. ("Cocktail sauce" kills wine, and in time, people.)

Prosciutto (also with melon, pears, or figs) Full, dry or medium white: Orvieto, Lugana, Grüner Veltliner, Tokaji Furmint, white Rioja, Australian Sem, or Jurançon Sec.

Risotto Pinot Gr from Friuli, Gavi, youngish Sém, Dolcetto, or Barbera d'Alba.

with fungi porcini Finest mature Barolo or Barbaresco.

nero A rich, dry white; Viognier or even Corton-Charlemagne.

Salads Any dry and appetizing white or rosé wine.

NB Vinegar in salad dressings destroys the flavour of wine. Why don't the French know this? If you want salad at a meal with fine wine, dress it with wine or lemon juice instead of vinegar.

Salmon, smoked A dry but pungent white: fino (esp Manzanilla) Sherry, Alsace Pinot Gr, *grand cru* Chablis, Pouilly-Fumé, Pfalz Ries Spätlese, vintage Champagne. Vodka, schnapps, or *akvavit*.

Soufflés As show dishes these deserve ★★★ wines.

cheese Red burgundy or Bordeaux, Cab Sauv (not Chilean or Australian), etc. Or fine white burgundy.

fish Dry white: ★★★ Burgundy, Bordeaux, Alsace, Chard, etc.

spinach (tougher on wine) Mâcon-Villages, St-Véran or Valpolicella. Champagne can also be gd with the texture of soufflé.

Tapas Perfect with Fino Sherry, which can cope with the wide range of flavours in both hot and cold dishes. Or sake.

Tapenade Manzanilla or Fino Sherry, or any sharpish dry white or rosé.

Taramasalata A rustic southern white with personality; even possibly retsina. Fino Sherry works well. Try white Rioja or a Rhône Marsanne. A bland supermarket tarama submits to fine, delicate whites or Champagne.

Tempura The Japanese favour oaked Chard with acidity. I prefer Champagne.

Tortilla Rioja Crianza, Fino Sherry or white Mâcon-Villages.

Trout, smoked Sancerre; California or South African Sauv Bl. Rully or Bourgogne Aligoté, Chablis or Champagne. German Ries Kabinett Feinherb.

Vegetable terrine Not a great help to fine wine, but Chilean Chard makes a fashionable marriage, Chenin Bl such as Vouvray a lasting one.

Whitebait Crisp dry whites, eg. Furmint, Greek, Touraine Sauv Bl, Verdicchio; or Fino Sherry.

Fish

Abalone Dry or medium white: Sauv Bl, Côte de Beaune Blanc, Pinot Gr, Grüner Veltliner. Chinese-style: vintage Champagne (at least), or Alsace.

Anchovies, marinated Skip the marinade; it will clash with pretty well everything. Keep it light, white, dry and neutral.

in olive oil or salted Anchovies are fine without. A robust wine: red, white, or rosé – try Rioja.

Bass, sea Weissburgunder from Baden or Pfalz. V.gd for any fine/delicate white, eg. Clare dry Ries, Chablis, white Châteauneuf-du-Pape. But strengthen the flavours of the wine according to the flavourings of the fish: ginger and spring onions need more powerful Ries.

Beurre blanc, fish with A top-notch Muscadet sur Lie, a Sauv Bl/Sém blend, *premier cru* Chablis, Vouvray, or a Rheingau Ries.

Brandade *Premier cru* Chablis, Sancerre Rouge, or NZ Pinot N.

Brill V. delicate: hence a top fish for fine old Puligny and the like.

Cod, roast Gd neutral background for fine dry/medium whites: Chablis, Meursault, Corton-Charlemagne, *cru classé* Graves, Grüner Veltliner, German Kabinett or *Grosses Gewächs*, or a gd lightish Pinot N.

black with miso sauce NZ or Oregon Pinot N. Or Rheingau Ries Spätlese.

Crab Crab and Ries are part of the Creator's plan.

Chinese, with ginger and onion German Ries Kabinett or Spätlese Halbtrocken. Tokaji Furmint, Gewurz.

cioppino Sauv Bl; but West Coast friends say Zin. Also California sparkling.

cold, dressed Alsace, Austrian, or Rhine Ries; dry Australian Ries, or Condrieu.

softshell Chard or top-quality German Ries Spätlese.

Thai crabcakes Pungent Sauv Bl (Loire, South Africa, Australia, NZ) or Ries (German Spätlese or Australian).

with black bean sauce A big Barossa Shiraz or Syrah. Even Cognac.

with chilli and garlic Quite powerful Ries, perhaps German *Grosses Gewächs* or Wachau Austrian.

Curry A generic term for a multitude of flavours. Chilli emphasizes tannin, so reds need supple, evolved tannins. Spanish rosé can be a gd bet. Hot-and-sour flavours (eg. with tamarind or tomato) need acidity (perhaps Sauv Bl); mild, creamy dishes need richness of texture (dry Alsace Ries). But best of all is Sherry: Fino with fish. (Palo Cortado or dry Amontillado with meat.) It's revelatory.

Eel, smoked Ries, Alsace, or Austrian or dry Tokaji Furmint. Or Fino Sherry, Bourgogne Aligoté. Schnapps.

Fish and chips, *fritto misto*, tempura Chablis, white Bordeaux, Sauv Bl, Pinot Bl, Gavi, Fino Sherry, Montilla, Koshu, tea; or non-vintage Champagne or Cava.

Fish baked in a salt crust Full-bodied white or rosé: Albariño, Sicily, Greek, Hungarian. Côtes de Lubéron or Minervois.

Fish pie (with creamy sauce) Albariño, Soave Classico, Alsace Pinot Gr or Ries, Spanish Godello.

Haddock Rich, dry whites: Meursault, California Chard, Marsanne, Grüner Veltliner.

Hake Sauv Bl or any fresh, fruity white: Pacherenc, Tursan, white Navarra.

Halibut As for TURBOT.

Herrings, fried/grilled Need a white with some acidity to cut their richness. Try Rully, Chablis, Muscadet, Bourgogne Aligoté, Greek, dry Sauv Bl. Or cider.

Kedgeree Full white, still or sparkling: Mâcon-Villages, South African Chard, Grüner Veltliner, German *Grosses Gewächs* or (at breakfast) Champagne.

Kippers A gd cup of tea, preferably Ceylon (milk, no sugar). Scotch? Dry Oloroso Sherry is surprisingly gd.

Lamproie à la Bordelaise 5-yr-old St-Émilion or Fronsac. Or Douro reds with Portuguese lampreys.

Lobster, richly sauced Vintage Champagne, fine white burgundy, cru classé Graves, California Chard, or Australian Ries, *Grosses Gewächs*, Pfalz Spätlese.

cold with mayonnaise Non-vintage Champagne, Alsace Ries, *premier cru* Chablis, Condrieu, Mosel Spätlese or a local fizz.

Mackerel, grilled Hard or sharp white to cut the oil: Sauv Bl from Touraine, Gaillac, Vinho Verde, white Rioja, or English white. Or Guinness.

with spices Austrian Ries, Grüner Veltliner, German *Grosses Gewächs*.

Monkfish Often roasted, which needs fuller rather than leaner wines. Try NZ Chard, NZ/Oregon Pinot N, or Chilean Merlot.

Mullet, grey Verdicchio, Rully, or unoaked Chard.

Mullet, red A chameleon, adaptable to gd white or red, esp Pinot N.

Mussels marinières Muscadet sur Lie, *premier cru* Chablis, unoaked Chard.

stuffed, with garlic *See* ESCARGOTS.

Paella, shellfish Full-bodied white or rosé, unoaked Chard. Or the local Spanish red.

Perch, sandre Exquisite fish for finest wines: top white burgundy, *grand cru* Alsace Ries, or noble Mosels. Or try top Swiss Chasselas (eg. Dézaley, St-Saphorin).

Prawns with mayonnaise, Menetou-Salon,

with garlic Keep the wine light, white or rosé, and dry.

with spices Up to and incl chilli, go for a bit more body, but not oak: dry Ries gd.

Salmon, seared or grilled Pinot N is the fashionable option, but Chard is better. Merlot or light claret is not bad. Best is fine white burgundy, eg. Puligny- or Chassagne-Montrachet, Meursault, Corton-Charlemagne, *grand cru* Chablis; Grüner Veltliner, Condrieu, California/Idaho/NZ Chard, Rheingau Kabinett/ Spätlese, Australian Ries.

fishcakes Call for similar (as for above) but less grand wines.

Sardines, fresh grilled V. dry white: Vinho Verde, Muscadet, or modern Greek.

Sashimi The Japanese preference is for white wine with body (Chablis Premier Cru, Alsace Ries) with white fish, Pinot N with red. Both need acidity: low-acidity wines don't work. Simple Chablis can be a bit thin. If soy is involved, then low-tannin red (again, Pinot). Remember Sake (or Fino Sherry).

Scallops An inherently slightly sweet dish, best with medium-dry whites.

in cream sauces German Spätlese, Montrachets, or top Australian Chard.

grilled or seared Hermitage Blanc, Grüner Veltliner, Pessac-Léognan Blanc, vintage Champagne or Pinot N.

with Asian seasoning NZ Chard, Chenin Bl, Verdelho, Godello, Gewurz.

Sea cucumber The only Chinese seafood that works better with red than white, mostly because it's the sauce that gives the flavour. It needs complexity, and silky texture: gd, mature Pinot N, Barolo, or top Rioja work, also top Bordeaux.

Shellfish Dry white with plain shellfish, richer wines with richer sauces. Ries.

with plateaux de fruits de mer Chablis, Muscadet, Picpoul de Pinet, or Alto Adige Pinot Bl.

Skate/raie with brown butter White with some pungency (eg. Pinot Gr d'Alsace or Roussanne), or a clean, straightforward wine like Muscadet or Verdicchio.

Snapper Sauv Bl if cooked with oriental flavours; white Rhône or Provence rosé with Mediterranean flavours.

Sole, plaice, etc., plain, grilled, or fried Perfect with fine wines: white burgundy or its equivalent.

with sauce According to the ingredients: sharp, dry wine for tomato sauce, fairly rich for creamy preparations.

Sushi Hot wasabi is usually hidden in every piece. German QbA Trocken wines, simple Chablis, or non-vintage brut Champagne. Obvious fruit doesn't work. Or, of course, Sake or beer.

Swordfish Full-bodied, dry white of the country. Nothing grand.

Tagine, with couscous North African flavours need substantial whites to balance – Austrian, Rhône – or crisp, neutral whites that won't compete. Go easy on the oak. Viognier or Albariño can work well.

Trout, grilled or fried Delicate white wine, eg. Mosel (esp Saar or Ruwer), Alsace Pinot Bl, Fendant.

Tuna, grilled or seared Best served rare (or raw) with light red wine: Cab Fr from the Loire, or Pinot N. Young Rioja is a possibility.

Turbot The king of fishes. Serve with your best rich, dry white: Meursault or Chassagne-Montrachet, Corton-Charlemagne, mature Chablis or its California, Australian or NZ equivalent. Condrieu. Mature Rheingau, Mosel or Nahe Spätlese or Auslese (not Trocken).

Meat, poultry, game

Barbecues The local wine: Australian, South African, Chilean, Argentina are right in spirit. Reds need tannin, but silky tannins are best with sauces.

Asian flavours (lime, coriander, etc.) Rosé, Pinot Gr, Ries.

chilli Shiraz, Zin, Pinotage, Malbec, Chilean Syrah.

Middle Eastern (cumin, mint) Crisp, dry whites, rosé.

oil, lemon, herbs Sauv Bl.

tomato sauces Zin, Sangiovese.

Beef, boiled Red: Bordeaux (Bourgogne or Fronsac), Roussillon, Gevrey-Chambertin or Côte-Rôtie. Medium-ranking white burgundy is gd, eg. Auxey-Duresses. Or top-notch beer. Mustard softens tannic reds, horseradish kills everything – but can be worth the sacrifice.

roast An ideal partner for your fine red wine of any kind. Amarone, perhaps? *See* above for mustard.

stew, daube, Sturdy red: Pomerol or St-Émilion, Hermitage, Cornas, Barbera, Shiraz, Napa Cab Sauv, Ribera del Duero or Douro red.

Beef stroganoff Dramatic red: Barolo, Amarone della Valpolicella, Priorat, Hermitage, late-harvest Zin – even Moldovan Negru de Purkar.

***Boudin blanc* (white pork sausage)** Loire Chenin Bl, esp when served with apples: dry Vouvray, Saumur, Savennières; mature red Côte de Beaune if without.

***Boudin noir* (blood sausage)** Local Sauv Bl or Chenin Bl – esp in the Loire. Or Beaujolais cru, esp Morgon. Or light Tempranillo.

Cabbage, stuffed Hungarian Cab Fr/Kadarka; village Rhône; Salice Salentino, Primitivo and other spicy southern-Italian reds. Or Argentine Malbec.

Cajun food Fleurie, Brouilly, or New World Sauv Bl. **With gumbo** Amontillado.

Cassoulet Red from Southwest France (Gaillac, Minervois, Corbières, St-Chinian, or Fitou) or Shiraz. But best of all Beaujolais cru or young Tempranillo.

Chicken Kiev Alsace Ries, Collio, Chard, Bergerac Rouge.

Chicken/turkey/guinea fowl, roast Virtually any wine, incl v. best bottles of dry to medium white and finest old reds (esp burgundy). The meat of fowl can be adapted with sauces to match almost any fine wine (eg. *coq au vin* with red or white burgundy). With strong, spicy stuffing, Australian Shiraz.

Chilli con carne Young red: Beaujolais, Tempranillo, Zin, Argentine Malbec, Chilean Carmenère.

Cantonese Rosé or dry to dryish white – Mosel Ries Kabinett or Spätlese Trocken – can be gd throughout a Chinese banquet. Gewurz is often suggested but rarely works; Cantonese food needs acidity in wine. Dry sparkling (esp Cava) works with the textures. Reds work v. well, but you need the complexity of maturity, and a silky richness. Young tannins are disasterous as are overoaked, overextracted monsters. Pinot N is first choice; try also St-Émilion ★★ or Châteauneuf-du-Pape. I often serve both white and red wines concurrently during Chinese meals. Champagne becomes a thirst-quencher.

Shanghai Somewhat richer and oilier than Cantonese, Shanghai food tends to be low on chilli but high on vinegar of various sorts. German, Alsace whites can be sweeter than for Cantonese. For reds, mature Pinot N is again best.

Szechuan style Verdicchio, Alsace Pinot Bl, or v. cold beer. Mature Pinot N can also work, but make sure the tannins are silky.

Choucroute garni Alsace Pinot Bl, Pinot Gr, Ries, or lager.

Cold roast meat Generally better with full-flavoured white than red. Mosel Spätlese or Hochheimer and Côte Chalonnaise are v.gd, as is Beaujolais. Leftover cold beef with leftover vintage Champagne is bliss.

Confit d'oie/de canard Young, tannic red Bordeaux, California Cab Sauv and Merlot, and Priorat cut richness. Alsace Pinot Gr or Gewurz match it.

Coq au vin Red burgundy. Ideal: one bottle Chambertin in dish, two on the table.

Duck or goose Rather rich white, eg. Pfalz Spätlese or off-dry *grand cru* Alsace. Or mature, gamey red: Morey-St-Denis, Côte-Rôtie, Bordeaux, burgundy. With oranges or peaches, the Sauternais propose drinking Sauternes, others Monbazillac or Ries Auslese. Mature, weighty vintage Champagne is gd, too, and handles red cabbage surprisingly well.

Peking *See* CHINESE FOOD.

wild duck Big-scale red: Hermitage, Bandol, California or South African Cab Sauv, Australian Shiraz – Grange if you can afford it.

with olives Top-notch Chianti or other Tuscans.

roast breast & confit leg with Puy lentils Madiran, St-Émilion, Fronsac.

Frankfurters German/New York Ries, Beaujolais, light Pinot N. Budweiser (Budvar).

Game birds, young, plain-roasted Best red wine affordable, but not big Aussie one.

older birds in casseroles Red (Gevrey-Chambertin, Pommard, Santenay, or grand cru classé St-Émilion, Napa Valley Cab Sauv or Rhône).

well-hung game Vega Sicilia, great red Rhône, Château Musar.

cold game Mature vintage Champagne.

Game pie, hot Red: Oregon Pinot N.

cold Gd-quality white burgundy, cru Beaujolais, or Champagne.

Goulash Flavoursome young red: Hungarian Kékoportó, Zin, Uruguayan Tannat, Morellino di Scansano, Mencía, young Australian Shiraz. Or dry Tokaji.

Grouse *See* GAME BIRDS – but push the boat right out.

Haggis Fruity red, eg. young claret, young Portuguese red, New World Cab Sauv or Malbec, or Châteauneuf-du-Pape. Or, of course, malt whisky.

Ham, cooked Softer red burgundies: Volnay, Savigny, Beaune; Chinon or Bourgueil; sweetish German white (Rhine Spätlese); Tokaji Furmint or Czech Frankovka; lightish Cab Sauv (eg. Chilean), or New World Pinot N. And don't forget the heaven-made match of ham and Sherry. *See* HAM, RAW OR CURED.

Hamburger Young red: Australian Cab Sauv, Chianti, Zin, Argentine Malbec, Chilean Carmenère or Syrah, Tempranillo. Or full-strength colas (not diet).

Hare Jugged hare calls for flavourful red: not-too-old burgundy or Bordeaux, Rhône (eg. Gigondas), Bandol, Barbaresco, Ribera del Duero, Rioja Res. The same for saddle, or for hare sauce with pappardelle.

Indian dishes Various options. This year's discovery has been how well (dry) Sherry goes with Indian food: a fairly weighty Fino with fish, and Palo Cortado, Amontillado or Oloroso with meat, according to the weight of the dish; heat's not a problem. The texture works, too. Or, medium-sweet white, v. cold: Orvieto *abboccato*, South African Chenin Bl, Alsace Pinot Bl, Torrontés, Indian sparkling, Cava, or non-vintage Champagne. Rosé can be a safe all-rounder. Tannin – Barolo or Barbaresco, or deep-flavoured reds such as Châteauneuf-du-Pape, Cornas, Australian Grenache or Mourvèdre, or Amarone della Valpolicella – will emphasize the heat. Soft reds can be easier. Hot-and-sour flavours need acidity.

Japanese dishes Texture and balance are key; flavours are subtle. Gd mature fizz works well, as does mature dry Ries; acidity, a bit of body and complexity are needed. Umami-filled meat dishes favour light, supple, bright reds: Beaujolais perhaps, or mature Pinot N. Full-flavoured Yakitori needs lively, fruity, younger versions of the same reds. *See also* SUSHI, SASHIMI.

Kebabs Vigorous red: modern Greek, Corbières, Chilean Cab Sauv, Zin, or Barossa Shiraz. Sauv Bl, if lots of garlic.

Kidneys Red: St-Émilion or Fronsac, Castillon, Nuits-St-Georges, Cornas, Barbaresco, Rioja, Spanish or Australian Cab Sauv, top Alentejo.

Korean dishes Fruit-forward wines seem to work best with strong, pungent Korean flavours. Pinot N, Beaujolais, Valpolicella can all work: acidity is needed. Non-aromatic whites: Grüner Veltliner, Silvaner, Vernaccia.

Lamb, roast One of the traditional and best partners for v.gd red Bordeaux – or its Cab Sauv equivalents from the New World. In Spain, the partner of the finest old Rioja and Ribera del Duero Res; in Italy, ditto Sangiovese.

cutlets or chops As for roast lamb, but a little less grand.

slow-cooked roast Flatters top reds, but needs less tannin than pink lamb.

Liver Young red: Beaujolais-Villages, St-Joseph, Médoc, Italian Merlot, Breganze Cab Sauv, Zin, Tempranillo, Portuguese Bairrada.

calves Red Rioja Crianza, Salice Salentino Riserva, Fleurie.

Meatballs Tangy, medium-bodied red: Mercurey, Crozes-Hermitage, Madiran, Morellino di Scansano, Langhe Nebbiolo, Zin, Cab Sauv.

spicy Middle-Eastern style Simple, rustic red.

Moussaka Red or rosé: Naoussa from Greece, Sangiovese, Corbières, Côtes de Provence, Ajaccio, NZ Pinot N, young Zin, Tempranillo.

Mutton A stronger flavour than lamb, and not served pink. Robust but elegant red and top-notch, mature Cab Sauv, Syrah. Some sweetness of fruit suits it.

Osso bucco Low-tannin, supple red such as Dolcetto d'Alba or Pinot N. Or dry Italian white such as Soave and Lugana.

Ox cheek, braised Superbly tender and flavoursome, this flatters the best reds: Vega Sicilia, Bordeaux. Best with substantial wines.

Oxtail Rather rich red: St-Émilion, Pomerol, Pommard, Nuits-St-Georges, Barolo, or Rioja Res, Ribera del Duero, California or Coonawarra Cab Sauv, Châteauneuf-du-Pape, mid-weight Shiraz, Amarone.

Paella Young Spanish wines: red, dry white or rosé: Penedès, Somontano, Navarra, or Rioja.

Pigeon Lively reds: Savigny, Chambolle-Musigny, Crozes-Hermitage, Chianti Classico, Argentine Malbec, or California Pinot N. Or Franken Silvaner Spätlese.

Pork, roast A gd, rich, neutral background to a fairly light red or rich white. It deserves ★★ treatment – Médoc is fine. Portugal's suckling pig is eaten with Bairrada *garrafeira*; Chinese is gd with Pinot N.

pork belly Slow-cooked and meltingly tender, this needs a red with some acidity. Italian would be gd: Dolcetto or Barbera. Loire red or lightish Argentine Malbec.

Pot au feu, bollito misto, cocido Rustic reds from the region of origin; Sangiovese di Romagna, Chusclan, Lirac, Rasteau, Portuguese Alentejo, Spain's Yecla or Jumilla.

Quail Carmignano, Rioja Res, mature claret, Pinot N. Or a mellow white: Vouvray or St-Péray.

Rabbit Lively, medium-bodied young Italian red or Aglianico del Vulture; Chiroubles, Chinon, Saumur-Champigny, or Rhône rosé.

with prunes Bigger, richer, fruitier red.

as ragù Medium-bodied red with acidity.

Satay Australia's McLaren Vale Shiraz, or Alsace or NZ Gewurz. Peanut sauce is a problem with wine.

Sauerkraut (German) Lager or Pils. (But *see also* CHOUCROUTE GARNI.)

Sausages *See also* CHARCUTERIE, FRANKFURTERS. The British banger requires a young Malbec from Argentina (a red wine, anyway), or British ale.

Shepherd's pie Rough-and-ready red seems most appropriate, eg. Sangiovese di Romagna, but either beer or dry cider is the real McCoy.

Singaporean dishes Part Indian, part Malay and part Chinese, Singaporean food has big, bold flavours that don't match easily with wine. Off-dry Ries is as gd as anything. With meat dishes, ripe, supple reds: Valpolicella, Pinot N, Dornfelder, unoaked Merlot, or Carmenère.

Steak

au poivre A fairly young Rhône red or Cab Sauv.

filet or tournedos Any red (but not old wines with béarnaise sauce: top New World Pinot N or Californian Chard is better).

Fiorentina (bistecca) Chianti Classico Riserva or Brunello. The rarer the meat, the more classic the wine; the more well-done, the more you need New World, fruit-driven wines. Argentina Malbec is the perfect partner for steak Argentine-style, ie. cooked to death.

Korean *yuk whe* (the world's best steak tartare) Sake.

tartare Vodka or light young red: Beaujolais, Bergerac, Valpolicella.

T-bone Reds of similar bone structure: Barolo, Hermitage, Australian Cab Sauv or Shiraz, Chilean Syrah.

Steak-and-kidney pie or pudding Red Rioja Res or mature Bordeaux.

Stews and casseroles Burgundy such as Nuits-St-Georges or Pommard if fairly simple; otherwise lusty, full-flavoured red: young Côtes du Rhône, Toro, Corbières, Barbera, Shiraz, Zin, etc.

Sweetbreads A rich dish, so grand wine: Rheingau Ries or Franken Silvaner Spätlese, *grand cru* Alsace Pinot Gr or Condrieu, depending on sauce.

Tagines These vary enormously, but fruity young reds are a gd bet: Beaujolais, Tempranillo, Sangiovese, Merlot, Shiraz.

Chicken with preserved lemon, olives Viognier.

Tandoori chicken Ries or Sauv Bl, young red Bordeaux, or light north Italian red served cool. Also Cava and non-vintage Champagne, and dry Palo Cortado or Amontillado Sherry.

Thai dishes Ginger and lemon grass call for pungent Sauv Bl (Loire, Australia, NZ, South Africa) or Ries (Spätlese or Australian). Most curries suit aromatic whites with a touch of sweetness: German or Alsace Ries. Gewurz is also gd.

Tongue Gd for any red or white of abundant character, esp Italian. Also Beaujolais, Loire reds, Tempranillo, and full, dry rosés.

Veal, roast Gd for any fine old red that may have faded with age (eg. Rioja Res) or a German or Austrian Ries, Vouvray, Alsace Pinot Gr.

Venison Big-scale reds, incl Mourvèdre, solo as in Bandol or in blends. Rhône, Bordeaux or California Cab Sauv of a mature vintage; or rich white – Pfalz Spätlese or Alsace Pinot Gr. With a sweet and sharp berry sauce, try a German *Grosses Gewächs* Ries or a Chilean Carmenère or Syrah.

Vitello tonnato Full-bodied whites: Chard; light reds (eg. Valpolicella) served cool.

Wild boar Serious red: top Tuscan or Priorat. NZ Syrah.

Vegetarian dishes (*see also* FIRST COURSES)

Baked pasta dishes *Pasticcio*, lasagne and cannelloni with elaborate vegetarian fillings and sauces: an occasion to show off a grand wine, esp finest Tuscan red, but also claret and burgundy. Gavi if you want white.

Beetroot Mimics a flavour found in red burgundy. You could return the compliment.

and goats cheese gratin Sauv Bl.

Cauliflower cheese Crisp, aromatic white: Sancerre, Ries Spätlese, Muscat, English Seyval Bl, Godello.

Couscous with vegetables Young red with a bite: Shiraz, Corbières, Minervois; or well-chilled rosé from Navarra or Somontano; or a robust Moroccan red.

Fennel-based dishes Sauv Bl: Pouilly-Fumé or one from NZ; English Seyval Bl or young Tempranillo.

Grilled Mediterranean vegetables Brouilly, Barbera, Tempranillo, or Shiraz.

Lentil dishes Sturdy reds such as Corbières, Zin, or Shiraz.

dhal, with spinach Tricky. Soft, light red or rosé is best – and not top-flight.

Macaroni cheese As for CAULIFLOWER CHEESE.

Mushrooms (in most contexts) Gd with many reds. Pomerol, California Merlot, Rioja Res, top burgundy, or Vega Sicilia. On toast, best claret. Ceps/porcini, Ribera del Duero, Barolo, Chianti Rufina, Pauillac or St-Estèphe.

Onion/leek tart Fruity, off-dry or dry white: Alsace Pinot Gr or Gewurz, Canadian or NZ Ries, English whites, Jurançon, Australian Ries. Or Loire red.

Peppers or aubergines (eggplant), stuffed Vigorous red wine: Nemea, Chianti, Dolcetto, Zin, Bandol, Vacqueyras.

Pumpkin/squash ravioli or risotto Full-bodied, fruity, dry, or off-dry white: Viognier or Marsanne, demi-sec Vouvray, Gavi, or South African Chenin.

Ratatouille Vigorous young red: Chianti, NZ Cab Sauv, Merlot, Malbec, Tempranillo; young red Bordeaux, Gigondas, or Coteaux du Languedoc.

Spanacopitta (spinach and feta pie) Young Greek or Italian red or white.

Spiced vegetarian dishes *See* INDIAN DISHES, THAI DISHES (MEAT, POULTRY, GAME).

Watercress, raw Makes every wine on earth taste revolting. Soup is slightly easier, but doesn't require wine.

Wild garlic leaves, wilted Tricky: a fairly neutral white with acidity will cope best.

Desserts

Apple pie, strudel or tarts Sweet German, Austrian, or Loire white; Tokaji Aszú or Canadian Icewine.

Apples, Cox's orange pippins Vintage Port (and sweetmeal biscuits) is the Saintsbury [wine] Club plan.

Bread-and-butter pudding Fine 10-yr-old Barsac, Tokaji Aszú or Australian botrytized Sem.

Cakes and gâteaux *See also* CHOCOLATE, COFFEE, GINGER, RUM. Bual or Malmsey Madeira, Oloroso or Cream Sherry.

cupcakes Prosecco presses all the right buttons.

Cheesecake Sweet white: Vouvray, Anjou, or fizz – refreshing, nothing special.

Chocolate A talking point. Generally only powerful flavours can compete. Texture matters. Bual, California Orange Muscat, Tokaji Aszú, Australian Liqueur Muscat, 10-yr-old Tawny Port; Asti for light, fluffy mousses. Experiment with rich, ripe reds: Syrah, Zin, even sparkling Shiraz. Banyuls for a weightier partnership. Médoc can match bitter black chocolate, though Amarone is more fun. Or a tot of gd rum.

and olive oil mousse 10-yr-old Tawny Port or as for black chocolate, above.

Christmas pudding, mince pies Tawny Port, Cream Sherry or liquid Christmas pudding itself: Pedro Ximénez Sherry. Asti or Banyuls.

Coffee desserts Sweet Muscat, Australian Liqueur Muscats, or Tokaji Aszú.

Creams, custards, fools, syllabubs *See also* CHOCOLATE, COFFEE, GINGER, RUM. Sauternes, Loupiac, Ste-Croix-du-Mont, or Monbazillac.

Crème brûlée Sauternes or Rhine Beerenauslese, best Madeira or Tokaji Aszú. (With concealed fruit, a more modest sweet wine.)

Crêpes Suzette Sweet Champagne, Orange Muscat, or Asti.

Fruit

blackberries Vintage or LBV Port.

dried fruit (and compotes) Banyuls, Rivesaltes, Maury. Tokaji Aszú.

flans and tarts Sauternes, Monbazillac, sweet Vouvray, or Anjou.
fresh Sweet Coteaux du Layon or light, sweet Muscat.
poached, ie. apricots, pears, etc. Tokaji Aszú, Sweet Muscatel: try Muscat de Beaumes-de-Venise, Moscato di Pantelleria or Spanish dessert Tarragona.
salads, orange salad A fine sweet Sherry or any Muscat-based wine.

Ginger flavours Sweet Muscats, New World botrytized Ries and Sém. Or late-harvest Gewurz.

Ice cream and sorbets Fortified wine (Australian Liqueur Muscat, Banyuls). Pedro Ximénez Sherry, Amaretto liqueur with vanilla; rum with chocolate.

Lemon flavours For dishes like tarte au citron, try sweet Ries from Germany or Austria, or Tokaji Aszú; v. sweet if lemon is v. tart.

Meringues Recioto di Soave, Asti or top vintage Champagne, well-aged.

Mille-feuille Delicate sweet sparkling, ie. Moscato d'Asti or demi-sec Champagne.

Nuts (including praliné) Finest Oloroso Sherry, Madeira, Vintage or Tawny Port (nature's match for walnuts), Tokaji Aszú, Vin Santo, or Setúbal Moscatel.
salted nut parfait Tokaji Aszú, Vin Santo.

Orange flavours Experiment: old Sauternes, Tokaji Aszú. California Orange Muscat.

Panettone Jurançon *moelleux*, late-harvest Ries, Barsac, Tokaji Aszú.

Pears in red wine Pause before Port. Or try Rivesaltes, Banyuls, Ries Beerenauslese.

Pecan pie Orange Muscat or Liqueur Muscat.

Raspberries (no cream, little sugar) Excellent with fine reds, which themselves taste of raspberries: young Juliénas, Regnié.

Rum flavours (baba, mousses, ice cream) Muscat – from Asti to Australian Liqueur, according to weight of dish.

Salted caramel mousse/parfait Late-harvest Ries, Tokaji Aszú.

Strawberries, wild (no cream) Pour over Red Bordeaux (most exquisitely Margaux).

Strawberries and cream Sauternes or similar sweet Bordeaux; Vouvray *moelleux* or *vendange tardive* Jurançon.

Summer pudding Fairly young Sauternes of a gd vintage.

Sweet soufflés Sauternes or Vouvray *moelleux*. Sweet (or rich) Champagne.

Tiramisú Vin Santo, young Tawny Port, Muscat de Beaumes-de-Venise, Sauternes or Australian Liqueur Muscat.

Trifle Should be sufficiently vibrant with its internal Sherry.

Zabaglione Light-gold Marsala or Australian botrytized Sém or Asti.

WINE & CHEESE

The notion that wine and cheese were married in heaven is not borne out by experience. Fine red wines are slaughtered by strong cheeses; only sharp or sweet white wines survive. Principles to remember (despite exceptions): first, the harder the cheese, the more tannin the wine can have; second, the creamier the cheese, the more acidity required in the wine. Cheese is classified by its texture and the nature of its rind, so its appearance is a guide to the type of wine needed to match it. Below are examples. I try to keep a glass of white wine for my cheese.

Bloomy rind soft cheeses, pure-white rind if pasteurized, or dotted with red: Brie, Camembert, Chaource, Bougon (goats milk "Camembert") Full, dry white burgundy or Rhône if the cheese is white and immature; powerful and fruity St-Émilion, young Australian (or Rhône) Shiraz/Syrah or Grenache if it's mature.

Blue cheeses Roquefort can be wonderful with Sauternes, but don't extend the idea to other blues. It is the sweetness of Sauternes, esp old, that complements the saltiness. Stilton and Port, preferably Tawny, is a classic. Intensely flavoured old Oloroso or Amontillado Sherry, Madeira, Marsala, and other fortified wines go with most blues.

Fresh, no rind – cream cheese, crème fraîche, mozzarella Light, crisp white – simple Bordeaux Blanc, Bergerac, English unoaked whites; rosé: Anjou, Rhône; v. light, young, fresh red: Bordeaux, Bardolino, or Beaujolais.

Hard cheeses, waxed or oiled, often showing marks from cheesecloth – Gruyère family, Manchego and other Spanish cheeses, Parmesan, Cantal, Comté, old Gouda, Cheddar and most "traditional" English cheeses Particularly hard to generalize here; Gouda, Gruyère, some Spanish and a few English cheeses complement fine claret or Cab Sauv and great Shiraz/Syrah wines. But strong cheeses need less refined wines, preferably local ones. Sugary, granular old Dutch red Mimolette or Beaufort are gd for finest mature Bordeaux. Also for Tokaji Aszú. But try white wines, too.

Natural rind (mostly goat's cheese) with bluish-grey mould (the rind becomes wrinkled when mature), sometimes dusted with ash – St-Marcellin Sancerre, Valençay, light, fresh Sauv Bl, Jurançon, Savoie, Soave, Italian Chard, lightly oaked English whites.

Semi-soft cheeses, thickish grey-pink rind – Livarot, Pont l'Evêque, Reblochon, Tomme de Savoie, St-Nectaire Powerful white Bordeaux, Chard, Alsace Pinot Gr, dryish Ries, southern Italian and Sicilian whites, aged white Rioja, dry Oloroso Sherry. But the strongest of these cheeses kills most wines.

Washed-rind soft cheeses, with rather sticky, orange-red rind – Langres, mature Epoisses, Maroilles, Carré de l'Est, Milleens, Münster Local reds (esp for Burgundy): vigorous Languedoc, Cahors, Côtes du Frontonnais, Corsican, southern Italian, Sicilian, Bairrada. Powerful whites: Alsace Gewurz, Muscat.

FOOD & FINEST WINES

With very special bottles, the wine guides the choice of food rather than the other way around. The following are based largely on the gastronomic conventions and newer experiments of the wine regions making these treasures, plus much diligent research. They should help bring out the best in your best wines.

Red wines

Red Bordeaux and other Cab Sauv-based wines (v. old, light and delicate wines: eg. pre-1959, with exceptions such as 1945). Leg or rack of young lamb, roast with a hint of herbs (but not garlic); *entrecôte*; simply roasted partridge or grouse or sweetbreads.

Fully mature great vintages (eg. Bordeaux 59 61 82 85) Shoulder or saddle of lamb, roast with a touch of garlic, roast ribs or grilled rump of beef.

Mature but still vigorous (eg. 89 90) Shoulder or saddle of lamb (incl kidneys) with rich sauce. Fillet of beef *marchand de vin* (with wine and bone marrow). Avoid beef Wellington: pastry dulls the palate.

Merlot-based Bordeaux (Pomerol, St-Émilion) Beef as above (fillet is richest) or well-hung venison.

Côte d'Or red burgundy Consider the wine's weight and texture, which grow lighter/more velvety with age, and its character: Nuits is earthy, Musigny flowery, great Romanées can be exotic, Pommard renowned for its four-squareness. Roast chicken or capon is a safe standard with red burgundy; guinea fowl for slightly stronger wines, then partridge, grouse, or woodcock for those progressively more rich and pungent. Hare and venison (*chevreuil*) are alternatives.

great old burgundy The Burgundian formula is cheese: Epoisses (unfermented); a fine cheese but a terrible waste of fine old wines.

vigorous younger burgundy Duck or goose roasted to minimize fat. Or *faisinjan* (pheasant cooked in pomegranate juice). Or smoked gammon.

Great Syrahs: Hermitage, Côte-Rôtie, Grange; Vega Sicilia Beef (such as the super-rich, super-tender, super-slow-cooked ox cheek I had at Vega Sicilia), venison, well-hung game; bone marrow on toast; English cheese (esp best farm Cheddar) but also hard goats milk and ewes milk cheeses such as England's Berkswell and Ticklemore.

Rioja Gran Res, Pesquera... Richly flavoured roasts: wild boar, mutton, saddle of hare, whole suckling pig.

Barolo, Barbaresco Risotto with white truffles; pasta with game sauce (eg. *pappardelle alla lepre*); porcini mushrooms; Parmesan.

Amarone Classically, in Verona, *risotto all'Amarone* or *pastissada*. But if your butcher doesn't run to horse, then shin of beef, slow-cooked in more Amarone.

Great vintage Port or Madeira Walnuts or pecans. A Cox's orange pippin and a digestive biscuit is a classic English accompaniment.

White wines

Beerenauslese/Trockenbeerenauslese Biscuits, peaches, greengages. Desserts made from rhubarb, gooseberries, quinces, apples.

Supreme white burgundy (Montrachet, Corton-Charlemagne) or equivalent Graves Roast veal, farm chicken stuffed with truffles or herbs under the skin, or sweetbreads; richly sauced white fish or scallops as above. Or lobster or poached wild salmon.

Very good Chablis, white burgundy, other top-quality Chards White fish simply grilled or *meunière*. Dover sole, turbot, halibut are best; brill, drenched in butter, can be excellent. (Sea bass is too delicate; salmon passes but does little for the finest wine.)

Condrieu, Château-Grillet, Hermitage Blanc V. light pasta scented with herbs and tiny peas or broad beans (fava beans).

Grand cru Alsace: Riesling *Truite au bleu*, smoked salmon, or *choucroute garni*.

Pinot Gris Roast or grilled veal. Or truffle sandwich (slice a whole truffle, make a sandwich with salted butter and gd country bread – not sourdough or rye – wrap and refrigerate overnight. Then toast it in the oven.

Gewurztraminer Cheese soufflé (Münster cheese).

vendange tardive Foie gras or tarte tatin.

Old vintage Champagne (not blanc de blancs) As an apéritif, or with cold partridge, grouse, woodcock. Evolved flavours of old Champagne make it far easier to match with food than the tightness of young wine. Hot foie gras can be sensational. Don't be afraid of garlic or even Indian spices, but omit the chilli.

Late-disgorged old wines have extra freshness plus tertiary flavours. Try with truffles, lobster, scallops, crab, sweetbreads, pork belly, roast veal, chicken.

Rosé Pigeon.

Sauternes Simple crisp, buttery biscuits (eg. *langues de chat*), white peaches, nectarines, strawberries (no cream). Not tropical fruit. Pan-seared foie gras. Lobster, chicken with Sauternes sauce. Château d'Yquem recommends oysters. Experiment with blue cheeses. Rocquefort is classic, but needs a powerful wine.

Supreme Vouvray *moëlleux*, etc. Buttery biscuits, apples, apple tart.

Tokaji Aszú (5–6 puttonyos) Foie gras is recommended. Fruit desserts, cream desserts, even chocolate can be wonderful. It even works with some Chinese, though not with chilli – the spice has to be adjusted to meet the sweetness. Szechuan pepper is gd. Havana cigars are splendid. So is the naked sip.

France

More heavily shaded areas are the wine-growing regions.

Abbreviations used in the text:

Al	Alsace
Beauj	Beaujolais
Burg	Burgundy
B'x	Bordeaux
Champ	Champagne
Cors	Corsica
C d'O	Côte d'Or
L'doc	Languedoc
Lo	Loire
Mass C	Massif Central
Prov	Provence
Pyr	Pyrenees
N/S Rhô	Northern/Southern Rhône
Rouss	Roussillon
Sav	Savoie
SW	Southwest
AC	appellation contrôlée
ch, chx	château(x)
dom, doms	domaine(s)

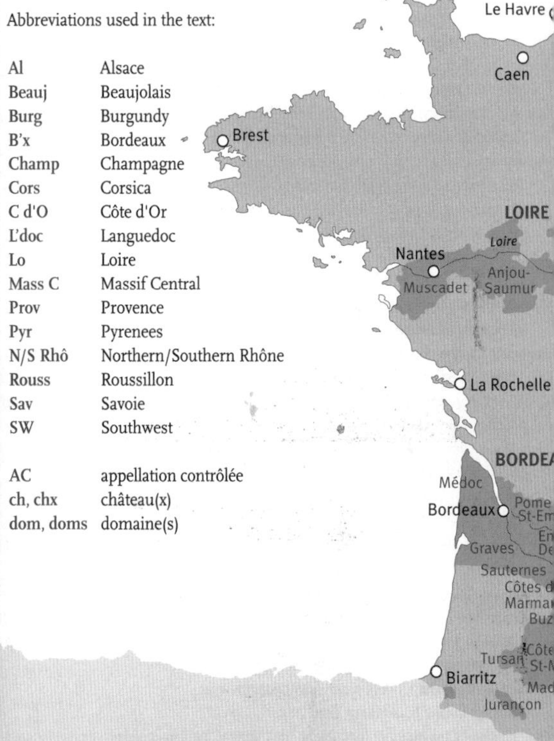

It's hard to see France as a producer of undervalued wine, because we associate parts of the New World, and its relentless and skilful branding, with that. But brands can be misleading. Those Australian/Chilean/US brands that are constantly on discount in supermarkets are not bargains; they are made to a price, and that price is the discounted price. France doesn't have big brands of that sort. Marketing people say it's France's problem; for consumers it's France's advantage. Brands are not good value; they're merely reliable, in the way that a mass-produced car is reliable. Who do you imagine pays for the advertizing? We, the consumers, do. Every cost is built into that discounted price. Nothing is given away. Where's the bargain?

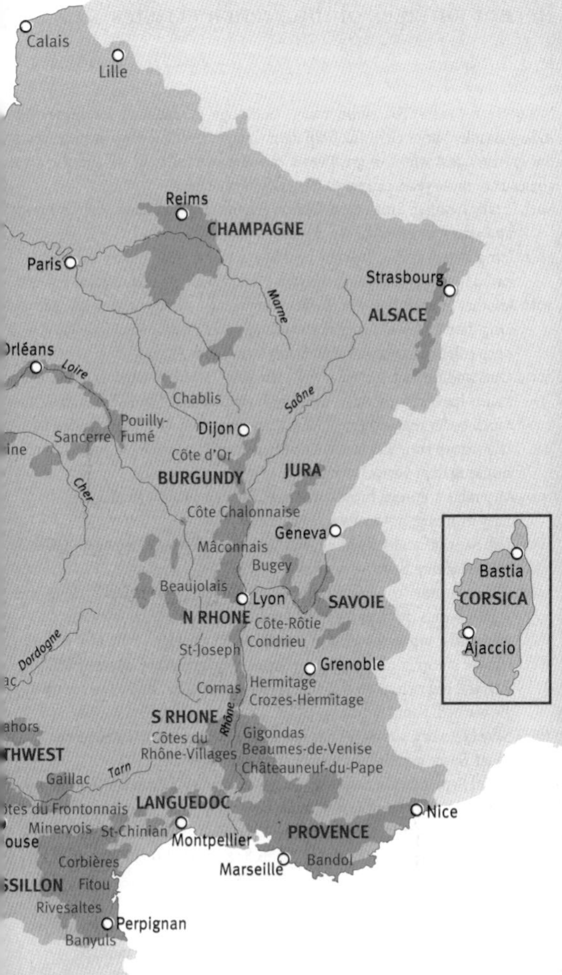

France, lacking big brands, has nooks and crannies instead. Sometimes these can be rather large: big chunks of the Midi for scents of the *garrigue*, long stretches of the Loire for resolutely unflashy, appetizing reds. Below-the-radar villages like Marsannay if you want proper burgundian Pinot Noir at less-than-burgundian prices. The southern Rhône. Burgundy prices are rising under the pressure of demand. Bordeaux prices are all over the place; non-classified châteaux and early century vintages look good value. France can't offer the simplicity of buying a brand name that tastes the same month after month; but if you wanted that, why would you have bothered to pick up this book?

France entries also cross-reference to Châteaux of Bordeaux

Recent vintages of the French classics

Red Bordeaux

Médoc/Red Graves For some wines, bottle-age is optional; for these it is indispensable. Minor châteaux from light vintages need only two or three years but even modest wines of great years can improve for 15 or so, and the great châteaux of these years can profit from double that time.

2012 Erratic weather. Small crop. Difficulties ripening Cab Sauv. Vineyard work and selection essential. Be choosy.

2011 Complicated: spring drought, cool July, rain, heat, rot. Indian summer saved the day. Mixed quality. Classic freshness, moderate alcohol levels.

2010 Another outstanding year. Difficult flowering and tiny berries: smaller crop than 2009. One of driest summers ever: magnificent Cab Sauv, deep coloured, concentrated, firmly structured. At a price.

2009 Outstanding year, touted as "The Greatest". Hot, dry summer, extended sunny harvest; structured wines with exuberance of fruit. Don't miss this.

2008 Much better than expected; fresh classic flavours. Cab Sauv ripened in late-season sun. Yields down due to poor fruit set, mildew, frost. Later drinking than 2009.

2007 Miserable summer, huge attack of mildew spelled a difficult year. Easy-drinking; not many will age. Be selective.

2006 Cab Sauv difficulty ripening; best fine, tasty, nervous, long-ageing. Good colour, acidity. Starting to drink.

2005 Perfect weather conditions throughout the year. Rich, balanced, long-ageing wines from an outstanding vintage. Keep all major wines.

2004 Mixed bag; top wines good in classic mould. Drinking now, best will age.

2003 Hottest summer on record. Cab Sauv can be great (St-Estèphe, Pauillac). Atypical but rich, powerful at best (keep), unbalanced at worst (drink up). Be warned. Soon, for most.

2002 Saved by a dry, sunny September. Later-ripening Cab Sauv benefited most. Some good wines if selective. Drink now–2018.

2001 A cool September and rain at vintage meant Cab Sauv was not super-ripe. Some excellent fresh wines, drink now–2015.

2000 Superb wines throughout. Start tentatively on all but the top wines.

Older fine vintages: 98 96 95 90 89 88 86 85 82 75 70 66 62 61 59 55 53 49 48 47 45 29 28.

St-Émilion/Pomerol

2012 Same conditions as the Médoc. Earlier-harvested Merlot perhaps marginally more successful.

2011 Complicated as in the Médoc. Lower alcohol than 2010 and 2009. Good Cab Fr. Pomerol perhaps best overall.

2010 Outstanding. Powerful wines again with high alcohol. Small berries so a lot of concentration.

2009 Again, outstanding. Powerful wines (high alcohol) but seemingly balanced. Hail in St-Émilion cut production at certain estates.

2008 Similar conditions to the Médoc. Late harvest into November. Tiny yields helped quality, which is surprisingly good. Start to drink.

2007 Same pattern as the Médoc. Huge disparity in picking dates (up to five weeks). Extremely variable, but nothing to keep for long.

2006 Rain and rot at harvest. Earlier-ripening Pomerol a success but St-Émilion and satellites variable.

2005 Same conditions as the Médoc. An overall success. Start to drink.
2004 Merlot often better than 2003 (Pomerol). Good Cab Fr.
2003 Merlot suffered in the heat, but exceptional Cab Fr. Very mixed. Top St-Émilion on the plateau good. Most need drinking.
2002 Problems with rot and ripeness. Modest to good. Drink.
2001 Less rain than Médoc during vintage. Some powerful Merlot, sometimes better than 2000. Drinking now–2015.
2000 Similar conditions to Médoc. Less kind to Merlot, but a very good vintage.
Older fine vintages: 98 95 90 89 88 85 82 71 70 67 66 64 61 59 53 52 49 47 45.

Red burgundy

Côte d'Or Côte de Beaune reds generally mature sooner than grander wines of Côte de Nuits. Earliest drinking dates are for lighter commune wines – eg. Volnay, Beaune; latest for largest wines, eg. Chambertin, Romanée. Even the best burgundies are more attractive young than equivalent red Bordeaux.
2012 Very small crop of fine wines in Côte de Nuits after disastrous flowering. Côte de Beaune even worse after multiple hailstorms. Expect high prices.
2011 Some parallels with 2007, an early harvest but indifferent summer. But thicker skins in 2011 mean more structured wine. Small crop again.
2010 Much better than expected. Fresh and classic red, gaining in reputation.
2009 Ripe, plump reds; accessible before 2005s. Beware overripe examples.
2008 Fine, fresh, structured wines from those who avoided fungal diseases, disaster for others. Pick carefully. Start drinking.
2007 Small crop of attractive, perfumed wines. Many now ready to drink. Rather good in Côte de Beaune.
2006 An attractive year in Côte de Nuits (less rain) with power to develop in medium term. Côte de Beaune reds good now.
2005 Best for more than a generation, outstanding everywhere. Top wines must be kept, however tempting. Enjoy generics, lesser villages now.
2004 Lighter, some pretty, others spoiled by herbaceous flavours. Drink soon.
2003 Reds coped with the heat better than the whites. Muscular, rich. Best outstanding, others short and hot.
2002 Mid-weight wines of great class with an attractive point of freshness. Now showing their paces. No hurry.
2001 Just needed a touch more sun for excellence. Good to drink now.
2000 Gave more pleasure than expected; drink up now. Top Nuits still on form.
Older fine vintages: 99 96 (keep) 95 93 90 88 85 78 71 69 66 64 62 61 59 (mature).

White burgundy

Côte de Beaune White wines now rarely made for ageing as long as they used to. Top wines should still improve for up to ten years.
2012 Tiny production after calamitous flowering and subsequent hail. Decent weather later; what little has been made could yet be good.
2011 A large harvest; fine potential for conscientious producers, some flesh and good balance, but it was easy to overcrop.
2010 Exciting wines with good fruit-acid balance, some damaged by September storms. Meursault and Corton-Charlemagne are first class.
2009 Fine crop of healthy grapes; definitely charming, but enough acidity to age? Harvest dates vital; those who picked early did well.
2008 Small crop, ripe flavours yet high acidity. Very fine wines; keep the best. 2012–20.

2007 Big crop – those who picked late did very well. Drink soon.
2006 Plentiful crop of charming, aromatic wines. Drink up.
2005 Small, outstanding crop of dense, concentrated wines. Some currently lack charm so give them time.
2004 Aromatic, sometimes herbaceous whites. Drink soon.
2003 Hot vintage; all but the best are falling over fast.
Mâconnais (Pouilly-Fuissé, St-Véran, Mâcon-Villages) follow a similar pattern, but do not last as long: appreciated more for their freshness than their richness.

Chablis *Grand cru* Chablis of vintages with both strength and acidity can age superbly for ten years or more; *premiers crus* proportionately less, but give them three years at least.
2012 Crop not quite as tiny as the Côte d'Or, but too small nonetheless. Should be good, though.
2011 An early season with large crop of attractive wines. Similar to 2002.
2010 Harvested at same time as Côte d'Or, with excellent results. Fine vintage: body, powerful mineral acidity. Keepers.
2009 Rich, accessible wines, less mineral than 2007 or 2008. 2012–16.
2008 Excellent. Small crop of powerful, juicy wines; ageing potential. 2012–20.
2007 Brilliant *grands crus* and *premiers crus* where not damaged by hail. Basic Chablis needs drinking. 2012–17.
2006 An early harvest of attractive, aromatically pleasing wines. But drink up.

Beaujolais 12 Tiny crop, economic misery, vineyards abandoned. 11 Third smasher in a row! The best of all? 10 Compact and concentrated, very fine. 09 Wonderful, the best for years, has reignited interest in Beaujolais. 08 Tough going with widespread hail. 07 Attractive but without the heart of a really great year. 05 Concentrated wines.

Southwest France

2012 Hail, frost and cold weather until mid-June reduced the crop, but what was made shows promise. Harvest in ideal conditions mostly.
2011 Good, but initial enthusiasm tempered by high alcohol and powerful tannins (especially Cahors and Madiran): best year since 2005 for whites.
2010 Indian summer ensured a good crop overall. Good year for drinking now.
2009 Reliable. For current drinking. The stickies were spoilt by November rain.
2008 A moderate year. Late sunshine just about saved the day.
2007 Variable, spoilt often by late rain. Sweet whites surprisingly successful.
2006 Madiran and Cahors now mostly at their peak. Drink up the rest.

The Midi

2012 A dry spring and an uneven flowering. Patience was the key at vintage. Quantity is down, but quality is good.
2011 Coolish summer, so fresher wines, fine quality and good quantity.
2010 Fine quality; yields lower than usual thanks to summer drought.
2009 Cool spring; hot, dry summer. Quality is excellent, wines drinking well.
2008 Similar to 2007; some elegant wines. Severe hail damage in Faugères.
2007 Some beautifully balanced wines now drinking well.

Northern Rhône

2012 Good vintage, some very good reds: strong colour and fruit, length, with tannins for good evolution, best at least 15 years. Very good, promising whites, especially Condrieu.

2011 Mid-weight year. Sound fruit at Crozes-Hermitage, good at Hermitage, Cornas. Côte-Rôtie aromatic, lacks a little body. Better than 2008. Whites fresh, satsifactory.

2010 Wonderful. Marvellous fruit in the reds, balance, freshness, flair. Long, life ahead. Côte-Rôtie as good as 1978. Very good Condrieu, rich whites.

2009 Excellent, well-packed wines. Some deeply flavoured, rich Hermitage reds, very full Côte-Rôtie. Good, lively Crozes and St-Joseph. Rather big whites that can live.

2008 Rain; wines gaining depth bit by bit. Top names best. Good, clear whites – will live (Condrieu). Reds: 8–12 years.

2007 Attractive depth. Steady gain over time. Best of Hermitage, Côte-Rôtie, Cornas, St-Joseph life of 18 years+. Good whites, with depth to live well.

2006 Big crop, rich wines. Have improved well, especially Côte-Rôtie. Good acidity in robust whites, heady Condrieu.

2005 Mostly excellent, be patient with tannins. Long ageing potential for Hermitage, Cornas, fullest Côte-Rôtie. Whites are full, doing well now.

2004 Supple wines, Côte-Rôtie showing well over time; fine reds from top vineyards. Superb whites singing now, a complex maturity has emerged.

2003 Intense sun: cooked "southern" flavours. Best reds are rich, coming together, slight regain of terroir, easing of tannins. 25 yrs+ for best.

2002 Heavy rain. Stick to best growers. Hermitage, Cornas until 2015–18. Good whites, especially Condrieu.

Southern Rhône

2012 Very good. Much better summer than most of France: full reds, better tannins, prospects than 2011. Very promising all round. Dry year, so some variation. Well-filled, food-friendly whites. Good rosés, eg. Tavel.

2011 Immediate, supple fruit; very drinkable vintage, though ripening uneven so variation. Tannins very mild: drink quite early. Grenache top at Châteauneuf. Côtes du Rhône reds very good value.

2010 Many excellent, full-bodied reds including Côtes du Rhône-Villages. Small crop, great balance. Clear-fruited, rich wines. Interesting, full whites, too.

2009 Drought: baked, grainy tannins. Very ripe reds; Côtes du Rhône/Villages good now. Sound whites.

2008 Dodgy, some improvement over time. Best drinking okay now; life 15 years or so. Stay with top names. Very good, lively whites.

2007 Very good: Grenache-only wines are big. Exceptional Châteauneuf from top names. V.gd Gigondas. Drink-up Côtes du Rhônes, whites.

2006 Underrated; some very good reds. Fruity Châteauneufs: more open than 2005, less sweet, potent than 2007. Good full whites, ideal for food.

2005 Very good. Still a slow ageing year. Tight-knit, concentrated. 20 years+ for top Châteauneufs. Whites have developed well, have real body.

2004 Good, but variable. Mineral, intricate flavours in Châteauneuf. Gigondas best are grainy, profound. Starting to drink well now. Good complex whites ageing well.

2003 Some slowly coming together, a surprise. Chunky, high-octane wines, eg. Châteauneuf. Gigondas faring okay now. Pick best names, best areas.

2002 Drink-up. Simply fruited, early reds, acceptable whites. Gigondas best.

Champagne

2012 Dreadful summer to end July (heavy rain, fierce hail especially in Aube) reduced potential volume to half-normal. Sunny August, fine September saved day: tiny crop very good, balanced Pinots N, Meunier. Chard so-so.

2011 Year of extremes. Lesser wines lack ripeness. Best: *grand cru* Pinot N/Chard.
2010 Drought, rain and rot. Okay for Chardonnay, not so good for Pinot.
2009 A year of ripeness, charm and refined aromas that will give great pleasure earlier than the 2008s. Sumptuous Pinot N from the Aube.
2008 Clearly one of the two best vintages since 2000. Classic balance of acidity and ripeness, a real keeper, though more austere than the lovely 2002.
2007 Not a great year, but some good wines from good sites.
2006 Ripe, expressive wines, especially Pinot N. Supple and fine, drink soon while you wait for best 2002s.
2005 Better for Chardonnay than Pinot. A bit lacking in verve.
2004 Champagnes of classic finesse. Vintage year drinking now, but will hold.
Older fine vintages: 02 00 96 95 92 90 89 88 82.

The Loire

2012 Very difficult and small vintage – frost and widespread mildew. However, early varieties (especially Melon de Bourgogne, Sauv Bl) high quality, but rot-inducing heavy rain and high humidity in early October hit later varieties – Cab Fr and Chenin Bl.
2011 Topsy-turvy year. Year of the viticulturalist, and picking date. Rot in Muscadet. Quality very variable. Very little sweet wine.
2010 Beautifully balanced dry whites; great Anjou sweet wines. Some very good reds, can be superior to 2009. Long ageing. Brilliant sweet wines.
2009 Generally very good. High alcohol a problem in some Sauv Bl.
2008 Very healthy grapes, high acidity. Good age-worthy reds, excellent dry whites (Chenin Bl), sweets hit by wet November.
2007 Producer crucial. Austere dry whites, excellent Anjou sweets. Drink up reds.
2006 Only the conscientious succeeded. Dry whites fared well, some age-worthy reds. Not great for sweet whites.

Alsace

2012 A difficult growing season until August, then out came the sun, chasing off disease. Small crop of concentrated wines, in the style of 2010.
2011 Straightforward wines for early drinking.
2010 Very small crop, Excellent wines for long keeping, most naturally dry.
2009 Great Pinot Gr and Gewurz, some fine late-harvest wines.
2008 Dry, crisp wines: Ries a great delight, esp from Weinbach and Trimbach.
2007 Hot spring; cold, wet summer; sunny autumn: ripe grapes. Drink up.
2006 Hottest recorded July followed by coolest August. Some subtle, fine Ries.
2005 Ripe, well-balanced wines. Some exceptional late-harvest wines (Gewurz).

Abel-Lepitre Champ Discreet CHAMPAGNE house, improving under BOIZEL Chanoine ownership. Fine CUVÉE Idéale NV, impressive BRUT Vintage 06 08' **09** 12. Excellent Cuvée 134 (blend of two CHARD yrs). Widely available in France.

Abymes Sav w ★ DYA. Hilly area nr Chambéry; light, mild Vin de Savoie AC from Jacquère grape has Alpine charm. SAVOIE has many such crus.

Ackerman Lo r p w (dr) (sw) (sp) ★→★★ Major négociant. Founded in 1811 – first SAUMUR sparkling wine house. Alliance Loire (eight CAVE-co-ops) a shareholder. Ackerman group, incl Rémy-Pannier and Monmousseau, has wines from throughout Loire, many from its own wineries. Only large pan-Loire négociant still in local hands.

Agenais SW Fr r p w ★ DYA IGP of Lot-et-Garonne. Co-ops mostly dull, but some independents (esp if biodynamic) worth looking out for, eg. gd-value DOMS du Boiron, Lou Gaillot and Campet.

AOP and IGP: what's happening in France
The Europe-wide introduction of AOP (*Appellation d'Origine Protegée*) and IGP (*Indication Géographique Protegée*) means that these terms may now appear on labels. AOC will continue to be used, but for simplicity and brevity this book now uses IGP for all former VDP.

Alliet, Philippe Lo r w ★★→★★★ 02 **04** 05' **06** 08 09' 10 11 Top CHINON producer; CUVÉES to age. Best: oak-aged Coteau Noire from steep slope, VIEILLES VIGNES from flat gravel and hill v'yd L'Huisserie. Strong believer in BARRIQUE ageing. A little CHINON Blanc.

Aloxe-Corton Burg r w ★★→★★★ 99' 02' **03** 05' **06** 07 **08** 09' 10' 11 12 Northern end of the CÔTE DE BEAUNE, famous for GRANDS CRUS (CORTON, CORTON-CHARLEMAGNE), less interesting at village or PREMIER CRU level. Reds can be attractive if not overextracted. Best: Follin-Arbelet, Pierre André, Senard, TOLLOT-BEAUT.

Alquier, Jean-Michel L'doc r w Talented FAUGÈRES producer. White MARSANNE/ GRENACHE BLANC. also SAUV Les Pierres Blanches IGP, red CUVÉES Les Premières (younger vines), Maison Jaune and age-worthy old-vine SYRAH, Les Bastides.

Alsace (r) w (sw) (sp) ★★→★★★★ **02' 04 05** 06' 08' **09** 10' 11 12 The sheltered east slope of the Vosges Mts makes France's Rhine wines: aromatic, fruity, full-strength, mostly dry and expressive of variety. Sugar levels vary widely: dry wines now easier to find. Much sold by variety (PINOT BL, RIES, GEWURZ). Matures well (except Pinot Bl, MUSCAT) 5–10 yrs; GRAND CRU even longer. Gd-quality and -value CRÉMANT. Formerly fragile PINOT N improving fast (esp in 10) now looking v. drinkable. *See* VENDANGE TARDIVE, SÉLECTION DES GRAINS NOBLES.

Alsace Grand Cru Al w ★★★→★★★★ **90' 97 98 02 05** 06 **07** 08' **09 10!** 11 12 AC restricted to 51 (KAEFFERKOPF added in 2006) of the best named v'yds (approx 1,600ha, 800 in production) and four noble grapes (RIES, PINOT GR, GEWURZ, MUSCAT), mainly dry, some sweet. New, much-needed production rules include higher minimum ripeness, banning of *chaptalization*.

Amiel, Mas Rouss r w sw ★★★ Pioneering and innovative MAURY DOM. Several others now following. Warming CÔTES DU ROUSSILLON ***Carérades*** (r), Altaïr (w), *vin de liqueur* Plénitude from MACCABEU. Vintage and cask-aged VDN. Prestige 15 yrs a star. STÉPHANE DERENONCOURT (B'X) consults.

Amirault, Yannick Lo r ★★→★★★★ 03 **04 05'** 06 08' 09' 10' 11 Impeccable producer of top-notch BOURGUEIL and ST-NICOLAS-DE-BOURGEUIL, now organic. Top CUVÉES La Petite Cave and Les Quartiers in BOURGUEIL and Malagnes and La Mine in St-Nicolas; all age-worthy.

Ampeau, Robert C d'O w MEURSAULT DOM with unique record for fine old vintages.

André, Pierre C d'O r w ★★ Sound producer, mix of négociant and grower at CH Corton-André, ALOXE-CORTON; 5ha of v'yds in and around CORTON, much improved under ownership of Ballande Group.

Planting truffle-oaks is a vigneron's pension fund, and just as speculative.

Anjou Lo r p w (dr) (sw) (sp) ★→★★★★ Both region and umbrella AC covering ANJOU and SAUMUR. Many styles: CHENIN BL dry whites range from light quaffers to potent agers; juicy reds, incl GAMAY; juicy CAB FR-based Anjou Rouge; age-worthy ANJOU-VILLAGES, incl CAB SAUV. Also strong, mainly dry SAVENNIÈRES; lightly sweet to luscious COTEAUX DU LAYON CHENIN BL; dry and semi-sweet rosé and sparkling. AC Anjou v. variable, but can be excellent and v.gd value. Tiny ex-VDQS Vin de Thouarsais absorbed by AC Anjou (2011).

Anjou-Coteaux de la Loire Lo w sw s/sw ★★→★★★ 02 03 05' **07'** 09 **10'** 11 Small (38ha) westernmost ANJOU AC for sweet CHENIN BL; less rich but nervier than COTEAUX DU LAYON. Esp Delaunay, Fresche, Musset-Roullier, CH de Putille.

Anjou-Villages Lo r ★→★★★ 02 03 **05'** 06 08 **09'** 10' 11 Superior central ANJOU AC for reds (CABS FR/SAUV, but a few pure Cab Sauv often top wines). Tannins can be fierce but top wines are gd value, esp DOMS de Branchereau, Brizé, CADY, Clos de Coulaine, Philippe Delesvaux, Bergerie, Ogereau, CH PIERRE-BISE. Sub-AC Anjou-Villages-Brissac covers the same zone as COTEAUX DE L'AUBANCE; look for Bablut, Dom de Haute-Perche, Montigilet, Princé, Richou, Rochelles, Ch de Varière.

Appellation Contrôlée (AC or AOC)/AOP Government control of production and origin (not quality) of most top French wines; around 45% of the total. Now being converted to AOP (*Appellation d'Origine Protegée*).

Aprémont Sav w ★★ DYA One of the best villages of SAVOIE for pale, delicate whites, mainly from Jacquère grapes, but recently gd CHARD.

Hard times in Beaujolais, 2012: 800 growers applied for government financial aid.

Arbin Sav r ★★ Deep-coloured, lively red from MONDEUSE grapes, rather like a gd Loire CAB SAUV. Ideal après-ski. Drink at 1–2 yrs.

Arbois Jura r p w (sp) ★★→★★★ Various gd and original wines, real sense of terroir; speciality is VIN JAUNE. Best producers: Stephane Tissot, Jacques Puffeney.

Ariège SW Fr r ★ 09 10 11(12') Improving IGP south of Toulouse. ★★ DOM des Coteaux d'Engravies leads the field ahead of ★ Doms Sabarthès and Lastronques.

Arlaud C d'O r ★★★ Fine MOREY-ST-DENIS estate with CHARMES-CHAMBERTIN, CLOS DE LA ROCHE, etc; energized by new generation, now ploughing by horse. Superb BOURGOGNE Roncevie.

Arlot, Domaine de l' C d'O r w ★★★ Noted exponent in CÔTE DE NUITS of whole-bunch fermentation, though style may be modified under new management. Nuits-St-Georges Clos des Forêts St Georges offers haunting fragrance, also Vosne-Romanée Suchots and ROMANÉE-ST-VIVANT. Rare whites gd, too.

Armand, Comte C d'O r ★★★ Sole owner of exceptional CLOS des Epeneaux in POMMARD, plus v'yds in AUXEY and VOLNAY. On top form since 1999. Biodynamic.

Aube Champ Southern vyds, aka Côte des Bar. V.gd PINOT N in 09 and tiny 12.

Auxey-Duresses C d'O r w ★★→★★★ **99' 02'** 03 05' **06 07 08** 09' 10' 11 CÔTE DE BEAUNE village tucked away out of sight. Reds more fragrant and less rustic than before, attractive mineral whites. Best: (r) COMTE ARMAND, H Latour, MAISON LEROY, Prunier; (w) Lafouge, Maison Leroy (Les Boutonniers).

Aveyron SW Fr r p w ★ IGP DYA harbouring some NATURAL winemakers (eg. ★★ Nicolas Carmarans, Patrick Rols) and some "lost" local grape varieties (eg. Négret de Banhars). More conventional: ★ DOMS Bertau and Pleyjean.

Avize Champ Fine Côte des Blancs CHARD village. V.gd growers' wines.

Aÿ Champ Revered PINOT N village of CHAMPAGNE: powerful wines, often aged in oak. Gd mix of merchants and growers' wines.

Ayala Champ sp Revitalized AŸ CHAMPAGNE house, BOLLINGER-owned. Fine BRUT Nature ZÉRO Dosage, v.gd Rosé. Excellent Prestige Perle d'Ayala (04 **06** 08' **09** 12').

Bachelet Burg r w ★★→★★★★ Widespread family name in Burgundy. Excellent whites from B-Monnot (MARANGES), Jean-Claude B (ST-AUBIN), B-Ramonet (CHASSAGNE); at other end of the Côte d'Or Denis Bachelet makes heady GEVREY-CHAMBERTIN.

Bandol Prov r p (w) ★★★ 96 97 98 99 00 01 **02 03 04 05** 06 07 08 09 10 11 12 Compact coastal AC; PROVENCE's finest. Barrel-aged reds of enormous potential. MOURVÈDRE the key, with GRENACHE and CINSAULT; elegant rosé from young vines, and a drop of white from CLAIRETTE, UGNI BLANC and occasionally SAUV BL. Stars incl: DOMS de la Laidière, Lafran Veyrolles, La Suffrène, TEMPIER, Pibarnon, Mas de la Rouvière, La Bégude, La Bastide Blanche.

Banyuls Rouss br sw ★★→★★★ Fabulous VDN, mainly GRENACHE (Banyuls GRAND CRU, aged 2 yrs+). Newer vintage style resembles Ruby Port; more original are traditional RANCIOS, aged for yrs. Think fine old Tawny Port, or even Madeira.

Best: DOMS du Mas Blanc (★★★), la Rectorie (★★★), Vial Magnères, Coume del Mas (★★), la Tour Vieille (★★★). *See also* MAURY.

Barrique The B'X (and Cognac) term for an oak barrel holding 225 litres. Used globally, but the global mania for excessive new oak is now mercifully fading. Oak dominating fruit now looks dated.

Barsac Saut w sw ★★→★★★★ 83' 86' 88' 89' 90' 95 96 97' 98 99' **01'** 02 03' **05'** 07' **09'** 10' 11' Neighbour of SAUTERNES with similar superb botrytized wines from lower-lying limestone soil; fresher, less powerful, with more finesse. Repays long ageing. Top: CLIMENS, COUTET, DOISY-DAËNE, DOISY-VÉDRINES, NAIRAC.

Barthod, Ghislaine C d'O r ★★★→★★★★ Impressive range of archetypal CHAMBOLLE-MUSIGNY. Marvellous poise and delicacy, yet depth and concentration. Nine PREMIERS CRUS, incl Les Cras, Fuées, Beauxbruns.

Barton & Guestier B'x B'X négociant now part of the group Castel (2010).

Bâtard-Montrachet C d'O w ★★★★ **99' 00 02'** 04' 05' 06 07' **08'** 09' 10 11 12 12ha GRAND CRU downslope from LE MONTRACHET itself. Powerful, rich wines, occasionally a touch chunky. Also worthy siblings Bienvenues-B-M and Criots B-M. Seek out: Bachelet-Monnot, BOILLOT, CARILLON, GAGNARD, FAIVELEY, LATOUR, DOM LEFLAIVE, MOREY, Pernot, Ramonet, SAUZET.

Baudry, Domaine Bernard Lo r p w ★★→★★★ 03 05 06 08 **09'** 10' 11 30ha. Top CHINON across the range, from CHENIN BL-based whites to CAB FR-based rosés and CHINON CUVÉES of red – from delicious Les Granges to structured Les Grézeaux, Clos Guillot and Croix Boissées. Son Matthieu now in charge. No weedkillers.

Baudry-Dutour Lo r p w ★★→★★★ 03 05' 06 08 **09'** 10' 11 Merger in 2003 of DOMS de la Perrière and de la Roncée. CHINON's largest producer, incl CHX de St Louand and La Grille (bought 2009). Reliable quality: light, early-drinking to age-worthy reds. Modern wineries at Panzoult and la Grille. Screwcapped Chinon Bl.

Baumard, Domaine des Lo r p w sw sp ★★→★★★ 03 **05'** 06 07' (sw) 08 09 10 11 Controversial family producer of ANJOU wine, esp CHENIN BL-based whites, incl SAVENNIÈRES (Clos St Yves, Clos du Papillon), QUARTS DE CHAUME, Clos Ste Catherine. Proponent of high-yielding *vignes larges* and cryoextraction (freezing grapes to concentrate sugars for sweet wine). Challenging Quarts de Chaume Grand Cru in France's Supreme Court. Large declaration of 2012 Quarts de Chaume.

2012 was unfair in the Loire: wealthy Sancerre had near-normal quantity, struggling Muscadet hardly anything.

Baux-en-Provence, Les Prov r p w ★★→★★★ **05 06 07 08 09** 10 11 12 V'yds on lower slopes of dramatic bauxite outcrop of Alpilles, topped by village of Les Baux. White mainly from CLAIRETTE, GRENACHE, Rolle, ROUSSANNE. Reds CAB SAUV, SYRAH, GRENACHE. Most v'yds organic. TRÉVALLON best by far: Cab Sauv/SYRAH blend (IGP for lack of GRENACHE). Also Mas de la Dame, DOM Hauvette, Ste Berthe, CH Romanin.

Béarn SW Fr r p w ★→★★ r 09 10 **11**(12') (w p) DYA. AOP incl rather dull rosés from MADIRAN growers. Whites dull, too, but good reds from ★★ DOM Lapeyre/ Guilhémas and some JURANÇON growers. Gd co-op at Bellocq.

Beaujolais r (p) (w) ★ DYA. The most basic appellation of the huge Beaujolais region, suffering economically. Can now be rebranded as COTEAUX BOURGUIGNONS. Some Beaujolais from the hills can be excellent.

Beaujolais Primeur / Nouveau Beauj The BEAUJOLAIS of the new vintage, made in a hurry (often only four to five days' fermenting) for release at midnight on the third Wednesday in Nov. Ideally soft, pungent, fruity and tempting; too often crude, sharp, alcoholic. More of an event than a drink.

Beaujolais-Villages Beauj r ★★ **09' 10'** 11' 12 The middle category between straight BEAUJOLAIS and the ten named crus, such as MOULIN-À-VENT. Best locations around Beaujeu and Lantigné, worth waiting for.

Beaumes-de-Venise S Rhô r (p) (w) br ★★ (r) 07' 08 09' **10'** 11 12 (MUSCAT) DYA. Since 1956 VDN Muscat, from southeast CÔTES DU RHÔNE, favourite local apéritif, can age: grapey aromas, honeyed, peach/apricot flavours, can be elegant, eg. DOMS Beaumalric, Bernardins (traditional), Durban (rich), JABOULET, Pigeade (v.gd), VIDAL-FLEURY, co-op. Gd with melon, rich fish, soft cheese, chocolate. Punchy, grainy, high-altitude reds, best in sunny yrs. (CH Redortier, doms Cassan, de Fenouillet, Durban, St-Amant, Ferme Saint Martin.) Leave for 2–3 yrs. Simple whites (some dry MUSCAT, VIOGNIER), uptempo rosés are Côtes du Rhône.

Beaumont des Crayères Champ sp Côte d'Épernay co-op making excellent PINOT MEUNIER-based Grande Rés NV and v. fine Fleur de Prestige 98 02 **04**. Exceptional CHARD-led CUVÉE Nostalgie 02' **06**. Fleur de Rosé 02 **04 05 06**.

Beaune C d'O r (w) ★★★ 02' **03 05'** 07 **08** 09'10' 11 12 Historic wine capital of Burgundy and home to many merchants: BOUCHARD, CHAMPY, CHANSON, DROUHIN, JADOT, LATOUR, Remoissenet as well as HOSPICES DE BEAUNE. No GRAND CRU v'yds but some graceful, perfumed reds from PREMIER CRU, eg. Bressandes, Cras, Teurons, Vignes Franches; more power from Grèves, and an increasing amount of white, of which Drouhin's CLOS DES MOUCHES stands out.

Becker, Caves J Al r w ★→★★ Organic estate, progressively biodynamic. Stylish, well-balanced wines, incl exceptional GRAND CRU Froehn in GEWURZ and RIES 06 **08' 10**.

Bellet Prov r p w ★★ The wine of Nice; tiny AC; v'yds within city boundary, but often ignored there. White from Rolle grape is best, with unexpected ageing potential. Braquet and Folle Noire for light red for which DYA. Few producers: CH de Bellet is oldest; also Les Coteaux de Bellet, CLOS St Vincent, DOM de la Source.

Bellivière, Domaine de Lo r w sw ★★→★★★ 03 05' 07 **08 09'** 10' 11 Spread out 13ha biodynamic DOM run by Christine and Eric Nicolas: precise CHENIN BL in JASNIÈRES and COTEAUX DU LOIR and peppery Pineau d'Aunis.

Bergerac SW Fr r p w dr sw ★→★★★ 05' **06** 07' (sw) 08 09 10 **11** (12') Upstream from B'X; same grapes, but a fraction of the B'x price. See recommended growers in MONBAZILLAC, MONTRAVEL, PÉCHARMANT, ROSETTE, SAUSSIGNAC. Also: ★★★ CLOS des Verdots, ***Tour des Gendres***, DOMS Jaubertie, Jonc Blanc, Les Marnières, Monastier la Tour (recently sold); ★★ CHX Fontenelles, Grinou.

Bertrand, Gérard L'doc r p w ★★ Energetic ex-rugger player and now one of biggest v'yd owners in the MIDI; Villemajou in CORBIÈRES cru Boutenac, Laville-Bertou in MINERVOIS-LA LIVINIÈRE, l'Aigle in LIMOUX, IGP Pays d'Oc Cigalus, and la Sauvageonne in Terrasses du Larzac. Flagship Ch l'Hospitalet in LA CLAPE.

Besserat de Bellefon Champ sp Épernay; specializes in gently sparkling CHAMPAGNES (old CRÉMANT style). Part of LANSON-BCC group. Respectable quality, decent value.

Beyer, Léon Al r w ★★→★★★ V. fine, intense, dry wines often needing 10 yrs+ bottle age. Superb RIES Comtes d'Eguisheim, but no mention on label of its v'yd – GRAND CRU PFERSIGBERG. Pure, dry wines for great cuisine. Now finer PINOT NS (10').

Bichot, Maison Albert Burg r w ★★→★★★ Now a serious player as significant v'yd-owner as well as merchant. Best wines from own DOMS, LONG-DEPAQUIT (CHABLIS), Clos Frantin (NUITS) and Pavilion (BEAUNE). Can be oaky, but worth following.

Bienvenues-Bâtard-Montrachet C d'O ★★★→★★★★ 02' **04** 05 **06** 07 08 09 11 12 Fractionally lighter and earlier-maturing version of Bâtard, with accessible creamy texture. Best from BACHELET-Monnot, CARILLON, LEFLAIVE, Ramonet.

Billecart-Salmon Champ Family house making beautiful, long-lived wines, vintage CUVÉES fermented in wood. Superb Clos St-Hilaire Blanc de Noirs (**96'** 98' **99**), NF Billecart (**98** 99 **00 02'**), top BLANC DE BLANCS (99 00) and BRUT 04 and Extra Brut ★★★ NV. New Cuvée Sous Bois. Exquisite ***Elizabeth Salmon Rosé*** 99' **02**.

Bize, Simon C d'O r w ★★→★★★ Key producer in SAVIGNY-LÈS-BEAUNE with wide range of PREMIER CRU v'yds, esp Vergelesses; also exciting, gd-value BOURGOGNE (r w). Top wine: LATRICIÈRES-CHAMBERTIN.

Blagny C d'O r ★★→★★★ **99'** 02' **03'** 05' 07 08 09' 10' 11 12 On hill adjoining MEURSAULT. Austere reds now out of fashion as growers replant with CHARD to make MEURSAULT-Blagny. Best red v'yds: Pièce sous le Bois, Sous le Dos d'Ane, La Jeunelotte. Best growers (r): Matrot, Martelet de Cherisey.

Blanc de Blancs Any white wine made from white grapes only, esp CHAMPAGNE. Indication of style, not of quality.

Blanc de Noirs White (or slightly pink or "blush") wine from red grapes, esp CHAMPAGNE. Generally rich, even four-square, in style.

Blanck, Paul & Fils Al r w ★★→★★★ Grower at Kientzheim producing huge range of wines. Finest from 6ha GRAND CRU Furstentum (RIES, GEWURZ, PINOT GR) and *grand cru* SCHLOSSBERG (great Ries 02' 08 10) Also gd PINOT BL.

Blanquette de Limoux L'doc w sp ★★ Gd-value, creamy fizz from cooler hilly area southwest of Carcassonne; older history than CHAMPAGNE. Base of Mauzac much improved by CHARD, CHENIN BL and, more recently, PINOT N, more elegant AC CRÉMANT de Limoux. Large co-op with Sieur d'Arques label. Also Rives-Blanques, Antech, Laurens, Fourn.

Blaye B'x r ★→★★ **05'** **06** 08 09' **10'** 11 Designation for top, concentrated reds (lower yields, etc.) from what used to be Premières Côtes de Blaye, now new AC (2008) BLAYE-CÔTES DE B'X.

Blaye-Côtes de Bordeaux B'x r w ★→★★ **05'** **06** **08** 09' 10' 11 Mainly red AC east of the Gironde with a little dry white. Formerly Premières Côtes de Blaye but renamed in 2008. Greatly improved quality. Best CHX: Bel Air la Royère, Cantinot, Gigault (Cuvée Viva), Haut-Bertinerie, Haut-Colombier, Haut-Grelot, Jonqueyres, Monconseil-Gazin, Mondésir-Gazin, Montfollet, Roland la Garde, Segonzac, des Tourtes.

Boillot C d'O r w Interconnected Burgundy growers. Look for Jean-Marc (POMMARD) ★★★ for fine oaky reds and whites, Henri (DOM and merchant in MEURSAULT), concentrated whites and modern reds ★★→★★★★, Louis (Chambolle, married to GHISLAINE BARTHOD) ★★★ and his brother Pierre (GEVREY) ★★→★★★.

Boisset, Jean-Claude Burg r w Ultra-successful group created over last 50 yrs. Own wines and v'yds DOM DE LA VOUGERAIE excellent. Owns range of other businesses, latest VINCENT GIRARDIN brand. Projects in Canada, California, Chile, Uruguay looked after by son Jean-Charles, married to Gina GALLO of eponymous US giant.

Boizel Champ V.gd mature BLANC DE BLANCS NV and prestige Joyau de France (02' **04** 08), Joyau Rosé (02' **04** **06** 08). Also Grand Vintage Brut (02' 04 **06** 08 09) and CUVÉE Sous Bois. Fine quality, easy prices.

Bollinger Champ Great classic CHAMPAGNE house, on a roll in recent vintages (viz Grande Année 95' **97** 00 **02** **04**). Superb GA Rosé 02. Luxury wines: RD (96' **02** **04**), VIEILLES VIGNES Françaises (**02**) from ungrafted PINOT N vines, La Côte aux Enfants, AŸ (02' **04** 09'). *See also* LANGLOIS-CH.

Bonneau du Martray, Domaine C d'O r w (r) ★★ (w) ★★★★ Scintillating, mineral CORTON-CHARLEMAGNE to age from hyper-meticulous producer with top holding in the heart of the AC. Red CORTON fine but pricey.

Bonnes-Mares C d'O r ★★★→★★★★ 90' **91** **93** **95** 96' **98** 99' **00** 02' **03** 05' **06** **07** **08** 09' 10' 11 12 GRAND CRU (15ha) between CHAMBOLLE-MUSIGNY and MOREY-ST-DENIS. Sturdy, long-lived wines, less fragrant than MUSIGNY. Best: BRUNO CLAIR, Drouhin-Laroze, DUJAC, Groffier, JADOT, ROUMIER, DE VOGÜÉ, VOUGERAIE.

Bonnezeaux Lo w sw ★★★→★★★★ 89' 90' 95' 96' 97' 02 03' **05'** 07' **09** 10' 11 Wonderfully rich, almost everlasting CHENIN BL from top south-facing site in COTEAUX DU LAYON. Now less rigorous than QUARTS DE CHAUME. Esp: CHX de Fesles, de Varière, DOMS les Grandes Vignes, du Petit Val.

Bordeaux (B'x) r (p) w ★→★★ **08** 09' 10' Catch-all AC for generic B'x (nearly half region's production). Mixed quality. Most brands are in this category.

Bordeaux Supérieur B'x r ★→★★ **05'** **08** 09' 10' 11 Superior denomination to above. Higher min alcohol, lower yield and longer ageing. Mainly bottled at the property. 2011s more "classic" than the succulent 09s and powerful 10s.

Borie-Manoux B'x Admirable B'X shipper, CH-owner. Chx incl: BATAILLEY, BEAU-SITE, Croix du Casse, DOM DE L'EGLISE, HAUT-BAGES-MONPELOU, TROTTEVIEILLE.

Bouchard Père & Fils Burg r w ★★→★★★★ Huge v'yd owner – largest in CÔTE D'OR? Whites esp strong in MEURSAULT and CHEVALIER-MONTRACHET. Flagship red is BEAUNE Grèves, Vigne de L'Enfant Jésus. Basic wines less good. Part of HENRIOT Burgundian interests with WILLIAM FÈVRE (CHABLIS) and Villa Ponciago (BEAUJOLAIS).

Bouches-du-Rhône Prov r p w ★ IGP from Marseille environs. Simple, fruit-filled reds from southern varieties, plus CAB SAUV, SYRAH and MERLOT.

Bourgeois, Henri Lo r w ★★→★★★ 05 06 07 **08** **10** **11** 12 Leading, dynamic SANCERRE grower/merchant. Impressive range incl POUILLY-FUMÉ, MENETOU-SALON, QUINCY, COTEAUX DU GIENNOIS, CHÂTEAUMEILLANT and IGP Petit Bourgeois. Top wines: MD de Bourgeois, La Bourgeoise (r w), Jadis, Sancerre d'Antan. Also Clos Henri (r w) in Marlborough, NZ.

Bourgogne Burg r (p) w ★★ (r) **05'** 09' 10 11 12 (w) **09'** 10' **11** 12 Ground-floor AC for Burgundy, ranging from mass-produced to bargain beauties from fringes of CÔTE D'OR villages, top tip for value. Sometimes comes with subregion attached, eg. CÔTE CHALONNAISE, **Hautes Côtes** or local would-be appellation, Chitry, Tonnerre, VÉZELAY, etc. Usually PINOT N (r) or CHARD (w). Can also be from declassified BEAUJOLAIS crus but must now specify Bourgogne GAMAY on label.

Bourgogne Grand Ordinaire Burg *See* COTEAUX BOURGUIGNONS.

Bourgogne Passe-Tout-Grains Burg r (p) ★ Age 1–2 yrs. Not just any old grape but a Burgundian mix of PINOT N (more than 30%) and GAMAY. Can be fun from CÔTE D'OR DOMS eg. Chevillon, Clavelier, LAFARGE, Rouget.

Bourgueil Lo r (p) ★★→★★★(★) **96'** **02** **03** **05'** 06 08 **09'** **10'** 11 Burly, full-flavoured TOURAINE reds; big, fragrant rosés based on CAB FR. Gd vintages can age 40 yrs+. Esp AMIRAULT, Audebert, DOMS de la Butte, la Chevalerie, Courant, Druet, Gambier, Herlin, Lamé Delisle Boucard, Minière, Nau Frères. *See* ST-NICOLAS-DE-BOURGUEIL.

Bouvet-Ladubay Lo ★→★★★ Major sparkling SAUMUR house, owned by United Breweries (India). Barrel-fermented CUVÉE Trésor (p w) best. Still wines mainly from ANJOU-Saumur. Hosts annual Journées Nationales du Livre et du Vin.

Burgundy's pox

The pox, or premox (both short for premature oxidation), has become a major talking point for the white wines of Burgundy, though arguably all white wines are to some extent affected. It is at its worst for vintages between 1995 and 2002 but some subsequent vintages are also affected. There are clearly complex, multiple causes, incl poor corks; inadequate sulphur protection; overprotective vinification processes that leave the oxidases behind for later; bottling processes allowing too much dissolved oxygen in the wine; riper grapes with lower acidity. Many of these factors derive from the desire to make pure wines at the expense of the phenolics that provide protection. Solutions are being found, but in general we can no longer count on white burgundy to reach its thrilling peak at 12–15 yrs old.

Bouzereau C d'O r w ★★→★★★ Family in MEURSAULT, gd whites at gd prices and improving reds. Jean-Baptiste (son of Michel B) and Vincent B are the two best.

Bouzeron Burg w ★★ CÔTE CHALONNAISE AC (since 1998) for ALIGOTÉ, with stricter rules and greater potential than straight BOURGOGNE AC. Best from A & P de Villaine.

Bouzy Rouge Champ r ★★★ 90 95 96 97 99 02 09 12 Still red of famous PINOT N village. Like v. light burgundy, but can last well in sunny vintages. Generally, though, overpriced and underflavoured.

Brocard, J-M Chab w ★★→★★★ Father Jean-Marc created dynamic business with ACS in and around CHABLIS. Son Julien has introduced biodynamic principles. Successful alliance of commerce and quality. Try Dom Ste Claire.

Brouilly Beauj r ★★ 05' 09' 10' 11' 12 Biggest of the ten crus of BEAUJOLAIS: fruity, round, refreshing wine, can age 3–4 yrs. Top growers: CHX de la Chaize, de Pierreux; Dubost, Martray, Michaud, Piron.

Brumont, Alain SW Fr ★★★ r w Ardent defender of beefy MADIRAN style, though ★ Torus is more friendly. Oaky reds Le Tyre, CHX MONTUS, BOUSCASSÉ, mostly pure TANNAT, need long keeping. ★ IGPS (eg. 100% GROS MANSENG, Tannat/CAB blends) gd for early drinking.

Brut Champ Term for the dry classic wines of CHAMPAGNE. Most houses have reduced *dosage* (adjustment of sweetness) in recent yrs.

Brut Ultra / Zéro Term for bone-dry wines (no *dosage*) in CHAMPAGNE – also known as Brut Nature – back in fashion and improved, best in ripe yrs.

Bugey Sav r p w sp ★→★★ DYA VDQS for light sparkling, still, or half-sparkling wines from Roussette (or Altesse) and CHARD (gd). Best from Montagnieu; also Rosé de Cerdon, mainly GAMAY.

Burguet, Alain C d'O r ★★→★★★ Compact VIGNERON for outsize GEVREY-CHAMBERTIN, esp *Mes Favorites*. Sons Eric and Jean-Luc now in charge.

Buxy Burg w Village in AC MONTAGNY with gd co-op for CHARD and PINOT N.

Buzet SW Fr r (p) (w) ★★ 08 09 10 11 (12') Dominant would-be monopolist co-op cannot approach quirky, biodynamic, independent ★★★ DOM du Pech, nor more traditional ★★ CHX du Frandat, de Salles for quality in this one-time B'X satellite.

Cabardès L'doc r ★→★★ 05 06 07 08 09 10 11 12 B'X CAB and MERLOT meet MIDI SYRAH and GRENACHE for original blends, 60% max B'x grapes, 40% min Midi. Best is DOM de Cabrol with Vin de l'Est, Vin d'Ouest; also Jouclary, Font Juvénal, Cazaban. CH Pennautier is largest.

Cabernet d'Anjou Lo p s/sw ★→★★ Sweetish DEMI-SEC, often derided, rosé enjoying renaissance, esp strong local demand. Age-worthy old vintages (★★★) stunning but rare now DYA. CH PIERRE-BISE; DOMS de Bablut, CADY, Clau de Nell, les Grandes Vignes, Ogereau, de Sauveroy, Varière.

Cabrières L'doc (r) p ★★ DYA. Traditionally full-bodied rosé; also satisfying reds, mostly from energetic village co-op. V'yds on schist hillsides nr Pic de Vissou.

Cadillac-Côtes de Bordeaux B'x r ★→★★ 05' 08 09' 10' 11 Long, narrow, hilly zone on the right bank of the Garonne opposite GRAVES. Formerly Premières Côtes de Bordeaux but renamed from 2008 vintage. Medium-bodied, fresh reds. Quality extremely varied. Best: Alios de Ste-Marie, Carignan, ***Carsin***, Clos Chaumont, Clos Ste-Anne, Le Doyenné, Grand-Mouëys, Lezongars, Mont-Pérat, Plaisance, Puy Bardens, REYNON and Suau.

Cady, Domaine Lo r p sw sp ★★→★★★ 03 04 05' 07' (sw) 09 10' 11' Excellent ANJOU 4th-generation family grower of everything from dry whites and off-dry rosés to lusciously sweet COTEAUX DU LAYON and CHAUME. Sweet wines are strongest suit. Son Alexandre increasingly in charge.

Cahors SW Fr r ★★→★★★★ 01' 02 '04 05' 06 08 09 10 (11) (12') MALBEC (at least 70%) the only constant factor in this multifaceted, all-red AOP. Lighter, fruitier from ★★ CH Latuc, Clos Coutale, DOM Boliva. Bigger from ★★ chx Armandière, La Coustarelle, Croze de Pys, Gaudou, doms de la Bérengeraie, du Garinet, Paillas, Pinéraie, Les Rigalets, Savarines (biodynamic). Traditional, requiring ageing: ★★★ ***Clos de Gamot*** (Vignes Centenaires, ★★★★ Clos St Jean), Clos Triguedina. Modern: ★★★ chx DU CÈDRE, Clos d'Un Jour, Les Croisille, Lamartine, La Périé,

La Reyne, ★★ La Caminade, Eugénie. Cult ★★★★ Dom Cosse-Maisonneuve straddles the range. You should explore it.

Cailloux, Les S Rhô r (w) ★★★ 78' 79' 81' 85' 89' 90 95' 96' 98' 99 00' 01 03' 04' 05' 06' 07' 09' 10' 11' 12' 18ha CHÂTEAUNEUF DOM; stylish, floral GRENACHE, gd-value, elegant handmade reds. V. consistent, genuine. Special wine Centenaire, with oldest Grenache 1889, pure and noble. Also Dom André Brunel (esp CÔTES DU RHÔNE r Est-Ouest) and decent Féraud-Brunel Côtes du Rhône merchant range.

Cairanne S Rhô r p w ★★→★★★ 05' 06' 07' 09'**10'** 11 12' Easily best of the 18 CÔTES DU RHÔNE-VILLAGES: wines of character, bristling dark fruits, smoky herbs and tannins, esp DOMS Alary, Ameillaud, Armand, Brusset, Escaravailles, Féraud-Brunel, Grosset, Hautes Cances (traditional), Oratoire St Martin (classy), Présidente, Rabasse-Charavin, Richaud (great fruit), Famille Perrin. Food-suited, gd-depth whites.

Canard-Duchêne Champ House owned by ALAIN THIÉNOT. BRUT Vintage 06 **08'** 09 12. V. fine Cuvée Léonie ★★★ but basic wine still disappointing.

Canon-Fronsac B'x r ★★→★★★ **00' 01 03** 05' **06** 08 09' 10' 11 Small enclave within FRONSAC, otherwise same wines. Best are rich, full and finely structured. Try CHX Barrabaque, Canon Pécresse, Cassagne Haut-Canon la Truffière, la Fleur Cailleau, DU GABY, Grand-Renouil, Haut-Mazeris, MOULIN PEY-LABRIE, Pavillon, Vrai Canon Bouché.

Carillon, Louis C d'O w ★★★ Classic PULIGNY producer, now separated between brothers Jacques and François. Too early to see stylistic differences, but excellent quality-price ratio should continue with both. Look out for PREMIERS CRUS Combettes, Perrières, Referts.

Cassis Prov (r) (p) w ★★ DYA. Fashionable pleasure port east of Marseille with traditional reputation for dry whites based on CLAIRETTE and MARSANNE. Delicious with bouillabaisse, but expensive (eg. DOM la Ferme Blanche, CLOS Ste Magdeleine, Paternel, Fontcreuse). Growers fighting rearguard action with property developers.

Castillon-Côtes de Bordeaux B'x r ★★→★★★ **00' 01 02 03 04 05'** 08 09' **10'** 11 Previously Côtes de Castillon, renamed 2008. Flourishing region east of ST-ÉMILION; similar wines, usually less plump, ageing potential; recent investment. Top: DOM DE L'A, CHX d'Aiguilhe, Ampélia, Cap de FAUGÈRES, La Clarière-Laithwaite, CLOS l'Église, Clos Les Lunelles, Clos Puy Arnaud, Côte Montpezat, Joanin Bécot, Montlandrie, Poupille, Robin, Verniotte, Veyry, Vieux CH Champs de Mars.

Cathiard C d'O r ★★★ Sylvain Cathiard has produced brilliant, perfumed VOSNE-ROMANÉE, esp Malconsorts, and NUITS-ST-GEORGES, esp Murgers, since 1990s. Expect more of the same with son Sébastien now in charge.

Cave Cellar, or any wine establishment.

Cave coopérative Wine-growers' co-op winery; over half of all French production. Often well-run, well-equipped, and wines gd value for money, but many disappearing in the economic crisis.

Cazes, Domaine Rouss r p w sw ★★→★★★ Large organic producer. IGP pioneer, with MERLOT and CAB SAUV, esp for brands Le Canon du Maréchal and Le Crédo, also CÔTES DU ROUSSILLON-VILLAGES, Ego and Alter, Collioure, delicious aged RIVESALTES, Cuvée Aimé Cazes. Now part of Advini, but still family-run. Excellent value.

Cépage Grape variety. *See* pp.16–26 for all.

Cérons B'x w sw ★★ **01' 02 03' 05'** 07 09' **10'** 11 Almost abandoned sweet AC next to SAUTERNES. Less intense wines, eg. CHX de Cérons, CHANTEGRIVE, Grand Enclos.

Chablis w ★★→★★★ **05' 06** 07' 08' **09** 10' 11 12 Lean but lovely northern burgundy CHARD so famous that it has been widely imitated round the world. My default white. Mostly unoaked. But too much is mass-produced, early-bottled, anonymous Chard.

Chablis Grand Cru Chab w ★★★→★★★★ 95' 96' 99 00' 02' 05' 06 07' 08' 09 10' 11' 12 Small block of v'yds on steep slope on north bank of river Serein. The richest CHABLIS, comparable to fine CÔTE DE BEAUNE whites. Needs age for minerality and individual style to develop. V'yds: Blanchots, Bougros, CLOS, Grenouilles, Preuses, Valmur, Vaudésir (plus brand La Moutonne). Clos and Vaudésir best.

Chablisienne, La Chab r w ★★→★★★ Major player – many own-label CHABLIS are supplied by this dynamic co-op. Sound wines across the whole range; top is GRAND CRU CH Grenouilles.

Chablis Premier Cru Chab w ★★★ 00' 02' 05' 07' 08' 09 10' 11' 12 Better sites on the rolling hillsides; more white-flower character on south bank of river Serein (Vaillons, Montmains, Côte de Léchet), yellow fruit on north bank (Fourchaume, Mont de Milieu, Montée de Tonnerre). Well worth premium over straight CHABLIS.

Chablis

There is no better expression of the all-conquering CHARD than the full but tense, limpid but stony wines it makes on the heavy limestone soils of CHABLIS. Chablis terroir divides into three quality levels (four, incl PETIT CHABLIS) with great consistency. Best makers use little or no new oak to mask the precise definition of variety and terroir: Barat, Bessin ★, Billaud-Simon ★, BOUCHARD PÈRE & FILS, Boudin ★, J-M BROCARD, J Collet ★, D Dampt, R/V DAUVISSAT ★, J Dauvissat, B, D et E and J Defaix, Droin, DROUHIN ★, Duplessis, JEAN DURUP, FÈVRE ★, Geoffroy, J-P Grossot ★, LAROCHE, LONG-DEPAQUIT, DOM des Malandes, L Michel, Christian MOREAU ★, Picq ★, Pinson, RAVENEAU ★, G Robin ★, Servin, Tribut, Vocoret. Simple, unqualified "Chablis" may be thin; best is PREMIER CRU or GRAND CRU. The co-op, LA CHABLISIENNE, has high standards (esp Grenouille ★) and many different labels (it makes one in every three bottles). (★ = outstanding.)

Chambertin C d'O r ★★★★ 88 89 90' 93 95 96' 98 99' 01 02' 03 05' 06 07 08 09' 10' 11 12' 13ha (or 28ha incl CHAMBERTIN-CLOS DE BÈZE) of Burgundy's most imperious wine; amazingly dense, sumptuous, long-lived and expensive. Not everybody up to standard, but try from BOUCHARD PÈRE & FILS, Charlopin, Damoy, DROUHIN, DOM LEROY, MORTET, PRIEUR, Rémy, ROSSIGNOL-TRAPET, ROUSSEAU, TRAPET.

Chambertin-Clos de Bèze C d'O r ★★★★ 88 89 90' 93 95 96' 98 99' 01 02' 03 05' 06 07 08 09' 10' 11 12' May be sold under the name of neighbouring CHAMBERTIN. Splendid wines, may be more accessible in youth. Best: CLAIR, Damoy, DROUHIN, Drouhin-Laroze, FAIVELEY, Groffier, JADOT, Prieuré-Roch, ROUSSEAU.

Chambolle-Musigny C d'O r ★★★→★★★★ 90' 93 95' 96' 98 99' 02' 03 05' 07 08 09' 10' 11 12' The epitome of elegance in the CÔTE DE NUITS: look for fragrance and silky texture from BONNES-MARES, MUSIGNY, Amoureuses, Charmes, Cras, Fuées. BARTHOD, MUGNIER, ROUMIER, DE VOGÜÉ the superstars but try also Amiot-Servelle, Bertheau, Digioia-Royer, DROUHIN, Felletig, Groffier, RION.

Champagne Sparkling wines of PINOTS N and MEUNIER and/or CHARD, and region (34,000ha, 150km east of Paris); made by *méthode traditionnelle*. Bubbles from elsewhere, however gd, cannot be Champagne.

Champagne le Mesnil Champ Top-flight co-op in greatest GRAND CRU CHARD village. Exceptional CUVÉE Sublime (04 08' 11' 12) from finest sites. Real value.

Champs-Fleuris, Domaine des Lo r p w sw ★★→★★★ 05' 06 08 09' 10 11 Dynamic DOM with v.gd SAUMUR Blanc; SAUMUR-CHAMPIGNY, incl juicy, screwcapped Audace; fine CRÉMANT. When vintage warrants, succulent COTEAUX DE SAUMUR: Cuvée Sarah.

Champy Père & Cie Burg r w ★★→★★★ Ancient négociant house (1720) revitalized by Meurgey family. Own biodynamic DOM of 27ha, strong in BEAUNE and around

CORTON, incl former Dom Laleure-Piot. Since 2011 also controls former Dom Louis BOILLOT incl Clos de la Chapelle Monopole Volnay.

Chandon de Briailles, Domaine C d'O r w ★★→★★★ Unfashionable but fine light reds, esp Pernand-Vergelesses Île de Vergelesses and Corton Les Bressandes. Biodynamic farming, lots of stems, and no new oak define the style.

Chanson Père & Fils Burg r w ★→★★★ An old name in BEAUNE, but one to watch now for quality, and fair pricing. Try any of its Beaunes, red or white, esp Clos des Fèves (r) and Clos des Mouches (w). Also great CORTON-Vergennes (w).

Champagne growers to watch in 2014

Francis Boulard et Fille Massif St-Thierry grower making v.gd multi-vintage CUVÉE Petraea and superb all-CHARD Les Rachais (02 ★★★★★ **04** 06 08').

Claude Cazals Exciting Extra-Brut BLANC DE BLANCS (**99** 02' **04**) and exceptional CLOS Cazals (**96** ★★★★ **99** 02 04).

Richard Cheurlin One of best grower-winemakers of the AUBE. Rich but balanced Carte d'Or and vintage-dated Cuvée Jeanne (02 04 **05** 06). New Cuvée Coccinelle & Papillon, NATURAL and chemical-free.

Benoît Lahaye Fine organic BOUZY grower, precise, elegant wines: excellent Essentiel NV BRUT, BLANC DE NOIRS and **06** 08' 09 vintages for long ageing.

Jean-Luc Lallement Exceptional Verzenay grower making muscular yet exquisitely refined Blanc de Noirs. His first vintage wines will be available in 2012. Great rosé, too.

Champagne Lallier Bijou AŸ producer, making exemplary CHAMPAGNE from GRAND CRU grapes. Fine Tradition Brut, ★★★★ Brut Zéro aged *sous liège* (clamped cork).

Lilbert et fils Scion of blue-chip Cramant DOM takes his *grand cru* CHARD Champagnes to higher level: great purity of flavours, great energy. Textbook **04 06** Cramant Grand Cru.

Michel Loriot Top grower on the great hill of Festigny, Marne Valley. Subtle, poised Meuniers, expansive Chards.

Gonet-Médeville Exciting DOM with fine holdings in Ambonnay and LE MESNIL. Gastronomic Champagnes built to last: superb Chante Alouette Le Mesnil and Ambonnay Grandes Ruelles (both 02 04 06 08').

Jacques Selosse Avize's best-known grower in top form; two exquisite releases: Le Mesnil, Les Caresses and Ambonnay Le Bout du Clos.

J-L Vergnon Fine restored Le Mesnil estate making exquisite all Chard extra-brut cuvées, esp Confidence (02' 06' **08'** 11).

Veuve Fourny Rising Côte des Blancs star at Vertus: ★★★★★ Extra-Brut (02' **04**), superb single-v'yd Clos du Faubourg Notre Dame (**99 00** 02').

Chapelle-Chambertin C d'O r ★★★ **90' 93 95 96' 98** 99' **01** 02' 03 05' 07 08 09' 10' 11 12' A 5.2ha neighbour of CHAMBERTIN. Wine more "nervous", less meaty. V.gd in cooler yrs. Top producers: Damoy, Drouhin-Laroze, JADOT, ROSSIGNOL-TRAPET, TRAPET, Tremblay.

Chapoutier N Rhô ★★→★★★★ Biodynamic Northern Rhône owner, esp HERMITAGE, merchant. Deep wines, led by low-yield, small plot-specific CUVÉES: thick GRENACHE CHÂTEAUNEUF: Barbe Rac, Croix de Bois (r); CÔTE-RÔTIE La Mordorée; HERMITAGE: L'Ermite (outstanding), Le Pavillon (r), L'Ermite, Cuvée de l'Orée, Le Méal (w). Also ST-JOSEPH Les Granits (r w). Long-lived, savoury MARSANNE Northern Rhône whites, perfect with sauced dishes. Gd-value ***Meysonniers***

Crozes. Also v'yds in COTEAUX D'AIX-EN-PROVENCE, CÔTES DU ROUSSILLON-VILLAGES (gd DOM Bila-Haut), RIVESALTES. Michel Chapoutier has ALSACE venture (Schieferkopf, schist soil). Active Australian joint ventures: esp Doms Tournon and Terlato & Chapoutier (fragrant, fine), and Portuguese: Estremadura.

Charbonnière, Domaine de la S Rhô r (w) ★★★ 95' 98 99' 00 01' 03 04 **05' 06' 07'** 09' 10' 11' 12' Gd 17ha CHÂTEAUNEUF estate run by sisters. Decent Tradition wine, notable, authentic Mourre des Perdrix, also Hautes Brusquières, new L'Envol, VIEILLES VIGNES. Stylish, improved white, genuine VACQUEYRAS red also.

Chardonnay As well as a white wine grape, also the name of a MÂCON-VILLAGES commune – hence Mâcon-Chardonnay.

Charmes-Chambertin C d'O r ★★★ **90' 93 95 96' 98** 99' **01** 02' **03** 05' 06 07 08 09' 10' 11 12' 31ha, incl neighbour MAZOYÈRES-CHAMBERTIN, not all worthy of GRAND CRU. But best from eg. ARLAUD, BACHELET, DUGAT, DUJAC, LEROY, Perrot-Minot, Roty, ROUSSEAU, VOUGERAIE have intense, ripe, dark-cherry fruit and fragrant finish.

Chassagne-Montrachet C d'O r w ★★→★★★★ (w) **00** 02' **04 05' 06'** 07 08' **09'** 10 11 12' Large village at south end of CÔTE DE BEAUNE. Great whites from eg. Caillerets, La Romanée, Blanchots and GRANDS CRUS. Best reds from Morgeot, CLOS St Jean, others more rustic. Production dominated by clans Coffinet, COLIN, GAGNARD, MOREY, Pillot plus top DOMS MOREAU, Niellon, Ramonet, CH de Maltroye.

Château-Chalon Jura w ★★★ Not a CH but AC and village. Unique dry, yellow, Sherry-like wine (SAVAGNIN grape). Develops *flor* (*see* Sherry) while ageing in barrels for min 6 yrs. Ready to drink when bottled, but ages almost forever. A curiosity, but great from top grower: Berthet-Bondet.

Château (Ch/x) Means an estate, big or small, gd or indifferent, particularly in B'X (*see* Châteaux of Bordeaux). In France, château tends to mean, literally, castle or great house. In Burgundy, DOM is the usual term.

Château d'Arlay Jura r w sw ★→★★ Major Jura estate; 65ha in skilful hands. Wines incl: v.gd VIN JAUNE, VIN DE PAILLE, PINOT N and MACVIN.

Château de Beaucastel S Rhô r w ★★★★ 78' 81' 83 85 86' 88 89' 90' 94' 95' 96' 97 98' 99' 00' **01' 03' 04 05' 06'** 07' **08** 09' 10' 11 12' Many decades organic, top CHÂTEAUNEUF estate: old MOURVÈDRE, 100-yr ROUSSANNE. Also excellent Famille Perrin Southern Rhônes (320ha+, some owned, others managed). Smoky, brooding, complex wines, drink at 2 yrs or from 7–8 yrs; live v. well. Recent vintages softer. Swell, top-grade 60% Mourvèdre Hommage à Jacques Perrin (r). ***Wonderful old-vine Roussanne***: enjoy over 5–25 yrs. Polished CÔTES DU RHÔNE Coudoulet de Beaucastel (r) (lives 8 yrs+). Famille Perrin CAIRANNE (gd value) GIGONDAS, RASTEAU, VINSOBRES all v.gd, genuine. V.gd organic Perrin Nature Côtes du Rhône (r w). (*See also* Tablas Creek, California.)

Château de la Chaize Beauj r ★★★ Magnificent CH, 7th-generation ownership, also fine gardens, with 99ha of BROUILLY all in one block.

Château de Meursault C d'O r w ★★ 61ha estate making BEAUNE, MEURSAULT, POMMARD, VOLNAY. CH itself is impressive, cellars open to public. Owned by Boisseaux family, formerly of merchant PATRIARCHE.

Château de Villeneuve Lo r w ★★→★★★★ 96 99 03 **05** 06 07 **08' 09'** 10' 11 (12) Meticulous producer. Wonderful and age-worthy SAUMUR Blanc (esp Les Cormiers) and SAUMUR-CHAMPIGNY (esp VIEILLES VIGNES, Grand Clos). Top CUVÉES only made in gd vintages. In conversion to organic viticulture.

Château du Cèdre SW Fr r w ★★→★★★ 01' 02 04 06 **08 09** 10 (11) (12').The best-known modern CAHORS. ★★ Best-selling "Le Prestige" quicker-maturing than expensive oaky top growths. Delicious VIOGNIER IGP.

Château Fuissé Burg w ★★→★★★ Substantial producer with some of the best terroirs of POUILLY-FUISSÉ. Esp Les CLOS, Combettes. Also négociant lines.

Château-Grillet N Rhô w ★★ 91' 95' 98' 00' 01' **04'** 05 06' **07' 08 09'** 10' **11** 12 3.

6ha Northern Rhône amphitheatre granite v'yd, own AC. Bought by F Pinault of CH LATOUR (spring 2011), prices jumped. Smooth, more neutral take on VIOGNIER now – subtle, can be big, always drink with food. International elegance the phrase now under B'X influence. Chill lightly, decant.

Château la Nerthe S Rhô r w ★★★ 78' 81' 89' 90' 95' 96' 98' 99' 00 01 **03** 04' **05'** **06'** **07'** **09'** 10' 11 12 V.gd 90ha CHÂTEAUNEUF estate. Sleek, polished-up wines, sadly more hands-off, international lately. Special CUVÉES delicious Cadettes (r), oaked, rich Beauvenir (w). Also runs v. fine TAVEL Prieuré Montézargues, gd-value DOM de la Renjarde CÔTES DU RHÔNE, CH Signac CHUSCLAN.

Châteaumeillant Lo r p ★→★★ DYA. A small, new AC area (90ha), promoted Nov 2010, southwest of Bourges in Georges Sand country. GAMAY and PINOT N for light reds (75%), gris and rosés (25%). Foolishly 100% Pinot N no longer allowed. Look for: Chaillot, Geoffrenet-Morval, Siret-Courtaud.

Chateau Montus SW Fr r w ★★★ 00 01' **02** 04 05' **06** 08 (09) (10) (11) (12') ALAIN BRUMONT's flagship all-TANNAT MADIRAN property. Not for the faint-hearted, and needs substantial ageing. Classy oaked PACHERENC-DU-VIC-BILH (dr sw).

Châteauneuf-du-Pape S Rhô r (w) ★★★ 78' 81' 83 85 88 89' 90' 94 95' 96 98' 99' 00' **01'** **03'** 04' **05'** **06'** 07' **08** 09' 10' 11 12' Nr Avignon, around 45 gd DOMS for best wines (remaining 85 inconsistent to poor). Up to 13 red and white varieties, led by GRENACHE, plus SYRAH, MOURVÈDRE, Counoise. Warm, supple, long-lived, should be fine and pure, but lately too many sweet, heavy (Parker taste). Small, traditional names can be gd value (esp 2010), while prestige old-vine wines (worst are late-harvest, new oak) are too pricey. Whites fresh, fruity, or sturdy; best can age 15 yrs. Top names: CHX DE BEAUCASTEL, Fortia, Gardine, Mont-Redon, LA NERTHE, RAYAS (marvellous), Sixtine, Vaudieu; DOMS de Beaurenard, Bois de Boursan, Bosquet des Papes, LES CAILLOUX, Chante Cigale, Chante Perdrix, CHARBONNIÈRE, Charvin (terroir), Cristia, Font-de-Michelle, Grand Veneur (oak), Marcoux (fantastic VIEILLES VIGNES), Pegaü, Roger Sabon, VIEUX TÉLÉGRAPHE, Henri Bonneau, Clos du Mont-Olivet, CLOS DES PAPES, Clos St-Jean (sip), P Usseglio, Vieux Donjon.

Country soon expected to be the 2nd fastest-growing Champagne market? Nigeria.

Château Pierre-Bise Lo r p w ★★→★★★★ 02 03 04 05' **06** 07' (sw) 08 **09** 10' 11 COTEAUX DU LAYON, incl Chaume, QUARTS DE CHAUME and SAVENNIÈRES, esp CLOS de Grand Beaupréau and ROCHE-AUX-MOINES. V.gd concentrated ANJOU-GAMAY, ANJOU-VILLAGES – both CUVÉE Schist and Spilite, and Anjou Blanc Haut de la Garde. Claude Papin architect of Quarts de Chaume Grand Cru.

Château Rayas S Rhô r w ★★★→★★★★ **78'** 79 81' 85 86 88' 89 **90'** 93 94 **95'** **96'** **98'** **99** **00** **01** **03** **04'** 05' 06' 07' 08 09' 10' 11' 12' Extraordinary, out-of-the-loop, v. traditional 12ha CHÂTEAUNEUF estate. Pale, subtle, deep, complex reds (100% GRENACHE) age superbly. White Rayas (GRENACHE BL, CLAIRETTE) v.gd over 18 yrs+. Gd-value second wine: ***Pignan***. Supreme CH Fonsalette CÔTES DU RHÔNE, incl SYRAH. Decant all. Gd CH des Tours VACQUEYRAS, VIN DE PAYS.

Château Simone Prov r p w ★★ Historic estate outside Aix-en-Provence, where Winston Churchill painted Mont St-Victoire. Same family for over two centuries Virtually synonymous with AC PALETTE. Warming reds; whites to keep 3–4 yrs. Full-bodied rosé. Some rare grape varieties.

Chave, Domaine Jean-Louis N Rhô r w ★★★★ 85' 88' 89' 90' 91' 94 **95'** 96 97 **98'** **99'** 00 **01'** **03'** **04** 05' **06'** 07' **08** 09' 10' 11' 12' Family DOM that keeps the HERMITAGE quality flag flying. Clever, precise blending from best hillside sites. Classy, bountiful, long-lived reds, incl expensive, occasional Cathelin. Note v.gd white (mainly MARSANNE); also marvellous, occasional VIN DE PAILLE. Improving DOM ST-JOSEPH red (incl 6ha+ Dom Florentin 2009 and new v'yds), fruity J-L Chave brand St-Joseph Offerus, sound merchant Hermitage (r w).

Chavignol Lo SANCERRE village with famous steep v'yds Les Monts Damnés and Cul de Beaujeu. Clay-limestone soil gives full-bodied, minerally whites and reds that age 10 yrs (or longer); esp Boulay, BOURGEOIS, Cotat, DAGUENEAU, Thomas Laballe, Yves and Pierre Martin, Paul Thomas. Whites perfect with crottin de Chavignol.

Chénas Beauj r ★★★ 09' 10' 11' **12** Smallest BEAUJOLAIS cru, between MOULIN-À-VENT and JULIÉNAS, less well-known so gd value for meaty wine. Try from: Aufranc, DUBOEUF, LAPIERRE, Piron, Thillardon, Trichard, co-op.

Chevalier-Montrachet C d'O w ★★★★ **99' 00'** 02' 04 05' **06'** 07' 08 09' 10 11 12 Just above MONTRACHET geographically, just below in quality, though still capable of brilliant mineral wines. Long-lived but often accessible early. Special cuvées from JADOT and LATOUR (Les Demoiselles), and BOUCHARD (La Cabotte), but top example is LEFLAIVE. Try also Dancer, Niellon, SAUZET.

Cheverny Lo r p w ★→★★ 06 08 09' 10 11 Loire AC (534ha) nr Chambord. Pungent dry white from SAUV BL and CHARD. Generally light reds mainly GAMAY, PINOT N (also CAB FR, CÔT). Richer, rarer and more age-worthy ***Cour-Cheverny*** (48ha) local Romorantin grape only. Severely hit by frost in April 2012. Esp Cazin, CLOS Tue-Boeuf, Gendrier, Huards, de Montcy Philippe Tessier; DOMS de la Desoucherie, du Moulin, Veilloux, Villemade.

Chevillon, R C d'O r ★★★ Delicious, approachable NUITS-ST-GEORGES with v'yds in the best sites, esp Les St-Georges, Cailles, Vaucrains, Roncières.

Chidaine, François Lo (r) w dr sw sp ★★★ 05' 07 08' **09 10'** 11 Mineral, v. precise MONTLOUIS and VOUVRAY. In 2002, took over historic Vouvray CLOS Baudoin (formerly Prince Poniatowski). Concentrates on dry, DEMI-SEC styles. AC TOURAINE (Chissay, Cher Valley). Biodynamic champion, dynamic leader of MONTLOUIS AC.

Chignin Sav w ★ DYA. Light, soft white from Jacquère grapes for alpine summers. Chignin-Bergeron (with ROUSSANNE grapes) is best and liveliest.

Chinon Lo r p (w) ★★→★★★ 95 96' 97 02 03 05' 06 08 **09' 10'** 11 Large range: light to rich TOURAINE CAB FR, 10% rosé. Top vintages from top growers can age 20 yrs+. Some steely, dry CHENIN BL. Try ALLIET, BAUDRY, BAUDRY-DUTOUR, Couly-Dutheil, Couly (Pierre and Bertrand), Grosbois, JM Raffault; CHX de la Bonnelière, de Coulaine, DOM de la Noblaie. Seven communes west of Chinon to be incl in AC.

Chiroubles Beauj r **09'** 10' 11' 12 Rarely seen BEAUJOLAIS cru in the hills above FLEURIE: fresh, fruity, silky wine for early drinking (1–3 yrs). Growers: Cheysson, DUBOEUF, Fourneau, Métrat, Passot, Raousset, Trenel.

Chorey-lès-Beaune C d'O r (w) ★★ **99' 02'** 05' **06** 07 08 **09' 10'** 11 12 Pleasurable, affordable burgundy adjoining BEAUNE: Since break up of CH de Chorey DOM, Tollot-Beaut is leader. Also Arnoux, Loichet.

Chusclan S Rhô r p w ★→★★ 09' 10' 11' 12' CÔTES DU RHÔNE-VILLAGES; above-average Laudun-Chusclan co-op, incl gd whites. Easy reds, crisp rosés. Best co-op labels (r) Chusclan DOM de l'Olivettte, CÔTES DU RHÔNE Femme de Gicon, LIRAC. Also full CH Signac (can age) and special CUVÉES from ***André Roux***. Drink most young.

Clair, Bruno C d'O r p w ★★★→★★★★ Terrific MARSANNAY estate; major holdings in GEVREY-CHAMBERTIN (esp CLOS de Bèze, Clos St Jacques, Cazetiers), FIXIN, MOREY-ST-DENIS. Note: old-vine SAVIGNY La Dominode and whites, incl CORTON-CHARLEMAGNE.

Clairet B'x Between rosé and red. B'X Clairet is AC. CHX Fontenille, Penin, Turcaud.

Clairette de Bellegarde S Rhô w ★ DYA. Southern Rhône AC nr Nîmes: attractive, crisp, dry white from CLAIRETTE, esp v.gd, stylish Mas Carlot.

Clairette de Die N Rhô w dr s/sw sp ★★ NV Alpine bubbles: flinty or (better) semi-sweet, easy-drinking sparkler. Underrated, sweetly fruited, low-degree MUSCAT sparkling wine from low Alps in east Rhône; or dry Clairette, can age 3–4 yrs. Fun, get-them-talking apéritif. Achard-Vincent, Carod, Poulet et Fils, J-C Raspail.

Clairette du Languedoc L'doc w ★ DYA. V. small white AC, nr Pézenas, from the traditional CLAIRETTE grape. Original identity was soft and creamy; now some oak-ageing and even late-harvest *moelleux* and RANCIO.

Clape, Auguste, Pierre, Olivier N Rhô r (w) ★★★→★★★★ **90'** **95'** 97 98' **99'** 00 **01'** **02** 03' **04'** 05' **06'** 07' 08 09' 10' 11' 12' ***The kings of Cornas.*** Supreme 5ha+ SYRAH central v'yds at CORNAS, many old vines. Profound, fine, backward, v. consistent reds, vivid reminder of an unhurried era, need 6 yrs+. Well-fruited youngish-vines Renaissance. Gd CÔTES DU RHÔNE (r), ST-PÉRAY, VDT (r).

Clape, la L'doc r p w ★★→★★★ New appellation as well as potential cru du L'DOC; *see* COTEAUX DU L'DOC. Warming, spicy reds from sun-soaked hills between Narbonne and the Med. ***Tangy, salty whites*** benefit from maritime influence and age surprisingly well. Gd: CHX ***l'Hospitalet***, Moyau, La Négly, Pech-Céléyran, Pech-Redon, ***Rouquette-sur-Mer***, Ricardelle, Anglès, Mas du Soleila, Camplazens.

Climat Burg Burgundian word for individually named v'yd, eg. MEURSAULT Tesson.

Clos A term carrying some prestige, reserved for distinct (walled) v'yds, often in one ownership (esp Burgundy, CHAMPAGNE, ALSACE).

Clos de Gamot SW Fr r ★★★ 90' 95 98' 00 01' **02'** **04** 05' 06 08 09 (10) (11) (12') The Jouffreau family show how MALBEC should really taste. CAHORS as it was before we were all born. ★★★ Cuvée des Vignes Centenaires (best yrs only) and hilltop ★★★★ CLOS St Jean miraculously survive modern fashions, deer and wild boar.

Clos de la Roche C d'O r ★★★ 90' **93'** **95** **96'** **98** 99' **01** 02' **03** 05' 06 **07** 08 09' 10' 11 12' Arguably the finest GRAND CRU of MOREY-ST-DENIS, with as much grace as power. Needs time. Best: Amiot, ARLAUD, DUJAC, LEROY, LIGNIER, PONSOT, ROUSSEAU.

Clos des Lambrays C d'O r ★★★ **99'** 02 03 05' 06 **07** 09' 10' 11 12' GRAND CRU v'yd (8.8ha) at MOREY-ST-DENIS. A virtual monopoly of the DOM des Lambrays, invigorating wine in an early-picked, spicy, stemmy style – in total contrast to neighbour CLOS DE TART.

Clos des Mouches C d'O r w ★★★ Splendid PREMIER CRU BEAUNE v'yd, largely owned by DROUHIN. Whites and reds, spicy and memorable – and consistent. Little-known v'yds of the same name exist in SANTENAY and MEURSAULT, too.

Clos des Papes S Rhô r w ★★★★ 90' 95 **98'** 99' **00** **01'** **03'** **04'** 05' **06'** 07' 08 09' 10' 11 12' Top 32ha (18 plots) CHÂTEAUNEUF estate of Avril family, v. low yields. Rich, aromatic, complex red, more obviously ripe recently (mainly GRENACHE, MOURVÈDRE, drink at 2–3 yrs or from 8 yrs) and ***great white*** (6 varieties, classy, deserves fine cuisine; 5–18 yrs).

Clos de Tart C d'O r ★★★★ **90'** 96' 99' 01' 02' **03** 05' **06** 07 08' 09 10 11 12' MOREY-ST-DENIS GRAND CRU, upgraded substantially in quality and price on the watch of director Sylvain Pitiot. Often most exciting in less ripe yrs.

Clos de Vougeot C d'O r ★★★ 90' **93'** **96'** **98** 99' **01** **02'** **03'** 05' 06 07 08 09' 10' 11 12' A 50ha CÔTE DE NUITS GRAND CRU, with many owners. Occasionally sublime. Maturity depends on grower's philosophy, technique and position. Top growers: CH de la Tour, DROUHIN, EUGÉNIE, FAIVELEY, GRIVOT, GROS, HUDELOT-Noëllat, JADOT, LEROY, LIGER-BELAIR, MÉO-CAMUZET, MUGNERET, ***Vougeraie***.

Clos du Mesnil Champ KRUG's famous walled v'yd in GRAND CRU Le Mesnil. Esp long-lived, pure CHARD vintage CUVÉES, great yrs such as 92, 95 perfect now and to 2020+.

Clos du Roi C d'O r ★★→★★★ Best v'yd in GRAND CRU CORTON, top PREMIER CRU v'yd in MERCUREY, less so in BEAUNE; special site in MARSANNAY. The king usually chose well.

Clos Rougeard Lo r w (sw) ★★★★ 03 04 **05'** **06** 07 08 09' 10' (11) Small, iconic DOM run by Foucault brothers – impeccable SAUMUR-CHAMPIGNY, great SAUMUR Blanc, luscious COTEAUX DE SAUMUR. Making NATURAL wine before it was fashionable.

Clos St-Denis C d'O r ★★★ 90' **93'** **95** **96'** **98** 99' **01** 02' **03** 05' 06 **07** 08 09' 10' 11 12' GRAND CRU at MOREY-ST-DENIS (6.4ha). Sumptuous wine in youth, growing silky with age. Try from ARLAUD, Bertagna, DUJAC, Jouan, Leroux, PONSOT.

Clos Ste-Hune Al w ★★★★ TRIMBACH wine from GRAND CRU ROSACKER. Greatest RIES in ALSACE (**00'** 02 **04** 06' **08'** 10' 12). V. fine, initially austere; needs 5–10 yrs+.

Clos St-Jacques C d'O r ★★★ **90'** **93** **95'** **96'** **98** 99' **01** 02' **03** 05' 06 07 08 09' 10' 11 12' 6.7ha hillside PREMIER CRU in GEVREY-CHAMBERTIN, with perfect southeast exposure. Five excellent producers: CLAIR, ESMONIN, FOURRIER, JADOT, ROUSSEAU; powerful, velvety reds often ranked above many GRANDS CRUS.

Coche-Dury C d'O r w ★★★★ Superb 11.5ha MEURSAULT DOM led by Jean-François Coche and son Raphaël. Exceptional whites from ALIGOTÉ to CORTON-CHARLEMAGNE and v. pretty reds, too. Hard to find.

Colin C d'O r w ★★★ Leading CHASSAGNE-MONTRACHET and ST-AUBIN family, with the next generation making waves, esp Pierre-Yves C-Morey (outstanding whites) and DOM Marc C. Try also Bruno or Philippe C (sons of Michel C-Deleger).

Collines Rhodaniennes N Rhô r w ★★ Quality Northern Rhône IGP, clear-fruited, granite, hill-based reds v.gd value. Can contain young-vine CÔTE-RÔTIE, also recent v'yds at Seyssuel (deep, expensive). Mainly red, mostly SYRAH (best), also MERLOT, GAMAY, authentic VIOGNIER (best), CHARD. Reds: Bonnefond, L Cheze, J-M Gérin, Jamet (v.gd), Jasmin, Monier, M&S Ogier, S Pichat. Whites: Alexandrins, Barou, Y Cuilleron, F Merlin, Perret (v.gd), G Vernay.

Collioure Rouss r p w ★★ Table-wine twin of BANYULS, with most producers making both. Warm, gutsy red, mainly GRENACHE, from dramatic terraces above the town, overlooking the Med. Also rosé, and white since 2002, based on GRENACHE BLANC. Top: Les Clos de Paulilles, DOMS du Mas Blanc, de la Rectorie, La Tour Vieille, Vial-Magnères, Madeloc, Coume del Mas.

Comté Tolosan SW Fr r p w ★ Mostly DYA IGP found all over the Southwest, ranging from the very ordinary (as an umbrella for smaller IGPs) to luscious, sweet PETIT MANSENG from ★★★ CH de Cabidos, ★★ DOM de Moncaut (JURANÇON in all but name), and groundbreaking ★★ DOM DE RIBONNET.

Condrieu N Rhô w ★★★ 05 08' 09 10' **11'** 12' Full, freesia-scented, apricot/pear-flavoured white from home of VIOGNIER, many granite slopes. Best are mineral-tinted, pure. Rare white to accompany smoked salmon well. 75 growers, quality varies (except v.gd 08, lovely 10, promising 12); oak, sweetness, alcohol can be too much. Best: CHAPOUTIER, Y Cuilleron, DELAS, Gangloff, GUIGAL, F Merlin, Niéro, A Perret, C Pichon, ROSTAING, G Vernay (esp long-lived Coteau de Vernon), F Villard.

Corbières L'doc r (p) (w) ★★→★★★ 05' **06** **07'** **08** 09 10 11 12 Largest AC of the L'DOC, with cru of Boutenac. Wines like the scenery: sun-soaked and rugged. Best: CHX Aiguilloux, de Cabriac, la Baronne, Borde-Rouge, Les CLOS Perdus, Lastours, Ollieux Romanis, Les Palais, Pech-Latt, la Voulte Gasparet, DOMS du Grand Crès, de Fontsainte, Trillol, du Vieux Parc, de Villemajou, Villerouge. Clos de l'Anhel. Co-ops: Camplong, Embrès-et-Castelmaure, Tuchan.

Cornas N Rhô r ★★★ **78'** 83' 85' 88' 89' 90' 91' 94' **95'** 96 97' 98' **99'** 00' **01'** 02 **03'** **04** 05' **06'** **07'** **08** 09' 10' **11'** 12' Exciting Northern Rhône Syrah. Deep, boldly fruited, mineral-lined. Can drink some young, vibrant early fruit, mostly needs to age 5–15 yrs. Stunning 2010. Top: Allemand, Balthazar (traditional), ***Clape*** (benchmark), Colombo (new oak), Courbis (modern), ***Delas***, J & E Durand (early fruit), G Gilles, JABOULET (St-Pierre CUVÉE), Lemenicier, V Paris, Tardieu-Laurent (oak), DOM ***du Tunnel***, Voge (oak).

Corsica/Corse ★→★★ r p w ACS Ajaccio, PATRIMONIO; better crus Coteaux du Cap Corse, Sartène and Calvi. IGP: Île de Beauté. Light, spicy reds from SCIACARELLO; more structured tannic wines from NIELLUCCIO; gd rosés; ***tangy, herbal Vermentino whites***. Top growers: Abbatucci, Antoine Arena, CLOS d'Alzeto, Clos Capitoro, Gentile, Yves Leccia, Montemagni, ***Peraldi***, Vaccelli, Saperale, Fiumicicoli, ***Torraccia***, Canarelli, Pieretti. Original wines that rarely leave the island.

Corton C d'O r (w) ★★★ **90'** **95** 96' **98** 99' **01** 02' **03'** 05' 06 **07** 08 09' 10' 11 12'

The 160ha classified as GRAND CRU is far too much: only a few Corton v'yds ie. CLOS DU ROI, Bressandes, Le Rognet deserve it for weight and structure; others make fair softer reds. DRC involvement since 2009 increased interest. Try d'Ardhuy, BONNEAU DU MARTRAY, CHANDON DE BRIAILLES, DOM des Croix, Dubreuil-Fontaine, FAIVELEY, Camille Giroud, MÉO-CAMUZET, Senard, TOLLOT-BEAUT. Occasional whites eg. HOSPICES DE BEAUNE rarely as interesting as CORTON-CHARLEMAGNE.

Corton-Charlemagne C d'O w ★★★★→★★★★★ **99'** **00'** 02' **03** 04 05' **06** 07' **08** **09** 10' 11 12' Southwest and west upper hill of Corton, plus a band round the top all suited to white wines. Intense minerality and great ageing potential often insufficiently realized. Top growers: BONNEAU DU MARTRAY, COCHE-DURY, FAIVELEY, HOSPICES DE BEAUNE, JADOT, P Javillier, LATOUR, Rapet, Rollin, VOUGERAIE.

Costières de Nîmes S Rhô r p w ★→★★ 07' 09' 10' **11** **12'** Serious quality, stony soil Southern Rhône region, southwest of CHÂTEAUNEUF. Red (GRENACHE, SYRAH mainly): full, dark, spiced, ages 5–8 yrs, gd value. Best: CHX de Campuget, Grande Cassagne, Mas des Bressades (gd fruit), Mas Carlot, Mas Neuf, Mourgues-du-Grès, Nages, d'Or et des Gueules, Roubaud, de la Tuilerie; DOMS Petit Romain, Tardieu-Laurent, du Vieux Relais. Fresh, gd rosés, stylish whites (ROUSSANNE).

Time to take Alsace Pinot N seriously. Could soon be *grand cru* in Hengst, Vorbourg.

Côte Chalonnaise Burg r w sp ★★ Region immediately south of CÔTE D'OR v'yds, lower prices. BOUZERON for ALIGOTÉ, ***Mercurey***, GIVRY for structured reds, interesting whites; RULLY for lighter wines in both colours; MONTAGNY for its leaner CHARD.

Côte de Beaune C d'O r w ★★→★★★★ Used geographically: the southern half of the CÔTE D'OR. Also an AC in its own right, applying to top of hill above BEAUNE itself.

Côte de Beaune-Villages C d'O r ★★ 05' **07** 08 **09'** **10'** 11 12 Red wines from lesser villages of the southern half of the CÔTE D'OR. Rarely exciting and now rarely seen.

Côte de Brouilly Beauj r ★★ **05'** 09' 10' 11' 12 Flanks of the hillside above BROUILLY provide one of the richest BEAUJOLAIS cru. Deserves to be much better-known. Try J-P Brun, L Martray, CH Thivin.

Côte de Nuits C d'O r (w) ★★→★★★★ Northern half of CÔTE D'OR. Mostly red wine.

Côte de Nuits-Villages C d'O r (w) ★★ **02'** **03** **05'** **06** **07** 08 09' **10'** 11 12' A junior AC for extreme north and south ends of CÔTE DE NUITS; well worth investigating for bargains. Single-v'yd versions beginning to appear. Try Ardhuy, Jourdan, Chopin, Gachot-Monot, Loichet

Côte d'Or Burg *Département* name applied to the central and principal Burgundy v'yd slopes: CÔTE DE BEAUNE and CÔTE DE NUITS. Not used on labels exc for BOURGOGNE Côte d'Or AC, arrived in 2012.

Côte Roannaise Lo r p ★★ 09' 10 11 (12) Quality 200 ha AC on lower slopes of the high granite hills west of Roanne; cousin of BEAUJOLAIS. Excellent juicy GAMAY. Producers: Désormière, Fontenay, Giraudon, Paroisse, Plasse, Pothiers, Sérol, Vial. Also white IGP from CHARD and increasingly VIOGNIER.

Côte-Rôtie N Rhô r ★★★→★★★★ **78'** **85'** **88'** **89'** **90'** **91'** **94'** **95'** **98'** **99'** 00 01 **03'** 04 **05'** **06'** **07'** **08** 09' 10' 11 12' Finest Rhône red, mainly SYRAH, splash of VIOGNIER, style can be burgundian. Aromatic, pure, complex, v. fine with age (esp 5–10 yrs+). Glorious 2010. Top: Barge (traditional), Bernard, Bonnefond (oak), Bonserine (GUIGAL-owned), CHAPOUTIER, Clusel-Roch (organic), DELAS, Duclaux, Gaillard (oak), Garon, J-M Gérin (oak), Guigal (long oaking), Jamet (wonderful), Jasmin, M&S Ogier (oak), ROSTAING (fine), J-M Stéphan (organic), VIDAL-FLEURY (La Chatillonne).

Coteaux Bourguignons Burg ★ DYA. New AC from 2011 replacing BOURGOGNE GRAND ORDINAIRE. Mostly reds, GAMAY, PINOT N. Main take-up will be unsaleable basic BEAUJOLAIS that may be reclassified under this sexier name. Rare whites ALIGOTÉ, CHARD, MELON, PINOT BL, PINOT GR.

Coteaux Champenois Champ r (p) w ★★★ (w) DYA. AC for still wines of CHAMPAGNE, eg. BOUZY. Vintages as for Champagne. Better reds with climate change (esp 09). Not likely to replace fizz, though.

Coteaux d'Aix-en-Provence Prov r p w ★★ Sprawling AC from hills north of Aix and on plain around Etang de Berre. Fruit-salad of varieties, both B'X and MIDI. Reds are best, esp from CHX Beaupré, Calissanne, Revelette, les Bastides, la Realtière, les Béates, Bas. *See also* LES BAUX-EN-PROVENCE. But lacks a real identity.

Coteaux d'Ancenis Lo r p w (sw) ★→★★ Generally DYA. AOP – transition region between Nantes and ANJOU. Chiefly for dry, DEMI-SEC and sweet CHENIN BL whites, plus age-worthy ***Malvoisie***; also light reds and rosés, mainly GAMAY, plus CABS FR and SAUV. Esp Athimon et ses Enfants, Guindon, Quarteron.

Coteaux de Chalosse SW Fr r p w ★ DYA. Modest IGP from local grapes, rarely found outside area of production. Co-op (now merged with TURSAN) dominates.

Coteaux de Glanes SW Fr r p ★★ DYA. Easy, gd-value IGP from eight-member co-op in the upper Dordogne. A local bestseller, incl rare Ségalin grape to spike up the MERLOT and GAMAY.

Coteaux de l'Ardèche S Rhô r p (w) ★→★★ Valley area west of Rhône, wide choice, gd value. New DOMS; fresh reds, some oaked; VIOGNIER (eg. Mas de Libian, CHAPOUTIER) and MARSANNE. Best from SYRAH, also GAMAY (often old vines), CAB SAUV (Serret). Burgundy-style Ardèche CHARD by LOUIS LATOUR; Grand Ardèche (older vines, but v. oaked). DOMS du Colombier, J & E Durand, Favette, Flacher, Grangeon, Mazel, Vigier, CH de la Selve.

Coteaux de l'Aubance Lo w sw ★★→★★★★ 89' 90' 95' 96' 97' 02 03 05' **07' 09** 10' 11' Small AC (180ha) for sweet whites from CHENIN BL. Nervier, less rich than COTEAUX DU LAYON except SÉLECTION DES GRAINS NOBLES. Close to Angers, slopes more gentle than in Layon. Often gd value. Esp Bablut, Haute-Perche, Montgilet, CH Princé, Richou, improving Rochelles and Ch la Varière.

Coteaux de Saumur Lo w sw ★★→★★★ 03, 05, 07' 09 **10'** 11 Sweet, hand-picked CHENIN BL. A tradition revived since 1989 – resembles COTEAUX DU LAYON but less rich and more delicate and citric. Esp DOM DES CHAMPS FLEURIS, CLOS ROUGEARD, Régis Neau (DOM de Nerleux), Targe, Vatan (CH de Hureau).

Coteaux des Baronnies S Rhô r p w ★ DYA. Rhône IGP in high hills east of VINSOBRES. SYRAH, CAB SAUV, MERLOT, CHARD, plus GRENACHE, CINSAULT, etc. Simple reds, also fresh VIOGNIER. Note DOMS du Rieu-Frais, Rosière.

Coteaux du Giennois Lo r p w ★→★★ DYA. Small appellation (191ha) north of POUILLY. Scattered v'yds – Cosne to Gien. Light reds hampered by unconvincing statutory blend of GAMAY and PINOT N; SAUV BL like a junior SANCERRE or Pouilly-Fumé and better than the reds. Best: Emile Balland, BOURGEOIS, Catherine & Michel Langlois, Paulat, Treuillet, Villargeau.

Coteaux du Languedoc L'doc r p w★★→★★★ **04 05 06 07 08** 09 10 11 12 A sprawling AC from Narbonne to Nîmes; various sub-divisions. Enormous quality range. Now destined to disappear in 2017, in favour of even larger AC L'DOC (created 2007). Potential new hierarchy of crus, such as GRÈS DE MONTPELLIER, TERRASSES DU LARZAC, PÉZENAS. New estates galore demonstrate exciting potential of the MIDI.

Coteaux du Layon Lo w sw★★→★★★★ **89 90 95 96 97 02 03 05' 07' 09** 10' 11 Heart of ANJOU: sweet CHENIN BL varying considerably in sweetness with admirable acidity, best nearly immortal. Seven villages can add name to AC with Chaume as a PREMIER CRU. Top ACs: BONNEZEAUX, QUARTS DE CHAUME. Growers: Baudouin, BAUMARD, Delesvaux, des Forges, DOM les Grands Vignes, Guegniard, Dom de Juchepie, Ogereau, CH PIERRE-BISE, Pithon-Paillé. 2010 stunning.

Coteaux du Loir Lo r p w dr sw ★→★★★ 05' 07 08 09' **10'** 11 Northern tributary of the Loire, Le Loir is small but dynamic region with Coteaux du Loir and JASNIÈRES. ***Steely, fine, apple-scented Chenin Bl***, GAMAY, increasingly fashionable, peppery

Pineau d'Aunis occasionally sparkling, plus Grolleau (rosé), CAB and Côt. Top growers: Ange Vin, DOM DE BELLIVIERE, Régis Breton, Le Briseau, Fresneau, Gigou, Pascal Janvier, Les Maisons Rouges, de Rycke. 2012 – badly hit by frost, etc.

Coteaux du Lyonnais Beauj r p (w) ★ DYA Junior BEAUJOLAIS. Best *en primeur*.

Coteaux du Quercy SW Fr r p ★ 05' 06 08 09' 10 (11) (12') AOP south of CAHORS. Based on CAB FR; needs food. Independents ★★ DOM du Merchien (IGP), ★ Doms d'Ariès, de Guyot, de Lafage, Lagarde; ★ co-op's gd-value "Bessey de Boissy".

Coteaux du Vendômois Lo r p w ★→★★ DYA.152 ha AC Between Vendôme and Montoire in Le Loir Valley. Most characteristic wines are VIN GRIS from Pineau d'Aunis grape, which also gives peppery notes to red blends alongside CAB FR, PINOT N, GAMAY. Whites are CHENIN BL and CHARD. Producers: Patrice Colin, Four à Chaux, J Martellière, Montrieux, CAVE du Vendôme-Villiers.

Coteaux et Terrasses de Montauban SW Fr r p w IGP ★→★★ DYA Dynamic, locally popular DOM de Montels with huge range of gd-value wines has expanded into CAHORS (DOM Serre de Bovila). Also ★ Dom Biarnès, Mas des Anges.

Coteaux Varois-en-Provence Prov r p w ★→★★ 05' 06 07 08 09 10 11 12 Sandwiched between bigger COTEAUX D'AIX and CÔTES DE PROVENCE. Warming reds, fresh rosés gd potential but lacks a leader. Try CHX la Calisse, Miraval, DOM les Alysses, du Deffends, du Loou, des Chaberts.

Côtes Catalanes Rouss r p w ★★→★★ The best IGP of ROUSSILLON, covering much of area. Exciting source of innovation and investment. Old vines galore GRENACHE and CARIGNAN. DOMS GÉRARD GAUBY, Matassa, La Préceptorie Centernach Casenove, Gauby, Olivier Pithon, Padié, Soulanes, le Soula, Vaquer.

Côtes d'Auvergne Mass C r p (w) ★→★★ Generally DYA. Small, scattered AC (412ha) Mainly GAMAY, though some PINOT N (stupidly blend only allowed) and CHARD Best reds improve 2–3 yrs. Top villages: Boudes, Chanturgue, Châteaugay Madargues (r); Corent (p). Producers: CAVE St-Verny, Maupertuis, Sauvat.

Côtes de Bordeaux B'x ★ New AC launched in 2008 for reds. Embraces and permits cross-blending between CASTILLON, FRANCS, BLAYE and CADILLAC (formerly Premières Côtes de Bordeaux). Growers who want to maintain the identity of a single terroir have stiffer controls but can put Castillon, Cadillac, etc., before Côtes de Bordeaux. BLAYE-CÔTES DE BORDEAUX and FRANCS-CÔTES DE BORDEAUX also produce a little dry white. The CÔTES DE BOURG is not part of the new system.

Côtes de Bourg B'x r w ★→★★ 04 05' 08 09' 10' 11 Solid, sappy reds, a little white from east bank of Gironde. Independent of new CÔTES DE BORDEAUX AC. Top CHX Brûlesécaille, Bujan, Civrac, ***Falfas***, Fougas-Maldoror, Grand-Maison, Haut Guiraud, Haut-Maco, Haut Mondésir, Macay, Mercier, Nodoz, ***Roc de Cambes*** Rousset, Sociondo.

Côtes de Duras SW Fr r p w (sw) ★→★★★ 08 09 10 11 (12') AOP. Renascent area: buzz spreading. Biodynamism propels ★★★ DOMS Mouthes-les-Bihan, Petit Malromé Mont Ramé and Nadine Lussau ahead of ★★ Les Hauts de Riquet, Le Petit CLOS des Vents, Les Cours. Still reliable are ★★ Doms des Allegrets and Laulan, and even the dull old ★ Berticot co-op. ★★★ CH Condom Perceval's sweet still top.

Côtes de Gascogne SW Fr (r) (p) w ★★ DYA IGP. Plausible, easy-drinking, mainly whites in big quantities by powerful exporters ★★ PRODUCTEURS PLAIMONT and Tariquet. Independents with more character: ★★ DOMS d'Arton, Chiroulet Haut-Campagnau, Ménard, Millet, Pellehaut, de San Guilhem. Or ★ CH de Cassagnoles, de Jöy, de Laballe, de Lauroux, de Magnaut, Papolle, St Lannes Sédouprat (esp red CUVÉE Sanglier), Uby. *See also* BRUMONT.

Côtes de Millau SW Fr r p w IGP ★ DYA. Recent revival of once huge v'yd in Tarn Valley by enthusiastic co-op (with a cuvée named after Foster's viaduct) and six serious independents, incl ★ DOM du Vieux Noyer.

Côtes de Montravel SW Fr w sw ★★ 05' 07 09 10 11' (12') Sub-AOP of BERGERAC; hal sweet version of MONTRAVEL, somewhere between the mainstream SEC and the ultra-sw Haut-Montravel. An apéritif style, sadly less popular than it once was.

Côtes de Provence Prov r p w ★→★★★ 05 06 07 08 09 10 11 12 (p w) DYA. Large AC known mainly for rosé; leaping in quality. Satisfying reds and herbal whites. STE-VICTOIRE, Fréjus, La Londe and, most recently, Pierrefeu are subzones. Leaders incl: Castel Roubine, Commanderie de Peyrassol, DOMS Bernarde, de la Courtade, Léoube, ***Gavoty*** (superb), CHX ***d'Esclans***, de Selle and CLOS Mireille, des Planes, Rabiéga, ***Richeaume***, Rimauresq. *See* COTEAUX D'AIX, BANDOL.

Côtes de Thongue L'doc r p w ★★ (p w) DYA. Most dynamic IGP of HÉRAULT. Intriguing blends in preference to single varietals. Reds will age. DOMS Arjolle, les Chemins de Bassac, la Croix Belle, Magellan, Monplézy, des Henrys.

Côtes de Toul Al r p w ★ DYA. V. light wines from Lorraine; mainly VIN GRIS.

Côtes du Brulhois SW Fr r p (w) ★→★★08 09 10 11 (12') Expanding AOP nr Agen, in style between lighter CAHORS and MADIRAN. Reds (called "black") must incl some TANNAT. ★Co-op really does cooperate with independents ★★DOM des Thermes, le Bois de Simon, ★CH la Bastide, DOMS du Pountet, Coujétou-Peyret.

Côtes du Couchois Burg ★→★★ 09' 10' 11 12 Subdistrict of BOURGOGNE Rouge at southern end of CÔTE D'OR v'yds. Powerful reds on tannic side. Best: Alain Hasard.

Côtes du Forez Lo r p (sp) ★→★★ DYA. Exciting, southernmost Loire AC. GAMAY reds and rosés. Les Vignerons Foréziens, Bonnfoy, Gaumon, Guillot, Mondon & Demeure, Real. IGP: CHARD, PINOT GR, ROUSSANNE, VIOGNIER.

Côtes du Jura Jura r p w (sp) ★ DYA Many light tints/tastes. ARBOIS more substantial.

Côtes du Rhône S Rhô r p w ★→★★ 09' 10' 11' 12' Vast area across 170 communes in Southern Rhône. Big split between rising handmade quality and mass-produced. Fruit emphasis a winner in best, esp 11. Mainly GRENACHE, also SYRAH, CARIGNAN. Best drunk young. Vaucluse area top, then GARD (Syrah).

Côtes du Rhône-Villages S Rhô r p w ★→★★ 07' 09' 10' 11' 12' Punchy reds from 7,700ha, incl 18 named Southern Rhône villages. Best have abundant dark fruit, spice; gd-value: core is GRENACHE; SYRAH, MOURVÈDRE support. Improving whites, often incl VIOGNIER, ROUSSANNE, with CLAIRETTE, GRENACHE BLANC: gd with food. *See* CAIRANNE, CHUSCLAN, LAUDUN, ST-GERVAIS, SABLET, SÉGURET, VISAN. New 2005: MASSIF D'UCHAUX (gd), PLAN DE DIEU (robust), PUYMÉRAS, SIGNARGUES, Gadagne (2012, nr Avignon). NB: CHX Fontségune, Signac, DOMS Aphillantes, Aure, Cabotte, Coulange, Grand Moulas, Grand Veneur, Jérome, Montbayon, ***Mourchon***, Rabasse-Charavin, Renjarde, Romarins, Ste-Anne, St Siffrein, Saladin, Valériane, Vieux Chêne, Viret (cosmopolitan), Mas de Libian, CAVE Estézargues, Cave Rasteau.

Côtes du Roussillon Rouss r p w ★→★★05' 06 07' 08 09 10 11 12 East Pyrénées AC, covers v'yds of Pyrénées-Orientales behind Perpignan. Dominated by co-ops, try VIGNERONS Catalans. Warming red best, mostly old-vine CARIGNAN, GRENACHE.

Côtes du Roussillon-Villages Rouss r ★★05 06 07 08 09 10 11 12 28 Villages in best part of region. Dominated by co-ops and VIGNERONS Catalans. Best labels:

The top Côtes du Rhône producers

La Courançonne, Domazan, Fonsalette (beauty), Grand Moulas, Haut-Musiel, Hugues, Montfaucon (w also), St-Estève, Trignon (incl VIOGNIER); co-ops CAIRANNE, Chantecotes (Ste-Cécile-les-Vignes), PUYMÉRAS, RASTEAU, Villedieu (esp w); CAVE Estézargues, DOMS Bramadou, André Brunel, Charvin (terroir), Chaume-Arnaud, Combebelle, Coudoulet de BEAUCASTEL (classy r), Cros de la Mûre (great-value), M Dumarcher, Espigouette, Ferrand, Gourget, Gramenon (biodynamic), Janasse (old GRENACHE), Jaume, Famille Perrin, Manarine, Réméjeanne (w also), Romarins, Rouge-Bleu (organic, clear), Soumade, Vieille Julienne, Vieux Chêne; DUBOEUF, GUIGAL (great value)

DOMS des Chênes, CAZES, ***la Cazenove***, GAUBY (also characterful white IGP), Piquemal, CH de Jau, Mas Crémat, CLOS des Fées, Clot de l'Oum.

Côtes du Tarn SW Fr r p w ★ DYA. IGP that overlaps but is slightly larger than GAILLAC. ★★ DOMS d'en Segur (esp off-dry SAUV BL) and Vignes de Garbasses (Lou Bio range) are surprisingly gd.

Côtes du Vivarais S Rhô r p w ★ **10' 11' 12** Mostly DYA. Almost 500ha spread in hilly Ardèche country west of Montélimar. Definite improvement: quaffable wines based on GRENACHE, SYRAH; some more sturdy, oak-aged reds. Note: Gallety, Mas de Bagnols, Vignerons de Ruoms.

Coulée de Serrant Lo w dr sw ★★★ **95 96 97 98 99 02 03 04 05 07 08 09** 10 11 A 7ha CHENIN BL v'yd at SAVENNIÈRES. High priest of biodynamics, Nicolas Joly's wines have been below par, better now daughter Virginie in charge. Don't chill; decant. Old vintages can be sublime.

Courcel, Domaine de C d'O r ★★★ Leading POMMARD estate, fine floral wines with whole-bunch vinification. Top PREMIERS CRUS Rugiens and Épenots, plus interesting Croix Noires. Wines age well.

Crémant In CHAMPAGNE, meant "creaming" (half-sparkling): now called *demi-mousse/perle*. Since 1975, an AC for quality classic-method sparkling from ALSACE, B'X, BOURGOGNE, Die, Jura, LIMOUX, Loire and Luxembourg.

Crépy Sav w ★★ DYA. Light, soft, Swiss-style white from south shore of Lake Geneva. "Crépitant" has been coined for its faint fizz.

Criots-Bâtard-Montrachet C d'O ★★★ **02'** 04 05 **06 07 08** 09 11 12 Tiniest of the MONTRACHET family, just 1.57ha. Not quite the concentration of full-blown BÂTARD, but pure and sensual at best: try Belland, Blain-GAGNARD, Fontaine G.

Where do young Rhône growers go to polish their skills? Burgundy. So did the wines, until the 1970s.

Crozes-Hermitage N Rhô r w ★★ **05' 06 07 09'** 10' 11' 12 (Big) backyard of HERMITAGE; SYRAH on flatter v'yds. Key word: fun; plain gives early-drinking wines (2–5 yrs). Best (simple CUVÉES) hold black-cherry fruit, tar. Some oaked, gritty techno wines cost more. Top: Belle, Y Chave, CH Curson, Darnaud, DOMS du Colombier, Combier, Dumaine, des Entrefaux (oak), ***A Graillot***, Hauts-Chassis, Lises (fine), Mucyn, du Pavillon-Mercurol, de Thalabert of JABOULET, ***Chapoutier, Delas*** (Tour d'Albon, Le Clos v.gd). Drink white (MARSANNE) early, v.gd 10, 11.

Cuve close Short-cut method of making sparkling wine in a tank. Sparkle dies away in glass much quicker than with *méthode traditionnelle* wine.

Cuvée Wine contained in a *cuve*, or vat. A word of many uses, incl synonym for "blend" and first-press wines (as in CHAMPAGNE). Often just refers to "lot" of wine.

Dagueneau, Didier Lo w ★★★→★★★★ **02 03 04 05' 07 08' 09'** 10 11 (12) Best producer of POUILLY-FUMÉ, world reference for stunningly precise SAUV BL, died in 2008. Impressive son Louis-Benjamin in charge of meticulous winemaking. Top CUVÉES: Pur Sang, Silex and ungrafted, astronomically priced Asteroide. Also SANCERRE – small v'yds in CHAVIGNOL; JURANÇON.

d'Angerville, Marquis C d'O r w ★★★★ Biodynamic superstar in VOLNAY, esp Clos des Ducs (MONOPOLE), Champans and Taillepieds. Quality rising yet further of late. Planning new venture in Jura.

Dauvissat, Vincent Chab w ★★★★ Great CHABLIS; old methods used for idiosyncratic v. long-lived CHABLIS. Cousin of RAVENEAU. Best: La Forest, Séchet, Preuses, Les CLOS.

Degré alcoolique Degrees of alcohol, ie. % by volume.

d'Eguisheim, Cave Vinicole Al r w ★★ V.gd ALSACE co-op for its size. Excellent value: fine GRANDS CRUS Hatschbourg, HENGST, Ollwiller, Spiegel. Owns Willm. Top label: WOLFBERGER. Best: Grande Rés, Sigillé, Armorié. Gd CRÉMANT and PINOT N (esp **09** 10' 11).

Deiss, Domaine Marcel Al r w ★★★ Biodynamic grower at Bergheim. Favours blended wines from individual v'yds, often different varieties co-planted – mixed success. Best wine RIES Schoenenbourg.

Delamotte Champ BRUT; *Blanc de Blancs* (02 04 07 08); CUVÉE Nicholas Delamotte. Fine small CHARD-dominated CHAMPAGNE house at LE MESNIL. V.gd *saignée* Rosé. Managed with SALON by LAURENT-PERRIER; BdeB a sort of poor man's Salon. "Library" stock of old vintages.

Delas Frères N Rhô r p w ★→★★★ Consistent, precise-quality, deep-range Northern Rhône merchant, with CONDRIEU, CROZES-HERMITAGE, CÔTE-RÔTIE, HERMITAGE v'yds. Top wines: Condrieu (CLOS Boucher), Côte-Rôtie Landonne, Hermitage DOM des Tourettes (r), M de la Tourette (w), Les Bessards (red, v. fine, smoky, long life). Whites lighter recently. Owned by ROEDERER.

Demi-sec Half-dry: in practice more like half-sweet (eg. of CHAMPAGNE).

Deutz Champ BRUT Classic NV; Rosé NV; Brut (00 02 04). Top-flight CHARD CUVÉE Amour de Deutz (02 04 08). One of top small CHAMPAGNE houses, ROEDERER-owned. V. dry, classic wines. ***Superb Cuvée William Deutz*** (02' 04 08').

Domaine Bouscassé SW Fr r w ★★★ 00 01 02 04 05' 06 08 09 (10) (11) (12') Where BRUMONT's career in MADIRAN started. Just as beefy as his CH MONTUS. Lovely unoaked PACHERENC.

Domaine (Dom) Property, particularly in Burgundy and rural France. *See* under name, eg. TEMPIER, DOM.

Dom Pérignon Champ Superb 02', gd 03 (against the odds) 04 06 08'; rosé 02 04 06. Luxury CUVÉE of MOËT & CHANDON. Astonishingly ***consistent quality*** and creamy character, esp with 10–15 yrs bottle age; tight when young. Late-disgorged *Oenothèque* releases 96' 88 and magical rosé 90'.

Dopff & Irion Al w ★→★★ 17th-century firm at Riquewihr, now part of PFAFFENHEIM. MUSCAT Les Amandiers, GEWURZ Les Sorcières. Fair quality.

Dopff au Moulin Al w ★★★ Ancient, top-class family producer at Riquewihr. Best: GEWURZ GRANDS CRUS Brand, Sporen (08); RIES SCHOENENBOURG (08' 10' 12); ***Sylvaner de Riquewihr***. Pioneers of Alsace CRÉMANT; gd CUVÉES: Bartholdi, Julien. All wines esp gd in vintages favouring dry wines, a retro trend.

Dourthe, Vins & Vignobles B'x merchant; wide range, quality emphasis. Notably CHX BELGRAVE, LE BOSCQ, LA GARDE. Grand Barrail Lamarzelle Figeac improving ST-ÉMILION. Pey La Tour, ***Dourthe No 1*** are well-made generic B'x, reliable quality.

Drappier, André Champ Outstanding family-run AUBE CHAMPAGNE house. ***Pinot-led NV***, BRUT ZÉRO, Rosé Saignée, Signature BLANC DE BLANCS (02 04), Millésime d'Exception (02 04), superb prestige CUVÉE Grande Sendrée (02 04' 06 09'). Cuvée Quatuor (four *cépages*). Superb older vintages 95 85 82.

DRC C d'O The wine geek's shorthand for DOM DE LA ROMANÉE-CONTI.

Drouhin, J & Cie Burg r w ★★★→★★★★ Deservedly prestigious grower and merchant. Cellars in BEAUNE; v'yds (45ha, all biodynamic) esp in Beaune, CHABLIS. Attractive whites, Beaune ***Clos des Mouches*** and LAGUICHE wines best. Notably fragrant reds from pretty CHOREY-LÈS-BEAUNE to majestic MUSIGNY, GRANDS-ÉCHÉZEAUX etc. Also DDO (Dom Drouhin Oregon), *see* United States.

Duboeuf, Georges Beauj r w ★★→★★★ Most famous name of BEAUJOLAIS, proponent of Nouveau. Huge range of CUVÉES and crus, consistent over many yrs.

Duclot B'x négociant; top-growth specialist. Same owner as PETRUS.

Dugat C d'O r ★★★ Cousins Claude and Bernard (Dugat-Py) make excellent, deep-coloured GEVREY-CHAMBERTIN, respective labels. Tiny volumes, esp GRANDS CRUS, huge prices throughout, esp Dugat-Py.

Dujac, Domaine C d'O r w ★★★→★★★★ MOREY-ST-DENIS grower now with exceptional range of GRANDS CRUS. Lighter colours but intense fruit, smoky, strawberry character from use of stems. Also DOM Triennes in COTEAUX VAROIS.

Dulong B'x merchant. Part of Grands Chais de France.

Dureuil-Janthial Burg r w ★★ Top DOM in RULLY in capable hands of Vincent D-J, ***fresh, punchy whites;*** cheerful, juicy reds. Try Maizières (r w), PREMIER CRU Meix Cadot (w).

Durup, Jean Chab w ★★ Volume CHABLIS producer as DOM de l'Eglantière and CH de Maligny now allied by marriage to Dom Colinot in IRANCY.

Duval-Leroy Champ Dynamic Côte des Blancs CHAMPAGNE house. 200ha of family-owned v'yds; source of gd, crowd-pleasing Fleur de Champagne NV, fine Blanc de CHARD (96 04), and excellent Prestige ***Femme*** (96' 00' 04). New single-village/-v'yd bottlings, esp Authentis Cumières (04 06 09).

Échézeaux C d'O r ★★★ 90' 93 96' 99' 02' 03 05' 06 07 08 09' 10' 11 12' GRAND CRU (37.7ha) next to CLOS DE VOUGEOT. Middling weight, but can have exceptionally intricate flavours and startling persistence. Best from Arnoux, DRC, DUJAC, EUGÉNIE, GRIVOT, GROS, Lamarche, LIGER-BELAIR, MUGNERET-Gibourg, ROUGET.

Ecu, Domaine de l' Lo (r) w dr (sp) ★★★ 95 96 02 03 04 05 06 09' 10' 11 (12) Meticulous biodynamic MUSCADET-SÈVRE-ET-MAINE producer (esp mineral-rich CUVÉE Granite), GROS PLANT, incl sparkling from Gros Plant, plus excellent CAB FR.

Edelzwicker Al w ★ DYA. Blended light white. Delicious CH d'Ittenwiller (10); HUGEL Gentil is tops.

Entraygues et du Fel and Estaing SW Fr r p w ★→★★ DYA. Tiny twin AOPS. Ice-cool whites (zinging CHENIN), zesty reds. ★★ DOM Méjanassère white, Laurent Mousset, (esp La Pauca red; will keep). Richer white (Selves) from ★★ Nicolas Carmarans. Alaux (r) and Fages (w) best Estaing growers.

Entre-Deux-Mers (E-2-M) B'x w ★→★★ DYA. Often gd-value, dry white B'x from between the rivers Garonne and Dordogne. Best CHX BONNET, Castenet Greffier, Fontenille, Landereau, Lestrille, Marjosse, La Mothe du Barry French Kiss, Nardique-la-Gravière, Sainte-Marie, ***Tour de Mirambeau***, Toutigeac, Turcaud.

Esmonin, Domaine Sylvie C d'O r ★★★ Rich, dark wines from fully ripe grapes, esp since 2000. Lots of oak and lots of stems. Notable GEVREY-CHAMBERTIN VIEILLES VIGNES and CLOS ST-JACQUES. Cousin Frédéric has Estournelles St-Jacques.

Eugénie, Domaine C d'O r New owner of former DOM Engel, bought by François Pinault of CH LATOUR in 2006. Now more concentrated wines at higher prices. Hitting its stride from 2008. CLOS VOUGEOT and GRANDS-ÉCHÉZEAUX best.

Faiveley, J Burg r w ★★→★★★★ More grower now than merchant, with big holdings in CÔTE CHALONNAISE plus top v'yds in CHAMBERTIN-CLOS DE BÈZE, CHAMBOLLE-MUSIGNY, CORTON, NUITS and recent acquisitions in MEURSAULT and PULIGNY. Hugely revitalised since 2007. Now very succulent style.

Faller, Théo / Domaine Weinbach Al w ★★★→★★★★ Founded by Capuchin monks in 1612, now run by Catherine Faller and son Theo. Outstanding wines, great complexity, now often drier, esp GRANDS CRUS SCHLOSSBERG (RIES, esp 06' 08 010'), Furstentum (GEWURZ VT 09). Wines of great ***character and elegance***. Esp Cuvée Sainte CatherineSsélection des Grains Noble Gewurz 06' 09 010.

Faugères L'doc r (p) (w) ★→★★ 06 07 08 09' 10 11 12 Leading L'DOC AC, developing a cru: Faugères Terroir de Schiste. Warm, spicy reds from SYRAH, GRENACHE, CARIGNAN, plus MOURVÈDRE, CINSAULT, grown on schist hills; whites are MARSANNE, ROUSSANNE, Rolle. Try: DOMS JEAN-MICHEL ALQUIER, Léon Barral, des Trinités, St Antonin, Ollier-Taillefer, Cébène, Mas d'Alézon. Chenaie, Chaberts, Sarabande.

Fèvre, William Chab w ★★★ Star turn in CHABLIS since HENRIOT purchase in 1998. Biggest owner of GRANDS CRUS. Les CLOS outstanding. No expense spared, priced accordingly, but consistency not guaranteed.

Fiefs Vendéens Lo r p w ★→★★★ Mainly DYA AC. Wines from the Vendée nr Sables d'Olonne, from tourist wines to serious and age-worthy. CHARD, CHENIN BL, SAUV BL, Melon (w), Grolleau Gris, CAB FR, CAB SAUV, GAMAY, Negrette, PINOT N (r p). Producers: Aloha, Coirier, Ch Marie du Fou, Michon/DOM St-Nicolas.

Fitou L'doc r ★★ 06 07' 08 09 10 11 12 Powerful red from schist hills south of Narbonne as well as coastal v'yds. The MIDI's oldest AC for table wine, created in 1948, 11 mths' barrel-ageing and benefits from bottle-age. Gd estates incl: CH de Nouvelles, DOM Bergé-Bertrand, Lérys, Rolland, Maria Fita.

Fixin C d'O r (w) ★★★ 99' 02' 03 05' 06 07 08 09' 10' 11 12' Worthy and undervalued northern neighbour of GEVREY-CHAMBERTIN. Sometimes splendid reds. Best v'yds: CLOS de la Perrière, Clos du Chapitre, Clos Napoléon. Growers: CLAIR, FAIVELEY, Gelin, Guyard, MORTET and revitalized Manoir de la Perrière.

Fleurie Beauj r ★★★ 09' 10' 11' 12 Top BEAUJOLAIS cru for perfumed, strawberry fruit, silky texture to tingle the pleasure centres. Racier from La Madone hillside, richer below. Look for Chapelle des Bois, Chignard, CLOS de la Roilette, Depardon, Desprès, DUBOEUF, CH de Fleurie, Métrat, Sunier, Villa Ponciago, co-op.

Floc de Gascogne SW Fr r w ★ Gascon apéritif based on unfermented grape juice blended with ARMAGNAC. Compare PINEAU DE CHARENTES. Gd with melon.

Fourrier, Jean-Claude C d'O r ★★★ In the hands of Jean-Marie Fourrier, this GEVREY-CHAMBERTIN DOM has reached cult status, pricing of top wines to match. Profound yet succulent reds, esp Combe aux Moines, Clos St Jacques and GRIOTTE-CHAMBERTIN.

Francs-Côtes de Bordeaux B'x r w ★★ 04 05' 08 09' 10' (11) Fringe B'X next to CASTILLON. Previously Côtes de Francs but new AC name from 2008. Mainly red but some white: can be tasty and attractive. Reds can age a little. Top CHX: Charmes-Godard, Francs, Laclaverie, Marsau, Pelan, La Prade, PUYGUERAUD.

Fronsac B'x r ★★→★★★ 00' 01 03 05' 06 08 09' 10' 11 Underrated hilly AC west of ST-ÉMILION; some of the best-value reds in B'X. Top CH: DALEM, ***la Dauphine***, Fontenil, la Grave, Haut-Ballet, Haut-Carles, Mayne-Vieil, ***Moulin-Haut-Laroque***, Richelieu, ***la Rivière***, la Rousselle, Tour du Moulin, les Trois Croix, LA VIEILLE CURE, Villars. *See also* CANON-FRONSAC.

French wine consumption now barely a glass a day. Brits less than half that.

Fronton SW Fr r p ★★ 10 11 12' AOP Négrette grape (almost exclusive to Fronton) yields easy-drinking wines with flavours of cherries, violets, licorice. Perfect with cassoulet. Try ★★ CHX ***Bellevue-la-Forêt***, Caze, du Roc, Plaisance (esp Alabets), DOM Viguerie de Belaygues, ★ chx Baudare, Joliet, ***Bouissel***, Boujac, Roumagnac.

Gagnard C d'O r w ★★★→★★★★ Well-known clan in CHASSAGNE-MONTRACHET. Long-lasting wines, esp Caillerets, BÂTARD from Jean-Noël G; Blain-G and Fontaine G have full range incl rare CRIOTS-BÂTARD and MONTRACHET itself. Gd value by all.

Gaillac SW Fr r p w dr sw sp ★→★★ (r, esp oaked) 08 09 10 11 (12') (w sw) 05' 07' 08 09 10 11' 12' (p w dr) DYA. AOP. Inland hill region with eclectically different wines; exclusively local grape varieties. ★★★ PLAGEOLES, Causse-Marines, de la Ramaye, Peyres-Roses (all biodynamic), L'Enclos des Roses; ★★ DOMS de Brin, La Chanade, d'Escausses, Lamothe, Laubarel, Mas Brunet, Mayragues (biodynamic), Rotier, Sarrabelle, CHX Bourguet (w sw), Palvié (r). Gd all-rounders ★★ Mas Pignou, DOMS Duffau, Larroque.

Garage, vins de B'x (Usually) B'X made on a v. small scale. 1990s phenomenon. Only best remain (GOMERIE, Gracia). VALANDRAUD now mainstream, classified.

Gard, Vin de Pays du L'doc ★ The Gard *département* west of the Rhône estuary gives sound IGP reds, incl: Cévennes, du Pont du Gard. Duché d'Uzès AOP from 2013.

Gauby, Domaine Gérard Rouss r w ★★★ Pioneering ROUSSILLON producer, biodynamic. White IGP CÔTES CATALANES Les Calcinaires; Coume Gineste; red CÔTES DU ROUSSILLON-VILLAGES Muntada; Les Calcinaires VIEILLES VIGNES. Associated with DOM Le Soula. Dessert wine Le Pain du Sucre. Son in father's footsteps developing new CUVÉES. An inspiration to other newcomers.

Gers SW Fr r p w ★ DYA VDP often sold as CÔTES DE GASCOGNE, and indistinguishable.

Gevrey-Chambertin C d'O r ★★★ 90' 96' 98 99' 01 02' 03 05' 06 07 08 09' 10' 1 12' Village containing the great CHAMBERTIN, its GRAND CRU cousins and many othe noble v'yds eg. PREMIERS CRUS Cazetiers, Combe aux Moines, Combottes, CLOS ST JACQUES. Top growers: BACHELET, L BOILLOT, BURGUET, Damoy, DROUHIN, Drouhir Laroze, DUGAT, Dugat-Py, Duroché, ESMONIN, FAIVELEY, FOURRIER, Géantet-Pansio Harmand-Geoffroy, JADOT, LEROY, MORTET, ROSSIGNOL-TRAPET, Roty, ROUSSEAU SÉRAFIN, TRAPET, Varoilles.

Gigondas S Rhô r p ★★→★★★ 78' 89' 90' 95' 98' 99' 00' 01' 03' 04' 05' 06' 07' 0 09' 10' 11 12' Limestone escarpment and stony clay-sand plain on east boundary c Southern Rhône Valley; GRENACHE, plus SYRAH, MOURVÈDRE. Robust, smoky wines best offer fine, clear red fruit. Ace 2010s. More oak in some, esp for US marke higher prices, but genuine local feel in many. Try: CH de Montmirail, St-Cosm (swish wines),CLOS du Joncuas (trad), P Amadieu, DOM Boissan, Bouïssière Brusset, Espiers, Goubert, Gour de Chaulé, Grapillon d'Or, ***les Pallières***, Pesquie ***Raspail-Ay***, Roubine, St Gayan, Santa Duc, ***Famille Perrin***. Heady rosés.

Ginestet B'x Go-ahead B'X négociant. Quality controls for grape suppliers. Principa brands G de Ginestet, Marquis de Chasse, Mascaron.

Girardin, Vincent C d'O r w ★★→★★★ Vincent G the man has left, but Vincer G the business continues as before with same winemaking team for v. soun polished whites and competent reds.

Givry Burg r (w) ★★ 05' 07 08 09' 10' 11 12 Top tip in CÔTE CHALONNAISE for tas reds that can age. Some pretty whites, too. Best: JOBLOT, CLOS Salomon, FAIVELE F Lumpp, THÉNARD.

Gosset Champ Old house founded in 16th century, making complex CHAMPAGNE in vinous style. Now in new premises in Épernay. V.gd CUVÉE Elegance NV Traditional Grand Millésime (02 04 06 08'). Gosset Celebris (02 04 06 08') finest cuvée. Remarkable Celebris Rosé (05 09).

Gouges, Henri C d'O r w ★★★ Grégory Gouges continuing success of previou generation with rich, meaty, long-lasting NUITS-ST-GEORGES from a range of PREMIE CRU v'yds. Try Vaucrains, Les St-Georges, or Chaignots. Interesting white, too.

Grand Cru Means different things in different areas. One of top Burgundy v'yc with its own AC. In ALSACE, one of 51 top v'yds. In ST-ÉMILION, 60% of production St-Émilion Grand Cru, often run-of-the-mill. In the MÉDOC there are five tiers *grands crus classés*. In CHAMPAGNE top villages are *grand cru*. Now a new designatic in Loire for QUARTS DE CHAUME, and an emerging system in LANGUEDOC. Take wi pinch of salt in Provence.

Grande Champagne SW Fr AC of the best area of Cognac. Nothing fizzy about it.

Grande Rue, La C d'O r ★★★ 90' 95 96' 98 00 02' 03 05' 06 07 08 09' 10' 11 1 Narrow strip of GRAND CRU between LA TÂCHE and ROMANÉE-CONTI, if not quite same league or price. MONOPOLE of DOM Lamarche, new generation making stride

Grands-Échézeaux C d'O r ★★★★ 90' 93 95 96' 99' 00 02' 03 05' 06 07 08 0 10' 11 12' Superlative 9ha GRAND CRU next to CLOS DE VOUGEOT, may be more aki to MUSIGNY. Wines not weighty but aromatic. Viz DRC, DROUHIN, EUGÉNIE, GRC Lamarche, Mongeard-MUGNERET.

Grange des Pères, Domaine de la L'doc r w ★★★ IGP Pays l'HÉRAULT. Cult esta neighbouring MAS DE DAUMAS GASSAC, created by Laurent Vaillé for first vintag 1992. Red from SYRAH, MOURVÈDRE, CAB SAUV; white 80% ROUSSANNE, plu MARSANNE, CHARD. Original, stylish wines; well worth seeking out.

Gratien, Alfred and Gratien & Meyer Champ ★★→★★★ BRUT 97' 98 02 04 06 08; Br NV. Superb Prestige CUVÉE Paradis Brut and Rosé (blend of fine yrs). Excelle quirky CHAMPAGNE house, now German-owned. Fine, v. dry, lasting, barre fermented wine, incl ***The Wine Society's house Champagne***. Gratien & Meyer counterpart at SAUMUR. (Gd Cuvée Flamme.)

Graves B'x r w ★→★★ 01 04 05' 06 08 09' 10' 11 Region south of B'X city. Improving, appetizing reds and classic SAUV/SÉM dry whites. Gd value. Top CHX: ARCHAMBEAU, Brondelle, CHANTEGRIVE, ***Clos Floridene***, Crabitey, Ferrande, Fougères, Haura, l'Hospital, Léhoul, Magneau, Rahoul, Respide, ***Respide-Médeville***, St-Robert CUVÉE Poncet Deville, Venus, Vieux Ch Gaubert, Villa Bel Air.

Graves de Vayres B'x r w ★ DYA. Tiny AC within E-2-M zone. Mainly red, drunk locally.

Grès de Montpellier L'doc r p w Recently recognized subzone of AC L'DOC and aspiring cru. Sprawling v'yds in the hills behind Montpellier, incl: St-Georges d'Orques, La Méjanelle, St-Christol, St-Drézery. Try Clavel, Terre Megère, Prose, Grès St Paul, CH de Flaugergues, L'Engarran.

Grignan-les-Adhémar S Rhô r (p) w ★→★★ 09' 10' 11 12 Name-change from Tricastin, provoked by local nuclear-plant troubles 2008–9. Mid-Rhône AC; limited quality spread; best reds hearty, tangy, herbal. Leaders: DOMS de Bonetto-Fabrol, Grangeneuve best (esp VIEILLES VIGNES), de Montine (gd white), St-Luc, CH La Décelle (incl white CÔTES DU RHÔNE).

Griotte-Chambertin C d'O r ★★★★ 90' 95 96' 99' 00 02' 03 05' 06 07 08 09' 10' 11 12' Small GRAND CRU next to CHAMBERTIN. Less weight but brisk red fruit and ageing potential, at least from DUGAT, DROUHIN, FOURRIER, ***Ponsot***.

Grivot, Jean C d'O r w ★★★→★★★★ Huge improvements at this VOSNE-ROMANÉE DOM in the past decade. Superb range topped by GRANDS CRUS CLOS DE VOUGEOT, ÉCHÉZEAUX, RICHEBOURG.

Gros, Domaines C d'O r w ★★★→★★★★ Fine family of VIGNERONS in VOSNE-ROMANÉE with stylish wines from Anne (sumptuous RICHEBOURG), succulent reds from Michel (Clos de Réas), Anne-Françoise (now in BEAUNE) and Gros Frère & Soeur. They all offer value HAUTES-CÔTES DE NUITS, too, and Anne has a stake in L'DOC.

Gros Plant du Pays Nantais Lo w (sp) ★→★★ DYA. AC from GROS PLANT, best (only) crisply citric – great with oysters and other shellfish. Try: Basse Ville, Bossard, Herbauges, Luneau-Papin, de la Preuille. Also sparkling.

Guigal, Ets E N Rhô r w ★★→★★★★ Global-profile grower-merchant: 31ha CÔTE-RÔTIE at heart, plus CONDRIEU, CROZES-HERMITAGE, HERMITAGE, ST-JOSEPH v'yds. Merchant: CONDRIEU, Côte-Rôtie, Crozes-Hermitage, Hermitage and Southern Rhône. Owns DOM de Bonserine, VIDAL-FLEURY (fruit, quality rising). Top Côte-Rôties La Mouline, La Landonne, La Turque (profound, rich, new oak for 42 mths, so atypical); all reds have dense, packed flavours. Standard wines: gd value, consistent, esp led by CÔTES DU RHÔNE red, white, rosé. Top whites: Condrieu La Doriane (oaky), Hermitage.

Hautes-Côtes de Beaune/Nuits C d'O r w ★★ (r) 05' 09' 10 11 12 (w) 09' 10' 11 12 ACS for the villages in the hills behind the CÔTE DE BEAUNE/NUITS. Attractive lighter reds and whites for early drinking. Best whites: Devevey, Montchovet, Naudin-Ferrand, Thevenot-le-Brun. Top reds: Carré, Cornu, Duband, Féry, GROS, Jacob, Jouan, Mazilly, Naudin-Ferrand, Verdet. Also useful large co-op nr BEAUNE.

Haut-Médoc B'x r ★★→★★★ 00' 01 02 03 04 05' 06 08 09' 10' 11 Prime source of minerally, digestible CAB/MERLOT reds. Some variation in soils and wines: sand and gravel in south; heavier clay and gravel in north; sturdier. Need age. Five classed growths (BELGRAVE, CAMENSAC, CANTEMERLE, LA LAGUNE, LA TOUR-CARNET). Other top CHX: D'AGASSAC, Belle-Vue, Lanessan, SÉNÉJAC, SOCIANDO-MALLET. Six top communes (eg. PAUILLAC) have own ACS.

Haut-Montravel SW Fr w sw ★★★ 05' 07' 08 09 10 11' (12') Sweetest of the three MONTRAVEL sub-AOPS of BERGERAC. Less sugary than MONBAZILLAC or SAUSSIGNAC. Ages well. ★★ CH Puy-Servain-Terrement, ★★ DOMS Moulin Caresse, gd-value Libarde.

Haut-Poitou Lo r p w sp ★→★★ Top age 3–4 yrs. AC from CAB SAUV, CAB FR, GAMAY, CHARD, PINOT N, SAUV BL. CAVE du Haut-Poitou is largest producer (60%+; top wines Brizay, La Fuye). Ampelidae IGP wines from 115ha.

Heidsieck, Charles Champ Legendary CHAMPAGNE house, now fine under enlightene new owners. BRUT Rés has ever more vigorous selection; Vintage **00** 02' 04 08 Outstanding ***Blanc des Millénaires*** (95'). *See* also PIPER-HEIDSIECK.

Heidsieck Monopole Champ Once illustrious CHAMPAGNE house. Fair quality. Silve Top (02 04 06 08) best wine.

Hengst Al ALSACE GRAND CRU. Powerful wines. Excels with top GEWURZ from ZIN HUMBRECHT, JOSMEYER; also AUXERROIS, CHASSELAS and PINOT N (latter not *grand cru*).

Henriot Champ BRUT Souverain NV; BLANCS DE BLANCS de CHARD NV; Brut 04 06 08 Brut Rosé 05 06 09. Fine family CHAMPAGNE house. Elegant, fresh, creamy styl Outstanding long-lived prestige CUVÉE Les Enchanteleurs (88' 95' 02 04 08' Also owns BOUCHARD PÈRE & FILS, FÈVRE, Villa Ponciago (BEAUJOLAIS).

Hérault L'doc Largest v'yd *département*: 91,700ha (in 2010), incl FAUGÈRES, ST-CHINIA PIC ST-LOUP, PICPOUL DE PINET, GRÈS DE MONTPELLIER, PÉZENAS, TERRASSES DU LARZAC an L'DOC. Source of IGP Pays l'Hérault encompassing full quality spectrum, fror pioneering and innovative to basic. Also VDT.

Hermitage N Rhô r w ★★★→★★★★ 61' 66' 78' 83' 85' 88 89' 90' 91' 95' 96 9 98' 99' 00 01' 03' 04 05' 06' 07' 09' 10' 11' 12' Legendary "manly" SYRAH fror striking 133ha granite hill on east bank of Rhône. Red, white reward ageing ove 20 yrs+. Full, complex, fascinating white (MARSANNE, some ROUSSANNE) best le for 6–7 yrs+. Best: Belle, CHAPOUTIER, J-L CHAVE, Colombier, DELAS, Desmeure (oak Faurie (pure wines), GUIGAL, Habrard (w), JABOULET, M Sorrel, Tardieu-Laurer (oak). TAIN co-op gd (esp Epsilon, Gambert de Loche).

Hortus, Domaine de l' L'doc r w ★★★ Top L'DOC DOM. Pioneering producer c PIC ST-LOUP, Jean Orliac, now working with son Yves. Stylish white IGP Val d Montferrand; elegant reds Bergerie and oak-aged Grande Rés. Also red CLOS d Prieur in TERRASSES DU LARZAC.

Languedoc has 19,907ha organic vines (from 3,764ha, 2001): 1,199 growers (279

Hospices de Beaune C d'O Spectacular medieval foundation with many fine v'yds holds grand charity auction on 3rd Sunday in Nov, revitalized since 2005 b Christie's auction house. Individuals now buy as well as trade. Standards mor consistent under Roland Masse's stewardship; look for gd-value BEAUNE CUVÉE or expensive GRANDS CRUS, eg. CLOS DE LA ROCHE, CORTON (r), BÂTARD-MONTRACHET (w

Hudelot C d'O r w ★★★ VIGNERON family in CÔTE DE NUITS. New life breathed int H-Noëllat (VOUGEOT), while H-Baillet (CHAMBOLLE) challenging hard. Former mor stylish, latter more punchy.

Huet Lo w ★★★★ 88 89' 90' 95' 96' 97' 02' 03' 05' 06 07 08' 09' 10' VOUVRA biodynamic estate. Anthony Hwang (owner) also has Királyudvar in Tokaji (*se* p.223). Three single v'yds: Le Haut Lieu, Le Mont, CLOS du Bourg. Great agers vintages such as 1919, 21, 24, 47, 59, 89, 90. Also ***pétillant***. CHENIN BL benchmark Noël Pinguet, who ran estate from 1976, left abruptly early 2012. What next?

Hugel & Fils Al r w sw ★★→★★★ Top Alsace house at Riquewihr. Entry-level Gent (EDELSWICKER) is a delicious bargain. Late-harvest wines are often superb, es GEWURZ VENDAGE TARDIVE (05) and RIES SÉLECTION DE GRAINS NOBLES (99 09).

Indication Géographique Protegée/IGP The successor to VDP. No difference i status, only in unhelpful name.

Irancy Burg r (p) ★★ 05' 09' 10 11 12 Light red, made nr CHABLIS from PINOT N an local César. Best v'yds: Palotte, Mazelots. Best growers: ***Colinot***, Richoux, Goiso

Irouléguy SW Fr r p (w) ★→★★★ 05' 06 08 09 10 11' (12') Basque AOP. Increasin production of rosé for hot-weather drinking masks the importance of reds (lik milder MADIRAN but still macho) and rarer whites. ★★★ Ameztia, Arretxea, an ★★ Abotia, Bordathio, Brana, Etchegaraya, Gutizia, Ilarria, Mourguy. Excellen co-op (esp ★★★ Xuri d'Ansa white).

Jaboulet Aîné, Paul N Rhô r p w 19th-century owner-merchant at Tain, sold to Swiss investor early 2006, prices up a lot, wines now tame, international. Once leading maker of HERMITAGE (esp La Chapelle ★★★, quality varies 1990s on), CORNAS St-Pierre, CROZES Thalabert, Roure (sound); merchant of other Rhônes, notably CÔTES DU RHÔNE Parallèle 45, CONDRIEU, VENTOUX, VACQUEYRAS. Whites lack Rhône body; drink most young. Luxury-goods emphasis, incl new v. expensive La Chapelle white.

Jacquart Champ Simplified range from co-op-turned-brand, concentrating on what it does best: PREMIERS CRUS Côte des Blancs CHARD from its member growers. Fine range of Vintage BLANC DE BLANCS 06 05 04 02 targeted at restaurants. Lovely aged Rosé (99). V.gd Prestige BRUT de Nominée.

Jacquesson Champ. A bijou CHAMPAGNE house in Dizy making lovely precise wines. Outstanding single-v'yd Avize Champ Caïn 02' 04 and new ***saignée*** Rosé Terre Rouge (04 05). Corne Bautray, Dizy 02 04 08', and excellent ***numbered NV cuvées*** 728, 730', 731, 732, 733 734, 735, 736.

Jadot, Louis Burg r w p ★★→★★★★ High-performance merchant house across the board with significant v'yd holdings in CÔTE D'OR and expanding fast in MÂCON and BEAUJOLAIS; esp POUILLY FUISSÉ (DOM Ferret) and MOULIN-À-VENT (CH des Jacques, ***Clos du Grand Carquelin***). Mineral whites as gd as structured reds.

Jasnières Lo w dr (sw) ★★→★★★ 02 03 05' 06 07 08' 09' 10 (11) VOUVRAY-like wine (CHENIN BL), both dry and off-dry from a tiny but dynamic v'yd north of Tours on south-facing slopes. Growers: L'Ange Vin, Aubert la Chapelle, DE BELLIVIÈRE, Breton, le Briseau, Gigou, Janvier, les Maisons Rouges, Ryke.

Jobard C d'O r w ★★★ VIGNERON family in MEURSAULT. Top DOMS are Antoine J, esp long-lived Poruzots, Genevrières, Charmes; and Rémi Jobard for immediately classy Meursaults plus reds from MONTHÉLIE and VOLNAY.

Joblot Burg r w ★★★ Outstanding GIVRY DOM with v. high viticultural standards. Try PREMIER CRU La Servoisine in both colours.

Joseph Perrier Champ Excellent smaller CHAMPAGNE house at Châlons with gd v'yds in Marne Valley. Supple, fruity style; top prestige Cuvée Joséphine 02 ★★★★ 04 08'. Improved Cuvée Royale Brut NV with lower *dosage*; Cuvée Royale Blanc de Blancs 02 04; Cuvée Royale Rosé NV; BRUT 02 04 06 08' 09'.

Josmeyer Al w ★★→★★★ Fine, elegant, long-lived, organic dry wines. Superb RIES ***grand cru Hengst*** (06' 08 10'). Also v.gd lesser varieties, esp 10 AUXERROIS. Smart biodynamist, rigorous but realistic.

Juliénas Beauj r ★★★ 05' 09' 10' 11' 12 Rich, hearty BEAUJOLAIS, from surprisingly unfashionable cru. Worth discovering eg. Aufranc, Santé, Michel Tête, Trenel.

Jurançon SW Fr w dr sw ★→★★★ (sw) 97' 03 04' 05' 07' 10 11' (12') (dr) 04' 05' 07 08 09 10' 11' (12') Separate ACS for sweet and dry. All have gd acidity/richness balance. Boutique ★★★★ Jardins de Babylon (DAGUENEAU) in style (and price) of its own. ★★ CH Jolys, DOMS Bellegarde, Bordenave, Castéra, ***Cauhapé***, Lapeyre, Larrédya, de Souch, Thou, Uroulat, ★★ doms Bellauc, Capdevielle, Nigri, Guirardel, CLOS Benguères. ★ Gd-value dry whites from Gan co-op.

Kaefferkopf Al w dr (sw) ★★★ The 51st GRAND CRU of ALSACE at Ammerschwihr. Permitted to make blends as well as varietal wines – possibly not top-drawer.

Kientzler, André Al w sw ★★→★★★ Small, v. fine grower at Ribeauvillé. V.gd RIES from GRANDS CRUS Osterberg and Geisberg (06 08 09 10 11) and lush GEWURZ from *grand cru* Kirchberg (05 09). Rich, aromatic sweet wines.

Kreydenweiss, Marc Al w sw ★★→★★★ Fine biodynamic grower, esp for PINOT GR (v.gd GRAND CRU Moenchberg), PINOT BL, RIES. Top wine: *grand cru* Kastelberg, ages 20 yrs 06 08 10; also fine AUXERROIS Kritt Klevner, gd VENDANGE TARDIVE. Use of oak now more subtle. Gd Ries/Pinot Gr blend Clos du Val d'Eléon. Also in Rhône.

Krug Champ Grande CUVÉE; Vintage 96 98' 00 02; Rosé; Clos du Mesnil

FRANCE

(BLANC DE BLANCS) 92 95' 00 02'; Krug Collection 76' 81 85. Supremely prestigious CHAMPAGNE house. Rich, nutty wines, oak-fermented: superlative quality, soaring price. Vintage BRUT great in 98', a challenging yr. ££££ Clos d'Ambonnay (95' 96 98 00) New code on label gives disgorgement date.

Kuentz-Bas Al w sw ★→★★ Famous grower/merchant at Husseren-les-Châteaux, esp PINOT GR, GEWURZ. Gd VENDANGES TARDIVES, esp successful in 05 09.

Ladoix C d'O r w ★★ 02' 03 05' 07 08 09' 10' 11 12 Village at north end of CÔTE DE BEAUNE, incl some CORTON and CORTON-CHARLEMAGNE. Juicy reds and whites both exuberant and mineral. After yrs in shadow of ALOXE, now undergoing revival in the hands of Chevalier, Loichet, Mallard, Ravaut.

Ladoucette, de Lo (r) (p) w ★★★ 06 08 09 10 11 (12) Largest individual producer of POUILLY-FUMÉ, based at CH de Nozet. Expensive deluxe brand Baron de L. SANCERRE Comte Lafond, La Poussie (v'yd erosion under repair); VOUVRAY Marc Brédif. Owns Albert Pic (CHABLIS).

Lafarge, Michel C d'O r ★★★★ Classic VOLNAY estate run biodynamically by Frédéric L, son of ever-present Michel. Outstanding, long-lived PREMIERS CRUS ***Clos des Chênes***, Caillerets, Clos du Château des Ducs. Also fine BEAUNE and POMMARD.

Lafon, Domaine des Comtes Burg r w ★★★→★★★★ Iconic DOM for great MEURSAULT and MONTRACHET, with red VOLNAY (esp Santenots) equally outstanding. Try separate Mâconnais dom for value. Dominique L also has own label in MEURSAULT.

Champagne: figures to watch

At last, extra figures to look at on labels. It may sound unenticing, but more producers are starting to put disgorgement dates on CHAMPAGNE labels, and this is A Good Thing. BRUNO PAILLARD was first, and is now joined by Philipponnat, JACQUESSON, CHARLES HEIDSIECK, Moutard, BEAUMONT DES CRAYÈRES, KRUG, LANSON; RUINART, MOËT and VEUVE CLICQUOT plan to do the same. It's usually only stated for vintage wines, but is useful information: the wine ages differently after disgorgement, and needs time to round out. So it helps us judge if the wine is at its peak, and thus prevents expensive infanticide.

Laguiche, Marquis de C d'O r w ★★★★ Largest owner of Le MONTRACHET and a fine PREMIER CRU CHASSAGNE, both made by DROUHIN.

Lalande de Pomerol B'x r ★★ 98 00' 01' 04 05' 06 08 09' 10' 11 Northerly neighbour of POMEROL. Similar style but variations with soils and winemaking. New investors and younger generation a bonus. Top CHX: Belles-Graves, BERTINEAU ST-VINCENT, Chambrun, Les Cruzelles, La Fleur de Boüard, Garraud, Grand Ormeau, Jean de Gué, Haut-Chaigneau, Les Hauts-Conseillants, Laborderie-Mondésir, Perron (La Fleur), La Sergue, Siaurac, TOURNEFEUILLE.

Landron (Domaines) Lo w dr sp ★★→★★★ 05 09 10 11 (12) Producer of biodynamic MUSCADET-SÈVRE-ET-MAINE – CUVÉES incl Amphibolite, age-worthy Fief du Breil, Clos de la Carizière and gd sparkling – GROS PLANT/PINOT N. 2012 tiny crop.

Langlois-Château Lo ★★→★★★ Top SAUMUR sparkling (CRÉMANT only) house, BOLLINGER-owned. Also still wines, esp v.gd age-worthy Saumur Blanc VIEILLES VIGNES.

Languedoc r p w General term for the MIDI, and now AC enlarging COTEAUX DU L'DOC to incl MINERVOIS and CORBIÈRES, and also ROUSSILLON. Rules the same as for Coteaux du L'doc, with period for name-changing extended to May 2017. The bottom of the pyramid of Midi ACs. A hierachy of crus and *grands vins* is in the pipeline.

Lanson Champ Black Label NV; Rosé NV; ace BRUT 02' ★★★, 04 06 08'. Improving CHAMPAGNE house, part of LANSON-BCC group. Long-lived luxury brand: Noble CUVÉE as BLANC DE BLANCS, rosé and vintage; pricey but no better than Brut vintage.

New single-v'yd Clos Lanson (07 08 09). New Extra Age (blend of 99 02 03) – Blanc de B esp gd. Bought a biodynamic v'yd in 2011.

Lapierre, Marcel Beauj r ★★★ Cult MORGON DOM run by Mathieu Lapierre, in succession to his late father, pioneer of sulphur-free winemaking in the BEAUJOLAIS. Try also idiosyncratic Raisins Gaulois.

Laroche Chab w ★★ Change of ownership in 2009 for large-scale CHABLIS grower and merchant with interests in south of France, Chile, South Africa. Majority owner now Groupe Jeanjean. Try GRAND CRU Rés de l'Obédiencerie.

Latour, Louis Burg r w ★★→★★★ Famous traditional family merchant making sound whites from CÔTE D'OR v'yds (esp CORTON, CORTON-CHARLEMAGNE), Mâconnais and the ARDÈCHE (all CHARD) and less exciting reds (all PINOT) from CÔTE D'OR and Coteaux du Verdon. Now also owns Henry Fessy in BEAUJOLAIS.

Latour de France Rouss r (w) ★→★★★ Theoretically superior village in CÔTES DU ROUSSILLON-VILLAGES. Esp CLOS de l'Oum, Clos des Fées. Best wines often IGP CÔTES CATALANES. Old vines are inspiring new producers.

Latricières-Chambertin C d'O r ★★★ 90' 93 95 96' 99' 02' 03 05' 06 07 08 09' 10' 11 12' GRAND CRU (7.35ha) next to CHAMBERTIN, rich if not quite as intense. Best from BIZE, Drouhin-Laroze, Duband, FAIVELEY, LEROY, ROSSIGNOL-TRAPET, TRAPET.

Laudun S Rhô r p w ★→★★ 09' 10' 11' 12' Front rank CÔTES DU RHÔNE-VILLAGE, west bank, excellent whites (apéritif and food). Early, clear reds (lots of SYRAH), go-go rosés. Immediate flavours from CHUSCLAN-Laudun co-op. ***Dom Pelaquié*** best, esp stylish white. Also CHX de Bord, Courac, Juliette, Marjolet, St-Maurice, DOM Duseigneur (biodynamic), Prieuré St-Pierre.

Laurent-Perrier Champ V.gd BRUT NV; Rosé NV; Brut 02 04 06 08'. Dynamic family-owned CHAMPAGNE house at Tours-sur-Marne. Fine minerally NV; excellent luxury brands: Grand Siècle la Cuvée Lumière du Millésime (the extra-special version of Grand Siècle: 96 02) Grand Siècle Alexandra Brut Rosé (02). But Ultra Brut fails to impress.

Leflaive, Domaine Burg r w ★★★★ Top biodynamic white burgundy producer at PULIGNY-MONTRACHET with a clutch of GRANDS CRUS, incl Le MONTRACHET and Chevalier. ***Fabulous premiers crus***, such as Pucelles, Combettes, Folatières. MÂCON for value (since 2004).

Leflaive, Olivier C d'O r w ★★→★★★ High-quality négociant at PULIGNY-MONTRACHET, cousin of the above. Reliable wines, mostly white, but drink young. V'yd holdings now expanded with Olivier's share from family DOM.

Leroy, Domaine C d'O r w ★★★★ DOM built around purchase of Noëllat in VOSNE-ROMANÉE in 1988. Extraordinary quality (and prices) from tiny biodynamic yields. Also original Leroy family holdings, Dom d'Auvenay.

Leroy, Maison C d'O r w ★★★★ Burgundy's ultimate NÉGOCIANT-ÉLEVEUR at AUXEY-DURESSES. Small parcels of grand old wines at prices to make you rub your eyes.

L'Étoile Jura w dr (sw) sp ★★ Subregion of the Jura known for stylish whites, incl VIN JAUNE, similar to CH-CHALON; gd sparkling. Top grower Philippe Vandelle.

Liger-Belair C d'O r ★★★→★★★★ Two recently re-established DOMS of high quality. Comte Louis-Michel L-B makes brilliantly ethereal wines in VOSNE-ROMANÉE; cousin Thibault makes plump reds in NUITS-ST-GEORGES. Former now also in Chile.

Lignier C d'O r w ★★→★★★ Family in MOREY-ST-DENIS. Best is Hubert (eg. CLOS DE LA ROCHE), now managed by son Laurent; classy wines from Virgile Lignier-Michelot.

Limoux Rouss r w ★★ AC for great-value sparkling BLANQUETTE DE LIMOUX or better ***Crémant de Limoux***, also unusual *méthode ancestrale*. Oak-aged CHARD, also CHENIN and Mauzac, for white Limoux AC. White a potential cru du L'DOC. Red AC since 2003 based on MERLOT, plus SYRAH, GRENACHE, CABS, CARIGNAN. PINOT N in CRÉMANT and for IGP. Growers: DOMS de Fourn, Laurens, des Martinolles, de Mouscaillo, Rives Blanques, Baron d'Arques.

Lirac S Rhô r p w★★ 05' 07' 09' 10' 11 12' Low-key neighbour of TAVEL. Medium-bodied, spiced red (can age 5 yrs+), impetus from recent CHÂTEAUNEUF-DU-PAPE owners providing better fruit, more style. Reds best, esp DOMS Beaumont, Famille Brechet, Duseigneur, Giraud, Joncier, Lafond Roc-Epine, Lorentine, Maby (Fermade), André Méjan, ***de la Mordorée*** (best), Rocalière, Rocca Maura, R Sabon, CHX Bouchassy, Manissy, Mont-Redon, St-Roch, Ségriès, Mas Isabelle. Whites achieve freshness, body (5 yrs).

Listrac-Médoc H-Méd r★★→★★★ 00' 01 03 05' 06 08 09' 10' 11 Neighbour of MOULIS in the southern MÉDOC. Firm clarets now rounded out with more MERLOT. A little white AC B'X. Best CHX: Cap Léon Veyrin, CLARKE, DUCLUZEAU, FONRÉAUD, Fourcas-Borie, FOURCAS-DUPRÉ, FOURCAS-HOSTEN, Mayne-Lalande, Reverdi, SARANSOT-DUPRÉ.

Long-Depaquit Chab w ★★★ BICHOT-owned CHABLIS DOM, incl flagship GRAND CRU brand La Moutonne.

Lorentz, Gustave Al w ★★→★★★ Grower and merchant at Bergheim. Esp GEWURZ, RIES from GRANDS CRUS Altenberg de Bergheim, Kanzlerberg. As fine for aged DOM as young, volume wines.

Lot SW Fr ★→★★ DYA. Increasingly important IGP used where AOP rules forbid some colours. Ranges from ambitious to gd-value: ★★ DOMS Belmont, Sully, Tour de Belfort, to★ CLOS d'Auxonne. Also white from CAHORS growers.

Loupiac B'x w sw★★ 99' 01' 02 03' 05' 07 09' 10' 11 Faces SAUTERNES across the Garonne River. Lighter and fresher in style. Top CHX: CLOS-Jean, Dauphiné-Rondillon, LOUPIAC-GAUDIET, Noble, DE RICAUD, Les Roques.

Lubéron S Rhô r p w★→★★ 09' 10' 11 12' Hilly, touristy, new-money area, 2,500ha v'yds annex to Southern Rhône. Terroir okay, not great. Too many modish, technical wines. SYRAH emphasis. Many wannabes. Bright star is CH de la Canorgue. Also gd: DOM de la Citadelle, chx Clapier, Edem, Fontvert, O Ravoire, St-Estève de Neri (improving), Tardieu-Laurent (rich, oak), Cellier de Marrenon, Val-Joanis, ***La Vieille Ferme*** (rocking value white).

Lussac-St-Émilion B'x r★★ 00' 01 03 05' 08 09' 10' 11 Lightest of ST-ÉMILION satellites. Co-op the main producer. Top CHX: Barbe Blanche, Bel Air, Bellevue, Courlat, la Grenière, DE LUSSAC, DU LYONNAT, Mayne-Blanc, Le Rival, La Rose-Perrière.

Macération carbonique Traditional fermentation technique: whole bunches of unbroken grapes in a closed vat. Fermentation inside each grape eventually bursts it, giving vivid, fruity, mild wine, not for ageing. Esp in BEAUJOLAIS, though not for the best wines; now much used in MIDI and elsewhere, even CHÂTEAUNEUF.

Mâcon Burg r (p) w DYA. Simple, juicy GAMAY reds and most basic rendition of Mâconnais whites from CHARD.

Mâcon-Villages Burg w★★→★★★ 10' 11 12 Chief appellation for Mâconnais whites. Individual villages may also use their own names, eg. Mâcon-Lugny, -La Roche Vineuse, -Uchizy, etc. Gd choice of quality individual growers now. Try Guillot, Guillot-Broux, LAFON, Maillet, Merlin, Rijckaert, or for value co-ops at Lugny, Prissé and Viré.

Macvin Jura w sw ★★ AC for "traditional" MARC and grape-juice apéritif.

Madiran SW Fr r★★→★★★ 00' 01 02 04 05' 06 08 09 10 (11) (12') Gascon AOP, from easy and fruity to traditional tannic keepers. ★★★ DOMS Berthoumieu, Capmartin, Chapelle Lenclos, CLOS Basté, Labranche-Laffont, Laffitte-Teston and ***Laplace*** yapping at heels of CHX ***Montus*** and BOUSCASSÉ. Also gd: ★★ Barréjat, Crampilh, Damiens, Dou Bernés, Mesté Bertrand. For whites *see* PACHERENC-DU-VIC-BILH.

Mähler-Besse B'x First-class Dutch négociant in B'X. Lots of old vintages. Has share in CH PALMER.

Mailly-Champagne Champ ★★★ Top CHAMPAGNE co-op, all GRAND CRU grapes. Prestige CUVÉE des ***Echansons*** (02' 04) great wine for long ageing. V. refined L'Intemporelle (96 95 99).

Grow old in Gers
France has a new Monument Historique: it's the Pédebernade v'yd in Gers, which is planted with 190-yr-old vines of 20 varieties, incl TANNAT, FER SERVADOU and seven others unknown anywhere else, and now named Pédebernade 1–7. It was probably the sandy soil that kept phylloxera away. The owner hopes to open the v'yd to the public – but the grapes all go to the SAINT MONT co-op. Look for a special CUVÉE in the future.

Maire, Henri Jura r w sw ★→★★ The biggest grower/merchant of Jura wines, with half of the entire AC. Some top wines, many cheerfully commercial. Fun to visit.

Malepère L'doc r ★ DYA. Originally Côtes de la Malepère, now plain Malepère AC, nr LIMOUX, for reds that combine B'X and the MIDI: fresh, with a touch of rusticity. Original drinking, esp CH Guilhem, de Cointes, DOM le Fort.

Mann, Albert Al r w ★→★★★ Top grower at Wettolsheim: rich, elegant wines. V.gd PINOT BL, AUXERROIS, PINOT N and gd range of GRAND CRU wines from SCHLOSSBERG, HENGST, Furstentum and Steingrubler. Immaculate biodynamic v'yds.

Maranges C d'O r (w) ★★ 02' 03' 05' 07 08 09' 10' 11 12 Southernmost AC of CÔTE DE BEAUNE with relatively tannic reds. Gd value from PREMIER CRU. Best growers: Bachelet-Monnot, Contat-Grangé, Chevrot.

Marc Grape skins after pressing; the strong-smelling brandy made from them.

Marcillac SW Fr r p ★★ Characterful AOP from Aveyron: blue-tinged, spicy, soft-fruit wine from FER SERVADOU grape. Equally gd with sausages or strawberries. ★★ DOMS de l'Albinie, du Cros, Costes, Vieux Porche and ★ Carles-Gervas, la Carolie, gd co-op lead the way. Best at 3 yrs old.

Margaux H-Méd r ★★→★★★★ 95 96 98 00' 01 02 04 05' 06 08 09' 10' 11 Large communal AC in the southern MÉDOC famous for its elegant, fragrant style. Once somnolent; now much improved. Top CHX: BRANE-CANTENAC, DAUZAC, FERRIÈRE, GISCOURS, ISSAN, KIRWAN, LASCOMBES, MALESCOT-ST-EXUPÉRY, MARGAUX, PALMER, RAUZAN-SÉGLA, SIRAN, DU TERTRE.

Marionnet, Henry Lo r w ★★→★★★ 09' 10 11 12 Henry and Jean-Sébastien at eastern extremity of TOURAINE, fascinated by grape varieties. Wines incl: SAUV BL (M de Marionnet – gd vintages) and ***Gamay***, esp Première Vendange, Provignage (ungrafted Romorantin vines planted 1850). Ungrafted wines, incl juicy ***Côt*** and mineral CHENIN BL. Small but gd 2012.

Marmande SW Fr r p (w) ★→★★★ (r) 05' 06 08 09 10 11'(12') Blossoming AOP on threshold of Gascony, featuring the rare Abouriou grape, esp from ★★★ cult grower DOM Elian da Ros. Try ★★ ***Ch de Beaulieu***, DOMS Beyssac, Bonnet, Cavenac and CH Lassolle. Co-op improving.

Marque déposée Trademark.

Marsannay C d'O r p (w) ★★→★★★ (r) 05' 09' 10' 11 12' The far north of CÔTE DE NUITS. Easy-to-drink wines of all three colours. Best are reds from gifted producers, eg. Audoin, Bouvier, Charlopin, CLAIR, Fournier, ***Pataille*** and TRAPET. No PREMIERS CRUS yet, but plans afoot. Rosé gd with 1–2 yrs age.

Mas, Domaines Paul L'doc r p w ★★ Big player in the south; 320ha of own estates, controls 800ha nr Pézenas, also Limoux. Mainly IGP. Innovative marketing. Known for Arrogant Frog IGP range; La Forge, Mas des Tannes, Les Vignes de Nicole. Recent purchase of DOM Crès Ricards in TERRASSES DU LARZAC, Martinolles in LIMOUX.

Mas de Daumas Gassac L'doc r p w ★★→★★★ 02 03 04 05 06 07 08 09 10 11 Once-pioneering IGP that set new standards in the MIDI, with CAB-based reds from apparently unique soil. Quality now surpassed by others, eg. neighbouring GRANGE DES PÈRES. Also a perfumed white and super-CUVÉE red Émile Peynaud, rosé Frizant, intriguing sweet wine Vin de Laurence (MUSCAT, SERCIAL).

Massif d'Uchaux S Rhô r ★★ 09' 10' 11 12' Cool, woods-fringed v'yds of Rhôn village with talented growers, decisively fruited wines, not easy to sell. Note: c Saint Estève, DOMS La Cabotte, Chapoton, ***Cros de la Mûre*** (v.gd, gd value), de l Guicharde, Renjarde (sleek fruit).

Mau, Yvon B'x Négociant, now part of Freixenet (Spain). Original Mau famil owners kept CHX Brown (PESSAC-LÉOGNAN; gd buy), Preuillac (MÉDOC; improving).

Maury Rouss r sw ★★→★★★ NV Trending red VDN from ROUSSILLON. GRENACH grown on island of schist in limestone hills. Much recent improvement, es at ***Mas Amiel***. Several new estates, eg. ***Dom of the Bee***; sound co-op. RANCIOS ag beautifully. Red table wines now also AC Maury, SEC to distinguish from *doux*.

Mazis- (or Mazy-) Chambertin C d'O r ★★★ 90' 93 95 96' 99' 02' 03 05' 06 07 0 09' 10' 11 12' Northernmost GRAND CRU (9ha) of GEVREY-CHAMBERTIN, top-class i upper part; ***heavenly wines***. Best from DUGAT-PY, FAIVELEY, HOSPICES DE BEAUNE, LERO Maume, ROUSSEAU.

Mazoyères-Chambertin C d'O *See* CHARMES-CHAMBERTIN.

Méditerranée, Vin de Pays de L'doc Regional IGP from Southern Rhône/PROVENC Quaffable reds, characterful whites: VIOGNIER. Originally Portes de la Méditeranée

Médoc B'x r ★★→★★★ 00' 03 04 05' 06 08 09' 10' 11 AC for reds in the flatte northern part of the Médoc peninsula. Gd if you're selective. Earthy, with MERLO adding flesh. Top CHX: ***Goulée***, GREYSAC, LOUDENNE, Lousteauneuf, LES ORMES-SORBE ***Potensac***, Rollan-de-By (HAUT-CONDISSAS), ***La Tour-de-By***, TOUR HAUT-CAUSSAN.

Meffre, Gabriel S Rhô r w ★★ Big Rhône merchant under BOISSET/Eric Brouss control since 2009. Owns GIGONDAS DOM Longue-Toque. Recent progress toward fruity wines, less big oak. Also bottles, sells small CHÂTEAUNEUF doms. Reliabl Northern Rhône Laurus (new oak) range, esp CROZES-HERMITAGE, ST-JOSEPH.

Mellot, Alphonse Lo r p w ★★→★★★★ 05 06 07 08' 09' 10' 11 (12) V.gd range c SANCERRE (w, esp r) benchmark grower, small yields, biodynamic since 2009 La Moussière (r w), CUVÉE Edmond, Génération XIX (r w), Single-v'yds: Le Demoiselles and En Grands Champs (r), Romains, ***Satellite*** (w). Les Péniten (Côtes de La Charité IGP) CHARD and PINOT N.

Menetou-Salon Lo r p w ★★→★★★ 05 06 07 08 10 11 (12) Growing 465ha AOP adjacen to SANCERRE; similar if lighter whites (SAUV BL) from v'yds on gentler hills. Als some gd reds (PINOT N). Best producers: BOURGEOIS, ***Clement*** (Chatenoy), Gilbe (biodynamic), Jacolin, ***Henry Pellé***, Jean-Max Roger, Teiller, Tour St-Martin.

Méo-Camuzet C d'O r w ★★★★ V. fine DOM in VOSNE-ROMANÉE (note: Brûlées an Cros Parantoux), plus GRANDS CRUS CORTON, CLOS DE VOUGEOT, RICHEBOURG. Also les expensive négociant CUVÉES.

Mercier & Cie Champ BRUT NV, Brut Rosé NV, DEMI-SEC Brut. One of bigges CHAMPAGNE houses at Épernay. Controlled by MOËT & CHANDON. Sold mainly i France. Quality not remarkable. Full-bodied, PINOT N-led CUVÉE Eugene Mercier.

Mercurey Burg r (w) ★★→★★★ 03 05' 09' 10' 11 12 Leading red wine village c CÔTE CHALONNAISE. Gd, middle-rank burgundy, incl improving whites. Try CH d Chamirey, FAIVELEY, M Juillot, Lorenzon, Raquillet, de Suremain.

Mesnil-sur-Oger, Le Champ ★★★★ One of the top Côte des Blancs villages Structured mineral CHARD for long life.

Méthode champenoise Champ Traditional method of putting bubbles int CHAMPAGNE by refermenting wine in its bottle. Outside Champagne regior makers must use terms "classic method" or *méthode traditionnelle*.

Meursault C d'O w (r) ★★★→★★★★ 00' 02' 04 05' 06' 07' 08 09' 10' 11 12 CÔTE D BEAUNE village with some of world's greatest whites: savoury, dry, nutty, mellov Best v'yds: Charmes, Genevrières, Perrières. Also: Goutte d'Or, Meursaul Blagny, Poruzots, Narvaux, Tesson, Tillets. Producers incl: J-M BOILLOT, Boissor Vadot, M BOUZEREAU, ***V Bouzereau***, Boyer-Martenot, CH DE MEURSAULT, COCHE-DUR

Ente, Fichet, ***Javillier***, JOBARD, ***Lafon***, Latour-Labille, Martelet de Cherisey, Matrot, Mikulski, ***P Morey***, PRIEUR, ROULOT. *See also* BLAGNY.

Midi The South of France. Broad term covering L'DOC, ROUSSILLON and even PROVENCE. A melting pot; extremes of quality: level improving with every vintage. Brilliant promise, but of course no guarantee.

Minervois L'doc r (p) (w) br sw ★★ 05' 06 07' 08 09 10 11 12 Hilly AC region; lively characterful reds, esp CHX Bonhomme, Coupe-Roses, la Grave, Oupia, St Jacques d'Albas, La Tour Boisée, Villerembert-Julien, CLOS Centeilles, Borie-de-Maurel, ***Ste Eulalie***, Faiteau; co-ops Peyriac, Pouzols. *See* ST-JEAN DE MINERVOIS. New wines from Burgundian couple GROS and Tollot should raise the bar.

Minervois-La Livinière L'doc r ★★→★★★ Quality village and Cru du L'DOC. Stricter selection and longer ageing than MINERVOIS. Best growers: Abbaye de Tholomies, Borie de Maurel, Combe Blanche, ***Ch de Gourgazaud***, CLOS Centeilles, Laville-Bertrou, ***Château Ste-Eulalie***, DOM l'Ostal Cazes, co-op La Livinière.

Mis en bouteille au château / domaine Bottled at the CH, property, or estate. Note: *dans nos caves* (in our cellars) or *dans la région de production* (in the area of production) are often used but mean little.

Moët & Chandon Champ By far largest CHAMPAGNE house; enlightened leader of v'yd research and development. Owns 1,500ha, often in best sites. Greatly improved BRUT NV, fresher, with less sugared *dosage*. Recent run of grand vintages, esp 92 95 02 04. Impressive DOM PÉRIGNON. Branches across Europe and New World.

The greatest, most complex years in Champagne have the most complex weather.

Mommessin, J Burg r w Family still own CLOS DE TART in MOREY-ST-DENIS but sold BEAUJOLAIS-based merchant business to BOISSET. Speciality CH de Pierreux, BROUILLY.

Monbazillac SW Fr w sw ★★→★★★★ 90' 95' 01' 03' 05' 07' 09 10 11' 12' BERGERAC AOP: some of France's best sweet wines outside SAUTERNES, incl ★★★★ ***Tirecul-la-Gravière.*** ★★★ L'Ancienne Cure, CLOS des Verdots, La Grande Maison and Les Hauts de Caillavel. Try also ★★ CHX de Belingard-Chayne, Ladesvignes, la Rayre, Pécoula, Theulet and the co-op's ***Ch de Monbazillac***.

Mondeuse Sav r ★★ DYA. SAVOIE red grape and wine. Potentially gd, deep-coloured wine. Possibly same as Italy's Refosco. Don't miss a chance, eg. ***G Berlioz***.

Monopole A v'yd that is under single ownership.

Montagne-St-Émilion B'x r ★★ 98 00' 01 03 05' 08 09' 10' 11 Largest and possibly best satellite of ST-ÉMILION. Similar style of wine. Top CHX: Beauséjour, Calon, La Couronne, Croix Beauséjour, Faizeau, La Fleur-Carrère, Haut Bonneau, Maison Blanche, Roudier, Teyssier, ***Vieux Ch St-André***.

Montagny Burg w ★★ 09' 10' 11 12 CÔTE CHALONNAISE village with crisp whites, mostly in hands of CAVE de Buxy and négociants. Top grower: Aladame.

Monthélie C d'O r (w) ★★→★★★ 99' 02' 03' 05' 08 09' 10' 11 12 Up the hill from VOLNAY but a touch more rustic. Best v'yds: Champs Fulliot, Duresses. Best from BOUCHARD PÈRE & FILS, COCHE-DURY, Darviot-Perrin, Florent Garaudet, LAFON, ***Ch de Monthélie*** (Suremain).

Montille, de C d'O r w ★★★ Etienne de M has expanded DOM with purchases in BEAUNE, NUITS-ST-GEORGES and outstanding VOSNE-ROMANÉE Malconsorts. Top whites incl PULIGNY-MONTRACHET Caillerets and from 2012 CHEVALIER-MONTRACHET. Other interests are Deux Montille, négociant white wine venture with sister Alix, and CH de Puligny.

Montlouis Lo w dr sw sp ★★→★★★ 89' 90' 95' 96' 97' 02' 03' 05' 07 08' 09 10' 11 Sister AC to VOUVRAY on south side of Loire, similar range of CHENIN BL wines. 55% sparkling. ***One of the Loire's most exciting ACs.*** Top growers: Berger, CHANSON, CHIDAINE, Delecheneau, Jousset, Les Loges de la Folie, Moyer, Saumon, TAILLE-AUX-LOUPS, Weisskopf.

Montrachet C d'O w ★★★★ 92' 93 95 96' 99 00' 01 02' 04 05' 06 07 08 c 10 11 12 GRAND CRU v'yd (8.01ha) in both PULIGNY- and CHASSAGNE-MONTRACH Potentially the greatest white burgundy: strong, perfumed, intense, dry luscious. Top wines: LAFON, LAGUICHE (DROUHIN), LEFLAIVE, Ramonet, ROMANÉE-CON DOM THÉNARD improving?

Montravel SW Fr p w dr ★★ (r) 05' 06 08 09 10 (11) (12') (w p) DYA. Sub-AOP BERGERAC. New rules specify hefty reds. Best are ★★ DOMS de Bloy, de Krevel, c Jonc Blanc, Laulerie, Masburel, Masmontet, Moulin-Caresse. B'X-style dry whi and rosés ★★ from same and other growers. Sweet whites are CÔTES DE MONTRAV and HAUT-MONTRAVEL, in limited sub-areas.

Moreau Burg r w ★★→★★★ Top-class CHABLIS from ***Dom Christian M*** (try Clos d Hospices) and DOM M-Naudet. Separate Moreau families in CHASSAGNE a SANTENAY also v.gd.

Morey, Domaines C d'O r w ★★★ VIGNERON family in CHASSAGNE-MONTRACHET, e Jean-Marc (Chenevottes), Marc (Virondot), Thomas (fine, mineral Baudine Vincent (Embrazées, plumper style), Michel M-Coffinet (La Romanée). Al Pierre Morey in MEURSAULT, best-known for Perrières and BÂTARD-MONTRACHET.

Morey-St-Denis C d'O r (w) ★★★ 90' 93 96' 98 99' 02' 03 05' 06 07 08 09' 10' 11 Small village; four GRANDS CRUS between GEVREY-CHAMBERTIN to CHAMBOLLE-MUSIGN Glorious wine often overlooked. Amiot, ARLAUD, CLOS DE TART, CLOS DES LAMBRA DUJAC, Jeanniard, LIGNIER, Perrot-Minot, PONSOT, ROUMIER, Taupenot-Merme.

Morgon Beauj r ★★★ 05' 06 09' 10' 11' 12 Firm, tannic BEAUJOLAIS cru, esp fro CÔTE du Py hillside. Becomes meaty with age. Les Charmes is softer for earli drinking. Try Burgaud, Desvignes, Foillard, Gaget, Lafont, LAPIERRE, CH de Piza

Mortet, Denis C d'O r ★★★→★★★★ Arnaud Mortet refined late father's powerf deep-coloured wines: BOURGOGNE Rouge to GRAND CRU CHAMBERTIN. Key win GEVREY-CHAMBERTIN En Champs, PREMIERS CRUS Lavaut St-Jacques and Champeau

Moueix, J-P et Cie B'x r Libourne-based merchant and proprietor named aft legendary founder. Son Christian runs company, his son Edouard increasing prominent. CHX incl: LA FLEUR-PÉTRUS, HOSANNA, Providence, TROTANOY, BELA MONANGE (now incorporating MAGDELAINE since 2012). Distributes PETRUS. Also California (*see* Dominus).

Moulin-à-Vent Beauj r ★★★ 99 03 05' 09' 10' 11' 12 Biggest and potentially be wine of BEAUJOLAIS. Can be powerful, meaty, long-lived; can even taste like fi Rhône or burgundy. Many gd growers, esp CH du Moulin-à-Vent and JADOT's C ***des Jacques***, plus Charvet, Janin, Janodet, LIGER-BELAIR, Merlin. Increasing intere in single-v'yd bottlings.

Moulis H-Méd r ★★→★★★ 00' 01 02 03 04 05' 06 08 09' 10' 11 Tiny inland adjacent to LISTRAC-MÉDOC, with some honest, gd-value wines. Top CHX: Anthon Biston-Brillette, Branas Grand Poujeaux, BRILLETTE, Duplessis, Dutruch Gran Poujeaux, CHASSE-SPLEEN, MAUCAILLOU, POUJEAUX.

Mouton Cadet B'x Biggest-selling red B'X brand (12 million bottles). Same owner MOUTON ROTHSCHILD. Also white, rosé and Rés GRAVES, MÉDOC, ST-ÉMILION, SAUTERNE

Mugneret C d'O r w ★★★ VIGNERON family in VOSNE-ROMANÉE. Dr. Georges M-Gibou best (esp ÉCHÉZEAUX), also Gérard M, Dominique M and returning to form DO Mongeard-M.

Mugnier, J-F C d'O r w ★★★→★★★★ Outstanding grower of CHAMBOLLE-MUSIGNY ***L Amoureuses*** and MUSIGNY at CH de Chambolle. Expect finesse, not blockbuster Style works well with NUITS-ST-GEORGES Clos de la Maréchale (reclaimed in 2004

Mumm, G H & Cie Champ Cordon Rouge NV; Mumm de Cramant NV; Cordo Rouge 98 00 (★★★★) 02' 04 06' Rosé NV. Major grower/merchant, owned b Pernod-Ricard. Marked rise in quality recently, esp in Cuvée R. Lalou 99 ar GRAND CRU Verzenay.

Muré, Clos St-Landelin Al r w ★★→★★★ One of ALSACE's great names; esp fine, full-bodied GRAND CRU ***Vorbourg Ries*** and PINOT GR. The PINOT N CUVÉE "V" (05 09 10 11 12), ripe and vinous, is the region's best. Exceptional 09s across the range.

Muscadet Lo w ★→★★★ DYA. (But *see also* below.) Popular, often delicious bone-dry wine from nr Nantes. Should never be sharp, but always refreshing. Perfect with fish and seafood. Choose a SUR LIE. Best from zonal ACS: MUSCADET-COTEAUX DE LA LOIRE, MUSCADET CÔTES DE GRAND LIEU, MUSCADET-SÈVRE-ET-MAINE. Often v.gd value but many growers struggling financially, not helped by tiny 2012 crop.

Muscadet-Coteaux de la Loire Lo w ★→★★ 09 10 11 (12) Small MUSCADET zone (200ha) east of Nantes (best SUR LIE). Esp Guindon, CH du Ponceau, Quarteron, Les Vignerons de la Noëlle.

Muscadet Côtes de Grand Lieu Lo ★→★★★ 09 10 11 (12) Westerly of MUSCADET's zonal AOP, (300ha) closest to Atlantic. Best are SUR LIE from eg. Eric Chevalier, Choblet (DOM des Herbauges), Malidain. 2012 v. badly hit by frost, etc.

Muscadet-Sèvre-et-Maine Lo ★→★★★ 02 03 05' 06 09' 10 11 (12) Largest and best of MUSCADET's delimited zones. Top: Brégeon, Bonnet-Huteau, Bernard Chereau, Cormerais, Delhommeau, Douillard, DOM DE L'ECU), Gadais, doms la Haute Févrie, Landron, Luneau-Papin, Louis Métaireau, Marc Olivier, Sauvion. Wines from these properties can age beautifully – try 89 or 99. NB New *Crus Communaux* – extra lees-ageing adds extra dimension. Three so far.

Muscat de Frontignan L'doc sw ★★ NV Small AC outside Sète for MUSCAT VDN. Experiments with late-harvest, unfortified and oak-aged IGP wines. Quality steadily improving. Leaders: CHX la Peyrade, de Stony, DOM du Mas Rouge. Delicious with blue cheese.

Muscat de Lunel L'doc sw ★★ NV Tiny AC based on MUSCAT VDN, luscious and sweet. Some experimental late-harvest IGP wines.

Muscat de Mireval L'doc sw ★★ NV Tiny but delicious MUSCAT VDN AC nr Montpellier. A handful of producers.

Muscat de Rivesaltes Rouss sw ★★ NV Sweet, fortified MUSCAT VDN AC wine nr Perpignan. Now a preference for Muscat SEC IGP, but best worth seeking out, from DOM CAZES, CH de Jau, Baixas co-op.

Musigny C d'O r (w) ★★★★(★) 85' 88' 89' 90' 91 93 95 96' 98 99' 01 02' 03 05' 06 07 08 09' 10' 11 12' GRAND CRU in CHAMBOLLE-MUSIGNY (11ha). Can be the most beautiful, if not the most powerful, of all red burgundies. Best growers: DROUHIN, JADOT, LEROY, MUGNIER, PRIEUR, ROUMIER, DE VOGÜÉ, VOUGERAIE.

Nature Unsweetened, esp CHAMPAGNE; no *dosage*. Fine if v. ripe grapes, raw otherwise.

Négociant-éleveur Merchant who "brings up" (ie. matures) the wine.

Nuits-St-Georges C d'O r ★★→★★★★ 90' 93 96' 98 99' 02' 03 05' 06' 07 08 09' 10' 11 12' Important wine town: underrated wines, typically sturdy, tannic, need time. Best v'yds: Cailles, Vaucrains, Les St-Georges in the centre; Boudots, Cras, Murgers nearer VOSNE; various CLOS – des Corvées, des Forêts, de la Maréchale, St-Marc in Prémeaux. Many merchants, growers: Ambroise, L'ARLOT, J Chauvenet, R CHEVILLON, Confuron, ***Faiveley***, GOUGES, GRIVOT, Lechéneaut, LEROY, ***Liger-Belair***, Machard de Gramont, Michelot, MUGNIER, ***Rion***.

Orléans Lo r p w ★ DYA. 90ha AC (in 2006) for white (chiefly CHARD), VIN GRIS, rosé, reds (PINOTS N, esp MEUNIER) from small area around Orléans. NB CLOS St Fiacre.

Orléans-Clery Lo r ★ DYA. 30ha separate AC for for simple CAB FR reds from same zone as AC ORLÉANS. Try Deneufbourg.

Pacherenc du Vic-Bilh SW Fr w dr sw ★★→★★★ AOP for whites of MADIRAN. Drink dry within 4 yrs; keep sweet esp if oaked; ★★★ CHX MONTUS and BOUSCASSÉ, ★★ chx Laffitte-Teston, Mascaaras, DOMS Barréjat, Berthoumieu, Capmartin, Crampilh, Damiens, Labranche-Laffont, Poujo.

Paillard, Bruno Champ Brut Première Cuvée NV; Rosé Première Cuvée; CHARD Rés

Privée, Brut 96' 99 02. New vintage BLANC DE BLANCS 95' 02. Superb Prestige Cuvée Nec-Plus-Ultra (95' 96 02). Youngest CHAMPAGNE house. Refined, v. dry style, esp in long-aged Blanc de Blancs Rés Privée and Nec-Plus-Ultra. Bruno Paillard heads LANSON-BCC and owns CH de Sarrin, PROVENCE.

Palette Prov r p w ★★★ Tiny AC nr Aix-en-Provence. Full reds, fragrant rosés and intriguing whites. Traditional CH SIMONE; more innovative Ch Henri Bonnaud.

Patriarche Burg r w sp ★→★★ One of the bigger BEAUNE-based Burgundy merchants, purchased by Castel in 2011. Main brand is sparkling Kriter.

Patrimonio Cors r p w ★★→★★★ AC Some of the island's finest, from dramatic limestone hills in north CORSICA. Characterful reds from NIELLUCCIO, intriguing whites, even late-harvest, from VERMENTINO. Top growers: Antoine Arena, CLOS de Bernardi, Gentile, Yves Leccia at E Croce, Pastricciola, Montemagni.

Pauillac H-Méd r ★★★→★★★★ 89' 90' 94 95' 96' 98 00' 01 02 03' 04' 05' 06 08' 09' 10' 11 Communal AC in the MÉDOC with three First Growths (LAFITE, LATOUR, MOUTON). Famous for its powerful, long-lived wines, stressing CAB SAUV. Other top CHX: D'ARMAILHAC, CLERC MILON, DUHART-MILON, GRAND-PUY-LACOSTE, LYNCH-BAGES, PICHON-LONGUEVILLE, PICHON-LALANDE, PONTET-CANET.

Pays d'Oc, IGP L'doc r p w ★→★★ Largest IGP, formerly VDP d'Oc, covering the whole of L'DOC-ROUSSILLON with focus on varietal wines. Tremendous recent technical advances. Main producers: Jeanjean, VAL D'ORBIEU, DOMS PAUL MAS, village co-ops, plus many individual growers. Extremes of quality, best innovative and exciting.

Pécharmant SW Fr r ★★→★★★ 01' 04 05' 06 08 09(10) (11) (12') Inner AOP of BERGERAC; iron in soil adds depth. Best: ★★★ ***Ch de Tiregand***, Les Chemins d'Orient, DOM du Haut-Pécharmant, ★★ CH Champarel, CLOS des Côtes, Terre Vieille. Modern style from Dom des Costes. Former stars La Métairie, Dom des Bertranoux, Ch de Biran regaining former form under new owners.

Pernand-Vergelesses C d'O r w ★★★ (r) 99' 02' 03' 05' 06 07 08 09' 10' 11 12 Village next to ALOXE-CORTON containing part of the great CORTON-CHARLEMAGNE and CORTON v'yds. Île des Vergelesses also first rate. Growers: CHANDON DE BRIAILLES, CHANSON, Delarche, Dubreuil-Fontaine, JADOT, LATOUR, Rapet, Rollin.

Perrier-Jouët Champ BRUT NV; Blason de France NV; Blason de France Rosé NV; Brut 02 04 06 08 Historic house at Épernay, one of first to make dry CHAMPAGNE; now best for gd vintage wines and de luxe Belle Epoque (96 98 02' 04) (Rosé 04) in a painted bottle.

Pessac-Léognan B'x r w ★★★→★★★★ 90' 95 96 98 00' 01 02 04 05' 06 08 09' 10' 11 AC created in 1987 for the best part of north GRAVES, incl all the GRANDS CRUS: HAUT-BAILLY, HAUT-BRION, LA MISSION-HAUT-BRION, PAPE-CLÉMENT, DOM DE CHEVALIER, etc. Plump, minerally reds and B'X's finest barrel-fermented dry whites.

Petit Chablis Chab w ★ DYA. Fresh and easy, lighter almost-CHABLIS from outlying v'yds. LA CHABLISIENNE co-op is gd.

Pézenas L'doc r p w ★★ L'DOC subregion from v'yds around Molière's town, and aspiring Cru du L'DOC. Try: Prieuré de St-Jean-de-Bébian, DOMS du Conte des Floris, des Aurelles, Stella Nova, Monplézy, Trinités.

Pfaffenheim Al ★→★★ Respectable ALSACE co-op. Reliable wines.

Climate change in Alsace means drier Rieslings. Less sulphur, fewer headaches.

Pfersigberg Al GRAND CRU in two parcels; v. aromatic wines. GEWURZ does v. well. RIES, esp Paul Ginglinger, Bruno Sorg, LÉON BEYER Comtes d'Eguisheim. Top grower: KUENTZ-BAS.

Philipponnat Champ NV; Rosé NV; BRUT 99 02 CUVÉE 1522 02; CLOS des Goisses 85' 92 95 96 99 02 04. Small house known for well-structured wines, now owned by LANSON-BCC group. Remarkable single-v'yd ***Clos des Goisses*** on a roll.

Picpoul de Pinet L'doc w ★→★★ DYA. The MUSCADET of the MIDI. New AC, potential

Grand Vin du L'DOC, from old variety Picpoul. Best growers: St Martin de la Garrigue, Félines-Jourdan, co-ops POMEROLS and Pinet. Perfect ***with an oyster***.

Pic St-Loup L'doc r (p) ★★→★★★ 05 06 07 08 09 10 11 12 One of northernmost L'DOC v'yds, based on SYRAH, and in line for Cru du L'doc status. Growers: Cazeneuve, Clos Marie, de Lancyre, Lascaux, Mas Bruguière, DOM DE L'HORTUS, Valflaunès. Numerous newcomers. Some of the MIDI's best: stylish and long-lasting. Whites are IGP or COTEAUX DU L'DOC.

Pierrevert Prov r p w ★ Formerly Coteaux de Pierrevert. Cool, high area for easy-drinking wines nr Manosque. Off the beaten track. DOM la Blaque, CHX Régusse, Rousset. AC since 1998.

Pignier Jura r w sw sp ★★→★★★★ Two biodynamic brothers, at hilltop village Montaigu. Eclectic wines, incl Poulsard, Trousseau, PINOT N, SAVAGNIN. Excellent CRÉMANT de Jura, great VIN JAUNE (99') and *vin de liqueur* François Pignier.

Pineau des Charentes SW Fr Strong, sweet apéritif: white grape juice and Cognac.

Pinon, François Lo w sw sp ★★★ 89 90 95 96 97 02 03 04 05 08 09 10' 11 Excellent organic producer of v. pure VOUVRAY in all its expressions, incl a v.gd *pétillant*.

Piper-Heidsieck Champ CHAMPAGNE house now with gd new owner. Much Improved BRUT NV and fruit-driven Brut Rosé Sauvage 04; Brut 00 02 04. V.gd CUVÉE Sublime DEMI-SEC, rich yet balanced. Piper-Heidsieck Rare (esp 99 02' 04) is one of Champagne's best-kept secrets.

Plageoles, Robert and Bernard SW Fr r w sp One-off DOM promoting the lost varieties of GAILLAC, proving that tradition equals innovation. Ondenc makes the fantastic ★★★★ ***Vin d'Autan***, ★★★ Prunelard (a deep, fruity red), Verdanel (dry white of unusual personality), Duras (spicy red) and a sparkling Mauzac NATURE.

Plan de Dieu S Rhô r ★→★★ 09' 10' 11 12 Vast, stony, windy-plain Rhône village nr CAIRANNE. Heady, robust, authentic, mainly GRENACHE wines. Best: CH la Courançonne, DOMS Aphillantes, Arnesque, Durieu, Espigouette, Martin, Pasquiers, St-Pierre (gd trad), Vieux-Chêne.

Pol Roger Champ BRUT White Foil renamed Brut Rés NV; Brut 96' 98 99 00 02'; Rosé 02; Blanc de Chard 02 04, family-owned Épernay house now with vines in AVIZE joining 85ha of family v'yds. V. fine, floral NV, new ***Pure Brut*** (*zero dosage*) great with seafood. Sumptuous Cuvée Sir Winston Churchill (96' 02). Always a reliable bet.

Pomerol B'x r ★★★→★★★★ 90' 94 95 96 98' 00' 01 04 05' 06' 08 09' 10' 11 Tiny AC bordering ST-ÉMILION but no limestone; only clay, gravel, sand. Famed MERLOT-dominated, rich, unctuous style. Top estates: LA CONSEILLANTE, L'ÉGLISE-CLINET, L'ÉVANGILE, LA FLEUR-PÉTRUS, HOSANNA, LAFLEUR, PETRUS, LE PIN, TROTANOY, VIEUX-CH-CERTAN. No classification and manages v. well without one.

Pommard C d'O r ★★★ 90' 96' 98 99' 02' 03 05' 06 07 08 09' 10' 11 12 Potent, tannic wines to age 10 yrs+. Best v'yds: Rugiens for power, Épenots for grace. Growers: COMTE ARMAND, J-M BOILLOT, COURCEL, HOSPICES DE BEAUNE, Huber-Vedereau, Lejeune, DE MONTILLE, Parent, CH de Pommard, Pothier-Rieusset.

Pommery Champ BRUT NV; Rosé NV; Brut 00 02 04 Historic house; brand now owned by VRANKEN. Outstanding ***Cuvée Louise*** (90' 02 04) and supple wintertime BLANC DE NOIRS.

Ponsot C d'O r w ★★→★★★★ Idiosyncratic, top-quality MOREY-ST-DENIS DOM now with 12 GRANDS CRUS, from CORTON to CHAMBERTIN but esp CLOS DE LA ROCHE and CLOS ST-DENIS. Top marks to Laurent Ponsot for fighting fraudulent bottles.

Potel, Nicolas C d'O r w ★★→★★★ Brand belonging to Cottin Frères (Labouré Roi), but since 2009 without eponymous Nicolas, who now has own businesses, DOM de Bellene and Maison Roche de Bellene in BEAUNE.

Pouilly-Fuissé Burg w ★★→★★★ 05' 06 07 08 09' 10' 11 12 Top AC of MÂCON region now exploring PREMIER CRU classification of terroirs; wines from Chaintré softest, Fuissé most powerful, Vergisson for minerality. Top names: Barrauc de Beauregard, Cornin, Ferret, Forest, CH DE FUISSE, Merlin, Ch des Rontets Saumaize, VERGET.

Pouilly-Fumé Lo w ★→★★★ 05' 07 08 09' 10 11 (12) Across-river neighbour c SANCERRE, similar wines; best round and full-flavoured. Top CUVÉES can improv 5–6 yrs. Growers: Bain, BOURGEOIS, Cailbourdin, Chatelain, DIDIER DAGUENEAU Serge Dagueneau & Filles, CH de Favray, Edmond and André Figeat, Masson Blondelet, Jean Pabiot, Jonathan Pabiot, Redde, Tabordet, Ch de Tracy, Treuillet

Pouilly-Loché Burg w ★★ 09' 10' 11 12 Usually sold as POUILLY-VINZELLES. Clos de Rocs, Tripoz, Bret Bros gd, co-op dominant for volume.

Pouilly-sur-Loire Lo w ★ DYA. Historic but non-aromatic, CHASSELAS wine fron same v'yds as POUILLY-FUMÉ. Only 30ha in production. Best: Serge Dagueneau & Filles, Landrat-Guyollot, Jonathan Pabiot, Redde.

Pouilly-Vinzelles Burg w ★★ 09' 10' 11 12 Superior neighbour to POUILLY-LOCHÉ. Bes v'yd: Les Quarts. Best producers incl: Bret Bros, Valette. Volume from CAVE de GRANDS CRUS Blancs.

Premier Cru First Growth in B'X; second rank of v'yds (after GRAND CRU) in Burgundy New second rank in Loire: one so far, COTEAUX DU LAYON Chaume – expec legal challenges.

Premières Côtes de Bordeaux B'x w sw ★→★★ 07 09' 10' 11 Same zone as CADILLAC CÔTES DE BORDEAUX but for sweet white wines only. Gently sweet rather thar full-blown, noble-rotted liquoreux. Quality varies. Best CHX: Crabitan-Bellevue Fayau, du Juge, Suau.

Premium premiers
Burgundy has over 600 PREMIER CRU v'yds, by no means all equal. Anything called Caillerets, indicating "little stones", will be top-class, be it CHASSAGNE, PULIGNY, or VOLNAY. Perrières (bigger stones; Puligny, MEURSAULT, BEAUNE, NUITS-ST-GEORGES, GEVREY) is pretty gd, too, while Charmes (Meursault, CHAMBOLLE and elsewhere) makes engagingly plump wines. V'yds called Cras offer a more mineral style. It's a gd sign if the king or the duke or the Church were involved: look for CLOS DU ROI, Clos des Ducs, CLOS ST-JACQUES.

Prieur, Domaine Jacques C d'O ★★★ MEURSAULT estate with exceptional range o GRANDS CRUS from MONTRACHET to MUSIGNY. Style aims at weight more than finesse

Primeur "Early" wine for refreshment and uplift; esp from BEAUJOLAIS; VDP, too. Wine sold *en primeur* is still in barrel, for delivery when bottled. Caution: only buy from reputable companies.

Producteurs Plaimont SW Fr Brilliant co-op goes from strength to strength, straddling three appellations: MADIRAN, ST MONT and CÔTES DE GASCOGNE. Uses only authentic Gascon grapes. Huge range, all colours, mostly ★★, all tastes and purses.

Propriétaire récoltant Owner-operator, literally owner-harvester.

Provence *See* CÔTES DE PROVENCE, CASSIS, BANDOL, PALETTE, LES BAUX-EN-PROVENCE, BOUCHES-DU-RHÔNE, PIERREVERT, COTEAUX D'AIX-EN-PROVENCE, COTEAUX VAROIS-EN-PROVENCE.

Puisseguin St-Émilion B'x r ★★ 00' 01 03 05' 08 09' 10' 11 Satellite neighbour of ST-ÉMILION; wines firm and solid. Top CHX: Bel Air, Branda, Durand-Laplagne, Fongaban, Guibot la Fourvieille, DES LAURETS, La Mauriane, Soleil. Also Roc de Puisseguin from co-op.

Puligny-Montrachet C d'O (r) w ★★★→★★★★ 02' 04 05' 06 07 08 09' 10' 11 12 Smaller neighbour of CHASSAGNE-MONTRACHET: potentially even finer, more vital, floral and complex wine (though apparent finesse can signal overproduction).

V'yds: BÂTARD-MONTRACHET, BIENVENUES-BÂTARD MONTRACHET, Caillerets, CHEVALIER-MONTRACHET, Combettes, Folatières, MONTRACHET, Pucelles. Producers: J-M BOILLOT, BOUCHARD PÈRE & FILS, CARILLON, CH de Puligny, Chavy, DROUHIN, JADOT, LATOUR, DOM LEFLAIVE, O LEFLAIVE, Pernot, SAUZET.

uyméras S Rhô r w ★ 10' 11' 12' Respectable, low-profile Southern Rhône village, lofty v'yds, straightforward reds, sound whites, decent co-op. Try CAVE la Comtadine, DOM du Faucon Doré, Puy du Maupas.

yrénées-Atlantiques SW Fr DYA. IGP for wines not qualifying for local AOPS in the far southwest. Esp ★★★ CH Cabidos (superb PETIT MANSENG w sw), ★★ DOM Moncaut and ★ BRUMONT varietals. To watch.

uarts de Chaume Lo w sw ★★★→★★★★ 89' 90' 95' 96' 97' 02 03 04 05' 07' 09 10' 11' Tiny, exposed slopes close to Layon devoted to CHENIN BL. Loire's first GRAND CRU: v. strict rules. Esp Baudouin, BAUMARD, Bellerive, FL, Yves Guegniard, CH PIERRE-BISE, Pithon-Paillé, Suronde.

uatourze L'doc r (p) w ★★ DYA. Tiny potential Grand Vin du L'DOC by Narbonne. Almost single-handed: CH Notre Dame du Quatourze.

uincy Lo w ★→★★ Drink within 3 yrs. Small AOP (255ha) on gravel west of Bourges in Cher Valley. Citric, quite SANCERRE-style SAUV BL. Hail-prone. Growers: Mardon, Portier, Rouzé, Siret-Courtaud, Tatin-Wilk (DOMS Ballandors, Tremblay).

ancio Rouss The most original, lingering and delicious style of VDN, reminiscent of Tawny Port, in BANYULS, MAURY, RIVESALTES, RASTEAU, wood-aged and exposed to oxygen and heat. Same flavour (pungent, tangy) is a fault in table wine.

angen Al Most southerly GRAND CRU of ALSACE at Thann. Extremely steep (average 90%) slopes, volcanic soils. Top wines: powerful RIES and PINOT GR from ZIND-HUMBRECHT (Clos St Urbain 00' 05 09') and SCHOFFIT (St Theobald).

asteau S Rhô r (p) (w) br (dr) sw ★★ 07' 09' 10' 11 12' Promoted to own red wine appellation since 2009. Big-flavoured, potent reds, mainly GRENACHE, esp Beaurenard, ***Cave des Vignerons*** (gd), CH du Trignon, DOMS Beau Mistral, Didier Charavin, Collière, Coteaux des Travers, Escaravailles, Girasols, Gourt de Mautens (IGP wines from 2010), Grand Nicolet, Rabasse-Charavin, Soumade, St Gayan, Famille Perrin. Grenache dessert wine VDN quality on rise (doms Banquettes, Coteaux des Travers, Escaravailles, Trapadis).

atafia de Champagne Champ Sweet apéritif made in CHAMPAGNE of 67% grape juice and 33% brandy. Not unlike PINEAU DES CHARENTES.

aveneau Chab w ★★★★ Great CHABLIS producer using old methods for ***extraordinary long-lived wines.*** Cousin of DAUVISSAT. Vaillons, Blanchots, Les CLOS best.

gnié Beauj r ★★ 09' 10 11' 12 The most recently promoted and often the lightest of the BEAUJOLAIS crus. Sandy soil gives easy, fruity wines. Try Burgaud, DOMS de la Plaigne, Rochette, Sunier.

uilly Lo r p w ★→★★★ 05' 08 09' 10 11 (12) Small, improving AC (186ha) west of Bourges for SAUV BL whites, plus rosés and ***Vin Gris*** made from PINOT N and/or PINOT GR as well as reds from Pinot N. Best: Jamain, Claude Lafond, Mardon, Rouze, Sorbe. 2012 frosted.

bonnet, Domaine de SW Fr r p w ★★ Heretic Christian Gerber (godfather to the IGP ARIÈGE) uses grape varieties from all over Europe to make fascinating varietals and blends in all colours.

ceys, Rosé des Champ p ★★★ DYA. Minute AC in AUBE for a notable PINOT N rosé. Principal producers: ***A Bonnet***, Jacques Defrance.

chebourg C d'O r ★★★★ 90' 93' 95 96' 98 99' 00 02' 03 05' 06 07 08 09' 10' 11 12' VOSNE-ROMANÉE GRAND CRU. 8ha. Fabulous, magical burgundy; vastly expensive. Growers: DRC, GRIVOT, GROS, HUDELOT-Noëllat, LEROY, LIGER-BELAIR, MÉO-CAMUZET.

mage Rouss Increasingly fashionable trend for a vintage VDN. Super-fruity for drinking young. Think gd Ruby Port.

Rion, Patrice C d'O r ★★★ Prémeaux-based DOM with excellent NUITS-ST-GEORG holdings, esp CLOS des Argillières, Clos St-Marc and CHAMBOLLE. Note also Dor Daniel R in Prémeaux, B & A Rion in VOSNE-ROMANÉE.

Rivesaltes Rouss r w br dr sw ★★ NV. Fortified wine, nr Perpignan. Strugglin but worthwhile tradition. Top: DOM CAZES, CH de Jau, Sarda-Malet, des Schiste Vaquer. The best delicious and original, esp old RANCIOS. *See* MUSCAT DE RIVESALTE

Roche-aux-Moines, La Lo w sw ★★→★★★ 89' 90' 95' 96' 97' 99 02 03 05' 0 07 08' 09 10' 11 A 33ha cru of SAVENNIÈRES, ANJOU. New strict rules. Potential powerful, intensely minerally wine. Growers incl: Le Clos de la Bergerie (Joly DOM des Forges, FL, Damien Laureau, CH PIERRE-BISE.

Roederer, Louis Champ BRUT Premier NV; Rich NV; Brut 00 02' 04 05; BLANC I BLANCS 97 99 00 02 04; Brut Rosé 06' 07 Top-drawer family-owned house wi enviable 230ha estate of top v'yds. Magnificent Cristal (can be greatest of a prestige CUVÉES, viz 88' 90' 95 02' 04) and Cristal Rosé (96' 02' 04 05). Br Nature project shelved for the moment. Also owns DEUTZ, DELAS, CHX DE PE PICHON-LALANDE. *See also* California.

Rolland, Michel B'x Ubiquitous and fashionable consultant winemaker and MERL specialist working in B'X and worldwide, favouring super-ripe flavours a recommended by Robert Parker, Jr.

Rolly Gassmann Al w sw ★★ Distinguished grower at Rorschwihr, esp fro Moenchreben. Off-dry house style culminates in great rich GEWURZ CUVÉE Yv (05 06 08 09 10). Now biodynamic, and finer for it.

Romanée, La C d'O r ★★★★ 96' 99' 00 01 02' 03 05' 06 07 08 09' 10' 11 1 Tiniest GRAND CRU in VOSNE-ROMANÉE (0.85ha), MONOPOLE of Comte LIGER-BELA Exceptionally fine, perfumed, intense and understandably expensive.

Romanée-Conti, Dom de la / DRC C d'O r w ★★★★ Grandest estate in Burgund Incl the whole of ROMANÉE-CONTI and LA TÂCHE, major parts of ÉCHÉZEAUX, GRAND ÉCHÉZEAUX, RICHEBOURG, ROMANÉE-ST-VIVANT and a tiny part of MONTRACHET. CORT is new from 2009. Crown-jewel prices (if you can buy them at all). Keep t vintages for decades.

Romanée-Conti, La C d'O r ★★★★ 78' 85' 88' 89' 90' 93' 95 96' 97 98 99' 00 02' 03 05' 06 07 09' 10' 11 12' A 1.8ha MONOPOLE GRAND CRU in VOSNE-ROMAN 450 cases/annum. The most celebrated and expensive red wine in the wor with reserves of flavour beyond imagination. Cellar for decades for best resul

Romanée-St-Vivant C d'O r ★★★★ 90' 93 95 96' 99' 02' 03 05' 06 07 08 0 10' 11 12' GRAND CRU in VOSNE-ROMANÉE (9.4ha). Downslope from LA ROMAN CONTI, hauntingly perfumed, with intensity more than weight. Growers: ARL CATHIARD, JJ Confuron, DRC, Follin-Arbelet, HUDELOT-Nöellat, LATOUR, LEROY.

Rosacker Al GRAND CRU at Hunawihr. Makes some of best RIES in ALSACE (CLOS S HUNE, SIPP-MACK).

Rosé d'Anjou Lo p ★→★★ DYA. Pale, slightly sweet rosé (Grolleau grape dominat usually sold on price but some gd, esp: Mark Angeli, Clau de Nell, DOMS de Bergerie, les Grandes Vignes, des Sablonnettes.

Rosé de Loire Lo p ★→★★ DYA. The driest of ANJOU's rosés: six varieties, esp GAM and Grolleau. AC technically covers SAUMUR and TOURAINE. Best: Bablut, Ogere CH PIERRE-BISE, Richou. Refreshing summer wine.

Rosette SW Fr w s/sw ★★ DYA. Dwarf AOP, birthplace of BERGERAC, makes fragra *moelleux* apéritif wines, perfect with foie gras. Try ★★ CLOS Romain, C Puypezat-Rosette, Combrillac, Spingulèbre, DOMS de la Cardinolle, de Coutanc du Grand-Jaure.

Rossignol-Trapet Burg r ★★★ Equally biodynamic cousins of DOM TRAPET, w healthy holdings of GRAND CRU v'yds, esp. CHAMBERTIN. Gd value across the ran from GEVREY VIEILLES VIGNES up.

ostaing, René N Rhô r w ★★★ 95' 99' 01' 05' 06' 07' 09' 10' 11 12' CÔTE-RÔTIE 8ha DOM: old, central v'yds; three tight-knit, silk-fruited wines, all v. fine, wait 4–5 yrs. Enticing Côte Blonde (5% VIOGNIER), also La Landonne (grounded, dark fruits, 15–20 yrs). Pure fruit, some careful new oak. Decant. Intricate, unshowy CONDRIEU, also L'DOC Dom Puech Noble (r w).

ouget, Emmanuel C d'O r ★★★★ Inheritor of the legendary estate of Henri Jayer in ÉCHÉZEAUX, NUITS-ST-GEORGES, VOSNE-ROMANÉE. Top: Vosne-Romanée Cros Parantoux.

oulot, Domaine C d'O w ★★★→★★★★ Outstanding MEURSAULT producer; fine range of v'yd sites, esp Tessons CLOS de Mon Plaisir and PREMIERS CRUS eg. Bouchères, Perrières. More v'yds from 2011.

oumier, Georges C d'O r ★★★★ Reference DOM for BONNES-MARES and other ***brilliant Chambolle*** wines in capable hands of Christophe R. Long-lived wines but still attractive early.

ousseau, Domaine Armand C d'O r ★★★★ Unmatchable GEVREY-CHAMBERTIN DOM with thrilling CLOS ST-JACQUES and GRANDS CRUS. Unchanging, fragrant PINOT of extraordinary intensity. The whole range is gd now.

oussette de Savoie Sav w ★★ DYA. Tastiest fresh white from south of Lake Geneva.

oussillon Rouss Leading region for traditional VDN (eg. MAURY, RIVESALTES, BANYULS). Younger vintage RIMAGE wines are competing with aged RANCIO wines. Also fine table wines. *See* CÔTES DU ROUSSILLON (and CÔTES DU ROUSSILLON-VILLAGES), COLLIOURE, new AC MAURY and IGP CÔTES CATALANES. Region included under AC L'DOC.

uchottes-Chambertin C d'O r ★★★★ 90' 93' 95 96' 98 99' 00 02' 03 05' 06 07 08 09' 10' 11 12' Tiny (3.3ha) GRAND CRU neighbour of CHAMBERTIN. Less weighty but ethereal, intricate, lasting wine of great finesse. Top growers: MUGNERET-Gibourg, ROUMIER, ROUSSEAU.

uinart Champ "R" de Ruinart BRUT NV; Ruinart Rosé NV; "R" de Ruinart Brut (99 02' 04). Oldest house, owned by Moët-Hennessy. Already high standards going higher still. Rich, elegant wines. Prestige CUVÉE ***Dom Ruinart*** is one of the two best vintage BLANC DE BLANCS in CHAMPAGNE (viz 88' 95' 96 02'). DR Rosé also v. special (90' 96 02'). NV Blanc de Blancs could be better.

ully Burg r w ★★ (r) 09' 10' 12 (w) 09' 10' 12 CÔTE CHALONNAISE village. ***Whites are light, fresh, tasty***, gd-value. Reds also fruit forward. Try Devevey, DUREUIL-JANTHIAL, FAIVELEY, Jacqueson, Claudie Jobard, Ninot, Rodet, Sounit.

able de Camargue L'doc r p w ★ DYA. Used to be called Sables du Golfe du Lion. IGP from Mediterranean coastal sand-dunes: esp pink Gris de Gris from CARIGNAN, CINSAULT. Giant Listel dominates, but small growers developing.

ablet S Rhô r (p) w ★★ 09' 10' 11' 12' Fun wines from improving CÔTES DU RHÔNE-VILLAGE. Sandy soils, red-berry reds, esp CAVE co-op Gravillas, DOMS de Boissan, Espiers, Les Goubert, Piaugier, Roubine. Gd full whites suit apéritifs and food.

t-Amour Beauj r ★★ 09' 10' 11' 12 Northernmost cru of BEAUJOLAIS: light, fruity, resistible (except on 14 Feb). Growers to try: Janin, ***Patissier***, Revillon.

t-Aubin C d'O r w ★★★ (r) 05' 08 09' 10' 11 12 (w) 07 08 09' 10' 11 12 Fine source for ***lively, refreshing whites***, adjacent to PULIGNY and CHASSAGNE, also pretty reds. Best v'yds: En Remilly, Murgers Dents de Chien. Best growers: J C Bachelet, COLIN, Lamy, Prudhon.

t-Bris Burg w ★ DYA. Neighbour to CHABLIS. Unique AC for SAUV BL in Burgundy. Fresh, lively, worth keeping from J-H Goisot.

t-Chinian L'doc r ★→★★★ 05' 06 07' 08 09' 10 11 12 Hilly area of growing reputation in L'DOC. AC for red (since 1982) and for white (since 2005). Incl crus of Berlou and Roquebrun. Warm, spicy southern reds, based on SYRAH, GRENACHE, CARIGNAN. Gd co-op Roquebrun; CH de Viranel, DOMS Madura, Rimbaud, Navarre, Borie la Vitarèle, la Dournie, des Jougla, Clos Bagatelle, Mas Champart and many others, new and old.

FRANCE

Ste-Croix-du-Mont B'x w sw ★★ 98 99' 01' 02 03' 05' 07 09' 10' 11 Sweet wh AC facing SAUTERNES across the river Garonne. Worth trying the best, ie. CH Crabitan-Bellevue, ***Loubens***, du Mont, Pavillon, la Rame.

St-Émilion B'x r ★★→★★★★ 95 96 98' 00' 01 03 04 05' 08 09' 10' 11 Large MERLC dominated district on B'X's Right Bank. St-Émilion Premier GRAND CRU Classé th top designation. Warm, full, rounded style (can drink early); the best firm an v. long-lived. Top CHX: ANGÉLUS, AUSONE, CANON, CHEVAL BLANC, CLOS FOURTET, FIGEA PAVIE. Former GARAGISTES LA MONDOTTE and VALANDRAUD now classified.

St-Estèphe H-Méd r ★★→★★★★ 89' 90' 94 95' 96' 98 00' 01 02 03 04 05' 06 C 09' 10' 11 Most northerly communal AC in the MÉDOC. Solid, structured wine Top CHX: COS D'ESTOURNEL, MONTROSE, CALON-SÉGUR have had enormous investme recently. Also many top unclassified estates eg. HAUT-MARBUZET, MEYNEY, ORMES-D PEZ, DE PEZ, PHÉLAN-SÉGUR.

Ste-Victoire Prov r p ★★ Subzone of CÔTES DE PROVENCE from southern slopes Montagne Ste-Victoire. Dramatic scenery, gd wine. Try Mas de Cadenet, Mauva

St-Gall Champ BRUT NV; Extra Brut NV; Brut BLANC DE BLANCS NV; Brut Rosé NV; Br Blanc de Blancs 02 04 CUVÉE Orpale Blanc de Blancs 95 96' 02 04. Brand use by Union-CHAMPAGNE co-op: top Champagne growers' co-op at AVIZE. Fine-valu ***Pierre Vaudon NV***.

St-Georges-St-Émilion B'x r ★★ 00' 01 03 05' 08 09' 10' 11 Miniscule ST-ÉMILIO satellite. Usually gd quality. Best CHX: Calon, MACQUIN-ST-GEORGES, ST-GEORGES, TOU DU PAS-ST-GEORGES, Vieux Montaiguillon.

St-Gervais S Rhô r (p) (w) ★ 09' 10' 11 12' Limited choice, medium-quality we bank Rhône village. Reasonable co-op, but clear best is top-grade, long-lived (1 yrs+) DOM Ste-Anne red (firm, strong MOURVÈDRE licorice flavours); gd VIOGNIER.

St-Jean de Minervois L'doc w sw ★★ Fine sweet VDN MUSCAT. Much recen improvement, esp from DOM de Barroubio, Michel Sigé, CLOS du Gravillas, Clo Bagatelle, village co-op.

St-Joseph N Rhô r w ★★ 99' 01' 03' 05' 06' 07' 09' 10' 11' 12 65km of granite v'yd along west bank of Northern Rhône. SYRAH reds. Oldest, best zone nr Tournon stylish red-fruited wines; further north darker, peppery flavours, more oak. Mor complete, structured wines than CROZES-HERMITAGE, esp from CHAPOUTIER (Le Granits), Gonon (top class), ***B Gripa***, GUIGAL (*lieu-dit* St-Joseph); also J-L CHAV Chèze, Courbis, Coursodon, Cuilleron, ***Delas***, J & E Durand, B Faurie (pure Faury, Gaillard, P Marthouret, Monier-Perréol (organic), A Perret, Nicolas Perrin Vallet, F Villard. Gd food-friendly ***white (mainly Marsanne)***, esp Barge, CHAPOUTIE (Les Granits), Cuilleron, Gonon (fab), Gouye, B Gripa, Faury, A Perret.

St-Julien H-Méd r ★★★→★★★★ 89' 90' 94 95' 96' 98 00' 01 02 03 04 05' 0 08 09' 10' 11 Small mid-MÉDOC communal AC dominated by 11 classified (185 estates, incl three Léovilles, BEYCHEVELLE, DUCRU-BEAUCAILLOU, GRUAUD-LAROSE, etc The epitome of harmonious, fragrant, savoury red wine.

Saint Mont SW Fr r p w ★★ (r) 09 10 11 12' (p w) DYA. Formerly Côtes de Sain Mont: AOP in Gers, almost a *monopole* of PRODUCTEURS PLAIMONT. Otherwise from DOM des Maouries, and from saxophonist J-L Garoussia (DOM de Turet). Nic *moelleux* from Dom de Bartat.

St-Nicolas-de-Bourgueil Lo r p ★→★★★ 89' 90' 95 96' 02' 03 05' 06 08 09 1 11 Companion appellation to BOURGUEIL Identical wines from CAB FR. Mostl gravel soils. Ranges from easy (sand/gravel) to age-worthy (limestone slopes Try: YANNICK AMIRAULT, Cognard, David, Delanoue, Lorieux, Frédéric Mabileau Laurent Mabileau, Mabileau-Rezé, Taluau-Foltzenlogel, Vallée.

St-Péray N Rhô w sp ★★ 08' 09' 10' 11' 12' Underrated white Rhône (mostl MARSANNE) from 60ha hilly granite, lime v'yds opposite Valence. A little ***méthod champenoise – worth trying*** (J-L Thiers). Still white should have cut, be smoky stylish, *but* new school of fat wines from v. ripe fruit plus oak. Best: S Chaboud, CHAPOUTIER, CLAPE, Colombo, Cuilleron (fat), B Gripa (v.gd), J-L Thiers, TAIN co-op, du Tunnel, Voge (oak).

St-Pourçain Mass C r p w ★→★★ DYA. AC (640ha) north of Vichy. Light red and rosé from GAMAY and PINOT N (AOP rules stupidly forbid pure PINOT N), white from local Tressalier and/or CHARD or SAUV BL. Growers: DOM de Bellevue, Berioles, Grosbot-Barbara, Laurent, Nebout, Pétillat, Ray, and gd co-op (VIGNERONS de St-Pourçain) with range of styles, incl drink-me-up CUVÉE Ficelle.

St-Romain C d'O r w ★★ (w) 09' 10' 11 12 ***Crisp, mineral whites*** and clean-cut reds from vines tucked away in the back of the CÔTE DE BEAUNE. PREMIER CRU v'yds under discussion. Alain Gras best. Also Buisson, De Chassorney.

St-Véran Burg w ★★ 09' 10' 11 12 AC outside POUILLY-FUISSÉ with variable results, depending on soil and producer. Best are exciting. DUBOEUF, Deux Roches, Poncetys for value, Cordier, Corsin, Merlin for top quality.

Salon Champ ★★★★ The original BLANC DE BLANCS, from LE MESNIL in the Côte des Blancs. Tiny quantities. Awesome reputation for long-lived wines – in truth, sometimes inconsistent but on song recently, viz 96' 97' 99 02'. Occasional releases of old wines from cellars, but not to the likes of you or me.

Sancerre Lo (r) (p) w ★→★★★ 05' 08' 09 10 11 12 Benchmark SAUV BL, often more aromatic and vibrant than POUILLY-FUMÉ. Best wines age 10 yrs+. Now memorable reds (PINOT N). Rosé rarely worth price. Best: Boulay, BOURGEOIS, Cotat, François Crochet, Lucien Crochet, André Dezat, Dionysia, Fouassier, Thomas Laballe, ALPHONSE MELLOT, Merlin Cherrier, Mollet, Vincent Pinard, Pascal & Nicolas Reverdy, Claude Riffault, Jean-Max Roger, Roblin, Vacheron, André Vatan, Michel Vattan. 2012: nr-normal crop.

Santenay C d'O r (w) ★★★ 99' 02' 03 05' 06 07 08 09' 11 12 Sturdy reds from spa village south of CHASSAGNE-MONTRACHET. Best v'yds more succulent: La Comme, Les Gravières, CLOS Rousseau, Clos de Tavannes. Increasing interest in whites. Top: Belland, GIRARDIN, Jessiaume, Lequin-Colin, MOREAU, V MOREY, Muzard, Vincent.

Saumur Lo r p w sp ★→★★★ 05' 06 07 08 09' 10' 11 Umbrella AC for whites from light to serious, mainly easy reds except SAUMUR-CHAMPIGNY zone, pleasant rosés, major sparkling production: CRÉMANT and Saumur Mousseux. Saumur-Le-Puy-Notre-Dame new AOP for CAB FR reds covering 17 communes: misleadingly wide. Producers: BOUVET-LADUBAY, CHAMPS FLEURIS, Antoine Foucault, René-Hugues Gay, Guiberteau, CLOS Mélaric, Paleine, St-Just, CLOS ROUGEARD, CHX DE VILLENEUVE, Parnay, Yvonne; CAVE des VIGNERONS de Saumur.

Saumur-Champigny Lo r ★★→★★★ 95 96' 97 02' 03 05' 06 08' 09' 10 11 Nine-commune superior AC for CAB FR, ages 15–20 yrs in gd vintages. Look for Bruno Dubois, CHX de Targé, DE VILLENEUVE; CLOS Cristal, Clos ROUGEARD, CHAMPS FLEURIS, de la Cune, Filliatreau, Hureau, Legrand, Nerleux, Roches Neuves, St-Just, Antoine Sanzay, Vadé, Val Brun; CAVE des VIGNERONS de Saumur.

Saussignac SW Fr w sw ★★→★★★ 05' 06 07' 09 10 11 (12') AOP. Adjoining MONBAZILLAC, with a touch more acidity. Best: ★★★DOMS de Richard, La Maurigne, Les Miaudoux, ***Clos d'Yvigne***, Lestevénie, ★★CHX Le Chabrier, Court-les-Mûts, Le Payral, Le Tap, Tourmentine.

Sauternes B'x w sw ★★→★★★★ 83' 86' 88' 89' 90' 95 96 97' 98 99' 01' 02 03' 05' 07' 09' 10' 11' District of five villages (incl BARSAC) that make France's best sweet wine. Strong, luscious, golden. Spate of great yrs recently. Still undervalued and underappreciated. Top CHX: D'YQUEM, GUIRAUD, LAFAURIE-PEYRAGUEY, RIEUSSEC, SUDUIRAUT, LA TOUR BLANCHE, etc. Dry wines cannot be sold as Sauternes.

Sauzet, Etienne C d'O w ★★★ Leading PULIGNY DOM with superb PREMIERS CRUS (Combettes, Folatières) and GRANDS CRUS (BÂTARD, etc). Fresh, lively wines.

Savennières Lo w dr sw ★★★→★★★★ 89' 90' 95 96' 97' 99 02' 03 05' 06 07 08'

09 10' 11 Small ANJOU district for fine, very mineral, long-lived whites (CHEN BL). BAUMARD, Closel, CLOS de Coulaine (*see* CH PIERRE-BISE), Ch d'Epiré, FL, Yve Guigniard, Damien Laureau, Loïc Mahé, Mathieu-Tijou, Eric Morgat, Vincen Ogereau, Pithon-Paillé, chx ***Soucherie***, Varennes. Top sites: COULÉE DE SERRAN ROCHE-AUX-MOINES, Clos du Papillon.

Savigny-lès-Beaune C d'O r (w) ★★★ 99' 02' 03 05' 07 08 09' 10' 11 12 Importar village next to BEAUNE; similar mid-weight wines, should be delicious and livel can be rustic. Top v'yds: Dominode, Guettes, Lavières, Marconnets, Vergelesse growers incl: Bize, Camus, ***Chandon de Briailles***, CLAIR, Ecard, Girard, Guyor LEROY, Pavelot, TOLLOT-BEAUT.

Savoie r w sp ★★ DYA. Alpine area with light, dry wines like some Swiss or minc Loires. APRÉMONT, CRÉPY, SEYSSEL best-known whites; Roussette more interestin ***Also gd Mondeuse red.***

Schlossberg Al GRAND CRU at Kientzheim famed since 15th century. Gloriou compelling RIES from FALLER.

Schlumberger, Domaines Al w sw ★→★★★ Vast, top-quality ALSACE DOM at Guebwille owning approx 1% of all ALSACE v'yds. Holdings in GRANDS CRUS Kitterlé, Kessle Saering (08'★★★) and Spiegel. Rich wines. Rare RIES, signature CUVÉE Ernest an now PINOT GR Grand Cru Kessler (09' 10 12).

Southwest growers to watch in 2013

Dominique Andiran (DOM Haut-Campagnau, IGP CÔTES DE GASCOGNE) Wines out of mainstream, eccentric, biodynamic, delicious; must try.

Damien Bonnet (Dom Brin, GAILLAC) Rapidly rising to the top of this AOP. Note esp dry and whites (Pierre Blanches: Mauzac/Len de l'El) and red Anthocyanes (Braucol/SYRAH).

Véronique & Frédérique Broutet (Dom de Beyssac, Marmande) Exciting new biodynamic producer, using Abouriou and MALBEC grapes to distinguish itself from B'X.

Francis Cabrel (Dom du Boiron, IGP Agenais) Hearty style of ripe fruit, spice, and well-balanced use of oak.

Sébastien Clauzel & Cécile Sabah (Dom Gutizia, IROULÉGUY) New independent. Gd work in the cellar promises steady development.

Bruno & Anne Duffau (Dom Duffau, Gaillac) New; quality at reasonable prices.

Alain Falguières (Dom de l'Albinie, MARCILLAC) 20% Prunelard grapes in blend followed by clever ageing in barrels, adds novelty and perhaps a new style to Marcillac.

Monique & Bertrand Gaye (Dom Mesté Bertrand, MADIRAN) Classic v'yd improving fast. Nice, peachy dr PACHERENC and fruity entry-level red.

Eugène Lismonde (Tour de Belfort, IGP LOT) Carefully and professionally made (resident oenologue) blends (eg. SAUV/CHARD). Traditional and high-quality.

Schoenenbourg Al V. rich, successful Riquewihr GRAND CRU: PINOT GR, RIES, v. fin VENDANGE TARDIVE and SÉLECTION DES GRAINS NOBLES, esp from DOPFF AU MOULIN. Als v.gd MUSCAT.

Schoffit, Domaine Al w sw ★★→★★★ Eclectic Colmar grower. Excellent VENDANG TARDIVE GEWURZ GRAND CRU RANGEN Clos St Theobald (00' 05 06 09' 10) o volcanic soil. Also rare, ace CHASSELAS, fine RIES Sonnenberg (08' 10').

Sec Literally means "dry", though CHAMPAGNE so called is medium-sweet (and bette at breakfast, teatime and weddings than BRUT).

Séguret S Rhô r p w ★★ 09' 10' 11 12' Picture-postcard Provençal hillside village nr GIGONDAS. V'yds combine plain and heights. Mainly GRENACHE, peppery, direct reds, some full-on; clear-fruited whites. Esp CH la Courançonne, DOMS ***de l'Amauve*** (fine), de Cabasse (elegant), J David (bold, organic), Garancière, ***Mourchon*** (robust), Pourra (big), Soleil Romain.

Sélection des Grains Nobles Al Term coined by HUGEL for ALSACE equivalent to German Beerenauslese, and subject to ever stricter regulations (since 1984). *Grains nobles* are individual grapes with "noble rot".

Sérafin C d'O r ★★★ Christian Sérafin offers intense GEVREY-CHAMBERTIN VIEILLES VIGNES, CHARMES-CHAMBERTIN. Plenty of new wood but refinement now niece is making the wines.

Seyssel Sav w sp ★★ NV Delicate white, pleasant sparkling. eg. Corbonod.

Sichel & Co B'x r w One of B'X's most respected merchant houses (Sirius a top brand): interests in CHX D'ANGLUDET, PALMER and in CORBIÈRES.

Signargues S Rhô ★→★★ CÔTES DU RHÔNE village in four areas between Avignon and Nîmes (west bank). Fruity, slightly spiced reds to drink inside 4 yrs. Note: CAVE Estézargues, la Font du Vent (best, deepest), CH Haut-Musiel, DOM Valériane.

Sipp, Louis Al w sw ★★→★★★ Grower/négociant in Ribeauvillé. V.gd RIES GRAND CRU Kirchberg, superb *grand cru* Osterberg GEWURZ VENDANGE TARDIVE (esp 05' 09').

Sipp-Mack Al w sw ★★→★★★ Excellent DOM at Hunawihr. Great RIES from GRANDS CRUS ROSACKER (02 07 08 10' 11) and Osterberg; also v.gd PINOT GR.

Sorg, Bruno Al w ★★→★★★ First-class small grower at Eguisheim for GRANDS CRUS Florimont (RIES 08 09 10'11) and PFERSIGBERG (MUSCAT). Immaculate eco-friendly v'yds. Winemaking with feeling.

Sur lie "On the lees". MUSCADET is often bottled straight from the vat, for max zest, body and character.

Tâche, La C d'O r ★★★★ 90' 93' 95 96' 98 99' 00 01 02' 03 05' 06 07 09' 10' 11 12' 6ha (1,500 case) GRAND CRU of VOSNE-ROMANÉE, MONOPOLE of DRC. One of best v'yds on earth: full, perfumed, luxurious wine, tight in youth.

Taille-aux-Loups, Domaine de la Lo w sw sp ★★★ 02' 03' 05' 06 07' 08' 09 10' 11 Jacky Blot is one of the Loire's most dynamic producers: barrel-fermented MONTLOUIS and VOUVRAY, majority dry, a few sweet; Triple Zéro Montlouis Pétillant, plus Triple Zéro Rosé (GAMAY) and fine reds from 14ha DOM de la Butte BOURGUEIL. Acquired CLOS Mosny (Montlouis) late 2010.

Tain, Cave de N Rhô ★★ Best Northern Rhône co-op, 290 members, many mature v'yds, incl 25% of HERMITAGE. Sound (r) Hermitage, esp Epsilon, Gambert de Loche, full (w) Hermitage Au Coeur des Siècles. Gd (r) ST-JOSEPH, others modern more mainstream, esp CROZES. MARSANNE (w) gd-value, accomplished VIN DE PAILLE.

Taittinger Champ BRUT NV; Rosé NV; Brut 90 95' 02' 04 08'; Collection Brut 90 95 96. Once-fashionable Reims grower and merchant back under family control. Distinctive silky, flowery touch; not always consistent, often noticeably dosed. Excellent luxury brand ***Comtes de Champagne*** BLANC DE BLANCS (95' 96' 02') and Rosé (96 02); gd, rich PINOT Prestige Rosé NV. New CUVÉES Nocturne and Prélude. Excellent single-v'yd La Marquetterie. (*See also* DOM Carneros, California.)

Tavel S Rhô p ★★ DYA. GRENACHE-based, west-of-Avignon rosé, formerly all robust, suited to full Mediterranean flavours. Now many slighter Provence-style wines, often for apéritif. Best: DOM Corne-Loup, GUIGAL, Lafond Roc-Epine, Maby, Dom de la Mordorée (full), Prieuré de Montézargues (fine), Moulin-la-Viguerie, Rocalière (fine), CH Correnson, de Manissy, Trinquevedel (fine), VIDAL-FLEURY.

Tempier, Domaine Prov r p w ★★★★ Once the pioneering estate of BANDOL. Wines of considerable elegance, longevity. Excellent quality now challenged by others.

Terrasses du Larzac L'doc r p w ★★→★★★ Northern part of AC L'DOC. Wild, hilly region from the Lac du Salagou towards Aniane. Cooler temperatures make fresher wines. In line to be a Cru du L'doc. Several established and many rising stars, incl: Mas de l'Ecriture, CLOS des Serres, Cal Demoura, Montcalmès, *Mas Jullien*. To watch.

Thénard, Dom Burg r w Major grower of GIVRY AC, excellent reds. Whites improving incl large holding (1.6ha) of Le MONTRACHET, mostly sold to merchants eg. JADOT.

Thévenet, Jean Burg r w sw ★★★ MÂCONNAIS purveyor of rich, some semi-botrytized wines eg. CUVÉE Levroutée at DOM de la Bongran. Also Dom Emilian Gillet.

Thézac-Perricard SW Fr r p ★★ **09** 10 11 (12') MALBEC-based IGP adjoining CAHORS, for earlier drinking. ★★ DOM de Lancement keeps the little co-op on its toes.

Thiénot, Alain Champ New generation takes this house forward. Ever-improving quality across the range. Impressive, fairly priced BRUT NV. Rosé NV Brut Vintage Stanislas (02 04 06 08' 09) and voluminous Vigne aux Gamins (single v'yd Avize 02 **04**). Top Grande CUVÉE 96' **98** 02'. Also owns Marie Stuart and CANARD-DUCHÊNE in CHAMPAGNE, CH Ricaud in LOUPIAC.

Thomas, André & fils Al w ★★★ V. fine grower at Ammerschwihr, rigorously organic. An artist-craftsman in the cellar: v.gd RIES Kaefferkopf (**08** 10') and magnificent GEWURZ VIEILLES VIGNES (05 **09'**).

Tollot-Beaut C d'O r ★★★ Consistent CÔTE DE BEAUNE grower with 20ha in BEAUNE (Grèves, CLOS du Roi), CORTON (Bressandes), SAVIGNY and at CHOREY-LÈS-BEAUNE base (NB Pièce du Chapitre). Oaky style.

Touraine Lo r p w dr sw sp ★→★★★ 08 09' 10 11 Huge region with many ACS (eg VOUVRAY, CHINON, BOURGUEIL) as well as umbrella AC of variable quality – zesty reds (CAB FR, CÔT, GAMAY, PINOT N), pungent whites (SAUV BL, CHENIN BL), rosés and sparkling. Often gd-value. Producers: CLOS Roussely, DOMS des Bois-Vaudons Corbillières, Joël Delaunay, de la Garrelière, Gosseaume, Clos Roche Blanche, Mandard, Jacky Marteau, ***Marionnet***; Morantin, Oisly & Thesée, Presle, Puzelat, Petit Thouars, Ricard, Clos de Tue-Boeuf. Ill-conceived reforms plus new overlarge ACs Touraine-Oisly and esp Touraine-Chenonceaux.

Touraine-Amboise Lo r p w ★→★★ TOURAINE sub-appellation (220ha). Mixed quality. François 1er is entry-level local blend (GAMAY/CÔT/CAB FR) or CHENIN BL. Best: Closerie de Chanteloup, Delecheneau (Grange Tiphaine), des Bessons, Dutertre, Frissant, de la Gabillière.

Touraine-Azay-le-Rideau Lo p w ★→★★ Small (60ha) TOURAINE sub-appellation for CHENIN BL-based dry, off-dry white and rosé (Grolleau 60% min). Producers incl CH de l'Aulée, Nicolas Paget, Pibaleau.

Touraine-Mesland Lo r p w ★→★★ Small (105ha) TOURAINE sub-appellation red blends (GAMAY/CÔT/CAB FR). No better than straight Touraine. Whites mainly CHENIN. CH Gaillard, CLOS de la Briderie (biodynamic).

Touraine-Noble Joué Lo p ★→★★ DYA. Popular rosé revived from three PINOTS (N, GR, MEUNIER). AC (2001), now 28ha south of Tours. Esp Cosson, ROUSSEAU, Sard.

Trapet C d'O r ★★→★★★ Long-established GEVREY-CHAMBERTIN DOM enjoying new life; sensual biodynamic wines. CHAMBERTIN is flagship but PREMIER CRUS also v.gd. *See also* cousins ROSSIGNOL-TRAPET.

Trévallon, Domaine de Prov r w ★★★★ 95 96 97 98 99 00' **01 03 04 05** 06 07 08 09 10 11 12 Pioneer estate in LES BAUX, but IGP Bouches du Rhône as no GRENACHE grapes. Deserves its huge reputation. Intense CAB SAUV/SYRAH to age. ***Barrique-aged white*** from MARSANNE and ROUSSANNE, a drop of CHARD and now GRENACHE BL. Worth seeking out.

Tricastin S Rhô *See* GRIGNAN-LES-ADHEMAR.

Trimbach, F E Al w ★★★→★★★★ Matchless grower of ALSACE RIES on limestone soils at Ribeauvillé, esp CLOS STE-HUNE (06 **08** 09 10' 12) almost-as-gd (and much cheaper) ***Frédéric Emile*** (06 **08**). Dry, elegant wines for great cuisine.

Tursan SW Fr r p w ★★ (Mostly DYA.) Lively ★ co-op (incl rare grape Baroque) twinned with COTEAUX DE CHALOSSE, outclassed by chef Michel Guérard's chic but atypical ★★ wines. ★★ DOM de Perchade is more authentic.

Vacqueyras S Rhô r (p) w ★★ 01' 03 05' 06' 07' **09' 10'** 11 12' Hearty, peppery, GRENACHE-led neighbour of GIGONDAS WITH earlier, hotter v'yds, so can be wine for game, big flavours. Lives 10 yrs+. Note: Arnoux Vieux Clocher, JABOULET, CHX de Montmirail, des Tours (v. fine); CLOS des Cazaux (gd value), DOMS Amouriers, Archimbaud-Vache, Charbonnière, Couroulu (v.gd, traditional), Font de Papier, Fourmone, Garrigue (traditional), Grapillon d'Or, Monardière (v.gd), Montirius (organic), Montvac, Ondines, Famille Perrin, Roucas Toumba (organic), Sang des Cailloux (v.gd). Full whites (Clos des Cazaux, Sang des Cailloux).

Val de Loire Lo r p w DYA. One of France's four regional IGPS, formerly Jardin de la France.

Val d'Orbieu, Vignerons du L'doc ★ Association of some 200 growers and co-ops in CORBIÈRES, L'DOC, MINERVOIS, ROUSSILLON, etc., marketing a sound range of AC and IGP wines. Red CUVÉE Mythique is flagship.

Valençay Lo r p w ★→★★ AOP in east TOURAINE; easy wines from esp SAUV BL, usually CHARD in the blend. CLOS Delorme, Jacky Preys, Hubert & Olivier Sinson, Sébastien Vaillant, VIGNERONS de Valençay.

Valréas S Rhô r (p) (w) ★★ 07' 09' 10' **11' 12** Some higher calibre DOMS at previously modest, late-ripening CÔTES DU RHÔNE-VILLAGE in north Vaucluse black truffle area; large co-op. Grainy, can be heady, fair-depth red (mainly GRENACHE), improving white. Esp Emmanuel Bouchard, CLOS Bellane (gd white), Dom des Grands Devers, Séminaire, CH la Décelle, Dom du Mas de Sainte Croix.

VDQS *Vins délimite de qualité supérieure.* Now phased out.

Vendange Harvest. **Vendange tardive:** late-harvest; ALSACE equivalent to German Auslese but usually higher alcohol.

Venoge, de Champ Venerable house now revitalized under LANSON-BCC ownership. Gd niche blends: Cordon Bleu Extra-Brut, Vintage BLANC DE BLANCS (00 04), CUVÉE 20 ans and prestige CUVÉE Louis XV, a 10-yr-old BLANC DE NOIRS.

Ventoux S Rhô r p (w) ★★ 09' 10' 11' 12' Sprawling 6,000ha+ AC in sight of Mont Ventoux between Rhône and PROVENCE. Juicy, tangy red (GRENACHE/SYRAH, café-style to deeper), rosé and gd white (more use of oak). Some high v'yds for cool flavours. Best: CLOS des Patris, Gonnet, ***La Vieille Ferme*** (r) owned by BEAUCASTEL, CHX Unang, Valcombe, co-op Bédoin, Goult, St-Didier, DOMS Anges, Berane, Brusset, Cascavel, Champ-Long, Croix de Pins, Fondrèche, Grand Jacquet, JABOULET, Martinelle, Murmurium, ***Pesquié*** (excellent), Pigeade, St Jean du Barroux, Terres de Solence, Verrière, VIDAL-FLEURY.

Verget Burg w ★★→★★★ Jean-Marie Guffens' MÂCONNAIS-based white-wine merchant venture, nearly as idiosyncratic as his own DOM. Fine quality, plans for reds, too.

Veuve Clicquot Champ Yellow Label NV; White Label Demi-Sec NV; Vintage Rés **02' 04 06** 08 11; Rosé Rés **02'** 04. Historic house of highest standing, owned by LVMH. Full-bodied, almost rich: one of CHAMPAGNE's sure things. Luxury brands: La Grande Dame (98 04' 08'), Rich Rés (02 06), La Grande Dame Rosé (95 98). Part-oak-fermented vintages from 2008. New Cave Privée re-release of old vintages: superb 85 and 78 Rosé.

Veuve Devaux Champ Premium brand of the powerful Union Auboise co-op. Excellent aged Grande Rés NV, Oeil de Perdrix Rosé, Prestige CUVÉE D (02 04), BRUT Vintage (04 09').

Vézelay Burg r w ★→★★ Age 1–2 yrs. Up-and-coming north subdistrict of generic BOURGOGNE for reds. Tasty whites from CHARD or resurrected MELON sold as COTEAUX BOURGUIGNONS. Try DOM de la Cadette, des Faverelles, Maria Cuny, Elise Villiers.

Vidal-Fleury, J N Rhô r w sw ★★→★★★ New cellars and drive for fresher wines at GUIGAL-owned Rhône merchant and grower of CÔTE-RÔTIE. Top-notch, elegant

La Chatillonne (12% VIOGNIER; wait min 5 yrs). Range on the up. Gd CAIRANNE CÔTES DU RHÔNE (r, w, rosé), VENTOUX, MUSCAT DE BEAUMES-DE-VENISE.

Vieille Ferme, La S Rhô r w ★★ In middle of nowhere, what to buy? This! Extremel reliable, gd-value brand; VENTOUX (r) and LUBÉRON (w) from Famille Perrin of C DE BEAUCASTEL. Lots of fruit, local appeal.

Vieilles Vignes Old vines, which should make the best wine. Eg. DE VOGÜÉ, MUSIGNY Vieilles Vignes. But no rules about age and can be a tourist trap.

Vieux Télégraphe, Domaine du S Rhô r w ★★★ 78' 81' 85 88 89' 90' 94' 95' 96' 9 98' 99' 00 01' 03' 04' 05' 06' 07' 09' 10' 11 12' Top-rank large estate, maker c smoky, complex, long-lived red CHÂTEAUNEUF, and rich white (great with food, g in lesser yrs eg. 02, 08). Second DOM: de la Roquète, is improving: now just on red, plus stylish whites. Owns fine, slow-to-evolve, understated ***Gigondas Dor Les Pallières*** with US importer Kermit Lynch.

Vigne or vignoble Vineyard (v'yd), vineyards (v'yds).

Vigneron Vine-grower.

Vin de France Replaces VDT. Allows mention of grape variety and vintage. Ofte blends of regions with brand name. Can be source of unexpected delights i talented winemaker uses this category to avoid bureaucractic hassle. Eg. Yve Cuilleron VIOGNIER (Northern Rhône).

Vin de paille Wine from grapes dried on straw mats, so v. sweet, like Italian passito Esp in the Jura. *See also* CHAVE, VIN PAILLÉ DE CORRÈZE.

***Vin jaune* (Jura) can live for 50 years, a 1774 bottle sold in 2012 for US$49,220.**

Vin de Pays (VDP) Potentially most dynamic category in France (with ove 150 regions), allowing scope for experimentation. Renamed IGP (*Indicatio Géographique Protegée*) from 2009 vintage, but position unchanged and nev terminology still not accepted by every area. The zonal names are most individua eg. CÔTES DE GASCOGNE, CÔTES DE THONGUE, Haute Vallée de l'Orb, Duché d'Uzès among others. Enormous variety in taste and quality but never ceases to surprise

Vin de table (VDT) Category of standard everyday table wine – now VIN DE FRANCE.

Vin doux naturel (VDN) Rouss Sweet wine fortified with wine alcohol, so th sweetness is natural, not the strength. The speciality of ROUSSILLON, based o GRENACHE OR MUSCAT. Top wines, esp aged RANCIOS, can provide fabulous drinking

Vin gris "Grey" wine is v. pale pink, made of red grapes pressed before fermentatio begins, unlike rosé that ferments briefly before pressing. Or from eg. PINOT GR not-quite-white grapes. "Œil de Perdrix" means much the same; so does "blush"

Vin jaune Jura w ★★★ Speciality of ARBOIS: odd yellow wine like Fino Sherry Normally ready when bottled (after at least 6 yrs). Best: CH-CHALON. A halfway house oxidized white is sold locally as *vin typé*.

Vin paillé de Corrèze SW Fr r w Keep as long as you like. Made nr Beaulieu-sur Dordogne by 25 keen growers and small co-op. Modern methods graduall replacing old style (once prescribed for breast-feeding mothers). An acquire taste. Try ★ Christian Tronche.

Vinsobres S Rhô r (p) (w) ★★ 07' 09' 10' 11 12' SYRAH-growing AC, marked by stron winds, part at altitude, nr Nyons. Best reds offer direct red fruit, punchy body Leaders: CAVE la Vinsobraise, DOMS les Aussellons, Bicarelle, Chaume-Arnaud Constant-Duquesnoy, Coriançon, Deurre (traditional), Jaume (modern), Moulin (traditional), Famille Perrin (v.gd value), Péquélette (biodynamic), CH Rouanne.

Viré-Clessé Burg w ★★ 09' 10' 11 12 AC based around two of best white villages of MÂCON. Extrovert style, though residual sugar originally forbidden. Tr A Bonhomme, Bret Bros, Chaland, LAFON, Michel, THÉVENET, co-op.

Visan S Rhô r (p) (w) ★★ 09' 10' 11' 12 Young growers driving quality at later-ripening Rhône village for medium-full reds with direct fruit, pepper. Fair whites. Bes incl: DOMS Coste Chaude (gd fruit), Florane, Fourmente (esp Nature), des Grands Devers, Roche-Audran.

Vogüé, Comte Georges de C d'O r w ★★★★ Iconic CHAMBOLLE estate, incl lion's share of MUSIGNY. Heralded vintages from 1990s taking time to come round.

Volnay C d'O r ★★★→★★★★ **90' 95 96' 98 99'** 02' **03** 05' 06 07 09' 10' 11 12 Village between POMMARD and MEURSAULT: often the best reds of the CÔTE DE BEAUNE; structured and silky. Best v'yds: Caillerets, Champans, CLOS des Chênes, Santenots, Taillepieds, etc. Best growers: D'ANGERVILLE, J-M BOILLOT, HOSPICES DE BEAUNE, LAFARGE, LAFON, DE MONTILLE, Rossignol.

Volnay-Santenots C d'O r ★★★ Best red wine v'yds of MEURSAULT use this name. Indistinguishable from other PREMIER CRU VOLNAY, unless more body, less delicacy. Best growers: AMPEAU, HOSPICES DE BEAUNE, LAFON, LEROY, PRIEUR.

Vosne-Romanée C d'O r ★★★→★★★★ **90' 93 95 96' 98 99'** 02' **03 05'** 06 07 08 09' 10' 11 12. Village with Burgundy's grandest crus (eg. ROMANÉE-CONTI, LA TÂCHE) and outstanding PREMIERS CRUS Malconsorts, Suchots, Brûlées, etc. There are (or should be) no common wines in Vosne. Many gd growers, incl: Arnoux, CATHIARD, Clavelier, DRC, EUGÉNIE, GRIVOT, GROS, Lamarche, LEROY, LIGER-BELAIR, MÉO-CAMUZET, MUGNERET, ROUGET, Tardy, Vigot.

Vougeot C d'O r w ★★★ **90' 96' 98 99'** 02' **03** 05' 06 07 08 09' 10' 11 12 Mostly GRAND CRU as CLOS DE VOUGEOT but also village and PREMIER CRU, incl outstanding white MONOPOLE, ***Clos Blanc de V.*** HUDELOT-Noëllat and VOUGERAIE best.

Vougeraie, Domaine de la C d'O r w ★★→★★★ DOM uniting all BOISSET's v'yd holdings (since 1999). Gd-value BOURGOGNE Rouge up to fine MUSIGNY GRAND CRU and unique white Clos Blanc de Vougeot.

Vouvray Lo w dr sw sp ★★→★★★★ (dr) 89 90 96' 97 02' 03 05' 07 08' **09 10 11** (sw) 89' 90' 95' 96' 97' 03' 05' 08 09' Important AC east of Tours famous for sweet wines, fizz. Still wines from top producers increasingly reliable. DEMI-SEC is classic style, but in gd yrs *moelleux* can be intensely sweet, virtually immortal. Fizz variable (60% production): look for *pétillant*. Producers: Bonneau, Brunet, Carême, ***Champalou***, CLOS Baudoin, Dhoye-Deruet, Foreau, Fouquet (DOM des Aubuisières), CH Gaudrelle, ***Huet***, de la Meslerie, Pinon, ***Dom de la Taille-aux-Loups***, Vigneau-Chevreau. Ancient vintages, ie. 1921, 24, 47, 59, 70, 71 a must-try.

Vranken Champ Ever more powerful CHAMPAGNE group. Sound quality. Leading brand: Demoiselle. Owns HEIDSIECK MONOPOLE and POMMERY.

Wolfberger Al ★★ Principal label of Eguisheim co-op. V.gd quality for such a large-scale producer. Important for CRÉMANT.

"Y" B'x (pronounced "ygrec") **80' 85 86 88** 94 96 00 02 04 05 06 07 08 09 10 11 Intense dry white wine produced at CH D'YQUEM, now on a yearly basis. Enticing young but interesting with age. Dry style in 2004, otherwise in classic off-dry mould, but recently purer and fresher than in the past.

Zind Humbrecht, Domaine Al w sw ★★★★ Leading biodynamic DOM sensitively run by Olivier Humbrecht, great winemaker and thinker: rich, balanced wines, drier, more elegant than before, v. low yields. Top wines from single v'yds ***Clos St-Urbain***, (ace 00) Jebsal (superb PINOT GR **02** 08 **09** 10) and Windsbuhl (esp GEWURZ 05 08 09'), plus GRANDS CRUS RANGEN, HENGST, Brand, Goldert.

Natural wine

An undefined, but cultish category: wine made with no chemicals, minimal sulphur (whatever that means) or none; embraces organic and biodynamics, even skin-macerated ("orange") whites. Can be v. fine indeed, but intentionally oxidative wines can be challenging. Has seized the hand-knitted moral high ground, regardless of flavour. Made worldwide, but this entry has to go somewhere....

Châteaux of Bordeaux

Abbreviations used in the text:

B'x	Bordeaux
Bar	Barsac
E-2-M	Entre-Deux-Mers
Grav	Graves
H-Méd	Haut-Médoc
L de P	Lalande de Pomerol
List	Listrac
Mar	Margaux
Méd	Médoc
Mou	Moulis
Pau	Pauillac
Pe-Lé	Pessac-Léognan
Pom	Pomerol
St-Ém	St-Émilion
St-Est	St-Estèphe
St-Jul	St-Julien
Saut	Sauternes
AC	appellation contrôlée
ch(x)	château(x)
dom(s)	domaine(s)

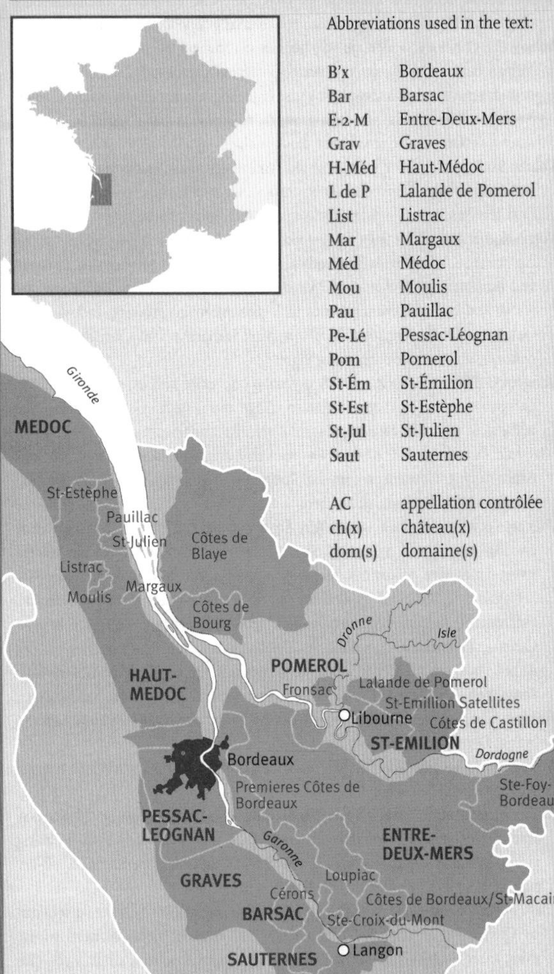

Following the heady years of 2009 and 2010 Bordeaux came back down to earth in 2011 and 2012. These were tricky years, the latter beset by uneven flowering, fungal disease and harvest rain – a new experience for some young winemakers. Twenty years ago it would have been a washout (witness 1992 and 1993), but greater care in the vineyard and meticulous sorting (sales of laser-optical grape-sorters were healthy) mean 2012 is an agreeable if not exceptional year, with volume down. The comforting thought, though, is that the 2009s and 2010s are either maturing nicely in

Châteaux of Bordeaux entries also cross-reference to France

ne cellar or at a humbler level are available to be enjoyed now. At *petit hâteau* level in appellations such as Castillon, Fronsac, Lalande de Pomerol, Listrac and Haut-Médoc, another wonderful vintage, 2005, is just oming into its own. And prices at this level remain pretty stable. Among *rands crus* 2001, 2002, 2004 and even 2000 are the vintages to look for ow; these are classic years, destined to be enjoyed at the table. On the ight Bank 1998 is a star turn, one of the greatest recent Merlot vintages. Dry white Bordeaux continues to be consistent and good value (one of the are successes in 2012) but Sauternes' lucky star finally faded, the noble ot disrupted by the rain. Still, there are plenty of remarkable vintages in eserve (2011, 2010, 2009, 2007, 2005, 2003, 2002, 2001). Perhaps Asia vill take up some of the slack in consumption of these stunning wines.

'A, Domaine de r ★★ 02 03 04 05' 06 07 08 09' 10' 11 12 Owned by winemaking consultant STÉPHANE DERENONCOURT and one of the best in CASTILLON. Biodynamically run. More finesse than usual for the AC.

'Agassac H-Méd r ★★ 00' 02 03 04 05 06 07 08 09' 10' 11 Turreted Renaissance CH near B'X city. Visitors welcome. Modern, accessible wine.

Andron-Blanquet St-Est r ★★ 98 00' 01 03 04 05' 06 08 09' 10' 11 Sister CH to COS-LABORY. Unfashionable but gd value.

Angélus St-Ém r ★★★★ 89' 90' 95 96 98' 99 00' 01 02 03' 04 05 06 07 08 09' 10' 11 12 Promotion to PREMIER GRAND CRU CLASSÉ (A) in 2012. Pioneer of modern ST-ÉMILION; dark, rich, sumptuous. New bell-tower and winery in 2013 baptized by the archbishop of B'X. Second wine: Le Carillon de L'Angélus. Fleur de Boüard in LALANDE DE POMEROL and Bellevue in St-Émilion same ownership.

'Angludet Marg r ★★★ 95 96' 98' 00 02 04 05 06 08 09' 10' 11 12 Owned and run by négociant SICHEL. Lively, fragrant, stylish, popular in the UK. Gd-value. Also CH Argadens (B'X SUPÉRIEUR, r and w)

Archambeau Grav r w dr (sw) ★★ (r) 04 05 06 08 09 10 (w) 05 06 07 08 09 10 11 Property at Illats owned by branch of Dubourdieu family. Gd ***fruity, dry white***; fragrant barrel-aged reds. Improving BARSAC-classed-growth CH Suau in same stable.

'Arche Saut w sw ★★ 96 97' 98 99 00 01' 02 03' 05 07 09' 10' 11' Much-improved Second Growth. Top vintages are creamy. CH d'Arche-Lafaurie is a richer micro-CUVÉE. Also bed-and-breakfast in 17th-century chapter house.

'Armailhac Pau r ★★★ 95' 96' 98 99 00 01 02 03 04 05' 06 07 08 09' 10' 11 12 Substantial Fifth Growth under (MOUTON) ROTHSCHILD ownership. Top quality, and more finesse than sister CLERC MILON; 15–20% CAB FR. On top form since 2004 and well-priced.

'Arrosée St-Ém r ★★★ 00 01 02 03 04 05' 06' 07 08 09' 10' 11 Classed-growth côte estate. Neighbour to FONPLÉGADE and newly named QUINTUS. Since 2003 (new owners) on top form. Mellow, harmonious wines: plenty of CABS FR, SAUV (40%).

Ausone St-Ém r ★★★★ 88 89' 90 95 96' 97 98' 99 00' 01' 02 03' 04 05' 06' 07 08 09' 10' 11 12 Tiny but illustrious First Growth (around 1,500 cases); best position on the côtes. Lots of CAB FR (55%). Pinnacle of great ST-ÉMILION. Long-lived wines: volume, texture, finesse. Second label: Chapelle d'Ausone (500 cases) also excellent. MOULIN-ST-GEORGES, Simard, Fonbel in same Vauthier-family ownership.

Balestard la Tonnelle St-Ém r ★★ 98' 00' 01 03 04 05 06 08 09 10 11 Historic classed growth on limestone plateau. MICHEL ROLLAND associate consults. Richer and riper since 2003.

Barde-Haut St-Ém r ★★ 98 00 01 02 03 05' 06 07 08 09 10 11 12 Elevated to GRAND CRU CLASSÉ (2012). Sister property of CLOS L'EGLISE, HAUT-BERGEY. Rich, modern, opulent.

Bastor-Lamontagne Saut w sw ★★ 96' 97' 98 99 01' 02 03' 05 07 09' 10 11 Large

Preignac sister to BEAUREGARD. Gd value; pure, harmonious. Second label: Les Remparts de Bastor. New, fruity "So" (from 2010) for early drinking. Also CH St-Robert at Pujols: GRAVES (r w).

Batailley Pau r ★★★ 96 00' 02 03 04 05' 06 08 09' 10' 11 12 Fifth Growth, owned by BORIE-MANOUX connections. *Steady form* last decade. Denis Dubourdieu consults.

Beaumont H-Méd r ★★ 98 00' 02 04 05' 06 08 09 10' One of the largest estates in the MÉDOC peninsula; early-maturing, *easily enjoyable wines*. Second label: CH Moulin d'Arvigny. In the same hands as BEYCHEVELLE.

Beauregard Pom r ★★★ 98' 00' 01 02 03 04 05' 06 08 09' 10' 11 Consistent mid-weight POMEROL, converting to organics. Pavillon Beauregard sister estate in LALANDE DE POMEROL. Second label: Benjamin de Beauregard.

Beau-Séjour-Bécot St-Ém r ★★★ 89' 90' 95' 96 98' 99 00' 01 02 03 04 05' 06 07 08 09' 10' 11 12 PREMIER GRAND CRU CLASSÉ on the limestone plateau. Seductive wines with more finesse from 2001. Ageing potential as well. GRAND-PONTET and LA GOMERIE in same family hands.

St-Émilion classification – 2012 version

A total of 82 CHX (out of 96 candidates) were classified in 2012: 18 as PREMIER GRAND CRU CLASSÉ and 64 as GRAND CRU CLASSÉ. The new classification, now legally considered an exam rather than a competition, was conducted by a commission of seven wine professionals nominated by INAO, none from B'X. Chx ANGÉLUS and PAVIE were upgraded to PREMIER GRAND CRU CLASSÉ (A) while added to the rank of *premier grand cru classé* (B) were CANON LA GAFFELIÈRE, LARCIS DUCASSE, LA MONDOTTE and VALANDRAUD. New to the status of GRAND CRU CLASSÉ were chx BARDE-HAUT, Le Chatelet, Clos de Sarpe, La Commanderie, Côte de Baleau, FAUGÈRES, DE FERRAND, La Fleur Morange, FOMBRAUGE, Jean Faure, Clos la Madeleine, Péby Faugères, de Pressac, Quinault l'Enclos, Rochebelle and SANSONNET. Although a motivating force for the producers, the classification (which is reviewed every 10 yrs) remains an unwieldy guide for consumers. Nice for the lawyers, though: as usual, there are legal challenges to the new classification.

Beauséjour-Duffau St-Ém r ★★★ 95 96 98 99 00 01 02 03 04 05' 06 08 09' 10' 11 12 Tiny PREMIER GRAND CRU CLASSÉ estate on west slope of the CÔTES owned by Duffau-Lagarrosse family. Moved up a gear from 2009: STÉPHANE DERENONCOURT consults.

Beau-Site St-Est r ★★ 00 03 04 05 06 08 09 10 11 CRU BOURGEOIS (2010) property in same hands as BATAILLEY, etc. 70% CAB SAUV. Average wine but more flesh in recent yrs.

Belair-Monange St-Ém r ★★★ 89' 90' 94 95' 96 98 99 00' 01 02 03 04 05' 06 08 09' 10' 11 12 Classed-growth neighbour of AUSONE owned by négociant J-P MOUEIX. Name changed from 2008 (previously plain Belair). Absorbed MAGDELAINE (2012) to double the size. Fine, fragrant, elegant style; more concentration since 2008.

Belgrave H-Méd r ★★ 98' 00' 02' 03 04' 05' 06 07 08 09' 10' 11 Sizeable Fifth Growth, well-managed by CVBG-DOURTHE (*see* LA GARDE, REYSSON). Modern-classic in style. Now consistent quality. Second label: Diane de Belgrave.

Bellefont-Belcier St-Ém r ★★ 00 01 02 03 04 05' 06 07 08' 09' 10' 11 First classified estate to fall into Chinese hands (2012). Neighbour of LARCIS-DUCASSE on the côtes at St-Laurent-des-Combes. Suave, fresh and refined. Recent vintages v.gd.

Bel-Orme-Tronquoy-de-Lalande H-Méd r ★★ 98' 00 02 03 04 05 08 09 10 11 Northern HAUT-MÉDOC estate. Clay-limestone soils, so MERLOT (60%) dominates. Firm, muscular style. Same owner as CROIZET-BAGES, RAUZAN-GASSIES.

Berliquet St-Ém r ★★ 98' 00' 01 02 04 05' 06 08 09 10 11 Tiny GRAND CRU CLASSÉ on the côtes. DERENONCOURT consultant from 2008. Fresh, elegant style.

Bernadotte H-Méd r ★★→★★★ 00' 01 02 03 04 05' 06 07 08 09' 10' 11 CRU BOURGEOIS (2010) close to PAUILLAC. Sold by ROEDERER (owner since 2006) to Hong Kong-based group in 2012. Structured wines. Recent vintages have more finesse. V.gd 2010.

Bertineau St-Vincent B'x r ★★ 98 00' 01 04 05 06 08 09 10 11 Top enologist MICHEL ROLLAND owns this tiny estate in Lalande-de-Pomerol. Old vines, fairly consistent. (*See also* LE BON PASTEUR.)

Beychevelle St-Jul r ★★★ 98 99 00' 01 02 03 04 05' 06 07 08 09' 10' 11 12 Fourth Growth with eye-catching boat label. Castel (since 2011) and Suntory (LAGRANGE) owners. Wines of consistent elegance rather than power. On top form since late 1990s. Second wine: Amiral de Beychevelle.

Biston-Brillette Mou r ★★ 01 02 03 04 05' 06 08 09 10' 11 Well-managed, family-owned. Attractive, fruit-bound wines. Consistent quality and value.

Bonalgue Pom r ★★ 98' 00 01 04 05 06 08 09 10 11 Dark, rich, meaty. As gd-value as it gets. Sister estate CLOS du Clocher. CHX du Courlat in LUSSAC ST-ÉMILION and Les Hauts Conseillants in LALANDE DE POMEROL same stable.

Bonnet B'x r w ★★ (r) 05 06 08 09 10 11 (w) DYA. Owned by octogenarian André Lurton. Large producer of some of the best E-2-M and red B'X. *Prestige* red and white CUVÉE, Divinus. LA LOUVIÈRE, COUHINS-LURTON, ROCHEMORIN same stable.

Bon Pasteur, le Pom r ★★★ 96' 98' 99 00 01 02 03 04 05' 06 08 09' 10' 11 Excellent property on ST-ÉMILION border, owned by MICHEL ROLLAND. Ripe, opulent, seductive wines guaranteed. (*See also* BERTINEAU ST-VINCENT.)

Boscq, le St-Est r ★★ 01 03 04 05' 06 08 09' 10 11 Quality-driven estate owned by CVBG-DOURTHE. MERLOT dominates (60%). Excellent value.

Bourgneuf-Vayron Pom r ★★ 98' 00 01' 03 04 05' 06 08 09 10 Vayron name dropped (2010). Ample, firm-edged, with more fruit and precision from 2008.

Bouscaut Pe-Lé r w ★★ (r) 95 98 00 01 02 04 05' 06 07 08 09 10' 11 12 (w) 01 02 03 04 05' 06 07 08 09 10' 11 12 Classed growth owned by sister of BRANE-CANTENAC's Henri Lurton. MERLOT-based reds. Sappy, age-worthy whites.

Boyd-Cantenac Marg r ★★★ 98' 00 02 03 04 05' 06 07 08 09' 10' 11 Little-known Third Growth on top form these days. CAB SAUV-dominated with a little peppery PETIT VERDOT. ***Stupendous 2010.*** Second wine: Jacques Boyd. *See also* POUGET.

Branaire-Ducru St-Jul r ★★★ 95 96 98 00' 01 02 03 04 05' 06 08 09' 10' 11 12 Fourth Growth with v'yd scattered around AC. "Fruit, freshness, finesse" the motto here. Consistent since the mid-1990s and relatively gd value. Second label: Duluc.

Brane-Cantenac Marg r ★★★ 95 96 98 99 00' 01 02 03 04 05' 06 07 08 09' 10' 11 12 Large Second Growth on the Cantenac plateau. Owner Henri Lurton manages with aplomb. Dense, fragrant. Exquisite 2005. Second label: Baron de Brane.

Brillette Mou r ★★ 00 02 03 04 05 06 08 09 10 11 V'yd on gravelly soils. Wines of gd depth and fruit. MICHEL ROLLAND consults. Second label: Berthault Brillette.

Cabanne, La Pom r ★★ 96 98' 00 04 05 06' 08 09 10 11 V'yd west of the POMEROL plateau. Cellar fire in 2010; new cellar since. Will this improve the rustic style? Second wine: DOM de Compostelle.

There are 60 different appellations in Bordeaux.

Cadet-Piola St-Ém r ★★ 98 00 01 03 04 05 06 08 09 10 11 RIP from 2012. Former GRAND CRU CLASSÉ now absorbed into CH SOUTARD. Fresh, firm, long-lived wines. 2010 more modern.

Caillou Saut w sw ★★ 90' 95 96 97 98 99 01' 02 03' 05' 07 09' 10' 11' Well-run 2nd-rank BARSAC for firm, fruity wine. 2010 and 2011 cracking. CUVÉE Reine is a top selection, Prestige Cuvée another.

Calon-Ségur St-Est r ★★★ 90' 94 95 96' 98 99 00' 01 02 03' 04 05' 06 07 08' 09 10' 11 12 Third Growth with great historic reputation. Sold to a French insuranc company in 2012. Estate really flying since 2008, thanks to investment and ne winemaker (ex-CH MARGAUX). Second label: Marquis de Calon.

Cambon la Pelouse H-Méd r ★★ 01 02 03 04 05' 06 07 08 09 10' 11 Big, suppl accessible southern HAUT-MÉDOC cru. L'Aura, a micro-CUVÉE from MARGAUX.

Camensac H-Méd r ★★ 98 01 02 03 05 06 08 09 10' 11 Fifth Growth in norther HAUT-MÉDOC. New owner (2005) has CHASSE-SPLEEN connection; change for th better from 2006; riper fruit. Second label: La Closerie de Camensac.

Canon St-Ém r ★★★ 96 98' 99 00 01 02 03 04 05' 06 07 08' 09' 10' 11 12 Famou first classed growth with walled-in v'yd on plateau west of the town. Same owner as RAUZAN-SÉGLA. Complete renovation of the cellars and v'yd since 1997. Elegan long-lived. Neigbouring CH Matras integrated in 2012. Second label: Clos Canor

Canon-de-Brem B'x r ★★ 00 01 03 04 05' RIP from 2006. Bought by Jean Halle of Carrefour supermarkets in 2000, wine now absorbed into CH DE LA DAUPHIN Massive recent investment. Firm, pure expression.

Canon la Gaffelière St-Ém r ★★★ 95 96 98' 99 00' 01 02 03 04 05' 06 08 09' 10' 12 Just promotion to PREMIER GRAND CRU CLASSÉ in 2012. Same ownership as CLO DE L'ORATOIRE, LA MONDOTTE and Aiguilhe in Castillon. Stylish, upfront, impressiv wines with 40% CAB FR and 5% CAB SAUV.

Cantegril Grav r Saut w sw ★★ (r) 05 06 08 09 10 (w) 03 04 05' 06 07 09 1 11 Supple red, fine BARSAC-SAUTERNES from DOISY-DAËNE and CLOS FLORIDÈN connection. Value.

Cantemerle H-Méd r ★★★ 96' 98 00 01 02 03 04 05' 06' 07 08 09' 10' 11 12 Larg property in wooded park in southern HAUT-MÉDOC. Now merits its Fifth Growt status. Sandy/gravel soils give finer style. Second label: Les Allées de Cantemerl

Cantenac-Brown Marg r ★★→★★★ 96 98 99 00 01 02 03 04 05' 06 08 09' 10' 11 1 Third Growth improved by AXA Millésimes from 1990s. Now owned by Britis businessman (2005). Previously robust style being steadily refined (v.gd 09, 10 Second label: Brio de Cantenac Brown.

Capbern-Gasqueton St-Est r ★★ 98 00 02 03 04 05 06 08' 09' 10' 11 Sold to sam new investor as sister CALON-SÉGUR in 2012. New cellars in 2010. Raised its gam since 2008 – solid but polished wines.

Cap de Mourlin St-Ém r ★★→★★★ 99 00 01 03 04 05 06 08 09 10 11 Well-know property of the Capdemourlin family, also owners of CH BALESTARD LA TONNELLE an Ch Roudier. Riper and more concentrated than in the past.

Carbonnieux Pe-Lé r w ★★★ 96 98 99 00 02 04 05' 06 07 08 09' 10 11 12 Larg historic estate at Léognan for sterling red and white, run by Eric and Philibe Perrin. ***The whites***, 65% SAUV BL (eg. 00 01 02 03 04 05 06 07 08 09 10 11 12 can age 10 yrs or more. CHX Haut-Vigneau, Lafont Menaut and Le Sartre ar also in the family.

Carles, de B'x r ★★★ 00 01 02 03 04 05' 06' 07 08 09 10 11 FRONSAC. Hau Carles (★★★) is the top selection here with its own modern, gravity-fed cellars Investment and aspirations of a top growth. Superb from 2006.

Carmes Haut-Brion, les Pe-Lé r ★★★ 96 98 99 00 01 02 03 04 05' 06 07 08 09 10' 11 Tiny walled-in neighbour of HAUT-BRION. New ownership in 2010. Part of L Thil Comte Clary v'yd (Léognan) added in 2012 so now double the size.

Caronne-Ste-Gemme H-Méd r ★★ 01 02 03 04 05 06 08 09' 10' 11 Go-ahead estate Olivier Dauga consults. Recent vintages show more depth and class.

Carruades de Château Lafite Pau The second wine of CH LAFITE is a relatively easy drinker (40% MERLOT). Its price has gone ballistic, thanks to Chinese demand.

Carteau Côtes-Daugay St-Ém r ★★ 01 02 03 04 05 08 09 10 11 Consistent, gd-valu ST-ÉMILION GRAND CRU; full-flavoured wines with freshness and elegance as well.

Certan-de-May Pom r ★★★ 95 96 98 00' 01' 04 05' 06 08 09' 10' 11 12 Tiny property on POMEROL plateau opposite VIEUX-CH-CERTAN. Solid wines with ageing potential.

Certan-Marzelle Pom Little J-P MOUEIX estate for ***fragrant, light, juicy Pomerol.***

Chantegrive Grav r w ★★→★★★ 01 02 03 04 05' 06 07 08 09' 10' 11 12 The largest estate in the AC; modern and v.gd quality. Reds rich and finely oaked. Cuvée Caroline is top, fragrant white (03 04 05' 06 07 08 09 10 11 12).

Chasse-Spleen Mou r (w) ★★★ 98 99 00 01 02 03 04 05' 06 07 08 09' 10' 11 Big MOULIS estate at classed-growth level. Consistently gd, often outstanding, long-maturing wine. Second label: L'Heritage de Chasse-Spleen. One of the surest things in B'X. Makes a little white. *See also* CAMENSAC and GRESSIER-GRAND-POUJEAUX.

Chauvin St-Ém r ★★ 01 03 04 05 06 08 09 10' 11 Family-owned GRAND CRU CLASSÉ in northwest ST-ÉMILION. Steady performer; increasingly serious.

Cheval Blanc St-Ém r ★★★★ 88 89 90' 93 94 95 96' 97 98' 99 00' 01' 02 03 04 05' 06 07 08 09' 10' 11 12 PREMIER GRAND CRU CLASSÉ (A) of ST-ÉMILION. 60% CAB FR. Firm, fragrant, vigorous, with some of neighbouring POMEROL voluptuousness. Delicious young; lasts a generation, or two. Same ownership, management as YQUEM, LA TOUR DU PIN (ST-ÉMILION). 1947 is a candidate for best claret ever. Stylish, new eco-friendly winery inaugurated in 2011. Second wine: Le Petit Cheval.

Chevalier, Domaine de Pe-Lé r w ★★★★ 95 96' 98' 99' 00' 01' 02 03 04' 05' 06 07 08 09' 10' 11 12 Superb estate in Léognan. Impressive since 1998, the red has gained in finesse, fruit, texture. Complex, long-ageing white has remarkable consistency and develops rich flavours (94 95 96' 97 98' 99 00 01 02 03 04 05' 06 07' 08' 09' 10' 11 12). Second wine: Esprit de Chevalier. DOM de la Solitude and CH Lespault-Martillac same management.

Cissac H-Méd r ★★ 96' 98 00 02 03 04 05 08 09 10 11 CRU BOURGEOIS (2010) west of PAUILLAC. Firm, tannic wines that need time. Recent vintages less rustic. Second label: Reflets du CH Cissac.

Citran H-Méd r ★★ 98 99 00 02 03 04 05' 06 08 09 10' Large estate owned by Villars-Merlaut family since 1996 (*see* CHASSE-SPLEEN, CAMENSAC). Modern, ripe, oaky through 2000s. Lately, touch more finesse. Second label: Moulins de Citran.

Number of Bordeaux wine growers dwindled from 25,000 in 1980 to 7,900 today.

Clarence de Haut-Brion, Le Pe-Lé r ★★★ 89' 90 94 95 96' 98 99 00 01 02 03 04 05' 06 07 08 09' 10' 11 12 The second label of CH HAUT-BRION, known as Bahans Haut-Brion until 2007. Blend changes considerably with each vintage but style follows that of the *grand vin*.

Clarke List r (p) (w) ★★ 00 01 02 03 04 05' 06 08 09' 10' 11 Large estate, massive (Edmond) Rothschild investment. Now v.gd MERLOT-based red. Consistent style since 2000: dark fruit and fine tannins. Also a dry white: Le Merle Blanc du CH Clarke. Ch Malmaison in MOULIS same connection.

Clerc Milon Pau r ★★★ 89' 90' 94 95 96' 98' 99 00 01 02 03 04 05' 06 07 08 09' 10' 11 12 V'yd tripled in size since (MOUTON) Rothschilds purchased in 1970 (now 247 plots). Broader and weightier than sister D'ARMAILHAC. New winemaking team in 2009 and eco-friendly cellar in 2011.

Climens Saut w sw ★★★★ 86' 88' 89 90' 95 96 97' 98 99' 00 01' 02 03' 04 05' 06 07 09' 10' 11' BARSAC classed growth making some of the world's most stylish wine. Concentrated but with vibrant acidity giving balance; ageing potential guaranteed. Biodynamic conversion from 2009. Second label: Les Cyprès. Owned by Berenice Lurton (sister of Henri at BRANE-CANTENAC).

Clinet Pom r ★★★★ 95 96 98' 99 00 01 02 03 05' 06 07 08' 09' 10 11 12 Made a name for intense, sumptuous wines in the 1980s (89 and 90 legendary). Back on same form with 08 and 09. MICHEL ROLLAND consults. Second label: Fleur de Clinet introduced in 1997, but now a négociant brand.

BORDEAUX

Clos de l'Oratoire St-Ém r ★★ 98 99 00' 01 03 04 05' 06 07 08 09 10' 11 Seriou performer on northeastern slopes of ST-ÉMILION. Same stable as CANON-LA GAFFELIÈRE, LA MONDOTTE, polished and reasonable value. Small crop in 2009 (hail

Clos des Jacobins St-Ém r ★★→★★★ 95 96 98 00 01 02 03 04 05' 06 07 08 09 10' 11 12 Côtes classed growth with greater stature since 2000. New ownershi from 2004; new creamy style. ANGÉLUS owner consults. Same family owns GRAN CRU CLASSÉ (2012) CH La Commanderie.

Clos du Marquis St-Jul r ★★→★★★ 98 99 00 01 02 03 04 05' 06 07 08 09' 10' 11 12 A of 2007 no longer considered the second wine of LÉOVILLE-LAS-CASES but a separat wine and v'yd (as has always been the case). As gd as many classed growths.

Clos Floridène Grav r w ★★ (r) 02 03 04 05 06 08 09' 10' 11 (w) 01' 04' 05' 07 08 09 10 11' **A sure thing** from one of B'X's most famous white winemakers, Deni Dubourdieu. SAUV BL/SÉM from limestone allows the wine to age well; muc improved red. *See also* CHX CANTEGRIL, DOISY-DAËNE and REYNON.

The average vineyard holding in Bordeaux has increased from 6ha in 1990 to jus over 15 today.

Clos Fourtet St-Ém r ★★★ 95 96 98 99 00 01 02 03 04 05' 06 07 08 09' 10' 1 12 First Growth on the limestone plateau. Impressive quarried cellars below Classic, stylish ST-ÉMILION. Consistently gd form. POUJEAUX in MOULIS same owne Second label: DOM de Martialis.

Clos Haut-Peyraguey Saut w sw ★★★ 89 90' 95' 96 97' 98 99 00 01' 02 03 04 05' 06 07 09' 10' 11' Magnate Bernard Magrez made this his Fourth Classed Growth in 2012 (*see* PAPE-CLÉMENT, LA TOUR-CARNET, FOMBRAUGE). Elegant harmonious wines. Haut-Bommes same stable.

Clos l'Église Pom r ★★★ 96 98 99 00' 01 02 03 04 05' 06 07 08 09' 10 11 12 Well sited, plateau v'yd. Rich, round and modern style since 1998. Same family own HAUT-BERGEY, Branon and BARDE-HAUT.

Clos Puy Arnaud B'x r ★★ 01' 02 03 04 05' 06 08 09' 10 11 Biodynamic estate A leading light in CASTILLON-CÔTES DE BORDEAUX. Wines of depth and distinction Owner formerly connected to PAVIE.

Clos René Pom r ★★ 98' 00' 01 04 05' 06 08 09 10 11 MERLOT-dominated wine with a little spicy MALBEC from sandy/gravel soils. Less sensuous than top POMEROL bu gd value. Alias CH Moulinet-Lasserre.

Clotte, la St-Ém r ★★ 98' 99 00' 01 02 03 04 05 06 08 09' 10' 11 Tiny côtes GRAN CRU CLASSÉ: fine, perfumed, supple wines. Confidential but gd value.

Colombier-Monpelou Pau r ★★ 00' 02 03 04 05 06 08 Owned since 2007 b (MOUTON) Rothschilds. Almost RIP. Grapes now destined for other brands.

Conseillante, La Pom r ★★★★ 89 90' 94 95' 96' 98' 99 00' 01 02 03 04 05' 06 07 08 09' 10' 11 12 Neighbour of L'EVANGILE. Same family ownership for 140 yrs. Some of the noblest and most fragrant POMEROL; almost Médocain in style long-ageing. New circular *cuvier* inaugurated in 2012. Second label: Duo de Conseillante.

Corbin St-Ém r ★★ 00' 01 02 04 05 07 08 09' 10' 11 Much-improved GRAND CRU CLASSÉ on sand, clay soils. Now consistent, gd value. Elegant, fine tannic frame.

Corbin-Michotte St-Ém r ★★ 01 02 04 05 06 08 09 10 11 Former classed growth on the edge of POMEROL (declassified 2012). Competent rather than exciting Medium-bodied, classic wines. CH Calon in MONTAGNE-ST-ÉMILION same owner.

Cordeillan-Bages Pau r ★★→★★★ A mere 1,000 cases of savoury PAUILLAC made by the LYNCH-BAGES team. Rarely seen outside B'X. Better known for its luxury restaurant and hotel.

Cos d'Estournel St-Est r ★★★★ 89' 90' 94 95 96' 98' 00 01 02 03 04 05' 06 07 08 09' 10' 11 12 Fashionable Second Growth with eccentric pagoda *chai*. Mos refined ST-ESTÈPHE. New (wildly expensive) state-of-the-art cellars in 2008. Pricey white from 2005. Prats family association terminated with the departure of manager Jean-Guillaume (2013). Second label: Les Pagodes de Cos (and CH MARBUZET for some markets). Super-modern Goulée (MÉDOC) same stable.

Cos-Labory St-Est r ★★ 90' 94 95 96' 98' 99 00 02 03 04 05' 06 07 08 09' 10' 11 12 Gd-value Fifth Growth neighbour of COS D'ESTOURNEL. Recent vintages have more depth and structure. ANDRON-BLANQUET is sister CH.

Coufran H-Méd r ★★ 99 00 01 02 03 04 05 06 08 09 10' 11 Coufran and VERDIGNAN, in extreme north of the HAUT-MÉDOC, are co-owned. Coufran is mainly MERLOT for supple wine. SOUDARS is another, smaller sister.

Couhins-Lurton Pe-Lé r w ★★→★★★ (r) 02 03 04 05 06 08' 09 10' 11 (w) 98' 99 00 01 02 03 04 05 06 07 08' 09 10' 11 Fine, minerally, long-lived, classed-growth white made from SAUV BL. Supple, MERLOT-based red from 2002. Same family as LA LOUVIÈRE and BONNET.

Couspaude, la St-Ém r ★★★ 98 99 00' 01 02 03 04 05 06 07 08 09' 10' 11 Classed growth well-located on the plateau. Modern style; rich and creamy with lashings of spicy oak. MICHEL ROLLAND consults.

Coutet Saut w sw ★★★ 88' 89' 90' 95 96 97' 98' 99 01' 02 03' 04 05 07 09' 10' 11' Traditional rival to CLIMENS, but zestier style. Consistently v. fine. Cuvée Madame is a v. rich selection (89 90 95 97 01). Dry white, barrel-fermented Opalie from 2010.

Couvent des Jacobins St-Ém r ★★ 98' 99 00' 01 03 04 05 06 08 09' 10 11 GRAND CRU CLASSÉ vinified within the walls of the town. Splendid cellars. Lighter, easy style. Denis Dubourdieu consults. Second label: Le Menut des Jacobins.

Crock, le St-Est r ★★ 98 99 00' 01 02 03 04 05 06 07 08 09' 10 11 V. fine property in the same family (Cuvelier) as LÉOVILLE-POYFERRÉ. Solid, fruit-packed.

Croix, la Pom r ★★ 98 99 00 01 04 05 06 07 08 09 10 11 Owned by négociant Janoueix. Appealing, rich and plummy. La Croix-St-Georges and HAUT-SARPE in ST-ÉMILION same stable.

Croix-de-Gay, la Pom r ★★★ 95 96 98 99 00' 01' 02 04 05 06 09' 10' 11 Situated in the best part of the commune. Round, elegant style. LA FLEUR-DE-GAY is made from the best parcels. Same ownership as Faizeau (MONTAGNE ST-ÉMILION).

Croix du Casse, la Pom r ★★ 99 00' 01' 04 05 06 08 09 10 11 Located on sandy/gravel soils in the south of POMEROL. Since 2005 owned by BORIE-MANOUX; investment and improvement from 2008. Medium-bodied; better value now.

Bring back the oldies

The Gironde Chamber of Agriculture wants producers to rediscover B'X's old-time grape varieties: CARMENÈRE, MALBEC and PETIT VERDOT. Widely planted in the 19th century, they were more or less abandoned in the 20th, but are now being recommended for certain terroirs. Improved clones and rootstocks as well as lower yields are making them viable. The message is that they will add extra spice and complexity to the classic CAB/MERLOT blend. Already Carmenère can be found at CHX BRANE-CANTENAC and CLERC MILON, Malbec at a number of estates in BLAYE CÔTES DE BORDEAUX and Petit Verdot at KIRWAN and PALMER, among others.

Croizet-Bages Pau r ★★→★★★ 95 96' 98 00' 02 03 04 05 06 07 08 09 10' 11 Steadily improving (from 2006) Fifth Growth. Same owners as RAUZAN-GASSIES. A new regime in the cellar is producing richer, more serious wines.

Croque-Michotte St-Ém r ★★ 98 00 01 03 04 05 08 09 10 11 Classic rather than modern ST-ÉMILION. Unhappy with the latest classification (*see* box p.98).

Cru Bourgeois Now a certificate awarded annually. Quality variable.

Cruzeau, de Pe-Lé r w sw ★★ (r) 01 02 04 05 06 08 09 10 11 (w) 04 05 06 07 08 09 10 11 Large (two-thirds red) v'yd developed by André Lurton of LA LOUVIÈRE and COUHINS-LURTON. Gd-value wines. SAUV BL-dominated white.

Dalem B'x r ★★ 00 01 02 03 04 05' 06 08 09' 10' 11 One of FRONSAC's leading lights. Family-owned, MERLOT-dominated. More finesse and charm in new millennium.

Dassault St-Ém r ★★ 98' 99 00 01 02 03 04 05' 06 08 09' 10 11 Consistent, modern, juicy GRAND CRU CLASSÉ. Owning family of Dassault aviation fame. Also La Fleur in ST-ÉMILION and ventures in Chile and Argentina.

Dauphine, de la B'x r ★★→★★★ 00 01 03 04 05 06' 08 09' 10' 11 12 Substantial FRONSAC estate. Wholesale change in last 15 yrs. Renovation of CH, v'yds plus new winery (2002). Stablemate CANON-DE-BREM integrated in 2006. More land acquired in 2012. Organic certification in 2015. Second label: Delphis (from 2006).

Dauzac Marg r ★★→★★★ 90' 94 95 96 98' 99 00' 01 02 04 05 06 08' 09' 10' 11 12 Fifth Growth; now dense, rich, dark wines. Owned by an insurance company; managed by Christine Lurton, daughter of André, of LA LOUVIÈRE. Second label: La Bastide Dauzac.

Chinese wine-lovers now own several dozen wine properties in Bordeaux.

Derenoncourt, Stéphane B'x Leading consultant winemaker; self-taught, focused on terroir, fruit, balance. Own property, ***Dom de l'A***, in CASTILLON.

Desmirail Marg r ★★→★★★ 01 02 03 04 05 06 07 08 09' 10' 11 Third Growth owned by Denis Lurton, brother of Henri (BRANE-CANTENAC). Fine, delicate style.

Destieux St-Ém r ★★ 98 99 00' 01 03' 04 05' 06 07 08 09' 10' 11 12 GRAND CRU CLASSÉ located east of ST-ÉMILION at St-Hippolyte. Bold, powerful style; consistent. Winner of the *coup des crus classés de St-Émilion* at 2012 Vinexpo Asia (Hong Kong).

Doisy-Daëne Bar (r) w dr sw ★★★ 88' 89' 90' 95 96 97' 98' 99 01' 02 03 04 05' 06 07 09 10' 11' Family-owned (Dubourdieu) estate producing an age-worthy, dry white and CH CANTEGRIL, but above all renowned for its notably ***fine, sweet Barsac***. L'Extravagant (96 97 01 02 03 04 05 06 07 09 10 11) is an intensely rich and expensive CUVÉE.

Doisy-Dubroca Bar w sw ★★ 08 09 10 Tiny BARSAC Second Growth allied to CLIMENS. Limited production.

Doisy-Védrines Saut w sw ★★★ 89' 90 95 96 97' 98 99 01' 03' 04 05 07 09 10' 11' BARSAC Second Growth owned by Castéja family (Joanne négociant). Delicious, sturdy, rich: ages well. A sure thing for many yrs.

Dôme, le St-Ém r ★★★ 04 05 06 08 09 10' 11 12 Microwine; used to be super-oaky, from 04 more elegant, related to terroir. Two-thirds old-vine CAB FR. Owned by Jonathan Maltus, with string of other ST-ÉMILIONS (eg. CH Teyssier, Le Carré, Les Astéries, Vieux-Ch-Mazerat) and California Napa Valley wines (World's End).

Dominique, la St-Ém r ★★★ 90' 94 95 96 98 99 00' 01 04 05' 06 08 09' 10' 11 12 Classed growth adjacent to CHEVAL BLANC. Solid value until 1996, then went off the boil. Back on form since 2006. New cellars in 2013 (architect Jean Nouvel). 2010 best since 89. Second label: St Paul de Dominique.

Ducluzeau List r ★★ 01 03 04 05 06 08 09 10 11 Tiny sister property of DUCRU-BEAUCAILLOU. 50/50 MERLOT/CAB SAUV. Round, well-balanced wines.

Ducru-Beaucaillou St-Jul r ★★★★ 85' 94 95' 96' 98 99 00' 01 02 03 04 05' 06 07 08 09' 10' 11 12 Outstanding Second Growth, excellent form except for a patch in the late 1980s. Added impetus from owner Bruno Borie from 2003. Classic cedar-scented claret, suited to long ageing. Second label: Croix de Beaucaillou (Jade Jagger designed label from 2010).

Duhart-Milon Rothschild Pau r ★★★ 95 96' 98 00' 01 02 03 04' 05' 06 07 08 09' 10' 11 12 Fourth Growth stablemate of LAFITE. Greater precision from 2002;

increasingly fine quality. Price surge with Chinese hunger for the Rothschild (Lafite) brand. Second label: Moulin de Duhart.

urfort-Vivens Marg r ★★★ 90 94 95 96 98 99 00 02 03 04 05' 06 08 09' 10' 11 Much-improved MARGAUX Second Growth owned by Gonzague Lurton. Steady conversion to biodynamics from 2010. Also co-owner of CH Domeyne in ST-ESTÈPHE. Second label: Vivens.

cho de Lynch-Bages Pau r ★★ 01 02 03 04 05 08 09 10 11 Second label of LYNCH-BAGES. Until 2008 known as Haut-Bages-Averous. Tasty drinking, fairly consistent.

Eglise, Domaine, de Pom r ★★ 96 98 99 00 01 02 03 04 05' 06 07 08 09 10' 11 12 Small property on the clay-gravel plateau: stylish, resonant wine. Denis Dubourdieu consults. Same stable as TROTTEVIEILLE and CROIX DU CASSE.

Eglise-Clinet Pom r ★★★→★★★★ 89' 90' 93' 94 95 96 98' 99 00' 01' 02 03 04 05' 06 07 08 09' 10' 11' 12 Tiny but top-flight estate with great consistency; full, concentrated, fleshy wine. Owner-winemaker Denis Durantou excels. Expensive and limited quantity. Second label: La Petite Eglise.

Evangile Pom r ★★★★ 88' 89' 90 95 96 98' 99 00' 01 02 03 04' 05' 06 07 08 09' 10' 11 12 Neighbour of CH LA CONSEILLANTE. Rich, opulent style. Investment by owners (LAFITE) Rothschild greatly improved quality; 09 and 10 best of the modern era. Second label: Blason de L'Evangile.

argues, de Saut w sw ★★★ 88 89 90 95 96 97 98 99' 01 02 03' 04 05' 06 07 09' 10' 11' V'yd attached to ruined castle owned by Lur-Saluces (ex-owner YQUEM). Techniques the same. Rich, unctuous wines, but balanced. Long ageing.

augères St-Ém r ★★→★★★ 98 99 00' 02 03 04 05 06 07 08 09' 10' 11 12 Dark, fleshy, modern. Promoted to GRAND CRU CLASSÉ in 2012 as was sister CH Péby Faugères (100% MERLOT). Imposing Mario Botta-designed winery opened 2009. Sister to ***Cap de Faugères*** in CASTILLON and Chambrun in LALANDE DE POMEROL.

aurie-de-Souchard St-Ém r ★★ 98' 00 03 04 05 06 07 08 09 10 11 Previously underperforming GRAND CRU CLASSÉ on the côtes. Recent investment and greater effort from new generation. STÉPHANE DERENONCOURT consults.

e Ferrand St-Ém r ★★ 00 01 03 04 05 06 08 09' 10' 11 Big St-Hippolyte estate owned by Baron Bich (Bic pens) family. Upgraded to GRAND CRU CLASSÉ in 2012. Wines released with 5 yrs age.

errande Grav r (w) ★★ 02 04 05 06 08 09 10 11 Major estate at Castres owned by négociant Castel. Steady improvement. Easy, enjoyable red; clean, fresh white.

errière Marg r ★★→★★★ 96' 98 99 00' 02 03 04 05 06 08 09' 10' 12 Tiny Third Growth with a CH in MARGAUX village restored by same capable hands as LA GURGUE and HAUT-BAGES-LIBÉRAL. Dark, firm, perfumed wines need time.

eytit-Clinet Pom r ★★ 96 98 99 00 01 03 04 05' 06 07 08 09' 10' 11 12 Tiny property once managed by J-P MOUEIX; back with owning Chasseuil family since 2000. On great form since. Rich, full POMEROL with ageing potential.

ieuzal Pe-Lé r (w) ★★★ (r) 98' 00 01 06 07 08 09' 10' 11 (w) 01 02 03 05 06 07 08 09' 10' 11 Classified PESSAC-LÉOGNAN estate with Irish owner. Red back on form 06. White more consistent. New gravity-fed winery (2011). Seven of the 63 vats carry names of the owner's grandchildren. ANGÉLUS owner consults for reds.

igeac St-Ém r ★★★★ 95' 96 98' 99 00' 01' 02 03 04 05' 06 07 08 09' 10' 11 12 First Growth; gravelly v'yd with unusual 70% CAB FR and CAB SAUV. Rich but always elegant wines; deceptively long ageing. Legendary owner Thierry Manoncourt (63 vintages) died in 2010. Son-in-law Eric d'Aramon continues the gd work, but not promoted to (A) status in 2012 classification, to the bafflement of fans. Second wine: Grange Neuve de Figeac.

ilhot Saut w dr sw ★★ 96' 97' 98 99 01' 02 03' 04 05 07 09' 10' 11' Second-rank classed growth with splendid CH, extensive v'yd. Difficult young, more complex with age. Richer and purer from 09.

Fleur Cardinale St-Ém r ★★ 98 99 00 01 02 03 04 05' 06 07 08 09' 10' 11 1 Classified property in St-Etienne-de-Lisse. In overdrive since 2001, with nev owner and *chai*. Always one of the last to harvest. Ripe, unctuous, modern style

Fleur-de-Gay, La Pom r ★★★ 1,000-case super-CUVÉE (old vines) of CH LA CROIX-DE-GAY 100% MERLOT.

Fleur-Pétrus, La Pom r ★★★★ 90' 94 95 96 98' 99 00' 01 02 03 04 05' 06 08 09' 10 11 12 J-P MOUEIX property; v'yd opposite LAFLEUR. Laser-optical sorter (2009): give v. precise selection of grapes. Finer style than PETRUS or TROTANOY. Needs time.

Fombrauge St-Ém r ★★→★★★ 98 99 00' 01 02 03 04 05 06 08 09' 10' 11 Larg Bernard Magrez estate (*see* PAPE-CLÉMENT, LA TOUR-CARNET, CLOS HAUT-PEYRAGUEY promoted to GRAND CRU CLASSÉ in 2012. Rich, dark, chocolatey, full-bodied wines Magrez-Fombrauge is its GARAGE wine.

Fonbadet Pau r ★★ 00' 01 02 03 04 05' 06 08 09' 10' 11 Family-owned estate. Eri Boissenot consults. Reliable, gd value and typically PAUILLAC. Finer since 2007.

Fonplégade St-Ém r ★★ 96 98 00' 01 03 04 05 06' 07 08 09' 10 GRAND CRU CLASS owned by American Stephen Adams. Progress since 2004: modern, concentrated MICHEL ROLLAND consults. CH L'Enclos in POMEROL same owner (2007).

Fonréaud List r ★★ 98 00' 02 03 04 05 06 08 09' 10' 11 One of the bigger an better LISTRACS making savoury, mouthfilling wines. Small volume of dry white Le Cygne, barrel-fermented. *See* LESTAGE. Gd-value.

Fonroque St-Ém r ★★★ 96 98 01 03 04 05 06 08 09' 10' 11 GRAND CRU CLASSÉ on th plateau north of ST-ÉMILION. Biodynamics (since 2008) paying off; more eleganc recently. Managed by Alain Moueix (*see* MAZEYRES). MOULIN DU CADET sister estate.

Fontenil B'x r ★★ 01' 02 03 04 05 06 08 09' 10' 11 Leading FRONSAC, owned b Michel ROLLAND (1986). Ripe, opulent, balanced. GARAGE: Défi de Fontenil.

Forts de Latour, les Pau r ★★★→★★★★ 89' 90' 94 95' 96' 98 99 00' 01 02 03 04 05' 06 07 08 09' 10' 11 12 The (worthy) second wine of CH LATOUR; authenti flavour in slightly lighter format at Second Growth price. Stopped *en primeu* sales from 2012 – wines will now be released when deemed ready to drink.

Fourcas-Dupré List r ★★ 98' 00' 01 02 03 04 05 06 08 09 10' 11 12 Well-run, makin fairly consistent wine in tight LISTRAC style. Yields have been lowered, chemica weedkillers banned. Better with bottle-age. Second label: CH Bellevue-Laffont.

Fourcas-Hosten List r ★★→★★★ 01 02 03 05 06 08 09 10' 11 12 Large estate wit new owners (Hermès fashion connection) from 2006: considerable investmer and improvement since then. More precision and finesse. To watch.

France, de Pe-Lé r w ★★ (r) 00 02 03 04 05 06 08 09 10' 11 (w) 01' 02 03 04 05 06 07 08 09 10 11 Neighbour of FIEUZAL; consistent, ripe, modern style. New *chai* i 2013; fire in 2011 destroyed old one; vintages 11, 12 vinified in neighbours' cellars

Franc-Mayne St-Ém r ★★ 98' 00' 01 03 04 05 06 08 09 10' 11 Small GRAND CRU CLASSÉ on the côtes. New owners in 2004 (sister properties CH DE LUSSAC an Vieux Maillet in POMEROL). Investment and renovation. Luxury accommodatio as well. Fresh, fruity and structured style. Round but firm wines.

Gaby, du B'x r ★★ 00' 01' 03 04 05 06 07 08 09 10 Splendid south-facing slopes i FRONSAC. New Canadian owner in 2006. Serious wines age well. Sister CH Moy in CASTILLON-CÔTES DE BORDEAUX.

Gaffelière, la St-Ém r ★★★ 89' 90' 95 96 98' 99 00' 01 03 04 05' 06 07 08 09' 10 11 12 First Growth at foot of the côtes. Owning Malet Roquefort family oldest i ST-ÉMILION (400 yrs). Elegant, long-ageing wines. Greater precision since 2000 CH Armens (St-Émilion) same stable.

Galius St-Ém r ★★ Oak-aged selection from ST-ÉMILION co-op, usually to high standard

Garde, la Pe-Lé r w ★★ (r) 98' 00 01' 02 04 05 06 07 08 09' 10' 11 (w) 02 04 0 06 07 08 09 10' 11 Substantial property owned by négociant CVBG-DOURTHE reliable, supple reds. Tiny production of SAUV BL/Sauvignon Gris-based white.

ay, le Pom r ★★★ 96 98 99 00 01 03 04 05' 06 07 08 09' 10' 11 Fine v'yd on northern edge of POMEROL. Major investment, with MICHEL ROLLAND consulting. Now v. ripe and plummy in style. Improvements from 2003. CH Montviel and La Violette same stable and AC. Owner also has v'yds in Argentina.

azin Pom r ★★★ 90' 95 96 98' 99 00' 01 02 03 04 05' 06 07 08 09' 10' 11 12 Large (for POMEROL), family-owned neighbour of PÉTRUS. Well-distributed and now on v.gd form. Second label: L'Hospitalet de Gazin.

lette Saut w sw ★★★ 53 55 59 61 67 70 71 75 76 78 79 81 82 83 85 86 88 89 90 Extraordinary small Preignac CH stores its sumptuous wines in concrete vats for 16–20 yrs. Only around 5,000 bottles of each. Some bottle age still advisable. Ch Les Justices is its sister (99 01 02 03' 05 07 09 10' 11).

iscours Marg r ★★★ 90 95 96' 98 99 00' 01 02 03 04 05' 06 07 08' 09' 10' 11 12 Substantial Third Growth south of Cantenac. V.gd vigorous wine in 1970s and now. 1980s were wobbly; new (Dutch) ownership from 1995 and steady improvement since. Second label: La Sirène de Giscours. CH DU TERTRE stablemate. As are Ch Duthil and Le Haut-Médoc de Giscours.

lana, du St-Jul r ★★ 98 00 02 03 04 05 06 08 09 10' Large estate, expanded through acquisition of land from CH LAGRANGE. Undemanding; undramatic; value. Same owner as Bellegrave in PAUILLAC. Second label: Pavillon du Glana.

loria St-Jul r ★★→★★★ 98 99 00' 01 02 03 04 05' 06 07 08 09' 10' 11 12 A widely dispersed estate with v'yds among the classed growths. Same ownership as ST-PIERRE. Regularly overperforms. Second label: Peymartin.

omerie, la St-Ém r ★★→★★★ 09' 10' 11 1,000 cases, 100% MERLOT; GARAGE wine. *See* BEAU-SÉJOUR-BÉCOT.

Losing out

It has been estimated that the cost of producing a *tonneau* (900 litres) of B'X these days is €1,078. Unfortunately the average price in bulk is not above €1,000 the *tonneau*. Production costs for those who bottle their wine runs to €2.88 per bottle before a margin (and tax) has been added. Bear that in mind the next time you buy a bottle of generic B'x.

rand-Corbin-Despagne St-Ém r ★★→★★★ 95 96 98 99 00' 01 03 04 05 06 08 09' 10' 11 12 Gd-value GRAND CRU CLASSÉ on top form. Family-owned (Despagne) since 1812; 2012 is the 200th vintage. Aromatic wines now with a riper, fuller edge. Organic cultivation. Also CH Maison Blanche, MONTAGNE ST-ÉMILION and Ch Ampélia, CASTILLON. Second label: Petit Corbin-Despagne.

rand Cru Classé *See* ST-ÉMILION CLASSIFICATION box, p.98.

rand-Mayne St-Ém r ★★★ 89' 90' 94 95 96 98 99 00' 01' 02 03 04 05' 06 07 08 09' 10' 11 12 Leading, family-owned (Nony since 1934) GRAND CRU CLASSÉ on western côtes. Consistent, firm, full, savoury wines.

rand-Pontet St-Ém r ★★★ 98' 00' 01 02 03 04 05 06 08 09 10 11 GRAND CRU CLASSÉ on the côtes. Powerful, generous style. Family connection to BEAU-SÉJOUR-BÉCOT.

rand-Puy-Ducasse Pau r ★★★ 95 96' 98' 99 00 01 02 03 04 05' 06 07 08 09' 10' 11 12 Fifth Growth owned by a bank; stop-start quality. More consistent since 2005. New winemaker 2010. Denis Dubourdieu consults. Second label: Prélude à Grand-Puy-Ducasse.

rand-Puy-Lacoste Pau r ★★★ 88' 89' 90' 94 95' 96' 98 99 00' 01 02 03 04 05' 06 07 08' 09' 10' 11 12 Fifth Growth famous for gd-value CAB SAUV-driven PAUILLAC to lay down. Same ownership as HAUT-BATAILLEY. Recent investment. Second label: Lacoste-Borie.

rave à Pomerol, la Pom r ★★★ 95 96 98' 00 01 02 04 05 06 08 09' 10 11 Small

Awash at sea

In the 18th century it was said that wine transported by sea in tall ships aged better than in the CH. Three months at sea is worth 3 yrs in the cellar, was the adage. So Ch LARRIVET-HAUT-BRION put the theory to the test, ageing a 55-litre barrel of the 2009 red in the oyster beds of the Bay of Arcachon for six months, and then comparing it with a barrel aged in the cellar. The result? The wine aged in the salty sea tasted more supple and aromatic and the alcohol content had been reduced from 13.8% to 13% ABV. It was generally the wine preferred, but that could all change in another 3 yrs.

property facing Lalande-de-Pomerol. Owned by Christian MOUEIX. Accessib with medium richness. Formerly known as La Grave Trigant de Boisset.

Gressier-Grand-Poujeaux Mou r ★★ **90 95 96 98 00 01 04 05** 09 10' Since 200 same owner as CHASSE-SPLEEN. 5,000 cases average. Little visibility. Solid in th past and in need of ageing.

Greysac Méd r ★★ **98 00' 02 03 04 05' 06 08 09** 10' 11 Large, elegant estate acquire by owner of CH Rollan-de-By and HAUT-CONDISSAS in 2012. Fine, consistent quali

Gruaud-Larose St-Jul r ★★★★ **88 89' 90' 95' 96' 98 99 00'** 01 02 03 04 05' 06 08 09' 10' 11 12 One of the biggest, best-loved Second Growths. Smooth, ric vigorous claret; ages 20 yrs+. More finesse from 2007. Second label: Sarget Gruaud-Larose.

Guadet St-Ém ★★ **01 04 05 06 08** 09 10 11 Classed growth with quarried cellars the rue Guadet, ST-ÉMILION. Form wobbly pre-2000. Improvement since. Orgar certification from 2010.

Guiraud Saut (r) w (dr) sw ★★★ **89' 90' 95 96' 97' 98 99 01'** 02 03 04 05' 06 **09'** 10' 11' Organically certified (2011) classed growth. Owning consortium in long-time manager, Xavier Planty and Peugeot (cars) family. Top quality, mc SAUV BL than most. Dry white G de Guiraud. Second label: Petit Guiraud (200

Gurgue, la Marg r ★★ **00' 01 02 03 04 05' 06 08** 09' 10 11 Well-placed proper Same management as FERRIÈRE and HAUT-BAGES-LIBÉRAL. Fine. Gd-value.

Hanteillan H-Méd Cissac r ★★ **00' 02 03 04 05' 06 09'** 10 Huge northern v'y v. fair wines, early-drinking; 50% MERLOT. Second label: CH Laborde.

Haut-Bages-Libéral Pau r ★★★ **96' 98 99 00 01 02 03 04 05' 06** 08 09' 10' 11 Lesser-known Fifth Growth (next to LATOUR) in same stable as FERRIÈRE and GURGUE. Results are excellent, full of PAUILLAC vitality. Usually gd value.

Haut-Bages-Monpelou Pau r ★★ **98 00 03 04 05 06 08 09** 10 Stablemate BATAILLEY on former DUHART-MILON land. Could improve.

Haut-Bailly Pe-Lé r ★★★★ **89' 90' 95 96' 98' 99 00'** 01 02 03 04 05' 06 07 08' 0 10' 11' Top-rank PESSAC-LÉOGNAN classed growth owned by American banker sin 1998. Continued progress since. Only red wine – refined, elegant style (parc of very old vines). CH Le Pape (Léognan) new acquisition in 2012. Second lab La Parde de Haut-Bailly.

Haut-Batailley Pau r ★★★ **95 96' 98 99 00 02 03 04 05'** 06 **07** 08 09' 10' 12 Smaller part of divided Fifth Growth BATAILLEY. Gentler than sister GRAND-PU LACOSTE. New cellar in 2005; more precision. Second label: La Tour-l'Aspic.

Haut-Beauséjour St-Est r ★★ **00 01 03 04 05 08 09** 10 Property revitalized by own Champagne ROEDERER. Supple, round style. *See also* DE PEZ.

Haut-Bergey Pe-Lé r (w) ★★ (r) **98 99 00 01 02 04 05 06 07 08 09** 10 11 (w) 04 **06 07 08 09 10 11** Property of sister of owner of SMITH-HAUT-LAFITTE. Complete renovated in the 1990s. Rich, modern GRAVES with oak overlay. Also a little d white. BARDE-HAUT, CLOS L'ÉGLISE and CH Branon same stable.

aut-Brion Pe-Lé r ★★★★ (r) 82' 83' 85' 86' 88' 89' 90' 93 94 95' 96' 97 98' 99 00' 01 02 03 04 05' 06 08 09' 10' 11' 12 Established in the 16th century. Only non-MÉDOC First Growth of 1855, owned by American Dillon family since 1935. Deeply harmonious, never aggressive wine. Consistently great since 1975. Neighbouring DOM Allary Haut-Brion v'yd integrated in 2012. A little dry, sumptuous *white*: 90 93 94 95 96 98 99 00' 01 02 03 04' 05' 06 07 08' 09 10' 11' 12. *See* LE CLARENCE DE HAUT-BRION, LA MISSION-HAUT-BRION, LAVILLE-HAUT-BRION.

aut Condissas Méd r ★★★ 01 02 03 04 05 06 07 08 09' 10' 11 MÉDOC with an international flavour. Sister to CH Rollan-de-By. Rich, concentrated and oaky. MERLOT (60%) and PETIT VERDOT (20%) the essential components.

aut-Marbuzet St-Est r ★★→★★★ 98 99 00' 01 02 03 04 05' 06 07 08 09' 10' 11 Only 7ha when started in 1952; now 70ha. Fourth-Growth quality, but unclassified. Two-thirds of the production sold directly by the CH. Rich, unctuous Merlot-based (60%) wines that age well. Chambert-Marbuzet, MacCarthy, Tour de Marbuzet and Layauga-Duboscq same stable.

aut-Pontet St-Ém r ★★ 00 01 03 04 05 09 10 Tiny MERLOT-dominated v'yd on the côtes. Owned by Janoueix (*see* next entry) from 2007.

aut-Sarpe St-Ém r ★★ 96 98 00' 01 04 05 06 08 09 10 11 GRAND CRU CLASSÉ with elegant CH and park, 70% MERLOT. Same owner (Janoueix) as CH LA CROIX, POMEROL. Rich, dark, modern style.

osanna Pom r ★★★★ 99 00 01 03 04 05' 06 07 08 09' 10' 11' Formerly Certan-Guiraud until purchased and renamed by J-P MOUEIX in 1999. Only best part retained. First vintages confirm power, complexity and class. New cellar in 2008, shared with Providence. Stablemate of TROTANOY.

ssan Marg r ★★★ 98 00' 01 02 03 04' 05' 06 07 08 09' 10' 11 12 Third Growth v'yd with moated CH. Fragrant wines; more substance since late 1990s. Owner Emmanuel Cruse is the grand master of the Commanderie du Bontemps Confrérie. Second label: Blason d'Issan.

rwan Marg r ★★★ 95 96 98 99 00' 01 02 03 04 05' 06 07 08 09 10' 11 12 Third Growth majority-owned by Schröder & Schÿler (since 1997). Former PALMER winemaker applying more finesse from 2007. To watch. Second label: Les Charmes de Kirwan.

bégorce Marg r ★★→★★★ 01 02 03 04 05' 07 08 09 10' 11 12 In 2009 absorbed neighbouring LABÉGORCE-ZÉDÉ, returning to its 18th-century form. Solid, long-lived. CH MARQUIS-D'ALESME same stable.

bégorce-Zédé Marg r ★★→★★★ 95 96' 98 99 00' 01 02 03 04 05' 06 07 RIP. From 2009, part of CH LABÉGORCE (*see* previous entry). Old vintages classic and fragrant in style.

faurie-Peyraguey Saut w sw ★★★ 83' 85 86' 88' 89' 90' 95 96' 97 98 99 01' 02 03' 04 05' 06 07 09' 10' 11' Leading classed growth at Bommes, owned by a bank. 5,500 cases of rich, concentrated but harmonious wines. Cellars and CH renovated (1998–04). Consistent and relatively gd value since the remarkable 83. Second label: La Chapelle de Lafaurie.

fite-Rothschild Pau r ★★★★ 85 86' 88' 89' 90' 93 94 95 96' 97 98' 99 00' 01' 02 03' 04' 05' 06 07 08' 09' 10' 11' 12 First Growth of famous elusive perfume and style, but never great weight, although more density and sleeker texture from 96. Great vintages need keeping for decades; insatiable demand from China has driven the price sky-high (though down from the peak of 2010). Joint ventures in Chile (1988), California (1989), Portugal (1992), Argentina (1999), now the MIDI, Italy – even China. Second label: CARRUADES DE LAFITE. Also owns CHX DUHART-MILON, L'EVANGILE, RIEUSSEC.

fleur Pom r ★★★★ 85' 86 88' 89' 90' 93 94 95 96 98' 99' 00' 01' 02 03 04' 05' 06' 07 08 09' 10' 11' 12 Superb family-owned and -managed property cultivated

Organics gaining ground
B'X's maritime climate is not particularly conducive to organic cultivation (fungal disease, etc.) but the movement is definitely gaining ground. From 2,782ha cultivated organically in 2008, B'x moved to 7,274ha in 2012. There are even a number of iconic estates that have taken the organic or biodynamic pledge – witness DURFORT-VIVENS, FONROQUE, GUIRAUD, LATOUR, PONTET-CANET – so the initiative looks set to continue. Local consumers are clearly interested. The annual *Marché Gourmand des Vins Bio* held its sixth weekend fair in B'x-Bègles in 2012.

like a garden. Elegant, intense wine for maturing. 50% CAB FR. Second labe *Pensées de Lafleur*.

Lafleur-Gazin Pom r ★★ 00 01 04 05 06 08 09 10 11 Small J-P MOUEIX estate locate between LAFLEUR and GAZIN. Lighter style.

Lafon-Rochet St-Est r ★★★ 89' 90' 95 96' 98 99 00' 01 02 03' 04 05' 06 08 09' 1 11 12 Fourth Growth neighbour of COS D'ESTOURNEL, Distinctive yellow cellars (ar label). Same family ownership as PONTET-CANET. A higher percentage of MERL has made this ST-ESTÈPHE more opulent since 1998. Gd value. Second label: L Pèlerins de Lafon-Rochet.

Lagrange St-Jul r ★★★ 89' 90' 94 95 96 98 99 00' 01 02 03 04 05' 06 08 0 10' 11 Substantial (115ha) Third Growth owned by Suntory (since 1983). Now i tip-top condition. Much investment in v'yd and cellars (renovated winery wi 94 vats). Dry white Les Arums de Lagrange (since 1997). Second label: Les Fie de Lagrange (gd value).

Lagrange Pom r ★★ 95 96 98 00 01 04 05 06 09 10 Tiny v'yd in the centre POMEROL run by the ubiquitous house of J-P MOUEIX. Mainly MERLOT. Gd value b not in the same league as HOSANNA, LA FLEUR-PÉTRUS, etc.

Lagune, la H-Méd r ★★★ 90' 95 96' 98 00' 02 03 04 05' 07 08 09' 10' 11 Thi Growth with sandy/gravel soils. Quality dipped in 1990s but now on forn Wines are fine-edged with added structure and depth. A laser-optical gra sorter has been in use since 2010. Owned by J-J Frey; *see also* JABOULET AÎN Daughter Caroline is winemaker.

Lalande-Borie St-Jul r ★★ 00 01 02 03 04 05 06 07 08 09' 10' 11 A baby brother the great DUCRU-BEAUCAILLOU created from part of the former v'yd of CH LAGRANG Gracious, easy-drinking wine.

Lamarque, de H-Méd r ★★ 98 99 00' 02 03 04 05' 06 08 09' 10' 11 Centr HAUT-MÉDOC v'yd with splendid medieval fortress. Competent, mid-term wine Second wine: D de Lamarque.

Lamothe Bergeron H-Méd r ★★ 98' 00 02 03 04 05 09' 10' 11 Large estate Cussac-Fort-MÉDOC. Owned by Cognac houses Hardy and Mounier (since 200 Reliable if unexceptional, but improving.

Lanessan H-Méd r ★★ 98 00' 02 03 04 05 08 09' 10' 11 Distinguished property ju south of ST-JULIEN. Former Calvet and Cordier-Mestrezat winemaker, Paz Espe now in charge – improvements since 2009. Horse museum and tours.

Langoa-Barton St-Jul r ★★★ 90' 95' 96' 98 99 00' 01 02 03 04' 05' 06 07 08 0 10' 11 12 Third Growth sister CH to LÉOVILLE-BARTON. Home to Anthony Barto impeccable standards, gd-value. Second label: Rés de Léoville-Barton.

Larcis-Ducasse St-Ém r ★★★ 89' 90' 94 95 96 98 00 02 03 04 05' 06 07 08 0 10' 11 12 Newly promoted (2012) PREMIER GRAND CRU CLASSÉ on the côtes at Laurent. Spectacular rise in quality (and price) since 2002. Same manageme as PAVIE-MACQUIN.

Larmande St-Ém r ★★ 98' 00' 01 03 04 05 07 08 09' 10 Substantial prope owned by Le Mondiale insurance (as is SOUTARD). Replanted, re-equipped; now consistently solid wines. Second label: le Cadet de Larmande.

aroque St-Ém r ★★→★★★ 95 96 98 99 00' 01 03 04 05 06 08 09' 10' 11 Large classified growth at St-Christophe-des-Bardes. 17th-century CH. Fresh, terroir-driven wines.

arose-Trintaudon H-Méd r ★★ 03 04 05 06 07 08 09' 10 11 The largest v'yd in the MÉDOC (190ha). Sustainable viticulture. Previously light and easy-drinking but improved quality from 07. Second label: Larose St-Laurent. Special CUVÉE (from 1996) – Larose Perganson – from separate parcels.

aroze St-Ém r ★★ 96' 98' 99 00 01 05 06 07 08 09' 10' 12 Large v'yd west of ST-ÉMILION. Lighter-framed wines from sandy soils, more depth from 1998; ANGÉLUS owner consults. *Tribaie* grape-sorting machine (sorts by specific gravity, thus ripeness). Second label: La Fleur Laroze.

arrivet-Haut-Brion Pe-Lé r w ★★★ (r) 98' 00 01 02 03 04 05' 06 07 08 09 10' 11 12 PESSAC-LÉOGNAN property owned by Bonne Maman jam connection since 1987. Rich, modern red. Also SAUV BL/SÉM barrel-fermented white (04' 05 06 07 08 09 10' 11 12). Former MONTROSE manager in charge since 2007. MICHEL ROLLAND consults. Second label: Les Demoiselles de Larrivet-Haut-Brion.

ascombes Marg r (p) ★★★ 90' 96' 98' 99 00 01 02 03 04 05' 06 07 08 09' 10' 11 12 Second Growth owned by French insurance group (2011). Wines were wobbly, but real improvements from 2001. MICHEL ROLLAND consults. Winemaker previously with L'EVANGILE. Modern style. Second label: Chevalier de Lascombes.

atour Pau r ★★★★(★) 82' 85 86 88' 89 90' 91 94 95' 96' 97 98 99 00' 01 02 03' 04' 05' 06 07 08 09' 10' 11' 12 First Growth considered the grandest statement of the MÉDOC. Profound, intense, almost immortal wines in great yrs; even weaker vintages have the unique taste and run for many yrs. Recently enlarged but *grand vin* still from historic "Enclos" v'yd. Latour always needs 10 yrs to show its hand. Part of the v'yd biodynamically cultivated (incl horses for ploughing). Set cat among pigeons when it ceased *en primeur* sales in 2012: wines now only released when ready to drink. Second label: LES FORTS DE LATOUR; ***third label: Pauillac.***

gneau de Pauillac can come from the whole Gironde. Rather as if Latour came from the Landes.

atour-à-Pomerol Pom r ★★★ 89' 90' 94 95 96 98' 99 00' 01 02 04 05' 06 07 08 09' 10' 11 12 Top growth on plateau, under J-P MOUEIX management. Rich, well-structured wines that age. Rarely disappoints.

atour-Martillac Pe-Lé r w ★★ (r) 98 00 01 02 03 04 05' 06 08 09' 10' 11 12 Family-owned, classed-growth property in Martillac. Regular quality (r w); gd-value at this level. White can age as well (01 02 03 04 05 06 07 08 09 10' 11 12).

aurets, des St-Ém r ★★ 03 04 05 06 08 09 10 Major property in PUISSEGUIN-ST-ÉMILION and MONTAGNE-ST-ÉMILION, with v'yd evenly split on the côtes (40,000 cases). Owned by Benjamin de Rothschild of CH CLARKE (2003).

aville-Haut-Brion Pe-Lé w ★★★★ 94 95' 96' 98 00' 01 02 03 04' 05' 06 07 08' Former name for LA MISSION HAUT-BRION BLANC (renamed in 2009). Only 8,000 bottles/yr of v. best white GRAVES for long, succulent maturing. Great consistency. Mainly SÉM. Second wine: La Clarté de Haut-Brion (formerly Les Plantiers); also incl wine from HAUT-BRION.

éoville-Barton St-Jul r ★★★★ 88' 89' 90' 94' 95' 96' 98 99 00' 01 02 03' 04 05' 06 07 08' 09' 10' 11 12 Second Growth with the longest-standing family ownership; in Anglo-Irish hands of the Bartons for over 180 yrs (Anthony Barton is present incumbent, assisted by daughter Lilian). Smallest of the three Léovilles; harmonious, classic claret; fair prices. Generally traditional methods but optical-laser sorter from 2011. *See* LANGOA-BARTON.

BORDEAUX

Léoville-las-Cases St-Jul r ★★★★ 83' 85' 86' 88 89' 90' 93 94 95' 96' 97 98 99 0
01 02 03' 04' 05' 06 07 08 09' 10' 11' 12 Largest Léoville and original "sup
Second"; *grand vin* from Grand Enclos v'yd. Elegant, complex, powerful win
for immortality. Second label: Le Petit Lion (2007); previously CLOS DU MARQU
but latter now considered a separate wine. Laser-optical grape sorting from 200

Top Pauillac costs c.€29/bottle to make, including land costs. Top Sauternes co c.€17, Napa (California) c.€20.

Léoville-Poyferré St-Jul r ★★★ 86' 88 89' 90' 94 95 96' 98 99 00' 01 02 03 04 0
06 07 08 09' 10' 11' 12 The 3rd part of the great Léoville estate; its best vines
opposite the Grand Enclos of LÉOVILLE-LAS-CASES. Now at Super Second level w
dark, rich, spicy, long-ageing wines. ROLLAND consults at the estate. Second lab
CH Moulin-Riche.

Lestage List r ★★ 00 02 03 04 05 06 08 09 10 11 LISTRAC estate in same hands
CH FONRÉAUD. More MERLOT (56%). Firm, slightly austere claret. Second wine:
Dame de Coeur de Ch Lestage.

Lilian Ladouys St-Est r ★★ 96 98 00 02 03 04 05 06 07 08 09' 10' 11 Created
the 1980s, the v'yd has 100 parcels of vines. Firm, sometimes robust win
recent vintages more finesse. New owner in 2008 (owner of rugby club Raci
Métro 92 and, since 2009, PEDESCLAUX). Same management as Belle-Vue
HAUT-MÉDOC.

Liot Bar w sw ★★ 96 97' 98 99 01' 02 03 05 07 09 10 11 BARSAC neighbour
CLIMENS. Consistent, fairly light, golden wines. Easy-drinking and inexpensive.

Liversan H-Méd r ★★ 96 98 00 02 03 04 05 07 08 09 10 Property inland fro
PAUILLAC. Same owner as PATACHE D'AUX. Quality-oriented; delicate style. Secon
label: Les Charmes de Liversan.

Loudenne Méd r ★★ 00' 01 02 03 04 05 06 09' 10' 11 18th-century pink-wash
chartreuse by the river made famous by Gilbey's. Owned since 2000 by Lafrage
family. Daughter Florence is manager. Ripe, round reds. Also an oak-scent
SAUV BL white (05 06 07 08 09 10 11). And, of course, a rosé: Pink de Loudenn

Loupiac-Gaudiet B'x w sw ★★ 99 01 02 03' 05 07 09 10 11 A reliable source
gd-value "almost-SAUTERNES", just across river Garonne in LOUPIAC AC.

Louvière, la Pe-Lé r w ★★★ (r) 98 99 00' 01 02 04 05' 06 07 08 09' 10' 11 (w) 00
02 03 04' 05' 06 07 08 09' 10' 11 André Lurton's pride and joy. Excellent *wh*
and red of classed-growth standard. *See also* BONNET, COUHINS-LURTON, DE CRUZE
DE ROCHEMORIN. Crédit Agricole bank now has share in company: Vignobl
André Lurton (2012).

Lussac, de St-Ém r ★★ 00 03 04 05 06 07 08 09 10 11 One of the best estates
LUSSAC-ST-ÉMILION. Same stable as FRANC-MAYNE and Vieux Maillet in POMEROL. Sm
parcel now grafted to SÉM for a white wine.

Lynch-Bages Pau r (w) ★★★★ 85' 86' 88' 89' 90' 94 95' 96' 98 99 00' 01 02 03 0
05' 06 07 08 09' 10' 11 12 Always popular, now a regular star, far higher th
its Fifth Growth rank. Rich, robust, CAB-flavour wine: deliciously dense. *See* EC
DE LYNCH-BAGES. Third wine from 2009. Gd white, Blanc de Lynch-Bages (sin
2007), now fresher. Same owners (Cazes family; new generation – Jean-Charl
– now in charge) as LES ORMES-DE-PEZ and Villa Bel-Air.

Lynch-Moussas Pau r ★★ 96' 98 00' 01 02 03 04 05' 07 08 09 10' 11 Fifth Grow
owned by BORIE-MANOUX, home of president of B'X GRANDS CRUS. Lighter, fruiti
PAUILLAC. Improvements since 2001.

Lyonnat, du St-Ém r ★★ 01 03 04 05 06 08 09 10 11 Property in LUSSAC-ST-ÉMILIO
Reliable wine. Rhône modernizer J-L Colombo is consulting oenologist.

Macquin-St-Georges St-Ém r ★★ 98 99 00 01 03 04 05 06 08 09 10 11 Producer
delicious, not weighty, satellite ST-ÉMILION at ST-GEORGES. Consistent.

gdelaine St-Ém r ★★★ **89' 90' 94 95 96 98' 99** 00 01 **03 04 05 06** 08 09' 10' 11 RIP from 2012 – now integrated into BELAIR-MONANGE. Delicate, fine and deceptively long-lived. Denser weight from 2008.

alartic-Lagravière Pe-Lé r (w) ★★★ (r) **96 98 99** 00' 01 02 03 04' 05' 06 08 09' 10' 11 12 (w) **00 01' 02 03 04' 05' 06 07 08** 09' 10' **11** 12 Léognan classed growth. Rich, modern red wine since late 1990s; a little lush SAUV BL white. Belgian owner (since 1997) has revolutionized the property. MICHEL ROLLAND advises. CH Gazin Rocquencourt (PESSAC-LÉOGNAN) new acquisition in 2006.

alescasse H-Méd r ★★ **00 01 02 03 04** 05 06 08 **09 10** Renovated property nr MOULIS. New ownership in 2012. Supple, inexpensive wines, accessible early. Second label: La Closerie de Malescasse.

alescot-St-Exupéry Marg r ★★★ **95 96 98 99** 00' 01 02 03 04 **05'** 06 **07** 08' 09' 10' 11 12 Third Growth returned to fine form in the 1990s. Now ripe, fragrant and finely structured. Ages well. MICHEL ROLLAND advises.

alle, de Saut r w dr sw ★★★ (w sw) **89' 90' 94 95 96'** 97' **98 99** 01' 02 03' **05** 06 07 **09** 10' 11' Beautiful 17th century Preignac CH making v. fine, medium-bodied SAUTERNES; also M de Malle dry white and GRAVES Ch du Cardaillan.

arbuzet St-Est r ★★ **98 99** 00' **01** 02 03 04 **05' 06** Since 2007 integrated into COS-D'ESTOURNEL. Now a second label name for certain markets.

argaux, Château Marg r (w) ★★★★ **85' 86' 88' 89'** 90' **93 94 95' 96' 97 98' 99 00' 01' 02 03' 04'** 05' 06' 07 08 09' 10' 11' 12 MARGAUX First Growth; most seductive, fabulously perfumed and consistent wines. Owned and run by Corinne Mentzelopoulos; father bought the property in 1977. New Norman Foster-designed cellars in 2013. Pavillon Rouge (**00' 01** 02 **03** 04' **05' 06** 08 09' 10' 11) is second label; a third wine shortly. ***Pavillon Blanc*** (100% SAUV BL) is best white of MÉDOC, at First Growth price (**01' 02 03 04'** 05 06 07 08 09' 10' **11'**).

test swanky new cellar commission is at Ch Margaux: Sir Norman Foster.

arojallia Marg r ★★★ **99 00'** 01 02 03 04 **05' 06** 07 **08** 09' 10 11 Micro-CH looking for big prices for big, rich, beefy, un-MARGAUX-like wines. MICHEL ROLLAND consults. Upmarket B&B also. Second label: Clos Margalaine.

arquis-d'Alesme Marg r ★★ **98** 00 01 **04 05** 07 **08** 09' 10' 11 Third Growth purchased by LABÉGORCE in 2006. Dropped "Becker" handle in 2009. Has been disappointing in recent yrs but improvement from 2007. To watch.

arquis-de-Terme Marg r ★★→★★★ **90' 95 96 98 99** 00' 01 02 03 04 **05' 06** 07 08 09' 10' 11 12 Fourth Growth, v'yd dispersed around MARGAUX. Better form since 2000. New manager 2009, richer style. Previously solid rather than elegant.

artinens Marg r ★★ **00 02** 03 **04** 05 06 **09** 10 Cantenac estate, making light, supple wines.

aucaillou Mou r ★★ **01 02** 03 04 05 06 **08 09 10** 11 Visitor-friendly (museum, shop, film, tasting) MOULIS property. Clean, fresh, value wines. Second label: No 2 de Maucaillou.

azeyres Pom r ★★ **98' 99 00** 01 **04** 05' 06 **08** 09 10 11 Consistent if not exciting lesser POMEROL on sandier soils. Alain Moueix, cousin of Christian of J-P MOUEIX, manages here. Biodynamic from 2012. *See* FONROQUE.

eyney St-Est r ★★→★★★ **95 96 98 00** 01 02 **03** 04 **05' 06** 08 09' 10' 11' Large riverside-slope property next to MONTROSE. Rich, robust, well-structured wines. Same stable as GRAND-PUY-DUCASSE and RAYNE VIGNEAU (owned by a bank). Denis Dubourdieu consults. Second label: Prieur de Meyney.

ission Haut-Brion, La Pe-Lé r ★★★★ **85'** 86 88 89' 90' **93 94** 95 96' **98'** 99 **00'** 01 **02 03 04** 05' 06 07 08 09' 10' 11' 30th anniversary of ownership by the Dillon family of HAUT-BRION in 2013. Average age of the v'yd also 30 yrs. Consistently grand-scale, full-blooded, long-maturing wine; more flamboyant than HAUT-

BORDEAUX

BRION. Now considered the unofficial 6th First Growth (1855). Second label: La Chapelle de la Mission. White: previously LAVILLE-HAUT-BRION; renamed (2009) La Mission-Haut-Brion Blanc (09' 10' 11').

Monbousquet St-Ém r (w) ★★★ 98 99 00' 01 02 03 04 05' 06 07 08 09' 10' 11 Substantial GRAND CRU CLASSÉ on sand and gravel plain revolutionized by owner Gerard Pérse. Now concentrated, oaky, voluptuous wines. Rare *v.gd white* (AC B'X) from 1998. Same ownership as PAVIE and PAVIE-DECESSE.

Monbrison Marg r ★★→★★★ 89' 90 95 96' 98 99 00 01 02 04 05' 06 08 09' 10' 11 12 Family-owned property at Arsac. Delicate, fragrant MARGAUX.

Mondotte, la St-Ém r ★★★→★★★★ 96' 97 98' 99 00' 01 02 03 04' 05' 06 07 08 09' 10' 11 12 Tiny estate on the limestone plateau promoted to PREMIER GRAND CRU CLASSÉ in 2012. Intense, always firm, virile wines. Same ownership as CANON-LA GAFFELIÈRE, CLOS DE L'ORATOIRE.

Montrose St-Est r ★★★→★★★★ 88 89' 90' 93 94 95 96' 98 99 00' 01 02 03' 04' 05 06 07 08 09' 10' 11 12 Second Growth with v'yd overlooking the Gironde Estuary. Famed for deep-coloured, forceful, long-ageing claret. Vintages 1979–85 (except 82) were lighter. After 110 yrs in family hands, change of ownership in 2006. Ex-MOUTON-ROTHSCHILD commercial director, Hervé Berland, now managing. Environmentally conscious renovation. Second label: La Dame de Montrose.

Moulin-à-Vent Mou r ★★ 00' 02 03 04 05' 06 09 10' Steady CRU BOURGEOIS (2010) reasonably regular quality. Supple, early-drinking.

Moulin de la Rose St-Jul r ★★ 01' 02 03 04 05 06 08 09' 10 11 Tiny estate; high standards. Same ownership as Ségur de Cabanac in ST-ESTÈPHE.

Moulin du Cadet St-Ém r p ★★ 96 98 00 01 03 05 09 10' Tiny GRAND CRU CLASSÉ v'yd on the limestone plateau, managed by Alain Moueix (*see also* MAZEYRES). Biodynamics practised. Robust wines but more depth and finesse in 09 and 10.

Moulinet Pom r ★★ 98 00 01 04 05 06 08 09 10 11 One of POMEROL's bigger ch. DERENONCOURT consultant from 2009. Lighter style. Gd value.

Moulin-Haut-Laroque B'x r ★★ 04 05' 06 08 09' 10' 11 Leading FRONSAC property in same family hands since the late 19th century. Produces structured wines that can age from MERLOT, CAB FR and 80-yr-old MALBEC.

Moulin Pey-Labrie B'x r ★★ 98' 99 00' 01 02 03 04 05' 06 08 09' 10' 11 Leading ch in CANON-FRONSAC. Stylish wines, MERLOT-dominated, with elegance and structure.

Moulin-St-Georges St-Ém r ★★★ 98 99 00' 01 02 03 04 05' 06 08 09' 10' 11 Stylish and rich wine. Classed-growth level. Same ownership as AUSONE.

Mouton Rothschild Pau r (w) ★★★★ 82' 83' 85' 86' 88' 89' 90' 93' 94 95' 96 97 98' 99 00' 01' 02 03 04' 05' 06' 07 08' 09' 10' 11' 12 The most exotic and voluptuous of the PAUILLAC first growths. Attains new heights from 2004. New cellar for 2013 harvest. Famous artists labels since 1945 (Picasso, Dalí, Miró, etc. 2010: Jeff Koons). Art museum reopens 2013. White Aile d'Argent from 91. Second label: Le Petit Mouton from 1997. *See also* Opus One (California) and Almaviva (Chile).

Nairac Saut w sw ★★ 90' 95' 96 97' 98 99 01' 02 03' 04 05' 06 07 09' 10 11 Rich style of BARSAC; on top form since 2003. Second label: Esquisse de Nairac, equally rich but fresher in style.

Shared interest: 26ha Ch Réaut in Cadillac Côtes de Bordeaux has 439 owners.

Nénin Pom r ★★★ 95 96 98 99 00' 01 02 03 04 05 06 07 08 09' 10' 11 LÉOVILLE-LAS-CASES ownership since 1997. Massive investment. New cellars. 4ha of former Certan-Giraud added in 1999. A less opulent and generous POMEROL but built to age; 09 and 10 best yet. Gd-value second label: Fugue de Nenin.

Olivier Pe-Lé r w ★★★ (r) 95 96 00 01 02 04' 05' 06 08 09' 10' 11 12 (w) 00 01 02 03 04' 05' 06 07' 08 09 10' 11 12 Classified PESSAC-LÉOGNAN property with moated castle. New investment and greater purity, expression and quality from

2002. Long-time owner Jean-Jacques de Bethmann died in 2012; son Alexandre is now in charge.

Ormes-de-Pez, les St-Est r ★★→★★★ 96 98 99 00' 01 02 03 04 05 06 07 08 09' 10' 11 Outstanding ST-ESTÈPHE owned by LYNCH-BAGES. Dense, fleshy wines need 5–6 yrs.

Ormes-Sorbet, les Méd r ★★ 99 00' 01 02 03' 04 05 06 08 09' 10' 11 Long-time leader in northern MÉDOC at Couquèques. Elegant, gently oaked wines that age. Consistently reliable. Second label: CH de Conques.

Palmer Marg r ★★★★ 83' 85 86' 88' 89 90 93 94 95 96' 98' 99 00 01' 02 03 04 05' 06' 07 08' 09' 10' 11' 12 Third Growth on a par with the Super Seconds. Wine of power, delicacy and much MERLOT (40%). Dutch (MÄHLER-BESSE) and British (SICHEL family) owners. £7 million investment in new cellars (2010–13). Unique white made from Lauzet and Muscadelle. Second label: ***Alter Ego de Palmer***.

Pape-Clément Pe-Lé r (w) ★★★→★★★★ (r) 90' 94 95 96 98' 99 00' 01 02 03 04 05 06 07 08 09' 10' 11 12 (w) 02 03 04 05' 07 08 09 10' 11 12 Named after Pope Clément V. Owned by Bernard Magrez since 1985; record of potent, oak-scented, long-ageing if not typical reds. Tiny production of rich, exotic white. Ambitious new-wave direction from 2000 (grapes hand-destemmed!). Oxen now used for ploughing and beehives kept in the v'yd.

Parenchère, de B'x r (w) ★★ 05 06 07 08 09' 10' 11 Useful AC Ste-Foy B'X and AC BORDEAUX SUPÉRIEUR from large estate with handsome CH. CUVÉE Raphael best.

Patache d'Aux Méd r ★★ 00 02 03 04 05' 06 07 09 10 11 CRU BOURGEOIS (2010) MÉDOC property at Bégadan. Gd-value, reliable, largely CAB SAUV wine. *See also* LIVERSAN.

Pavie St-Ém r ★★★★ 90' 94 95 96 98 99 00' 01 02 03' 04 05' 06 07 08 09' 10' 11 12 Promoted to PREMIER GRAND CRU CLASSÉ (A) in 2012. Splendidly sited on the plateau and southern côtes. Bought by owner of MONBOUSQUET (1998), along with adjacent PAVIE-DECESSE. New-wave ST-ÉMILION: intense, oaky, strong. Ambitious new winery unveiled in 2013 (no expense spared).

Pavie-Decesse St-Ém r ★★ 98' 99 00' 01' 02 03 04 05' 06 07 08 09' 10' 11 12 Tiny classed growth (only 1,000 cases). Even more powerful and muscular than PAVIE.

Pavie-Macquin St-Ém r ★★★ 89' 90' 94 95 96' 98' 99 00' 01 02 03 04 05' 06 07 08 09' 10' 11 12 First Growth with v'yd on the limestone plateau east of ST-ÉMILION adjacent to TROPLONG-MONDOT. Astute management and winemaking by Nicolas Thienpont of PUYGUERAUD; DERENONCOURT consultant. Powerful, structured wines that need time in bottle.

Pedesclaux Pau r ★★ 98' 99 00 02 03 04 05 06 09 10' 11 Underachieving Fifth Growth being revived and reorganized. New owner 2009 (*see* LILIAN LADOUYS) and improvement. Supple wines with up to 50% MERLOT. Recent vintages gd-value.

Petit-Village Pom r ★★★ 95 96 98' 99 00' 01 03 04 05 06 07 08 09' 10' 11 12 Top POMEROL opposite VIEUX-CH-CERTAN. Lagged until 2005. DERENONCOURT consulting. New cellar in 2007. Same owner (AXA Insurance) as PICHON-LONGUEVILLE since 1989. Powerful, plummy label. Second label: Le Jardin de Petit-Village.

Petrus Pom r ★★★★ 78 79' 81 82' 83 85' 86 88' 89' 90 93' 94 95' 96 97 98' 99 00' 01 02 03 04' 05' 06 07 08 09' 10' 11' 12 The (unofficial) First Growth of POMEROL: MERLOT solo *in excelsis*. V'yd on gravelly clay giving 2,500 cases of massively rich, concentrated wine, on allocation to the world's millionaires. Each vintage adds lustre. Olivier Berrouet (son of Jean-Claude) winemaker since 2007. Jean-François MOUEIX owner. New cellar complex ready for 2012 harvest.

Peyrabon H-Méd r ★★ 00' 01 02 03 04 05 06 09' 10 11 Serious estate owned by négociant (Millésima). Also La Fleur-Peyrabon in PAUILLAC.

Pez, de St-Est r ★★★ 96' 98' 99 00 01 02 03 04 05' 06 07 08 09' 10' 11 12 Outstanding ST-ESTÈPHE owned by ROEDERER (1995). Same winemaking team as PICHON-LALANDE. Generous and reliable in style.

Phélan-Ségur St-Est r ★★★ 90' 95 96' 98 99 00' 01 02 03 04 05' 06 07 08 09' 10'

11 12 Top ST-ESTÈPHE; reputation solid since 1988 but unclassified; long, supple style. Owning family also proprietor of luxury restaurants: Les Crayères (Reims) and Taillevent (Paris).

Pibran Pau r ★★ 96 99 00' 01 03 04 05' 06 07 08 09' 10' 11 12 Small property allied to PICHON-LONGUEVILLE. Classy wine with PAUILLAC drive.

Pichon-Longueville Pau (formerly **Baron de Pichon-Longueville**) r ★★★★ 86' 88' 89 90' 93 94' 95 96 98 99 00' 01 02 03' 04 05' 06 07 08 09' 10' 11' 12 Revitalized Second Growth with powerful consistent PAUILLAC for long ageing. Owners AXA Insurance (1987). New barrel cellar (under an artificial lake) and visitor centre in 2008. Second label: Les Tourelles de Longueville (approachable).

Pichon-Longueville Comtesse de Lalande (Pichon Lalande) Pau r ★★★★ 82' 83 85' 86' 88' 89' 90' 94 95 96 98 99 00 01 02 03' 04 05' 06 07 08 09' 10' 11 12 ROEDERER-owned (2007) Second Growth overlooking LATOUR. Always among the top performers; long-lived, MERLOT-marked wine of fabulous breed. More CAB SAUV in recent yrs as v'yd is replanted. Former MONTROSE technical director now managing. New cellars 2013. Second label: Rés de la Comtesse. DE PEZ same stable.

Pin, Le Pom r ★★★★ 85 86' 88 89 90' 94 95 96 97 98' 99 00 01' 02 04' 05' 06 07 08 09' 10' 11 12 The original of the B'X cult mini-crus made in a cellar not much bigger than a GARAGE. Now a new (2011) modern winery. A mere 500 cases of 100% MERLOT. Almost as rich as its drinkers, but prices are scary. L'If is new (2011) ST-ÉMILION stablemate.

Pitray, de B'x r ★★ 98' 00' 03 04 05 06 09' 10 Once the best-known in CASTILLON, now overshadowed by leading lights. Earthy, but value and available.

Plince Pom r ★★ 00' 01 04 05 06 08 09 10 11 Lighter, simple wines from sandy soils. Easy-drinking.

Pointe, La Pom r ★★ 98' 99 00' 01 04 05 06 07 08 09' 10' 11 12 Large estate. New owner and investment (2007). ANGÉLUS owner consults. Distinct improvement from 2009. Gd value.

Pontac-Monplaisir Pe-Lé r (w) ★★ 00 02 04 05' 06 07 08 09 10 Property in suburbs. Attractive white; supple, decent red. Value.

Pontet-Canet Pau r ★★★★ 88 89' 90 94' 95 96' 98 99 00' 01 02' 03 04' 05' 06' 07 08 09' 10' 11 12 Biodynamically certified (2011), family-owned (since 1975) PAUILLAC Fifth Growth. Horses work part of the v'yd. Radical improvement has caused the price to soar. Second label: Les Hauts de Pontet-Canet.

New wine museum for Bordeaux

Work has started on a €60 million wine cultural centre in downtown B'X: the *Cité des Civilisations du Vin*. It's due to open its doors in 2015 and has a target of 400,000 visitors/yr to its interactive display, which explores wine culture and civilization. Visitors can then get some practical experience at various wine bars and restaurants. The shape of the central building is based on a swirling decanter. Yes, really.

Potensac Méd r ★★ 95 96 98 99 00' 01 02 03 04' 05' 07 08 09' 10' 11 12 Well-known property of northern MÉDOC. Delon family of LÉOVILLE-LAS-CASES; class shows. Firm vigorous wines for long ageing. Second label: Chapelle de Potensac.

Pouget Marg r ★★ 98' 00' 01 02 03 04 05' 06 07 08 09' 10' 11 Obscure Fourth Growth attached to BOYD-CANTENAC. Old vines. Solid rather than elegant.

Poujeaux Mou r ★★ 90' 94' 95' 96' 98 99 00' 01 03 04 05 06 08 09' 10' 11 12 Purchased by CLOS FOURTET owner in 2007. With CHASSE-SPLEEN the high point of MOULIS. DERENONCOURT consults. Full, robust wines that age. Second label: La Salle de Poujeaux.

Premier Grand Cru Classé St-Ém *See* ST-ÉMILION CLASSIFICATION box, p.98.

Prieuré-Lichine Marg r ★★★ 89' 90' 94' 95 96 98' 99 00' 01 02 03 04 05 06 07 08 09' 10' 11 12 Fourth Growth owned by negociant; put on map by Alexis Lichine. V'yds v. dispersed. Advised by STÉPHANE DERENONCOURT. Fragrant MARGAUX currently on gd form. Second label: Confidences du Prieuré-Lichine. Gd white, too.

Puygueraud B'x r ★★ 98 00' 01' 02 03' 05' 06 08 09 10 11 Leading CH of this tiny FRANCS-CÔTES DE BORDEAUX AC. Oak-aged wines of surprising class. Gd-value Les Charmes-Godard white, same owner. Special CUVÉE George with MALBEC (35%+) in blend. Same winemaker as PAVIE-MACQUIN and LARCIS-DUCASSE.

BORDEAUX

In 2005 China hardly registered on the Bordelais map. Now it is the no.1 market.

Quintus St-Ém r ★★★ 11 Formerly TERTRE DAUGAY. Now owned by Dillons of HAUT-BRION, great improvement is on the way. Second label: Le Dragon de Quintus.

Rabaud-Promis Saut w sw ★★→★★★ 95 96 97' 98 99 01' 02 03' 04 05' 06 07 09' 10 11 Family-owned classed growth at Bommes. Discreet but generally v.gd.

Rahoul Grav r w ★★ (r) 00' 01 02 04 05 08 09' 10 V'yd at Portets; Supple, SÉM-dominated white (04' 05 07 08 09 10). Progress under DOURTHE management (since 2007).

Ramage-la-Batisse H-Méd r ★★ 02 03 04 05' 07 08 09 10 11 50 yrs of existence in 2012. Reasonably consistent, widely distributed HAUT-MÉDOC. Owned by insurance company. Second label: L'Enclos de Ramage.

Rauzan-Gassies Marg r ★★★ 98 99 00 01' 02 03 04 05' 06 07 08 09' 10' 11 12 The Second Growth neighbour of RAUZAN-SÉGLA that has long lagged behind it; now catching up. New generation making strides since 2001 (look at 09' 10').

Rauzan-Ségla Marg r ★★★★ 86' 88' 89' 90' 94' 95 96 98 99 00' 01 02 03 04' 05 06 07 08 09' 10' 11 12 MARGAUX Second Growth long famous for its fragrance; owned by owners of Chanel (*see* CANON). On fine form. "Boston" parcel (8ha) once owned by PALMER (1938) incorporated in 2010. Second label: Ségla (value).

Raymond-Lafon Saut w sw ★★★ 88 89' 90' 95 96' 97 98 99' 01' 02 03' 04 05' 06 07' 09' 10' 11' SAUTERNES estate acquired by former YQUEM manager (1972); now run by his children. Rich, complex wines that age. First Growth quality.

Rayne Vigneau Saut w sw ★★★ 89 90' 95 96 97 98 99 01' 02 03 05' 07 09' 10' 11' Large classed growth at Bommes. Same owner as GRAND-PUY-DUCASSE and MEYNEY. Investment and improvement. Second label: Madame de Rayne.

Respide Médeville Grav r w ★★ (r) 02 04 05' 06 08 09 10 11 (w) 02 04' 05' 07 08 09 10 11 One of the better GRAVES properties for both red and ***white***. Same owner as GILETTE in SAUTERNES. Drink reds at around 4–6 yrs.

Reynon B'x r w ★★ Leading CADILLAC-CÔTES DE BORDEAUX estate. Serious red (04' 05' 06 07 09' 10 11). Fragrant B'X white from SAUV BL 07 08 09 10' 11'. *See also* CLOS FLORIDÈNE. Owned by Dubourdieu family.

Reysson H-Méd r ★★ 02 03 04 05 06 08 09' 10' 11 Renovated estate; mainly MERLOT; managed by négociant CVBG-DOURTHE (*see* BELGRAVE and LA GARDE). Rich and modern style.

Ricaud, de B'x (r) w (dr) sw ★★ 99 01' 02 03' 05 07 09 10 11 Substantial LOUPIAC estate; producer of SAUTERNES-like, age-worthy wine just across the river. Red, too.

Rieussec Saut w sw ★★★★ 83' 85 86' 88' 89' 90' 95 96' 97' 98 99 01' 02 03' 04 05' 06 07 09' 10' 11' Worthy neighbour of YQUEM with v'yd in Fargues, owned by the (LAFITE) Rothschilds. Fabulously powerful, opulent wine. As in 1993 no Rieussec produced in 2012, only Carmes de Rieussec, the second wine. Dry wine is "R", now made in modern style – with less character.

Ripeau St-Ém r ★★ 98 00' 01 04 05' 06 08 09 10 11 Lesser classed growth on sandy soils nr CHEVAL BLANC. Lighter style. More consistent since 2004.

Rivière, de la B'x r ★★ 99 00' 01 02 03 04 05' 06 08 09' 10 11 The biggest and most impressive FRONSAC property, with a Wagnerian castle and cellars. Formerly big, tannic wines; now more refined. New owner in 2003, with consultant from LANGUEDOC, Claude Gros. Special CUVÉE: Aria.

Rochemorin, de Pe-Lé r w ★★→★★★ (r) 01 02 04 05 06 08 09' 10' 11 (w) 05 06 07 08 09 10 11 An important restoration at Martillac by André Lurton of LA LOUVIÈRE vast estate (three-quarters red). SAUV BL-dominated white. New state-of-the-art winery in 2004. Fairly consistent quality and widely distributed.

Rol Valentin St-Ém r ★★★ 00' 01' 02 03 04 05' 06 07 08 09' 10' 11 Originally GARAGE-style and size, now bigger. Rich, modern but balanced. New owner 2010

Rouget Pom r ★★ 96 98' 99 00' 01' 03 04 05' 06 07 08 09' 10' 11 12 Much-improved estate on northern edge of POMEROL. Same owner as DOM JACQUES PRIEUR in Burgundy. Now excellent; rich, unctuous wines. Gd-value.

Royal St-Émilion St-Ém The brand name of an important, dynamic growers' co-op. *See* GALIUS.

St-André-Corbin St-Ém r ★★ 00' 01 03 04 05 08 09 10 Family-owned ST-GEORGES-ST-ÉMILION v'yd. Supple, MERLOT-dominated wine. Gd-value.

St-Georges St-Ém r ★★ 98' 00' 01 03 04 05' 06 08 09 10 Family-owned property overlooking ST-ÉMILION from the hill to the north. V'yd represents 25% of ST-GEORGES AC and unchanged since 1891. Gd wine sold direct to the public. Second label: Puy St-Georges.

St-Pierre St-Jul r ★★★ 89 90' 95' 96' 98 99 00' 01' 02 03 04 05' 06 07 08 09' 10' 11 Once-understated Fourth Growth owned by the president of B'X football club. Stylish and consistent classic ST-JULIEN (since 2000). *See* GLORIA.

Sales, de Pom r ★★ 98' 00' 01' 04 05 06 08 09 10 Biggest v'yd of POMEROL on sandy/gravel soils, attached to 16th-century CH. Lightish wine; never quite poetry. Try top vintages. Second label: Ch Chantalouette.

Sansonnet St-Ém r ★★ 00' 01 02 03 04 05' 06 08 09' 10' 11 12 Promoted to GRAND CRU CLASSÉ in 2012. Plateau estate adjacent to TROTTEVIEILLE. Ambitiously run in modern style (rich, dark, concentrated).

There are 20 estates in the Médoc producing white wine, from a total of 100ha.

Saransot-Dupré List r (w) ★★ 00' 01 02 03 04 05 06 09' 10' 11 Small property with firm, fleshy wines. Lots of MERLOT. Also one of LISTRAC's little band of whites (60% SÉM).

Sénéjac H-Méd r (w) ★★ 00 01 02 03 04 05' 06 08 09' 10' 11 Owned since 1999 by same family as TALBOT. Well-balanced wines. V'yd run biodynamically by PONTET-CANET team since 2009. To watch.

Serre, la St-Ém r ★★ 96 98' 99 00' 01 02 03 04 05 06 08 09' 10 11 Small classed growth on the limestone plateau. Fresh, stylish wines with plenty of fruit.

Sigalas-Rabaud Saut w sw ★★★ 86 88 89' 90' 95' 96' 97' 98 99 01' 02 03 04 05' 07' 09' 10' 11 The smaller part of the former Rabaud estate in Bommes; same winemaking team as LAFAURIE-PEYRAGUEY. V. fragrant and lovely. Top-ranking now. Second label: Le Lieutenant de Sigalas.

Siran Marg r ★★→★★★ 95 96 98 99 00' 01 02 03 04 05 06 07 08 09' 10' 11 12 Owned by the Miailhe family since 1859; Edouard runs the show today. Neighbour of DAUZAC. The wines age well and have masses of flavour. Second label: S de Siran.

Smith-Haut-Lafitte Pe-Lé r (p) (w) ★★★ (r) 94 95 96 98 99 00' 01 02 03 04' 05' 06 07 08 09' 10' 11 12 (w) 99' 00 01 02 03 04 05 06 07' 08' 09 10' 11 12 Celebrated classed growth with spa-hotel, regularly one of the stars of PESSAC-LÉOGNAN. White is full, ripe, sappy; red oaky/generous but fine. New carbon-neutral cellar for second label (2013): Les Hauts de Smith. Also CAB SAUV-based Le Petit Haut Lafitte from 2007. Neighbouring Le Thil Comte Clary same stable since 2012.

Sociando-Mallet H-Méd r ★★★ 89' 90' 94 95 96' 98' 99 00' 01' 02 03 04 05' 06

07 09' 10' 11 A splendid, widely followed estate at St-Seurin. Independently minded owner celebrated 40 vintages in 2009. Conservative, big-boned wines to lay down for yrs. Second label: Demoiselle de Sociando. Also special CUVÉE Jean Gautreau.

Soudars H-Méd r ★★ 98 00' 01 03 04 05 06 09 10' 11 Sister to COUFRAN and VERDIGNAN. Relatively traditional and regular quality.

What do Chx Latour, Le Puy, Pape-Clément, Pontet-Canet and Smith-Haut-Lafitte have in common? Horses for vineyard work.

Sours, de B'x r p w ★★ Valid reputation for B'X rosé (DYA). 300,000 bottles annually. Gd white and improving B'x red as well.

Soutard St-Ém r ★★★ 90' 95 96 98' 99 00' 01 03 04 05 06 07 08 09 10 11 12 *Potentially excellent* classed growth on the limestone plateau. Now owned by same insurance group as LARMANDE. CADET-PIOLA integrated in 2012. Massive investment; new cellars and visitor centre 2010. Finer style since 2007. Second label: Jardins de Soutard.

Suduiraut Saut w sw ★★★★ 85 86 88' 89' 90' 95 96 97' 98 99' 01' 02 03' 04 05' 06 07' 09' 10' 11' One of the best classed-growth SAUTERNES: renovated CH and gardens by Le Nôtre. Owner AXA Insurance has achieved greater consistency and luscious quality. *See* PICHON-LONGUEVILLE. Dry wine "S" v. promising. New fresher, fruitier Sauternes Les Lions de Suduiraut from 2009.

Tailhas, du Pom r ★★ 98' 99 00 01 04 05' 08 09' 10 11 Modest family-owned property on sandy-gravel soils nr FIGEAC. Agreeable, earlier drinking.

Taillefer Pom r ★★ 96 98' 00' 01' 02 03 04 05' 06 08 09' 10 11 V'yd on the edge of POMEROL. Astutely managed by Catherine Moueix. Less power than top estates but gently harmonious. Gd value.

Talbot St-Jul r (w) ★★★ 90 94 95 96' 98' 99 00' 01 02 03 04 05' 08' 09' 10' 11 12 Sizeable Fourth Growth, for many yrs sister to GRUAUD-LAROSE. Wine similarly attractive: rich, ***consummately charming, reliable*** (though wobbly in 06 and 07). DERENONCOURT consults (from 2008). Second label: Connétable de Talbot. Excellent white to age 5/6 yrs: Caillou Blanc. SÉNÉJAC in same family ownership.

Tertre, du Marg r ★★★ 95 96' 98' 99 00' 01 03 04' 05' 06 08 09' 10' 11 12 Fifth Growth isolated south of MARGAUX. History of undervalued fragrant (20% CAB FR) and fruity wines. Since 1997, same owner as CH GISCOURS. Former LATOUR winemaker. New techniques and massive investment have produced a concentrated, structured wine, really humming from 03.

Tertre Daugay St-Ém r ★★★ 96 98 99 00' 01 04 05 06 07 09' 10 Classed growth on the plateau. Bought by Dillon family of HAUT-BRION in 2011 and renamed CH QUINTUS. Improvement from 2000; now likely to accelerate further. Price already up. To watch.

Tertre-Rôteboeuf St-Ém r ★★★★ 88' 89' 90' 93 94 95 96 97 98' 99 00' 01 02 03' 04 05' 06' 07 08 09' 10' 11 12 A cult star making concentrated, dramatic, largely MERLOT wine since 1983. Frightening prices. Also CÔTES DE BOURG property, Roc de Cambes of ST-ÉMILION classed-growth quality.

Thieuley B'x r p w ★★ E-2-M supplier of consistent-quality AC B'X (r w); fruity CLAIRET; oak-aged CUVÉE Francis Courselle (r w). Also owns CLOS Ste-Anne in CADILLAC-CÔTES DE BORDEAUX.

Tour-Blanche, la Saut (r) w sw ★★★ 85 86 88' 89' 90' 95 96 97' 98 99 01' 02 03' 04 05' 06 07 09' 10' 11' First Growth SAUTERNES. Also a winemaking school. Rich, powerful wines. Long-time winemaker (37 vintages) retired in 2012. Second label: Les Charmilles de Tour-Blanche.

Tour-Carnet, La H-Méd r ★★ 96 98 99 00' 01 02 03 04 05' 06 08 09' 10' 11 12 Fourth Growth with medieval moated fortress, owned by Bernard Magrez

Why Bordeaux?
People ask whether B'X still justifies its own separate section of this international guide. The answer: it remains the motor of the fine wine world, by far its biggest producer, stimulating debate, investment, and collectors worldwide. Besides, there are few better drinks.

(*see* FOMBRAUGE, PAPE-CLÉMENT). Investment from 2000 has produced richer wines in more modern style. Second label: Les Douves de CH La Tour Carnet. Also GARAGE Servitude Volontaire du Tour Carnet.

Tour-de-By, La Méd r ★★ **00 01 02 03 04** 05' 06 **08** 09 10 11 12 Large (109ha) family-run estate in northern MÉDOC. 500,000 bottles yearly of sturdy but reliable wines with a fruity note. Usually gd-value.

Tour de Mons, la Marg r ★★ 98' 99 00 01 02 04 05' **06 08 09'** 10 11 MARGAUX cru owned by a bank. A long dull patch then investment and improvement in the new millennium.

Tour-du-Haut-Moulin H-Méd r ★★ **98** 00' 02 03 04 05' **06 08 09** 10 11 Family-owned estate in Cussac; intense, consistent, wines to mature.

Tour-du-Pas-St-Georges St-Ém r ★★ **99** 00' 01 03 04 05' **06 08 09'** 10 11 ST-GEORGES-ST-ÉMILION estate owned by Pascal Delbeck (ex-BELAIR-MONANGE). Recent investment.

Tour du Pin, La St-Ém r ★★ **98** 00' 01 04 05 06 **08** 09' 10' 11 Formerly La Tour du Pin Figeac-Moueix but bought and renamed by CHEVAL BLANC in 2006. Previously classified but classification not requested in 2012. Steady improvement but limited volume now. Not to be confused with the La Tour du Pin Figeac (Giraud-Bélivier), which was demoted to GRAND CRU in 2006 and not promoted in 2012. Bring on the lawyers....

Tour Figeac, La St-Ém r ★★ **96' 98' 99 00'** 01' 02 04 05' **06** 07 **08** 09' 10' 11 Classed growth between FIGEAC and POMEROL. Biodynamic methods (DERENONCOURT and his wife consult). Full, fleshy and harmonious.

Tour Haut-Brion, La Pe-Lé r ★★★ **95 96' 98' 99** 00' 01 02 **03** 04' **05'** RIP from 2005 for this classed growth. The v'yd has now been integrated into that of LA MISSION-HAUT-BRION. Same owner.

Tour Haut-Caussan Méd r ★★ **01 02 03 04** 05' 06 08 **09'** 10' 11 Well-run property at Blaignan. Reliable. Gd-value. Interests in CORBIÈRES as well.

Tournefeuille B'x r ★★ 00' **01'** 02 03 04 05' **06** 07 **08 09** 10' 11 Reliable LALANDE DE POMEROL property. 30% CAB FR adds spice. CHX Lécouyer (POMEROL) and La Révérance (ST-ÉMILION) same stable.

Tour-St-Bonnet Méd r ★★ **00'** 02 03 04 05 06 08 09' **10** 11 Consistently well-made ample northern MÉDOC from St-Christoly. Gd value.

Tronquoy-Lalande St-Est r ★★ **98** 00' 02 03 04 05 06 07 **08** 09' 10' 11 Same owners as MONTROSE from 2006. Lots of MERLOT and PETIT VERDOT. Definite progress. Second label: Tronquoy de Ste-Anne. To watch.

Troplong-Mondot St-Ém r ★★★ **89'** 90' 94' 95 96' 98' **99** 00' 01' 02 03 04 05' **06** 07 08 09' 10 11 12 First Growth on a high point of the limestone plateau nr a water tower. ***Wines of power and depth*** with increasing elegance. On-site restaurant (Les Belles Perdrix). Second label: Mondot.

Trotanoy Pom r ★★★★ **88 89'** 90' **93 94 95 96** 98' 00' 01 02 03 **04'** 05' 06 07 08 09' 10' 11 Part of the J-P MOUEIX stable since 1953. Fabulous in the 60s and 70s; back on top form from 89. Second label: L'Espérance de Trotanoy (from 2009; won't be made every year).

Trottevieille St-Ém r ★★★ 89' 90 **94 95 96** 98 99 **00'** 01 03' **04** 05' **06** 07 08 09' 10' 11 12 Isolated First Growth on the limestone plateau. Owners have BORIE-MANOUX connection. Much improved since 2000. Limited bottling of old, ungrafted CAB

FR. Former GRAND CRU CLASSÉ CH Bergat integrated in 2012. Second label: La Vieille Dame de Trotte Vieille.

alandraud St-Ém r ★★★★ 93 94 95' 96 98 99 00' 01' 02 03 04 05' 06 07 08 09' 10' 11 12 From GARAGE instigator in 1991 to PREMIER GRAND CRU CLASSÉ in 2012. Now officially 8ha located at St-Etienne-de-Lisse. Originally super-concentrated; since 1998 greater complexity. Virginie de Valandraud another selection. White Blanc de Valandraud from 2003.

erdignan H-Méd r ★★ 00' 01 02 03 04 05 06 08 09 10 11 Substantial estate; sister to COUFRAN and SOUDARS. More CAB SAUV than Coufran. Gd-value wine with ageing potential.

ieille Cure, La B'x r ★★ 00' 01' 02 03 04 05' 06 08 09' 10' 11 Leading FRONSAC estate; US owned. Same management as MOULIN-HAUT-LAROQUE. Gd-value.

ieux-Château-Certan Pom r ★★★★ 83' 85 86' 88' 89 90' 94 95' 96' 98' 99 00' 01 02 04' 05' 06 07 08 09' 10' 11' 12 Traditionally rated close to PETRUS in quality, but totally different in style (30% CAB FR and 10% CAB SAUV); elegance, harmony, even beauty. Old vines (average 40–50 yrs). 2010 utterly superb.

ieux Château St-André St-Ém r ★★ 01 02 03 04 05 06 08 09' 10 11 Small v'yd in MONTAGNE-ST-ÉMILION owned by former winemaker of PETRUS. Regular high quality.

illegeorge, de H-Méd r ★★ 98' 00' 02 03 04 05 06 08 09' 10 11 Owned by Marie-Laure Lurton, sister of Henri. of BRANE-CANTENAC. Classic MÉDOC style. Sister CHX Duplessis in MOULIS and La Tour de Bessan in MARGAUX.

ray Croix de Gay Pom r ★★ 90 95 96 98' 00' 04 05' 06 08 09' 10' 11 Tiny v'yd in the best part of POMEROL. Improvements since 2005; impressive 2010. Sister to CH Siaurac in Lalande-de-Pomerol. DERENONCOURT consults.

on-Figeac St-Ém r ★★ 98 00' 02 03 04 05 06 09 10' 11 MERLOT-based GRAND CRU CLASSÉ at the foot of the slope; lighter, supple style. New owner from 2005; Dubourdieu consults; improving since.

quem Saut w sw (dr) ★★★★ 79 80' 81' 83' 85 86' 88' 89' 90' 93 94 95' 96 97' 98 99' 00 01' 02 03' 04 05' 06' 07' 08 09' 10' 11' The king of sweet wines. Strong, intense, luscious; kept 3 yrs in barrel. Most vintages improve for 15 yrs+, some live 100 yrs+ in transcendent splendour. Subtle changes since 2000 under LVMH ownership: more freshness, less time in barrel. As in 1952, 1972 and 1992 no Yquem made in 2012; quality compromised. Also makes dry "Y" (pronounced "ygrec").

Exploring Bordeaux

Want to explore the B'X wine region on your own but need a helping hand? The Bordeaux Wine Council (CIVB) has a wine-tourism app: download it on to your smartphone or tablet and get CHX, accommodation, restaurants, etc. 7,500 producers are referenced on the app. You're ready to go.

Italy

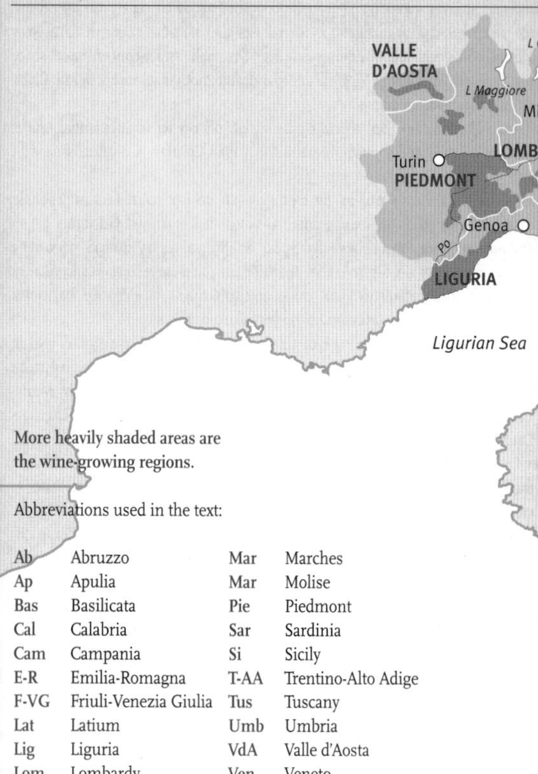

More heavily shaded areas are the wine-growing regions.

Abbreviations used in the text:

Ab	Abruzzo	Mar	Marches
Ap	Apulia	Mar	Molise
Bas	Basilicata	Pie	Piedmont
Cal	Calabria	Sar	Sardinia
Cam	Campania	Si	Sicily
E-R	Emilia-Romagna	T-AA	Trentino-Alto Adige
F-VG	Friuli-Venezia Giulia	Tus	Tuscany
Lat	Latium	Umb	Umbria
Lig	Liguria	VdA	Valle d'Aosta
Lom	Lombardy	Ven	Veneto

Not long ago they were being hailed as the salvation of Italian fine wine. Today the Super Tuscans and other international style wines are falling away into history. Admittedly these often overoaked, over-concentrated and overpriced vinous titans, usually containing significant quantities of non-Italian grapes, never did achieve official status, but for two or three decades they flashed across the Italian wine-sky like comets

In the 21st century Italians have finally begun to understand that their long-term interest resides in making what they alone can produce, what the world cannot imitate. In the land of imitation, in this exploding wine world of ours, there is always (they are coming to realize) someone who can do it better or cheaper. Hence the increasing focus on traditional grapes, techniques and styles, on wines like Brunello di Montalcino and Chianti Classico in Tuscany, Etna in Sicily, Valtellina in Lombardy, even

ambrusco in Emilia-Romagna that reflect the land and the people who have been making them for centuries, whether or not under the modern name.

Let's give the Super Tuscans their due – they served an important transitional purpose, bridging the gap between the deficient or faulty wines of post-World War Two and the increasingly individual crus of our time. Indeed, a very few of them still thrive. But they can no longer be seen as the foundation of Italian fine wine.

Recent vintages

Amarone, Veneto & Friuli

2012 Prolonged heat and drought into September hit both quantity and quality. Grapes were healthy, if a bit unbalanced. Amarone should be good.

2011 "Best year ever" for Amarone: perfectly healthy grapes; soil, well-watered in spring, passed through the August heatwave without problem. Whites balanced and concentrated. Some reds very tannic with high alcohol.

2010 Cool year, good for lighter wines, though late rain caused problems for grapes in *appassimento*. Start drinking soon.

2009 Ideal drying conditions for passito: classic wines. Good for Prosecco, Pinot Gr and other whites in the east. Drink Amarone from 2015.

2008 Classic wines of high quality. Drink from 2016.

2007 Some excellent wines; selection needed.

2006 Outstanding; more Amarone made than ever before. Drink from 2012.

2005 Grape-drying technology saved Amarone and Recioto. Less successful for Soave and whites. Drink up.

Campania & Basilicata

2012 Even dryer and hotter than 2011, but southerners are used to it. September rains saved the whites and the long Indian summer will produce some outstanding Aglianicos.

2011 Very dry and very hot. Wines concentrated and rich; high alcohol and tannin in reds. Whites better balanced.

2010 Whites lightish with good aromas; reds good average.

2009 Ripe, healthy, aromatic whites, and reds with substance and concentration. Keep classic Aglianico/Taurasi to drink from 2014.

2008 Classic year for Aglianico; good, too, for whites. Drink from 2013.

2007 Good to excellent quality. Drink from 2013.

2006 Rain and problems of rot in lower-lying zones, much sun and a long growing season in higher vineyards. Selection needed.

2005 Aglianico had weight, complexity and character – perhaps the finest wines of all Italy in 2005. Drink from 2012.

Marches & Abruzzo

2012 As in all Italy, a three-stage season starting cool and wet, becoming bakingly hot and dry, resolving into warm days and cool nights at vintage time. Later-picked varieties fared best.

2011 Fruit very healthy but in some cases overconcentrated, alcoholic and tannic (reds). Best should age well.

2010 Weather peaks and troughs good for aromas, but also rot, with vintage rain. A difficult year but some good results. Drink from 2013.

2009 Good to very good quality, especially whites. Drinking now (Montepulciano d'Abruzzo/Conero).

2008 Some excellent wines. Drink from now for five years.

2007 Some top-quality reds. Drinking now.

2006 Better than 2004 and 2005, but not as good as 2003. Drink or miss.

2005 Good, ripe, structured wines for those who waited to pick. Drink now for three years.

Piedmont

2012 A cool, wet spring gave way to a rainless, scorching summer. Then ideal weather through the vintage. Quality good to very good, volume very low.

2011 Unusually hot from August to end of vintage, grapes healthy but tending to high alcohol with danger of overconcentration. Probably good average quality.

2010 Quality patchy, but patient growers made very good wines. Choose with care.

2009 Quality good to very good, especially for Nebbiolo. Drink Barolo/ Barbaresco from 2014 for ten years+.

2008 Some great Barberas; Nebbiolos good, balanced, not spectacular. Drink for 10 years.

2007 Good to excellent Barolo, Barbaresco, Barbera. Some classic wines. Drink from 2013 for 10 years+.

2006 Excellent Nebbiolo and Barbera. The laying-down vintage of the decade. Drink from 2014 for 20 years.

2005 Uneven for Barbera and Nebbiolo, with some good wines. Drink now for 5 years+.

Older fine vintages: 04 01 00 99 98 97 96 95 90 89 88. Vintages to keep: 01 99 96. Vintages to drink up: 03 00 97 90 88

Tuscany

2012 Drought and protracted heat reduced volume, but classic wines were saved by early September rains and could turn out very well.

2011 Some charmingly fruity if somewhat alcoholic classic reds. Whites a bit unbalanced.

2010 Patchy. Brunello very successful.

2009 Quality very good at least. Drink Chianti/Brunello from 2014–16.

2008 Mixed results with points of excellence; not necessarily for long keeping. Drink from now for five years.

2007 High-quality crop. Drink from 2013–15 for 10 years.

2006 Probably greatest of last 20 vintages. Drink from now for 20 years.

2005 Sangiovese at every quality level imaginable, from first-rate to diluted. Selection needed.

Older fine vintages: 04 01 99 97 95 90. Vintages to keep: 01 99. Vintages to drink up: 03 00 97 95 90

What do the initials mean?

Denominazione di Origine Controllata (DOC)
Controlled Denomination of Origin, cf. AC in France.

Denominazione di Origine Controllata e Garantita (DOCG)
"G" = "Guaranteed". Italy's highest quality designation.

Indicazione Geografica Tipica (IGT)
"Geographic Indication of Type". Broader and more vague than DOC, cf. Vin de Pays in France.

Denominazione di Origine Protetta/Indicazione Geografica Protetta (DOP/IGP)
"P" = "Protected". The EU seems to want these designations to take over from DOC(G)/IGT in the long term, but for now you're much more likely to encounter DOC/G or IGT. Occasionally both.

Aglianico del Vulture Bas DOC(G) r dr ★→★★★ 01' 04' 06' 07 08 09 10 (11) (12 DOC with min 1 yr ageing, DOCG SUPERIORE after 2 yrs, DOCG Superiore RISERVA after 5 yrs. Avoid the SPUMANTE. Regulatory confusion surrounds this potentially noble red from the ancient AGLIANICO grape on volcanic Monte Vulture. Best Basilisco, Bisceglia, Cantine del Notaio, Elena Fucci, Macarico, Madonna delle Grazie, PATERNOSTER, Terre degli Svevi.

Agricoltori del Chianti Geografico Tus ★★ 50-yr-old co-op: some 200 quality minded growers in southern CHIANTI CLASSICO. Impressive range, incl Chianti Classico Contessa di Radda and Chianti Classico RISERVA Montegiachi; ever drinkable basic Chianti Classico.

Alba Pie Major wine city of PIEDMONT, southeast of Turin in LANGHE hills; truffles chocolates, and Piedmont's, if not Italy's, most prestigious wines: BAROLO BARBARESCO, NEBBIOLO D'ALBA, LANGHE, ROERO, BARBERA d'Alba, DOGLIANI (DOLCETTO).

Albana di Romagna E-R DOCG w dr sw s/sw (sp) ★→★★★ DYA, aka Romagna Albana. Italy's first white DOCG, justifiably for sweet PASSITO, but dry is unremarkable. Bertinoro is the commune with the best producers, incl Raffaella Alessandra Bissoni, Celli, Madonia Giovanna and ***Fattoria Paradiso***. ZERBINA'S Scacco Matto is perhaps the best sweet version.

Alberello Aka bush-trained or head-trained vines, the traditional method of pruning now returning in various quality-conscious parts of Italy. Most of the best and oldest vy'ds of trendy ETNA, for example, are trained to *alberello*.

Allegrini Ven ★★★ World-famous for VALPOLICELLA; outstanding single-v'yd IGT wines (La Grola, Palazzo della Torre, La Poja), AMARONE, RECIOTO. Also joint owner of POGGIO al Tesoro in BOLGHERI and Poggio San Polo in MONTALCINO, TUSCANY (since 2009).

Altare, Elio Pie ★★★ Leading exponent of modern NEBBIOLO (BAROLO) and BARBERA: brief maceration in roto-fermenters, ageing in barriques. Look for Barolo Cerretta from Serralunga and La Morra crus Barolo Arborina and Barolo Brunate; also Arborina (NEBBIOLO), Larigi (BARBERA), LANGHE Rosso La Villa.

Alto Adige T-AA DOC r p w dr sw sp ★★→★★★ Once-Austrian, largely German-speaking province of Bolzano, alias SÜDTIROL, Phenomenal success with mtn-fresh whites; less so with reds, except for the odd outstanding PINOT N or native LAGREIN. Excellent co-ops and many quality private companies.

Ama, Castello di Tus ★★★ Famed CHIANTI CLASSICO estate of Gaiole. La Casuccia and Bellavista are top single-v'yd wines. Seek MERLOT L'Apparita and SANGIOVESE/PINOT N blend Il Chiuso.

Amarone della Valpolicella Ven DOCG r ★★→★★★★ 00 01 03' 04 06' 07 08 09 (10) (11') Intense, strong red from air-dried VALPOLICELLA grapes; one of Italy's true classics, recently recognized as DOCG, with appendage "CLASSICO" if from historic zone. Relatively dry version of the ancient RECIOTO DELLA VALPOLICELLA. (For producers *see* box, p.154.) Older vintages are rare; beyond 20 yrs they tend to dry out.

Ten top Barberas

Most of the best BARBERAS are from the PIEDMONTESE DOCS of Barbera d'ASTI and Barbera d'ALBA, but there are occasional examples of excellence from elsewhere.

Barbera d'Alba BOGLIETTI (Vigna dei Romani); CLERICO (Trevigne); PRUNOTTO (Pian Romualdo); Voerzio, Gianni (Ciabot della Luna); VOERZIO, ROBERTO (Pozzo dell' Annunziata).

Barbera d'Asti BRAIDA (Bricco dell'Uccellone); COPPO (Pomorosso); Perrone (Mongovone); CS Vinchio Vaglio (VIGNE Vecchie).

Langhe ALTARE (Larigi).

Ten top Barbarescos

Here are ten outstanding examples of BARBARESCO, worth hunting down: Cantina del Pino (Ovello); Castello di Neive (RISERVA Santo Stefano); Castello di Verduno (Rabajà); GAJA (Barbaresco); BRUNO GIACOSA (Asili Riserva); Marchesi di Gresy (Camp Gros); Paitin (Vecchie Vigne); PRODUTTORI DEL BARBARESCO (Ovello); Rocca Albino (Brich Ronchi); BRUNO ROCCA (Rabajà).

Antinori, Marchesi L & P Tus ★★→★★★★ V. influential Florentine house owned by Antinori family, led by Piero, one of Italian wine's postwar heroes, and his three daughters. Famous for CHIANTI CLASSICO (Tenute Marchese Antinori and ***Badia a Passignano***), Umbrian (***Castello della Sala***), PIEDMONT (PRUNOTTO) wines. Insatiable innovators: TIGNANELLO and SOLAIA are among the few successful SUPER TUSCANS remaining. Now also estates in Tuscan MAREMMA (Fattoria Aldobrandesca), MONTEPULCIANO (La Braccesca), MONTALCINO (Pian delle Vigne), BOLGHERI for Guado al Tasso, FRANCIACORTA for sparkling (***Montenisa***) and APULIA (Tormaresca).

Apulia/Puglia The 360km "heel" of the Italian boot. Generally gd-value, easy-drinking wines (mainly red) from various grapes like NEGROAMARO, PRIMITIVO and Uva di Troia. Most interesting wines are from SALENTO peninsula, incl DOCS BRINDISI, COPERTINO and SALICE SALENTINO.

Argiano Tus Avant-garde BRUNELLO estate where Hans Vinding-Diers also makes CAB/MERLOT/SYRAH blend Solengo and smooth 100% SANGIOVESE Suolo.

Argiano, Castello di Tus Aka **Sesti**. Astronomer Giuseppe Maria Sesti makes classy biodynamic BRUNELLO and Bordeaux-inspired ***Terra di Siena***. Not to be confused with neighbour called simply "Argiano".

Argiolas, Antonio Sar ★★→★★★ Top Sardinian producer using native grapes. Outstanding crus Turriga (★★★), Antonio Argiolas, Iselis Rosso and Iselis Bianco as well as well-crafted standards.

Ar.Pe.Pe. Lom ★★→★★★ The Pelizzati Perego family, from 10ha in this breathtaking mtn country, produce around 50,000 bottles of VALTELLINA of various styles in a highly traditional mode. Top wines are Sassella Riserva Rocce Rosse, Sassella Riserva Stella Retica and Inferno Fiamme Antiche.

Asti Pie DOCG w sw sp ★→★★★ NV Piedmontese MUSCAT sparkler, known in past as Asti SPUMANTE. Low prices trump high quality, making DOCG status questionable. *See* MOSCATO D'ASTI, BARBERA. Rare top producers: BERA, Cascina Fonda, CAUDRINA, Vignaioli di Santo Stefano.

Azienda agricola / agraria An estate (large or small) making wine from own grapes.

Azienda Monaci Ap r ★★→★★★ Estate of Severino Garofano, leading oenologist in SALENTO. Characterful NEGROAMARO (Eloquenzia, I Censi), superb late-picked Le Braci, also Uva di Troia (Sine Pari) and AGLIANICO (Sine Die).

Badia a Coltibuono Tus ★★→★★★ Historic CHIANTI CLASSICO estate is making a comeback after yrs in doldrums. Top wine is 100% SANGIOVESE barrique-aged SUPER TUSCAN "Sangioveto".

Banfi (Castello or Villa) Tus ★→★★★ MONTALCINO CANTINA of major US importer of Italian wine. Huge plantings on lower-lying southern slopes of Montalcino, incl in-house-developed clones of SANGIOVESE; also CAB SAUV, MERLOT, SYRAH, PINOT N, CHARD, SAUV BL, PINOT GR. SUPER TUSCAN French-grape blends like Cum Laude and Summus tend to work better than somewhat overextracted BRUNELLOS.

Barbaresco Pie DOCG r ★★→★★★★ **97 99 01 04 06'** 07 **08** 09 10 (11) (12) The twin peak to BAROLO, also 100% NEBBIOLO. Similar complex aromas and flavour; less power, more elegance. Minimum 2 yrs ageing, 1 in wood; at 4 yrs becomes RISERVA. (For best producers *see* box above.)

Bardolino Ven DOC(G) r p ★→★★ DYA Light, fresh, summery red from Italy's largest lake, GARDA. Bardolino Superiore DOCG has much lower yield than Bardolino DOC. The pale-pink CHIARETTO is one of Italy's best rosés. Gd producers: Cavalchina, Costadoro, ***Guerrieri Rizzardi***, Le Fraghe, ZENATO, Zeni.

Barolo Pie DOCG r ★★★→★★★★ 95 96' 97 98 99' 01' 04' 05 06' 07' 08 09' (10) (11) (12) Italy's greatest red, 100% NEBBIOLO, from the village of the name south of ALBA or any of ten others (or parts thereof). The best combine power and elegance, crisp tannins and floral scent. Must be 3 yrs old before release (5 yrs for RISERVA), of which 2 yrs in wood. (For top producers *see* box below.) Divided between traditionalists (long maceration, large oak barrels) and modernists (shorter maceration, often barriques).

Ten top Barolos

Who makes the best BAROLO? These ten growers! All wines from vines in the central communes of Barolo, Castiglione Falletto, Monforte d'Alba and Serralunga:
Cavallotto (Bricco Boschis Vigna San Giuseppe); ALDO CONTERNO (Granbussia); GIACOMO CONTERNO (Monfortino); Bartolo MASCARELLO (Barolo); Giuseppe MASCARELLO (Monprivato); Massolino (Vigna Rionda); Giuseppe Rinaldi (Brunate-Le Coste); SANDRONE (Cannubi Boschis); PAOLO SCAVINO (Bric dël Fiasc); VIETTI (Lazzarito).

Beato Bartolomeo da Breganze ★★ Well-run co-op in hills of Veneto with one of the largest plantings of genuine PINOT GRIGIO. Also still, sparkling and sweet (TORCOLATO) wines from native Vespaiolo grape.

Bellavista Lom ★★★ FRANCIACORTA estate with convincing Champagne-style wines (Gran Cuvée Franciacorta is top). Also Extra Brut Vittorio Moretti and Satèn (a crémant-style sparkling).

Bera, Walter Pie ★★→★★★ Small estate for top-quality MOSCATO (Moscato d'Asti, ASTI), also fine reds (BARBERA d'Asti, BARBARESCO, LANGHE NEBBIOLO).

Berlucchi, Guido Lom ★★ Italy's biggest producer of sparkling METODO CLASSICO.

Bertani Ven ★★→★★★ Long-established producer of VALPOLICELLA; 200ha in various parts of Verona province; two million bottles/annum. Boasts a library of every AMARONE vintage since 1959.

Bianco di Custoza or Custoza Ven DOC w (sp) ★→★★ DYA Fresh uncomplicated white from Lake GARDA, made from GARGANEGA and Cortese. Gd examles incl: Cavalchina, Le Tende, Le Vigne di San Pietro, Montresor, Zeni.

Biferno Mol DOC r p w ★→★★ (r) 06 07 08 09 10 11 (12) Gd to interesting wines from easily forgotten region of Molise, sandwiched between Abruzzo and APULIA. Red based on MONTEPULCIANO, white on TREBBIANO. DI MAJO NORANTE (Ramitello) and Borgo di Colloredo (Gironia) are worthwhile.

Biondi-Santi Tus ★★★★ Octogenarian Franco Biondi-Santi continues to make BRUNELLO DI MONTALCINO at his Greppo estate in a highly traditional manner, as did his father, Tancredi, and his grandfather, Ferruccio, aiming in best yrs at wines to last decades.

Bisol Ven Top brand of PROSECCO.

Boca Pie *See* GATTINARA.

Boccadigabbia Mar ★★ Twin Marches properties of Elvidio Alessandri make characterful SANGIOVESE, more polished CAB SAUV. Akronte is a Cab of greater fame than substance. Whites incl Garbì, a CHARD, SAUV and VERDICCHIO blend.

Boglietti, Enzo Pie ★★★ Dynamic young producer at La Morra, BAROLO. Top modern-style (Arione, Case Nere); outstanding BARBERA d'ALBA (Vigna dei Romani, Roscaleto).

olgheri Tus DOC r p w (sw) ★★→★★★★ Arty walled village on TUSCANY's Tyrrhenian coast giving its name to a stylish and expensive group of SUPER TUSCANS mainly based on French varieties. Big names: SASSICAIA (original inspirer of the cult), ANTINORI (at Guado al Tasso), FRESCOBALDI (at ORNELLAIA), GAJA (at CA' MARCANDA), ALLEGRINI (at Poggio al Tesoro), Folonari (at Campo al Mare), plus the odd local in LE MACCHIOLE and MICHELE SATTA. Many of the best producers are following Sassicaia's lead and dumping IGT status for BOLGHERI DOC.

olla Ven ★★ Historic Verona firm for SOAVE, VALPOLICELLA, AMARONE, RECIOTO DELLA VALPOLICELLA, RECIOTO DI SOAVE. Today owned by powerful GRUPPO ITALIANO VINI.

orgo del Tiglio F-VG ★★★→★★★★ Nicola Manferrari is one of Italy's top white winemakers. His COLLIO FRIULANO Ronco della Chiesa and Studio di Bianco are especially impressive.

ITALY

oscarelli, Poderi Tus ★★★ Small estate with v.gd VINO NOBILE DI MONTEPULCIANO Nocio dei Boscarelli and RISERVA.

otte Large barrel, anything from 6–250hl, usually between 20–50, traditionally of Slavonian but increasingly of French oak. To traditionalists, the ideal vessel for ageing wines in which an excess of oak aromas is undesirable.

rachetto d'Acqui / Acqui Pie DOCG r sw (sp) ★★ DYA. Sweet sparkling red with enticing MUSCAT scent. Elevated DOCG status disputed by some.

raida Pie ★★★ The late Giacomo Bologna's estate, now well-run by his children Giuseppe and Raffaella. Top BARBERA d'ASTI (Bricco dell'Uccellone, Bricco della Bigotta, Ai Suma).

ramaterra Pie *See* GATTINARA.

reganze Ven DOC r w sp ★→★★★ (w) DYA (r) **06 07 08 09** 10 (11) Major production area for PINOT GR, also gd Vespaiolo (white still and sparking, and sticky TORCOLATO); PINOT N and CAB. Main producers MACULAN and BEATO BARTOLOMEO.

rindisi Ap DOC r p ★★ (r) **06 07 08 09** 10 (11) (12) (p) DYA. Smooth NEGROAMARO-based red with MONTEPULCIANO, esp from VALLONE, Due Palme, Rubino. ROSATO can be among Italy's best.

rolio, Castello di Tus ★★→★★★ Historic estate, CHIANTI CLASSICO's largest, now thriving again under RICASOLI family after foreign-managed decline. ***V.gd*** Chianti Classico and IGT Casalferro.

runelli, Gianni Tus ★★★ Small-scale producer of elegant, refined BRUNELLO DI MONTALCINO. Not to be confused with others in MONTALCINO called Brunelli. Now run by Gianni's widow, Laura.

runello di Montalcino Tus DOCG r ★★★→★★★★ **90' 95 97 99' 00 01' 04' 05 06'** 07 08 (09) (10') (11) Top wine of Tuscany, dense but elegant with scent and structure, potentially v. long-lived. Min 4 yrs ageing, after 5 yrs RISERVA. There have been moves to allow small quantities of French grapes in this supposedly 100% varietal (SANGIOVESE), and though these have been fought off, vigilance is needed. *See also* ROSSO DI MONTALCINO.

ucci ★★★ Quasi-Burgundian VERDICCHIOS, slow to mature but complex with age. Compared with most Verdicchios, RISERVA Villa Bucci is on another planet. Red Pongelli is less exciting.

urlotto, Commendatore G B Pie ★★★ Beautifully crafted and defined wines, esp BAROLO Cannubi and Monvigliero, the latter's grapes being crushed by foot.

ussola, Tommaso Ven ★★★★ Leading producer of AMARONE, RECIOTO and RIPASSO in VALPOLICELLA. Excellent Amarone Vigneto Alto and Recioto TB.

a' dei Frati Lom ★★★ The best producer of DOC LUGANA, also v.gd dry white blend IGT Pratto, sweet Tre Filer and red IGT Ronchedone.

a' del Bosco Lom ★★★★ No 1 FRANCIACORTA estate owned by giant PINOT GR producer Santa Margherita, but still run by founder Maurizio Zanella. ***Outstanding metodo-classico fizz***, esp Annamaria Clementi (Italy's Dom Pérignon) and

Dosage Zero; also excellent Bordeaux-style red Maurizio Zanella, burgund style PINOT N Pinero and CHARD.

Caiarossa Tus ★★★ International project. Dutch owner Jelgersma (Châtea Giscours; *see* Bordeaux) and French winemaker with Australian training makin v. classy reds (Pergolaia, Caiarossa) plus v. tasty Caiarossa Bianco. Riparbella i northern MAREMMA, high up nr the sea, attracts serious winemakers.

Caluso/Erbaluce di Caluso DOCG w ★★ DYA. Bright, minerally white fro Erbaluce grape in northern PIEDMONT. Best: Orsolani, esp La Rustia.

Ca' Marcanda Tus ★★★ A BOLGHERI estate created by GAJA (since 1996). There ar three wines in order of price (low to high): Promis, Magari and Ca' Marcand Grapes mainly international.

Campania One of the most dynamic Italian wine regions today (as in Roma times). Characterful native grapes – FALANGHINA, FIANO, GRECO, Coda di Volp (w), AGLIANICO, Piedirosso (r) – volcanic soils and cool, high v'yds add u to gd potential, being progressively realized. Classic DOCGS include FIAN d'Avellino, GRECO DI TUFO and TAURASI, with newer areas emerging; eg. Sanni and Benevento. Gd producers: Caggiano, Cantina del Taburno, Caputo, Col di Lapio, D'Ambra, De Angelis, Benito Ferrara, ***Feudi di San Gregorio***, GALARD LA GUARDIENSE, ***Mastroberardino***, Molettieri, MONTEVETRANO, Mustilli, Luigi Tecce Terredora di Paolo, Trabucco and VILLA MATILDE.

Canalicchio di Sopra Tus ★★★ Dynamic terroir-conscious Ripaccioli family produc from two v'yds sites, one on Montosoli slopes, beautifully balanced, complex ye drinkable BRUNELLO and ROSSO DI MONTALCINO.

Cantina A cellar, winery or even a wine bar.

Caparra & Siciliani Cal ★→★★ Co-op in Calabria's best-known zone, CIRÒ. 200ha of CLASSICO v'yds, 50 yrs' experience. Drink C&S wines, Cirò Rosso, Bianco an ROSATO, to get a taste of what they were like in the old days – defective, perhap but with soul.

Italy now has a clampdown on the sale of wine bottles bearing images of Hitle Mussolini, Stalin and – the Pope.

Capezzana, Tenuta di Tus ★★★ Noble Tuscan family estate west of Florence, unt recently headed by Tuscan wine legend Count Ugo Contini Bonacossi, today ru by his children. Gd Barco Reale DOC, excellent CARMIGNANO (Villa di Capezzan Villa di Trefiano). Also v.gd Bordeaux-style red, Ghiaie della Furba and a exceptional VIN SANTO.

Capichera Sar ★★★ V.gd if pricey producer of VERMENTINO DI GALLURA, esp VENDEMM *tardiva*. Excellent red Mantèghja from CARIGNANO grapes.

Cappellano Pie ★★★ The late Teobaldo Cappellano was one of the characters c BAROLO, devoting part of his v'yd in cru Gabutti to ungrafted NEBBIOLO vine (Pie Franco). Excellent Barolos in a highly traditional style; also "tonic" Barol Chinato, invented by an ancestor.

Caprai Umb ★★★→★★★★ Large, v. high-quality, experimentalist producer i Umbria's MONTEFALCO. Superb DOCG ***Montefalco Sagrantino***, esp 25 Anni, v.gd DC ROSSO DI MONTEFALCO.

Carema Pie DOC r ★★→★★★ 04' 06' 07 08 09 (10) (11) Obscure, light, intens NEBBIOLO from lower, if precipitous, Alpine slopes nr Aosta. Best: Luigi Ferrand (esp Etichetta Nera), Produttori Nebbiolo di Carema.

Carignano del Sulcis Sar DOC r p ★★→★★★ 06 07 08 09 10 (12) Mellow but intens red from SARDINIA's southwest. Best wines incl ***Terre Brune*** and Rocca Rub from SANTADI.

Carmignano Tus DOCG r ★★★ 99 00 01 02 04 06 07 08 09 10 (11) (12) Fir Tuscan SANGIOVESE/international-grape blend invented in 20th century by la

The best of Brunello – top ten and the rest
Any of the below provides a satisfying BRUNELLO DI MONTALCINO, but we have put a star next to the ten we think best:
Pieri Agostina, Altesino, ARGIANO, ARGIANO (CASTELLO DI), Baricci, BIONDI-SANTI ★, Gianni BRUNELLI ★, Camigliano, La Campana, Campogiovanni, Canalicchio di Sopra, Canalicchio di Sotto, Caparzo, CASANOVA DI NERI, CASE BASSE ★, CASTELGIOCONDO, Ciacci Piccolomini, COL D'ORCIA, Collemattoni, Corte Pavone, Costanti, Eredi FULIGNI, Il Colle, Il Paradiso di Manfredi, La Fuga, La Gerla, Lambardi, LISINI ★, La Magia, La Mannella, Le Potazzine, Marroneto, Mastrojanni ★, Oliveto, Salvioni ★, Siro Pacenti, Palazzo, Pertimali, Pieve di Santa Restituta, La Poderina, Pian dell'Orino ★, Il POGGIONE ★, POGGIO ANTICO, Poggio di Sotto ★, Salvioni-Cerbaiola ★, Uccelliera, Val di Suga, Valdicava.

Count Bonacossi of CAPEZZANA. Best: Ambra, Capezzana, Farnete, Piaggia, Le Poggiarelle, Pratesi.

rpenè-Malvolti Ven ★★ Historic and still important brand of PROSECCO and other sparkling wines at CONEGLIANO.

rtizze Ven ★★ Famous, frequently too expensive and too sweet, DOC PROSECCO of supposedly best subzone of Valdobbiadene.

sanova di Neri Tus ★★★ Modern BRUNELLO DI MONTALCINO, highly prized Cerretalto and Tenuta Nuova, plus Petradonice CAB SAUV and v.gd ROSSO DI MONTALCINO.

se Basse Tus ★★★★ Victim of horrific vandalism in Dec 2012, eco-geek Gianfranco Soldera has defiantly declared he will carry on making biodynamic, long-oak-aged, definitive-quality BRUNELLO as before. Remaining bottles will be more rare and precious than ever. *See also* box above.

stel del Monte Ap DOC r p w ★→★★ (r) **06** 07 **08** 09 10 (11) (p w) DYA. Dry, fresh, increasingly serious wines of mid-APULIAN DOC. Gd Pietrabianca and excellent ***Bocca di Lupo*** from Tormaresca (ANTINORI). V.gd Le More from Santa Lucia. Interesting reds from Cocevola, Giancarlo Ceci. *See also* RIVERA, whose Il Falcone RISERVA is considered the iconic cru of the zone.

stellare Tus ★★→★★★ CHIANTI CLASSICO producer. First-rate SANGIOVESE-based IGT I Sodi di San Niccoló and updated CHIANTI, esp RISERVA Vigna Poggiale. Also Poggio ai Merli (MERLOT) and Coniale (CAB SAUV).

stell' in Villa Tus ★★★ Individual, traditionalist CHIANTI CLASSICO estate of excellence run by self-taught Princess Coralia Pignatelli.

stelluccio E-R ★★→★★★ Quality SANGIOVESE from Romagna estate of famed enologoist Vittorio Fiore: IGT Ronco dei Ciliegi and Ronco delle Ginestre. Massicone is an excellent Sangiovese/CAB SAUV blend.

vallotto ★★★ Leading traditionalist in BAROLO, vyds in the heart of the zone. Outstanding Barolo RISERVA Bricco Boschis Vigna San Giuseppe and Riserva Vignolo, v.gd LANGHE NEBBIOLO.

rasuolo Ab DOC p ★ DYA ROSATO version of MONTEPULCIANO D'ABRUZZO, not to be confused with red CERASUOLO DI VITTORIA from Sicily. Can be brilliant; try CONTESA.

rasuolo di Vittoria Si DOCG r ★★ **08 09 10** 11 Medium-bodied red from Frappato and NERO D'AVOLA grapes in southeast. Sicily; try COS, PLANETA, Valle dell'Acate.

retto Pie ★★→★★★ Leading producer of BARBARESCO (Bricco Asili), BAROLO (Bricco Rocche, Brunate, Prapò), plus one of Italy's rare RIES, Arbarei.

rro, Fattoria del Tus ★★★ Estate owned by insurance giant SAI, making v.gd DOCG VINO NOBILE DI MONTEPULCIANO (esp cru Antica Chiusina). Also owns La Poderina (BRUNELLO DI MONTALCINO), Colpetrone (MONTEFALCO SAGRANTINO) and the 1,000ha northern MAREMMA estate of Monterufoli.

Who makes really good Chianti Classico?

CHIANTI CLASSICO is a seriously large zone with hundreds of producers, so picking out the best is tricky. The top ten get a ★: AMA ★, ANTINORI, BADIA A COLTIBUONO ★, Bibbiano, Le Boncie, Il Borghetto, Bossi, BROLIO, Cacchiano, CAFAGGIO, Capannelle, Capraia, Carobbio, Casaloste, Casa Sola, CASTELLARE, CASTELL' IN VILLA, Le Cinciole, Collelungo, Le Corti, Mannucci Droandi, FELSINA ★, Le Filigare, FONTERUTOLI, FONTODI ★, ISOLE E OLENA ★, Lilliano, Il Molino di Grace, MONSANTO ★, Monte Bernardi, Monteraponi ★, NITTARDI, NOZZOLE, Palazzino, Paneretta, Petroio-Lenzi, Poggerino, Poggiolino, Poggiopiano, POGGIO al Sole, QUERCIABELLA ★, RAMPOLLA, Riecine, Rocca di Castagnoli, Rocca di Montegrossi ★, RUFFINO, San Fabiano Calcinaia, SAN FELICE, SAN GIUSTO A RENTENNANO ★, Savignola Paolina, Selvole, Vecchie Terre di Montefili, Verrazzano, Vicchiomaggio, VIGNAMAGGIO, Villa La Rosa ★, Viticcio, VOLPAIA ★.

Cesanese del Piglio or Piglio Lat DOCG r ★→★★ Medium-bodied red, gd f moderate ageing. Best: Petrucca e Vela, Terre del Cesanese. Cesanese di Olevan Romano and Cesanese di Affile are similar.

Chianti Tus DOCG r ★→★★★ Since forever the glugging wine of central Tuscar fresh, fruity, astringent, easy to drink, often with a percentage of white grape The creation of subzones, elevation to DOCG and the banishing of the whit introduced unnecessary complication, but now that screwcap may be us perhaps we'll get our simple Chianti back.

Chianti Classico Tus DOCG r ★★→★★★★ 04 06 07 08 09 10 11 (12) The histo CHIANTI zone was allowed to add "Classico" to its name when the Chianti ar was extended to most of central Tuscany in the early 20th century. Covering or part of nine communes, the land is hilly and rocky with altitudes of 250–5c metres. The "Black Rooster" wine is traditionally blended, and today the deba rages as to whether the support grapes should be French or native.

Chiaretto Ven Pale, light, blush-hued rosé (the word means "claret"), produced e around Lake GARDA. *See* BARDOLINO, Riviera del Garda Bresciano.

Ciabot Berton Pie ★★★ Small La Morra grower; classy BAROLOS at modest price Crus incl Roggeri and new Rochettevino.

Ciliegiolo Tus Varietal wine of the Tuscan MAREMMA region, derived from t eponymous grape from which SANGIOVESE is probably derived. Try Rascioni Cecconello, Sassotondo.

Cinque Terre Lig DOC w dr sw ★★ Dry VERMENTINO-based whites from steepe Riviera coast of LIGURIA. Sweet version is called SCIACCHETRÀ. Seek out Arrigo Bisson, Buranco.

Cirò Cal DOC r (p) (w) ★→★★★ Strong red from CALABRIA's main grape, Gagliopp or light, fruity white from GRECO (DYA). Best: CAPARRA & SICILIANI, Ippolito, ***Libran*** (Duca San Felice ★★★), San Francesco (Donna Madda, RONCO dei Quattrovent Santa Venere.

Classico Term for wines from a restricted, usually historic and superior-qual area within the limits of a commercially expanded DOC. *See* CHIANTI CLASSIC VALPOLICELLA, SOAVE and numerous others.

Clerico, Domenico Pie ★★★ Established modernist BAROLO producer of Monfo d'ALBA, esp crus Percristina, Ciabot Mentin Ginestra. New Barolo Aeroplan Serv

Coffele Ven ★★★ Grower with some of the finest v'yds in SOAVE CLASSICO, maki steely, minerally wines of classic style. Try cru Ca' Visco.

Col d'Orcia Tus ★★★ Third-largest and top-quality MONTALCINO estate owned Francesco Marone Cinzano. Best wine: BRUNELLO RISERVA Poggio al Vento.

olli = hills; singular: Colle. **Colline** (singular Collina) = smaller hills. *See also* COLLIO, POGGIO.

olli del Trasimeno Umb DOC r w ★→★★ (r) 06 07' 08 09 10 11 (12) Lively white GRECHETTO-based wines (DYA) from the Umbrian lake where Hannibal whipped the Romans. Some gd reds as well. Best: Duca della Corgna, La Fiorita, Pieve del Vescovo, POGGIO Bertaio.

olli Euganei Ven DOC r w dr s/sw (sp) ★→★★ DYA. DOC southwest of Padua. Red, white and sparkling are pleasant, rarely better. Best producers: Ca' Lustra, La Montecchia, Vignalta.

olline Novaresi Pie *See* GATTINARA.

ollio F-VG DOC r w ★★→★★★★ Hilly zone on border with Slovenia. Esp known for complex, sometimes deliberately oxidized whites, which may be vinified on skins in earthenware vessels/amphoras in the ground. Some are excellent, some are shocking blends from various French, German and Slavic grapes. Numerous gd-to-excellent producers incl BORGO DEL TIGLIO, La Castellada, Castello di Spessa, MARCO FELLUGA, Fiegl, GRAVNER, Renato Keber, LIVON, Aldo Polencic, Primosic, Princic, Russiz SUPERIORE, ***Schiopetto***, Tercic, Terpin, Venica & Venica, VILLA RUSSIZ, Zuani.

olli Orientali del Friuli F-VG DOC r w dr sw ★★→★★★★ Hills in eastern FRIULI. Zone similar to COLLIO but less experimental, more oriented towards reds and stickies. Top producers: Meroi, Miani, Moschioni, LIVIO FELLUGA, Rosa Bosco, RONCO del Gnemiz. Sweet wines from VERDUZZO grapes (called Ramandolo if from around Nimis: Anna Berra, Giovanni Dri) or PICOLIT grapes (Ronchi di Cialla) can be amazing.

olli Piacentini E-R DOC r p w ★→★★ DYA Light gulping wines, often fizzy (red or white), from various grapes incl BARBERA and BONARDA (r), MALVASIA and Pignoletto (w) plus various PINOT varieties. Similar to OLTREPÒ PAVESE but tending to serve Emilia rather than Lombardy. Gd producers: Montesissa, Mossi, Romagnoli, Solenghi, La Stoppa, Torre Fornello, La Tosa. *See also* GUTTURNIO.

olognole Tus ★★ Ex-Conti Spalletti estate making increasingly classy CHIANTI RUFINA, RISERVA del Don from spectacular sites on south-facing slopes of Monte Giovi.

olterenzio CS / Schreckbichl T-AA ★★→★★★ Cornaiano-based main player among ALTO ADIGE co-ops. Whites (SAUV Lafoa, CHARD Altkirch, PINOT BIANCO Weisshaus Praedium) tend to be better than reds, despite the renown of CAB SAUV Lafoa.

onegliano Valdobbiadene Ven DOCG w sp ★→★★ DYA. Name for top PROSECCO, daunting to pronounce: may be used separately or together.

onterno, Aldo Pie ★★★→★★★★ Recently deceased top grower of Monforte d'ALBA, he was considered a traditionalist, esp concerning his top BAROLOS Granbussia, Cicala and Colonello. His sons are expected to move the winery in a more modernist direction.

onterno, Giacomo Pie ★★★★ Iconic grower of super-traditional BAROLO with cellar at Monforte d'ALBA, Giacomo's grandson Roberto now carrying on father Giovanni's work. Two Barolos from Cascina Francia v'yd in Serralunga: Cascina Francia and ***Monfortino***, long-macerated to age for yrs.

onterno Fantino Pie ★★★ Two families joined to produce excellent modern-style BAROLO Sorì Ginestra and Vigna del Gris at Monforte d'ALBA. Also NEBBIOLO/BARBERA blend Monprà.

onterno, Paolo Pie ★★→★★★ A family of NEBBIOLO and BARBERA growers since 1886. Current *titolare* Giorgio continues with textbook cru BAROLOS Ginestra and Riva del Bric, plus particularly fine LANGHE Nebbiolo Bric Ginestra.

ontesa Ab ★★→★★★ Collecorvino, Pescara, v'yd of oenologist Rocco Pasetti makes excellent red MONTEPULCIANO D'ABRUZZO, rosé CERASUOLO and white PECORINO under the Contesa label.

Contini, Attilio Sar ★→★★★ Famous Sardinian producer of Sherry-like, *flor*-affect VERNACCIA DI ORISTANO. Best is vintage blend Antico Gregori.

Contucci Tus ★★→★★★ Millennial producer of traditional-style VINO NOBILE. H cellar at MONTEPULCIANO *vaut le detour*.

Copertino Ap DOC r (p) ★★★ 06 07 08 10 (11) (12) Smooth, savoury red from t NEGROAMARO grape, from the heel of Italy. AZIENDA MONACI and CS Copertino a gd producers.

Coppo Pie ★★→★★★ Top producers of BARBERA D'ASTI (Pomorosso and RISERVA de Famiglia). Also excellent CHARD Monteriolo and sparkling Riserva del Fondator

Cortese di Gavi Pie *See* GAVI. (Cortese is the grape.)

Cortona Tuscan DOC contiguous to MONTEPULCIANO VINO NOBILE. Various red and whi grapes, gd wines incl Avignonesi's Desiderio, a MERLOT, and first-rate SYRAH fro Luigi d'Alessandro, Il Castagno, ***La Braccesca***.

CS (Cantina Sociale) Cooperative winery.

Cubi, Valentina Ven ★★→★★★ Valentina Cubi lends her name to this fine sm estate, making AMARONE of individuality and breeding and VALPOLICELLA CLASSICO charm and complexity. Her husband is Giancarlo Vason, one of Italy's foremo wine chemists.

Dal Forno, Romano Ven ★★★★ V. high-quality VALPOLICELLA, AMARONE and RECIO grower whose perfectionism is the more remarkable for the fact that his v'y are outside the CLASSICO zone.

De Bartoli, Marco *See* VECCHIO SAMPERI.

Dei Pie ★★→★★★ Pianist Caterina Dei runs this aristocratic and elegant estate i MONTEPULCIANO, making VINO NOBILES with artistry and passion. Her *chef d'oeuvre* Nobile di Montepulciano Bossona.

Di Majo Norante Mol ★★→★★★ Rare quality producer of Molise with v.gd Biferr Rosso Ramitello, Don Luigi Molise Rosso RISERVA and Molise AGLIANICO Contad white blend FALANGHINA-GRECO Biblos and MOSCATO PASSITO Apianae.

DOC/DOCG Quality wine designation: *see* box, p.125.

Dogliani Pie DOCG r ★→★★★ 06 07 08 09 10 11 (12) DOCG DOLCETTO from PIEDMON though they have dropped the grape from the label to confuse consume Some versions to drink young, others for moderate ageing. Gd produce Marziano Abbona, Osvaldo Barbaris, Francesco Boschis, Chionetti, Clavesan Einaudi, Pecchenino.

Italian wines made in or after July 2012 will have to declare allergenic substanc on the label.

Donnafugata Si r w ★★→★★★ Well-made range of Contessa Entellina DOC: top re are Mille e Una Notte and Tancredi; top whites Chiaranda and Vigna di Gab Also v. fine MOSCATO PASSITO di PANTELLERIA Ben Rye.

Duca di Salaparuta Si ★★ Aka Vini Corvo. Once on the list of every trattoria Christendom, the Corvo brand has given way to more upmarket reds Passo de Mule and Lavico (and of course, old favourite Duca Enrico), plus whites Kad and Valguarnero.

Elba Tus r w (sp) ★→★★ DYA. The island's white, based on Ansonica and TREBBIAN can be v. drinkable with fish. Dry reds are based on SANGIOVESE. Gd sweet wh (MOSCATO) and red (***Aleatico Passito DOCG***). Gd producers: Acquabona, Sapere

Enoteca Wine library; also wine shop or restaurant with extensive wine list. There a national enoteca at the *fortezza* in Siena.

Esino Mar DOC r w ★→★★★ (r) 06 07 08 09 10 (11) (12) Another DOC of VERDICCH country, allowing 50% of other grapes to be added to Verdicchio for Bian and 40% to SANGIOVESE/MONTEPULCIANO for Rosso. Top-quality red from Mor Schiavo (Adeodato) and Belisario (Colferraio).

st! Est!! Est!!! Lat DOC w dr s/sw ★ DYA. Unextraordinary white wine from Montefiascone, north of Rome. Trades on the improbable origin of its name. Best is Falesco.

na Si DOC r p w ★★→★★★ (r) 04 05 06 07 08 09 10 (11) (12) Wine from volcanic slopes, often high up. Etna's v'yds declined in the 20th century, but new money has brought a flurry of planting and some excellent wines, rather in the style of burgundy, though based on NERELLO MASCALESE (r) and CARRICANTE (w). Gd producers: Benanti, Calcagno, Il Cantante, Cottanera, Terre Nere, ***Passopisciaro***, Girolamo Russo, ***Barone di Villagrande***, Nicosia.

lchini Tus ★★→★★★ Producer of gd DOCG VERNACCIA DI SAN GIMIGNANO (Vigna a Solatio and oaked Ab Vinea Doni), plus top Bordeaux blend ***Campora*** and SANGIOVESE-based Paretaio. Riccardo Falchini was a champion of fine SAN GIMIGNANO, ably succeeded by his half-American children.

ITALY

lerno del Massico Cam ★★→★★★ DOC r w ★★ (r) 04 06 07 08 09 10 (11) (12) Falernum was the Château Yquem of Roman times. Today elegant red from AGLIANICO, fruity dry white from FALANGHINA. Best: VILLA MATILDE, Amore Perrotta, Felicia, Moio, Trabucco.

ra Pie *See* GATTINARA.

ro Si DOC r ★★★ 04' 06' 07' 08 09 10 (11) (12) Intense, harmonious red from NERELLO MASCALESE and Nerello Cappuccio in hills behind Messina. Salvatore Geraci of Palari, the major producer, administered the kiss of life when extinction seemed likely. Also Bonavita.

lluga, Livio F-VG ★★★ Consistently fine COLLI ORIENTALI DEL FRIULI wines, esp blends Terre Alte and Illivio, also ***Pinot Gr***, SAUV BL, FRIULANO, PICOLIT and MERLOT/REFOSCO blend Sossó.

lluga, Marco F-VG ★★→★★★ Prolific brother of Livio Felluga is a negociant. His Russiz SUPERIORE in COLLIO DOC, Castello di Buttrio in COLLI ORIENTALI DOC are yardstick, plus gd varietals FRIULANO, PINOT GRIGIO and SAUV BL.

lsina Tus ★★★ Giuseppe Mazzocolin has run this CHIANTI CLASSICO estate for 30 yrs: classic RISERVA Rancia and IGT Fontalloro, both 100% SANGIOVESE. Also gd CHARD, I Sistri and Castello di Farnetella, gd CHIANTI Colli Senesi.

rrari T-AA ★★→★★★ Trento maker of the best METODO CLASSICO wines outside FRANCIACORTA. Giulio Ferrari is top cru, also gd are CHARD-based Brut RISERVA Lunelli and PINOT N-based Extra Brut Perle' Nero.

udi di San Gregorio Cam ★★→★★★ Much-hyped CAMPANIA producer, with DOCGS TAURASI Piano di Montevergine, FIANO di Avellino Pietracalda and GRECO DI TUFO Cutizzi. Also IGT reds Serpico (AGLIANICO), Patrimo (MERLOT) and whites ***Falanghina***, Campanaro.

orio Si Historic quality maker of MARSALA. Specialist in Marsala Vergine Secco. For some reason Terre Arse (= burnt lands), their best wine, doesn't do well in the UK.

olonari Tus Ambrogio Folonari and son Giovanni, having split off from the giant RUFFINO, have quite a quiver-full of their own. NB ***Cabreo*** (a CHARD and a SANGIOVESE/CAB SAUV), wines of NOZZOLE (incl top Cab Sauv Pareto), BRUNELLO DI MONTALCINO La Fuga, VINO NOBILE DI MONTEPULCIANO Gracciano Svetoni, plus wines from BOLGHERI, MONTECUCCO and COLLI ORIENTALI DEL FRIULI.

ontana Candida Lat ★★ Biggest producer of once-fashonable FRASCATI. Single-v'yd Santa Teresa stands out. Part of huge GRUPPO ITALIANO VINI.

ontanafredda Pie ★★→★★★ Much-improved large producer of PIEDMONT wines on former royal estates, incl BAROLO Serralunga and Barolo crus Lazzarito Mirafiore and Vigna La Rosa. Excellent LANGHE NEBBIOLO Mirafiore. Plus ALBA DOCS and sparklers dry (Contessa Rosa Pas Dosè) and sweet (ASTI).

nterutoli Tus ★★★ Historic CHIANTI CLASSICO estate of Mazzei family at Castellina with space-age new CANTINA. Notable are Castello di Fonterutoli (dark, oa CHIANTI), IGT Siepi (SANGIOVESE/MERLOT). The Mazzei also own Tenuta di Belguar in MAREMMA, gd MORELLINO DI SCANSANO and IGT wines.

Fontodi Tus ★★★→★★★★ Outstanding Machetti family estate at Panzano maki one of the absolute best straight CHIANTI CLASSICOS, RISERVA Vigna del Sorbo, well as outstanding 100% SANGIOVESE Flaccianello, an IGT which could and oug to be Chianti Classico. Proper IGTS PINOT N and SYRAH Case Via are among the be of these varietals in TUSCANY.

Foradori T-AA ★★★ Elizabetta Foradori has, for 30 yrs, been one of the pioneeri spirits of Italian viniculture, mainly via ***the great red grape of*** Trentino, Teroldeg Now she is fermenting in *anfora* with reds like Morei and whites like Manzo Bianco Fontanasanta. Peak of production remains TEROLDEGO-based Granato.

Franciacorta Lom DOCG w (p) sp ★★→★★★★ Italy's major production zone for to quality METODO CLASSICO sparkling. Best producers: Barone Pizzini, BELLAVISTA, C DEL BOSCO, Castellino, Cavalleri, Gatti, Uberti, Villa. Also v.gd: Contadi Gastal Monte Rossa, Ricci Curbastri.

Frascati Lat DOC w dr sw s/sw (sp) ★→★★ DYA. Best-known wine of Roman hil constantly under threat from urban expansion. From MALVASIA and/or TREBBIAN most is disappointingly neutral: look for Castel de Paolis and Conte Zandot Villa Simone, or Santa Teresa from FONTANA CANDIDA. The sweet version is know as Cannellino.

Hunting rarities

Last year we challenged readers to go in search of some of Italy's amazing, and amazingly obscure, grape varieties. This year the *sfida* (Italian for "challenge") is to find, and drink, some of her more unusual wines. Max one wine/region, starting with VALLE D'AOSTA: Petite Arvine from La Source; PIEDMONT: Colli Tortonesi DOC Bianco Derthona Costa del Vento; LIGURIA: Rossese di Dolceacqua Bricco Arcagna from Terre Blanche; Lombardy: OLTREPÒ PAVESE Buttafuoco Bricco Riva Bianca from Andrea Picchioni; TRENTINO: Marzemino Poiema from Eugenio Rosi; ALTO ADIGE: Valle Isarco Kerner from Strasserhof; Veneto: Custoza Superiore Amedeo from Cavalchina; FRIULI: FRIULANO Friuli Grave from Vignai da Duline; Emilia-Romagna: ALBANA DI ROMAGNA Secco Codronchio from Fattoria Monticino Rosso.

Write to the publisher if you collect labels of the whole set.

Next year we'll look to the centre and south.

Freisa d'Asti Pie DOC r dr sw s/sw (sp) ★→★★★ Two distinct styles: frivolou maybe FRIZZANTE, maybe sweetish; or serious, dry and tannic for ageing (follow BAROLO vintages). Best: Brezza, Cigliuti, CLERICO, ALDO CONTERNO, COPP Franco Martinetti, GIUSEPPE MASCARELLO, Parusso, Pecchenino, Pelissero, Sebas Trinchero, VAJRA, VOERZIO.

Frescobaldi Tus ★★→★★★★ Ancient noble family, leading CHIANTI Rúfina pioneer NIPOZZANO estate (look for ***Montesodi*** ★★★), also BRUNELLO from Castelgiocon estate in MONTALCINO. Sole owners of LUCE estate in MONTALCINO and ORNELLAIA BOLGHERI. V'yds also in MAREMMA, Montespertoli and COLLIO.

Friulano F-VG ★→★★ New name of what used to be called Tocai FRIULANO (a Sauvignonasse or Sauvignon Vert), the "Tocai" part having disappeared due pressure from Hungary. Fresh, pungent, subtly floral whites, best from COLL ISONZO and COLLI ORIENTALI. Gd producers: BORGO DEL TIGLIO, LIVIO FELLUGA, LIS NER Pierpaolo Pecorari, RONCO del Gelso, Ronco del Gnemiz, Russiz SUPERIOR

SCHIOPETTO, LE VIGNE DI ZAMÒ, VILLA RUSSIZ. The new name for ex-Tocai from Veneto, by the way, is "Tai".

iuli-Venezia Giulia F-VG The northeast region on the Slovenian border. Several DOCS, incl ISONZO, COLLIO and COLLI ORIENTALI. Gd reds, but considered the home of Italy's most adventurous and accomplished whites.

izzante Semi-sparkling, eg. MOSCATO D'ASTI and most PROSECCO.

uligni Tus ★★★→★★★★ Outstanding producer of BRUNELLO and ROSSO DI MONTALCINO.

aja Pie ★★★★ Old family firm at BARBARESCO led by Angelo Gaja, highly audible apostle of Italian wine; daughter Gaia G following. High quality, even higher prices. BARBARESCO is the only PIEDMONTESE DOCG Gaja makes after down-classing his crus Sorì Tildin, Sorì San Lorenzo and Costa Russi as well as BAROLO Sperss to LANGHE DOC so that he could add a little BARBERA to his NEBBIOLO. Splendid CHARD (Gaia e Rey), CAB SAUV Darmagi. Also owner of Pieve di Santa Restituta in MONTALCINO, CA' MARCANDA in BOLGHERI.

alardi Cam ★★★ Producer of Terra di Lavoro, a highly touted blend of AGLIANICO and Piedirosso, in north CAMPANIA.

arda Ven DOC r p w ★→★★ (r) 07 08 09 10 (11) (12) (w p) DYA. Catch-all DOC for early-drinking wines of various colours from provinces of Verona in Veneto, Brescia and Mantua in Lombardy. Gd producers: Cavalchina, Zeni.

arofoli Mar ★★→★★★ A quality leader in the Marches region, specializing in VERDICCHIO (Podium, Macrina and Serra Fiorese) and ROSSO CONERO (Piancarda and Grosso Agontano).

attinara Pie DOCG r ★★→★★★ 01' 04' 06 07' 08 09 (10) (11) (12) Best-known of a cluster of northern PIEDMONTESE DOC(G)s based on NEBBIOLO. Best producers incl Travaglini, Antoniolo, Bianchi, Nervi, Torraccia del Piantavigna. Similar DOC(G)s of the zone: GHEMME, BOCA, BRAMATERRA, COLLINE NOVARESI, Costa della Sesia, FARA, LESSONA, SIZZANO. None of them, sadly, measure up to BAROLO/ BARBARESCO at their best.

avi/Cortese di Gavi Pie DOCG w ★→★★★ DYA. At best, subtle dry white of Cortese grapes, though much is dull. Most comes from commune of Gavi, hence Gavi di Gavi. Best: Castellari Bergaglio, Franco Martinetti, Toledana, Villa Sparina, Broglia, Cascina degli Ulivi, Castello di Tassarolo, CHIARLO, La Giustiniana, Podere Saulino.

hemme Pie DOCG *See* GATTINARA.

iacosa, Bruno Pie ★★→★★★★ Considered by some Italy's greatest winemaker, this brooding genius suffered a stroke in 2006, but goes on crafting splendid traditional-style BARBARESCOS (Asili, Santo Stefano) and BAROLOS (Falletto, Rocche di Falletto). Top wines (ie. RISERVAS) get famous red label. Also makes a range of fine reds (DOLCETTO, NEBBIOLO, BARBERA), whites (ARNEIS) and an amazing METODO CLASSICO Brut.

lera Ven *See* PROSECCO.

rappa Pungent, potent spirit made from grape pomace (skins, etc., after pressing), can be anything from disgusting to inspirational. What the French call "marc".

rasso, Elio Pie ★★★→★★★★ Top BAROLO producer (crus Vigna Chiniera, Casa Maté); v.gd BARBERA D'ALBA Vigna Martina, DOLCETTO d'Alba and CHARD Educato.

rave del Friuli F-VG DOC r w ★→★★ (r) 08 09 10 11 (12) The largest DOC of FRIULI-VENEZIA GIULIA, mostly on plains. Important volumes of underwhelming wines. Exceptions from Borgo Magredo, Di Lenardo, RONCO Cliona, Villa Chiopris, San Simone.

ravner, Josko F-VG ★★★ Controversial COLLIO producer, believes in maceration on skins in buried amphorae, followed by long ageing. His wines are either loved for their complexity or loathed for their oxidation and phenolic flavours. Wines incl a MERLOT-based Rosso and white blend Breg, and varietal RIBOLLA.

ITALY

Greco di Tufo Cam DOCG w (sp) ★★→★★★ DYA One of the best whites of th south: fruity, slightly and at best age-worthy. V.gd examples from Caggiano, Caputo, Benito Ferrara, FEUDI DI SAN GREGORIO, Macchialupa, ***Mastroberardino*** (Nova Serra and Vignadangelo), Vesevo, Villa Raiano. Other Campanian wines called Greco are of the same sub-variety, but there are several tenuously or no related Grecos in southern Italy.

Gresy, Marchesi di (Cisa Asinari) Pie ★★★ Consistent, sometimes inspired produc of traditional-style BARBARESCO (crus Gaiun and Camp Gros). Also v.gd SAUV B CHARD, MOSCATO d'ASTI, BARBERA d'Asti.

Grignolino Pie DOC r ★ DYA lively light red of ASTI zone, for drinking young. Bes BRAIDA, Marchesi Incisa della Rocchetta. Also, G del Monferrato Casalese DO (Accornero, Bricco Mondalino, La Tenaglia).

Gruppo Italiano Vini (GIV) Complex of co-ops and wineries, biggest v'yd holde in Italy. Estates incl Bigi, BOLLA, Ca'Bianca, Conti Serristori, FOLONARI, FONTANA CANDIDA, Lamberti, Macchiavelli, MELINI, Negri, Santi, Vignaioli di San Florian Has also expanded into south: SICILY and Basilicata.

Guardiense, La Cam ★★ Dynamic co-op, 1,000 grower-members, 2,000ha v'yd, f better-than-average whites and reds at lower-than-average prices under technic direction of Riccardo Cotarella.

Guerrieri Rizzardi ★★→★★★ Long-established aristo producer of the wines of Veron esp of Veronese GARDA. Gd BARDOLINO Classico Tacchetto, elegant AMARONE Vil Rizzardi and ROSATO Rosa Rosae. Respectable SOAVE Classico Costeggiola.

Gutturnio dei Colli Piacentini E-R DOC r dr ★→★★ DYA. BARBERA/BONARDA blen from the COLLI PIACENTINI. Producers: Castelli del Duca, La Pergola, La Stopp La Tosa.

Haas, Franz T-AA ★★★ ALTO ADIGE producer; v.gd PINOT N, LAGREIN (Schweizer) and I blends, esp the white Manna.

Hofstätter T-AA ★★★ ALTO ADIGE maker of ***top Pinot N***. Look for Barthenau Vign Sant'Urbano, also LAGREIN, CAB SAUV/PETIT VERDOT, GEWURZ.

Il Paradiso di Manfredi Tus ★★★ Hand-crafted BRUNELLO DI MONTALCINO from th tiny property is worth seeking out for a taste of the real thing, not invariab technically perfect but with bags of soul.

Indicazione Geografica Tipica (IGT) *See* box, p.125.

Ischia Cam DOC (r) w ★→★★ DYA. Island off Naples, with own grape varieti (eg. Forastera, Biancolella) mainly sold to tourists. Top producer: D'Amb (Biancolella Frassitelli, Forastera Euposia). Also gd: Il Giardino Mediterrane and Pietratorcia.

Isole e Olena Tus ★★★→★★★★ Top CHIANTI CLASSICO estate run by astute Paolo c Marchi, with superb red IGT Cepparello. V.gd VIN SANTO, CAB SAUV, CHARD, SYRA Also owns Sperino in Lessona (*see* GATTINARA).

Isonzo F-VG DOC r w ★★★ Gravelly, well-aired plain of FRIULI Isonzo, a multidc area with many varietals and blends. The stars are mostly white, scented ar structured, such as VIE DI ROMANS' Flors di Uis and LIS NERIS' Fiore di Campo. Als gd: Borgo Conventi, Pierpaolo Pecorari, RONCO del Gelso.

Jermann, Silvio F-VG ★★→★★★ Famous estate; v'yds in COLLIO and ISONZO: top whi blend Vintage Tunina, oak-aged blend Capo Martino and CHARD, ex-"Dreams".

Lacrima di Morro d'Alba Mar DYA. Curiously named, muscatty light red fro a small commune in the Marches, no connection with ALBA or La Morra PIEDMONT. Gd producers: Mancinelli, MONTE SCHIAVO.

Lacryma (or Lacrima) Christi del Vesuvio Cam r p w dr (sw) (sp) ★→★★ DOC Vesuv wines based on Coda di Volpe (w) and Piedirosso (r). Despite the romant name, Vesuvius comes nowhere nr ETNA in the quality stakes. Caput De Angelis and MASTROBERARDINO make uninspired versions.

Lageder, Alois T-AA ★★→★★★ Top ALTO ADIGE producer. Most exciting wines are single-v'yd varietals: ***Sauv Bl Lehenhof***, PINOT GR Benefizium Porer, CHARD Löwengang, GEWURZ Am Sand, PINOT N Krafuss, LAGREIN Lindenberg, CAB SAUV Cor Römigberg. Also owns Cason Hirschprunn for v.gd IGT blends.

Lago di Corbara Umb r ★★ 07' 08 09 10 (11) (12) Relatively recent DOC for quality reds of the ORVIETO area. Best from Barberani (Villa Monticelli) and Decugnano dei Barbi.

Lagrein Alto Adige T-AA DOC r p ★★→★★★ 04' 06' 07' 08 09 10 (11) ***Plummy reds with bitter finish*** from the LAGREIN grape. Best growing zone: Gries, suburb of Bolzano. Best producers: Colterenzio co-op, Gojer, Gries co-op, HAAS, HOFSTÄTTER, LAGEDER, Laimburg, Josephus Mayr, Thomas Mayr, MURI GRIES, NALS MARGREID, Niedermayr, Niedrist, St-Magdalena, TERLANO co-op, TIEFENBRUNNER.

Lambrusco E-R DOC (or not) r p w dr s/sw ★→★★ DYA. Once v. popular fizzy red from nr Modena, mainly in industrial, semi-sweet, non-DOC version. Sometimes vinified blanc de noirs. Best is Secco, bottle-fermented or in tank. DOCs: L Grasparossa di Castelvetro, L Salamino di Santa Croce, L di Sorbara. Best: Bellei, Caprari, Casali, CAVICCHIOLI, Graziano, Lini Oreste, Medici Ermete (esp Concerto), Rinaldo Rinaldini, Venturini Baldini.

Looking for more information on grapes? Try the "Grapes" section on pp.16–26.

Langhe Pie The hills of central PIEDMONT, home of BAROLO, BARBARESCO, etc. DOC name for several Piedmontese varietals plus blends Bianco and Rosso. Those wishing to blend other grapes with their NEBBIOLO, such as GAJA, can do so at up to 15% as "Langhe Nebbiolo".

Le Potazzine Tus ★★★ BRUNELLO and ROSSO DI MONTALCINO of winemaker couple, named after their two little birds (two daughters), from lofty site just south of MONTALCINO. The wines, too, have grown in stature and today attract widespread admiration. All may be found at the family's restaurant in centre of Montalcino.

Le Pupille Tus ★★★ Elisabetta Geppetti remains the most respected force in MORELLINO DI SCANSANO, with fine versions of the DOCG topped by RISERVA Poggio Valente. Also excellent IGT blend Saffredi (CAB SAUV/MERLOT/SYRAH/Alicante).

Lessona Pie *See* GATTINARA.

Librandi Cal ★★★ Top producer pioneering research into Calabrian varieties. V.gd red CIRÒ (***Riserva Duca San Felice*** is ★★★), IGT Gravello (CAB SAUV/Gaglioppo blend), Magno Megonio (r) from Magliocco grape and IGT Efeso (w) from Mantonico. Other local varieties in experimental phase. To follow.

Liguria The Italian riviera is rocky, but viticulture is rewarding: most wines sell to sun-struck tourists at fat profits, so don't travel much. Main grapes: VERMENTINO (w) – best producer is Lambruschi – and DOLCETTO (r), but don't miss CINQUE TERRE'S SCIACCHETRÀ or red Ormeasco di Pornassio.

Lisini Tus ★★★→★★★★ Historic estate for some of the finest and longest-lasting BRUNELLO, esp RISERVA Ugolaia.

Lis Neris F-VG ★★★ Top ISONZO estate for gd white wines, esp PINOT GR, CHARD (Jurosa), SAUV BL (Picol) and FRIULANO (Fiore di Campo), plus blends Confini and Lis. Also v.gd Lis Neris Rosso (MERLOT/CAB SAUV) and sweet white Tal Luc (VERDUZZO/RIES).

Loacker T-AA ★★→★★★ Biodynamic (and homeopathic) producer of ALTO ADIGE wines, installed in TUSCANY and making fine BRUNELLO and ROSSO DI MONTALCINO under the Corte Pavone label, plus gd MORELLINO DI SCANSANO Valdifalco.

Locorotondo Ap DOC w (sp) ★ DYA Thirst-quencher dry white from APULIA'S Verdeca and Bianco d'Alessano grapes, much quaffed *in situ* by vacationing *trulli*-seekers, little-sought *fuori zona*.

Luce Tus ★★★ FRESCOBALDI is sole owner of this exercise in hyperbole and high price, having bought out original partner Mondavi. A SANGIOVESE/MERLOT blend fo Russian oligarchs and Chinese millionaires.

Lugana DOC w (sp) ★→★★ DYA. Occasionally complex white of southern Lak GARDA, main grape TREBBIANO di Lugana (= VERDICCHIO). Dry and sappy. Best: CA DEI FRATI, ZENATO, Zeni.

Lungarotti Umb ★★★ Leading producer of TORGIANO, with cellars, hotel an museum, nr Perugia. Star wine: DOCG RISERVA ***Rubesco***. Gd IGT Sangiorgi (SANGIOVESE/CAB SAUV), Aurente (CHARD), Giubilante. Gd MONTEFALCO SAGRANTINO.

Macchiole, Le Tus ★★★ Eugenio Campolmi's widow, with oenologist Luca d'Attoma continues his fine work with CAB FR (Paleo Rosso) and MERLOT (Messorio), as we as SYRAH (Scrio).

Maculan Ven ★★★ One of the first in Veneto to aim at high quality, yrs ago Excellent CAB SAUV (Fratta, Ferrata), CHARD (Ferrata), MERLOT (Marchesante) an Torcolato (esp RISERVA Acininobili).

Malenchini Tus ★★ Estate of old Florentine family (from their balcony you ca see the Duomo) making ***honest, simple Chianti*** and more complex CHIANTI COLL Fiorentini, plus CAB SAUV/SANGIOVESE blend Bruzzico.

Malvasia delle Lipari DOC w sw ★★★ Luscious sweet wine, from MALVASIA grape from fascinating island off SICILIAN coast.

Mamete Prevostini ★★→★★★ Relatively new producer of VALTELLINA. Pure variet (NEBBIOLO) DOCG wines of class mainly from Sassella SUPERIORE but also Infern and Grumello Superiore. Two fine SFORZATOS.

Mancini, Fattoria Mar ★★ Estate on the sea nr Pesaro. ***Remarkable Pinot N*** (r w) fresh white Albanella and strange staining Ancellota red called Blu.

Manduria (Primitivo di) Ap DOC r s/sw ★★→★★★ PRIMITIVO's many producers inc Cantele, de Castris, Polvanera, Racemi and CS Manduria.

Marchesi di Barolo Pie ★★ Historic, perhaps original BAROLO producer, in commun of Barolo, making crus Cannubi and Sarmassa, plus other ALBA wines.

Maremma Tus Fashionable coastal area of southern TUSCANY, esp province o Grosseto. DOC(G)s incl MONTEREGIO, MORELLINO DI SCANSANO, PARRINA, Pitigliano SOVANA (Grosseto). Lavish recent investment. Maremma Toscana IGT is now Maremma Toscana DOC.

Marsala Si DOC w sw SICILY's once famous fortified wine (★→★★★), invented b Woodhouse Bros from Liverpool in 1773. Deteriorated in the 20th century to cooking wine, and though this stuff no longer qualifies for DOC status, the image remains low. Several versions from dry to v. sweet; best is bone-dry Marsala Vergine, potentially a highly valid apéritif if desperately unfashionable. *See also* VECCHIO SAMPERI.

Marzemino Trentino T-AA DOC r ★→★★ 09 10 11 (12) Pleasant everyday red, fruity and slightly bitter. Esp from Bossi Fedrigotti, CA' VIT, De Tarczal, Gaierhof Letrari, Longariva, Simoncelli, E Spagnolli, Vallarom.

Mascarello Pie The name of two top producers of BAROLO: Bartolo M, of Barolo (deceased), whose daughter Maria Teresa continues her father's highly traditional path; and Giuseppe M, of Monchiero, whose son Mauro make superior, traditional-style Barolo from the great Monprivato v'yd in Castiglione Falletto. Beware other Mascarellos.

Masi Ven ★★→★★★ Exponent/researcher of VALPOLICELLA, AMARONE, RECIOTO, SOAVE etc., incl fine Rosso Veronese Campofiorin and Amarone-style wines from FRIULI and Argentina. V.gd barrel-aged red IGT ***Toar***, from CORVINA and Oseleta grapes, also Osar (Oseleta). Top Amarones incl Mazzano and Campolongo di Torbe.

Massa, La Tus ★★★ Giampaolo Motta is a Bordeaux-lover making claret-like IGT wines with a TUSCAN accent (La Massa, Giorgio Primo), from CAB SAUV, MERLOT and

SANGIOVESE, at his fine estate in Panzano in CHIANTI CLASSICO, which denomination he has abandoned.

Massolino Vigna Rionda Pie ★★★ One of the finest estates of the BAROLO commune of Serralunga, reputed for highly structured wines. The excellent B Parafada and B Margheria do have firm structure, but fruity drinkability, too. Top cru is RISERVA Vigna Rionda, capable of v. long ageing.

Mastroberardino Cam ★★→★★★ Historic producer of CAMPANIA's mountainous Avellino province, quality torch-bearer for Italy's south during dark yrs of mid-20th century. Top ***Taurasi*** (look for Historia Naturalis and Radici), also FIANO di Avellino. More Maiorum and GRECO DI TUFO Nova Serra.

Matura, Gruppo Group of agronomists and oenologists headed by Alberto Antonini and Attilio Pagli, helping producers not only throughout TUSCANY but elsewhere in the country – and indeed, the world.

Tragedy in Montalcino

A press release issued by the family of Gianfranco Soldera, creator of arguably the finest of all BRUNELLOS, reads: "During the night between 2 and 3 Dec, 2012, [criminals] broke into our cellar at CASE BASSE; they did not steal a single bottle, but with an extremely serious act of deliberate criminal vandalism they opened the valves of ten barrels of six vintages of future Brunello di Montalcino: 07, 08, 09, 10, 11, 12: a loss of 62,000 litres of Brunello (the entire production). This is equivalent to destroying six vintages of Château Latour, except for the volume (much lower) and the price (even lower, at a paltry €100/bottle ex-cellars). An arrest, of an ex-employee, has been made by the Carabinieri and the matter now becomes *sub iudice*."

Melini Tus ★★ Major producer of CHIANTI CLASSICO at Poggibonsi, part of GIV. Gd quality/price, esp Chianti Classico Selvanella and RISERVAS La Selvanella and Masovecchio.

Metodo classico or tradizionale Italian for "Champagne method", which term is not permitted.

Mezzacorona T-AA ★→★★ Massive TRENTINO co-op in the commune of Mezzocorona (spot the difference) with wide range of gd technical wines, esp TEROLDEGO ROTALIANO Nos and METODO CLASSICO Rotari.

Monferrato Pie DOC r p w sw ★→★★ Hills between river Po and Apennines, bringing forth mostly wines for everyday drinking rather than of serious intent.

Monica di Sardegna Sar DOC r ★→★★ DYA. The mainstay of SARDINIA: light, dry red.

Monsanto Tus ★★★ Esteemed CHIANTI CLASSICO estate, esp for Il POGGIO RISERVA (first single-v'yd Chianti Classico), Chianti Classico Riserva and IGTS Fabrizio Bianchi (CHARD) and Nemo (CAB SAUV).

Montalcino Tus Small town in province of Siena, famous for concentrated, expensive BRUNELLO and more approachable, better-value ROSSO DI MONTALCINO. Scene of blending scandal in mid-noughties and of spectacular act of vandalism in 2012 (*see* box above).

Montecarlo Tus DOC r w ★★ (w) DYA. White, and increasingly red, wine area nr Lucca. Producers incl: Buonamico, Carmignani, La Torre, Montechiari, Fattoria del Teso.

Montecucco Tus SANGIOVESE-based TUSCAN DOC between Monte Amiata and Grosseto, increasingly trendy as MONTALCINO land prices ineluctably rise. As Montecucco Sangiovese it is DOCG. Look for CASTELLO DI POTENTINO (Sacromonte, Piropo), also Begnardi, Ciacci Piccolomini, COLLI Massari, Fattoria di Montecucco and

Villa Patrizia. Much investment by the likes of FOLONARI, MASI, Pertimali, Riecin and Talenti.

Montefalco Sagrantino Umb DOCG r dr (sw) ★★★→★★★★ Super-tannic, powerful long-lasting wines, until recently thought potentially great. Now doubts it's difficult to tame the phenolics without denaturing the wine. Traditional bittersweet PASSITO version may be better-suited to the grape, though harder t sell. Gd: Adanti, Antonelli, Paolo Bea, Benincasa, CAPRAI, Colpetrone, LUNGAROTT Tabarrini, Terre de' Trinci.

Montepulciano d'Abruzzo Ab DOC r p ★★→★★★ (r) 06 07 08 09 10 11 (12) Gd value, full-flavoured red and zesty, savoury pink (CERASUOLO) from grapes c this name. Abruzzi is Adriatic region east of Rome. Dominated by co-ops gd ones include Citra, Miglianico, Roxan, Tollo. Some excellent privates, inc Cornacchia, Contesa, Illuminati, Marramiero, Masciarelli, Contucci Ponnc Pepe, La Valentina, VALENTINI, Zaccagnini. Not to be confused with Tuscan town VINO NOBILE DI MONTEPULCIANO comes from.

Monteregio Tus DOC nr Massa Marittima in MAREMMA, gd SANGIOVESE and CAB SAUV (r and VERMENTINO (w) wines from eg. MORIS FARMS, Tenuta del Fontino. Big-name investors (ANTINORI, BELLAVISTA, Eric de Rothschild of Château Lafite, ZONIN) have been attracted by relatively low land prices, but the DOC has yet to make it market mark.

Monte Schiavo Mar ★★→★★★ Switched-on, medium-size producer of VERDICCHIO and MONTEPULCIANO-based wines of various qualities, owned by world's largest manufacturer of olive-oil processing equipment, Pieralisi.

Montescudaio Tus DOC r w ★★ Modest DOC between Pisa and Livorno; best are SANGIOVESE or Sangiovese/CAB SAUV blends. Try Merlini, POGGIO Gagliardo, La Regola, Sorbaiano.

Screw up

Until recently, all DOCG and many DOC wines were barred from being bottled under screwcap. This has now changed – partially. Freedom to use screwcaps will henceforward be subject to the blessing of relevant consortia. Just how byzantine the decisions of these august bodies can be is encapsulated by the SOAVE consortium's permission to extend the screwcapping privilege to Soave CLASSICO and Soave SUPERIORE, but not Soave Classico Superiore.

Montevertine Tus ★★★★ Radda estate. Non-DOCG but classic CHIANTI-style wines. IGT ***Le Pergole Torte*** a fine, sometimes great example of pure, long-ageing SANGIOVESE.

Montevetrano Cam ★★★ Iconic CAMPANIA AZIENDA, wine supervised by consultant Riccardo Cotarella. Superb IGT Montevetrano (CAB SAUV, MERLOT, AGLIANICO).

Morellino di Scansano Tus DOCG r ★→★★★ 06 07 08 09 10 (11) SANGIOVESE red from the MAREMMA. Used to be relatively light and simple, now, sometimes regrettably gaining weight and substance, perhaps to justify its lofty DOCG status. Best Belguardo, Mantellasi, MORIS FARMS, Podere 414, POGGIO Argentiera, LE PUPILLE Terre di Talamo, Vignaioli del Morellino di Scansano

Moris Farms Tus ★★★ One of the first of the new-age producers of TUSCANY's MAREMMA, with MONTEREGIO and ***Morellino di Scansano*** DOCS, plus VERMENTINO IGT Top cru is the now iconic IGT Avvoltore, a rich SANGIOVESE/CAB SAUV/SYRAH blend But try the basic MORELLINO.

Moscato d'Asti Pie DOCG w sw sp ★★→★★★ DYA Similar to DOCG ASTI, but usually better grapes, lower alcohol, sweeter, fruitier, often from small producers. Best DOCG MOSCATO: L'Armangia, BERA, BRAIDA, Ca'd'Gal, Cascina Fonda, Cascina

Pian d'Oro, Caudrina, Il Falchetto, Forteto della Luja, ***Marchesi di Grésy***, Icardi, Isolabella, Manfredi/Patrizi, Marino, La Morandina, Marco Negri, Elio Perrone, Rivetti, Saracco, Scagliola, VAJRA, Vietti, Vignaioli di Sante Stefano.

Muri Gries T-AA ★★→★★★ This monastery, in the Bolzano suburb of Gries, famous for LAGREIN, is a traditional and still top producer of ALTO ADIGE DOC. Esp cru Abtei-Muri.

Nals Margreid T-AA ★★→★★★ Small, quality-oriented co-op making mtn-fresh whites (esp PINOT BIANCO Sirmian) from two separate communes of ALTO ADIGE.

Nebbiolo d'Alba Pie DOC r dr ★★→★★★ **06 07 08 09 10 11** (12) Sometimes a worthy replacement for BAROLO/BARBARESCO, gd examples: PIO CESARE, GIACOSA, SANDRONE and VAJRA. Sometimes fresh and unoaked, more of a quaffing wine, eg. Boglietti.

Negrar, Cantina Ven ★★→★★★ Aka CS VALPOLICELLA. Under oenologist Daniele Accordini, major producer of high-quality Valpolicella, RIPASSO, AMARONE from grapes sourced in various parts of the CLASSICO zone. Look for the brand name Domini Veneti.

Nipozzano, Castello di Tus ★★★ FRESCOBALDI estate in RÚFINA east of Florence making excellent CHIANTI Rúfina RISERVAS Nipozzano and, esp, ***Montesodi***.

Nittardi Tus ★★→★★★ Reliable source of quality, modern CHIANTI CLASSICO produced by German proprietor Peter Femfert with help from oenologist Carlo Ferrini.

Nozzole Tus ★★→★★★ Famous estate owned by Ambrogio and Giovanni FOLONARI, in heart of CHIANTI CLASSICO, north of Greve. V.gd Chianti Classico Nozzole and excellent CAB SAUV Pareto.

Nuragus di Cagliari Sar DOC w ★★ DYA. Lively, uncomplicated SARDINIAN wine from Nuragus grape.

Oasi degli Angeli Mar Benchmark all-MONTEPULCIANO wines from small producer in southern Marches; lush and mouthfilling.

Occhio di Pernice Tus A type of VIN SANTO made predominantly from black grapes, mainly SANGIOVESE. AVIGNONESI's is definitive. Also an obscure black variety found in RÚFINA and elsewhere.

Oddero Pie ★★→★★★ Traditionalist La Morra estate for gd to excellent BAROLO (Brunate and Villero) and BARBARESCO (Gallina) crus, plus other serious wines from PIEDMONT.

Oltrepò Pavese Lom DOC r w dr sw sp ★→★★★ MultiDOC, inc numerous varietal and blended wines from Pavia province, mostly drunk in Milan. Sometimes v.gd PINOT N and SPUMANTE. Gd growers: Anteo, Barbacarlo, Casa Re, Castello di Cigognola, CS Casteggio, Le Fracce, Frecciarossa, Monsupello, Mazzolino, Ruiz de Cardenas, Travaglino, La Versa co-op.

Ornellaia Tus ★★→★★★★ **01 04' 05 06' 07'** 08 09 10 (11) (12) Famous estate nr BOLGHERI founded by Lodovico ANTINORI, who sold to FRESCOBALDI/Mondavi consortium, now owned solely by Frescobaldi. Top wines are of Bordeaux grapes and method: BOLGHERI DOC Ornellaia, IGT Masseto (MERLOT). Bolgheri DOC Le Serre Nuove and IGT Le Volte also gd.

Orvieto Umb DOC w dr sw s/sw ★→★★★ DYA The classic Umbrian white, from ancient Etruscan hilltop city. Wines comparable to Vouvray from tufaceous soil. *Secco* version most popular today, *amabile* is more traditional. Sweet versions from noble rot (*muffa nobile*) grapes can be superb, eg. Barberani's Calcaia. Other gd producers: Bigi, Cardeto, CASTELLO DELLA SALA, Decugnano dei Barbi, La Carraia, Palazzone.

Pacenti, Siro Tus ★★★ Modern-style BRUNELLO and ROSSO DI MONTALCINO from a small, caring producer.

Pagadebit di Romagna E-R DOC w ★→★★ DYA. So named because once, apparently, it "paid the bills". Must be 85% Bombino Bianco. Can be fresh and bright, rarely complex. Gd: Celli (Campi di Fratta), Campodelsole (San Pascasio).

ITALY

Palari *See* FARO.

Pantelleria Si Windswept, black-earth (volcanic) SICILIAN island off the Tunisian coas noted for superb MOSCATO d'Alessandria stickies. PASSITO versions are particularl dense and intense. Look for: Abraxas, Colosi, DE BARTOLI, DONNAFUGATA, Murana.

Pasqua, Fratelli Ven ★→★★ A massive producer and bottler of Verona wines VALPOLICELLA, AMARONE, SOAVE. Also BARDOLINO, RECIOTO.

Passito One of Italy's most ancient and most characteristic wine styles, from grape hung up, or spread on trays to dry, briefly under the harvest sun (in the south) o over a period of weeks or months in the airy upper parts of the winery – a proces called *appassimento*. Best-known versions: VIN SANTO (TUSCANY); VALPOLICELLA/SOAVE AMARONE/RECIOTO (Veneto). *See also* MONTEFALCO, ORVIETO, TORCOLATO, VALLONE.

Paternoster Bas ★★→★★★ Not a prayer but a producer of heavenly (well, pretty gd AGLIANICO DEL VULTURE, esp Don Anselmo.

Pecorino Ab ★★→★★★ Not cheese but complex and highly drinkable (and age worthy) dry white from, until recently, a nr-extinct variety native to Abruzzo Gd producers: CONTESA, Farnese, Franco Pasetti, Illuminati, San Lorenzo, Terr d'Aligi, Tiberio.

Piaggia Tus ★★★ Outstanding producer of CARMIGNANO RISERVA, Sasso and superb CAB FR Poggio dei Colli, as well as of a couple of SANGIOVESE wines, Pietraner and Viti dell'Erta.

Pian dell'Orino ★★★ A couple from ALTO ADIGE run this small MONTALCINO estate Oenologist husband Jan Erbach sees the BRUNELLO is both seductive an technically perfect, and the Rosso is nearly as gd.

Piave Ven DOC r w ★→★★ (r) 08 09 10 11 (12) (w) DYA. Volume DOC on plains northwest of Venice for budget varietals. CAB SAUV, MERLOT and Raboso reds car all age moderately. Above-average examples from Loredan Gasparini, Molon Villa Sandi.

Picolit F-VG DOCG w sw s/sw ★★→★★★ 06 07 08 09 10 (12). Quasi-mythica sweet white from COLLI ORIENTALI DEL FRIULI, might disappoint those who car a) find it and b) afford it. Gd from LIVIO FELLUGA, Meroi, Perusini, Specogna, VILLA RUSSIZ, Vinae dell'Abbazia.

Piedmont / Piemonte With TUSCANY, the most important Italian region fo top quality, in Alpine foothills. Turin is the capital, ASTI and ALBA the wine centres. No IGTS allowed; Piemonte DOC is lowest denomination, covering basic reds, whites, SPUMANTES and FRIZZANTES. Grapes incl: NEBBIOLO, BARBERA, BONARDA Brachetto, CORTESE, DOLCETTO, GRIGNOLINO, CHARD, MOSCATO. *See also* BARBARESCO BAROLO, GATTINARA, ROERO.

Pieropan Ven ★★★ Nino Pieropan is the veteran quality leader of SOAVE, a DOC now leaving its cynical past behind. Cru ***La Rocca*** is still the ultimate Soave, and Calvarino, indeed the screwcapped Classico, are not far behind.

Pietracupa Cam ★★★ Sabino Loffredo is after perfection. Mainly known for whites (GRECO DI TUFO and FIANO di Avellino). His excellent TAURASI is even better.

Pieve di Santa Restituta Pie ★★★ GAJA estate for a PIEDMONTESE interpretation of BRUNELLO DI MONTALCINO under names Sugarille and Rennina.

Pio Cesare Pie ★★→★★★ Veteran ALBA producer, offers BAROLO and BARBARESCO in both modern (barrique) and traditional (large-cask-aged) versions. Also the Alba range, incl whites (eg. GAVI). Particularly gd NEBBIOLO D'ALBA, ***a little Barolo at half the price.***

Planeta Si ★★→★★★ Leading SICILIAN estate with 400ha v'yd in various parts of the island, making wines from native and imported varieties plus blends thereof La Segreta is brand of gd-value white (Grecanico, CHARD, VIOGNIER, FIANO) and red (NERO D'AVOLA, MERLOT, SYRAH).

Podere Small Tuscan farm, once part of a big estate.

The best of Prosecco

PROSECCO (now just a wine, remember: no longer a grape) continues to boom in the market, but for how long? Prices have moved up sharply, which is nice for the growers, but even if there were something to celebrate with this Italian version of poor man's Champagne, a sharp downturn is predicted when the new v'yds, planted in their thousands of ha following the law change, come on stream with their cheap and shoddy product. There remain a gd few reliable producers, however, incl: Adami, Biancavigna, BISOL, Bortolin, Canevel, CARPENÈ-MALVOLTI, Case Bianche, Col Salice, Le Colture, Col Vetoraz, Nino Franco, Gregoletto, La Riva dei Frati, Ruggeri,Vignarosa, Zardetto.

oggio Means "hill" in Tuscan dialect. **Poggione** means "big hill".

oggio Antico Tus ★★★ Admirably consistent, sometimes inspired producer of MONTALCINO. Basic BRUNELLO is aged in traditional BOTTE. Altero is Brunello aged in barriques. RISERVA blends the two.

oggio di Sotto ★★★★ Small MONTALCINO estate but a quality giant of the illustrious denomination. Outstanding BRUNELLO and Rosso; traditional character with an idiosyncratic twist. Estate sold now, but pursuing existing lines.

oggione, Tenuta Il Tus ★★★ A marker for fine BRUNELLO, esp considering large volume; also v.gd ROSSO DI MONTALCINO. Administered for the Franceschi family by the excellent Fabrizio Bindocci.

oggiopiano Tus ★★→★★★ Easy-drinking yet serious CHIANTIS from San Casciano; a blend of old and new techniques. Polished CHIANTI CLASSICO and RISERVA Tradizione. Chiantis are pure SANGIOVESE, but Rosso di Sera incl up to 15% of Colorino grape.

oggio Scalette Tus ★★★ Oenologist's family's fine estate; above-average CHIANTI CLASSICO and Bordeaux-blend Capogatto. Winemaker's pride is 100% SANGIOVESE Il Carbonaione; needs several yrs bottle age.

oliziano Tus ★★★ MONTEPULCIANO estate of Federico Carletti. Superior VINO NOBILE (esp Asinone) and gd IGT Le Stanze (CAB SAUV/MERLOT).

'omino Tus DOC r w ★★★ (r) 06 07 08 09 10 11 (12) An appendage of RÚFINA, with fine red and white blends (esp Il Benefizio). Virtually a FRESCOBALDI exclusivity.

'otentino, Castello di Tus ★★ English eccentric Charlotte Horton takes on the might of what she calls "Mort-alcino" at this medieval redoubt on Monte Amiata. V.gd SANGIOVESE ***Sacromonte***; better PINOT N Piropo and Lyncurio (blush).

'rà Ven ★★★ Leading SOAVE CLASSICO producer, esp crus Monte Grande and Staforte, the latter six mths in steel tanks on lees with mechanical *bâtonnage*. Now also excellent VALPOLICELLAS wines under the name Morandina.

'roduttori del Barbaresco Pie ★★★ One of Italy's earliest co-ops, considered by some the best, if not indeed best in the world. Aldo Vacca and his team make excellent traditional, straight BARBARESCO as well as crus Asili, Montefico, Montestefano, Ovello, Pora, Rio Sordo.

'rosecco Ven DOC(G) w sp ★→★★ DYA. Italy's favourite fizz. New laws, designed to protect the name, mean "Prosecco" is no longer a grape but only a wine derived from the GLERA grape grown in specified DOC/DOCG zones (IGT no longer permitted) of the Veneto and FRIULI-VENEZIA GIULIA. May be still, SPUMANTE or FRIZZANTE. *See also* box above.

'runotto, Alfredo Pie ★★★→★★★★ Traditional ALBA company modernized by ANTINORI in 1990s, run by Piero's daughter Albiera. V.gd BARBARESCO (Bric Turot), BAROLO (Bussia), NEBBIOLO (Occhetti), BARBERA d'ALBA (Pian Romualdo), Barbera d'ASTI (Costamiole) and MONFERRATO Rosso (Mompertone, Barbera/SYRAH blend).

Puglia Ap *See* APULIA.

Querciabella Tus ★★★★ Top CHIANTI CLASSICO estate with IGT crus Camartir (SANGIOVESE/CAB SAUV) and barrel-fermented CHARD/PINOT BL Batàr. Purchase in Radda and MAREMMA provide more grapes for Chianti Classico and ne Mongrana (Sangiovese, plus Cab Sauv and MERLOT), respectively.

Quintarelli, Giuseppe Ven ★★★★ Arch-traditionalist, artisanal producer of sublim VALPOLICELLA, RECIOTO and AMARONE. Bepi died 2012; daughter and children ar taking over, altering nothing.

Rampolla, Castello dei Tus ★★★ CAB SAUV-loving estate in Panzano, CHIANTI CLASSIC top wines being IGTS Sammarco and d'Alceo. Plus, some international-sty Chianti Classico.

Ratti, Renato ★★→★★★ Iconic BAROLO estate, founder's son Pietro taking ove Modern-style wines of abbreviated maceration but plenty of substance, es Barolos Rocche dell'Annunziata and Conca.

Looking for more information on grapes? Try the "Grapes" section on pp.16–26.

Recioto della Valpolicella Ven DOCG r sw (sp) ★★★→★★★★ Finally a DOCG, this mos historic of all Italian wines (written testimony from sixth-century AD) is uniqu and potentially stunning, with sumptuous cherry-chocolate fruitiness.

Recioto di Soave Ven DOCG w sw (sp) ★★★→★★★★ SOAVE from half-dried grapes sweet, fruity, slightly almondy; sweetness is cut by high acidity. Outstandin from ANSELMI, COFFELE, Gini, PIEROPAN, Tamellini, often v.gd from Ca' Rugate PASQUA, PRÀ, Suavia, Trabuchi. As with RECIOTO DELLA VALPOLICELLA the vintage i less important than the process.

Refosco (dal Peduncolo Rosso) F-VG ★★ 08 09 10 11 (12) Gutsy red of rustic style Best from: COLLI ORIENTALI DOC, Moschioni, Le Vigne di Zamo, ***Volpi Pasini***; g from LIVIO FELLUGA, Miani and from Dorigo, Ronchi di Manzano, Venica, C Bolani and Denis Montanara in Aquileia DOC.

Regaleali Si *See* TASCA D'ALMERITA.

Ribolla F-VG Colli Orientali del Friuli and Collio DOC w ★→★★ DYA. Characterfu acidic northeastern white, the best from COLLIO. Top estates: II Carpino, L Castellada, Damijan, Fliegl, GRAVNER, Primosic, Radikon, Tercic.

Ricasoli Tus Historic Tuscan family, 19th-century proposers of CHIANTI blend. Th main branch occupies the medieval Castello di BROLIO. Related Ricasolis ow Castello di Cacchiano and Rocca di Montegrossi.

Rinaldi Giuseppe Pie ★★★ Beppe Rinaldi is an arch-traditionalist BAROLO personalit whose cantina on the outskirts of the town of Barolo is not always a model c hygiene. Characterful Barolos incl crus Brunate-Le Coste and Cannubi Sa Lorenzo – Ravera.

Ripasso Ven *See* VALPOLICELLA RIPASSO.

Riserva Wine aged for a statutory period, usually in casks or barrels.

Rivera Ap ★★ Reliable winemakers at Andria in CASTEL DEL MONTE DOC, best exampl being RISERVA Il Falcone. V.gd Nero di Troia-based Puer Apuliae.

Rivetti, Giorgio (La Spinetta) Pie ★★★ Fine MOSCATO D'ASTI, excellent BARBER interesting IGT Pin, series of super-concentrated, oaky BARBARESCOS. Now owne of v'yds both in the BAROLO and the CHIANTI COLLI Pisane DOCGS. Recently acquire the traditional SPUMANTE house, Contratto.

Rizzi Pie ★★→★★★ The name refers to the sub-area of Treiso, commune c BARBARESCO, where the Dellapiana family look after 35ha of v'yd. Top cru i Barbaresco Pajore. Fondetta and Boito also gd, seem light but go deep.

Rocca, Bruno Pie ★★★ Admirable modern-style BARBARESCO (Rabajà) and other ALB wines, also v. fine BARBERA d'ASTI.

Rocca Albino ★★★ The late Albino Rocca was a foremost producer of elegant sophisticated BARBARESCO. The AZIENDA continues with top crus Vigneto Loreto and Brich Ronchi.

Roero Pie DOCG r ★★→★★★ 01 04 06' 07 08 09 10 (11) (12) Serious, occasionally BAROLO-level NEBBIOLOS from the LANGHE hills across river Tanaro from ALBA. Best: Almondo, Buganza, Ca' Rossa, Cascina Chicco, Correggia, Funtanin, Malvirà, Monchiero-Carbone, Morra, Pace, Pioiero, Taliano, Val di Prete. *See also* ARNEIS.

Roma Lat DOC recently invented to exploit the fame of the Eternal City. Bianco is Latin grapes (MALVASIA, Bellone and Bombino), Rosso is MONTEPULCIANO and Cesanese. Both are allowed a certain international input. So far there are no exciting exponents.

Ronco Term for a hillside v'yd in northeast Italy, esp FRIULI-VENEZIA GIULIA.

Rosato The general Italian name for rosé. Other rosé wine names incl CHIARETTO, from Lake GARDA; CERASUOLO, from Abruzzo; Kretzer, from ALTO ADIGE.

Rosso Conero Mar DOCG r ★★→★★★ 06' 07 08 09 (11) (12) Aka plain "Conero". Some of Italy's best MONTEPULCIANO (the grape, that is). Recommended are: GAROFOLI's Grosso Agontano, Moroder's Dorico, MONTE SCHIAVO's Adeodato, TERRE CORTESI MONCARO's Nerone and Vigneti del Parco, Le Terrazze's Sassi Neri and Visions of J.

Rosso di Montalcino Tus DOC r ★★→★★★ 06' 07' 08 09 10 11 (12) DOC for earlier-maturing wines from BRUNELLO grapes, from younger or lesser v'yd sites. Recently an attempt by a few big producers to allow "international" grapes into the blend was defeated, but they'll try again.

Rosso di Montefalco Umb DOC r ★★→★★★ 07 08 09 10 (11) (12) SANGIOVESE/SAGRANTINO blend, often with a splash of softening MERLOT. For producers, *see* MONTEFALCO SAGRANTINO.

Rosso di Montepulciano Tus DOC r ★★ 08 09 10 11 (12) Junior version of VINO NOBILE DI MONTEPULCIANO, growers similar. Seen much less than ROSSO DI MONTALCINO, probably because of confusion with MONTEPULCIANO D'ABRUZZO, with which it has nothing in common.

Rosso Piceno Mar DOC r ★ 06 07 08 09 10 (11) Gluggable MONTEPULCIANO/SANGIOVESE blend from southern half of Marches; SUPERIORE from restricted classic zone nr Ascoli, much improved in recent yrs and v.gd value. Best: Aurora, Boccadigabbia, BUCCI, Fonte della Luna, Montecappone, MONTE SCHIAVO, Saladini Pilastri, TERRE CORTESI MONCARO, Velenosi Ercole, Villamagna.

Ruchè di Castagnole Monferrato Pie DOCG r ★★ DYA. An intense pale red of quintessentially PIEDMONTESE style: sour-berry fruit, sharp acid, firm tannins. Calls for a bit of practice. Gd: Pierfrancesco Gatto.

Ruffino Tus ★→★★★ The venerable CHIANTI firm of Ruffino, in hands of FOLONARI family for 100 yrs, split apart a few years ago. Both branches are busy acquiring new TUSCAN estates. At last count they were up to seven, of which three are in CHIANTI CLASSICO, incl Santedame (top wine Romitorio), one in MONTALCINO (Greppone Mazzi) and one in MONTEPULCIANO (Lodola Nuova). They also own Borgo Conventi in FRIULI.

Chianti Classico's black rooster stands for honesty in China. And good fortune, and bossiness.

Rúfina Tus ★★★ Small but important northern subregion of CHIANTI, east of Florence, hilly and cool. Best wines: Basciano, CASTELLO DI NIPOZZANO (FRESCOBALDI), Castello del Trebbio, Colognole, Frascole, Lavacchio, SELVAPIANA, Tenuta Bossi, Travignoli. Villa di Vetrice/Grati does old vintages, sometimes aged 20 yrs+ in barrels or vats.

Sala, Castello della Umb ★★→★★★ ANTINORI estate at ORVIETO. Top wine is splendid ***Cervaro della Sala***, oak-aged CHARD/GRECHETTO. Bramito del Cervo is lesser but still v.gd, same grapes. Muffato della Sala was pioneer example of an Itali botrytis dessert wine.

Salento Ap Flat southern peninsula at tip of Italy's heel; seems unlikely for quali grapes, but deep semi-fertile soils, old Alberello vines and above all consta sea breezes, cooling and clearing parasites, combine to produce remarkab red and rosé wines from NEGROAMARO and PRIMITIVO grapes. *See also* APULIA ar SALICE SALENTINO.

Salice Salentino Ap DOC r ★★→★★★ 06 07 08 (10) (11) Best-known of SALENTO many (too many) NEGROAMARO-based DOCS, made famous by veteran firms lik Leone de Castris, Candido, Taurino, Apollonio and VALLONE. RISERVA after 2 yrs.

Salvioni ★★★ Small high-quality operation of the irrepressible Giulio Salvior BRUNELLO and ROSSO di MONTALCINO among the v. best available, worth the nc inconsiderable price.

The rise of white

Italy's whites have traditionally taken a back seat to the reds, but a recent tasting had one noted wine journalist raving: "Believe me, the best wines are as gd as anything in France." Stars of the tasting include wines of a mix of varieties from all parts of the peninsula, incl the northwest (Orsolani's ERBALUCE DI CALUSO La Rustia), the north-centre (TERLANO'S PINOT BIANCO RISERVA Vorberg), the northeast (LIS NERIS' PINOT GRIGIO Gris), the centre (VALENTINI'S TREBBIANO D'ABRUZZO), and south (Pietracupa GRECO DI TUFO), not excluding a couple from SICILY (BENANTI'S ETNA Bianco SUPERIORE Pietramarina and the tasting's outright winner, Grappoli del Grillo! from the Marco de Bartoli winery in MARSALA.

Sandrone, Luciano Pie ★★★ Exponent of modern-style ALBA wines with deep concentrated BAROLO Cannubi Boschis and Le Vigne, DOLCETTO, BARBERA d'Alb and NEBBIOLO d'Alba.

San Felice Tus ★★→★★★ Important historic TUSCAN grower, owned by Grupp Allianz. Fine CHIANTI CLASSICO and RISERVA POGGIO Rosso from estate in Castelnuov Berardenga. Vitiarium is an experimental v'yd for obscure varieties, the exceller Pugnitello (IGT from that grape) a first result. Gd, too: IGT Vigorello (first SUPE TUSCAN, from 1968) and BRUNELLO DI MONTALCINO Campogiovanni.

San Gimignano Tus Tourist-overrun TUSCAN town famous for its towers and dr white VERNACCIA DI SAN GIMIGNANO DOCG, often overpriced, occasionally convincin as a wine if not as a *vin de terroir*. Some gd SANGIOVESE-based reds under DOC Sa Gimignano. Producers incl: FALCHINI, Cesani, Guicciardini Strozza, Montenidol Mormoraia, Il Palagione, Panizzi, Podera del Paradiso, Pietrafitta, Pietraserenc La Rampa di Fugnano.

Sangiovese di Romagna Mar DOC r ★★→★★★ Often well-made, even classy varieta red from what may be the birthplace of SANGIOVESE. Gd producers incl Cesar Drei Donà, Paradiso, San Patrignano, Tre Monti, Trere (E-R DOC), ZERBINA. See also IGT RONCO delle Ginestre, Ronco dei Ciliegi from CASTELLUCCIO.

San Giusto a Rentennano Tus ★★★→★★★★ Top CHIANTI CLASSICO estate owned b cousins of RICASOLI. Outstanding SANGIOVESE IGT Percarlo and sublime VIN SANT (Vin San Giusto).

San Guido, Tenuta Tus *See* SASSICAIA.

San Leonardo T-AA ★★★ Top TRENTINO estate of Marchesi Guerrieri Gonzaga consultant Carlo Ferrini. Main wine is Bordeaux blend ***San Leonardo***,"th SASSICAIA of the north". Also v. promising MERLOT Villa Gresti, SAUV BL less gd.

San Michele Appiano T-AA Top ALTO ADIGE co-op, esp for whites. Look for PINOT BIANCO Schulthauser and Sanct Valentin (★★★) selections: CHARD, PINOT GR, SAUV BL, CAB SAUV, PINOT N, GEWURZ.

Sannio Cam DOC r p w sp ★→★★★ (w) DYA. Wines of the Samnites of inland, upland CAMPANIA: various styles, from mainly Campanian varieties. La GUARDIENSE is a notable producer.

San Patrignano E-R ★★ Drug rehab colony with 100ha v'yd. Wines (oenologist Riccardo Cotarella), v. professionally made in international styles. More local character in SANGIOVESES Avi and more modest Aulente than in Bordeaux-inspired Montepirolo and Noi.

Santadi Sar ★★★ SARDINIA's, and one of Italy's, best co-ops, esp for CARIGNANO-based reds Terre Brune, Grotta Rossa and Rocca Rubia (all DOC CARIGNANO DEL SULCIS). Also whites ***Vermentino Villa Solais*** and Villa di Chiesa (VERMENTINO/CHARD).

Santa Maddalena/St-Magdalener T-AA DOC r ★→★★ DYA. Teutonic-style red from SCHIAVA grapes from v. steep slopes behind ALTO ADIGE capital Bolzano. Gd reputation, but somehow you think it ought to be better. Notable producers: CS St-Magdalena (Huck am Bach), Gojer, Josephus Mayr, Hans Rottensteiner (Premstallerhof), Heinrich Rottensteiner.

Sant'Antimo Tus DOC r w sw ★★→★★★ Catch-all DOC for (almost) everything in MONTALCINO zone that isn't BRUNELLO DOCG or Rosso DOC. Sant'Antimo is a Romanesque abbey.

Sardinia/Sardegna The Med's 2nd-biggest island produces much decent and some v.gd wine, eg. Turriga from ARGIOLAS, Arbeskia and Dule from Gabbas, VERMENTINO of CAPICHERA, CANNONAU RISERVAS of Jerzu and Loi, Vermentino and Cannonau from Dettori and the amazing sherryish VERNACCIA of CONTINI. Best DOCS: Vermentino di Gallura (eg. Canayli from Cantina Gallura) and CARIGNANO DEL SULCIS (Terre Brune and Rocca Rubia from SANTADI).

Sartarelli Mar ★★★ One of top VERDICCHIO DEI CASTELLI DI JESI producers (Tralivio); outstanding, rare Verdicchio VENDEMMIA Tardiva (Contrada Balciana).

Sassicaia Tus DOC r ★★★★ 85' 88' 90' 95' 97 98' 99 01' 04' 05 06 07' 08 09 10 (11) (12) Italy's sole single-v'yd DOC (BOLGHERI), a CAB (SAUV and FR) made on First Growth lines by Marchese Incisa della Rocchetta at TENUTA SAN GUIDO in Bolgheri. More elegant than lush, made for age – and often bought for investment, but hugely influential in giving Italy a top-quality image.

Satta, Michele Tus ★★★ Virtually the only BOLGHERI grower to succeed with 100% SANGIOVESE wine (Cavaliere). Also Bolgheri DOC red blends Piastraia and SUPERIORE I Castagni.

Scavino, Paolo Pie ★★★ Modernist BAROLO producer of Castiglione Falletto, esp crus Rocche dell'Annunziata, Bric del Fiasc, Cannubi and Carobric. Gd BARBERA LANGHE Corale.

Schiava Alto Adige T-AA DOC r ★ DYA. Traditional light red popular in Teutonic markets from the most prevalent red grape of ALTO ADIGE, locally called Vernatsch. Other Schiava DOCS incl Lago di Caldaro, SANTA MADDALENA, COLLI di Bolzano.

Schiopetto, Mario F-VG ★★★→★★★★ Legendary late COLLIO pioneer with spacious modern winery. V.gd DOC SAUV BL, ***Pinot Bl***, FRIULANO and IGT blend Blanc des Rosis, etc.

Sciacchetrà Lig *See* CINQUE TERRE.

Sella & Mosca Sar ★★ Major SARDINIAN grower and merchant with v. pleasant white Torbato (esp Terre Bianche) and light, fruity VERMENTINO Cala Viola (DYA). Gd Alghero DOC Marchese di Villamarina (CAB SAUV) and Tanca Farrà (CANNONAU/ Cab Sauv). Also interesting Port-like Anghelu Ruju.

Selvapiana Tus ★★★ With possible exception of more famous NIPOZZANO estate of FRESCOBALDI, the no 1 CHIANTI RÚFINA estate. Best wines: RISERVA Bucerchiale and IGT Fornace, but even basic Chianti Rúfina is a treat. Also fine red POMIN and Petrognano.

Settesoli, CS Si ★→★★ Co-op with nearly 7,000ha, run by PLANETA family and givin SICILY a gd name with reliable, gd-value varietals (***Nero d'Avola***, SYRAH, MERLOT, CA SAUV, CHARD, Gracanico, VIOGNIER and blends) under the Mandrarossa label.

Sforzato/Sfursat Lom ★★★ AMARONE-like dried-grape NEBBIOLO from VALTELLINA i extreme north of Lombardy on Swiss border. Ages beautifully.

Sicily The Med's largest island, modern source of ***exciting original wines and valu*** Both native grapes (NERO D'AVOLA, NERELLO MASCALESE, Frappato, INZOLIA, Grecanic Grillo) and internationals. IGT Sicilia is giving way to DOC Sicilia, the importar word being "Sicilia". Otherwise, various obscure DOCs. Look for Ceusi, Colos COS, DE BARTOLI, DONNAFUGATA, DUCA DI SALAPARUTA, Fazio, Firriato, Foraci, Gulf Ramada, Morgante, Murana, Pellegrino, PLANETA, Rapitalà, Santa Anastasi SETTESOLI, Spadafora, TASCA D'ALMERITA. *See also* ETNA.

Sizzano Pie *See* GATTINARA.

Soave Ven DOC w (sw) ★→★★★ DYA. Famous, still underrated Veronese. From th CLASSICO zone can be intense, mineral, v. fine and quite long-lived. When labelle SUPERIORE is DOCG, but best Classico producers shun the "honour", stick to DO Sweet RECIOTO can be superb. Best: Cantina del Castello, La Cappuccina, C Rugate, COFFELE, Fattori, Gini, GUERRIERI RIZZARDI, Inama, Montetondo, PIEROPA Portinari, PRÀ, Suavia, Tamellini, TEDESCHI.

Solaia Tus r ★★★★ **85' 90' 95' 97' 99' 01 04** 06 **07** 08 09 10 (11) (12) Potential magnificent if somewhat massive CAB SAUV/SANGIOVESE blend by ANTINORI, mad to the highest Bordeaux specs; needs yrs of laying down.

Sorì Pie Term for a high south-, southeast-, or southwest-oriented site in PIEDMONT

Sovana Tus MAREMMA DOC; reds with promise; inland nr Etruscan Pitigliano. Loo for SANGIOVESE, Ciliegiolo from Tenuta Roccaccia, Pitigliano, Ripa, Sassotond MALBEC from ANTINORI.

Speri ★★★ Quality VALPOLICELLA family estate with sites such as the outstandin Monte Sant'Urbano. Unpretentious, traditional-style CLASSICO SUPERIORE, AMARON and RECIOTO. No frills, just gd wine.

Spumante Sparkling. What used to be called ASTI Spumante is now just Asti.

Südtirol T-AA The local name of German-speaking South Tyrol ALTO ADIGE.

Superiore Wine with more ageing than normal DOC and 0.5–1% more alcohol. Ma indicate a restricted production zone, eg. ROSSO PICENO Superiore.

Super Tuscan Tus *See* Introduction.

Tamellini Ven ★★→★★★ Veteran grower family, making SOAVE since the 1990s Always reliable, sometimes exceptional: straight Soave CLASSICO le Bine d Costiola and RECIOTO DI SOAVE.

Looking for more information on grapes? Try the "Grapes" section on pp.16–26.

Tasca d'Almerita Si ★★★ New generation of Tasca d'Almeritas runs the historic, sti prestigious estate which kept the flag of quality flying for SICILY in the dark yrs High-altitude v'yds; balanced IGT wines under its old Regaleali label, CHARD an CAB SAUV gd, but the star, as ever, is NERO D'AVOLA-based ***Rosso del Conte***.

Taurasi Cam DOCG r ★★★ **01 04 06** 07 08 09 10 (11) (12) The south's answer to th north's BAROLO and the centre's BRUNELLO, needs careful handling and long ageing There are friendlier versions of AGLIANICO but none so potentially comple demanding and ultimately rewarding. Made famous by MASTROBERARDINO, othe outstanding producers are Caggiano, Caputo, FEUDI DI SAN GREGORIO, Molettier Luigi Tecce, Terredora di Paulo.

Tedeschi, Fratelli Ven ★★→★★★ One of the original quality producers of VALPOLICELL when the zone was still ruled by mediocrities. "Capitel" tends to figure i the names of their best wines: AMARONE Capitel Monte Olmi, RECIOTO Capitel Fontana, RIPASSO Capitel San Rocco.

[T]enuta An agricultural holding (*See* under name, eg. SAN GUIDO, TENUTA).

[Te]rlano T-AA w ★★→★★★ DYA. ALTO ADIGE Terlano DOC applies to one white blend and eight white varietals, esp PINOT BL and SAUV BL. Best: CS Terlano (Pinot Bl Vorberg, capable of remarkable ageing), LAGEDER, Niedermayr, Niedrist.

[Te]roldego Rotaliano T-AA DOC r p ★★→★★★ TRENTINO's best indigenous variety makes serious, full-flavoured wine on the flat Campo Rotaliano. ***Foradori*** is tops, also gd: Dorigati, Endrizzi, MEZZACORONA's RISERVA Nos, Zeni.

[Te]rre Cortesi Moncaro Mar ★★★ Marches co-op; competes with the best of the region at v. modest prices: gd VERDICCHIO DEI CASTELLI DI JESI (Le Vele), ROSSO CONERO, RISERVA (Nerone) and ROSSO PICENO SUPERIORE (Campo delle Mura).

[Te]rre da Vino Pie ★→★★★ Association of 27 PIEDMONT producers with 4,500ha making most local DOCS. BARBERA specialist with Barbera d'ASTI La Luna e I Falò and Barbera d'ALBA Croere. Also gd: BAROLO Essenze amd BARBARESCO La Casa in Collina.

Spotlight on Verona

To such an extent has AMARONE taken over as the "Wine Leader" of historic Verona's v'yds, with RIPASSO in hot pursuit, that there has developed a shortage of basic VALPOLICELLA, made from the same grapes. Bottlers seeking bulk stocks to fulfil orders are having to pay considerably more than they are used to doing, as are fans of the light, tangy, everyday red. 80% of Amarone is exported. But fraudulent, or at least mislabelled, versions of the wine style are multiplying, and the protection of the name in various foreign courts is costing almost half a million euros every year.

[T]erriccio, Castello del Tus ★★★ Large estate south of Livorno: excellent, v. expensive Bordeaux-style IGT Lupicaia, v.gd IGT Tassinaia. Impressive IGT Terriccio, an unusual blend of mainly Rhône grapes.

[T]iefenbrunner T-AA ★★→★★★ A grower-négociant in a quaint Teutonic castle (Turmhof) in southern ALTO ADIGE. Christof T succeeds father (winemaker since 1943), making wide range of mtn-fresh white and well-defined red varietals: French, Germanic and local, esp 1,000-metre-high Müller-T ***Feldmarschall*** and Linticlarus range CHARD/LAGREIN/PINOT N.

[T]ignanello Tus r ★★★★ 01' 04' 06' 07' 08 09 10 (11) (12) SANGIOVESE/CAB SAUV blend, barrique-aged, the wine that put SUPER TUSCANS on the map, created by ANTINORI's great oenologist Giacomo Tachis in the early 1970s.

[T]orcolato Ven Sweet wine from BREGANZE in Veneto, made from Vespaiolo grapes laid on mats or hung up to dry for months, as nearby RECIOTO DI SOAVE. Best: MACULAN, CS BEATO BARTOLOMEO.

[T]orgiano Umb DOC r p w (sp) ★★ and **Torgiano, Rosso Riserva** DOCG r ★★→★★★ 00' 01' 04 06 07 08 09 (10) (11) (12) Gd to excellent CHIANTI-style red from Umbria, virtually an exclusivity of LUNGAROTTI. ***Vigna Monticchio*** Rubesco RISERVA is outstanding in vintages such as 75, 79, 85, 97, 04; keeps many yrs.

[T]ravaglini Pie Probably the main man in the somewhat underwhelming world of northern Piedmontese NEBBIOLO, with v.gd GATTINARA RISERVA, Gattinara Tre Vigne, and pretty gd Nebbiolo Coste della Sesia.

[T]rebbiano d'Abruzzo Ab DOC w ★→★★ DYA. Generally crisp, low-flavour wine, but VALENTINI's hand-crafted version was voted top of the 50 Best Italian Wines in 2012, red or white.

Tuscan coast

Recent yrs have seen a rush to plant in an area not historically noted for its fine (or indeed any) wines – the coast of TUSCANY, ie. the provinces of Pisa, Livorno and Grosseto. First it was French grapes such as the CAB brothers, MERLOT, SYRAH, PETIT VERDOT; now Italians like SANGIOVESE, Ciliegiolo and Alicante are in fashion. The best producers incl: Argentiera, Belguardo (Mazzei), CAIAROSSA, CA' MARCANDA (GAJA), CASTELLO DEL TERRICCIO, COLLE Massari, Guado al Tasso (ANTINORI), Gualdo del Re, LE MACCHIOLE, LE PUPILLE, Michele SATTA, Montepeloso, MORIS FARMS, ORNELLAIA (FRESCOBALDI), POGGIO al Tesoro (ALLEGRINI), Tenuta San Guido (SASSICAIA), TUA RITA.

Trebbiano di Romagna E-R DOC w ★ DYA. Big-volume, modest-price quaffin white; gd acidity, little complexity. Zerbina's Dalbiere and Tre Monti's Vigna d Rio are gd.

Trentino T-AA DOC r w dr sw ★→★★★ DOC for 20-odd wines, mostly varietal named. Best: CHARD, PINOT BL, MARZEMINO, TEROLDEGO. Provincial capital is Trento

Trinoro, Tenuta di Tus ★★★ Individualist TUSCAN red wine estate, pioneer in DO Val d'Orcia between MONTEPULCIANO and MONTALCINO. Early vintages of Bordeau blend Trinoro caused great excitement, then the price shot up. Le Cupole wa Bordeaux grapes plus locals, now just CAB FR and MERLOT. Andrea Franchetti als has v'yds on Mt ETNA.

Tua Rita Tus ★★→★★★★ First producer to establish Suvereto, some 20km dow the coast, as the new BOLGHERI in the 1990s. Producer of possibly Italy's greates MERLOT in Redigaffi; outstanding Bordeaux blend ***Giusto di Notri***. *See* VAL DI CORNIA

Tuscany/Toscana The focal point of Italian wine's late 20th-century renaissance with experimental wines such as the SUPER TUSCANS (but *see* Introduction) an modernized classics, CHIANTI, VINO NOBILE and BRUNELLO.

Umani Ronchi Mar ★★→★★★ Leading Marches producer, esp for VERDICCHIO (Casa di Serra, Plenio), ROSSO CONERO Cumaro, IGTS Le Busche (w), Pelago (r).

Vajra, G D Pie ★★★ Producer of immaculate BAROLO, BARBERA, DOLCETTO and FREIS in the red department as well as RIES in the white. Recently purchased Luig Baudana estate in Serralunga.

Valcalepio Lom DOC r w sw ★→★★ (w) DYA. Wines of the zone of Bergamo, wher Po Valley meets last foothills of the Alps. Grapes largely international (CA MERLOT, PINOT BIANCO, CHARD), but mainly drunk locally.

Valdadige T-AA DOC r w dr s/sw ★ Name (in German: Etschtaler) for the simpl wines of the valley of the Adige: ALTO ADIGE through TRENTINO to northern VENETO

Val di Cornia Tus DOC r p w ★★→★★★ 04' 05 06' 07 08 09 10 (11) (12) DO south of BOLGHERI, province of Livorno. SANGIOVESE, CAB SAUV, MERLOT, SYRAH an MONTEPULCIANO. Look for: Ambrosini, Jacopo Banti, Bulichella, Gualdo del Re Incontri, Montepeloso, Petra, Russo, San Michele, Tenuta Casa Dei, Terricciola TUA RITA.

Valentini, Edoardo Ab ★★★→★★★★ Son Francesco continues tradition of long macerated, non-filtered, unfined, hand-bottled MONTEPULCIANO, CERASUOL and TREBBIANO D'ABRUZZO. Quality and availability unpredictable; potentiall outstanding. *See* MONTEPULCIANO D'ABRUZZO, TREBBIANO D'ABRUZZO.

Valle d'Aosta DOC r p w ★★ Regional DOC for some 25 Alpine wines, geographicall or varietally named, incl Premetta, Fumin, Blanc de Morgex, Chambave Nus Malvoisie, Arnad Montjovet, Torrette, Donnas and Enfer d'Arvier. Th production is tiny and the wines are rarely seen abroad – but are potentiall worth seeking out.

Valle Isarco T-AA DOC w ★★ DYA. ALTO ADIGE DOC for seven Germanic varietal white made along the Isarco (Eisack) River northeast of Bolzano. Gd GEWURZ, MÜLLER-T, RIES, SILVANER. Top producers: Abbazia di Novacella, Eisacktaler, Kuenhof.

allone, Agricole Ap ★★→★★★ Large-scale private grower in APULIA's SALENTO peninsula. Excellent, gd-value BRINDISI Vigna Flaminio (r p) and SALICE SALENTINO Vereto. Best-known for its AMARONE-like, semi-dried-grape wine Graticciaia. Vigna Castello is a classy addition to the range.

alpolicella Ven DOC(G) r ★→★★★★ Complex denomination, incl everything from light quaffers with a certain fruity warmth through stronger SUPERIORES (which may or may not be RIPASSO) to AMARONES and RECIOTOS of ancient lineage. Bitter-cherry is the common flavour characteristic of constituent CORVINA and Corvinone (plus other) grapes. Today straight Valpol is getting hard to source, all the best grapes going into trendy profitable Amarone.

alpolicella Ripasso Ven DOC r ★★→★★★ 04 05 06 08 09 (10) (11) VALPOLICELLA re-fermented on RECIOTO or AMARONE grape skins to make a complex, age-worthy wine. Recently given own DOC after yrs of battle between main body of producers and one who wanted exclusivity of the term. Gd to excellent: BUSSOLA, CANTINA NEGRAR, Castellani, DAL FORNO, QUINTARELLI, ZENATO.

altellina Lom DOC/DOCG r ★→★★★ Long east-west valley (most Alpine valleys run north-south) on the Swiss border. Steep south-facing terraces have for millennia grown NEBBIOLO (here called CHIAVENNASCA) and related grapes. DOCG Valtellina SUPERIORE divides into five zones: Sassella, Grumello, Inferno, Valgella, Maroggia. Wines and scenery both worth the detour. Best today are: Fay, Mamete Prevostini, Nera, Nino Negri, Plozza, Rainoldi, Triacca. DOC Valtellina has less stringent requirements. *See* also SFORZATO.

ecchio Samperi Si ★★★ Famous estate for MARSALA Vergine-like wine. The best is barrel-aged Ventennale, a blend of young and v. old vintages. Sons of recently deceased owner Marco de Bartoli make top DOC MARSALAS, as well, and outstanding table wines such as ***Grillo***. Also outstanding PASSITO at their Bukkuram winery on PANTELLERIA.

elletri DOC r w sp ★ (w) DYA. FRASCATI-style whites from Rome outskirts, featuring MALVASIA and TREBBIANO. Interesting reds of SANGIOVESE, MONTEPULCIANO, Cesanese and Bombino Nero. CANTINA di Velletri is a competent producer.

endemmia Harvest or vintage.

enegazzu Ven ★★★→★★★★ Iconic Bordeaux blend from east Veneto producer Loredan Gasparini. Even more prestigious is the cru Capo di Stato (created for the table of the president of Italy).

erdicchio dei Castelli di Jesi Mar DOC w (sp) ★★→★★★ DYA. Versatile white from nr Ancona, can be light and quaffable, or sparkling, or structured, complex and long-lived (esp RISERVA DOCG, min 2 yrs old). Also CLASSICO. Best from: Accadia, Bonci-Vallerosa, Brunori, BUCCI, Casalfarneto, Cimarelli, Colonnara, Coroncino, Fazi-Battaglia, Fonte della Luna, GAROFOLI, Laila, Lucangeli Aymerich di Laconi, Mancinelli, Montecappone, MONTE SCHIAVO, Santa Barbara, SARTARELLI, TERRE CORTESI Moncaro, UMANI RONCHI.

erdicchio di Matelica Mar DOC w (sp) ★★→★★★ DYA. Similar to above, smaller, more inland, higher therefore more acidic therefore longer-lasting, though less easy-drinking in youth. RISERVA is likewise DOCG. Esp Barone Pizzini, Belisario, Bisci, La Monacesca, Pagliano Tre, San Biagio.

erduno Pie DOC r ★★ DYA. Pale red similar to GRIGNOLINO, from Pelaverga grape grown only in BAROLO-zone commune of Verduno. Gd: Bel Colle, BURLOTTO, Alessandria, CASTELLO DI VERDUNO.

erduno, Castello di Pie ★★★ Husband/wife team Franco Bianco with v'yds in Neive, and Gabriella Burlotto with v'yds in VERDUNO, make v.gd BARBARESCO Rabaja and BAROLO Monvigliero with winemaker Mario Andrion.

Valpolicella: the best

VALPOLICELLA started with the Romans on the first foothills of the Alps above the Po Valley at Verona. It has never been better than today. AMARONE DELLA VALPOLICELLA and RECIOTO DELLA VALPOLICELLA have now been elevated to DOCG status, while Valpolicella RIPASSO has at last been recognized as a historic wine in its own right. The following producers make gd to great wine. The crème de la crème are indicated by ★: Accordini Stefano ★, Serego Alighieri, ALLEGRINI ★, Begali, BERTANI, BOLLA, Boscaini, Brigaldara, BRUNELLI, BUSSOLA ★, Ca' la Bianca, Campagnola, Ca' Rugate, Castellani, Corteforte, Corte Sant'Alda, CS Valpantena, Cantina Valpolicella, Valentina Cubi, DAL FORNO ★, GUERRIERI-RIZZARDI ★, MASI, Mazzi ★, Nicolis, QUINTARELLI ★, Roccolo Grassi ★, Le Ragose, Le Salette, Speri ★, TEDESCHI ★, Tommasi, Venturini, VIVIANI ★, ZENATO, Zeni.

Verduzzo F-VG DOC (Colli Orientali del Friuli) w dr sw s/sw ★★→★★★ Full-bodie white from local variety. Ramandolo (DOCG) is well-regarded subzone for swe wine. Top: Dario Coos, Dorigo, Giovanni Dri, Meroi. Also gd: LIS NERIS swe IGT Tal Luc.

Vermentino di Gallura Sar DOCG w ★★→★★★ DYA. The ***best dry white of Sardini*** from the northeast of the island – stronger and more intensely flavour than VERMENTINO DI SARDEGNA. Esp from CAPICHERA, CS di Gallura, CS d Vermentino and Depperu.

Vermentino di Sardegna Lig DOC w ★★ DYA. One of Italy's most characterf whites, whether made light/dry or ***robust***, grown throughout western LIGUR increasingly along TUSCAN coast and spreading inland to Umbria. In SARDIN grown island-wide. Gd producers: SANTADI, SELLA & MOSCA.

Vernaccia di Oristano Sar DOC w dr ★→★★★ Vintage less important than proces SARDINIAN *flor*-affected wine, similar to light Sherry, a touch bitter, full-bodie SUPERIORE 15.5% alcohol, 3 yrs of age. Delicious with *bottarga* (compressed fis roe), kill to try it. Top: CONTINI.

Vernaccia di San Gimignano Tus *See* SAN GIMIGNANO.

Vesuvio *See* LACRYMA CHRISTI.

Vie di Romans F-VG ★★★→★★★★ Gianfranco Gallo has built up his father's ISON estate to top FRIULI status. Excellent ISONZO CHARD, PINOT GR Dessimis, SAUV BL Pie and Vieris (oaked), MALVASIA/RIES/FRIULANO blend called Flors di Uis.

Vietti Pie ★★★ Veteran producer of characterful PIEDMONT wines at Castiglio Falletto, incl BARBARESCO Masseria, BARBERA d'ALBA Scarrone, Barbera d'ASTI Crena. Mainly, ***textbook Barolos***: Lazzarito, Rocche, Brunate, Villero.

Vigna (or vigneto) A single v'yd, generally indicating superior quality.

Vignalta Ven ★★ Top producer in COLLI EUGANEI, nr Padua (Veneto); v.gd Co Euganei CAB SAUV RISERVA and MERLOT/Cab Sauv blend Gemola.

Vignamaggio Tus ★★→★★★ Historic, beautiful and v.gd CHIANTI CLASSICO estate, Greve. Leonardo da Vinci is said to have painted the Mona Lisa here. RISERVA called – you guessed it – Mona Lisa.

Vigne di Zamò, Le F-VG ★★★ First-class FRIULI estate. PINOT BL, FRIULANO, Pignolo, C SAUV, MERLOT and PICOLIT from v'yds in three areas of COLLI ORIENTALI DEL FRIULI DO

Villa Matilde Cam ★★★ Top CAMPANIA producer of FALERNO Rosso (Vigna Camarat and Bianco (Caracci), PASSITO Eleusi.

Villa Russiz Lom ★★★ Historic estate for DOC COLLIO. V.gd SAUV BL and MERLOT (esp " la Tour" selections), PINOT BL, PINOT GR, FRIULANO, CHARD.

Vino Nobile di Montepulciano Tus DOCG r ★★→★★★ 04 06' 07' 08 09 (10) ((12) Historic SANGIOVESE (here called Prugnolo Gentile) from the Tuscan tow (as distinct from Abruzzo's grape) MONTEPULCIANO, often tough with drying tannins, but complex and long-lasting from best producers: AVIGNONESI, Bindella, BOSCARELLI, La Braccesca, La Calonica, Canneto, Le Casalte, CONTUCCI, DEI, Fattoria del Cerro, Gracciano della Seta, Gracciano Svetoni, Icario, Nottola, Palazzo Vecchio, POLIZIANO, Romeo, Salcheto, Trerose, Valdipiatta, Villa Sant'Anna. RISERVA after 3 yrs.

Vin Santo / Vinsanto / Vin(o) Santo DOC w sw s/sw ★★→★★★★ Sweet wine made from PASSITO grapes, usually TREBBIANO, MALVASIA and/or SANGIOVESE in TUSCANY ("Vin Santo"), Nosiola in TRENTINO ("Vino Santo"). Tuscan versions extremely variable, anything from off-dry and Sherry-like to sweet and v. rich. May spend three to ten unracked yrs in small barrels called *caratelli*. AVIGNONESI's is legendary; plus CAPEZZANA, Corzano & Paterno, Fattoria del Cerro, FELSINA, Frascole, ISOLE E OLENA, Rocca di Montegrossi, San Gervasio, SAN GIUSTO A RENTENNANO, SELVAPIANA, Villa Sant'Anna, Villa di Vetrice. *See also* OCCHIO DI PERNICE.

ITALY

Vivaldi-Arunda T-AA ★★→★★★ Top ALTO ADIGE sparkling wines. Best: Extra Brut RISERVA, Cuvée Marianna.

Viviani Ven ★★★ Claudio Viviani shows how modern a wine VALPOLICELLA and AMARONE can be. V.gd CLASSICO SUPERIORE Campo Morar, better RECIOTO La Mandrella, outstanding Amarone Casa dei Bepi and Tulipano Nero.

Voerzio, Roberto Pie ★★★→★★★★ BAROLO modernist. Top, v. expensive, single-v'yd Barolos: Brunate, Cerequio, Rocche dell'Annunziata-Torriglione, Sarmassa, Serra; impressive BARBERA d'ALBA.

Volpaia, Castello di Tus ★★→★★★ V.gd CHIANTI CLASSICO estate at Radda. SUPER TUSCANS Coltassala (SANGIOVESE/Mammolo), Balifico (Sangiovese/CAB SAUV).

Zenato Ven ★★ V. reliable, sometimes inspired for GARDA wines, also VALPOLICELLA, SOAVE, AMARONE, LUGANA.

Zerbina, Fattoria E-R ★★★ Leader in Romagna; best sweet ALBANA DOCG (Scacco Matto), v.gd SANGIOVESE (Pietramora); barrique-aged IGT Marzieno.

Zibibbo Si ★★ dr sw Sometimes the name of wine from PANTELLERIA made from MUSCAT d'Alessandria, for which it is a synonym.

Zonin ★→★★ One of Italy's biggest private-estate owners, based at Gambellara in Veneto, but also big in FRIULI, TUSCANY, APULIA, SICILY and elsewhere.

Zuani Lom ★★★ Small COLLIO estate owned by Patrizia, daughter of MARCO FELLUGA. Superior white blend Zuani RISERVA (oaked) and Zuani Vigne (unoaked).

Save that hornet

We all know that yeasts on grapes can start fermentation, but how do the yeasts get there? Hornets, apparently. They transfer yeasts to the grapes when they bite into them: it has been proved by DNA sequencing. The yeasts live in the hornets' guts over the winter. Hornets also transfer other flavour-giving micro-organisms to the grapes, and wine wouldn't taste the same without them. Don't squash them.

Germany

Abbreviations used in the text:

Bad	Baden
Frank	Franken
M-M	Mittelmosel
M Rh	Mittelrhein
M-S-R	Mosel-Saar-Ruwer
Na	Nahe
Pfz	Pfalz
Rhg	Rheingau
Rhh	Rheinhessen
Sachs	Sachsen
Sa-Un	Saale-Unstrut
Würt	Württemberg

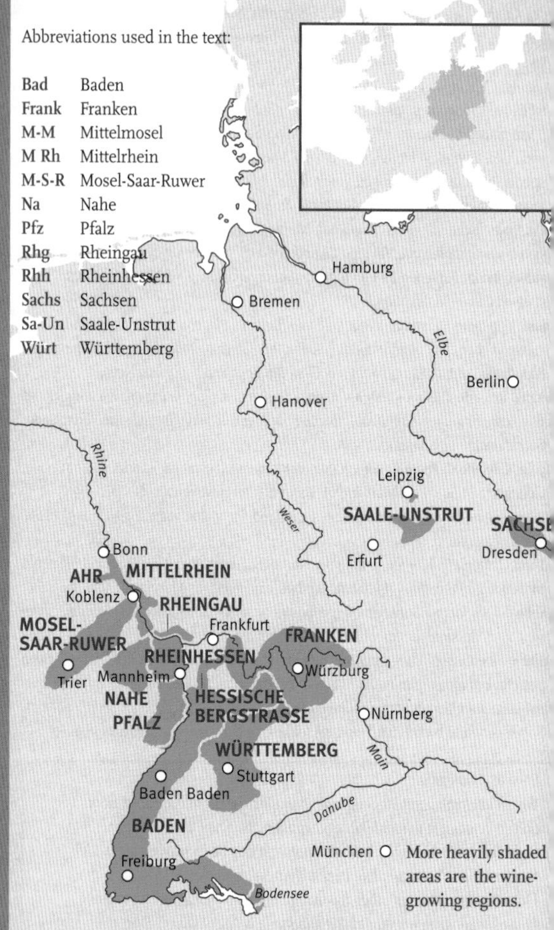

More heavily shaded areas are the wine-growing regions.

Do you want the good news, or the good news? It is that German wine is now going to be easier to grasp. Or at least, the best of it is. The association of 200 or so top growers known as the VDP (the VDP insignia on a bottle has long been a sure pointer to a good wine) has decided that from the 2012 vintage onwards its members will use a simple four-level classification. It's based on that used in Burgundy: *Gutswein* at the bottom, *Ortswein* (or village) wine one step up, *Erste Lage* (or *premier cru*) a further step up, and *Grosse Lage* or nobly sweet wines and cru) at the top. Simple, no? In fact, deceptively simple. The wines at used to be *Erste Lage* are now (mostly) *Grosse Lage*. A few will remain ste Lage but have their best parcels promoted to *Grosse Lage*, which fers us a marvellous opportunity, ahem, to learn some new neyard names.

But the biggest complication, and the one that frankly beggars lief, is that the term *Grosslage* still exists in German wine law. s used for a vast area of anonymous vineyards lumped together for nvenience and producing cheap wine. (The new system only applies VDP members, remember; it's not for everybody.) So *Grosslage*, in erman wine law, is precisely the opposite of the VDP's *Grosse Lage*. s hard not to wonder if they do it on purpose.

ecent vintages

osel-Saar-Ruwer

osels (including Saar and Ruwer wines) are so attractive young that their eping qualities are not often enough explored. But well-made Riesling wines Kabinett class gain from at least 5 years in bottle and often much more: ätlese from 5–20, and Auslese and BA anything from 10–30 years. As a rule, poor years the Saar and Ruwer make sharp, lean wines, but in good years, ich are increasingly common, they can surpass the whole world for elegance d thrilling, steely "breeding".

12 A warm and sunny spring, but a mixed summer. Autumn was mild and picking fairly late; it ended suddenly around November 10, when frost hit. Classic wines from QbA to Auslese, but almost no BA or TBA. Quantity is 30% below average.

11 Mostly a brilliant vintage, particularly successful in the Saar and Ruwer, with sensational TBAs.

10 A difficult vintage: many wines are either acidic or too heavily de-acidified, some good Spätlesen and Auslesen.

09 Plenty of magnificent Spätlesen and Auslesen with perfect acidity. The dry wines have a rare balance of power and finesse. Keep the best in the cellar.

08 Not a vintage for Auslesen, but Kabinetts and Spätlesen can be fine and elegant. Drink or keep.

07 Good quality and good quantity, too. Now increasingly mature.

06 Lots of botrytis, not only noble; drink.

05 Very high ripeness, but with far better acidity than, say, 2003. Exceptional, especially in the Saar. Drink or keep.

04 A fine year to drink.

03 A vintage of heat; considerable variation in quality. Best wines may turn out to be as good as the 1959s.

02 Succulent, lively Kabinett and Spätlese wines, now ready to drink.

01 The best Mosel Ries since 1990. Saar and Ruwer less exciting but still perfect balance. Lots of Spätlesen and Auslesen to drink or keep.

00 Dominated by QbA and Kabinett, not a great vintage. Drink.

99 Excellent in Saar and Ruwer, lots of Auslesen; generally only good in the Mosel. Best can age further.

98 Rainy autumn brought mixed results, Middle Mosel fared best but most wines are now fully mature. A good year (in quantity and quality) for intense Eiswein.

ne older vintages: 97 95 93 90 89 88 76 71 69 64 59 53 49 45 37 34 21.

Rheinhessen, Nahe, Pfalz, Rheingau

Even the best wines can be drunk with pleasure when young, but classic Spätlese and Auslese Rieslings gain enormously in character by keeping. Rheingau wines tend to be longest-lived, improving for 15 years or more, but best wines from Rheinhessen, the Nahe and Pfalz can last as long. Modern-style dry wines such as *Grosses Gewächs* are generally intended for drinking within two to four years, but the best undoubtedly have the potential to age interestingly.

2012 Not an easy year: early but uneven flowering, attacks of mildew during summer, but a dry period of sunshine during harvest saved the vintage. Quantities are below average, but quality is promising.

2011 The wines are fruity, with harmonious acidity.

2010 For the first time in a decade, grapes had difficulty ripening. Uneven quality; dry wines should be drunk now.

2009 Excellent wines, especially dry. Some acidification.

2008 Uneven quality. Late-harvest wines are good, in particular in the Rheingau. Very welcome: low alcohol levels.

2007 Dry wines are maturing faster than expected. Drink.

2006 Top estates managed small quantities of fair middleweight wines. Drink now.

2005 High ripeness levels, with by excellent acidity and extract. A superb year. Drink or keep.

2004 Ripe, healthy grapes throughout the Rhine. A big crop; some dilution, though not at top estates.

2003 Rich wines; many lack acidity. Reds fared well, if alcohol levels were under control. Drink.

2002 Few challenge the best of 2001, but very good for both classic Kabinett/Spätlese and for dry. Excellent Pinot N. Drink.

2001 More erratic than in the Mosel, but an exciting vintage for both dry and classic styles; excellent balance. Drink or keep.

2000 The farther south, the more harvest rain, the Pfalz catching the worst. Drink up.

1999 Quality was average where yields were high, but for top growers an excellent vintage of rich, aromatic wines with lots of charm to drink soon.

1998 Excellent: rich, balanced wines, many good Spätlesen and Auslesen with excellent ageing potential. Rain affected much of Baden and Franken. But a great Eiswein year.

Fine older vintages: 97 96 93 90 83 76 71 69 67 64 59 53 49 45 37 34 21.

German vintage notation

The vintage notes after entries in the German section are given in a different form from those elsewhere in the book. Two styles of vintage are indicated:

Bold type (eg. **09**) indicates classic, ripe vintages with a high proportion of SPÄTLESEN and AUSLESEN; or, in the case of red wines, gd phenolic ripeness and must weights.

Normal type (eg. 09) indicates a successful but not particularly outstanding vintage.

German white wines, esp RIES, have high acidity and keep well, and they display pure-fruit qualities because they are unoaked. Thus they can be drunk young for their intense fruitiness, or kept for a decade or two to develop more aromatic subtlety and finesse. This means there is no one ideal moment to drink them – which is why no vintages are specifically recommended for drinking now.

cham-Magin Pfz ★★→★★★ Rising family estate, newly organic, producing classic MITTELHAARDT RIES from the best v'yd sites in FORST and DEIDESHEIM. Esp gd at KABINETT level.

chkarren Bad ★★→★★★ Village on the KAISERSTUHL, known for opulent but mineral GRAUBURGUNDER. GROSSE LAGE v'yd: Schlossberg (volcanic soil). Best: DR. HEGER, Michel, SCHWARZER ADLER, St Remigius, and co-op.

delmann, Weingut Graf Würt ★★→★★★ Young count Felix Adelmann is now in charge at idyllic Schaubeck castle in WÜRTTEMBERG, Subtle red blends, and RIES (GROSSE LAGE Süßmund).

hr r ★★→★★★★ 97 99 02 05 09 11 12 South of Bonn. Mineral, fruit-driven (and nowadays v. powerful) SPÄTBURGUNDER and FRÜHBURGUNDER from slate soils. Best producers: Adeneuer, Deutzerhof, KREUZBERG, MEYER-NÄKEL, Nelles, STODDEN, co-op Mayschoss-Altenahr.

ldinger, Gerhard Würt ★★★ One of WÜRTTEMBERG's leading estates: dense LEMBERGER and SPÄTBURGUNDER, complex SAUV BL. Gd RIES, too.

lte Reben Old vines. Increasingly common designation on German labels, and an obvious analogy to the French term *vieilles vignes*. The analogy is perfect: no min age.

mtliche Prüfungsnummer (APNr) Official test number, on every label of a quality wine. Useful for discerning different lots of AUSLESE a producer has made from the same v'yd.

ssmannshausen Rhg r ★★→★★★★ 93 97 99 01 02 05 08 09 10 11 12 Craggy RHEINGAU village known for its cassis-scented, ***age-worthy Spätburgunders*** from slate soils. GROSSE LAGE v'yd: Höllenberg. Growers incl Bischöfliches Weingut, Chat Sauvage, KESSELER, Robert König, KRONE and the state domain.

uslese Wines from selective harvest of super-ripe bunches, in many yrs affected by noble rot (*Edelfäule*) and correspondingly unctuous in flavour. Dry Auslesen are often too alcoholic and clumsy for me.

yl M-S-R ★→★★★ Since 1971 all v'yds in Ayl are known by the name of its historically best site: Kupp. Such are German wine laws. Growers incl: BISCHÖFLICHE WEINGÜTER, ***Lauer***.

acharach M Rh ★→★★★ 97 01 02 04 05 08 09 10 11 12 Main wine town of MITTELRHEIN. Racy, austere RIES, some v. fine. Classified as GROSSE LAGEN: Hahn, Posten, Wolfshöhle. Growers incl Bastian, JOST, KAUER, RATZENBERGER.

aden r w 83 90 97 05 08 09 10 11 12 Huge southwest area of scattered v'yds best-known for the PINOTS both white and red, and pockets of RIES, usually dry. Best areas: KAISERSTUHL, ORTENAU.

assermann-Jordan Pfz ★★★ MITTELHAARDT estate with 49ha of outstanding v'yds in DEIDESHEIM, FORST, RUPPERTSBERG, etc. Majestic dry RIES and lavish sweet wines, too.

ecker, Friedrich Pfz ★★★ Renowned estate in the municipality of SCHWEIGEN (southern PFALZ), 18ha, specializing in refined, barrel-aged SPÄTBURGUNDER. Some of Becker's v'yds actually lie across the state border, in Alsace.

ecker, J B Rhg ★★→★★★ 90 92 94 97 01 02 05 08 09 10 11 12 The best estate at WALLUF, specializing in old-fashioned, cask-aged (and long-lived) dry RIES and SPÄTBURGUNDER. Excellent backlist of Ries vintages back to the 1990s.

eerenauslese (BA) Luscious sweet wine from exceptionally ripe, individually selected berries concentrated by noble rot. Rare, expensive.

ercher Bad ★★★ KAISERSTUHL estate at Burkheim, excellent GRAUBURGUNDER, WEISSBURGUNDER (try 2011 Sasbacher Limburg), CHARD and SPÄTBURGUNDER.

ergdolt Pfz ★★★ South of Neustadt in the PFALZ, this 24ha estate produces v. fine WEISSBURGUNDER (from the Mandelberg v'yd), as well as gd RIES and SPÄTBURGUNDER.

ernkastel M-M ★→★★★★ 90 94 96 97 01 02 03 05 07 08 09 10 11 12 Senior wine town of the MITTELMOSEL. GROSSE LAGEN: Doctor, Lay. Top growers: Kerpen,

LOOSEN, Pauly-Bergweiler, PRÜM, Studert-Prüm, THANISCH (both estates), WEGEL Any Bernkastel (Bereich), sold under the "Kurfürstlay" GROSSLAGE name is deception – avoid.

Bischöfliche Weingüter M-S-R ★★ 130ha of top v'yds, uniting Trier cathedral's v'y with those of three other charities, noteworthy for enduring underperforman

Bocksbeutel Inconvenient flask-shaped bottle used in FRANKEN and north BADEN.

Bodensee Bad Idyllic district of south BADEN, on Lake Constance. Dry RI like MÜLLER-T a speciality, and light but delicate SPÄTBURGUNDER. Top villag Meersburg, Hagnau. Lovely holiday wines.

Böhme, Klaus Sa-Un ★★ Rising family estate, one of Eastern Germany's be Elegant, full-flavoured WEISSBURGUNDER and TRAMINER are specialities.

Boppard M Rh ★→★★★ Wine town of MITTELRHEIN with GROSSE LAGE Hamm, amphitheatre of vines. Growers: Lorenz, M Müller, Perll, WEINGART. Unbeata ***value*** for money.

Brauneberg M-M ★★★★ 59 71 83 90 93 94 95 96 97 99 01 02 04 05 06 07 09 10 11 12 Top village nr BERNKASTEL; excellent full-flavoured RIES. GROSSE LA v'yds Juffer, Juffer-Sonnenuhr. Growers: F HAAG, W HAAG, KESSELSTATT, Paulinsh RICHTER, SCHLOSS LIESER, THANISCH.

Breuer Rhg ★★★→★★★★ Family estate in RÜDESHEIM and RAUENTHAL, known distinctly dry RIES, SEKT and SPÄTBURGUNDER. Since Bernhard Breuer's death 2004), daughter Theresa follows in his footsteps.

Buhl, Reichsrat von Pfz ★★★ Historic PFALZ estate with v'yds in DEIDESHEIM, FORST a RUPPERTSBERG, owned by businessman Achim Niederberger (also BASSERMAN JORDAN, DR. DEINHARD, VON WINNING). Newly organic, and now – under n management since early 2013 – striving for more refinement.

German Pinot Noir vintages from 2000–12 were hot in odd numbers, cool in eve

Bürgerspital zum Heiligen Geist Frank ★★→★★★ An ancient charitable esta Traditionally made whites (***Silvaner*** and RIES) from the best sites in and arou WÜRZBURG. Monopoly Stein-Harfe comprises the best parcels in the famo Stein v'yd.

Bürklin-Wolf, Dr. Pfz ★★★→★★★★ Historic PFALZ estate, biodynamic farming brin about age-worthy, characterful dry and off-dry RIES from best GROSSE LAGE a ERSTE LAGE sites in the MITTELHAARDT district.

Busch, Clemens M-S-R ★★→★★★ Family-run biodynamic property. Clemens Bus and son Florian produce powerful dry and elegant sweet RIES from the ste Pündericher Marienburg in lower MOSEL. Best wines named for parcels w different slate soils: Fahrlay, Falkenlay, Rothenpfad, Raffes.

Castell'sches Fürstliches Domänenamt Frank ★→★★★ Historic princely esta SILVANER, RIES and SPÄTBURGUNDER from superb monopoly v'yd ***Casteller Schlossb*** (a GROSSE LAGE) are traditionally crafted.

Christmann Pfz ★★★ Biodynamic estate in Gimmeldingen making rich, d RIES and SPÄTBURGUNDER, notably from GROSSE LAGE Königsbacher Idig. Steff Christmann is president of the VDP.

Clüsserath, Ansgar M-S-R ★★→★★★ Family estate led by young Eva Clüssera (married to Philipp WITTMANN of RHEINHESSEN). Remarkably age-worthy, mine dry RIES from TRITTENHEIMER Apotheke.

Clüsserath-Weiler M-S-R ★★★ Helmut Clüsserath and daughter Verena produ classic RIES, esp from best plots in the TRITTENHEIMER Apotheke v'yd.

Crusius, Dr. Na ★★→★★★ Family estate at TRAISEN, NAHE. Vivid and age-worthy R from Bastei and Rotenfels of Traisen and SCHLOSSBÖCKELHEIM.

Deidesheim Pfz ★★→★★★★ 90 97 01 02 04 05 08 09 10 11 12 Largest top-qual village of the PFALZ. Richly flavoured, lively wines from a series of GROSSE a

ERSTE LAGE v'yds, best are: Grainhübel, Hohenmorgen, Kalkofen, Kieselberg, Langenmorgen. Top growers: BASSERMANN-JORDAN, Biffar, BUHL, BÜRKLIN-WOLF, CHRISTMANN, DEINHARD, MOSBACHER, VON WINNING.

einhard, Dr. Pfz ★★★ Fine estate owned by Achim Niederberger (*see* BASSERMANN-JORDAN and BUHL). Since 2008, a brand of the new VON WINNING estate, but continuing to produce PFALZ RIES of classical style.

iel, Schlossgut Na ★★★→★★★★ Justifiedly famous estate, the traditional ***v'yd-designated Ries*** (eg. Goldloch and Pittermännchen of Dorsheim) is exquisite. Also serious SEKT, and remarkable SPÄTBURGUNDER. Omnipresent Armin Diel now assisted by daughter Caroline.

önnhoff Na ★★★★ 90 94 96 97 99 01 02 03 04 05 07 08 09 10 11 12 Leading NAHE estate of admirable consistency. Helmut Dönnhoff specializes in restoring abandoned v'yds and simple natural winemaking, assisted by son Cornelius. Wines are dry RIES from Bad Kreuznach (full-bodied) and Roxheim (mineral, elegant), outstanding GROSSES GEWÄCHS from NIEDERHAUSEN (Hermannshöhle), Norheim (Dellchen), and SCHLOSSBÖCKELHEIM (Felsenberg), and dazzling EISWEIN from Oberhausen's Brücke v'yd.

urbach Bad ★★→★★★ 05 08 09 11 12 ORTENAU village known for its steep Plauelrain vyd. Top growers: Graf Metternich, LAIBLE, H Männle, Schloss Staufenberg. RIES, locally called Klingelberger, is the outstanding variety.

gon Müller zu Scharzhof M-S-R ★★★★ 59 71 76 83 85 88 89 90 93 94 95 96 97 98 99 01 02 03 04 05 06 07 08 09 10 11 12 Legendary SAAR estate at WILTINGEN, v'yds rising steeply behind the Müllers' manor house. Its rich and racy SCHARZHOFBERGER RIES in Auslesen vintages is among the world's greatest wines: sublime, honeyed, immortal. ***Kabinetts*** seem featherlight but keep 5 yrs+. Old vines (in some parcels ungrafted) and low-tech winemaking are the key.

inzellage Individual v'yd site. Never to be confused with GROSSLAGE.

iswein Made from frozen grapes with the ice (ie. water content) discarded, producing v. concentrated wine in flavour, acidity and sugar – of BA ripeness or more. Alcohol content can be as low as 5.5%. V. expensive. Outstanding Eiswein vintages: 1998, 2002, 2004, 2008.

llwanger Würt ★★→★★★ Jürgen Ellwanger pioneered oak-aged reds in WÜRTTEMBERG, his sons Jörg and Felix turn out sappy but structured LEMBERGER, SPÄTBURGUNDER, ZWEIGELT.

mrich-Schönleber Na ★★★→★★★★ One of Germany's most reliable producers, known for precise RIES from Monzingen's classified Halenberg and Frühlingsplätzchen vyd's. Dry and botrytized sweet are equally outstanding.

rden M-M ★★★ 90 97 01 03 05 08 09 10 11 12 The village adjoining ÜRZIG: noble, full-flavoured wine, often with herbal scent. Classified as GROSSE LAGE: Prälat, Treppchen. Growers incl J J Christoffel, LOOSEN, Mönchhof, Schmitges, WEINS-PRÜM.

rste Lage Classified v'yd, second-from-top level, according to the VDP. (Not all growers belong to the VDP, though the best usually do.) At present ambiguous: for vintages before 2012: v'yd site of exceptional quality, marked with a grape logo with a "1" next to it. Starting with 2012, most of the former ERSTE LAGE v'yds are renamed GROSSE LAGE, while Erste Lage defines a new category between the ORTSWEIN level and Grosse Lage, similar to Burgundy's *premier cru*. Yet some regions – namely AHR, MITTELRHEIN, MOSEL, NAHE and RHEINHESSEN – do not intend to use the Erste Lage designation any longer. If a single v'yd is classified, it is always GROSSE LAGE.

rstes Gewächs Rhg "First growth". Only for RHEINGAU v'yds, but VDP-members there change to the GROSSES GEWÄCHS designation after 2012.

rzeugerabfüllung Bottled by producer. Incl the guarantee that only own grapes have been processed. May be used by co-ops also. GUTSABFÜLLUNG is strict applies only to estates.

Escherndorf Frank ★★→★★★ 97 01 04 05 07 08 09 10 11 12 Village with ste GROSSE LAGE Lump ("rag"). The name alludes to the fact that the v'yd is split ir tiny parcels – due to the laws of inheritance and the heirs' reluctance to se Best for SILVANER and RIES. Growers incl M Fröhlich, JULIUSSPITAL, H SAUER, R SAUF E Schäffer.

Feinherb Imprecisely defined traditional term for wines with around 10–20g sugar/litre, not necessarily tasting sweet. Favoured by some as a more flexib alternative to HALBTROCKEN.

Forst Pfz ★★→★★★★ 90 97 01 05 08 09 10 11 12 Outstanding MITTELHAARI village. Ripe, richly fragrant, full-bodied but subtle wines. GROSSE LAGE v'yc Jesuitengarten, Kirchenstück, Freundstück, Pechstein, Ungeheuer. Tc growers: ACHAM-MAGIN, BASSERMANN-JORDAN, VON BUHL, BÜRKLIN-WOLF, DR. DEINHAR VON WINNING, MOSBACHER, WOLF.

Franken 90 97 01 04 05 07 08 09 10 11 12 (Franconia) Region of distinctive d wines, esp ***Silvaner***, mostly bottled in round-bellied flasks (BOCKSBEUTEL). Cent is WÜRZBURG, top villages: Klingenberg, RANDERSACKER, IPHOFEN, ESCHERNDORF.

Franzen M-S-R ★★ From Europe's steepest v'yd, Bremmer Calmont, young Kilia Franzen produces dense, mineral RIES, mostly dry.

Fuder Traditional RIES cask with sizes from 500–1,500 litres depending on th region, traditionally used for fermentation and ageing.

Fürst Frank ★★★→★★★★ 97 99 01 02 05 08 09 10 11 12 Family estate in Bürgstac Paul Fürst now joined by son Sebastian. Outstanding quality: refined and lon lived ***Spätburgunder (one of Germany's best)***, dense and silky FRÜHBURGUNDER, cris RIES, classical SILVANER, oak-aged WEISSBURGUNDER.

Gallais, Le M-S-R Second estate of EGON MÜLLER ZU SCHARZHOF with 4ha-monopo Braune Kupp of WILTINGEN. Soil is schist with more clay than in SCHARZHOFBER Auslesen (eg. Gold Cap 2009) can be exceptional.

Geisenheim Rhg Rheingau town without first-class v'yds, but home of Germany most important university of oenology and viticulture.

Graach M-M ★★★→★★★★ 90 93 94 95 96 97 99 01 04 05 07 08 09 10 11 1 Small village between BERNKASTEL and WEHLEN. GROSSE LAGE v'yds: Domprobs Himmelreich, Josephshof. Top growers: Kees-Kieren, von KESSELSTATT, LOOSE M MOLITOR, J J PRÜM, S A PRÜM, SCHAEFER, SELBACH-OSTER, Studert-Prüm, WEGELE Weins-Prüm. Threatened by planned new Autobahn.

Grans-Fassian M-S-R ★★★ Fine MOSEL estate known for steely, elegant, age-worth RIES from v'yds in TRITTENHEIM, PIESPORT, LEIWEN and Drohn. EISWEIN a speciality.

Grosse Lage The top level of the VDP's new classification, but only applies to VD members. ***NB*** Not on any account to be confused with GROSSLAGE. Meant replace ERSTE LAGE for v. best v'yd sites. The dry wine from a Grosse Lage site called GROSSES GEWÄCHS.

Grosser Ring M-S-R Group of top (VDP) MOSEL-SAAR-RUWER estates, whose annual Se auction at Trier sets world-record prices.

Grosses Gewächs "Great/top growth". This is the top dry wine from a VDP-classifie ERSTE LAGE (until 2012), or GROSSE LAGE (since 2012). *See also* ERSTES GEWÄCHS.

Grosslage A collection of secondary v'yds with supposedly similar character – bu no indication of quality. Not to be confused with GROSSE LAGE.

Gunderloch Rhh ★★★→★★★★ 90 97 01 05 07 08 09 10 11 12 At this NACKENHEI estate Fritz Hasselbach makes some of the finest RIES on the entire Rhine, esp a AUSLESE level and above. Best v'yds: Rothenberg, Pettenthal.

Gutsabfüllung Estate-bottled, and made from own grapes.

Haag, Fritz M-S-R ★★★★ 90 94 95 96 97 99 01 02 04 05 07 08 09 10 11 1

Germany's quality levels

The official range of qualities and styles in ascending order is:

1 **Wein:** formerly known as *Tafelwein*. Light wine of no specified character, mostly sweetish.

2 **ggA:** *geschützte geographische Angabe*, or Protected Geographical Indication, formerly known as LANDWEIN. Dryish Wein with some regional style. Mostly a label to avoid, but some thoughtful estates use the Landwein or ggA designation in order to bypass constraints of state authorities.

3 **gU:** *geschützte Urspungsbezeichnung*, or Protected Designation of Origin. Replacing QUALITÄTSWEIN.

4 **Qualitätswein:** dry or sweetish wine with sugar added before fermentation to increase its strength, but tested for quality and with distinct local and grape character. Don't despair.

5 **Kabinett:** dry or dryish natural (unsugared) wine of distinct personality and distinguishing lightness. Can occasionally be sublime.

6 **Spätlese:** stronger, often sweeter than KABINETT. Full-bodied. Today many top SPÄTLESEN are TROCKEN or completely dry.

7 **Auslese:** sweeter, can be stronger than Spätlese, often with honey-like flavours, intense and long-lived. Occasionally dry and weighty.

8 **Beerenauslese (BA):** v. sweet, can be strong, intense. Can be superb.

9 **Eiswein:** from naturally frozen grapes of BA or TBA quality: concentrated, sharpish and v. sweet. Some examples are extreme and unharmonious.

10 **Trockenbeerenauslese (TBA):** intensely sweet and aromatic; alcohol slight. Extraordinary and everlasting.

BRAUNEBERG's top estate; Oliver Haag continues the work of father Wilhelm in slightly more modern style. Haag's other son, Thomas, runs SCHLOSS LIESER estate.

aag, Willi M-S-R ★★→★★★ Ascending BRAUNEBERG estate, led by Marcus Haag. Old-style RIES, mainly sweet, rich but balanced, try 2010 or 2011 Juffer KABINETT, and the 2011 Juffer-Sonnenuhr SPÄTLESEN and AUSLESEN.

aart, Reinhold M-S-R ★★★→★★★★ Best estate in PIESPORT and Wintrich. Refined, aromatic, and minerally wines, both dry and sweet. SPÄTLESEN, AUSLESEN and higher PRÄDIKAT wines are ***racy copybook Mosel Ries*** – with great ageing potential.

albtrocken Medium-dry (literally semi-dry), with 9–18g of unfermented sugar/litre. "Halbtrocken" on a label is a bit of a sales-killer. FEINHERB sounds better.

attenheim Rhg ★★→★★★★ 97 01 05 08 09 11 12 Town famous for GROSSE LAGEN STEINBERG, Nussbrunnen, Wisselbrunnen. Estates incl Barth, Knyphausen, Lang, LANGWERTH VON SIMMERN, Ress, Schloss Schönborn, STAATSWEINGUT. The ***Brunnen*** (well) v'yds lie on solid rock (that collects rain like a basin) – a gd protection against drought.

eger, Dr. Bad ★★★→★★★★ 05 07 08 09 10 11 12 KAISERSTUHL family estate. Minerally dry wines from steep slopes and terraces in ACHKARREN and IHRINGEN, now focusing on GROSSE LAGE parcel selections: Häusleboden (SPÄTBURGUNDER), Gras im Ofen and Rappenecker (WEISSBURGUNDER, GRAUBURGUNDER). Vorderer Berg designation for the v. best Winklerberg parcels forbidden by state authorities, who disliked the name. Weinhaus Joachim Heger wines are from rented v'yds.

essische Bergstrasse w ★★→★★★ 01 05 09 11 12 Germany's smallest wine region, north of Heidelberg. Pleasant RIES from STAATSWEINGÜTER, Simon-Bürkle and Stadt Bensheim.

eyl zu Herrnsheim Rhh ★★→★★★ Historic NIERSTEIN estate, biodynamic, now part of the ST-ANTONY estate. GROSSES GEWÄCHS from monopoly site Brudersberg can b excellent, but overall quality is uneven.

Heymann-Löwenstein M-S-R ★★★ A family estate at WINNINGEN nr Koblenz Spontaneously fermented RIES from terraces in the steep Uhlen and Röttge v'yds. Parcel selections (Blaufüsser Lay, Rothlay, Laubach) are so refined that th dry/off-dry-distinction seems to lose any meaning.

Hochgewächs Designation, in (rare) use since 1987, for a RIES QUALITÄTSWEIN tha obeys stricter requirements than plain QbA (+10 degrees OECHSLE).

Hochheim Rhg ★★→★★★★ 90 97 01 04 05 08 09 10 11 12 Town east of mai RHEINGAU area. Rich, distinctly earthy RIES from GROSSE LAGE v'yds: Domdechane Hölle, Kirchenstück, Reichestal. Growers incl Himmel, Königin-Victoriaberg ***Künstler***, Schloss Schönborn, STAATSWEINGUT, Werner.

Hock Traditional English term for Rhine wine, derived from HOCHHEIM.

Beware Bereich and Grosslage – but hurrah for Grosse Lage

Bereich means district within an *Anbaugebiet* (region). *Bereich* on a label should be treated as a flashing red light. The wine is a blend from arbitrary sites within that district. Do not buy. The same holds for wines with a GROSSLAGE name, though these are more difficult to identify. Who could guess if "Forster Mariengarten" is an EINZELLAGE or a Grosslage? But now, starting with the 2012 vintage, it's getting even more tricky. You must by no means confuse Grosslage with GROSSE LAGE: The latter designation refers to the best single v'yds, Germany's *grands crus* according to the classification set up by wine-growers' association VDP.

Hoensbroech, Weingut Reichsgraf zu Bad ★★→★★★ Top KRAICHGAU estate. Loo for dry WEISSBURGUNDER from Michelfelder Himmelberg, a v'yd on v. calcareou loess soils.

Hövel, Weingut von M-S-R ★★→★★★ Fine SAAR estate at Oberemmel (Hütte i 4.8ha monopoly) and in SCHARZHOFBERG, known for subtle SPÄTLESEN and AUSLESE Eberhard von Kunow has now handed over to his son Maximilian.

Huber, Bernhard Bad ★★★ Leading estate in Breisgau, with powerful, long-live SPÄTBURGUNDER (esp ***Alte Reben***, Bombacher Sommerhalde, Wildenstein) an burgundy-style CHARD (Hecklinger Schlossberg).

Ihringen Bad ★→★★★★ 01 05 08 09 10 11 12 Village in KAISERSTUHL. Best-know for SPÄTBURGUNDER and GRAUBURGUNDER from volcanic soils on steep Winklerber Stupidly the law permits wines from the loess plateau to be sold under the sam name. Top growers: DR. HEGER, Konstanzer, Michel, Stigler.

Immich-Batterieberg M-M ★★→★★★ Comeback of an old name. New owne (2009) produce dry and off-dry RIES with piquancy and mineral brilliance fro Steffensberg, Ellergrub and Batterieberg v'yds in Enkirch. No sweet wines.

Iphofen Frank ★★→★★★ 90 97 01 05 08 09 10 11 12 Famous STEIGERWALD Villag known for FRANKEN'S most age-worthy SILVANERS. Classified v'yds: Julius-Echte Berg, Kronsberg. Growers incl JULIUSSPITAL, RUCK, WIRSCHING, WELTNER, Zehntkelle

Jahrgang Year – as in "vintage".

Johannisberg Rhg ★★→★★★★ 90 97 99 01 04 05 07 08 09 10 11 12 Class RHEINGAU village for superlative long-lived RIES. GROSSE LAGE v'yds: Hölle, Klau SCHLOSS JOHANNISBERG. GROSSLAGE (avoid!): Erntebringer. Top growers: JOHANNISHO SCHLOSS JOHANNISBERG, PRINZ VON HESSEN.

Johannishof-Eser Rhg ★★→★★★ JOHANNISBERG family estate. Johannes Eser produce intense RIES, both dry and sweet in a rich, fruity style.

sephshöfer M-S-R 83 90 02 03 05 08 09 10 11 12 GROSSE LAGE v'yd at GRAACH, the sole property of KESSELSTATT. Harmonious, berry-flavoured RIES, both dry and sweet. Like its neighbours, soon to be overshadowed by new Autobahn bridge.

st, Toni M Rh ★★★ Leading estate in BACHARACH, sharply mineral wines. Since 2009, the excellent GROSSE LAGE Hahn is a monopoly of Jost's. He also runs a second estate at WALLUF in the RHEINGAU.

liusspital Frank ★★★ Ancient WÜRZBURG charity with top v'yds. Look for *dry Silvaners* (they age well), RIES and top blend BT.

binett *See* "Germany's quality levels" box on p.163. Germany's unique featherweight contribution.

iserstuhl Bad r w Outstanding district with notably warm climate and volcanic soil. Renowned above all for SPÄTBURGUNDER and GRAUBURGUNDER.

nzem M-S-R ★★★ 90 97 99 01 04 05 07 08 09 10 11 12 Saar village, neighbour of WILTINGEN. GROSSE LAGE v'yd: Altenberg. Growers incl: BISCHÖFLICHE WEINGÜTER, OTHEGRAVEN, VAN VOLXEM.

rlsmühle M-S-R ★★★ Estate with two Lorenzhöfer monopoly sites making classic RUWER RIES. Consistently excellent quality.

rthäuserhof M-S-R ★★★★ 90 93 95 97 99 01 04 05 07 08 09 10 11 Outstanding RUWER estate at Eitelsbach with monopoly v'yd Karthäuserhofberg. Easily recognized by bottles with only a neck label. Polished TROCKEN wines and magnificent AUSLESEN. Christoph Tyrell has now formally handed the estate over to a cousin, but he remains in charge of operations.

sel M-S-R ★★→★★★ Flowery, well-ageing RUWER RIES. GROSSE LAGE v'yds: Kehrnagel, Nies'chen. Top: Beulwitz, BISCHÖFLICHE WEINGÜTER, KARLSMÜHLE, KESSELSTATT.

uer M Rh ★★→★★★ Family estate at BACHARACH. Crystalline, aromatic RIES, organically grown. Randolf Kauer is professor of organic viticulture at GEISENHEIM.

ller, Weingut Rhh ★★→★★★★ Superlative, powerful GROSSES GEWÄCHS RIES from Dalsheimer Hubacker; pricey Ries called G-Max from an undisclosed single v'yd.

sseler, August Rhg ★★★ Passionate grower making fine SPÄTBURGUNDER from ASSMANNSHAUSEN and RÜDESHEIM. Also v.gd classic-style RIES (Rüdesheim, LORCH).

sselstatt, Reichsgraf von M-S-R ★★★→★★★★ 35ha of top v'yds on the Mosel and both of its tributaries, eg. JOSEPHSHÖFER, PIESPORTER Goldtröpfchen, KASELER Nies'chen and SCHARZHOFBERGER. Recently, quality-obsessed Annegret Reh-Gartner has raised the proportion of spontaneous fermentations in FUDER casks – the result is even more mineral definition.

edrich Rhg w ★★→★★★★ Village linked inseparably to the WEIL estate; top v'yd Gräfenberg. Other growers (eg. HESSEN, Knyphausen) own only small plots here.

oster Eberbach Rhg Glorious 12th-century Cistercian abbey in HATTENHEIM, starred in the film *Name of the Rose*. Now the label of the STAATSWEINGÜTER with a string of great v'yds in ASSMANNSHAUSEN, RÜDESHEIM, RAUENTHAL, etc. Coasting for yrs, now up for it with a brand-new winery.

nipser, Weingut Pfz ★★★→★★★★ Family estate specializing in barrique-aged SPÄTBURGUNDER, Cuvée X (a Bordeaux blend) and structured dry RIES. Gelber Orleans (from an ancient grape) is a sought-after rarity.

not Noir grew as early as 884AD on the shores of Lake Constance in south Baden.

ehler-Ruprecht Pfz ★★→★★★★ 97 99 01 02 05 07 08 09 10 11 Entirely traditional winemaking that delivers v. long-lived, dry RIES from Kallstadter Saumagen. Equally gd barrel-aged SPÄTBURGUNDER.

aichgau Bad Small district southeast of Heidelberg. Top growers: Burg Ravensburg/Heitlinger, HOENSBROECH, Hummel.

reuzberg Ahr ★★★ Ludwig Kreuzberg has made a name for mineral, not overly alcoholic, distinctly cool-climate SPÄTBURGUNDER from the AHR Valley.

GERMANY

Krone, Weingut Rhg ★★→★★★ 97 99 02 05 06 07 08 09 Estate in ASSMANNSHAU with some of the best and oldest v'yds in the GROSSE LAGE Höllenberg. Famous richly perfumed, age-able SPÄTBURGUNDER. Now run by WEGELER.

Kühn, Peter Jakob Rhg ★★★ An excellent estate in OESTRICH. Obsessive biodynar v'yd management and long macerations bring about nonconformist exciting RIES.

Kuhn, Philipp Pfz ★★★ Reliable producer in Laumersheim. Dry RIES rich a harmonious; barrel-aged SPÄTBURGUNDER succulent, powerful and complex.

Künstler Rhg ★★★ 90 97 01 05 08 09 10 11 12 Uncompromising Gunter Küns produces superb dry RIES in GROSSE LAGE sites at HOCHHEIM, Kostheim, a newly, on the other side of the RHEINGAU at RÜDESHEIM (Roseneck, Rottland). A excellent AUSLESE and firm SPÄTBURGUNDER.

Laible, Alexander ★★→★★★ New estate at DURBACH, founded by ANDREAS LAIBI younger son, aromatic dry RIES and WEISSBURGUNDER. The v'yds lie 48km aw nr Baden-Baden and Lahr.

Laible, Andreas Bad ★★★ Crystalline dry RIES from DURBACH's Plauelrain v'yd and SCHEUREBE and GEWÜRZ. Andreas Sr has now handed over to Andreas Jr.

Landwein Now "ggA". *See* "Germany's quality levels" box on p.163.

Langwerth von Simmern Rhg ★★→★★★ A famous Eltville estate, with traditio winemaking. Top v'yds incl: Baiken, Mannberg (monopoly), MARCOBRUNN. N back on form.

Lauer M-S-R ★★★ Florian Lauer works hard to correct the errors of the 19 wine law – with parcel selections from the huge AYLER Kupp v'yd. Best: Schonf Stirn, Unterstenberg.

The average yield of Germany's vineyards is 94hl/ha (2011).

Leitz, Josef Rhg ★★★ Growing RÜDESHEIM family estate for rich but elegant dry a sweet RIES, esp from classified v'yds in the Rüdesheimer Berg.

Leiwen M-M ★★→★★★ Village neighbouring TRITTENHEIM with GROSSE LA Laurentiuslay. GRANS-FASSIAN, CARL LOEWEN, Rosch, SANKT URBANS-HOF have put the once-overlooked v'yds firmly on the map.

Liebfrauenstift-Kirchenstück Rhh A walled v'yd in city of Worms producing flow RIES renowned for its harmony. Producers: Gutzler, Schembs. Not to be confus with Liebfrau(en)milch, a cheap and tasteless imitation.

Loewen, Carl M-S-R ★★★ Dense but elegant Ries, both dry and sweet, from LEIW (GROSSE LAGE Laurentiuslay), and from Thörnicher Ritsch, a v'yd Loewen rescu from obscurity.

Loosen, Weingut Dr. M-M ★★→★★★★ 90 97 01 02 04 05 07 08 09 10 11 Charismatic Ernie Loosen produces complex and sublime RIES from old vir in BERNKASTEL, ERDEN, GRAACH, ÜRZIG, WEHLEN. Reliable Dr. L Ries, from bought grapes. Joint-venture Ries from Washington State with Chateau Ste Miche *See also* WOLF in the PFALZ.

Lorch Rhg ★→★★★ Village in the extreme west of the RHEINGAU. Now rediscove for its mineral, austere RIES and SPÄTBURGUNDER. Best: Chat Sauvage, Fric Johanninger, von Kanitz, KESSELER.

Löwenstein, Fürst Frank, Rhg ★★★ Tangy SILVANER and RIES from histo Homburger Kallmuth – v. dramatic slope with 12km of stone walls in the v' Also owns RHEINGAU estate in Hallgarten. Prince Carl Friedrich Löwenstein di in 2010; his widow has taken over.

Marcobrunn Rhg Historic v'yd in Erbach; potentially one of Germany's v. be Contemporary wines scarcely match this v'yd's past fame.

Markgräflerland Bad District south of Freiburg. Typical GUTEDEL wine can refreshing when drunk v. young.

Maximin Grünhaus M-S-R ★★★★ 90 93 95 96 97 98 99 01 05 07 08 09 10 11 12 Supreme RUWER estate at Mertesdorf, known for RIES of delicacy and longevity, both dry and sweet.

Meyer-Näkel Ahr ★★★→★★★★ Father-daughter team make fine AHR SPÄTBURGUNDER that exemplify a modern, oak-aged (but nevertheless mineral) style.

Mittelhaardt Pfz The north-central and best part of the PFALZ, incl DEIDESHEIM, FORST, RUPPERTSBERG, WACHENHEIM; largely planted with RIES.

Mittelmosel M-M The central and best part of the MOSEL, incl BERNKASTEL, PIESPORT, WEHLEN, etc. Its top sites are (or should be) entirely RIES.

New EU terminology

Germany's part in the new EU classification involves, firstly, abolishing the term *Tafelwein* in favour of plain Wein and secondly changing LANDWEIN to "ggA": *geschützte geographische Angabe*, or Protected Geographical Indication. QUALITÄTSWEIN and QUALITÄTSWEIN MIT PRÄDIKAT will be replaced by "gU": *geschützte Ursprungsbezeichnung*, or Protected Designation of Origin. The existing terms – SPÄTLESE, AUSLESE and so on (*see* box, p.163) – will be tacked on to gU where appropriate; the rules for these styles won't change.

GERMANY

Mittelrhein Northern and dramatically scenic Rhine area popular with tourists. BACHARACH and BOPPARD are the most important villages. Delicate yet ***steely Ries, underrated*** and underpriced. Many gd sites lie fallow.

Molitor, Markus M-M ★★★ Outstanding v'yds throughout MITTELMOSEL; tremendous wine list. Magisterial sweet RIES and acclaimed, well-ageing SPÄTBURGUNDER.

Mosbacher Pfz ★★★ Some of best GROSSES GEWÄCHS RIES of FORST. Wines are traditionally aged in big oak casks.

Mosel-Saar-Ruwer M-S-R Region between Saarburg and Koblenz; incl MITTELMOSEL, RUWER, SAAR; 60% RIES. From 2007, wines from the three regions can be labelled simply as Mosel.

Moselland, Winzergenossenschaft M-S-R Huge MOSEL-SAAR-RUWER co-op, at BERNKASTEL, after mergers with co-ops in the NAHE and PFALZ now 3,290 members, with a collective 2,400ha. Little is above-average.

Müller-Catoir, Weingut Pfz ★★→★★★ Aged AUSLESEN, BA and TBA (83 90 97 98 01) can be delicious; younger vintages (since 2002) are kept in a lighter style.

Nackenheim Rhh ★→★★★★ 90 97 01 05 08 09 11 12 NIERSTEIN neighbour with GROSSE LAGE Rothenberg on red shale, famous for RHEINHESSEN's richest RIES, superb TBA. Top growers: GUNDERLOCH, Kühling-Gillot.

Nahe (r) w 01 05 07 08 09 10 11 12 Tributary of the river Rhine and a high-quality region. RIES can have MOSEL-like minerality and PFALZ-like fruit. EISWEIN is a growing speciality.

Neipperg, Graf von Würt ★★★ A noble estate in Schwaigern producing reds (LEMBERGER, SPÄTBURGUNDER) of grace and purity. A scion of the family, Count Stephan von Neipperg, makes wine at Château Canon la Gaffelière in Bordeaux and elsewhere.

Niederhausen Na ★★→★★★★ 90 97 99 01 02 04 05 07 08 09 10 11 12 Village of the middle NAHE Valley. Complex RIES from steep, sloping GROSSE LAGE v'yds: Felsensteyer, Hermannsberg, Hermannshöhle, Kertz. Growers: CRUSIUS, DÖNNHOFF, Gut Hermannsberg, Mathern, von Racknitz.

Nierstein Rhh ★→★★★★ 90 97 01 04 05 07 08 09 10 11 12 Rich but balanced RIES, both dry and sweet, that need to be aged. GROSSE LAGE v'yds: Brudersberg, Hipping, Oelberg, Orbel, Pettenthal. Growers incl: Gehring, GUNDERLOCH,

Guntrum, HEYL ZU HERRNSHEIM, Kühling-Gillot, Manz, Schätzel, ST-ANTONY, Strub. Beware GROSSLAGE Gutes Domtal: a supermarket deception.

Ockfen M-S-R ★★→★★★ 90 93 97 01 04 05 07 08 09 10 11 12 Village that brings about sturdy, intense SAAR RIES from GROSSE LAGE v'yd Bockstein. Growers: OTHEGRAVEN, SANKT URBANS-HOF, WAGNER, ZILLIKEN.

Oechsle Scale for sugar content of grape juice.

Oestrich Rhg ★★→★★★ 97 01 02 04 05 07 08 09 10 11 12 Big village; variable but some splendid RIES. GROSSE LAGE v'yds: Doosberg, Lenchen, St. Nikolaus. Top growers: August Eser, PETER JAKOB KÜHN, Querbach, SPREITZER, WEGELER.

Oppenheim Rhh ★→★★★ Town south of NIERSTEIN, GROSSE LAGE Kreuz and Sackträger. Growers incl: Heyden, Kissinger, Kühling-Gillot and Manz. Spectacular 13th-century church.

Rent for a vineyard on flat land is four times more expensive than for one on a steep slope. Despite the fact the slope's wine will be better nobody wants the labour.

Ortenau Bad (r) w District around and south of Baden-Baden. Gd Klingelberger (RIES) and SPÄTBURGUNDER, mainly from granite soils. Top villages incl: DURBACH, Neuweier, Waldulm.

Ortswein 2nd rank up in VDP's quality pyramid: village wine, rather than single v'yd.

Othegraven, Weingut von M-S-R ★★★ 01 05 07 08 09 10 11 12 Since 2010, this fine KANZEM (SAAR) estate with its superb GROSSE LAGE Altenberg is led by TV star Günther Jauch, who is a member of the von Othegraven family. Also parcels in OCKFEN (Bockstein) and, newly, in the forgotten Herrenberg at Wawern.

Palatinate Pfz English for PFALZ.

Pfalz r w 90 97 01 05 07 08 09 10 11 12 Usually balmy region bordering Alsace in the south and RHEINHESSEN to the north. Its MITTELHAARDT area is the source of full-bodied, mostly dry RIES. Southerly SÜDLICHE WEINSTRASSE is better-suited to PINOT varieties, esp SPÄTBURGUNDER.

Piesport M-M ★→★★★★ 90 92 97 01 02 03 04 05 07 08 09 10 11 12 Tiny village with famous vine amphitheatre of GROSSE LAGE v'yds (Domherr, Goldtröpfchen, Kreuzwingert, Schubertslay). At best glorious, rich, aromatic RIES. Avoid GROSSLAGE Michelsberg. Esp gd are GRANS-FASSIAN, Joh Haart, R HAART, Kurt Hain, KESSELSTATT, SANKT URBANS-HOF.

Prädikat Special attributes or qualities. *See* QMP.

Prinz von Hessen Rhg ★★★→★★★★ Glorious wines of vibrancy and precision from this historic JOHANNISBERG estate.

Prüm, J J M-S-R ★★★★ 71 76 83 88 89 90 94 95 96 97 98 99 01 02 03 04 05 07 08 09 10 11 12 Legendary WEHLEN estate; also GRAACH and BERNKASTEL. Delicate but long-lived wines with astonishing finesse and distinctive character through long lees-ageing. Dr. Manfred Prüm now joined by daughter Katharina.

Prüm, S A M-S-R ★★→★★★ More popular and less traditional in style than WEHLEN neighbour J J PRÜM. Sound, if sometimes inconsistent wines.

Qualitätswein bestimmter Anbaugebiete (QbA) The middle quality of German wine, with sugar added before fermentation (in a similar way to French *chaptalization*), but controlled as to areas, grapes, etc. Its new name: gU (*see* box p.163) is little improvement.

Qualitätswein mit Prädikat (QmP) Top category, for all wines ripe enough not to need sugaring (KABINETT to TBA).

Randersacker Frank ★★→★★★ Village south of WÜRZBURG for distinctive dry RIES and SILVANER. Classified as GROSSE LAGE: Pfülben. Top growers: BÜRGERSPITAL, JULIUSSPITAL, STAATLICHER HOFKELLER, SCHMITT'S KINDER, Störrlein & Krenig.

Ratzenberger M Rh ★★→★★★ Estate making racy dry and off-dry RIES in BACHARACH; best from GROSSE LAGE v'yds: Posten and Steeger St-Jost. Gd SEKT, too.

Rauenthal Rhg ★★→★★★★ 97 01 02 04 05 07 08 09 10 11 12 ***Spicy, austere but complex Ries*** from inland slopes. GROSSE LAGE v'yds: Baiken, Rothenberg. Top growers: BREUER (with monopoly Nonnenberg), KLOSTER EBERBACH, A Eser, LANGWERTH VON SIMMERN.

Rebholz, Ökonomierat Pfz ★★★→★★★★ 97 99 00 01 02 04 05 07 08 09 10 11 12 Top SÜDLICHE WEINSTRASSE estate known for bone-dry, minerally RIES (eg. GROSSES GEWÄCHS Kastanienbusch, Ganshorn); focused CHARD; tight, age-worthy SPÄTBURGUNDER.

Reparaturwein Wine-grower's jargon for a simple, light and slightly acidic white suitable to "repair" the palate after an exhausting tasting. Not seen on labels.

Restsüsse Unfermented grape sugar remaining in (or in cheap wines added to) wine to give it sweetness. Can range from 1g/litre in a TROCKEN wine to 300g in a TBA.

Rheingau (r) w 90 97 99 01 04 05 07 08 09 10 11 12 The only Rhine region with south-facing slopes bordering the river. Classic, substantial RIES, famous for steely acidity. After yrs of controversies, the region might now replace its ERSTES GEWÄCHS definition (dating from 2000) by the GROSSES GEWÄCHS rules that apply everywhere else in Germany.

Rheinhessen (r) w 05 07 08 09 10 11 Germany's largest region, between Mainz and Worms. Much dross, but incl top RIES from NACKENHEIM, NIERSTEIN, etc. Remarkable spurt in quality in formerly unknown areas, from growers such as KELLER and WITTMANN in the south and WAGNER-STEMPEL in the west

Richter, Weingut Max Ferd M-M ★★→★★★ Reliable MITTELMOSEL estate, at Mülheim. Esp gd RIES KABINETT and SPÄTLESEN – full and aromatic. Wines from purchased grapes carry a slightly different label.

Ruck, Johann Frank ★★→★★★ Reliable and spicy SILVANER and RIES from IPHOFEN in FRANKEN'S STEIGERWALD district. Traditional and bone-dry in style.

Rüdesheim Rhg ★★→★★★★ 90 97 01 04 05 07 08 09 10 11 12 Rhine resort with outstanding GROSSE LAGE v'yds on slate; the four best (Roseneck, Rottland, Schlossberg, Kaisersteinfels) are called Rüdesheimer Berg. Full-bodied, fine-flavoured, often remarkable in off-yrs. Best: BREUER, Chat Sauvage, Corvers-Kauter, JOHANNISHOF, KESSELER, KLOSTER EBERBACH, KÜNSTLER, LEITZ, Ress, Schloss Schönborn.

Ruppertsberg Pfz ★★→★★★ 90 97 01 05 07 08 09 10 11 MITTELHAARDT village, lighter wines than in neighbouring villages. Growers incl: BASSERMANN-JORDAN, Biffar, BUHL, BÜRKLIN-WOLF, CHRISTMANN, DR. DEINHARD/VON WINNING.

Annual production of Grosses Gewächs and Erstes Gewächs: c. 1 million bottles.

Ruwer M-S-R w 90 97 99 01 02 03 04 05 07 08 09 10 11 12 Tributary of Mosel nr Trier, renowned for quaffable dry RIES. Delicate, long-lived sweet wines, too. Best growers: Beulwitz, KARLSMÜHLE, KARTHÄUSERHOF, KESSELSTATT, MAXIMIN GRÜNHAUS.

Saale-Unstrut w 03 05 07 08 09 10 11 12 Northerly region around confluence of these two rivers at Naumburg, nr Leipzig. Terraced v'yds of WEISSBURGUNDER, SILVANER, GEWÜRZ, RIES, SPÄTBURGUNDER have Cistercian origins. Quality leaders: BÖHME, Born, Gussek, Kloster Pforta, Lützkendorf, Pawis.

Saar M-S-R w 90 93 94 97 99 01 02 04 05 07 08 09 10 11 12 Hill-lined tributary of the MOSEL, colder climate. The most brilliant, austere, steely RIES of all. Villages incl: AYL, KANZEM, OCKFEN, Saarburg, Serrig, WILTINGEN (SCHARZHOFBERG). Many fine estates here, most at the top of their game.

Saarburg M-S-R Small town in the SAAR Valley, Rausch v'yd is one of the best of the region. Best growers: WAGNER, ZILLIKEN.

Sachsen w 03 05 08 09 10 11 12 Region in the Elbe Valley around Dresden and Meissen. Characterful dry whites from WEISSBURGUNDER, GRAUBURGUNDER, TRAMINER, RIES. Best growers: Vincenz Richter, SCHLOSS PROSCHWITZ, Schloss Wackerbarth, Martin Schwarz, Zimmerling.

St-Antony Rhh ★★→★★★ NIERSTEIN estate with exceptional v'yds. Improveme through new owner (same as HEYL ZU HERRNSHEIM) result in v.gd 2011s. Ent level label Bodenschatz is a bargain.

Salm, Prinz zu Na, Rhh Owner of Schloss Wallhausen ★★→★★★ in NAHE a Villa Sachsen ★→★★ in RHEINHESSEN. RIES at Schloss Wallhausen (organic) h made gd progress recently; recommendable mid-price labels: Vom Rot Schiefer and Grünschiefer.

Salwey Bad ★★★ Leading estate at Oberrotweil. Konrad Salwey advocates ea picking for his top KAISERSTUHL sites, to preserve freshness and balance. Be Henkenberg and Eichberg GRAUBURGUNDER, Kirchberg SPÄTBURGUNDER Rapp (fermented with stems). Also WEISSHERBST from v'yds in the Glottertal, a Bla Forest valley at 450-metre altitude.

Sankt Urbans-Hof M-S-R ★★★→★★★★ Large family estate based in LEIWEN, v'y along Middle Mosel and SAAR. Limpid RIES of impeccable purity and raciness (e 2011 WILTINGER KABINETT FEINHERB ALTE REBEN).

Sauer, Horst Frank ★★★→★★★★ The finest exponent of ESCHERNDORF's top v'yd Lum Racy, straightforward ***dry Silvaner*** and RIES and sensational TBA. Glorious 2011s

Going backwards, fast

If you're driving in Germany, beware of wine-growers in reverse. Why? Because the narrow farm roads that lead to steep, sloping v'yds are often dead ends, and may not have turning space. So the growers simply reverse out, fast. If they've got passengers it turns into a sport: full throttle, with rocks on one side and a steep slope on the other, for a couple of km. They've got the knack of it. We hope.

Sauer, Rainer Frank ★★★ A rising family estate at ESCHERNDORF (*see* HORST SAUE Complex dry SILVANER – from elegant and mineral KABINETT to creamy, fu bodied SPÄTLESEN.

Schaefer, Willi M-S-R ★★★ The finest grower of GRAACH (but only 4ha). MOSEL RIES its best: pure, crystalline and feather-light, rewarding at all quality levels.

Schäfer-Fröhlich Na ★★★ Increasingly brilliant RIES, dry and nobly sweet, fro this estate in Bockenau, NAHE. Superb 2010 ***Grosses Gewächs Felseneck*** an breathtaking EISWEIN.

Scharzhofberg M-S-R ★★★★ 71 83 88 89 90 93 94 95 96 97 99 01 04 05 07 0 09 10 11 12 Superlative SAAR v'yd: a rare coincidence of microclimate, soil an human intelligence brings about the perfection of RIES. Top estates: BISCHÖFLIC WEINGÜTER, EGON MÜLLER, VON HÖVEL, REICHSGRAF VON KESSELSTATT, VAN VOLXEM.

Schlossböckelheim Na ★★→★★★★ 90 97 01 02 04 05 07 08 09 10 11 A village with top NAHE v'yds, incl GROSSE LAGE Felsenberg and Kupfergrub Firm, demanding RIES that ages well. Top growers incl: CRUSIUS, DÖNNHOF Gut Hermannsberg, SCHÄFER-FRÖHLICH.

Schloss Johannisberg Rhg ★★→★★★ 90 97 01 02 04 05 07 08 09 10 11 12 Famo RHEINGAU estate, 100% RIES, owned by Henkell (Oetker group). Usually v.g SPÄTLESE Grünlack (green sealing-wax) and AUSLESE Rosalack, quality of th TROCKEN and FEINHERB wines more variable.

Schloss Lieser M-M ★★★→★★★★ Thomas Haag produces pure, racy RIES fro underrated Niederberg Helden v'yd, as well as from plots in BRAUNEBERG. Loo out for brilliant 2010 Juffer-Sonnenuhr SPÄTLESE and precise and playful 20 SL QUALITÄTSWEIN TROCKEN.

Schloss Neuweier Bad ★★★ Leading producer of dry RIES from volcanic soils Baden-Baden. New owner since 2012.

chloss Proschwitz Sachs ★★ A resurrected princely estate at Meissen in SACHSEN, leading former East Germany in quality; esp with dry WEISSBURGUNDER and GRAUBURGUNDER. A great success.

chloss Reinhartshausen Rhg ★★→★★★ Estate in Erbach, HATTENHEIM, KIEDRICH, etc. Originally owned by Prussian royal family, now in competent private hands.

chloss Saarstein M-S-R ★→★★★ 90 97 01 05 07 08 09 10 11 12 Steep but chilly v'yds in Serrig need warm yrs to succeed but can deliver steely, minerally and long-lived AUSLESE and EISWEIN.

chloss Vollrads Rhg ★★ One of the greatest historic RHEINGAU estates, now owned by a bank. RIES in a rather commercial style.

chmitt's Kinder Frank ★★→★★★ Uncompromising TROCKEN wines from RANDERSACKER's best v'yds. Textbook FRANKEN SILVANER and RIES. Gd barrel-aged SPÄTBURGUNDER and sweet RIESLANER, too.

chnaitmann Würt ★★★ Excellent barrel-aged reds from WÜRTTEMBERG, such as SPÄTBURGUNDER and LEMBERGER from the GROSSE LAGE Lämmler v'yd. In conversion to organic farming.

chneider, Cornelia and Reinhold Bad ★★→★★★ Family estate in Endingen, KAISERSTUHL. Age-worthy SPÄTBURGUNDERS (00 01 02 05 07 08 09) discerned by letters – R for volcanic soil, C for Loess – and old-fashioned, opulent RULÄNDER.

choppenwein Café (or bar) wine, ie. wine by the glass.

chwarzer Adler, Weingut Bad ★★→★★★ Fritz Keller runs a one-star restaurant at Oberbergen in KAISERSTUHL, and makes burgundy-influenced GRAU-, WEISS- and SPÄTBURGUNDER.

chwegler, Albrecht Würt ★★★ Small estate known for gd, unusual red blends, such as Granat (MERLOT, ZWEIGELT, LEMBERGER and others). Worth looking for.

chweigen Pfz ★★ A southern PFALZ village. Best growers incl FRIEDRICH BECKER, Bernhart, Jülg.

ekt German sparkling wine, which is v. variable in quality. Bottle fermentation is not mandatory. Sekt specialists incl Raumland, Schembs, Schloss Vaux, S Steinmetz, Wilhelmshof.

ermany's most common vineyard name is Schlossberg; 90 villages have "castle hills".

elbach-Oster M-M ★★★ Scrupulous ZELTINGEN estate among MITTELMOSEL leaders. Also makes wine from purchased grapes: estate bottlings are best.

onnenuhr M-S-R Sundial. Name of several v'yds, esp GROSSE LAGE sites at WEHLEN and ZELTINGEN soon to be overshadowed by new Autobahn bridge.

pätlese Late-harvest. One better (riper, with more substance and usually more sweetness) than KABINETT. Gd examples age at least 7 yrs, often longer. TROCKEN Spätlesen, often similar in style to GROSSES GEWÄCHS, can be v. fine with food.

preitzer Rhg ★★★ Andreas and Bernd Spreitzer produce deliciously racy RIES, vinified with patience in FUDER casks. 2011 OESTRICH Doosberg KABINETT TROCKEN shows the subtleness of the Kabinett category at its best.

taatlicher Hofkeller Frank ★★ The Bavarian state domain. 120ha of the finest FRANKEN v'yds, with spectacular cellars under the great baroque Residenz at WÜRZBURG. Quality sound but rarely exciting.

taatsweingut/Staatliche Weinbaudomäne The state wine estates or domains. Some have been privatized in recent yrs.

teigerwald Frank (r) w District in eastern FRANKEN. V'yds at considerable altitude; powerful SILVANER and RIES. Best: CASTELL'SCHES FÜRSTLICHES DOMÄNENAMT, Roth, RUCK, WELTNER, WIRSCHING.

teinberg Rhg ★★★ 90 97 01 04 05 07 08 09 10 11 12 Famous HATTENHEIM walled RIES v'yd, a German Clos de Vougeot, planted by Cistercian monks 700 yrs ago. Now a monopoly of KLOSTER EBERBACH.

Steinwein Frank Wine from WÜRZBURG's best v'yd, Stein. Goethe's favourite, too.

Stodden Ahr ★★★ Burgundy enthusiast Gerhard Stodden crafts richly oaky AH SPÄTBURGUNDER. First-rate since 1999, but v. pricey.

Südliche Weinstrasse Pfz r w District name for south PFALZ. Quality has improve tremendously in past 25 yrs. Best growers: BECKER, Leiner, Münzberg, REBHOL Siegrist, WEHRHEIM.

Tauberfranken Bad (r) w Underrated cool-climate district of northeast BADE FRANKEN-style SILVANER and RIES from limestone soils. Frost a problem. Be grower: Schlör.

Thanisch, Weingut Dr. M-M ★★→★★★ BERNKASTEL estate, founded 1636, famous fo its share of the Doctor v'yd. After family split-up in 1988, two homonymou estates: Erben Müller-Burggraef identifies the one, Erben Thanisch the othe Similar in quality but the latter sometimes has the edge.

Traisen Na ★★★ 90 97 01 05 07 08 09 10 11 12 Small NAHE village, incl GROSSE LAG v'yds Bastei and Rotenfels. RIES of concentration and class from volcanic soil Top growers: CRUSIUS, von Racknitz.

Some schist rock is so brittle that it can easily be split with a fingernail.

Trier M-S-R Great city of Roman origin, on MOSEL, between RUWER and SAAR. B charitable estates have cellars here among splendid Roman remains.

Trittenheim M-M ★★→★★★ 90 97 01 02 04 05 07 08 09 10 11 12 Attractiv MITTELMOSEL light wines. However, only best plots in GROSSE LAGE v'yd Apothel deserve that classification. Growers incl A CLÜSSERATH, E Clüsserath, CLÜSSERAT WEILER, GRANS-FASSIAN, Milz.

Trocken Dry. Max 9g unfermented sugar/litre. Quality has increased dramatical since the 1980s. Most dependable in PFALZ and all points south.

Trockenbeerenauslese (TBA) Sweetest, most expensive category of German win extremely rare, with concentrated honey flavour. Made from selected shrivelle grapes affected by noble rot (botrytis). Half-bottles a gd idea.

Ürzig M-M ★★★★ 71 83 90 93 94 95 96 97 01 02 04 05 07 08 09 10 11 12 Villag on red sandstone and red slate, famous for full and spicy RIES, unlike othe MOSELS. GROSSE LAGE v'yd: Würzgarten. Growers incl Berres, Erbes, Christoffe LOOSEN, Mönchhof, Pauly-Bergweiler, WEINS-PRÜM. Threatened by an unneede Autobahn bridge 160 metres high.

Van Volxem M-S-R ★★→★★★ Estate revived by brewery heir Roman Niewodniczansl (since 1999). V. low yields from top sites (SCHARZHOFBERG, KANZEM Altenber result in ultra-ripe, atypical but impressive RIES.

VDP (Verband Deutscher Prädikatsweingüter) A pace-making association premium growers. Look for its eagle insignia on wine labels, and for th GROSSE LAGE logo on wines from classified v'yds. A VDP wine is usually a gd be President: Steffen CHRISTMANN.

Vollenweider M-S-R ★★★ Daniel Vollenweider from Switzerland has revived th Wolfer Goldgrube v'yd nr Traben-Trarbach (since 2000). ***Excellent Ries***, b v. small quantities.

Wachenheim Pfz ★★★ Village with, according to VDP, no GROSSE LAGE v'yds. To growers: Biffar, BÜRKLIN-WOLF, Odinstal, Karl Schäfer, WOLF.

Wagner, Dr. M-S-R ★★→★★★ Estate with v'yds in OCKFEN and Saarstein led by youn GEISENHEIM graduate Christiane Wagner. Splendid 2011s: Try Saarburger Rausc Joseph Heinrich SPÄTLESE FEINHERB, or Ockfener Bockstein AUSLESE.

Wagner-Stempel Rhh ★★★ Estate, 50% RIES, in RHEINHESSEN nr NAHE border obscure Siefersheim. Recent yrs have provided excellent wines, both GROSS GEWÄCHS and nobly sweet.

Walluf Rhg ★★★ 90 92 94 96 97 99 01 02 04 05 07 08 09 10 11 12 The neighbou of Eltville. The wines are underrated. GROSSE LAGE v'yd: Walkenberg. Growers incl: J B BECKER, JOST.

Wegeler M-M, Rhg ★★→★★★ Important family estates in OESTRICH and BERNKASTEL, plus a stake in the famous KRONE estate of ASSMANNSHAUSEN. Wines of high quality in gd quantity. "Geheimrat J" brand was dry Ries pioneer and maintains v. high standards.

Wehlen M-M ★★★→★★★★ 90 93 94 95 96 97 98 01 02 03 04 05 07 08 09 10 11 12 BERNKASTEL neighbour with equally fine, somewhat richer wine and almost no weak vintages lately. GROSSE LAGE: SONNENUHR. Top growers: Kerpen, KESSELSTATT, LOOSEN, MOLITOR, J J PRÜM, S A PRÜM, RICHTER, Studert-Prüm, SELBACH-OSTER, WEGELER, WEINS-PRÜM. V'yds soon to be overshadowed by Autobahn bridge.

Wehrheim, Weingut Dr. Pfz ★★★ Top family estate of SÜDLICHE WEINSTRASSE. Full-bodied, v. dry wines with a firm, mineral core, eg. RIES and SPÄTBURGUNDER from GROSSE LAGE Kastanienbusch.

Weil, Robert Rhg ★★★→★★★★ 17 37 49 59 75 90 97 01 02 04 05 07 08 09 10 11 12 Outstanding estate in KIEDRICH owned by Suntory of Japan. Superb EISWEIN, TBA, BA; entry level wines more variable. Gräfenberg is the best of three classified v'yds.

Weingart M Rh ★★★ Outstanding estate at Spay, with v'yds in BOPPARD. Refined, minerally RIES, low-tech in style, superb value.

Weingut Wine estate.

Weins-Prüm, Dr. M-M ★★★ A small estate; based at WEHLEN. Superb v'yds in MITTELMOSEL. Scrupulous winemaking from owner Bert Selbach, who favours a taut, minerally style.

The German Pinot Noir miracle

In the last 25 yrs, German SPÄTBURGUNDERS have developed from small, thin wines to serious, age-worthy reds. Less productive clones, better v'yd management, refined vinification and understanding oak were the keys. Today there is a long list of top producers: FÜRST (unparalleled finesse), BECKER, REBHOLZ, Philippi (KOEHLER-RUPRECHT), Seeger and KÜNSTLER (tannic depth), KNIPSER, KUHN (elegance and succulence). In a class of their own are those from slate soils: sharply mineral, with spicy fruit, as in ASSMANNSHAUSEN (KRONE, KESSELER, KLOSTER EBERBACH), the AHR (Adeneuer, Deutzerhof, KREUZBERG, MEYER-NÄKEL, Nelles, Schumacher, STODDEN) – and even the MIDDLE MOSEL (MOLITOR). Integration of intense berry fruit and oak: SCHNAITMANN and HUBER. Closest to Burgundy, geographically as well as in style: ZIEREISEN, SCHNEIDER, SCHWARZER ADLER and SALWEY. And there are dozens of others. Worth tasting are BERCHER, BÜRGERSPITAL, CHRISTMANN, Dörflinger, ELLWANGER, Gutzler, HEGER, Hummel, Kleinmann, Konstanzer, NEIPPERG, Lehnert-Veit, Montigny, Rings, Schembs, Scherner-Kleinhanns, Claus Schneider, SCHMITTS KINDER, F Wassmer, M Wassmer.

Weissherbst Pale-pink wine, sometimes botrytis-affected but mostly dry or off-dry, made from a single variety, often SPÄTBURGUNDER. V. variable quality.

Weltner, Paul Frank ★★→★★★ STEIGERWALD family estate. Densely structured, age-worthy SILVANER from underrated Rödelseer Küchenmeister v'yd and neighbouring plots at IPHOFEN.

Wiltingen M-S-R ★★→★★★★ 90 97 01 04 05 07 08 09 10 11 12 Heartland of the SAAR. Famous SCHARZHOFBERG crowns a series of GROSSE LAGE v'yds (Braune Kupp, Kupp, Braunfels, Gottesfuss). Top growers: BISCHÖFLICHE WEINGÜTER, LE GALLAIS, EGON MÜLLER, KESSELSTATT, SANKT URBANS-HOF, Vols, VAN VOLXEM.

Winning, von Pfz ★★★ New DEIDESHEIM estate, incl former DR. DEINHARD. The von

Winning label is used for top wines from Dr. Deinhard v'yds. First vintage 200 *Ries of great purity* and terroir expression, slightly influenced by fermentation new FUDER casks. A label to watch.

Winningen M-S-R ★★→★★★ Lower MOSEL town nr Koblenz; excellent dry RIES a TBA. GROSSE LAGE v'yds: Röttgen, Uhlen. Top growers: HEYMANN-LÖWENSTEIN, KNEB Kröber, Richard Richter.

Wirsching, Hans Frank ★★★ Estate in IPHOFEN, FRANKEN. Dry RIES and *Silvan* powerful and long-lived. GROSSE LAGE v'yds: Julius-Echter-Berg, Kronsberg.

Wittmann Rhh ★★★ Philipp Wittmann has propelled this organic estate to the t ranks (since 1999). Crystal-clear, mineral, dry RIES from QBA to GROSSES GEWÄC and magnificent TBA.

Wöhrwag Würt ★★→★★★ Just outside Stuttgart, this estate produces succulent rec but above all elegant dry RIES and brilliant EISWEIN.

Wolf J L Pfz ★★→★★★ WACHENHEIM estate, leased by Ernst LOOSEN of BERNKASTEL. D PFALZ RIES (esp Forster Pechstein), sound and consistent rather than dazzling.

Württemberg r (w) 05 07 **08 09** 10 11 12 Red wine region around Stuttgart ai Heilbronn, traditionally producing light TROLLINGER wines – the same gra as in Alto Adige's Kalterer See. But now ambitions are rising, LEMBERGER ar SPÄTBURGUNDER can be v.gd. RIES needs altitude v'yds.

Würzburg Frank ★★→★★★★ 01 **04 05 08 09** 10 11 12 Great baroque city on the Mai centre of FRANKEN wine: dry RIES and esp SILVANER. Classified v'yds: Innere Leist Stein, Stein-Harfe. Growers incl: BÜRGERSPITAL, JULIUSSPITAL, STAATLICHER HOFKELLE Weingut am Stein.

Zell M-S-R ★→★★★ Best-known lower MOSEL village, esp for awful GROSSLAGE: Schwar Katz (Black Cat). A gd v'yd is Merler Königslay-Terrassen. Top grower: Kallfelz.

Zeltingen M-M ★★→★★★★ Top but sometimes underrated MOSEL village nr WEHLE Lively crisp RIES. GROSSE LAGE v'yd: SONNENUHR. Top growers incl: M MOLITOR, J J PRÜ SELBACH-OSTER.

Ziereisen Bad ★★★ 03 04 05 **07 08 09** 10 11 12 Ex-carpenter Hans-Peter Ziereise of Efringen-Kirchen in MARKGRÄFLERLAND believes in spontaneous fermentation His whites (GUTEDEL, WEISS- and GRAUBURGUNDER, CHARD) reward patient cellarin But best are his SPÄTBURGUNDERS from small v'yd plots with dialect name Schulen, Rhini. Jaspis is the name for old-vine selections.

Zilliken, Forstmeister Geltz M-S-R ★★★→★★★★ **93 94 95 96 97 01 02 04 05 07 0 09 10 11** 12 Former estate of Prussian royal forester at Saarburg and OCKFEN, SAA Produces intensely minerally ***Ries from Saarburg Rausch*** and OCKFEN Bockstei incl superb AUSLESE and EISWEIN with excellent ageing potential.

A masculine domain?

Many young wine-growers take over their family estates, and many are daughters. Well-trained, intelligent and versed, they imbue the wine business with refreshing new energy. Among them, to name only a few, are Carolin BERGDOLT, Theresa BREUER, Eva Clüsserath (A CLÜSSERATH), Caroline DIEL, Cecilia JOST, Sylvia Männle (Heinrich Männle, DURBACH), Meike and Dörte Näkel (MEYER-NÄKEL), Tina Pfaffmann (Frankweiler, PFALZ), Dr. Katharina Prüm (J J PRÜM), Saskia Prüm (S A PRÜM), Sandra Sauer (H SAUER), Anna Helene von Schubert (MAXIMIN GRÜNHAUS), Carolin Spanier-Gillot (Kühling-Gillot, Bodenheim, RHEINHESSEN), Christiane Störrlein-Krenig (Störrlein, Randersacker, FRANKEN), Christiane WAGNER, Dorothee ZILLIKEN. Eva Fricke, born in northern Germany with no wine-related activity whatsoever in her family, has started a small estate of her own, at LORCH in the RHEINGAU. The times when estates were called "X Y & sons" seem to be over. And who would regret them?

Luxembourg

Think of Luxembourg wine as a halfway house between Germany and France. Its Rieslings seem half-German, half-French: old-school Alsace Riesling on the nose, with the lightness and the sweet-and-sour notes of an off-dry Nahe. The 1,270ha of vines along the *Moselle Luxembourgeoise* are, however, a mix. There's more Rivaner (Müller-Thurgau, 27%), Auxerrois (14%) and Pinot Gris (14%) than Riesling (12%). Auxerrois is Luxembourg's speciality, and good examples (eg. Bechelsberg from Stronck-Pinnel, Sunnen-Hoffmann or Schumacher-Lethal) show a complex spiciness, rounder than its relative Pinot Blanc. But poor Auxerrois is just sweetish and lean. Pinot Gris usually has more extract and more depth. Wine law doesn't differentiate between dry and off-dry. Most whites have strong acidity and some sweetness. A common term on labels (but of little significance) is "Premier Grand Cru". More reliable are charter designations; Domaine et Tradition, founded 20 years ago, uniting seven producers, has the most credibility. Growers-association Privatwenzer (Private Wine-growers) set up a charter in 2007, and Charta Schengen Prestige was designed to include producers in neighbouring areas of Germany and France.

There's a lot of sparkling wine. Crémant de Luxembourg can be anything from refined to rustic, cheaper versions typically tasting half-dry even if labelled brut. ***The best can be v.gd value*** – look for Heritage Brut from Gales, St Pierre et Paul Brut from Stronck-Pinnel, Riesling Brut from Legill, Montmollin Brut from Duhr Frères, Brut Vintage from Clos de Rochers, Brut Vintage from Bernard-Massard, or Brut Tradition from Sunnen-Hoffmann. More pricey, and nearer to Champagne than Crémant, is Alice Hartmann's Grande Cuvée.

Alice Hartmann ★★★ 09 10 11 Perfectionist in Wormeldange. Complex RIES from best Ries v'yd Koeppchen, incl parcel selections La Chapelle and Les Terrasses. Delicate PINOT N (Clos du Kreutzerberg). Also owns v'yds in Burgundy (St-Aubin), Middle Mosel (Trittenheim), and leases small plot in Scharzhofberg.

Aly Duhr ★★★ Family estate at Ahn. V.gd PINOT GR from Machtum (Ongkäf v'yd), gd off-dry RIES from Ahn (Nussbaum and Palmberg), elegant Ries Vendage Tardive. Culinary barrel-aged PINOT BLANC.

Gales ★★→★★★ (Comparatively) large but reliable producer at Remich uniting v'yds of Caves St Martin with family estate. Best are Crémant and whites under Domaine et Tradition label. Caves St Martin has a good series called De Nos Rochers and produces Charta Schengen. It's worth seeing the old cellar labyrinth, dug into a shell-limestone *massif*.

Sunnen-Hoffmann ★★→★★★ Family estate at Remerschen, now biodynamic; textbook AUXERROIS from Wintrange Hammelsberg; gd RIES, Crémant, too.

More producers at ★★→★★★ Château de Schengen, Cep d'Or, Clos de Rochers, Duhr Frères/Clos Mon Vieux Moulin, Ruppert, Schumacher-Knepper and Stronck-Pinnel.

Young, ambitious producers set to join the top class: Fränk Kayl, Schmit-Fohl, Château Pauqué and Paul Legill.

Other gd producers: Krier-Welbes (organic), Mathis Bastian, Charles Decker, Gloden & Fils, Domaine Mathes, Schlink-Hoffeld. Domaines Vinsmoselle is a union of co-ops. Premium label Art+Vin can be gd (eg. 2011 Schengen Markusberg Pinot Gris), but one has to be selective.

Spain & Portugal

Abbreviations used in the text:

Alel	Alella	P Vas	País Vasco
Alen	Alentejo	Pen	Penedès
Alg	Algarve	Pri	Priorat
Alic	Alicante	Rib del D	Ribera del Duero
Ara	Aragón	Rio	Rioja
Bair	Bairrada	R Ala	Rioja Alavesa
Bei Int	Beira Interior	R Alt	Rioja Alta
Bier	Bierzo	RB	Rioja Baja
Bul	Bullas	Set	Setúbal
Cád	Cádiz	Som	Somontano
Can	Canaries	Tej	Tejo
C-La M	Castilla-La Mancha	U-R	Utiel-Requena
C y L	Castilla y León	V'cia	Valencia
Cat	Catalunya	Vin	Vinho Verde
Cos del S	Costers del Segre		
Dou	Douro		
Emp	Empordà-Ampurdán		
Gal	Galicia		
La M	La Mancha		
Lis	Lisboa		
Mad	Madrid, Vinos de		
Mall	Mallorca		
Min	Minho		
Mont-M	Montilla-Moriles		
Mur	Murcia		
Nav	Navarra		

Grim as Spain's national finances may be, the country can definitely celebrate the quality and diversity of its wines. It combines quality and consistency, certainly less various than Italy's crazy kaleidoscope, but often profoundly satisfying and good value. By letting local grape varieties shine through (and relying less on costly oak), Spain's many terroirs are building distinct identities. Spain is naturally conservative, so its customers can experiment with confidence. Remember, too, that in Sherry Spain has the world's greatest wine bargains; snap them up.

Portugal, also enduring tough times, still lacks any strong image abroad for its wine and food culture. Established global players continue to flourish and invest – Niepoort in Bairrada, João Portugal Ramos in the Douro, now Vinho Verde, perhaps next the Algarve. Elsewhere, the recession bites – notably at Vale d'Algares, a rising star already fallen, its vineyards sold. On the upside, a new generation of winemakers has the creativity and confidence to play Portugal's trump card: its native grape varieties. You don't have to remember (or pronounce) them to enjoy some vivid and seductive characters.

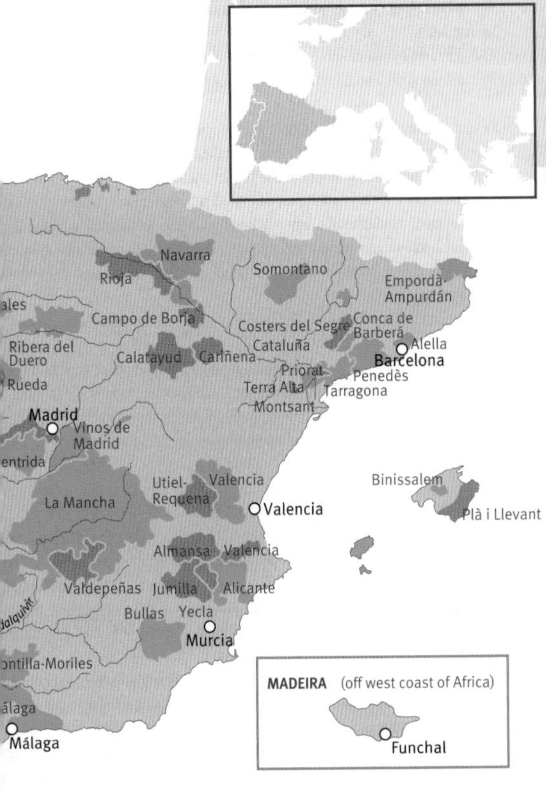

SPAIN

Recent Rioja vintages

2012 Another very hot year relieved by rain at the end. Excellent quality but one of the lowest yields for two decades.

2011 A long, hot summer with healthy grapes, but lower yields and more concentrated fruit than 2010.

2010 Officially an *excelente* vintage. For growers it was disastrous as the economic crisis meant low prices. So one for buyers.

2009 Despite the hot summer a repeat of 2003 was avoided. Some very good results, with Riojas Alta and Baja faring best.

2008 The best are fresh and aromatic, a little lower in alcohol.

2007 A difficult vintage; most wines are ready to drink with bright, fresh fruit.

2006 Wines to drink now; fragrant when young, not built to last.

2005 A standout vintage of the decade, with wines to drink or keep. Some prefer 2004; others 2005. Try them both.

2004 An outstanding vintage, with wines in balance and retaining vibrant young fruit.

2003 The very hot summer spoiled the freshness of much fruit. Drink up.

2002 In contrast with 2001, wines are showing poorly. Drink up.

Aalto Rib del D r ★★★→★★★★ 04' 05 06 07 08 Founded 1996, with tip-top pedigr Mariano García is ex-VEGA SICILIA, aims to make best TINTO FINO in region. PS dense; built to last. Family wineries are MAURO, Maurodos.

Abadía Retuerta C y L r ★★→★★★ 04 05 06 07 08 09 Next door to RIBERA DEL DUE famed for ripe, modern-style, international varieties, influential winemake and grand hotel in historic former monastery. Wines to try include gd-val Rívola; spicier Selección Especial; 100% TEMPRANILLO Pago Negralada; sumptuo SYRAH Pago la Garduña.

Albet i Noya Cat r p w sp ★★→★★★ Pioneer and leader in organics. Wide portfo with gd CAVA.

Alicante r w sw ★→★★★ The Levant is coming to life. All round the coastal fleshpo and in the desert interior, new generations are reviving family v'yds. This red wine country led by ENRIQUE MENDOZA, Bernabé Navarro, ARTADI's El Seq Sierra Salinas. Don't miss outstanding sweet MOSCATELS, esp GUTIÉRREZ DE LA VEC historic sweet MONASTRELL FONDILLÓN.

Alión Rib del D r ★★★★ 03 04' 05' 06 07 The more modern cousin, not the po relation, of VEGA SICILIA. 100% TINTO FINO, Nevers oak, with dense black fruit.

Álvaro Palacios Pri r ★★→★★★★ The man who had the confidence to charge sk high prices for PRIORAT and so put the region on the map. Camins del Prio (09) is v.gd value, floral, introduction to Priorat's charms. Les Terrasses is bigg spicier (07); Finca Dofí (06) has a dark undertone of CAB SAUV, SYRAH, MERLC CARIÑENA. Super-pricey L'Ermita (04) is powerful and dense from low-yieldir GARNACHA. Also see his influence in BIERZO, RIOJA.

Artadi Alic, Nav, R Ala r ★★★ 04' 05 06 07 Outstanding modern RIOJAS: ta powerful single-v'yd El Pisón needs 8–10 yrs; as does spicy, smoky Pagos Viejo V.gd, equally modern El Sequé (r) ALICANTE, and Artazuri (r, DYA p) NAVARRA.

Baigorri R Ala r w ★★★ 04' 05' 06 07' 08 Wines as glamorous as the architectur both a statement of modern Rioja. Style is emphatic, with primary bla fruits, bold tannins and upbeat oak. Garage (*see* France) wins the prizes. R more approachable.

Rioja revives sweet tradition: Dinastia Vivanco's red blend, Bodegas Loli Casad sweet Viura.

Barón de Ley RB r p w ★→★★ Modern wines made in one-time Benedicti monastery. V.gd 7 Viñas, red blend of seven varieties, and DYA rosado.

Báscula, La Alic, Rib del D, Rio r w sw ★★ Young brand offering wines i fashionable regions, eg. ALICANTE, JUMILLA, RIBERA DEL DUERO, RIOJA, Terra Alta, YECL South African winemaker Bruce Jack and British MW Ed Adams.

Benjamin Romeo Rio r w ★★→★★★★ Formerly of ARTADI, Romeo is a new-wave st making wines with precise expression of bush-vines. Gd white blend Predicado rich, ***top white Que Bonito Cacareaba***; well-priced DYA red, Predicador. Flagsh red Contador; "super-second" La Cueva del Contador. V. concentrated parcel, L Viña de Andrés Romeo.

Beronia Rio r p w ★★ A transformation. Owner GONZÁLEZ BYASS invested in oak an winemaking. The result is confidently revived RES (07 08), super-modern I a. C. (08); gd rosado.

Bierzo r w ★→★★★ Slate soils, a crunchy ***Pinot-like red – Mencía*** – and etherea white GODELLO have brought young winemakers buzzing. Best: Bodega d

Abad, Dominio de Tares, DESCENDIENTES DE J PALACIOS incl gd-value Petalos 09, Gancedo, Luna Berberide. Peique, Pittacum. Also: Castro Ventosa of influential winemaker Raúl Pérez – his top wine: Ultreia St Jacques 08 (r).

Binissalem Mall r p w ★★ Best-known MALLORCA DO northeast of Palma. Two-thirds red, mainly tannic Mantonegro grape. Biniagual, Binigrau, Macià Batle.

Bodega A cellar; a wine shop; a business making, blending and/or shipping wine.

Borsao Ara r ★★ Leader of GARNACHA revival in CAMPO DE BORJA, with wines superior to former rustic profile of DO. Tres Picos is top wine.

Briones R Alt Small Riojan hilltop town nr Haro, peppered with underground cellars. Producers incl FINCA ALLENDE, Miguel Merino. Worth a detour to the ***Dinastía Vivanco wine musuem.***

Calatayud Ara r p w ★→★★★ Rapidly improving DO rediscovering its old-vine GARNACHA; sometimes blended with SYRAH. Best: Bodegas Ateca (*see* JUAN GIL), El Escocés Volante (Scots MW Norrel Robertson), esp El Puño, El Jalón, Lobban (El Gordito Garnacha by Scots winemaker Pamela Geddes), Virgén de la Sierra (Cruz de Piedra).

Campo de Borja Ara r p w ★→★★★ Prices creeping up but still spot-on source of gd-value DYA juicy GARNACHA and TEMPRANILLO, eg. Bodegas Aragonesas, BORSAO. Top wine: Alto Moncayo's Aquilón.

Campo Viejo r p w ★→★★ RIOJA's biggest brand and Spain's first carbon-neutral winery. Juicy TEMPRANILLO, gd-value RES and GRAN RES. Top-of-the-range Dominio. Part of Pernod Ricard group, which also owns Calatrava-designed Ysios winery. Also CAVA producer.

Canary Islands r p w ★→★★ V'yds not visited by phylloxera; original wines. No fewer than nine DOS. Best bets are the dessert MALVASÍAS and MOSCATELS. But local dry wines from white LISTÁN and Marmajuelo, black Negramoll and Vijariego offer ***enjoyable original flavours.***

Capçanes, Celler de Cat r p w sw ★→★★ One of Spain's top co-ops. Great-value, expressive wines from MONTSANT. Also a kosher specialist.

Cariñena Ara r p w ★→★★ The one DO that is also the name of a grape variety. Solid, not exciting, but gd value; Bodegas Añadas and Victoria are reliable.

Castaño Mur r p w sw ★→★★ Putting YECLA on the map with v. fine MONASTRELL, from value Espinal to excellent Casa Cisca. Delicious sweet red Dulce.

Castell del Remei Cos del S r p w ★★→★★★ Picturesque restored 18th-century estate. Gd white blends: gd-value vanilla and red-cherry Gotim Bru 07 TEMPRANILLO/MERLOT/CAB SAUV blend; elegant, spicy 1780; powerful Oda.

Castilla y León r p w ★→★★★ There is plenty to enjoy from this region, and often great value: famous producers and unknowns; famous grapes and unknowns. Discover DOS such as Arribes (esp La Setera), BIERZO, CIGALES, Tierra de León, Tierra del Vino de Zamora, plus quality region Valles de Benavente. Red grapes incl MENCÍA, Juan García, Prieto Picudo, TINTA DEL PAÍS; whites Doña Blanca. Gd, deeply coloured rosado.

Castillo Perelada Emp, Pri r p w sp ★→★★★ Glamorous project with large estate, hotel, summer concerts and rapidly improving wines. Gd CAVAS esp Gran Claustro; modern reds, incl Ex Ex MONASTRELL, Finca Garbet SYRAH. Rare 12-yr-old, solera-aged Garnatxa de l'Empordà. Exceptional Casa Gran del Siurana, Gran Cruor (06), SYRAH blend from PRIORAT.

Catalunya r p w sp Still less than a decade old (2004) this vast DO covers the whole of Catalonia: sea shore, mtn and in-between. Contains some of Spain's top names, incl TORRES and much else besides.

Cava Spain's traditional-method sparkling is getting better. Made in PENEDÈS – in or around San Sadurní d'Anoia – but the term applies to a number of other regions, incl RIOJA (esp MUGA Conde de Haro). Market leaders are FREIXENET and CODORNÍU

SPAIN

(look out for promising GRAN RES launch). Jaume Serra gd-value Cristali[...] Top names incl: Agustí Torelló, Castell Sant Antoni, CASTILLO PERELADA, Cava Nit, GRAMONA, PARXET, Raventós, RECAREDO (biodynamic), Sumarroca. CHARD a[...] PINOT N were invading blends, but now much research into improving qua[...] of traditional XAREL-LO grape. Some top producers leaving Cava DO because historic poor image.

Cérvoles Cos del S r w sw ★★→★★★ High mountainous estate just north of PRIO[...] making concentrated reds from CAB SAUV/TEMPRANILLO/GARNACHA and power[...] creamy, lemon-tinged, barrel-fermented Blanc; also succulent sweet red.

Chacolí / Txakoli P Vas (r) (p) w ★→★★ DYA The Basque wine. V'yds face [...] chilly winds of the Cantabrian sea, just west of San Sebastián, hence [...] aromatic, often thrilling crunchiness of the *pétillant* whites, locally poured i[...] tumblers from a height. Top names incl: Ameztoi, Txomin Etxaniz, plus celebr[...] chef-owned K5.

Chivite Nav r p w sw ★★→★★★★ Historic NAVARRA bodega with Julián Chivite n[...] back in charge. Popular DYA range Gran Feudo, esp Rosado and Sobre L[...] (*sur lie*). Excellent ***Colección 125*** range, incl outstanding CHARD 08, one of Spai[...] best, delicate VENDIMIA TARDIA MOSCATEL (09). Young PAGO wines of beauti[...] ***Arínzano*** estate, still improving. Second wine ***Casona*** launched 2012. Long-te[...] consultant winemaker is Denis Dubourdieu. In RIOJA owns Viña Salceda (v. Conde de la Salceda), in RUEDA ***Baluarte*** (superb DYA VERDEJO).

Cigales C y L r p (w) ★→★★★ Lying between RIBERA DEL DUERO and TORO, tiny Ciga[...] fights to make itself heard. Yet there is real potential beyond commerc[...] DYA reds for serious old-vine TEMPRANILLO. Voluptuous César Príncipe; mo[...] restrained Traslanzas and Valdelosfrailes.

Clos d'Agon Cat r w ★★★ Blue-chip project. Peter Sisseck of PINGUS made fi[...] vintage, still consults. Fresh, spicy, herbal VIOGNIER/ROUSSANNE/MARSANNE wh[...] and delicious, modern, deeply flavoured CAB SAUV/SYRAH/MERLOT/CAB FR C[...] d'Agón Negre as well as less-seen Clos Valmaña duo.

Clos Mogador Pri r ★★★→★★★★ 03 04 05 06 07 08 In a region now filled w[...] big names, René Barbier has been a quiet godfather to younger winemake[...] Clos Mogador still commands respect: the 2005 was the first to receive the ne[...] high *Vi de Finca Qualificada* classification. Exceptionally interesting is his spi[...] fragrant, honeyed Clos Nelin (09) white blend.

Codorníu Cos del S, Pen, Pri, Rib del D, Rio r p w sp ★→★★★★ One of the tw[...] largest CAVA firms, owned by the Raventós family, rivals to FREIXENET. Best: [...] vintage, Reina Maria Cristina, v. dry Non Plus Ultra and PINOT N. Look o[...] for new Gran Crew: individual, experimental, top quality. New winemaki[...] team leads research into local varieties, plus revives other members of grou[...] Extensive v'yds of Raimat in COSTERS DEL SEGRE yielding quality, Legaris in RIBE[...] DEL DUERO improving; though formerly slumbering Bilbainas in RIOJA still wo[...] in progress. *See also* SCALA DEI.

Conca de Barberà Cat r p w A small Catalan DO once purely a feeder of quali[...] fruit to large enterprises, now has some excellent wineries, inc the biodynam[...] Escoda-Sanahuja. Top TORRES wines Grans Muralles and Milmanda are bo[...] produced in this DO.

Condado de Haza Rib del D r ★★★ 05 06 07 08 Pure TINTO FINO aged in Americ[...] oak. Second wine of Alejandro Fernández's PESQUERA and unfairly overlooked.

Consejo Regulador Organization that controls a DO – each DO has its own. Quali[...] is as inconsistent as the wines they represent; some are bureaucratic, othe[...] are enterprising.

Contino R Ala r p w ★★★★ 01 04 05' 06 07' 08 Jesus Madrazo focuses on his sing[...] v'yd (RIOJA's first) with consistent success. RES 07; also GRAN RES 05 in magnu[...]

GRACIANO 07' 08 – this is Rioja's finest expression of this difficult variety; top wine is single-v'yd Viña del Olivo 07'. Ripe, textured GARNACHA blend white (11); aromatic rosado (09).

osters del Segre Cat r p w sp ★★→★★★★ Geographically divided DO with excellent producers, incl mountainous Castell d'Encus (run by former TORRES MD Raul Bobet, experimenting with medieval fermenters carved out of rock): Ekam RIES, Thalarn SYRAH; also CASTELL DEL REMEI, CÉRVOLES, Raimat.

rianza Refers to the ageing of wine. New or unaged wine is *sin* (without), crianza or JOVEN. In general crianzas must be at least 2 yrs old (with 6 mths–1 yr in oak) and must not be released before the 3rd yr. *See* RES.

VNE R Alt r p w ★→★★★★ Pronounced *"coo-nee"*, the once traditional Compañia Vinicola del Norte de España (1879), now on the up. Reliable, fruity RES **06**; brambly Imperial Res (05); GRAN RES (**06**); delicate, savoury Viña Real Gran Res **04**. CONTINO is a member of the group but operates independently.

usiné, Tomás Cos del S r w ★★→★★★ One of Spain's most innovative winemakers, originally behind CASTELL DEL REMEI and CÉRVOLES. Individual, modern wines, incl TEMPRANILLO blend Vilosell, and original ten-variety white blend Auzells.

enominación de Origen (DO), Denominación de Origen Protegida (DOP) Changes to European legislation are showing only slowly on back labels. In Spain the former *Denominación de Origen* (DO) and DO *Calificada* are now grouped as DOP, along with the single-estate PAGO denomination. The lesser category of VCPRD is becoming VCIG, *Vinos de Calidad de Indicación Geográfica*. Got that?

ínastía Vivanco R Alt r w ★★ Major family-run commercial BODEGA in BRIONES, with some interesting varietal wines. ***Wine museum is worth the detour.***

ominio de Valdepusa C-La M r w ★★→★★★ **06** 07 08 Carlos Falcó, Marqués de Griñon, is a determined innovator. At family estate nr Toledo he has been a confident rule-breaker since 1970s, pioneering SYRAH, PETIT VERDOT, drip irrigation, soil science, working with top consultants. Ultimately recognized as a PAGO. Wines are savoury and concentrated. Syrah (05), value Caliza (07). Also in VINOS DE MADRID DO at El Rincón.

Varying the diet

The ubiquitous TEMPRANILLO sails under different flags of convenience according to where you are in Spain: TINTO FINO, Tinta de Toro, CENCIBEL… *see* Grapes chapter, pp.16–26. GARNACHA has fewer synonyms but is also widely spread. But Spain has been discovering a raft of other grapes. MENCÍA, Bobal, GRACIANO, Caino, Lado, Juan García, Manto Negro, Maturana, Doña Blanca, Albillo, Samsó and more. There are around 100 different grapes being grown in Spain now, if you include foreign invaders, adding nuance and complexity.

ulce Sweet.

mpordà-Ampurdán Cat r p w ★→★★ Small, fashionable DO nr French border, a centre of creativity. Best wineries: CASTILLO PERELADA, Celler Marti Fabra, Pere Guardiola. Quirky, young Espelt grows 17 varieties; try GARNACHA/CARIGNAN Sauló.

nate Som r p w ★★→★★★ Established SOMONTANO name, known for artistic labels, DYA GEWURZ and barrel-fermented CHARD, gd modern SYRAH, but also round, satisfyingly balanced CAB/MERLOT Especial RES **01** 02 05.

nrique Mendoza Alic r w sw ★★ Pepe Mendoza is a key figure in resurgence of DO and of MONASTRELL grape. Wines as expressive and individual as the man. Vibrant Tremenda **08**, dense, rustic Estrecho 06. Also honeyed, sweet MOSCATEL.

SPAIN

Espumoso Sparkling wine, but not made according the traditional method, unl CAVA. Usually cheaper.

Finca Farm or estate (eg. FINCA ALLENDE).

Finca Allende R Alt r w ★★★★ 04' 05' 06' 07' Top (in all senses) Rioja bode at BRIONES with tower of ancient merchant's house: great view of Miguel Án de Gregorio's v'yds. ***06' is superbly elegant, lovely now but will keep***; single-v' Calvario (06') is four-square and v. youthful; Aurus (07') is sumptuous wi minerality. Two whites: powerful 09', v. fine, oak-influenced Martires (partner to Calvario. Finca Nueva is new range of less-pricey wines. Also Fin Coronado, La Mancha.

Finca Sandoval C-La M r ★★→★★★ Wine-writer Victor de la Serna is serio about winemaking, too; FINCA Sandoval (SYRAH/MONASTRELL/Bobal) champio two indigenous varieties in an upcoming region. Second label, Salia (Syra GARNACHA/Bobal) simpler but half the price.

Fondillón Alic sw ★→★★★ Once-fabled sweet red from MONASTRELL, aged to survi sea voyages. Now matured in oak for min 10 yrs; some soleras (*see* Sherry) great age. Small production by eg. GUTIÉRREZ DE LA VEGA, Primitivo Quiles.

Freixenet Pen p w sp ★→★★★ Huge CAVA firm owned by Ferrer family. Rival similarly enormous CODORNÍU. Best-known for frosted, black-bottled Cord Negro and standard Carta Nevada. New top Cava Elyssia is a real step u refreshed by CHARD and PINOT N. Also controls Castellblanch, Conde de Cara Segura Viudas and Bordeaux négociant Yvon Mau.

Galicia (r) w Rainy northwestern corner of Spain producing some of Spain's b whites (*see* RÍAS BAIXAS, MONTERREI, RIBEIRA SACRA, RIBEIRO, VALDEORRAS).

Gramona Pen r w sw sp ★★→★★★★ Star CAVA cellar, one of leaders in drive convince sparkling wine-drinkers that there is character in Cava; 5th generati makes impressive long-aged Cavas, incl Imperial Gran Res, III Lustros c Argent 07. Extensive research and experimental plantings also give rise to XAREL-LO-dominated Celler Batle; sweet wines, incl Icewines and impress CHARD/SAUV BL Gra a Gra Blanco Dulce.

Looking for more information on grapes? Try the "Grapes" section on pp.16–26.

Gran Reserva *See* RES.

Gutiérrez de la Vega Alic r w sw ★→★★★ Small estate of opera-loving form general. Produces reds but the focus is on fragrant, honeyed Casta Diva range sweet MOSCATELS. Also keeps up FONDILLÓN tradition.

Hacienda Monasterio Rib del D r ★★→★★★ 04 05 06 07 08 Cult winemaker PE SISSECK's involvement ensures a high profile for TINTO FINO/CAB/MERLOT blen Reputation is deserved with approachable CRIANZA (08) and elegantly rour complex RES (06').

Haro R Alt The picturesque heart of the RIOJA Alta, with the great names of Ri clustered in and around the old transport hub of the railway station. Visit LÓ DE HEREDIA, MUGA, LA RIOJA ALTA, as well as modern RODA.

Huerta de Albalá Cád r ★★→★★★ V. ambitious young (2006) Andalusian esta in foothills of Sierra de Grazalema, blending SYRAH, MERLOT, CAB SAUV and ra local Tintilla de Rota. Dark, figgy 15% Tintilla blend DYA Barbazul, gd serio Taberner 07.

Jorge Ordoñez US-based importer of top Spanish wines, influential in buildi reputation of New Spain in the USA. Excellent collection of MÁLAGA MOSCATELS.

José Pariente C y L w ★★ Victoria Pariente makes crisp DYA VERDEJO of shini clarity in tiny RUEDA winery named after her father.

Joven Young, unoaked wine, becoming increasingly popular as quality improves, e reds from RIOJA Alavesa with Beaujolais-style carbonic maceration. *See* CRIANZA.

n Gil Mur r ★★→★★★ Fourth-generation family business relaunched in 2002 with mission to make the best in JUMILLA. Gd young MONASTRELLS, dense, powerful top wines Clio and El Nido. Family group also includes modern wines in rising DOS, incl Shaya (RUEDA), Can Blau (MONTSANT).

nilla Mur r (p) (w) ★→★★★ Part of the new Spain. Arid v'yds in mtns north of Murcia; old MONASTRELL vines being rediscovered by ambitious winemakers. TEMPRANILLO, MERLOT, CAB, SYRAH, PETIT VERDOT also feature. Top producer: JUAN GIL with El Nido. Also follow: Agapito Rico, Casa Castillo, CASTAÑO with Casa Cisca, Carchelo, Luzón, Valle del Carche.

é y Camps Pen w sp ★★★ Consistently gd family firm for top-quality CAVA from free-run juice. Res de la Familia is the stalwart, with top-end GRAN RES and Milesimé Gran Res CHARD.

Mancha C-La M r p w ★→★★ Spain's largest, least impressive wine region, south of Madrid. Best: PESQUERA's El Vinculo, MARTINEZ BUJANDA's Finca Antigua, Volver.

n, Jean Pen r w ★★→★★★ 04 05 06 07 Pioneer of CAB and CHARD in Spain; TORRES-owned since 1995. Gd, oaky Chards, expressive 3055 ***Merlot*** and high-priced super-cuvée Zemis.

ez de Heredia R Alt r p w sw ★★→★★★★ Remarkable "château" by HARO station. Wines just as remarkable. Vast old-oak vats dominate winery; style all about long-bottle-aged, unfiltered wine. Cubillo is younger range with GARNACHA; darker Bosconia; delicate, ripe ***Viña Tondonia 64, 68, 70, 81, 94, 95, 96,*** 01, 04. Whites have extensive barrel- and bottle-age: fascinating Gravonia 00, Viña Tondonia Gran Res 87 91 96. Parchment-like Gran Res Rosado 00.

s Cañas R Ala r w ★→★★★ This widely awarded family business gives honest quality from JOVEN to garage-style wines. Gd Seleccion de la Familia RES 04, ultra-concentrated Hiru 3 Racimos 04 06. Also Bodegas Amaren: rich modern and concentrated.

drid, Vinos de r p w ★→★★ Historically Madrid's GARNACHA vines provided the capital's bar wines. Today old, often abandoned vines are part of a new wave of quality. Go-ahead names incl Bernabeleva, making interesting burgundian white and top Garnacha Viña Bonita. Also Marañones, Gosálbez-Ortí, run by a former Iberia pilot, Jeromín, Divo, Viñedos de San Martín (part of ENATE group) and El Regajal.

laga Once-famous DO. TELMO RODRIGUEZ revived the moribund MOSCATEL industry with subtle, sweet ***Molino Real.*** Exceptional No 3 Old Vines Moscatel 06 from JORGE ORDOÑEZ. Bentomiz, with Ariyanas wines, has impressive portfolio of sweet and dry sweet Moscatel, also reds, incl local Romé variety.

llorca r w ★→★★★ 05 06 07 08 09 10 Formerly tourist wines, now much-improved; serious, fashionable in Barcelona. Family cellars remain but new investment brings innovation, with eg. 4 Kilos. Plenty of interest in Anima Negra, tiny Sa Vinya de Ca'n Servera, Hereus de Ribas, ***Son Bordils, C'an Vidalet.*** Also Biniagual. Reds blend traditional varieties (Mantonegro, Callet, Fogoneu) plus CAB, SYRAH, MERLOT. Whites (esp CHARD) are improving fast. Two DOS: BINISSALEM, PLÁ I LLEVANT.

nchuela Traditional producer of bulk wine, now showing promise: eg. Bobal, MALBEC, PETIT VERDOT. Pioneer FINCA SANDOVAL followed by Alto Landón and Ponce.

rqués de Cáceres R Alt r p w ★→★★ Pioneered French winemaking techniques in RIOJA. Faded glory at present. Gaudium is modern style; GRAN RES the classic.

rqués de Griñon R Alt RIOJA brand owned by Berberana. No longer any connection with the Marqués – *see* DOMINIO DE VALDEPUSA.

rqués de Monistrol, Bodegas Pen r p sw sp ★→★★ Old BODEGA now owned by BODEGAS UNIDAS. Gd, reliable CAVA; but once-lively, modern PENEDÈS reds no longer so lively.

SPAIN

Marqués de Murrieta R Alt r p w ★★★→★★★★ One of RIOJA's great names, r famous for magnificent Castillo de Ygay Gran RES. Res Especial also outstand Best-value is dense, flavoursome Res. Surprisingly, also convincingly mo Dalmau. ***Capellania*** is complex, textured white, one of Rioja's best.

Marqués de Riscal R Ala r (p) w ★★→★★★ 01 04 05 06 07 08 09 Frank Geh titanium-roofed hotel sits uneasily by the traditional BODEGA. Wines also con modern and classic. Powerful Barón de Chirel RES impresses more than traditi wines. Pioneer in RUEDA (since 1972) making vibrant DYA SAUV BL, VERDEJO.

Martinez Bujanda, Familia C-La M, Rio r p w ★→★★ Commercially astute busi with a number of wineries, also makes private-label wines. Most attractive ***Finca Valpiedra***, charming single estate in RIOJA; FINCA Antigua in LA MANCHA.

Mas d'en Gil Pri r w ★★→★★★ Excitingly mineral Coma Blanca is one of PRIO top whites; v.gd Coma Vella red.

Mas Martinet Pri r ★★★→★★★★ **04 05** 06 07 Boutique PRIORAT pioneer, prod of excellent Clos Martinet. Second label: Martinet Bru 07. Now run by generation, incl influential winemaker Sara Pérez.

Mauro C y L r ★★★ No need for DO in this new-wave BODEGA in Tudela del Du Pedigree of Mariano García of AALTO and formerly VEGA SICILIA says it a favourite with Spanish collectors. Mauro (10) needs time to soften. Top wi powerful Terreus (09'). Sister winery: Maurodos in TORO.

Méntrida C-La M r p ★→★★ Part of the New Spain. Former co-op country s of Madrid, now being put on the map by Arrayan, Canopy, and the influe Daniel Jiménez-Landi (Piélago 06, Sotorrondero 06).

Miguel Torres Cat, Pri, Rio r p w sw ★★→★★★★ Spain's most consistent prod Consistently innovative, too – from 0.5% ABV Natureo (gd w, p and r successful) – to pioneering environmental management and from comme to single v'yd. Ever-reliable DYA CATALUNYA Viña Sol, grapey Viña Esmer silky-sweet MOSCATEL. Best reds: fine Penedès CABERNET Mas la Plana (08); C DE BARBERÀ duo (Burgundian ***Milmanda*** **(09)**, one of Spain's finest CHA ***Grans Muralles (06)*** blend of local varieties) is stunning, and JEAN LEÓN has offerings, too. In RIBERA DEL DUERO Celeste (09) is improving; gd RIOJA Ibér and PRIORAT Salmos. Next-generation Miguel to take over from his fa daughter Mireia is technical director.

Monterrei Gal w ★→★★★ DYA Small but growing DO in Ourense, south-ce GALICIA, making full-flavoured aromatic whites from Treixadura, GODELLO Doña Blanca. Shows there is more to Galicia than ALBARIÑO. Best is Gargalo.

Montsant Cat r (p) w ★→★★★ **04 05 06 07 08** 09 10 Tucked in around PRI MONTSANT echoes its neighbour's wines at lower prices. Fine GARNACHA BL esp from Acústic. CARIÑENA and GARNACHA deliver dense, balsamic, mine reds: Capçanes, gd-value Masroig, Can Blau, Dosterras, Étim, Joan d'Angu Mas Perinet and Portal del Montsant (partner to gd Portal del Priorat) all impressive, individual wines.

Muga R Alt r p w (sp) ★★★→★★★★ Classic name in HARO, family producing RI most aromatic and balanced reds. Gd barrel-fermented DYA VIURA reminis of burgundy; gd dry Rosado; reds finely crafted and delicate. Best are wonder fragrant GRAN RES Prado Enea (**98** 01); warm, full and long-lasting ***Torre Mug*** 05 06); expressive and complex Aro and dense, rich, structured, full-flavo Selección Especial (05).

Mustiguillo V'cia r ★★★ This decade-old BODEGA prefers to sit outside the DO make its own rules, with scrupulous v'yd and cellar work. Shows the pote of local Bobal grape, blending in CAB SAUV and TEMPRANILLO. Wines incl: Ju juicy Mestizaje, Cedar and cassis Finca Terrerazo. Top: Quincha Corral mo to 100% Bobal.

avarra r p (w) ★★→★★★ 01 04 05 06 07 08 09 10 Always in RIOJA's shadow. Freedom to use international varieties can work against it, confusing its real identity. Gd DYA Rosado. Up-and-coming names incl Pago de Larrainzar and confident, youthful Tandem. Best producers: ARTADI's Artazu, CHIVITE, INURRIETA, Nekeas, OCHOA, Otazu, Pago de Cirsus, Señorio de Sarría with gd Rosado.

ido, El r ★★★ Glamorous new star in the unpromising region of JUMILLA, with hitherto unfavoured MONASTRELL grapes. From serious, successful JUAN GIL stable; results are impressive. Second label, Clio, is 70% Monastrell, 30% CAB SAUV; dense, perfumed El Nido is the reverse proportions.

choa Nav r p w sw sp ★→★★ Ochoa father made significant technical contribution to growth of NAVARRA. Ochoa children now working to return the family BODEGA to former glory. V.gd Rosado; fine, sweet MOSCATEL; fun, sweet, Asti-like sparkling.

uga in Rioja gets through 80,000 egg whites a year fining its wines – that's a lot of spare yolks.

go, Vinos de *Pago* denotes v'yd, roughly equivalent to French *grand cru*. But criticisms persist about lack of objective quality and differing traditions of *pagos* so far. Obvious absentees incl ALVARO PALACIOS L'Ermita, PINGUS, Calvario (FINCA ALLENDE), CONTINO's Viña del Olivo and TORRES properties.

go de Carraovejas Rib del D r (RES) ★★★ 04 05 06 07 V.gd TINTO CRIANZA; despite name no mere crianza in quality. Top wine: v.gd Cuesta de las Liebres.

lacio de Fefiñanes Gal w ★★★★ The most ethereal of ALBARIÑOS. Standard DYA wine one of the finest. Two superior styles: creamy but light-of-touch barrel-fermented 1583 (yr winery was founded) and a super-fragrant, pricey, lees-aged, mandarin-orange-scented III.

lacios, Descendientes de J Bier r ★★★ If ÁLVARO PALACIOS launched modern Priorat, then his nephew Ricardo Pérez is doing much the same for BIERZO and the difficult MENCÍA grape. Gd-value, floral ***Pétalos*** 09, plus serious La Faraona, Villa de Corullón and Las Lamas, grown on schist soils.

lacios Remondo RB r w ★★→★★★ From his family winery ÁLVARO PALACIOS, prince of PRIORAT, is working to restore GARNACHA to its rightful place in Rioja, as well as promoting the concept of villages or crus, as in Burgundy. Gd news for RIOJA Baja. Complex, oaked white Plácet (09, 10') suggests lime, peach and fennel. Reds: organic, Garnacha-led, red-fruity La Montesa (09); big, mulberry-flavoured, old-vine 100% Garnacha Propiedad (10).

rxet p w sp ★★→★★★ DYA Small CAVA producer valiantly competing with real-estate agents from Barcelona. Best-known for refreshing, off-dry PANSÀ BLANCA, still white Marqués de Alella. Concentrated Tionio from outpost in RIBERA DEL DUERO.

zo de Señorans Gal w ★★★ DYA Exceptionally fragrant ALBARIÑOS from a benchmark BODEGA in RÍAS BAIXAS. V. fine Selección de Añada.

enedès Cat r w sp ★→★★★★ Demarcated region west of Barcelona, best-known for CAVA. Identity rather confused, esp since recent arrival of extensive CATALUNYA DO. Best: ALBET I NOYA, Can Rafols dels Caus Alemany i Corrio, GRAMONA, Jané Ventura, JEAN LEÓN, TORRES.

esquera Rib del D r ★★★★ Veteran Alejandro Fernández built the global reputation of his wines and of RIBERA DEL DUERO, from his family v'yd opposite VEGA SICILIA. Using less oak-ageing than his neighbour he makes satisfying CRIANZA and RESERVA, and excellent, mature Janus for those who can afford the price tag. Also at CONDADO DE HAZA. Dehesa La Granja (Zamora), El Vinculo (LA MANCHA).

ngus, Dominio de Rib del D r ★★★★ 04 05 06 07 08 09' Consistent excellence from deluxe biodynamic project. Pingus (Dane Peter Sisseck's childhood name) remains small. V. fine ***Flor de Pingus*** comes from rented v'yds, while Amelia is a single barrel named after his wife. Now growing with addition of PSI project.

SPAIN

Plá i Llevant Mall r w ★→★★★ Eleven wineries comprise this tiny, lively, island Aromatic whites and intense, spicy reds. Best: Toni Gelabert, Jaime Mesqu Miguel Oliver and Vins Can Majoral. Exports are small, so visit and enjoy the island.

Priorat / Priorato Cat r w ★★→★★★★ 01 04 05 06 07 08 09 Isolated enclave, nan after old monastery, renowned for *llicorella* (slate) soils, terraced v'yds. Resc by René Barbier of CLOS MOGADOR, ÁLVARO PALACIOS and others. Their wines rem consistently v.gd, showing characteristic mineral purity. After an era of hea oaked, dense wines, elegance and more accessible pricing is appearing. Palac has driven the introduction of "village" DOS within Priorat. Other top nam Cims de Porrera, Clos Erasmus, Clos de l'Obac, Clos Nelin, Clos i Terrasses, MARTINET, SCALA DEI, Val-Llach. Newer arrivals: Ferrer-Bobet, TORRES.

Quinta Sardonia C y L ★★★ One of the glossy non-DO stars, based in Sardon Duero, between ABADÍA RETUERTA and MAURO, launched by former colleague Peter Sisseck at PINGUS. Dense, peppery richness of 09'. Member of Te Gauda group, also incl Pittacum in BIERZO.

Rafael Palacios Gal w ★★★ Rafael, ÁLVARO PALACIOS' younger brother, runs this est Having created the small estate producing exceptional wine from old GODE vines in the Bibei Valley. Rafael – as quiet as his sibling is extrovert – is devo to white wines. Two distinct styles, both DYA: As Sortes is intense, toasty, cit and white-peachy with v.gd acidity, a fine expression of Godello; oak-aged Lo do Bolo.

Recaredo Pen ★★★→★★★★ Superb biodynamic CAVA producer; also v.gd still. Top characterful, mineral Turó d'en Mota, from vines planted 1940, ages brillian

Remelluri, La Granja Nuestra Señora R Ala r w ★★→★★★ Glorious mountain estate. TELMO RODRIGUEZ has returned to his family property where he created intriguing DYA white made from six different varieties. Coming back to forr

Reserva (Res) Increasingly producers prefer simply to ignore the regulations. Bu rare in the wine world – Res has actual meaning in Spain. Red Res must spe at least 1 yr in cask and 2 yrs in bottle; GRAN RES, 2 yrs in cask and 3 yrs in bot With the crisis in Spain there are gd prices to be found for unsold Gran Res.

Rías Baixas Gal (r) w ★★→★★★★ Atlantic DO producing DYA whites, the darling Madrid's diners, with prices to match. With crisis, prices are cooling and expo increasing. Founded on ALBARIÑO grown in five subzones: Val do Salnés, O Ro Condado do Tea, Soutomaior, Ribera do Ulla. The best are outstanding: Ade Galegas, As Laxas, Castro Baroña, Castro Celta, Fillaboa, Coto de Xiabre, Gera Méndez, Viña Nora, Martín Códax, PALACIO DE FEFIÑANES, Pazo de Barrantes, P DE SEÑORANS, Quinta do Lobelle, Santiago Ruíz, Terras Gauda, La Val, Valdam Zarate. Growing interest in longer lees-ageing and barrel-ageing.

Ribeira Sacra Gal Source of excellent Galician whites and crunchy MENCÍA, fr terraces running dizzyingly down to river Sil. Top producers incl: Dominio Bibei and Guimaro.

Ribeiro Gal (r) w ★→★★★ DYA A Galician DO in western Ourense. Whites relatively low in alcohol and acidity, made from Treixadura, TORRONTÉS, GODE LOUREIRO, Lado. Top producers: Coto de Gomariz, VIÑA MEÍN, Lagar do Mere Also speciality sweet wine style Tostado.

Ribera del Duero r p ★→★★★★ 04' 05' 06 07 08 09 10 Glamorous and pric but still uneven. The DO that includes VEGA SICILIA, HACIENDA MONASTERIO, PESQU and PINGUS has to be serious, but with 250 BODEGAS consistency is hard to fi Other top names: AALTO, ALIÓN, Astrales, Cillar de Silos, CONDADO DE HAZA, Pa de los Capellanes, Pérez Pascuas. *See also* neighbours ABADÍA RETUERTA a MAURO. Others to look for: Bohórquez, Dehesa de los Canónigos, Matarrome O Fournier, Protos, Sastre,Tomás Postigo and Vallebueno.

Rioja has it all

And RIOJA does have it all. International fame (supported by strong marketing), beautiful countryside, wines that are charming young and at 40 yrs. The region is cut three ways, and after a century or more of blending, regionality and single-v'yds are an increasingly important theme. **Alavesa** (part of the Basque country) offers fruity Beaujolais-style winemaking for juicy JOVENS. **Alta** is the traditional home of Rioja and its great names. Warmer, lower, **Baja** is gaining recognition by the efforts of eg. ALVARO PALACIOS. Styles come in three also: a revival in quality in the *jovens*, an emphasis on serious RES with gd clean oak, and ultra-modern "high-expression" producers, with shiny wineries to match, who follow their own rules. Just a few BODEGAS, notably LA RIOJA ALTA, MUGA and LÓPEZ DE HEREDIA, continue to make delicate, aromatic, old-fashioned wines. Significant new arrivals incl Rothschild and VEGA SICILIA, launching in 2013; Loa, from the DOMECQ family (*see* Sherry chapter); *garagiste* David Sampedro's Phincas. Whites are looking up with serious Burgundy-style oak treatment and much-improved v'yd work.

SPAIN

Rioja r p w sp ★→★★★★ *See* box above.

Rioja Alta, La r ★★→★★★★ One of the great traditional RIOJAS with lovely RES and two outstanding GRAN RES. Alberdi is light, pretty and cedary; Ardanza is riper, a touch spicier but still elegant, boosted by GARNACHA; excellent, tangy, vanilla-edged Gran Res 904 (**95 97**) and fine, multilayered Gran Res 890 (**95 97**), aged 6 yrs in oak. Also owns RÍAS BAIXAS Lagar de Cervera.

Roda R Alt r ★★★★ **04' 05' 06 07 08** Modern BODEGA nr the station in HARO. Serious RES reds from low-yield TEMPRANILLO, backed by study on clones. Just three wines: Roda, Roda I and Cirsión. Also outstanding Dauro olive oils.

Rueda C y L w ★★→★★★ DO of Valladolid with Spain's response to SAUV BL: zesty VERDEJO. Mostly DYA whites. "Rueda Verdejo" is 100% indigenous Verdejo. "Rueda" is blended with eg. Sauv Bl, VIURA. Barrel-fermented versions remain fashionable though less appealing. Best: Alvarez y Diez, Baluarte (*see* CHIVITE), ***Belondrade***, François Lurton, MARQUÉS DE RISCAL, Naia, Ossian, JOSÉ PARIENTE, Palacio de Bornos, Javier Sanz, SITIOS DE BODEGA, Unzu, Veracruz, Vinos de Nieva, Vinos Sanz.

Scala Dei Pri r ★★★★ V'yds of the "stairway to heaven" cling to slopes that tower over the old monastery. One of PRIORAT's classics, now carefully tended by part-owner CODORNÍU. Juicy young Negre (11); fine, refreshing Prior (08). Cartoixa (05, 06, 07') is powerful CAB SAUV/GARNACHA made to be more supple and scented since 2007.

Sierra Cantabria Rio r ★★→★★★★ Under 4th-generation Marcus Eguren, the family specializes in single-v'yd, minimal-intervention wines, a relatively new concept in RIOJA. Burgundian approach to winemaking showing intensity and elegance: Organza white blend (09'), RES Unico (08), Colección Privada (09'), Amancio (05', 08'). At Viñedos de Páganos estate, equally oustanding: La Nieta (09), superb El Puntido (08'). Other properties incl Teso la Monja in TORO.

Sitios de Bodega C y L w ★★ Fifth-generation winemaker Ricardo Sanz and siblings left father Antonio Sanz's Palacio de Bornos to set up their own winery in 2005. Excellent DYA RUEDA whites (Con Class, Palacio de Ménade). Also has other projects to work with MENCÍA and TEMPRANILLO.

Somontano r p w ★→★★★ Cool-climate DO in Pyrenean foothills beginning to define itself – slowly, given so many international varieties in v'yd. Opt for MERLOT,

GARNACHA, GEWURZ and CHARD. Best producers incl: ENATE, and VIÑAS DEL VERO owned by GONZÁLEZ BYASS (*see* Sherry). From its property Secastilla come Old-Vir Garnacha (07), Garnacha Blanca (11), glossy Clarion (10) and Gran Vos (05), plu top blend Blecua (05).

Tares, Dominio de Bier r w ★★★ MENCÍA is a tough grape, but dark, spicy ***Bembib*** and ***Cepas Viejas*** prove what can be achieved. Sister winery VDT Dominio de Tares makes a range of wines from the interesting black Prieto Picudo variet simple Estay, more muscular Leione and big, spicy Cumal.

Looking for more information on grapes? Try the "Grapes" section on pp.16–26.

Telmo Rodríguez, Compañía de Vinos r w sw ★★→★★★ Telmo Rodríguez mad his name, and many fine wines, by finding ancient v'yds. Now sources an makes a wide range of excellent DO wines from all over, incl MÁLAGA (***Molin Real*** MOSCATELS), RIOJA (Lanzaga and Matallana), RUEDA (Basa), TORO (Dehesa Gag Gago and Pago la Jara) and ***Valdeorras*** (DYA Gaba do Xil GODELLO). Now returnir to REMELLURI in Rioja – look for rise in quality.

Toro C y L r ★→★★★★ Small, fashionable DO west of Valladolid at last starting make wines that live up to its high profile. The local Tinta de Toro (TEMPRANILL is still often rustic and overalcoholic but some now boldly expressive. T Maurodos (*see* AALTO and MAURO), with fresh, black-fruit-scented Prima (10) ar dense, old-vine San Román (08'), as well as VEGA SICILIA-owned Pintia. Glamo comes with Numanthia (08'), Teso la Monja. Also recommended: Domair Magrez Espagne, Elias Mora, Estancia Piedra, Pago la Jara from TELMO RODRÍGUE Quinta de la Quietud, Sobreño.

Unidas, Bodegas Umbrella organization controlling Marqués de Monistr (incl popular CAVA brand) and workmanlike RIOJAS Berberana, Marqués de Concordia, MARQUÉS DE GRIÑÓN, and Durius RIBERA DEL DUERO.

Utiel-Requena r p (w) ★→★★ Satellite region of VALENCIA forging its own identity wi excellent Bobal grape, but hampered by its size (more than 40,000ha), whic makes it primarily a feeder for the industrial requirements of nearby Valenci New projects appearing, eg. Alvares Nölting. Pablo Ossorio of Murviedro (s Valencia) is behind ambitious Hispano-Suizas project. Makes Bassus PINOT Tantum Ergo CAVA, though an award-winner in Spain, is less impressive. Vis Vicente Gandía for lively wine museum of decorated barrels.

Valbuena Rib del D r ★★★ 99 00 01 02 03 04 05 VEGA SICILIA junior sold when ju 5 yrs old. Best at about 10 yrs; some prefer it to its elder brother.

Valdeorras Gal r w ★→★★★ A GALICIAN DO in northwest Ourense fighting off co-op-inspired image by virtue of its DYA GODELLO. Best: Godeval, RAFAEL PALACIO A Tapada and TELMO RODRÍGUEZ.

Valdepeñas C-La M r (w) ★→★★ Large DO nr Andalucían border. Gd-value lookali RIOJA reds, made primarily from CENCIBEL (TEMPRANILLO) grape. One produc shines: Félix Solís; ***Viña Albali*** brand offers real value.

Valencia r p w sw ★→★★ Big exporter of table wine. Primary source of budg fortified, sweet MOSCATEL. Most reliable producer: Murviedro. Growing intere in inland, higher-altitude old-vines and minimal intervention in winemaking eg. *garagiste* Rafael Cambra.

Vega Sicilia Rib del D r ★★★★ This is Spain's "first growth", though surprising not from the prestige zone of RIOJA. It's the only Spanish wine to have re value in the secondary auction market. The winemaking is distinguished meticulous care and long maturation. The wines are deep in colour, with cedarwood nose, intense and complex, finishing long; and long-lived. Youth VALBUENA (05 06) – TINTO FINO with a little MALBEC, MERLOT – released with mir yrs in oak. Controlled, elegant flagship Único (98 00 02) is aged for 6 yrs in o before bottling; RES Especial spends up to 10 yrs in barrel, then declared as NV. Both wines have some CAB SAUV and Merlot. *See also* ALIÓN. Owns Pintia (TORO) and Oremus TOKAJI (Hungary). Newest project, RIOJA with Rothschild family

ndimia Vintage.

ña Literally, a v'yd.

ña Meín w ★★ Small estate in a gradually emerging GALICIAN DO, making two DYA exceptional whites of same name: one steel- and one barrel-fermented; both from some seven local varieties.

ñas del Vero Som r p w ★★→★★★ Amid the mixed bag of varieties and wines in SOMONTANO, Viñas del Vero offers promise after its purchase by GONZÁLEZ BYASS (*see* Sherry). Its top wines are dense, modern cheerleaders for GARNACHA, with other varieties blended in. Second labels: La Miranda de Secastilla and v.gd Secastilla. Blecua is highly concentrated, made in best yrs.

ino de la Tierra (VDT) Table wine usually of superior quality made in demarcated region without DO. Covers immense geographical possibilities; category includes many prestigious producers, non-DO by choice to be freer of inflexible regulation and use the varieties they want.

ecla Mur r (p) w ★→★★ Something stirs in Yecla. Only 11 producers, but a real focus on reviving MONASTRELL, esp CASTAÑO.

SPAIN/PORTUGAL

ORTUGAL

ecent vintages

012 Low yields; drought year. Concentrated wines, though mild summer delayed vintage, contributing to balance, especially for whites.

011 Good balance, especially in Vinho Verde and Lisboa.

010 Good quality and quantity all round. Bairrada had another excellent year. In Alentejo, may have been too hot.

009 A good year overall. Bairrada and Lisboa excellent. Heat spikes in the Douro, Tejo and Alentejo resulted in some big wines with high alcohol.

008 Almost uniformly excellent; Bairrada and Alentejo particularly. Good fruit intensity, balance and aroma.

007 Aromatic whites and well-balanced reds with round tannins.

006 Forward reds with soft, ripe fruit and whites with less acidity than usual.

005 Powerful reds; the Douro's finely balanced reds shine.

dega A cellar or winery.

lenquer Lis r w ★★→★★★ 08 09' 10 11 12 Sheltered DOC just north of Lisbon. SYRAH pioneer MONTE D'OIRO leads the field with CHOCAPALHA.

lentejo r (w) ★→★★★ 04' 05 06 07' 08' 09 10 11 12 Huge, warm, southerly DOC divided into sub-regional DOCs Borba, Redondo, Reguengos, PORTALEGRE, Evora, Granja-Amareleja, Vidigueira and Moura. VR name Alentejano preferred by many top estates. Rich, ripe reds, esp from Alicante Bouschet, SYRAH, TRINCADEIRA and TOURIGA NACIONAL. Whites fast improving now Antâo Vaz and Roupeiro blended with ARINTO, VERDELHO, ALVARINHO AND VIOGNIER. CARTUXA, ESPORÃO, MALHADINHA NOVA, MOUCHÃO, MOURO, PESO, JOÃO PORTUGAL RAMOS and dos Coelheiros have potency and style. Names to watch: António Saramago, Dona Maria, SÃO MIGUEL, do Rocim, Monte da Ravasqueira, Paulo Laureano, Terrenus, TIAGO CABAÇO, QUINTA do Centro.

lgarve r p w sp ★→★★ Southern coast VINHO REGIONAL. Crooner Cliff Richard's ADEGA do Cantor leads shift from quaffers to quality; JOÃO PORTUGAL RAMOS' plans to buy a v'yd suggest yet higher potential. Watch: Monte da Casteleja, QUINTA do Fran and Quinta dos Vales.

Aliança, Caves Bair r p w sp ★★→★★★ Large firm with four estates in BAIRR incl QUINTA das Baceladas; gd reds and classic-method *sparkling*. Also interest Beiras (Casa d'Aguiar), ALENTEJO (Quinta da Terrugem), DÃO (Quinta da Garr and the DOURO (Quatro Ventos).

Ameal, Quinta do Vin w sp sw ★★★ V.gd LOUREIRO made by ANSELMO MENDES, incl worthy, oaked Escolha, Special Late-Harvest and ARINTO ESPUMANTE.

Aphros Vin r p w sp ★★★ Permaculture biodynamic estate with food forest. New LOUREIRO (Daphne; skin contact) and Vinhão (oaked Silenus) esp food-friend

Aveleda, Quinta da Vin r p w ★→★★ DYA Home of eponymous estate-grown w as well as Casal García, which was born in 1939 and continues to be VI VERDE's biggest-selling brand.

Azevedo, Quinta do Vin w ★★ DYA SOGRAPE's throughly modern estate-gro LOUREIRO-led blend. Now available under screwcap.

Swap consonants, not continents – drink Alvarinho from Portugal and Alba from Spain.

Bacalhoa, Quinta da Set r w ★★★★ 03 04 05 06 07 08' 09 10 Once owned by royal family, now by BACALHOA VINHOS, this National Monument estate nr SETÚ gives its name to Portugal's best CAB SAUV, planted in 1979. Fleshier Palácio Bacalhoa has more MERLOT. Gd white Bordeaux blend with ALVARINHO.

Bacalhoa Vinhos Alen, Lis, Set r p w sp sw ★★→★★★ Principal brand and HQ Madeiran billionaire José Berardo's Group (which incl BACALHOA and holding CAVES ALIANÇA and HENRIQUES & HENRIQUES). Barrels of delectable SETÚBAL MOSCA incl rare Roxo displayed alongside fine-art collection. Modern, well-made ta wines, esp gd-value Serras de Azeitão, Catarina, Cova da Ursa (PENÍNSULA SETÚBAL) and Tinto da Anfora (ALENTEJO).

Bágeiras, Quinta das Bair r w sp ★★★→★★★★ (GARRAFEIRA r) 01' 03 04' 05' Stunning, traditionally crafted *garrafeira* BAGA (r) and white built to age. (Baga with TOURIGA NACIONAL) and Pai Abel (young v'yd) more forward. Fine *dosage* sparkling.

Bairrada r p w sp ★→★★★★ 01' 03' 04 05' 06 07 08' 09' 10' 11 12 Atlantic-influen DOC. Traditional strengths: age-worthy sparkling and BAGA reds. Permitt other grapes has improved approachability, but endangered Baga. Top Ba specialists: CAVES SÃO JOÃO, LUÍS PATO, Sidónia de Sousa, QUINTA DAS BÁGEIR Leading modernists: CAMPOLARGO, Quinta do Encontro. Watch: FILIPA PATO, Qui da Vacariça, Quinta de Baixo (now NIEPOORT in charge). New VINHO REGIONAL Beira Atlântico, whose star player is QUINTA DE FOZ DE AROUCE.

Barca Velha Dou r ★★★★ 82' 83 85 91' 95' 99 00 04 Portugal's iconic red, crea in 1952 by FERREIRA. Made in exceptional yrs in v. limited quantities. Inten complex, with a deep bouquet, it forged the DOURO's reputation for stellar win Distinguished, traditional style (aged several yrs before release). Second lab *Res Ferreirinha*, is a v.gd buy.

Beira Interior ★ Large DOC between DÃO and Spanish border. Huge potential fro old, high v'yds of mostly Dão red varieties or Siria for whites. QUINTAS DO CAR and dos Currais impress.

Branco White.

Brito e Cunha, João Dou r w ★★→★★★ 05 07 08' 09 10 Young gun Brito e Cun plays host at his riverside QUINTA and guesthouses. Intense and elegant reds (a now Vintage Port) from Quinta de San José, esp Res. More widely sourced Az is also gd.

Buçaco r w ★★★ (r) 00' 01 04 05' 06' 07 Throwback-in-time Manueline Got

Bussaco Palace Hotel is worth seeking out for its unique traditional wines. Exclusive list incl vintages back to the 1940s. Reds blend BAIRRADA BAGA and DÃO TOURIGA NACIONAL (r), whites Dão Encruzado with Bairrada MARIA GOMES and Bical.

Bucelas Lis w ★★ DYA (unless oaked). Tiny DOC making tangy, racy ARINTO (known as "Lisbon Hock" in 19th-century England). QUINTAS DA ROMEIRA and da Murta lead the field.

Cabaço, Tiago Alen Exciting new-wave producer. Talented Susana Esteban (ex-QUINTA DO CRASTO) makes v. elegant wines blending native and international varieties, incl fruity ".beb" (from *beber* – to drink), to more food-friendly ".com" (*comer* – to eat) and pun-ful flagship ".blog".

Cabriz, Quinta de Dão r p w ★★→★★★ Owned by DÃO SUL, wines are a fruity but fresh modern foil for more traditional CASA DE SANTAR wines. Flagship Four C (r w) is v.gd.

Campolargo Bair r w sp ★→★★★ A large estate making innovative reds from native and Bordeaux varieties, plus PINOT N. Gd DÃO (r). New single-parcel 100% CERCEAL (w) is v.gd.

Carcavelos Lis br sw ★★★ Minute, practically defunct DOC west of Lisbon, now better known for surfing. Hen's-teeth sweet apéritif or dessert wines resemble honeyed MADEIRA.

Cardo, Quinta do Bei In ★★★ Cool site; one of Portugal's most elegant TOURIGA NACIONALS, also perfumed red blends and a racy white from the Síria grape.

Cartuxa, Adega da Alen r w sp ★★→★★★★ Eighteenth-century cellars remain a tourist magnet but a modern winery (2007) has stepped-up quality yet higher, esp for tradional flagship Pêra Manca (r w) (95 97 98 **01 03 05'** 07 **08'**); Cartuxa Res also v.gd. Flashier Scala Coeli is from non-local grapes. EA reds gd-value.

Carvalhais, Quinta dos Dão r p w sp ★★→★★★ (r) SOGRAPE's principal DÃO brand: single-estate wines, incl flagship Unico and v.gd Encruzado (w). Volume Duque de Viseu is from estate and bought-in grapes.

Casal Branco, Quinta de Tej r w ★★→★★★ Large family estate. Solid entry-level wines blend local and international grapes. Best is Falcoaria range from old-vine CASTELÃO (r) and FERNÃO PIRES (w).

Castro, Alvaro Dão ★★★→★★★★ Tounot, his playful blend of TOURIGA NACIONAL and PINOT N, sums up the man. Wines of uncommon character and finesse mostly under family QUINTA names, de Saes and de Pellada. Res's, Primus (w) and ***Pape*** (r) excellent. Denser Carrocel ("200% oaked" TOURIGA NACIONAL) needs time. Dado/Doda is DÃO/DOURO blend made with NIEPOORT.

Chocapalha, Quinta de Lis r p w ★★→★★★ (r) Modernist using top Portuguese and international grapes. Integrating seamlessly into hillside with new €1.5m gravity-fed winery. New: 100% TOURIGA NACIONAL flagship "CH" by Chocapalha and Mar da Palha SYRAH Touriga Nacional blend.

Chryseia Dou r ★★★ 04 **05' 06 07 08'** 09 Moving Bordeaux's Bruno Prats and SYMINGTON FAMILY ESTATES partnership to QUINTA de Roriz has increased the density and minerality of this polished TOURIGA NACIONAL and Touriga Franca-focused red. Second wine: ***Post Scriptum*** (07 08 09 10).

Churchill Estates Dou r p w ★★→★★★ 04 **05** 06 07 08 09' 10 Modern white, ROSADO and TOURIGA NACIONAL. Best are old-vine, mineral, grippy reds from north-facing QUINTA da Gricha, esp single-estate Quinta da Gricha and Grande Res.

Colares Lis r w ★★ Tiny DOC west of Lisbon. Ungrafted Ramisco vines on sandy soils produce ***tannic reds*** and old-school MALVASIA whites. Biggest producer: ADEGA Regional de Colares (co-op). Newcomers Fundação Oriente, Stanley Ho and Monte Cascas make contemporary styles.

Conceito Dou ★★★ Precocious talent Rita Ferreira Marques is the first in her family to make wine (as opposed to selling grapes) from their three QUINTAS.

Modern in clarity and finesse, traditional in using local varieties, incl an unusua PINOT NOIR-like Bastardo. Also ALVARINHO VINHO VERDE, New Zealand SAUV BL and South African red.

Crasto, Quinta do Dou r w ★★→★★★★ (r) 04 05' 06 07' 08 09' 10 Exceptionall concentrated, old-vine, single-v'yd blends Vinha da Ponte (00' 01 03 04 07 10') and María Theresa (00' 03' 05' 06 07 09'), also (great-value) Res. Crast Superior and Flor de Crasto are from young DOURO Superior v'yd, QUINTA d Cabreira. Occasional varietals (TOURIGA NACIONAL, TINTA RORIZ). Gd Port, too.

Dão r p w sp ★★→★★★ 01 03' 04 05 06 07' 08' 09 10 Historic DOC reviving. Moder pioneers CARVALHAIS, ALVARO CASTRO, DÃO SUL, and QUINTAS MAIAS and ROQUES mad structured, elegant, perfumed reds, textured whites. Second wave includes Vinha Paz, da Falorca, da Vegia, do Mondego, Julia Kemper, Casa da Passarella CASA DE MOURAZ and MOB (collaboration between winemakers from POEIRA, WIN & SOUL, VALE MEÃO). New VINHO REGIONAL: Terras do Dão.

Dão Sul Dão r w sp ★★→★★★ Broad range with international appeal, incl QUINT dos Grilos, QUINTA CABRIZ, organic Paco dos Cunhas de Santar and CASA DE SANTA (DÃO), Sá de Baixo and das Tecedeiras (DOURO), do Encontro (BAIRRADA), do Grad (LISBOA) and Herdade Monte da Cal (ALENTEJO). Impact of a major change of tear yet to be seen.

Denominacão de Origem Controlada (DOC) Demarcated wine region controlled b a regional commission. *See also* VR.

Doce (vinho) Sweet (wine).

Douro r p w sw ★★→★★★★ 01'03' 04' 05' 06 07' 08' 09' 10 The home of Port, bu table wine, red and now white, has a firm grip. Perfume, fruit and mineral typify its best reds. Top whites are textured and complex. Both can hav freshness and balance. Look for BARCA VELHA, CRASTO, DUAS QUINTAS, NIEPOOR PASSADOURO, POEIRA, VALE DONA MARIA, VALE MEÃO, VALLADO, WINE & SOUL. Watch JOÃO BRITO E CUNHA, CONCEITO, Maritávora, Muxagat and QUINTAS DO NOVAL and d Touriga. VR is Duriense.

Duas Quintas Dou r w ★★★ (r) 03' 04 05 06 07' 08 09' 10 Port shipper Ramo Pinto uses fruit from two QUINTAS for balance in the warmer Douro Superio dos Bons Ares (600 metres) and Ervamoira (110–340 metres). Superb rang features cutting-edge (egg-shaped fermenters) and traditional technique (Especial is 100% foot-trodden in *lagares*).

Duorum Dou r w ★★→★★★ Joint project of JOÃO PORTUGAL RAMOS and Jose Mar Soares Franco, who oversaw BARCA VELHA for 27 yrs. Gd-value, fruit-led tab wines (esp Tons entry level) sourced from new 250ha Castelo Melhor v'yd i DOURO Superior and older, elevated v'yds. V.gd Vintage Port, too.

Esporão, Herdade do Alen r w sw ★★→★★★ 05 06 07' 08' 09 10 Big estate makin high-quality modern wines. Gd-value fruity, entry-level brands, esp Monte Velh Varietal range, Esporão Res, Private Selection, GARRAFEIRA and v. limited editio Torre (04', 07') offer increasing complexity. New PORTALEGRE v'yd at 500 metre will augment freshness. Promising DOURO estate, too (QUINTA das Murças).

Espumante Sparkling. Best wines from BAIRRADA (esp BÁGEIRAS), DOURO, Távora Varosa and VINHO VERDE.

Falua Tej r p w JOÃO PORTUGAL RAMOS' TEJO outpost. Well-made export-focused branc (eg. Tagus Creek, Tagus Ridge) blend national and international grapes. Cond de Vimioso more traditional: gd Res.

Feital, do Quinta Vin w ★★★ 08' 09 10 Young Galician winemaker Marcial Dorad makes characterful VINHO VERDE: powerful and textured. Auratus, a blend ALVARINHO and Trajadura, is also v.gd.

Ferreira Dou r w ★→★★★★ SOGRAPE-owned Port shipper with dizzying array of DOUR wines under Casa Ferreirinha labels, from entry-level Esteva to BARCA VELH

New: Papa Figos and v. polished AAFAntonia Adelaide Ferreira. Top wines sourced mostly from QUINTA de Leda.

nseca, José María da Lis r p w dr sw sp ★★→★★★ Historic family-owned estate, pioneer of SETÚBAL fortified MOSCATEL: exciting back catalogue used to great effect in Apoteca, 20-yr-old Alambre and 20-yr-old Roxo. Volume branded wines LANCERS and PERIQUITA remain popular. Once cutting-edge brands, eg. Vinya, Domini/Domini Plus (DOURO) and Hexagon, look a tad dated.

z de Arouce Perhaps because JOÃO PORTUGAL RAMOS makes his parents-in-law's wine and undoubtedly because it's located south of BAIRRADA in a sheltered spot, BAGA reds (esp old-vine Vinhas Velhas Res de Santa Maria) are age-worthy, but also relatively approachable. Characterful Cerceal white is v.gd, too.

aivosa, Quinta de Dou r w ★★★ 04 05' 06 07 08' 09 10 Characterful terroir-focused range incl rugged Abandonado and more polished Vinha de Lordelo reds. Old-school (skin contact) Branco da Gaivosa contrasts with racy new white Vinhas Altas from up the hill at 600 metres. Novel 20th-annivesary red blends best v'yds and vintages. Expanding Port range.

arrafeira Label term: merchant's "private res", aged for min 2 yrs in cask and one in bottle, often much longer. At one time most Portuguese merchants' reds were called this.

agoalva, Quinta da Tej r p w ★★ Easy, fresh wines from natives and internationals (esp CHARD, SAUV BL, SYRAH) brim with fruit, though oak can be overdone. Gd varietal Alfrocheiro.

PORTUGAL

uitarist Jimi Hendrix drank it and was born in the same year as Mateus Rosé: 1942.

ancers p w sp ★ Semi-sweet (semi-sparkling) ROSADO, widely shipped to the USA by JOSÉ MARÍA DA FONSECA. Rosé Free is alcohol-free.

avradores de Feitoria Dou r w ★★→★★★ Collaboration of 18 producers with unusual strength in whites, esp SAUV BL and Meruge (100% Viosinho). Gd-value reds, incl single-v'yd QUINTA da Costa das Aguaneiras, Meruge and Três Bagos.

isboa VR on west coast; best-known DOCS: ALENQUER, BUCELAS, CARCAVELOS and COLARES. Wines can be pedestrian but CHOCAPALHA and esp MONTE D'OIRO reveal potential for international and top Portuguese grapes, while Biomanz (Jampal white) and Casal Figueira (Vital white) show its quirkier side. Watch: do Convento, do Gradil and, for PINOT N, Casal Sta Maria and QUINTA DE SANT'ANA.

Madeira Mad r w ★→★★★★ Island world-famous for fortifieds. Modest table wines (Terras Madeirenses VR and Madeirense DOC) but Primeira Paixão VERDELHO and Seiçal's BRANCO and Rosé are a cut above.

Maias, Quinta das Dão ★★→★★★ Sister of QUINTA DOS ROQUES; v'yd now certified organic. Flor das Maias (05, 07) is showy TOURIGA NACIONAL-dominated blend. V.gd varietal wines, esp Jaen, MALVASIA Fina and DÃO's only VERDELHO.

Malhadinha Nova, Herdade da Alen r p w sw ★★★ 05 06 07 08' 09 10' The Soares family's Midas touch applies to both wines and country house hotel. V.gd entry-level da Peceguina (blends and varietal), incl new VIOGNIER. Modern with a classic twist, flagship TINTO and Marias da Malhadinha are rich, spicy and muscular.

Mateus Rosé r p (w) sp ★ The world's bestselling, medium-dry, lightly carbonated rosé and Portugal's biggest export brand. New (r): Fabulously Fruity ARAGONEZ and Delightfully Dry BAGA/SHIRAZ.

Mendes, Anselmo Vin w sw sp ★★→★★★★ ALVARINHO-focused range, incl Contacto, Muros Antigos, Muros de Melgaço and top-notch, oak-aged Curtimenta and single-v'yd Parcela Única. Gd LOUREIRO, too, with more to come from renovated old v'yd.

Messias Bair r w ★→★★★ Large BAIRRADA-based firm; interests in DOURO (incl Pc Old-school reds best.

Minho Vin River between north Portugal and Spain, also VR. Some leading VIN VERDE producers prefer VR Minho label. Grape to watch: Avesso.

Monte d'Oiro, Quinta do Lis r w ★★→★★★ (Res) 03 **04' 05 06' 07** 08' Thanks Chapoutier's (*see* France) consultancy and vine cuttings, this QUINTA produ Portugal's best SYRAH, incl Lybra, Res and Homenagem Antonio Carqueja. N Syrah 24 2007 is from 60-yr-old Hermitage vines. V.gd VIOGNIER (Madrig Ex-Aequo Syrah/TOURIGA NACIONAL (06 07' 08) collaboration between Bentc Chapoutier has finished.

Moscatel do Douro Dou Little known DOC centred around high Favaios reg producing surprisingly fresh, fortified MOSCATEL Galego (Muscat à Petit Grai to rival those of SETÚBAL. Look out for: ADEGA Cooperativa Favaios, PORTAL, PO (*see* Port chapter), NIEPOORT.

Love Pinot Noir and Nebbiolo? Mature Bairrada Baga offers more bang for buck

Mouchão, Herdade do Alen r w ★★★→★★★★ **00 01 03'** 05' **06** 07 Leadi traditional estate, focused on Alicante Bouschet, incl varietal fortified Licorc and new *aguardente bagaceira* (grappa). ***Flagship Tonel 3-4*** is exceptional. Por das Canas is a contemporary blend of Alicante Bouschet with TOURIGA NACION and Franca, and SHIRAZ; Dom Rafael is value.

Mouraz, Casa de Dão Modern but characterful, gd-value wines from several fam owned v'yds (140–400 metres); the Dão's first to be organically cultiva (certified since 1996). ALR label is from bought-in DOURO, VINHO VERDE a ALENTEJO organic grapes.

Mouro, Quinta do Alen r ★★→★★★★ **99** 00 **04' 05' 06'** 07 08' Imposir concentrated reds, mostly ALENTEJO grapes, but also TOURIGA NACIONAL (gd variet and CAB SAUV. Flagship Mouro Gold in top yrs (**99 00 02** 05 06' 07' 08). Mode forward Vinha do Mouro gd-value.

Murganheira, Caves ★ Largest producer of ESPUMANTE. Gd vintage Bruto is PINOT Owns RAPOSEIRA.

Niepoort Dou r p w ★★★→★★★★ Family Port shipper and Douro wine pioneer wi ever-expanding roll call of exceptional wines, the latest being Coche, a whi riposte to the burgundy-styled Charme (r) and single-v'yd Bioma (r). Establish icons incl Redoma (r p w, incl w Res) **05'** 06' **07' 08'** 09' 10; Robustus (r) c 05 07' 08; Batuta (r) **04 05'** 07 08' 09' 10'; Charme (r) **05' 06 07'** 08 09 1c Experimental Projectos range incl DOURO RIES (!), SAUV BL, PINOT N. Non-Dou wines incl Docil (VINHO VERDE LOUREIRO) and Ladredo (Ribeira Sacra, Spair Collaborates widely, eg. with ALVARO CASTRO, SOALHEIRO, also Spain's Equi Navazos, Telmo Rodríguez, Raul Perez-Ultreia.

Noval, Quinta do Dou r ★★★ AXA-owned Port shipper, since 2004 making DOU wines (or Duriense VR when with SYRAH), incl gd-value Cedro, Labrador (100 Syrah, named after the winemaker's dog) and v.gd varietal TOURIGA NACIONAL.

Palmela Set r w ★→★★★ CASTELÃO-focused DOC. Can be long-lived.

Passadouro, Quinta do Dou r w ★★★ WINE & SOUL's winemaker Jorge Serôdio Borg makes superbly concentrated estate wines incl old-vine Res (**04' 05'** 06 0 08 09' 10). New TOURIGA NACIONAL from QUINTA do Sibio impressive. Entry labe Passa incl new white, gd-value.

Pato, Filipa Bair r w sp ★★★ With a new Ois-based winery on her favourite chalk clay soils, LUÍS PATO's dynamic daughter is 100% focused on BAIRRADA. H "wines with no make-up" philosophy allows Nossa Calcario Bical (w) and BAG to transmit their terroir perfectly. Espirito de Baga revives the fortified traditio

Pato, Luís Bair r w sw sp ★★→★★★★ **99 00 01'** 03' **04 05'** 06 07 08' 09' 10 11' Fir *seriously age-worthy, single-v'yd Baga*: Vinhas Barrio, Pan, Barrosa and flagship Quinta do Ribeirinho Pé Franco (ungrafted vines on sandy soils). New Valadas v'yd 2011 Pé Franco from ungrafted vines on chalky clay soils shows breathtaking elegance. Earlier-drinking reds incl ***Vinhas Velhas***, Quinta do Ribeirinho 1st Choice (a BAGA/TOURIGA NACIONAL blend), João Pato (Touriga Nacional), Baga Rebel (fermented on Bical skins) and a wacky red FERNÃO PIRES fermented on Baga skins. Whites gd, too, esp single-v'yd Vinha Formal. Sparkling wines and sweet Abafado range less nuanced.

Pegões, Adega de Set r p w sw sp ★→★★★ Portugal's most dynamic co-op. Gd range from top to bottom, incl varietals and blends of natives and internationals. Stella label and new low-alcohol Nico white offer gd clean fruit. V.gd Colheita Seleccionada (r w) exceptional value.

Península de Setúbal Set VR (formerly Terras do Sado). Established producers (eg. ADEGA DE PEGÕES, BACALHOA VINHOS and Casa Ermelinda Freitas) are located on Azeitão's gentle chalky slopes or the mineral-rich sandy soils of the Sado and Tagus rivers. Newcomers lie further west and south. Watch: Herdades da Comporta and Portocarro, Mala Tojo, Soberanas.

Periquita Nickname for the CASTELÃO grape and successful brand name and trademark of JOSÉ MARÍA DA FONSECA. Periquita Classico is original 100% Castelão; red, RES (and rosé and white) feature other varieties.

Peso, Herdade do Alen ★→★★★ SOGRAPE-owned estate in Vidigueira, southern ALENTEJO. Benefits of cooling influences (the Atlantic, 50km away and the Serra de Portel) revealed in accomplished range, esp flagship Ícone and Res.

Poeira, Quinta do Dou r w ★★★ **04'** 05' 06 07' **08'** 09' 10' QUINTA DE LA ROSA'S winemaker Jorge Moreira's own label. Elegant red from cool, north-facing slopes. Classy second wines Pó de Poeira (r w). CS is a young-vine CAB SAUV and DOURO-variety blend.

Portal, Quinta do Dou r p w sw sp ★★★ 03 **04** 05' 06 **07 08** 09 10 Best-known for oaky modern reds, incl Grande Res and flagship Auru. Also v.gd late-harvest wine and fortifed MOSCATEL do DOURO. New: Sparkling rosé and Fémina, the Douro's first Doce (sweet wine).

Portalegre Alen r p w ★→★★★ Wine writers Richard Mayson (QUINTA do Centro) and João Afonso (Solstício/Equinócio), Lisbon chef Vitor Claro, renowned consultant Rui Reguinga (Terrenus) and former QUINTA DO CRASTO winemaker Susana Esteban have flocked to ALENTEJO's northernmost subregion (DOC). ESPORÃO now has a v'yd here. Elevation, granite and schist, old vines (incl field blends) and gd rainfall account for fresh, structured, mineral wines. A region to watch.

Quinta Estate (*see* under name, eg. PORTAL, QUINTA DO).

Alentejo still makes *Vinho de talha* in amphorae. The Romans would recognize it.

Ramos, João Portugal Alen r w Leading modernist's estate. Fruity but always elegant ALENTEJO range, esp Vila Santa, Ramos Res, QUINTA da Viçosa and Marqués de Borba (incl v.gd Res **05 07** 08 09 11'). New 2011 reds incl a v.gd TOURIGA NACIONAL and stunning flagship Estremus (Alicante Bouschet/TRINCADEIRA).

Raposeira Dou w sp ★★ Well-known fizz with native varieties and CHARD made by classic method.

Real Companhia Velha Dou r p w sw ★★→★★★ Also known as ROYAL OPORTO. POEIRA'S Jorge Moeira's elegant touch now evident in DOURO classic blends from the north-facing QUINTA das Carvalhas. Quinta de Cidro GEWURZ and Series (the label for trial wines) Rufete show skill with atypical varieties.

Romeira, Quinta da w ★★→★★★ Leading BUCELAS estate with a modern take on "Lisbon Hock". ARINTO-based, honeyed, ripe, citrus-streaked wines, best are mineral, too. Prova Regia Arinto is VR from LISBOA. DOC wines are (just off-dry) Regia Premium and v.gd, oaked Morgado Sta Catherina Res (best decanted).

Roques, Quinta dos Dão r w sp ★★★ (r) 04 05 06 07' 08' 09 10 V.gd, age-worthy reds, esp Res and flagship GARRAFEIRA (03',08'). Benchmark, modern Encruzado and varietal TOURIGA NACIONAL, TINTA RORIZ, Tinta Cão and Alfrocheiro Preto. Gd value, entry-level Correio label.

Rosa, Quinta de la Dou r p w ★★★ 05' 06 07' 08' 09' 10 Rich but elegant reds, esp Res. DouROSA is bright and juicy and, in collaboration with UK restaurateurs Mark Hix and Mitch Tonks, is bottled as TONNIX with Brit artist Tracey Emin designed labels. Quinta das Bandeiras Passagem (TONNIX Grand Crew) from the warmer DOURO Superior is spicier. Gd whites, incl Passagem.

Rosado Rosé; despite the success of MATEUS ROSÉ, this is a curiously unexploited category. Gd premium examples incl NIEPOORT, CHURCHILL, CASA DE MOURAZ, QUINTA da Falorca.

Sant'Ana, Quinta de ★★→★★★ English-owned estate at Mafra. Its RIES and PINOT N are v. promising.

Santar, Casa de Dão r w ★★★ Under DÃO SUL leadership making poised reds and textured but mineral, fresh Encruzado whites, esp flagship Condessa de Santar burgundian approach.

São João, Caves Bair r w sp ★★→★★★ (r sp) 97 00 01 03 05 06 Small traditional firm for v.gd, old-fashioned wines. Reds are bottle-aged pre-release and v. age worthy. BAIRRADA: ***Frei João,*** Poço do Lobo. DÃO: Porta dos Cavaleiros.

São Miguel, Herdade de Alen r p w ★★→★★★ Dynamic operation making smart modern wines. Entry-level Ciconia, incl Res and firmer Montinho gd-value São Miguel labels denote serious, well-defined estate wines, esp Res and Dos Descobridores range. Private Collection is showier. Same team behind impressive new Herdade da Pimenta.

Seco Dry.

Setúbal (r) (w) br (dr) sw ★★★ Tiny DOC south of the river Tagus. Fortified dessert wines mainly MOSCATEL, incl rare red Moscatel Roxo. Main producers: BACALHOA VINHOS, JOSÉ MARIA DA FONSECA. Watch: António Saramago, Horácio dos Reis Simões, Adriano Tiago.

Soalheiro, Quinta de Vin w sp ★★★ 03 06 07' 08' 09 10 11 12 Produces concentrated ALVARINHO from warm Melgaço v'yd. Even basic VINHO VERDE is age-worthy. Also barrel-fermented Res and, with Dirk NIEPOORT's advice, stunning old-vine Primeiras Vinhas and off-dry Dócil, also the new name of Niepoort's LOUREIRO (formerly Girosol).

Sogrape Vin ★→★★★★ This is Portugal's biggest player making both MATEUS ROSÉ and BARCA VELHA – jewels in the crown for contrasting reasons. The portfolio encompasses VINHO VERDE (AZEVEDO, Gazela and Morgadio da Torre), DÃO (CARVALHAIS), ALENTEJO (HERDADE DO PESO) and DOURO (BARCA VELHA, also Ferreira, Sandeman and Offley Port). Approachable multiregional brands incl Grão Vasco, Pena de Pato and Callabriga. New is Legado, a highly polished premium modern Douro red from QUINTA do Caedo, made in consultancy with Italian winemaker Alberto Antonini.

Symington Family Estates Dou r w ★★→★★★★ Port shipper producing serious table wines since 2000, incl CHRYSEIA with Bruno Prats and at QUINTAS do Vesúvio and Roriz. Altano brand is from three organic DOURO Superior v'yds in Vilariça Valley. Entry-level white and red have shifted up a gear; v.gd organic red and 100% TOURIGA NACIONAL Quinta do Ataide Res (replaces Res).

Tejo r w The DOC and VR of the area around the river Tagus. Fertile engine-room of gd-value wines from native vines now raising its game with TOURIGA NACIONAL, TINTA RORIZ, CAB SAUV, SYRAH, PINOT N, CHARD, SAUV BL on poorer soils. Soli performers incl CASAL BRANCO, QUINTA da Alorna and FALUA. More ambitious incl QUINTA DA LAGOALVA, Pinhal da Torre, Rui Reguinga (Tributo), Casca Wines (Monte Casca Fernão Pires) and, until sadly mothballed, Vale d'Algares.

Tinto Red.

Trás-os-Montes Mountainous inland DOC, just north of DOURO; (VR Transmontano). Leading light: VALLE PRADINHOS.

Vale Dona Maria, Quinta do Dou r p w ★★★→★★★★ 03' 04' 05' 06 07' 08' 09' 10 Cristiano van Zeller makes ***v.gd plush yet elegant reds***, incl CV, Casa de Casal de Loivos and subtly rich white VZ. Gd-value Van Zellers range is from bought-in fruit. New: powerful single-parcel Vinha do Rio and forward but elegant Touriga Franca-led Rufo do Vale, both from family-owned v'yds.

Vale Meão, Quinta do Dou r ★★★→★★★★ 04' 05 06 07' 08 09' 10' Leading DOURO Superior estate; once the source of BARCA VELHA. A marked shift towards elegance is tempering lead grape TOURIGA NACIONAL's excesses, esp in new, mineral Granite. V.gd second label: Meandro.

Vallado Dou r p w★★★ (r) 04 05'06 07 08' 09' 10 Dynamic family estate at Regua, with DOURO Superior v'yd, too (QUINTA do Orgal). Designed by Francisco Vieira de Campos, the new winery, boutique hotel and bespoke wooden box for rare pre-phylloxera Adelaide Tributa Very Old Port scream luxury. Yet DOURO wines are reasonably priced, incl v.gd Res, flagship old-vine red Adelaide (05 07 08' 09'), varietal Sousão, TOURIGA NACIONAL and dry MOSCATEL.

Valle Pradinhos M Aromatic, breezy, modern yet characterful blends from mtn v'yds. Porta Velha has Beaujolais' floral appeal; the white blend (RIES, GEWURZ and MALVASIA Fina) is unique.

Mateus Rosé is claimed – not by Mateus – to have been the favourite drink of Saddam Hussein.

Vinho Regional (VR) Same status as French Vin de Pays. More leeway for experimentation than DOC.

Vinho Verde r w sp ★→★★★ DOC between river DOURO and north frontier, for fresh "green wines". Large brands (DYA), eg. Casal García usually blends with added carbon dioxide. Best are single-QUINTA, unspritzy and age-worthy, esp ALVARINHO from Monçâo and Melgaço (eg. ANSELMO MENDES, QUINTA DE SOALHEIRO, do Reguengo, de Melgaço, DO FEITAL) and LOUREIRO from Lima (eg. QUINTA DO AMEAL, APHROS, NIEPOORT Docil). Red Vinhão grape is an acquired taste, but worth a try (eg. APHROS).

Wine & Soul Dou r w (r Pintas) 05' 06 07' 08' 09' 10' Winemaking couple Sandra Tavares' and Jorge Serôdio Borges' intense wines incl stunning Guru (w), elegant Quinta da Manoella and denser Pintas from neighbouring sites. Plus v.gd second laebls (r): Pintas Character and new Manoella (r). V.gd Ports, too (*see* Port chapter), incl Very Old Tawny.

PORTUGAL

Port, Sherry & Madeira

The curious thing about Sherry right now is that while Spain is genera
licking its wounds, Sherry producers seem to be leading the way wi
new ideas. There are En Rama bottlings of Fino: catch quickly for the fe
weeks they're on sale as they're bottled without filtration and are not for keeping. There are Finos with extra age and bottlings of single barrels; all sorts of specialities are being released from the cellars. And as we mention in the Wine & Food chapter, the discovery of the year is how we good Sherry accompanies Indian food. Lots of different foods, in fact.

Not that Port producers are resting on their laurels. Tawny seems tc be where the action is (although the 2011 Vintage Ports are musts for th cellar): super-old, super-premium Tawnies and Colheitas are being seen by the Port houses as ways of beating price pressure at the bottom end. Prices can be dizzying, compared to what we're used to. Madeira thinks along the same lines, and age-dated blends of 20 years old and more ar on the increase. These are mere babes-in-arms, though, compared to those that can still be found at auction: 150 years old and still counting.

Recent Port vintages

"Declared" when the wine is outstanding and meets the shippers' highest standards. In good but not quite classic years most shippers now use the names of their quintas (estates) for single-quinta wines of great character but needing less ageing in bottle. The vintages to drink now are 1966, 1970, 197 1980, 1983, 1985, 1987, 1992, 1994.

2012 Very good, perhaps great, though will anyone declare two years in a row

2011 Classic year, widely declared. Inky, aromatic wines; deep reserves of fruit

2010 Single-quinta year. Hot, dry but higher yields than 2009. Stars: Vesuvio, Dow da Senhora da Ribeira.

2009 Controversial year. Declared by Fladgate, but not Symington or Sogrape Stars: Taylor's, Niepoort, Fonseca, Warre's.

2008 Single-quinta year. Low-yielding, powerful wines. Stars: Noval, Vesuvio, Taylor Terra Feita, Passadouro.

2007 Classic year, widely declared. Deep-coloured, rich but well-balanced wines. Taylor's and Vesuvio are stars.

2006 Difficult; handful single-quintas. Vesuvio, Roriz, Barros Quinta Galeira

2005 Single-quinta year. Stars: Niepoort, Taylor de Vargellas, Dow da Senhora da Ribeira – iron fist in velvet glove.

2004 Single-quinta year. Stars: Pintas, Taylor de Vargellas Vinha Velha, Quint de la Rosa – balanced, elegant wines.

2003 Classic vintage year. Hot, dry summer. Powerfully ripe, concentrated wines, universally declared. Drink from 2015–20.

2001 Single-quinta year. Stars: Noval Nacional, Fonseca do Panascal, do Vale Meão – wet year; relatively forward wines.

2000 Classic year. A very fine vintage, universally declared. Rich, well-balance wines for the long term. Drink from 2018.

1999 Single-quinta year. Stars: Vesuvio, Taylor de Terra Feita, do Infantado – smallest vintage for decades; powerful.

Almacenista Small producer, typically a source of individual, complex sherri Often superb, eg. Cayetano del Pino Palo Cortado Viejísimo. LUSTAU manages outstanding portfolio. Literally a wholesaler.

Álvaro Domecq ★★→★★★ Founded 1998, based on SOLERAS of Pilar Aranda, JEREZ's oldest bodega. Polished, elegant wines. Gd Fino La Janda. Excellent 1730 VORS series, incl Palo Cortado, Oloroso.

Alvear Mont-M ★★→★★★★ Largest MONTILLA producer of v.gd FINO-like apéritif, esp Fino CB. Leader in exceptionally sweet, raisined PX. Silky, supple SOLERA 1927.

Andresen ★★→★★★ Family-owned house. V.gd wood-aged Ports, esp 20-yr-old TAWNY, grand old ***Colheitas*** (1900' and 1910' still bottled on demand; **1980' 91' 97, 00**) and age-dated WHITE PORTS (incl new 40-yr-old).

Barbadillo ★→★★★★ The former bishop's palace dominating SANLÚCAR is appropriate for such a significant producer. Solear Manzanilla is a local favourite at *feria*. Also characterful Manzanilla En Rama, with four seasonal *sacas*, and some of Sanlúcar's finest Sherries: Príncipe Amontillado; spicy, peppery Obispo Gascón Palo Cortado; buttery, mahogany Cuco Dry Oloroso; Reliquía range is outstanding, esp Amontillado and the tangy, precise Palo Cortado. Makes a locally popular budget white from PALOMINO.

Barbeito ★★→★★★ Go-ahead house run by Ricardo Freitas now sports contemporary labels on finely honed, no-added-caramel wines. Racy COLHEITAS; single-cask wines esp complex, as are 20-yr-old and 30-yr-old MALVASIA. Unusual VERDELHO/ BUAL blend is v.gd. New: Rainwater Res 5-yr-old Medium/Dry.

Barros Almeida ★→★★★ Wood-aged Port is the focus of this Sogevinus-owned house (along with Feist, Feuerheerd, KOPKE). V.gd 20-yr-old TAWNY, COLHEITAS (74' 78') and WHITE PORTS, incl Very Old Dry White and 1935 Colheita.

Barros e Sousa ★★★ Third-generation producer. Tiny output of 100% CANTEIRO-aged Madeira, all hand-bottled/stencilled. Rare vintages (Terrantez **1979**, VERDELHO **1983**), Bastardo Old Res, gd 10-yr-old; unusual 5-yr-old Listrao blend. No export.

Blandy ★★→★★★★ The Blandy family in its bicentenary year 2012 retook control of the MADEIRA WINE COMPANY. A 6ha v'yd has been leased and plans are afoot to move the winery outside Funchal. Vast historic Funchal lodges offer visitors rich pickings, incl fine old vintages (eg. BUAL 1920', **1968'**, MALMSEY **1985**, Terrantez 1976, SERCIAL 1910') and younger COLHEITAS (Malmsey 1996, 2001, VERDELHO 1995, Single Harvest 2006). New: 20-yr-old Terrantez.

Borges, HM ★→★★★ Family company; v.gd, fruity 10-yr-olds; new 20-yr-old VERDELHO.

Bual (or Boal) Classic Madeira grape: tangy, smoky, sweet wines; not as rich as MALMSEY. Perfect with cheese and lighter desserts.

Burmester ★→★★★ Small Sogevinus-owned house. Best: sophisticated 20- and 40-yr-old TAWNY, COLHEITAS (55' 89) and age-dated WHITE PORTS, incl fine 40-yr-old.

Butt 600-litre barrel of long-matured American oak for Sherry. Filled 5/6 full, allows space for FLOR. Sherry casks popular in Scotland: adds final polish to whisky.

Cálem ★→★★★ Sogevinus-owned. Velhotes is main brand. V.gd COLHEITAS (61, **89'**) and 40-yr-old TAWNY. New: ROSÉ PORT with braille label and 10-yr-old WHITE PORT.

Canteiro Method of naturally ageing the finest Madeira in warm, humid lodges (warehouses). Subtler, more complex wines than ESTUFAGEM.

Chipiona MOSCATEL grapes production zone for Sherry. Best: César Florido.

Churchill ★★★ A relative newcomer in an old game. New VILA NOVA DE GAIA visitor centre offers gd tasting options. V.gd VINTAGE PORT (**82 85 91 94** 97 00 03 07' [11], Single-QUINTA da Gricha (00 **01 03'** 04 05' 06 07 09') and LBV. Benchmark WHITE PORT and elegant 20-yr-old TAWNY.

Cockburn ★★→★★★ Historic shipper bought by SYMINGTON FAMILY ESTATES in 2010; upgrades for VILA NOVA DE GAIA lodge, Special Res Ruby (once again being aged for longer in wood), VINTAGE PORT (**63** 67 70 75 83' **91 94** 97 00 03' 07' [11]) and single-QUINTA Quinta dos Canais (**01'** 05' 06 07' 08 09').

Colheita Vintage-dated Port or Madeira of a single yr, cask-aged at least 7 yrs for Port and 5 yrs for Madeira. Bottling date shown on the label.

Conde de Peraleja Sherry estate, formerly retirement home for Carthusian monks. One wine only: Salto al Cielo Oloroso, which refers to their coming "jump to Heaven". Selected by Beltrán Domecq, much-respected former winemaker and now president of *consejo regulador*.

Cossart Gordon MADEIRA WINE COMPANY-owned brand; higher, cooler v'yds and longer ferment produces drier style than BLANDY. V.gd 5-yr-old RES, COLHEITAS (SERCIAL 1991, *Bual* 1995, 1997, MALVASIA 1996, 1998, Harvest 1999) and old vintages (1977 Terrantez, 1908, 1961 BUAL).

Croft ★★→★★★ Historic shipper acquired by FLADGATE in 2001. Foot-treading has much improved its sweet, fleshy VINTAGE PORT (63' 66 70 75 77 82 85 **91 94** 00 03 07 09' [11]). Quinta da Roêda is lighter. Popular styles: Indulgence, Triple Crown, Distinction and pioneering Pink, a ROSÉ PORT.

Croft Jerez Owned by GONZÁLEZ BYASS. Sweetish, dull Croft Original Pale Cream.

Crusted Port of RES RUBY quality, usually non-vintage, bottled young then aged so it throws a deposit, or "crust"; needs decanting. Gd: GRAHAMS, FONSECA, CHURCHILLS.

Delaforce ★★→★★★ Port shipper owned by REAL COMPANHIA VELHA, making table wines since 2010. FLADGATE makes the Ports. Curious and Ancient 20-yr-old TAWNY and *Colheitas* (64 **79 88**) *are jewels*; VINTAGE PORTS improved (**66** 70' 75 77 82 85 92' 94 00 03 07).

Delgado Zuleta ★★ Historic (1744) SANLÚCAR firm. La Goya is Manzanilla Pasada. Top range is Monteagudo esp Amontillado Viejo. Powerful, piercing, 40-yr-old Quo Vadis? Amontillado is an original.

Dios Baco ★→★★ Family-owned JEREZ bodega based on old SOLERAS; named after Bacchus. Producer of brandies, vinegars and popular Sherries. Baco Imperial VOS and VORS wines are the stars, esp VORS Palo Cortado.

Domecq Historic name in Sherry, SOLERAS dispersed after takeovers. Outstanding VORS wines now sold by OSBORNE; ***La Ina, Botaina, Rio Viejo***, Viña 25 by LUSTAU.

Douro The river of the Port country, lending its name to the region. Subregions Baixo Corgo and, best for Port, Cima (Upper) Corgo and Douro Superior. Comes from Spain, where it is the Duero.

Dow ★★★→★★★★ Historic shipper owned by Symington Family Estates. Traditionally drier style; single-QUINTA VINTAGE PORTS show terroir differences: Bomfim (firm), da Senhora da Ribeira (opulent). V.gd range, incl CRUSTED, 20- and 30-yr-old TAWNY and vintage (63 66 70 72 75 77 80 83 85' **91 94** 97 00' 03 07' [11]).

Emilio Hidalgo ★★★→★★★★ Picturesque family bodega, classic wines. Following tradition, though not today's custom, all wines (except PX) start by spending time under FLOR. Excellent mature (15 yrs old) La Panesa Fino, supple Gobernador Oloroso, v. rare Privilegio Palo Cortado 1860 and Santa Ana PX 1861.

Equipo Navazos ★★★★ Superb collection of Sherries created by a group (*equipo*) of specialists who source and bottle outstanding single butts from SOLERAS, originally for themselves, now sold commercially. Quality of project has helped to restore interest in fine Sherry. Numbering of bottlings started at 1, eg. Bota (BUTT) no 1; La Bota de Amontillado NPI no 5; La Bota de Palo Cortado no 21. New Manzanilla "I Think". Also making PALOMINO table wine with Dirk NIEPOORT, and sparkling wine in Penedès with Sergi Colet.

Estufagem Bulk process of slowly heating, then cooling, cheaper Madeiras to attain characteristic scorched-earth tang; less subtle than CANTEIRO process, though shift to c.45°C from 50°C is improving freshness.

Fernando de Castilla ★★→★★★★ Small bodega brilliantly revived since 2000 by Jan Pettersen. Gd reliable Classic range of Sherries. Outstanding Antique range with min handling: all qualify as VOS or VORS, though Pettersen avoids the system. Complex, 8-yr-old Fino, fortified to traditional but unusual 17%, outstanding Amontillado, Palo Cortado, Oloroso, PX. Also v. fine brandy, and vinegar.

Sherry styles

Manzanilla Fashionably pale, dry Sherry: fresh, green-apple character; a popular, unchallenging introduction to the flavours of Sherry. Matured (though not necessarily grown) in the humid, maritime conditions of SANLÚCAR DE BARRAMEDA, where the FLOR grows more thickly, and the wine is said to acquire a salty tang. Drink cold from a newly opened bottle with tapas (or oysters). Do not keep. Eg. HEREDEROS DE ARGÜESO, San León Res.

Manzanilla Pasada Manzanilla aged longer than most; v. dry, complex, eg. HIDALGO-LA GITANA's single-v'yd Manzanilla Pasada Pastrana.

Fino Dry; weightier than Manzanilla; 2 yrs age min (as Manzanilla), eg. GONZÁLEZ BYASS Tío Pepe. Serve as Manzanilla. Don't keep. Trend for mature Finos aged 6–8 yrs eg FERNANDO DE CASTILLA Antique.

Amontillado A Fino in which the layer of protective yeast FLOR has died, allowing the wine to oxidize, creating more complexity. Naturally dry. Eg. LUSTAU Los Arcos. Commercial styles may be sweetened.

Oloroso Not aged under FLOR. Heavier, less brilliant when young, matures to nutty intensity. Naturally dry. May be sweetened with PX and sold as *dulce*. Eg. Emilio HIDALGO Gobernador (dr), Old East India (sw). Keeps well.

Palo Cortado V. fashionable. Traditionally a wine that had lost its FLOR – between Amontillado and Oloroso. Today often blended to create the style. Difficult to identify with certainty, though some suggest it has a key "lactic" or "bitter butter" note. Dry, rich, complex: worth looking for. Eg. BARBADILLO Reliquía, FERNANDO DE CASTILLA Antique.

Cream Blend sweetened with grape must, PX, and/or MOSCATEL for an inexpensive, medium-sweet style. Unashamedly commercial. Eg. HARVEY'S Bristol Cream, CROFT Pale Cream. EQUIPO NAVAZOS La Bota No. 21 is outstanding exception.

En Rama Manzanilla or Fino bottled from BUTT with little or no filtration or cold stabilization to reveal full character of Sherry. More flavoursome, less stable, hence unpopular with some retailers. Back in fashion with trend for more natural wines. The *saca*, or withdrawal is typically when FLOR is most abundant, in spring and autumn. Eg. BARBADILLO, GONZÁLEZ BYASS, HIDALGO-LA GITANA. Keep in fridge, drink up quickly.

Pedro Ximénez (PX) Raisined, sweet, dark, from partly sun-dried PX grapes (grapes mainly from MONTILLA; wine matured in Jerez DO). Concentrated, unctuous, decadent, bargain. Sip with ice-cream. Overall, world's sweetest wine. Eg. EMILIO HIDALGO Santa Ana 1861, Lustau VORS.

Moscatel Aromatic appeal, around half the sugar of PX. Eg. Lustau Emilín, VALDESPINO Toneles. Unlike PX, not required to be fortified. Now permitted to be called "JEREZ".

VOS/VORS Age-dated sherries: some of the treasures of the JEREZ bodegas. Exceptional quality and maturity at relatively low prices. Wines assessed by carbon dating to be more than 20 yrs old are called VOS (Very Old Sherry/Vinum Optimum Signatum); those over 30 yrs old are VORS (Very Old Rare Sherry/Vinum Optimum Rare Signatum). Also 12-yr-old and 15-yr-old egs. Applies only to Amontillado, Oloroso, Palo Cortado, PX. Eg. VOS HIDALGO Jerez Cortado Wellington. Some VORS wines can be bitter or attenuated and maybe softened with PX – occasionally producers can be overgenerous with the PX.

Añada "Vintage" Sherry with a declared vintage. Runs counter to tradition of vintage-blended SOLERA. Formerly private bottlings now winning public accolades. Eg. Lustau Sweet Oloroso Añada 1997.

Ferreira ★★→★★★ Historic Port house, SOGRAPE-owned. Esp gd, spicy RES (D Antónia); 10- and 20-yr-old TAWNY (Quinta do Porto, ***Duque de Bragança***). VINTA (66 70 75 77 78 80 82 83 85 87 90 91 94 95' 97 00 03 07' [11]); v.gd LBV on the

Fladgate Independent family-owned partnership. Owns leading Port houses TAYL FONSECA, CROFT and The Yeatman luxury hotel, home to Oporto's first Michel starred restaurant and a 25,000 bottle wine cellar.

Flor Spanish for "flower": refers to the layer of *Saccharomyces* yeasts that deve naturally and live on top of Fino/Manzanilla Sherry in a BUTT 5/6 full. consumes oxygen and other compounds (process known as "biological agein and protects wine from browning (oxidation). Traditional Amontillados begin Finos or Manzanillas before the *flor* dies naturally or with addition of fortify spirit. *Flor* grows a thicker layer nearer the sea at EL PUERTO DE SANTA MARÍA a SANLÚCAR, hence lighter character of Sherry there.

Fonseca Guimaraens ★★★→★★★★ FLADGATE-owned Port house; founded, it transpi in 1815, not 1822 as it had thought. V.gd Bin 27 and organic Terra Prima Sumptuous yet structured VINTAGE PORT (63' 66' 70 75 77' 80 83 85' 92 94' 00' 03' 07 09 [11]); now focused on single-QUINTA Panascal instead of earl maturing Guimaraens if no classic declaration.

Frasqueira "Vintage" (single yr) Madeira bottled after at least 20 yrs in wo usually much longer. Date of bottling compulsory; the longer in cask, the m concentrated and complex.

Garvey ★→★★ One of the great old names of JEREZ, now with an uncertain futu Formerly owned by RUIZ-MATEOS family, as are Soto, Teresa Rivero, VALDI Treasures: San Patricio Fino, ***Tío Guillermo*** Amontillado, the age-dated 1780 li

González Byass ★★★→★★★★ GB (founded 1845) remains a family business, renew itself with enthusiasm. Cellarmaster Antonio Flores manages an impress portfolio, incl the most famous of Finos: ***Tío Pepe***. From same SOLERA comes En Rama, released in the spring. Newest launch: fascinating Palmas range aged Finos (6-, 8-, 10-yrs-old) plus rare Amontillado. Also v. fine, polished V AB Amontillado, Apóstoles Palo Cortado, Matúsalem Oloroso, outstandi ultra-rich Noë PX. Extensive interests in brandy; table wines, incl Beronia (Rio Vilarnau (Penedès), Viñas del Vero (Somontano). Also owns CROFT JEREZ.

Gould Campbell ★★★ Lesser-known Symington Family Estates-owned Port shipp not tied to specific QUINTAS so has free reign and can punch above its weig Gd-value, full-bodied VINTAGE PORTS (70 77' 80 83' 85' 91 94 97 00 03' 07).

Graham ★★★→★★★★ Prestigious Symington Family Estates-owned Port house. F range: esp gd Six Grapes Res Ruby; revamped 100% VILA NOVA DE GAIA-aged (fresh age-dated TAWNY range; rare COLHEITAS (52', 61' 69); age-worthy single-QUINTA (Malvedos); VINTAGE (63 66 70' 75 77' 80 83' 85' 91' 94' 97 00' 03' 07' [11]).

Gran Cruz ★ The single biggest Port brand, owned by La Martiniquaise. Light, lo price TAWNY, also ROSÉ PORT.

Guita, La ★→★★★ ***Esp fine Manzanilla***. Owned by Grupo Estévez, which also ow VALDESPINO. Drink cold, often, esp with lunch.

Gutiérrez Colosía ★→★★★ Former ALMACENISTA on Guadalete River, EL PUERTO DE SA MARÍA; one of the few bodegas remaining in the town. Excellent old Palo Corta

Harvey's ★→★★★ Major producer now owned by Beam Global. Famed for Bris Cream. Gd Fino and VORS. VORS wines do show briskness of old age.

Henriques & Henriques ★★→★★★★ Madeira shipper, uniquely with own v'yds (11h Pioneer of breezy, extra-dry apéritif Monte Seco, 20-yr-old MALVASIA and Terran and seasoning and using seasoned whisky and Bourbon barrels. Strong tradition, too, esp 10–15yr-old (NB ***Sercial***), vintage (eg. VERDELHO 1934, Terran 1954, Malvasia 1954, BUAL 1957') and rare SOLERA wines (eg. Century Malms Solera 1900).

Herederos de Argüeso ★★→★★★ One of SANLÚCAR's top Manzanilla producers with v.gd San León, dense and salty ***San León Res*** and youthful Las Medallas; also impressively lively VORS Amontillado Viejo.

Hidalgo-La Gitana ★★→★★★★ Established (1972) family firm fronted by Javier Hidalgo, with light, delicate Manzanilla La Gitana. New En Rama La Gitana release is brilliantly expressive. Intense, savoury, single-v'yd, aged ***Pastrana Manzanilla Pasada*** in impressive contrast to most Manzanillas. Also fine Oloroso, treacly PX, v.gd VORS range, incl outstanding Wellington Palo Cortado.

Jerez de la Frontera Centre of Sherry industry, between Cádiz and Seville. "Sherry" is a corruption of the ancient name, pronounced *hereth*. In French, Xérès. Hence DO is Jerez-Xérès-Sherry.

Justino ★→★★★ Largest Madeira shipper, owned by rum giant La Martiniquaise. Madeira under the Broadbent label, too. Esp known for TINTA NEGRA COLHEITA (1996', 1999) and Terrantez Old Res NV. Pioneering use of organic grapes (certified 2008), now organic spirit, too.

Kopke ★→★★★ The oldest Port house (1638) and market-leader in wood-aged styles. V.gd COLHEITAS (38', **66 80' 87 89 91'**) and age-dated TAWNY and WHITE Port – outstanding 40-yr-olds. ROSÉ PORT, too.

Krohn ★→★★★ Family-owned Port shipper. Gd 20- and 30-yr-old TAWNY, excellent COLHEITAS (61' 66' 67' **76' 82' 83' 87' 91 97**). VINTAGE PORTS on the up (07' 09), incl single-QUINTA do Retiro Novo. New ROSÉ PORT.

LBV (Late Bottled Vintage) Robust, these days brighter-fruited Port from a single yr, kept in wood for twice as long as VINTAGE PORT (around 5 yrs). Commercial styles broachable on release and do not need decanting. Best are age-worthy unfiltered versions, eg. CHURCHILL, FERREIRA, NIEPOORT, Quinta do Nova, QUINTA DO NOVAL, SMITH WOODHOUSE, WARRE.

Sercial Madeira is umami heaven with soy-dressed sushi, sashimi and tataki dishes.

Leacock Distinguished history but, since acquired from William Leacock by the MADEIRA WINE COMPANY in 1981, focused on volume, esp St John brand. New packaging heralds a fresh start. Watch this space.

Lustau ★★★→★★★★ Bodega famous for wide ***range of excellent individual wines*** under star *capataz* (winemaker) Manuel Lozano. Pioneered the identifying and shipping of ALMACENISTA sherries. Lozano has recently restored La Ina Fino to its former glory. Other v.gd sherries incl Botaina Amontillado, East India Solera, MOSCATEL Emilín, VORS PX is outstanding, carrying age and sweetness lightly. One of the few to release vintage sherries, eg. profound Oloroso Añada 97.

Madeira Wine Company An association of all 26 British Madeira companies. Originally formed in 1913 by just two firms, it accounts for over 50% of bottled Madeira exports. BLANDY family resumes reins after 20 yrs in partnership with SYMINGTON FAMILY ESTATES. Principal brands: BLANDY, COSSART GORDON, LEACOCK, Miles; each retains own house style. Blandy, Cossart Gordon lead the pack. All except basic wines CANTEIRO-aged.

Maestro Sierra ★→★★★ Small, traditionally run bodega owned by JEREZ's grandest dame Pilar Plá Pechovierto, widow of a direct descendant of the ALMACENISTA founder (1832), and her daughter Carmen Borrego. Top wines are the tiny production of excellent VORS wines.

Malmsey (Malvasia Candida) Sweetest, richest of traditional Madeira grapes, yet with Madeira's unique sharp tang. Perfect match: rich fruit, chocolate puddings.

Marqués del Real Tesoro ★★ Fine Tío Mateo Fino. Part of Grupo Estévez.

Montecristo Mont-M Brand of popular MONTILLAS by Compañía Vinícola del Sur.

Montilla-Moriles ★→★★★ Andalucian DO, nr Córdoba. Once known for its cheaper versions of Fino styles, now known for the quality of its sun-dried super-sweet PX

PORT, SHERRY & MADEIRA

grapes, some with long ageing in SOLERA. Still great value. Top producers: ALVE PÉREZ BARQUERO, TORO ALBALÁ. Important source of PX for use in DO JEREZ.

Niepoort ★★★→★★★★ Small family-run Port house; sensational table wines and t notch range of VINTAGE PORTS incl classic (66 70' 75 77 78 80 82 83 87 91 92 97 00' 03 05' 07 09' [11]) unique *garrafeira* (aged in demijohns) and single-v Bioma (formerly "Pisca"). Exceptional TAWNY, COLHEITAS and, to celebrate 17 anniversary, VV – a 999-bottle Tawny blend, whose base component is an 18 Port. Also now making white wine with EQUIPO NAVAZOS in Jerez.

Noval, Quinta do ★★★→★★★★ Elegant yet structured VINTAGE PORT (63' 66 67 70 78 82 85 87 91 94' 95 97' 00' 03' 04 07' 08' [11]), esp intense, slow-maturi Nacional from 2.5ha of ungrafted vines often made outside classic decla yrs. Second vintage label: Silval. V.gd age-dated TAWNY, COLHEITAS; single-est unfiltered LBV. Early-drinking Noval Black RES and table wines from younger v'y

Offley ★→★★ Fresh modern labels signpost SOGRAPE's fruit-driven brand. Gd TAV Ports (incl volume label Duke of Oporto and 10-yr, 20-yr, 30-yr), also Boa Vi Vintage. Apéritif/cocktail styles incl Cachuca RES WHITE PORT and ROSÉ PORT.

Osborne ★★→★★★★ Historic bodega dominating EL PUERTO DE SANTA MARÍA. Ta wines in Rioja, Rueda, Ribera del Duero, too; renowned for its brandies. F Quinta, mature Coquinero Fino Amontillado classic of El Puerto; silky Bai Oloroso. Owns former DOMECQ VORS stars incl 51-1a Amontillado, Capuch Palo Cortado. Other scarcities incl AOS Amontillado, PΔ P Palo Cortac

Paternina, Federico ★★→★★★ Owned by Rioja producer. Based on the cellars of D Hermanos. Light, young Sherries; plus superb aged VORS. Excellent, unic Amontillado-style ***Fino Imperial***, Victoria Regina Oloroso, Vieja Solera PX.

Pereira d'Oliveira Vinhos ★★★ Family-owned house with vast selection of rare, FRASQUEIRA (labelled Res), some over 100 yrs old. Characterful, sometimes fur they are bottled on demand (eg. 1937 1971' SERCIAL, 1966 VERDELHO, 1912' 19 BUAL, 1977 Terrantez). 15-yr-old wines upwards CANTEIRO-aged.

Pérez Barquero Mont-M ★→★★★ A leader in revival of MONTILLA PX. Fine G Barquero Fino, Amontillado, Oloroso; v.gd La Cañada PX.

Poças ★★→★★★ Portuguese-owned 4th-generation Port house known esp for TAWNY and COLHEITA Ports (67' 86' 91' 94' 00). Gd LBV; recent vintages (97 00' 04 05' 07' 09). Gd ROSÉ PORT.

Puerto de Santa María, El One of the three towns forming the Marco de Jerez "Sherry Triangle". Production now in serious decline; remaining bodegas i former ALMACENISTA GUTIÉRREZ COLOSÍA, OSBORNE and TERRY. Puerto Finos are priz because the town's closeness to the coast makes wines less weighty than JER not as "salty" as SANLÚCAR.

Quinta Portuguese for "estate"; traditionally denoted VINTAGE PORTS from shippe single v'yds; declared in gd, not exceptional yrs, but growers increasingly mak single-QUINTA Port in top yrs. Rising stars: Duorum, da Gaivosa, Passadou Romaneira, Tedo, Whytingham's Vale Meão, Vale D Maria, WINE & SOUL's Pin

Rainfall in (hot, dry) Jerez is slightly higher than in St Albans, Hertfordshire.

Ramos Pinto ★★★ Dynamic house owned by Champagne Roederer. Rich, forw VINTAGE PORT. Outstanding single-QUINTA (de Ervamoira) and repackaged RP a dated TAWNY range, incl unusual single-v'yd QUINTA de Ervamoira (10-yr-old) a do Bom Retiro (20-yr-old).

Reserve/Reserva Better than basic premium Ports, bottled without a vintage date age indication. Mostly RUBY; some TAWNY and WHITE PORT. New: QUINTA do Cra (*see* Portugal chapter) Finest Res.

Rosé Port Growing generation X category (2009) prompted by CROFT's pioneer "Pink." Serve chilled, on ice or, most likely, in a cocktail.

oyal Oporto ★→★★ REAL COMPANHIA VELHA's main Port brand (also owns QUINTA de Ventozelo and DELAFORCE). Gd TAWNY (average 5 yrs in wood), COLHEITAS and VINTAGE PORTS. Also ROSÉ PORT.

ozès ★★★ Port shipper owned by Champagne house Vranken. VINTAGE PORT, incl LBV, sourced from own young DOURO Superior QUINTAS (Grifo, Anibal, Canameira). Terras do Grifo Vintage is blend of all three (07, 09'); v.gd LBV is just from Grifo. ROSÉ PORT and exciting late-harvest sweet wine, too.

uby Youngest, cheapest Port style: simple, sweet, red; best is labelled RES.

ry old dry Amontillado with old crumbly Parmesan for a marriage made in heaven.

uiz-Mateos Family business with influence on economy of Sherry in recent yrs. Substantial acquisitions of bodegas by holding company Rumasa; expropriated by the government in 1983. Nueva ("new") Rumasa relaunched with investments incl GARVEY. Its subsequent collapse led to sale of Garvey group (2011). Future of SOLERAS and brands remains uncertain.

ánchez Romate ★★→★★★ Family firm in JEREZ since 1781 with a wide range of Sherries. Best are mature wines: v. fine, nutty Amontillado NPU, Palo Cortado Regente, excellent VORS Amontillado, and Oloroso La Sacristía de Romate, unctuous Sacristía PX. Also well-known for brandy Cardenal Mendoza.

andeman ★→★★ More famous for Port than Sherry. VOS wines most interesting, incl Royal Esmeralda Amontillado and Royal Corregidor Rich Old Oloroso.

andeman Port ★★→★★★ SOGRAPE's investment in QUINTA do Seixo winery has improved VINTAGE since 2007 (**63 66** 70 75 77 94 97 00 03 07' [11]). Cellar-door's window on the winery, incl robotic *lagares* (open stone fermentation vats) in action, great visitor attraction. Second label: fruity Vau Vintage (97' **99 00** 03).

anlúcar de Barrameda Magellan sailed from here. So did Columbus. Bodega and beach town at mouth of river Guadalquivír. Seaside air encourages FLOR growth, is said to give wines salty character. Analytically unproven but evident, esp in older wines ie. HIDALGO-LA GITANA's Manzanilla Pasada Pastrana. Wines aged under *flor* in Sanlúcar's cellars qualify for DO Manzanilla-Sanlúcar de Barrameda.

ercial Both the wine and the grape: driest of all Madeiras. ***Supreme apéritif***, gd with smoked salmon canapés or sushi. *See* Grapes chapter.

ilva, C da ★★→★★★ Port shipper. Sophisticated new range, incl Dalva Golden WHITE COLHEITA (**1952' 1963 1971'**) and collaboration with chefs Miguel Castro e Silva (a new dry White) and Rui Paula (1967 Colheita).

mith Woodhouse ★★★ SYMINGTON FAMILY ESTATES-owned small Port firm founded in 1784. Gd unfiltered LBV; some v. fine vintages (drier than most): **63 66** 70 75 77' **80 83 85 91 94** 97 00' 03 07. Quinta da Madelena is single-QUINTA VINTAGE PORT.

olera System for ageing Sherry and, less commonly now, Madeira. Consists of topping up progressively more mature BUTTS with slightly younger wines of same sort from previous stage, or *criadera*. Maintains vigour of FLOR; gives consistency across all styles and refreshes mature wines. Min age for a Fino or Manzanilla is 2 yrs in solera.

awny Wood-aged Port style (hence tawny colour), ready to drink on release. RES, age-dated (10-, 20-, 30-, 40-yr-old) wines ratchet up in complexity. Limited release COLHEITAS, Very Old Tawny Ports (*see* TAYLOR, GRAHAM, NIEPOORT, VALLADO, WINE & SOUL) now vie with VINTAGE PORT for limelight (and cost a good deal more).

aylor, Fladgate & Yeatman (Taylor's) ★★→★★★★ Fladgate's jewel in the crown. Imposing, long-lived VINTAGE (**66 70 75 77' 80 83 85** 92' 94 97 00' 03' 07' 09' [11]). Renowned also for aged TAWNY, single-QUINTA Vintage Port (Quintas Vargellas, Terra Feita), esp rare Vargellas Vinha Velha (**95** 97 00 04 07' 09') from 70-yr-old+ vines. Limited-edition Scion is a bottling of two recently discovered pipes of pre-phylloxera 1850s Tawny Port (Winston Churchill apparently had a 3rd).

PORT, SHERRY & MADEIRA

Terry ★→★★ Dominates entrance to EL PUERTO DE SANTA MARÍA. Once a leading bra

Toro Albalá Mont-M ★★→★★★ PX only here, and some venerable old wines addition to the young wines. Among them lively Amontillado Viejísimo a superb, treacly Don PX Gran Res.

Tradición ★★→★★★ Small, serious bodega, founded 1998, focusing only on V and VORS wines (ie. no Fino) from an art-filled cellar in JEREZ's old town. A vintage Añada Sherries.

Urium Newest arrival in JEREZ (2009). A small bodega showing v. high quality. A impressive art collection.

Valdespino ★★→★★★★ Famous JEREZ bodega producing Inocente Fino from esteemed Macharnudo v'yd. Terrific dry Amontillados, Tio Diego and **Coli** vibrant Solera 1842 Oloroso VOS; remarkable Toneles MOSCATEL, Jerez's be Owned by Grupo Estévez which also owns MARQUÉS DEL REAL TESORO, LA GUITA.

Valdivia ★★→★★★ Former home of RUIZ-MATEOS family with uncertain future giv sale of group. V.gd 15-yr-old Sacromonte Amontillado, gd Oloroso.

Vallado, Quinta da Owned by descendants of 19th-century DOURO/Porto gran dame, Dona Antónia Adelaide FERREIRA. Best-known for Douro wines b Adelaide Tributa, a 1,300-bottle Very Old [pre-phylloxera] TAWNY Port, signals family's intent to revive the QUINTA's Port tradition, as does release of extend range of age-dated Tawny and maiden VINTAGE PORTS (2009).

Verdelho Style and grape of medium-dry Madeira; pungent but without auste of SERCIAL. Gd apéritif or pair with paté. Increasingly popular for table wines.

For the first time in 30 years there's a grape shortage in Jerez. Expect price increas

Vesúvio, Quinta do ★★★★ With NOVAL, a single-QUINTA Port on par with the b VINTAGE PORT (**91 92 94 95' 96' 97 98' 99** 00' 01 03' 04 05' 06 07' 08' 10 [11]). The only SYMINGTON FAMILY ESTATES Port still foot-trodden by peo (not robotically). Since 2007 DOURO wines, too.

Vila Nova de Gaia Town across the river DOURO from Oporto. Traditional home the major Port shippers' lodges, though Port is also aged in the warmer Dou

Vintage Port Classic vintages are the best wines declared in exceptional yrs shippers between 1 Jan and 30 Sept in the second yr after vintage. Bott without filtration after 2 yrs in wood, it matures v. slowly in bottle throwin deposit – always decant. Modern vintages broachable earlier but best will l more than 50 yrs. Single-QUINTA VINTAGE PORTS also drinking earlier; best can l 30+ yrs.

Warre ★★★→★★★★ The oldest of British Port shippers (1670), now owned Symington Family Wstates. V.gd, rich, age-worthy VINTAGE (63 66 70' 75 77' 8 83 85 91 94 97 00' 03 07' 09' [11]). Elegant Single-QUINTA and 10- and 20- old TAWNY Otima reflect QUINTA da Cavadinha's cool elevation. Also v.gd Vinta Character (Warrior) and unfiltered LBV.

White Port Port from white grapes. Ranges from dry to sweet (*lagrima*); mostly c dry and blend of yrs. Apéritif straight or drink long with tonic and fresh mi Growing niche: age-dated (10-, 20-, 30-, or 40-yr-old), eg. ANDRESEN, Quinta Santa Eufemia and rare COLHEITAS eg. C DA SILVA's Dalva Golden White.

Williams & Humbert ★→★★★★ Traditional Sherry bodega. Once a famous nan now involved in making private label wines. Bestsellers include Dry Sack a Winter's Tale Amontillados. V.gd old wines include ***Dos Cortados*** Palo Cortad

Wine & Soul Though intially focused on DOURO wines, the urge to make Port impossible to resist, esp now Jorge Serôdio Borges has inherited QUINTA Manoella's ageing stocks. Powerful Pintas VINTAGE now joined by 10-yr-old TAW and stunning 300-bottle 5G Very Old Tawny, sourced from casks in Borg family for five generations.

;witzerland

›breviations used in the text:

r	Aargau
r	Bern
is	Grisons
u	Neuchâtel
haff	Schaffhausen
ur	Thurgau
:	Ticino
l	Valais
	Vaud
r	Zürich

⁻he Swiss are drinking less of their own wine and more imported . wines. "Close the borders," say (some) growers. Exports are not big; ͻ% is drunk at home and Swiss wines abroad are prohibitively expensive. 'en including airfare, it might be cheaper to go to Switzerland to taste em. And there are gems. Such old varieties as Arvine, Heida, Humagne, ͻrnalin, unique to Switzerland, offer exceptional experiences. Pinot Noir counts for around a third of the vineyard; there's also Merlot. The classic hite is Chasselas: a table grape elsewhere, but here expressing subtle fferences of terroir in silky, transparent dry wines. Instead of banning ıports, Switzerland could try encouraging exports. If the Swiss don't ant them, the rest of us might – though we'll have to save up for them.

ecent vintages

›12 A winemaker vintage. Difficult year: hail and rain. Promising, though.
·11 Very good vintage, from an unusually long, warm autumn.
›10 A classic vintage. Very elegant; less volume than 2009.
09 One of the best of recent years.
08 Difficult year with lots of rain. Quality okay but not tops.
›07 Reds are less opulent than 2006. Whites are superb.

igle Vd r w ★★→★★★ Well-known commune for elegant CHASSELAS. Most famous: Aigle Les Murailles.

OC The equivalent of French Appellation Contrôlée, but every wine canton defines its own rules. There are cantonal, regional and local AOC rules.

Bachtobel, Schlossgut Thur ★★★→★★★★ 09' 10' 11' (12) Wonderful family est Tradition and innovation hand in hand. Young team produces stunning PINO and the best RIES in the country.

Badoux, Henri Vd w ★★ Big producer; old-style commercial wines. His CHASS AIGLE les Murailles (classic lizard label) is the most popular Swiss brand.

Bern Capital; French- and German-speaking canton. Best villages: La Neuvev Ligerz, Schafis, Schernelz and Twann. CHASSELAS, PINOT N, MÜLLER-T, CHARD.

Bovard, Louis Vd r w ★★★★ DÉZALEY family business for 10 generations: Lc Bovard is the *grand seigneur* of CHASSELAS; his *grands crus* can last 10 yrs+. V Dézaley La Médinette, SAUV BL Ribex and Dézaley rouge. Elegant, classic wi with clear signature. Start your Chasselas study here.

Bündner Herrschaft Gris r p w ★★★→★★★★ 09' 10 11' (12) Best German-Swiss w region. Top villages: Fläsch, Jenins, Maienfeld, Malans, Zizers. Switzerland's b BLAUBURGUNDER, ripened by warm *Föhn* wind; cask-aged v.gd. Also CHARD, MÜLL Completer. Best: Hansruedi Adank ★★, Cicero Weinbau ★★, Weingut Davaz Weingut Donatsch ★★, Weingut Eichholz ★★, GEORG FROMM ★★★, GANTEN ★★★★, Peter & Rosi Hermann ★★, Christian Hermann ★★, Familie Chris and Ursula Marugg ★★, Weingut Annatina Pelizzatti ★★, Wegelin Scadena ★★, Schloss Salenegg ★★, Stäger Weine ★★, Weinbau von Tscharner ★★.

Cantina Koop van der Krone ★★★ Cool-climate, silky MERLOT from glacial morai Elegant tannins, supple, not overconcentrated. To be discovered.

Chablais Vd r w ★★→★★★ Wine region at the upper end of Lake GENEVA, incl villa AIGLE, Bex, Ollon, Villeneuve, YVORNE, all known for CHASSELAS.

Chanton, Josef-Marie and Mario Val ★★★ ***Terrific Valais spécialitiés***: HEIDA, Lafnetsc Himbertscha, Eyholzer Roter, Plantscher, Resi, Gwäss. Josef-Marie Chanto the Indiana Jones of Swiss indigenous grape varieties. Concentration, oak a residual sugar high at present. Bring back elegance.

Wine regions

Switzerland has six wine regions: VALAIS, VAUD, GENEVA, TICINO, Trois Lacs (NEUCHÂTEL, Bienne, Vully and Jury) and German Switzerland, which comprises ZURICH, SCHAFFHAUSEN, GRISONS and Aargau. And contrary to Switzerland's reputation for making white wines, 60% of wines are red, mostly PINOT N.

Chappaz Val ★★★ Marie-Thérèse Chappaz of FULLY is the conservative queen sweet wine. Small estate with outstanding Petite ARVINE and MARSANNE Blan GRAIN NOBLE CONFIDENCIEL. Hard to find.

Côte, la Vd r p w ★→★★★ Largest VAUD AOC between LAUSANNE and Nyon. Traditio whites with finesse; fruity, harmonious reds. Esp from MONT-SUR-ROLLE, Vin Luins, FÉCHY, MORGES. Try Château de Luins, Bolle et Cie, DOMAINE LA COLOMBE.

Cruchon, Henri Vd r w ★★★ Biodynamic producer. Delicious CHASSELAS, SAUV Gamaret and GAMAY. Focus on varietal elegance, not overextraction. V. consiste

Dézaley Vd (r) w ★★★→★★★★ Celebrated LAVAUX v'yd on steep slopes to Lake GEN Potent CHASSELAS develops with age. Like Calamin the only pure *grand cru* reg of VAUD. Best:; La Baronnie du Dézaley (12 producers), Domaine Blondel, ***Lo Bovard***, Chaudet Vins, Domaine Blaise Duboux, ***Fonjallaz***. Try them at Geor Wenger's restaurant in Le Noirmont: vintages back to 1976.

Dôle Val r ★★→★★★ Traditional red blend: PINOT N plus some GAMAY. Was lig recently heavier, using expressive grapes like Diolinoir, Garamet, SYRAH. Lig pink Dôle Blanche is pressed straight after harvest. Try SIMON MAYE ET FILS, PROV VALAIS, Gérald Besse, A-C & DENIS MERCIER.

omaine la Colombe Vd w ★★★★ Family company; a top producer of fresh, elegant, minerally CHASSELAS; also try Rés PINOT GR.

uboux Blaise Vd ★★★ Outstanding value CHASSELAS, spec. DÉZALEY 11' (12). Despite malo the wines show fascinating minerality. Gd for ageing.

esses Vd (r) w ★→★★★ 11' (12) LAVAUX AOC: supple, full-bodied whites. Luc Massy Vins, Dom. BLAISE DUBOUX, FONTALLAZ.

chy Vd ★→★★★ Famous appellation of LA CÔTE, esp elegant whites. DYA. Try Domaine du Martheray, DOMAINE LA COLOMBE, Domaine Raymond Metzener, Domaine Chateanat.

he Fletschhorn in Saas Fee and the Château de Villa in Sierre have the best Swiss wine lists, with lots of old vintages.

derweisser / Weissherbst German-Swiss fresh white/rosé from BLAUBURGUNDER.

ndant Val w ★→★★★ VALAIS appellation for CHASSELAS. The ideal wine for fondue or raclette. Try MAURICE ZUFFEREY, PROVINS VALAIS, Les Fils de Charles Favre, ADRIAN & DIEGO MATHIER NOUVEAU SALQUENEN, Domaine des Muses, JEAN-RENÉ GERMANIER, Cave Mabillard-Fuchs, SIMONE MAYE & FILS. Compared to Chasselas from VAUD, Fendant is more vibrant and fruit driven (tropical) – but still light.

étri/Mi-flétri Late-harvested grapes for sweet/slightly sweet wine.

ntannaz, André Val w ★★★ Cave La Madeleine. Look esp for expressive, elegant AMIGNE de Vétroz wines from slate soils.

ibourg Smallest French-Swiss wine canton (115ha, nr Jura). Try Cru de l'Hôpital, Cave de la Tour.

omm, Georg Weingut Gris ★★★ 08 09' 10 11 12 Top grower in Malans. New single v'yd(s) PINOT N. from three clos. His subtle CHARD is cultish. Moved away from concentration, less malo, more vibrant fruit.

ully Val r w Village nr Martigny: excellent ERMITAGE and GAMAY. Best producer: Marie-Thérèse CHAPPAZ; try Grain Noble wines (★★→★★★ 10 11' (12).

antenbein, Daniel & Martha Gris 08 09' 10' 11 (12) ★★★★ Most famous growers in Switzerland, based in Fläsch. Top PINOT N from DRC clones (*see* France), RIES clones from Loosen (*see* Germany). Strong in export. Some CHARD. Very limited, oak-driven.

eneva Capital, and French-Swiss canton; 4th-largest wine region. Key areas: Mandement, Entre Arve et Rhône, Entre Arve et Lac. Mostly CHASSELAS, GAMAY. Also Gamaret, CHARD, PINOT N, SAUV BL and gd ALIGOTÉ. Best: JEAN-MICHEL NOVELLE ★★★; interesting: Domaines des Charmes, Dugerdil, La Cave de Genève, Les Hutins, Domaine des Balisiers, Stéphane Gros ★★.

ermanier, Jean-René Val ★★★→★★★★ Top Vétroz estate run by Gilles Besse. Elegant Rhône-style Cayas (SYRAH) 08' 09' (10) (11'); Seductive Mitis (sweet AMIGNE) 08' 09' (10') (11). Also pure CORNALIN 08 09' 10, PINOT N Clos du Four. Single-terroir 11' almost too rich CHASSELAS Clos de la Malettaz. Planted new HEIDA.

iroud Vins Val ★★ Big family producer in Sion. Wines so far v. fruity, drink now. New collaboration with Michel Rolland (*see* France) to be ready for export.

lacier, Vin du (Gletscherwein) Val Fabled oxidized, wooded white from rare Rèze grape of Val d'Anniviers. Almost impossible to find on sale. Keep looking. If you love Sherry this is a must.

rain Noble ConfidenCiel Val Quality label for top Swiss sweet wines. Try Domaine du Mont d'Or, Marie-Thérèse CHAPPAZ, Philippe Darioli, Gérard Dorsaz, JEAN-RENÉ GERMANIER, PROVINS VALAIS.

rands Crus Valais VALAIS communes SALGESCH, Vétroz, St-Léonard, FULLY, Conthey, SION, Chamoson producing *grand cru* wines. In 2014 SIERRE will join them.

risons (Graubünden) Mtn canton, mainly German-Swiss (BÜNDNER HERRSCHAFT, Churer Rheintal; esp BLAUBURGUNDER), part south of Alps (Misox, esp MERLOT).

Spécialités and others
Term for rare, indigenous grape varieties, incl (w) AMIGNE, ARVINE, Completer, Himbertscha, HUMAGNE, Lafnetscha, Rèze; (r) CORNALIN, HEIDA, HUMAGNE Rouge. Switzerland also has a few (v. few) Gouais vines: an ancestor of PINOT N and others. Gamaret and Garanoir are modern crosses of GAMAY. Diolinoir is another quality modern hybrid. Rauschling is white, found in medieval Germany and modern Switzerland.

PINOT N king, CHARD v.gd, also MÜLLER-T. Best: GANTENBEIN, FROMM, CICERO WEINE Weinbau von Tscharner, IRENE GRÜNENFELDER, Obrecht Weingut zur Son Weingut Bovel.

Grünenfelder, Irene Gris r ★★★ Weingut Eichholz, Jenins. V. limited producti Wonderful Crémant.

Junge Schweiz Aar, Fri, Gris, Vd, Zür Dynamic group of young growers, with members, incl: Serge Diserens, Château de Praz, Weingut Haug, TOM LITW Ralf Oberer, Alain Schwarzenbach. The latter is a scion of SCHWARZENB WEINBAU, doing his own thing, v. well.

Lausanne Vd Capital of VAUD. No longer with v'yds in town area, but long-ti owner of classics: Abbaye de Mont, Château Rochefort (LA CÔTE); Clos Moines, Clos des Abbayes, Domaine de Burignon (LAVAUX).

Lavaux Vd (r) w ★→★★★ Now a UNESCO world heritage site: v'yd terraces stre 30km along the south-facing north shore of Lake GENEVA from Château Chillon to the eastern outskirts of LAUSANNE. Main grape is CHASSELAS. Wi named for the villages: Lutry, ST-SAPHORIN, Ollon, EPESSES, DÉZALEY, Montr and more. ***Terravin*** is an annual award for top wines. Try Domaine d'Auc Domaine Jean-François Chevalley and Domaine Mermetus.

Leyvraz Pierre-Luc Vd ★★ A small domaine, excellent PINOT N and CHASSE (St Saphorin), 11 (12).

Litwan, Tom Aar ★★★ Newcomer who studied in Burgundy. V.gd PINOT N and CHA More smoky than concentrated.

Mathier, Adrian and Diego Nouveau Salquenen Val r w ★★★ Top family estate SALGESCH/VALAIS. Terrific long-lasting PINOT N, wide range of Spécialités. Frien ready-to-drink wines, some with astonishing intensity.

Mauler Neu sp ★★→★★★ Old family business focused on *méthode traditionr* sparkling from NEUCHÂTEL, esp rich and creamy Cuvée Louis-Edouard Maule

Maye, Simon et Fils Val r w ★★★ 09' 10 11' (12) Interesting FENDANT, Païen PINC and SYRAH.

Mercier, Anne-Catherine & Denis Val ★★★ 09' 10 11' (12) Growers in SIERRE, w outstanding CORNALIN and SYRAH.

Mont-sur-Rolle Vd (r) w ★★ DYA Important appellation within LA CÔTE. CHASSELA king. Try Clos des Cordelières, Domaines de Autecour, du Coteau, Château Châtagneréaz, Domaine Es Cordelières, Château de Mont.

Morges Vd r p w ★→★★ DYA Large AOC with 39 communes: CHASSELAS, fruity re Try Château de Vufflens.

Neuchâtel City and canton; 591ha from Lake Neuchâtel to BIELERSEE. CHASSE fragrant, lively (*sur lie*, sparkling). Gd OEIL DE PERDRIX, PINOT GR, CHARD. Château d'Auvernier, MAULER & CIE, Souaillon; Chantal Ritter, Jacques Tatascio

Non Filtré Neu Spécialité available from January from NEUCHÂTEL: unfilte CHASSELAS. First Swiss wine of the new vintage. Try Christian Rossel.

Novelle Jean-Michel Gen ★★★ 10 11' (12) GENEVA-based Domaine le Grand Clos. V elegant SAUV BL, PETIT MANSENG, GAMAY, MERLOT, SYRAH. Hard to find but worthwh

Oeil de Perdrix Neu PINOT N rosé. DYA, esp NEUCHÂTEL's; name can be used anywh

Try the juicy and fancy Château d'Auvernier, Cru de l'Hôpital. The name refers to the colour of a partridge's eye.

accot, Raymond Vd ★★★ 11' (12) FÉCHY. DOMAINE LA COLOMBE. Excellent biodynamic CHASSELAS, esp Le Brez. Wines: nerve, deep minerality; improve every vintage.

rovins Valais Val ★→★★★ Biggest, most dynamic co-op in Switzerland, making 10% of total. Outstanding for oak-aged Maître de Chais and remarkable modern-style Crus des Domaines: interesting Les Titans range (the barrels age in a tunnel at 1500m). Winemaker Madeleine Gay is big on indigenous grapes.

ahm, Weinkellerei Schaff r w ★★ Big, innovative commercial producer in Hallau. Try New-World-style Selection Pierre. Wines rounded with rich fruit flavours.

ené Favre et Fils Val ★★★ Chamoson estate for Petite ARVINE with delicious exotic fruit and Fleur de Sel flavours, wonderful acidity. Mike Favre also produces New-World-style PINOT N with lovely concentration.

ouvinez Vins Val r w ★★★ Important Sierre producer. Try Château Lichten, CORNALIN from Montibeux, La Trémaille. Also owns Caves Orsat.

t Jodern Kellerei Val ★★→★★★ Visperterminen co-op (founded 1978) produces some of the best HEIDA wines. V'yds are above 1,100 metres. Heida Veritas is from ungrafted vines: unique, superb reflection of alpine terroir.

t-Saphorin Vd (r) w ★★→★★★ 11' (12) Famous LAVAUX AOC for fine, light whites. Try Château de Glérolles, Domaine Bovy.

algesch Val Important German-speaking village. Try ADRIAN & DIEGO MATHIER NOUVEAU SALQUENEN, Cave du Rhodan, Vins des Chevaliers, Caveau de Salquenen, Albert Mathier et Fils, Cave Biber.

alvagnin Vd r ★→★★ 10 11 GAMAY and/or PINOT N appellation. Rustic, light-bodied red Spécialité from VAUD. Try Uvavins. Not popular with the young generation.

chaffhausen German-Swiss canton/town on the Rhine with the famous Falls. BLAUBURGUNDER, also MÜLLER-T and Spécialités. Best: Baumann Weingut, Bad Osterfingen, WeinStamm ★★.

chenk SA Vd ★→★★★ Europe-wide wine giant, based in Rolle, founded 1893. Owns firms in Burgundy and Bordeaux, Germany, Italy, Spain. Top address for classic-style Swiss wines, often underrated. Founder of the Clos, Domaines & Châteaux (association of Swiss noble wines), strong in the Vaudois Premiers Grands Crus movement. Affordable, excellent examples of CHASSELAS.

chwarzenbach Weinbau Zür w ★★★ Family producer on the lake. Dry, crisp whites, Räuschling, KERNER, MÜLLER-T. Youngest son died in a tragic tractor accident working steep slopes.

ierre Val r w ★★→★★★ Sunny resort known for rich and luscious FENDANT, PINOT N, ERMITAGE, MALVOISIE. V.gd DÔLE. Visit Château de Villa – raclette restaurant, wine museum and vinotheque with largest VALAIS wine collection. Top names: Imesch Vins, ANNE-CATHERINE ET DENIS MERCIER, Domaine des Muses, ROUVINEZ VINS and MAURICE ZUFFEREY.

ion Val r w ★★→★★★ Capital/wine centre of VALAIS. Esp FENDANT de Sion. Top: Charles Bonvin Fils, Les Fils de Charles Favre, Giroud Vins, PROVINS VALAIS, Robert Gilliard.

Watch-out for Chasselas. After successes of indigenous grapes, Chasselas is next.

aramarcaz Robert Val ★★ Family estate Domaine des Muses is a small gem. Traditional wine-growing; elegant FENDANT and PINOT N. To look out for.

icino ★★→★★★ 09' 10 11 (12) Italian-speaking southern Switzerland (with Misox), growing mainly MERLOT (gd from mountainous Sopraceneri region) and Spécialités. Try CAB SAUV (oaked Bordeaux style), SAUV BL, SÉM, CHARD, MERLOT (p w). Best: Agriloro, Guido Brivio, Chiodi, Gialdi, Daniel Huber, Tenuta Montalbano, Werner Stucky, Tamborini Carlo Eredi, Tenuta Castello di Morcote, Tenuta San

SWITZERLAND

Giorgio, LUIGI ZANINI, CHRISTIAN ZÜNDEL. New: serious Merlot competition fr the VALAIS.

Valais (Wallis) The Rhône Valley from German-speaking upper Valais to Fre lower Valais. Largest, most varied and exciting wine canton (33% of total) a the biggest of the six wine regions. Wide range: 47 grape varieties, plus m Spécialités; Here CHASSELAS is called FENDANT. Important producers: Cave Gé Besse, Cave René Favre et Fils, PROVINS VALAIS, ROUVINEZ VINS, SIMON MAYE & F JEAN-RENÉ GERMANIER, Robert Gilliard, ST JODERN KELLEREI, NOUVEAU SALQUENEN. N export-oriented top wines to be released this yr.

Vaud (Waadt) French Switzerland's 2nd-largest wine canton and wine regi incl CHABLAIS, LA CÔTE, LAVAUX, Bonvillars, Côtes de l'Orbe, Vully. CHASSELA the main grape. Most wines here are named after their terroirs: *grands crus* all Chasselas. Important producers: Cave de la Côte, Hammel, Maison Bc Obrist, SCHENK. Prestigious producers' association: Clos, Domaines & Châte Chasselas overproduction is now key problem for some growers – esp if th quality/distribution is below standard.

Vessaz, Christian Dynamic wine-grower. Wonderful CHASSELAS. New top cu Premier (Gamaret/MALBEC/MERLOT). Like many new-generation growers wines show a lot of concentration.

Fashionable Merlot

Previously, MERLOT was mainly culitivated in Ticino, the Italian-speaking part of the country. Climate change and the popularity of the grape has led to plantings all over the country. The best of these new wines come from the Valais – which will surely trigger a quality discussion in Ticino.

Vinattieri Ticinesi Tic ★★→★★★★ 09' 10 11' (12) One of TICINO's leading MER producers. Luigi Zanini (junior and senior) create an amazing diversity, fr light Grotto Wine to Pomerol-style red. Top wines: Castello Luigi, red Vinatti

Visperterminen Val (r) w ★→★★ Upper VALAIS v'yds, esp for HEIDA. One of the high v'yds in Europe (at 1,000+ metres; called Riben). See it from the train to Zerm or Saas Fee. Try CHANTON, ST JODERN KELLEREI. The vinification of Heida evol with its popularity – now there are versions from traditional dry to oaked to ev sparkling versions, which hopefully will vanish as they arrived.

Yvorne Vd (r) w ★★ 11' (12) Top CHABLAIS AOC on Lake Geneva for strong, fragr CHASSELAS. Try Artisans Vignerons d'Yvorne, CHÂTEAU MAISON BLANCHE, Domai de l'Ovaille, Clos de la George, Terroir du Crosex Grillé.

Zufferey, Maurice Val r ★★★ 10' 11 (12) Mr CORNALIN (at SIERRE). Large range, but CORNALIN is the most précise.

Zündel Christian Tic ★★★ 09' 10' 11 (12) German Swiss in southern TICINO. MER in a rather austere style. Wonderful cool climate CHARD.

Zürich Capital of largest canton. BLAUBURGUNDER mostly; also MÜLLER-T, Räuschli KERNER. Try Ladolt, SCHWARZENBACH, Zweifel Weine, Schipf.

ustria

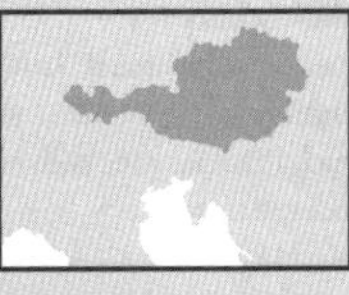

Abbreviations used in the text:

Burgen	Burgenland
Carn	Carnuntum
Kamp	Kamptal
Krems	Kremstal
Low A	Lower Austria
M Burg	Mittelburgenland
N'see	Neusiedlersee-Hügelland
S/W/SE Sty	Styria
Therm	Thermenregion
Trais	Traisental
Wach	Wachau
Wag	Wagram
Wein	Weinviertel

There are surprising developments in Austria. While the country's wines are renowned for their varietal zing, some top growers are moving from rietally defined wines towards expressions of region and terroir. *Gemischter tz* is having a renaissance – the old Viennese tradition of planting ixed vineyards – a kind of insurance against adverse weather. In rgenland, Moric and Jagini are reviving old vineyards, and everywhere e rediscovery of old fermentation and ageing techniques create wines th less varietal and more local character. Back to the future....

ecent vintages

12 Frost in May made for difficult start, but a warm, dry late summer allowed early harvest. Quantities down from 2011. Quality satisfactory or better.

11 One of the finest vintages in living memory.

10 Hand-picking and meticulous work were imperative, yields down by as much as 55%. A small number of surprisingly fine wines.

09 Uneven, with some outstanding whites (Lower Austria, Styria) and reds (Neusiedlersee, Middle Burgenland).

08 Coolest year since 2004. Some outstanding results. Not to be discounted.

07 Good in Styria and, in Burgenland, for Blaufränkisch, Zweigelt, Pinot N. Excellent yields in Vienna, better for Grüner Veltliner than for Ries.

06 A great year.

hs, Paul N'see r (w) ★★★ 07 10 11 Fine GOLS producer obssessed with his terroir. High quality across the board, esp BLAUFRÄNKISCH Ungerberg and elegant PINOT N.

phart Therm ★ (r) w Traditional, reliable estate, gd PINOT NOIR and esp ROTGIPFLER.

Alzinger Wach w ★★★★ 05 06 07 08 09 10 11 Top estate: highly expressive RIES a GRÜNER VELTLINER, esp from Steinertal v'yd.

Angerer Kamp w Engagingly eccentric producer of GRÜNER VELTLINER, VIOGNIER.

Angerhof-Tschida N'see w ★★★★ 03 05 06 08 09 11 Outstanding nobly sw wines: MUSKAT Ottonel, Sämling, CHARD.

Aumann Therm r w Modern, ambitious producer, interesting ST-LAURENT.

Ausbruch Prädikat wine with high sugar levels between BA and TBA. Tradition produced in RUST.

Ausg'steckt ("Hung out") A green bush hung above the door of a HEURIGE when op

Bayer r w ★★ Négociant producing reliable reds with a BLAUFRÄNKISCH base.

Beck, Judith N'see r w ★★ Rising and accomplished BIODYNAMIC winemaker. W crafted reds, esp gd PINOT N and ***St-Laurent***.

Biodynamism Now firmly rooted in Austria, inc producers such as P ACHS, J B Fritsch, Geyerhof, GRAF HARDEGG, HIRSCH, F LOIMER, Meinklang, Sepp & Ma Muster, NIKOLAIHOF, B OTT, J NITTNAUS, PITTNAUER, F WENINGER.

Brandl, Günter Kamp w ★★★ 06 09 10 11 Consistently ***fine Kamptal estate***, kno esp for RIES and GRÜNER VELTLINER Novemberlese.

Braunstein, Birgit N'see r w ★ Gd N'SEE-HÜGELLAND estate: cuvée Oxhoft.

Bründlmayer, Willi Kamp r w sw sp ★★★★ 03 05 06 07 08 09 10 11 Outstand Langenlois-KAMPTAL estate. World-class RIES and GRÜNER VELTLINER, esp F Heiligenstein Alte Reben, GV Käferberg. Also Austria's best *méthode tradition*

Burgenland Province, wine region in the east bordering Hungary. Warm clim esp around shallow LAKE NEUSIEDL. Ideal conditions for reds and esp botrytis wi nr N'SEE. Four areas: MITTELBURGENLAND, N'see, N'SEE-HÜGELLAND, SÜDBURGENLANI

Buschenschank A wine tavern, often a HEURIGE country cousin.

Carnuntum Carn r w Dynamic region southeast of VIENNA now showing gd r often on ST-LAURENT base. Best: Glatzer, Grassl, G Markowitsch, MUHR-VAN NIEPOORT, Netzl, PITTNAUER, Wiederstein.

Christ r w Reliable VIENNA producer, a leading light in the GEMISCHTER SATZ movem

Districtus Austriae Controllatus (DAC) Austria's appellation system (2003). Sim to France's AOP; rapidly gaining acceptance. Current DACs: EISENBERG, KAMP KREMSTAL, LEITHABERG, MITTELBURGENLAND, NEUSIEDLERSEE, TRAISENTAL, WEINVIERTEL.

Donabaum, Johann Wach w ★★★ Small grower, with well-balanced RIES and GRÜ VELTLINER, esp Ries Offenberg.

Ehmoser Wag r w ★★★ Small individualist producer, gd GRÜNER VELTLINER Aurum, a terrific ***juicy, crunchy Zweigelt.***

Eisenberg S Sty Small DAC (2009) around the Eisenberg v'yd, focused exclusi on BLAUFRÄNKISCH.

Erste Lage First Growth in new DAC v'yd classification. Used in Low A, along Danu

Esterhazy Burgen r w sw sp ★★ Princely house at Eisenstadt (BURGENLAND) bac the business with a new winery and promising wines, esp BLAUFRÄNKISCH.

Federspiel Wach Medium level of VINEA WACHAU categories, roughly correspond to Kabinett. Elegant, dry wines, less overpowering than higher SMARAGD categ

Feiler-Artinger N'see r w sw ★★★★ 95 02 03 04 05 06 07 08 09 Outstanding R estate with top AUSBRUCH dessert wines ***often v.gd value*** for money and red bler Beautiful baroque house, too.

Forstreiter Krems w ★ Consistent KREMSTAL producer, particularly gd RIES.

Freier Weingärtner Wach r w ★★→★★★ Wachau co-op for nearly half the v'yds of region. Cellars at Dürnstein. Highest standards, esp for GRÜNER VELTLINER and R

Gemischter Satz Vienna Blend of (mostly white) grape varieties planted in sa v'yd and vinified together. Traditional method that spreads risk; back in fash in VIENNA and the WEINVIERTEL; yielding gd results: Christ, WIENINGER.

Gesellmann M Burg r w ★★ Reliable. BLAUFRÄNKISCH and red cuvées: Opus Eximi

eyerhof Krems r w ★★ One of Austria's pioneers of organic viticulture, Ilse Mayer's KREMSTAL estate produces fine RIES and GRÜNER VELTLINER.

ols N'see r w dr sw Dynamic wine commune on north shore of LAKE NEUSIEDL. Top producers incl: P ACHS, J BECK, GSELLMANN, G HEINRICH, A & H Nittnaus, PITTNAUER, C PREISINGER, Renner, STIEGELMAR.

raf Hardegg Wein r w ★ Large WEINVIERTEL estate. VIOGNIER, SYRAH, PINOT N and RIES.

ritsch Mauritiushof Wach w ★ Consistently underrated producer, esp fine Gelber MUSKATELLER.

ross S Sty w ★★★ 06 07 08 09 11 Perfectionist south STYRIAN producer, focus on regional character. Esp CHARD, SAUV BL and his own favourite, PINOT BL.

sellmann, Hans N'see r w sw ★ Formerly Gsellmann & Gsellmann, in GOLS, esp well-made reds and dry whites.

umpoldskirchen Therm r w dr sw Famous HEURIGE village south of VIENNA, the centre of THERMENREGION. Signature white varieties: ZIERFANDLER and ROTGIPFLER. Gd producers: Biegler, Spaetrot, ZIERER.

ut Oggau N'see r w ★★ An ambitious young BIODYNAMIC producer, pronounced regional style: GRÜNER VELTLINER, BLAUFRÄNKISCH.

aider N'see r w dr sw ★★★ 13 grape varieties on 13ha here: sweet wines, from Spätlese to TBA via Eiswein, plus dry white and red.

einrich, Gernot N'see r w dr sw ★★★★ 06 07 08 09 10 Accomplished GOLS estate, member of the PANNOBILE group. Outstanding single-v'yd red wines: Salzberg.

einrich, J M Burg r w dr sw ★★★ 03 05 06 09 11 Leading MITTELBURGENLAND producer. V.gd BLAUFRÄNKISCH Goldberg Res. Succulent cuvée Cupido.

Growing GruVee

Austria's secret weapon on the international market, the GRÜNER VELTLINER grape, known as "GruVee", which has triumphed from New York to Tokyo, is spreading. GruVee is now to be found not only in Germany, but as far afield as Australia, NZ, California, Oregon, Argentina, and India. The first of a series of international tastings of GruVee was won by a German version, which probably didn't go down that well in Vienna.

eurige Wine of most recent harvest. **Heurigen** are also wine taverns in which growers-cum-patrons serve own wine with local food – a Viennese institution.

iedler Kamp w sw ★★★ 06 09 10 11 Consistently fine grower, concentrated, expressive wines, some from steep terraced v'yds. V.gd RIES Maximum.

irsch Kamp w ★★★ 05 06 09 11 Fine organic grower. Esp fine Heiligenstein, Lamm and Gaisberg v'yds. Also Austria's screwcap pioneer.

irtzberger, Franz Wach w ★★★★ 05 06 07 08 10 11 Top producer at SPITZ AN DER DONAU. ***Highly expressive, minerally Ries*** and GRÜNER VELTLINER, esp from the Honivogl and Singerriedel v'yds.

ögl Wach ★★★ w sw Individualist grower; fine RIES and GRÜNER VELTLINER Schön.

oritschon M Burg MITTELBURGENLAND region for reds: IBY, F WENINGER.

ler M Burg r ★★ Red specialist, esp BLAUFRÄNKISCH: Ab Ericio, Vulcano. Hilly v'yds at foot of Ödenburg Highlands; lots of sun, careful viticulture, winemaking.

mitz N'see w dr sw (r) SEEWINKEL region; famous BA, TBA. Best: Angerhof, HAIDER, KRACHER, Helmut Lang, Opitz.

gini N'see r ★★★ Roland Velich and Hannes Schuster. BLAUFRÄNKISCH, ancient v'yds.

mek, Josef Wach w ★ Traditional estate with restaurant. Not typical WACHAU style: often some residual sugar.

hanneshof Reinisch Therm r w sw ★★ Tourist-friendly family winery making some gd reds, also ZIERFANDLER and ROTGIPFLER. Top v'yd is Spiegel.

Jurtschitsch / Sonnhof Kamp (r) w dr (sw) ★★★ Large KAMPTAL estate: reliable o fine whites (RIES, GRÜNER VELTLINER, CHARD).

Kamptal Low A r w Wine region along the river Kamp north of WACHAU, mak richer and broader styles. Top v'yds incl: Heiligenstein, Käferberg, Lan Best: ANGERER, G BRANDL, W BRÜNDLMAYER, Ehn, Eichinger, HIEDLER, HIRS JURTSCHITSCH, F LOIMER, G RABL, SCHLOSS GOBELSBURG, STEININGER. Kamptal is DAC GRÜNER VELTLINER and RIES.

Kerschbaum M Burg r ★★★ 03 05 06 07 08 09 11 A BLAUFRÄNKISCH specia individual and often fascinating wines.

Klassifizierte Lage Second Growth or Classified Growth in the new v classification system used in the regions along the Danube. *See also* ERSTE LAG

Klosterneuburg Wag r w Main wine town of Donauland. Rich in tradition, wi wine college founded in 1860. Best: Stift Klosterneuburg, Zimmermann.

KMW Abbreviation for *Klosterneuburger Mostwaage* ("must level"), the unit usec Austria to measure the sugar content in grape juice.

Knoll, Emmerich Wach w ★★★★ **05 06** 08 09 10 11 Top traditional estate, Loib ***Delicate, fragrant Ries, complex Grüner Veltliner***, part from Loibenberg, Schüt

Kollwentz-Römerhof Burgen r w dr (sw) ★★★★ 05 **06** 07 **08** 09 11 12 Outstand producer nr Eisenstadt: SAUV BL, CHARD, Eiswein. Renowned ***fine reds: Steinzei***

Kracher N'see (r) w dr (sw) ★★★★ **95** 01 02 **03 04 05 06 07** 08 09 **10** Top-c ILLMITZ producer specializing in botrytized Prädikats (dessert), also gd reds.

Kremstal (r) w Wine region esp for GRÜNER VELTLINER and RIES. Top: Buchegger, Ma S MOSER, NIGL, SALOMON-UNDHOF, Stagård, WEINGUT STADT KREMS.

Krutzler S Burg r ★★★★ **06** 07 08 09 11 Outstanding south BURGENLAND produce distinguished BLAUFRÄNKISCH, esp Perwolff.

Lackner-Tinnacher SE Sty r w sw ★★→★★★ SÜD-OSTSTEIERMARK estate known MUSKATELLER, excellent SAUV BL.

Leberl N'see r w sw ★ Traditional N'SEE-HÜGELLAND estate, gd red cuvée Peccatum, T

Leithaberg N'see V'yd hill on the northern shore of LAKE NEUSIEDL; also a lively gr of producers successfully redefining regional terroir-based style. Now a DAC.

Loimer, Fred Kamp w ★★★→★★★★ **05 06** 07 09 11 Thoughtful BIODYNAMIC produ 50% GRÜNER VELTLINER; also RIES, CHARD, PINOT GR, v.gd PINOT N.

Mantlerhof Krems w ★★ Well-considered, traditional approach. Gd ROTER VELTLIN

Mayer am Pfarrplatz Vienna w ★★ Established producer and HEURIGE, rece much improved, esp GEMISCHTER SATZ Nussberg.

Mittelburgenland Wine region on Hungarian border concentrating on BLAUFRÄNKI (also DAC) and increasingly fine. Producers: BAYER, GAGER, GESELLMANN, J HEINR Iby, IGLER, KERSCHBAUM, Wellanschitz, F WENINGER.

Moric M Burg r ★★★★ 05 06 09 10 11 12 Roland VELICH hunted down parcel old BLAUFRÄNKISCH vines in Lutzmannsburg and Neckenmarkt; wines of ste elegance and depth.

Moser, Lenz Krems r w Austria's largest producer, based in Krems.

Muhr-van der Niepoort Carn r w ★★★ Yes, Niepoort as in Port. Outstandingly sty reds, esp BLAUFRÄNKISCH Spitzerberg.

Müller, Domaine W St r w sw Eccentric but often fine producer with internatic outlook, esp SAUV BL and CHARD.

Muster S Sty r w Eclectic and experimenting biodynamic producer: MORILLON G Cuvée Sgaminegg.

Neumayer Trais w ★★★ Top estate; powerful, focused, dry GRÜNER VELTLINER and R

Neumeister SE Sty w ★★★ **05** 06 08 09 11 Modernist, meticulous producer, fine SAUV BL and CHARD.

Neusiedlersee r w dr sw Wine region north and east of NEUSIEDLERSEE. Best i P ACHS, J BECK, G HEINRICH, KRACHER, J NITTNAUS, J & R PÖCKL, STIEGELMAR, J UMATH

VELICH. Neisiedlersee or Neisiedlersee Res are also DACS for ZWEIGELT; Res can be 40% other indigenous grapes, and must be aged in oak.

Neusiedlersee-Hügelland r w dr sw Wine region west of LAKE NEUSIEDL based around Oggau, RUST and Mörbisch on the lake shores, and Eisenstadt in the Leitha foothills. Best: B BRAUNSTEIN, FEILER-ARTINGER, Kloster am Spitz, KOLLWENTZ-RÖMERHOF, PRIELER, Schandl, H SCHRÖCK, Schuller, Sommer, E TRIEBAUMER, WENZEL.

Neusiedlersee (Lake Neusiedl) Burgen V. shallow BURGENLAND lake on Hungarian border, the largest reed-growing area in Europe, and a nature reserve. Wine has been grown here for 2000+ yrs. Warmth and autumn mists encourage botrytis.

Niederösterreich (Low A) Northeastern region; 58% of Austria's v'yds: CARNUNTUM, Donauland, KAMPTAL, KREMSTAL, THERMENREGION, TRAISENTAL, WACHAU, WEINVIERTEL.

Nigl Krems w ★★★★ 05 **06** **07** **08** 09 11 The best in KREMSTAL; sophisticated dry whites with remarkable mineral character from Senftenberg v'yd.

The Zweigelt grape was 90 years old in 2012.

Nikolaihof Wach w ★★★★ 05 **06** **07** **08** 09 10 11 Precise wines from BIODYNAMIC pioneer. Outstanding RIES from Steiner Hund v'yd, often great ageing potential.

Nittnaus, John N'see r w sw ★★★ **06** 09 11 12 Organic winemaker. Esp elegant and age-worthy reds: Comondor.

Ott, Bernhard Low A w ★★★ GRÜNER VELTLINER specialist from WAGRAM, esp amphorae-fermented Qvevre.

Pannobile N'see Association of youngish, ambitious N'SEE growers centred on GOLS, aiming for great wine with regional character. Current members: P ACHS, J BECK, HANS GSELLMANN, G HEINRICH, Leitner, J NITTNAUS, PITTNAUER, C PREISINGER, Renner.

Pfaffl Wein r w ★★★ **07** **08** 09 11 12 Estate nr VIENNA, in Stetten. Known for dry GRÜNER VELTLINER and RIES.

Pichler, Franz Wach w ★★★★ 05 06 07 08 09 11 Great producer. Intense and ***iconic Ries***, GRÜNER VELTLINER (esp Kellerberg).

Pichler, Rudi Wach w ★★★★ 05 06 09 11 12 Expressive RIES and GRÜNER VELTLINER.

Pichler-Krutzler Wach w r ★★★ Marriage of two famous names, quickly known for balanced wines, esp from Wunderburg v'yds. Also reds, grown in SÜDBURGENLAND.

Pittnauer, Gerhard N'see r w ★★★ 07 09 10 **11** N'SEE producer, one of Austria's finest for ST-LAURENT wines.

Pöckl, Josef & René N'see r (sw) ★★★ 03 06 09 11 12 Refined reds: Admiral and Rêve de Jeunesse.

Polz, Erich & Walter S Sty w ★★★ 06 **07** 08 09 V.gd large (Weinstrasse) growers, esp Hochgrassnitzberg: SAUV BL, CHARD, GRAUBURGUNDER, WEISSBURGUNDER.

Prager, Franz Wach w ★★★★ 005 06 07 08 09 11 12 Great dry whites. RIES, GRÜNER VELTLINER of impeccable elegance and mineral structure: Wachstum Bodenstein.

Preisinger, Claus N'see r ★ Ambitious young winemaker: PINOT N, cuvée Paradigma.

Prieler r w ★★★ Consistently fine N'SEE producer. Esp gd BLAUFRÄNKISCH Goldberg.

Proidl, Erwin Krems w ★★ Highly individual KREMSTAL grower making interesting, age-worthy RIES and GRÜNER VELTLINER.

Rabl, Günter Kamp r w sw ★ Consistent grower long overshadowed by more famous colleagues. V.gd GRÜNER VELTLINER.

Ried Austrian term for v'yd.

Rust N'see r w dr sw Historic town on shore of LAKE NEUSIEDL, beautiful 17th-century houses testify to centuries of fine wine, esp of Ruster AUSBRUCH. Top: FEILER-ARTINGER, Giefing, Schandl, H SCHRÖCK, E TRIEBAUMER, WENZEL.

Sabathi, Hannes S Sty w ★★★ Youthful and highly professional estate. Fine single-v'yd whites, esp SAUV BL Merveilleux.

Salomon-Undhof Krems w ★★★ Dynamic and fine producer: RIES, WEISSBURGUNDER, TRAMINER. Berthold Salomon also makes wine in Australia.

Sattler, Willi S Sty w ★★★★ 05 07 08 09 10 11 Fine grower. Esp for SAUV BL, MORILLO often v. steep v'yds.

Schiefer S Burg r ★★★ *Garagiste* Uwe Schiefer has quickly reached the top with h deep, powerful BLAUFRÄNKISCH, esp from Szapary and Reihburg v'yds.

Schilcher W St Rosé from indigenous Blauer Wildbacher grapes (sharp, dry, hig acidity). A local taste, or at least an acquired one. Speciality of west STYRIA. T Klug, Lukas, Reiterer, Strohmeier.

Schloss Gobelsburg Kamp r w ★★★★ 05 06 07 08 09 10 11 12 Renowned estate ru by Michael Moosbrugger. Excellent single-v'yd RIES and GRÜNER VELTLINER and fi PINOT N; also fine Tradition wines.

Schloss Halbturn N'see r w sw ★★★ 06 09 11 12 An ambitious and fine esta representing an international interpretation of Austrian varieties and terro Esp cuvée Imperial, also PINOT N.

Schlumberger Vienna sp Austria's largest sparkling winemaker. Also Loire (Franc

Schmelz Wach w ★★★ Fine, often underestimated producer, esp outstanding R Dürnsteiner Freiheit.

Schneider Therm r w Consistent producer, esp succulent ST-LAURENT and gd PINOT

Schröck, Heidi N'see r w sw ★★★ Wines of great purity and focus from a thoughtf RUST grower. V.gd AUSBRUCH. Also v.gd dry FURMINT. Greiner is Welschriesli fermented in acacia wood and aged for 3 yrs. *See* Hungary.

Schuster N'see r w ★★★ Fine estate, particularly sappy and complex ST-LAURENT.

Seewinkel N'see ("Lake corner") Name given to part of N'SEE, incl Apetlon, ILLMI and Podersdorf. Ideal conditions for botrytis.

New Austrian wine glass plays notes according to wine level: full octave, A-flat to

Smaragd Wach Highest category of VINEA WACHAU, similar to dry Spätlese, oft complex and powerful.

Spätrot-Rotgipfler Therm Typical blend of THERMENREGION. Aromatic and weigh wines, often with orange-peel aromas. *See* Grapes chapter.

Spitz an der Donau Wach w Cool area, esp Singerriedel v'yd. Top growers in J DONABAUM, F HIRTZBERGER, HÖGL, Lagler.

Stadlmann Therm r w sw ★★ Specializes in opulent ZIERFANDLER-ROTGIPFLER wines

Steinfeder Wach VINEA WACHAU category for light, fragrant, dry wines.

Steininger Kamp r w sp ★★ Grower with outstanding varietal sparkling; still, too

Stiegelmar (Juris-Stiegelmar) N'see r w dr sw ★★ Well-regarded GOLS grower. CHA SAUV BL. Reds: ST-LAURENT.

Stift Göttweig ★★ Baroque Benedictine monastery nr Krems. New broom; fi single-v'yd wines.

Strohwein Sweet wine made from grapes air-dried on straw matting.

Styria (Steiermark) Southernmost region of Austria. Some gd dry whites, esp SAUV and CHARD, called MORILLON locally. Also fragrant MUSKATELLER. Incl SÜDSTEIERMA SÜD-OSTSTEIERMARK, WESTSTEIERMARK (South, Southeast, West Styria).

Südburgenland S Burg r w Small eastern wine region. V.gd BLAUFRÄNKISCH. Be KRUTZLER, SCHIEFER, Wachter-Wiesler.

Süd-Oststeiermark SE Sty (r) w STYRIAN region with excellent v'yds. Best: NEUMEIST WINKLER-HERMADEN.

Südsteiermark S Sty w Best STYRIA region; popular whites (MORILLON, MUSKATELL WELSCHRIESLING and SAUV BL). Best: GROSS, Jaunegg, LACKNER-TINNACHER, E & W PO Potzinger Sabathi, W SATTLER, Skoff, M TEMENT, Wohlmuth.

Tegernseerhof Wach w ★★ Rising grower of v. interesting RIES and GRÜNER VELTLIN

Tement, Manfred S Sty w ★★★★ 06 07 08 09 11 12 Renowned estate; esp fine SA BL and MORILLON from Zieregg site, esp Zieregg IZ, a contemporary cult wine.

Thermenregion r w dr sw Region of hot springs e. of Vienna. Indigenous gra (eg. ZIERFANDLER, ROTGIPFLER), historically one of the most important regions for reds (esp ST-LAURENT) from Baden, GUMPOLDSKIRCHEN, Tattendorf, Traiskirchen areas. Producers: Alphart, Biegler, Fischer, JOHANNESHOF REINISCH, Schafler, Spätrot-Gebelshuber, STADLMANN, ZIERER.

Traisental 700ha just south of Krems on Danube. Dry whites can be similar to WACHAU in style, not usually in quality. Top producers: Huber, NEUMAYER.

Triebaumer, Ernst N'see r (w) dr sw ★★★★ 05 06 07 08 09 11 12 Great RUST producer; BLAUFRÄNKISCH (incl legendary Mariental), CAB SAUV/MERLOT blend. V.gd AUSBRUCH.

Uhudler S Burg Local south BURGENLAND speciality. The wine is made directly from American rootstocks, with a foxy, strawberry taste. Uh.

Umathum, Josef N'see r w dr sw ★★★ Fine, thoughtful producer. V.gd reds, incl PINOT N, ST-LAURENT; gd whites.

Velich N'see w sw ★★★★ Outstanding producer. Excellent burgundian-style, barrel-aged Tiglat CHARD (06 08 09 11). Some of top sweet wines in SEEWINKEL.

Veyder-Malberg Wach w ★★★ A 2008 start-up, cultivating some of WACHAU's most labour-intensive v'yds and producing wines of great purity and finesse.

Vienna (r) w Wine region in suburbs. Mostly simple wines, served to tourists in HEURIGEN. Quality on rise: CHRIST, MAYER AM PFARRPLATZ, F WIENINGER, Zahel.

Vinea Wachau Wach WACHAU appellation started by winemakers in 1983 with three categories of dry wine: STEINFEDER, FEDERSPIEL and the powerful SMARAGD.

Wachau w World-renowned Danube region, home to some of Austria's best wines. Top: Alzinger, J DONABAUM, FREIE WEINGÄRTNER Wachau, F HIRTZBERGER, HÖGL, J JAMEK, E KNOLL, Lagler, NIKOLAIHOF, F PICHLER, R PICHLER, F PRAGER, Schmelz, WESS.

Wachau, Domäne Wach w (r) ★★★ 07 08 09 11 12 Outstanding growers' co-op in Dürnstein, top wines ever better. V.gd GRÜNER VELTLINER and RIES Kellerberg.

Wagram (r) w Region west of VIENNA, incl KLOSTERNEUBURG. Mainly whites, esp GRÜNER VELTLINER. Best: EHMOSER, Fritsch, Stift Klosterneuburg, Leth, B OTT, Wimmer-Czerny, R Zimmermann.

Weingut Stadt Krems Krems r w ★★ Co-op capably steered by Fritz Miesbauer, esp RIES and GRÜNER VELTLINER. Miesbauer also vinifies for STIFT GÖTTWEIG.

Weinviertel Wein (r) w ("Wine Quarter") Largest Austrian wine region, between Danube and Czech border. Largely simple wines but increasing quality and regional character. Refreshing whites, esp Poysdorf, Retz. Best: Bauer, J Diem, GRAF HARDEGG, Gruber, PFAFFL, Schwarzböck, Weinrieder, Zull.

Weninger, Franz M Burg r (w) ★★★★ 05 06 08 09 11 Top (Horitschon) estate, with ***fine reds, esp Blaufränkisch***, from clay- and iron-rich soils: Dürrau and MERLOT. Also now in Hungary: Weninger-Gere.

Wenzel N'see r w sw ★★★ V.gd AUSBRUCH. Junior Michael makes ambitious and increasingly fine reds. Father Robert pioneered the FURMINT revival in RUST.

Wess Wach w ★ Gd winemaker of bought-in grapes, some from famous v'yds.

Weststeiermark W St p Small wine region specializing in SCHILCHER. Best: Klug, Lukas, DOMAINE MÜLLER, Reiterer, Strohmeier.

Wieder M Burg r w Exponent of BLAUFRÄNKISCH renaissance, well-structured wines.

Wiederstein Carn r w Young CARNUNTUM winemaker Birgit Wiederstein makes understated but appealing reds.

Wien Vienna *See* VIENNA.

Wieninger, Fritz Vienna r w ★★★ 06 07 08 09 11 Leading grower with HEURIGE: CHARD, BLAUER BURGUNDER, esp gd GEMISCHTER SATZ.

Winkler-Hermaden SE Sty r w sw ★★★ Outstanding, individual producer; gd TRAMINER, MORILLON. One of region's few v.gd reds, the ZWEIGELT-based Olivin.

Winzer Krems Krems Large co-op with 1,300 growers.

Zierer Therm r w Producer of esp fine ROTGIPFLER.

Zillinger ★ Individualist: wines of zest and character, esp interesting TRAMINER.

AUSTRIA

England & Wales

This year, this chapter focuses on sparkling wine. Yes, there's an iron in the way that widespread recognition of the quality of sparkling wine from England and Wales has coincided with a pair of distinctly tricky vintages. Things were difficult in 2011 and worse in 2012, when many vineyards picked only token amounts and a few made nothing at all. There will, however, still be wine to buy: fizz producers have to keep several years of stock, which helps to iron out poor years. Over half of English wine is now sparkling, and new names appear all the time, ofte backed by enormous investment: some will succeed, some won't. New plantings are of Chardonnay and the Pinots; older producers may have Seyval Blanc. The best wines can rival well-respected Champagne in quality, though tend to have higher acidity.

Bluebell Estates E S'x ★ Newish sparkling producer using both SEYVAL BL a traditional Champagne varieties. Hindleap Seyval 08 and Classic Cuvée a Rosé, both 09, both excellent. Nr Bluebell Railway.

Bolney Wine Estate W S'x ★ Established in 1972, now in 2nd-generation hands a starting to make some impressive sparkling. Chard-based Blanc de Blancs and Rosé 09 well worth trying. Gd visitor facilities.

Breaky Bottom E S'x ★★ One of UK's longest-lasting v'yds approaches 40th yr wi same owner/winemaker. Chard-based Cuvée Princess Colonna 08 and 95 SEYVAL-based Cuvée Alexandre Schwatschko 08 well-made with great characte

Camel Valley Corn ★★★ Lindo family continue to make champion sparkling wi the Champagne varieties, plus reliable SEYVAL BL. Multi-award-winning PINOT Rosé 10 full of fruit and flavour. Excellent CHARD and White Pinot, both 09.

Chapel Down Kent ★★★ Sparkling here gets better and better. New 73-acre Aylesfo v'yd now cropping, so supplies more consistent. Entry-level Brut, Rosé Brut N both excellent, well-priced. Champagne-variety-based Three Graces 08 also v.g

Coates & Seely Hants ★★ Sparkling newcomer with high standards. NV Rosé, Bla de Blancs showing v. well. No visitor facilities: all investment in winemaking.

Furleigh Estate ★ Dorset Champagne-grape newcomer making gd wines, esp Bla de Noirs, Classic Cuvée and (best of all) Blanc de Blancs, all 09.

Gusbourne Kent ★ Large new sparkling producer with big plans. Blanc de Blan 08 and Rosé 09 excellent.

Henners E S'x Newcomer making impact with first vintage. 09 Res, 09 Vinta both excellent wines.

Hush Heath Estate Kent ★★ Balfour Brut Rosé 09 has great balance and leng possibly best UK rosé fizz. Also v.gd apple juice.

Jenkyn Place Hants Planted on former hop gardens and starting to make a nam Best are subtle, toasty Brut 09 and fruity Brut Rosé 09.

Nyetimber W S'x ★★★ UK's largest and best-known producer. Best: Classic Cuv 08, Rosé 08. New Demi-Sec NV worth trying; single-vy'd Tillington 09 to released and is excellent. No grapes picked in 2012.

Plumpton College E S'x ★★ UK's only wine college now starting to make interesti wines. Sparkling The Dean and The Dean Blush (both NV) v.gd.

Ridgeview E S'x ★★★★ Great quality, consistency and gd-value keep this winery the top of UK producers. Grosvenor Magnum Blanc de Blancs 01 and Grosven Blanc de Blancs 09 exceptional quality. New Victoria Rosé 09 best rosé to dat

Wiston W S'x New 16-acre producer on chalk downland; experienced ex-Nyetimb winemaker in charge. 09 South Down Cellars Bin. 3 best wine.

Central & Southeast Europe

Abbeviations used in the text:

Bal	Balaton	N Croa	North Croatia
Cri & Mar	Crisana & Maramures	N Hun	North Hungary
		N/S Pann	North/South Pannonia
Dalm	Dalmatia	Pod	Podravje
Dob	Dobrogea	Pos	Posavje
Mold	Moldova	Prim	Primorje
Mun	Muntenia & Oltenia Hills	Tok	Tokaj

HUNGARY

The picture in Hungary at present is of a huge number of small producers, each with an individual approach. Add to that a large number of native grapes, influences that historically have come from both East and West and current economic problems, and the picture is exciting and confusing. Hungary's volcanic soils give wines of a certain fieriness, and producers are just beginning to favour balance over power. But Hungary's most famous wine exports remain Tokaji (thrilling dry wines from Tokaj in 2011) and Count Agoston Haraszthy (founding father of modern Californian wine); Hungary has just celebrated his 200th anniversary.

Alana-Tokaj Tok dr sw ★★ Also owns NAG wines in MÁTRA. Gd MUSCAT, FURMINT, ASZÚ.

Árvay w dr sw ★★ Family winery since 2009. Daughter Angelika awarded top young winemaker in 2012 for late-harvest MUSCAT.

Aszú Tok Botrytis-affected and shrivelled grapes (not every vintage: gd aszú years in 05 06 07 08, but 09 11 better for dry wines), and the resulting sweet wine from TOKAJ. The wine is graded in sweetness, from 3 PUTTONYOS up to 6.

Aszú Essencia Tok Historically 2nd-sweetest TOKAJI quality (7 PUTTONYOS+), but not used since 2010 vintage. Do not confuse with ESSENCIA.

Badacsony Bal w dr sw ★★→★★★ Volcanic slopes north of Lake BALATON. Flavoursome whites, esp RIES and SZÜRKEBARÁT. Look for Laposa (fine, mineral whites), ***Szeremley*** (age-worthy KÉKNYELŰ), and exciting breakthrough winery Vi Sandahl (esp The Stamp RIES).

Balaton Region, and Central Europe's largest freshwater lake. BADACSONY, Balato füred-Csopak (Béla és Bandi, Feind, Figula, Jasdi), Balatonmelléke (DR. BUSSA SOMLÓ to north. BALATONBOGLÁR to south.

Balatonboglár Bal w r dr ★★→★★★ Wine district, also major winery of TÖRLEY, sou of Lake BALATON. Gd: GARAMVÁRI, KONYÁRI, Ikon, Légli Otto, Légli Géza, Budjosó.

Barta Tok w dr sw ★★★ Highest v'yd in TOKAJ. Increasingly impressive win since 2009 with top winemaker Attila Hommona. Try dry Furmint Válogatá SZAMARODNI and v.gd sweet Furmint-Muskotály.

Beres Tok w dr sw ★★→★★★ Gd ASZÚ (**06 07** 08) wines and dry Lőcse FURMINT.

Bikavér N Hun r ★→★★★ **06' 07 08 09** Literally "Bull's Blood". Being revived flagship blended red. Protected origin status in SZEKSZÁRD and EGER. Min thr of recommended varieties, incl KÉKFRANKOS and historically KADARKA. Supérior min four varieties and restricted yield. Best for Egri Bikavér: Bolyki, DEMETE Grof Buttler, TIBOR GÁL, ST ANDREA, Thummerer. In SZEKSZÁRD look for Takle Meszáros, Eszterbauer, Sebestyén.

Bock, József S Pann r ★→★★★ **06' 07'** 08 09 Leading family winemaker in VILLÁN Noted for weighty, rich reds. Best: CAB FR Selection, Capella Cuvée, SYRAH.

Bodrogkeresztúr Tok Village in TOKAJ region. Gd producers: DERESZLA, Fülek PATRICIUS,Tokaji Nobilis (brilliant Barakonyi HÁRSLEVELŰ **09'**), Puklus (try Kabar

Bussay, Dr. Bal w ★★ **08 09** (11) Doctor and winemaker in Balatonmelléke. Intens TRAMINI, PINOT GR, OLASZRIZLING. Also v.gd Kerkaborum wines with HEIMANN.

Csányi S Pann r ★→★★ Major winery in VILLÁNY. Chateau Teleki is top range.

Tokaj and Sonoma are now twin towns, in honour of Count Agoston Haraszthy.

Degenfeld, Gróf Tok w dr sw ★★→★★★ **05 06 07** (08) Large TOKAJ estate with luxu hotel. Sweet better than dry. Try 6 Puttonyos, Fortissimo and Andante FURMINT

Demeter Zoltán Tok w sw ★★★→★★★★ **07' 08' 09** (11) Superb, elegant dry wine esp Veres and Lapis FURMINTS, stunning Szerelmi HÁRSLEVELŰ. New sweet wi Eszter and v.gd ASZÚ (not made in 11). No relation to Demeter (also gd) in EGER.

Dereszla Tok w dr sw ★★★ **05 06 07** 08 09 10 11 D'Aulan family-owned (Champagne V.gd ASZÚ, *flor*-aged dry SZAMORODNI. Also gd dry FURMINT, superb dry Kabar.

Districtus Hungaricus Controllatus (DHC) Term for wines with specific protecte designation of origin (PDO). Symbol is a local crocus and "DHC" on label.

Disznókő Tok w dr sw ★★★→★★★★ **03' 05 06 07'** (08) Important TOKAJ estat owned by French company AXA. Fine, expressive ASZÚ and gd-value late-harves

Dobogó Tok ★★★→★★★★ **05' 06' 07 08** 09 10 11 Superb small TOKAJ estate. Notabl ASZÚ, late-harvest Mylitta; wonderful Mylitta Álma (modern take on ASZÚ ESZENCIA thrilling dry FURMINT, esp Betsek, and pioneering PINOT N Izabella Utca 09.

Dűlő Named v'yd; single site.

Duna Duna Region comprising three districts of the Great Plain, merged to improv reputation. Districts: Hajós-Baja (try Sümegi), Csongrád (Somodi), Kunsá (Frittmann is quality step up: gd Cserszegi Fűszeres, EZERJÓ and KÉKFRANKOS).

Eger N Hun r w dr ★→★★★ Top red region of north. Egri BIKAVÉR is most famous. CA FR, PINOT N, SYRAH increasingly important; DHC for Debrői HÁRSLEVELŰ. Try: Bolyk Gróf Buttler, Demeter, TIBOR GÁL, Kaló Imre, KOVÁCS NIMRÓD, ST ANDREA, Thummere

Egri Csillag N Hun "Star of Eger." New dry white blend modelled on BIKAVÉR. Blen of at least four grapes; min 50% must be local Carpathian varieties.

Essencia/Eszencia Tok ★★★★ **93 96 99 00 03 06** (**09**) Syrupy, luscious, aromati juice that trickles from ASZÚ grapes. Alcohol 2–3%+; sugar up to 800g/l. Reputed to have miraculous medicinal properties.

Etyek-Buda N Pann Dynamic region noted for expressive, crisp whites, fine sparklers esp CHARD, SAUV BL, PINOT GR. V. promising for PINOT N. Leading producers: Etyeki Kúria, Nyakas, György-Villa, Haraszthy and newcomer Kertész.

Garamvári Bal r w dr sp ★★ Family-owned v'yd. Also ***Chateau Vincent***, Hungary's top bottle-fermented fizz. Good DYA IRSAI OLIVÉR and Sinai Hill CAB SAUV.

Gere Attila S Pann r ★★★→★★★★ 00 03' 04 06' 07' 08 09 Family winemaker in VILLÁNY making some of country's best reds, esp rich Solus MERLOT, intense Kopar Cuvée and top Attila selection. ***Cab Sauv*** is gd-value and ages well.

Heimann S Pann r ★★→★★★ 07 08 09' SZEKSZÁRD family winery impresses: superb Barbár 09, v.gd Franciscus blend, Baranya KÉKFRANKOS. Partner in stylish U&I Kékfrankos (with Heumann from VILLÁNY) and with DR. BUSSAY in Kerkaborum.

Hétszőlő Tok w dr sw ★★ Noble first-growth TOKAJ estate bought in 2009 by Michel Rebier, owner of Cos d'Estournel (Bordeaux).

Hilltop Winery N Pann r w dr ★→★★ 09 10 11 In Neszmély. Meticulous and gd-value DYA varietal wines. Also ART, Muzeális and v.gd Premium range.

Homonna Tok w dr ★★★ 07 08 09' Maverick winemaker with fine, elegant FURMINT, esp Hatari v'yd.

Királyudvar Tok w dr sw ★★★→★★★★ 05 06' 07' (08) TOKAJ winery in old royal cellars at Tarcal, owned by Anthony Hwang (*see also* Vouvray). Wines include dry and late-harvest FURMINT, Cuvée Ilona (early-bottled ASZÚ), stunning Cuvée Patricia and superb 6 PUTTONYOS Lapis Aszú.

Konyári Bal r w dr ★★→★★★ 06 07 08 09 10 (11) Father and son making high-quality estate wines at BALATONBOGLÁR, esp drinkable DYA rosé, consistent Loliense (r w) and excellent Szárhegy (w), Sessio (r) and top Pava blend.

Kovács Nimród Winery N Hun r w dr ★★ 08 09 10 11 Eger producer impressing with Battonage CHARD, also gd SYRAH, PINOT N and NJK red blend.

Kreinbacher Bal w dr ★★ 07 08 09 Organic approach (2008); local grapes, esp blends. Long-lived whites: Öreg Tőkék, Somlói Cuvée impress as does SYRAH 09.

Mád Tok Important historic town in heart of TOKAJ region. Leading growers: ALANA-TOKAJ, BARTA, OROSZ GÁBOR, DEMETER ZOLTÁN, Első Mádi Borház (new, dry wine), Lenkey (v.gd ASZÚ 03), Moonvalley (aka Holdvölgy, winemaker is Stephanie Berecz, also of v.gd Kikelet), ROYAL TOKAJI, SZEPSY, St Tamás winery (new from 2009 with Szepsy Jr), Tokaj Classic.

Malatinszky S Pann r w dr ★★★ 06' 07 08 09' Certified organic from 2012. Excellent unfiltered Kúria CAB FR, CAB SAUV, Kövesföld red and fine CHARD.

Mátra N Hun (r) w ★→★★ District in Mátra foothills. Gd for fresh whites. Better producers incl Benedek, Karner Gábor, NAG (*see* ALANA-TOKAJ), Szöke Mátyás, Borpalota (Fríz label) and co-op Szölöskert (Nagyréde and Spice Trail labels).

Mézes-Mály Tok Top TOKAJI cru in Tarcal. Try ROYAL TOKAJI and Balassa.

Mór N Pann w ★→★★ Sleepy region, being revived almost single-handedly by Ákos Kamocsay Jr's Maurus winery. ***Fiery Ezerjó*** notable; promising RIES, CHARD, TRAMINI.

Oremus Tok w dr sw ★★→★★★★ 03' 05 06' 07 08 09 10 (11) Site of historic TOKAJ v'yd of founding Rakóczi family, owned by Spain's Vega Sicilia: first-rate ASZÚ and v.gd dry FURMINT ***Mandolás*** 10.

Orosz Gábor Tok w dr sw ★★→★★★ 03' 05 06 07 08 09 (11) Improving producer: try dry single-v'yd FURMINT and HÁRSLEVELŰ, plus excellent ASZÚ.

Pajzos-Megyer Tok w dr sw ★★→★★★ 00 02 03' 05 06' 07 08 09 Jointly managed TOKAJ properties. Megyer in cooler north of region, esp dry FURMINT, dry and sweet MUSCAT. Pajzos makes richer age-worthy sweet wines only.

Pannonhalma N Pann r w dr ★★ 08 09 10 11 12 Region in north. Also 800-yr-old Pannonhalma Abbey winery and v'yds. Stylish, aromatic whites, esp RIES, TRAMINI, SAUV BL and top Hemina white blend. Recently fine PINOT N.

Patricius Tok w dr sw ★★★ 05 06' 07 08 09 10 11 Quality TOKAJ estate since 2000. V.gd dry FURMINT, sweet Katinka and 6-puttonyos ASZÚ.

Pécs S Pann (r) w ★→★★ District around the city of Pécs. Known for whites, i local CIRFANDL. Ebner PINOT N impresses.

Pendits Winery Tok w dr sw ★★→★★★ 03 05 06 07 08 09 (11) Only Demet certified biodynamic estate in Hungary. Luscious ASZÚ ESZENCIA, attractive Sze Cuvée and pretty dry MUSCAT.

Bor is wine; *vörös* is red; *fehér* is white; *édes* is sweet, *száraz* is dry, *minőségi* is quali

Puttonyos Measure of sweetness in TOKAJI ASZÚ. Nowadays 3 puttonyos = 60g sugar per litre, 4 = 90g, 5 = 120g, 6 = 150g. Traditionally a *puttony* was a 25 measure (a bucket or hod) of shrivelled grapes. The number added/barrel (1 litres) of dry base wine or must determined the final sweetness of the wine.

Royal Tokaji Wine Co Tok dr sw 00 03 05 06 07' Pioneer joint-venture at MÁD th led renaissance of TOKAJ in 1990 (I am a co-founder). Mainly first-growth v'y 6-putts single-v'yd bottlings: esp MÉZES-MÁLY, Betsek, Szent Tamás, Nyulászó pl value Blue Label 2008. Also complex, dry FURMINT 2011 and luscious, gd-val Late Harvest 09 10. New winery opened 2010.

St Andrea N Hun r w dr ★★★ 06' 07 08 09 (11) Top name in EGER, leading w in modern, high-quality BIKAVÉR (Merengő, Hangács, Áldás). Excellent wh blends: Napbor, Örökké, organic Boldogságos, plus v.gd KADARKA and PINOT N.

Sauska S Pann, Tok r w ★★→★★★★ 07 08 09 10 11 Immaculate winery in VILLÁN Beautifully balanced KADARKA, KÉKFRANKOS, CAB FR and impressive red blends, e Cuvée 7 and Cuvée 5. Also Sauska-Tokaj in old casino in TOKAJ with focus on v. dry whites, esp Cuvée 111 and 113 and FURMINT Birsalmás.

Somló Bal w ★★→★★★ 07 08 09 10 11 Dramatic volcanic hill famous for mineral-ri whites: ***Juhfark*** ("sheep's tail"), OLASZRIZLING, FURMINT, HÁRSLEVELŰ. Region of sm producers making long-lived, barrel-fermented wines, esp Fekete, Györgykovác Hollóvár, Somlói Apátsági, Spiegelberg. TORNAI, KREINBACHER also v.gd.

Sopron N Pann r ★★→★★★ Recently dynamic district on Austrian border th overlooks Lake Fertő. KÉKFRANKOS most important, plus CAB SAUV, SYRAH, PINOT Top producer is biodynamic ***Weninger***, also try the v. characterful wines of Rás (esp Electus ZWEIGELT). Other names to watch: Pfneiszl, Luka, Taschner.

Szamorodni Tok Literally "as it was born"; describes TOKAJI not sorted in the v'y Dry or sweet (*édes*), depending on proportion of ASZÚ grapes present. The be dry versions are *flor*-aged; try ***Tinon***, Dereszia or Karádi-Berger.

Szekszárd S Pann r ★★→★★★ Ripe, rich reds from KÉKFRANKOS, CAB SAUV, CAB FR ar MERLOT. Also KADARKA being revived and BIKAVÉR. Look for: Dúzsi, Domaine Gr Zichy, Eszterbauer, HEIMANN, Mészáros, Sebestyén, Szent Gaál, TAKLER.

Szepsy, István Tok w dr sw ★★★★ 03' 05 06 07 08 09 10 11' Brilliant, standar setting TOKAJI producer in MÁD. Superb DŰLŐ dry FURMINT, esp Urágya, Szen Tamás and Betsek 11', released ahead of 10. Also Király HÁRSLEVELŰ, and swe SZAMORODNI 03 06 08. Shares family name with creator of ASZÚ method.

Szeremley Bal w dr sw ★★ 06 07 08 09 11 12 Pioneer in BADACSONY. Intens mineral RIES, ***Szürkebarát***, (aka PINOT GR), KÉKNYELŰ, and appealing sweet Zeus.

Hungary and Pinot Noir

PINOT N is coming to the fore in Hungary, too. Gd sparklers incl TÖRLEY's François President Brut Rosé and Château Vincent's Evolution Rosé, while on the red front, in Eger look out for ST ANDREA's Hangács and TIBOR GÁL's Síkhegy. From the south, VYLYAN, Ebner and HEIMANN are all noteworthy sources of fine Pinot N, while further north PANNONHALMA Abbey's Res is a gd bet, as is Etyeki Kuria's gentle, elegant style, and to really break the mould, DOBOGÓ is now pioneering Izabella Utca Pinot N from the cool hillsides of TOKAJ.

Takler S Pann r ★★ 06 07 08 09 Significant family producer in SZEKSZÁRD, making super-ripe, supple reds. Best: Res selections of CAB FR, KÉKFRANKOS, SYRAH and BIKÁVER. Super-cuvée Regnum well-regarded locally and in USA.

Tibor Gál N Hun r w dr ★→★★ Winery in EGER founded by the late Tibor Gál, famed as winemaker at ORNELLAIA, Tuscany. Son (also Tibor) is building new cellars; smaller range of wines is improving.

Tinon, Samuel Tok w dr sw ★★→★★★ 00 01 04 Bordelais in TOKAJ since 1991. Distinctive and v.gd Tokaji ASZÚ with v. long maceration and barrel-ageing. Also superb *flor*-aged ***Szamorodni***.

Tokaj/Tokaji w dr sw ★★→★★★★ Tokaj is the town; Tokaji the wine. Also producing increasingly exciting dry table wine.

Tokaj Trading House Tok w dr sw ★→★★ Aka Kereskedöház or Crown Estates. State-owned TOKAJ company, working with 2,300 small growers plus own vines, incl the fine Szarvas v'yd. Modernizing but still variable quality.

Tolna S Pann Largest estate in this region is Antinori-owned Tűzkő at Bátaapáti. Gd TRAMINI, CHARD and blended red Talentum.

Törley r w dr sp ★→★★ Innovative large company. Well-made, international varietals (PINOT GR, CHARD, PINOT N), also local varieties IRSAI OLIVÉR, Zenit and Zefir. Major fizz producer (esp ***Törley***, Gala and Hungaria Grande Cuvée labels) and v.gd classic method, esp François Rosé Brut and President Brut. Chapel Hill is well-made, gd-value brand, and György-Villa for top selections (try JUHFARK, SYRAH).

Tornai Bal w dr ★→★★★ 07 08 09 11 (12) Gd, complex, intense dry whites in Somló, esp Top Selection range (Juhfark, HÁRSLEVELŰ, OLASZRIZLING and FURMINT).

Villány S Pann Most southerly wine region and best red zone. Noted for serious, ripe Bordeaux varieties (esp CAB FR) and blends, also try juicy examples of local ***Kékfrankos*** and PORTUGIESER. Recent appearance of gd SYRAH and PINOT N in cooler spots. High-quality producers: ***Bock***, CSÁNYI, ATTILA GERE, Tamás Gere, Heumann, ***Malatinszky***, SAUSKA, Tiffán, ***Vylyan***, WENINGER-GERE, Wunderlich.

Vylyan S Pann r ★★→★★★ 06' 07 08 09 Stylish PINOT N; CAB FR, SYRAH, excellent-value Belzebub. ***Duennium Cuvée*** (Cab Fr, CAB SAUV, MERLOT, ZWEIGELT) is flagship red.

Weninger N Hun r ★★→★★★ 06 07 08 09 10 (11) Benchmark winery in SOPRON run by Austrian Franz Weninger Jr. Biodynamic (2006). Single-v'yd ***Spern Steiner Kékfrankos*** one of Hungary's best. SYRAH, PINOT N, Frettner blend (r) also impressive.

Weninger-Gere S Pann r ★★★ 06' 07' 08 Joint-venture between Austrian Franz Weninger Sr and GERE ATTILA. CAB FR Selection excellent, supple PINOT N, gd-value Cuvée Phoenix and fresh Rosé.

BULGARIA

There is movement here, too. Bulgaria is moving away from a focus on local grapes, and taking an interest in Malbec, Sangiovese, Petit Verdot, Alicante Bouschet, Viognier and Colombard. Novelty is the watchword; though the old favourites of Cabernet Sauvignon, Merlot, Mavrud and Melnik are not watching their backs just yet.

Assenovgrad Thrace r ★→★★ Specialists for local grapes MAVRUD and RUBIN.

Bessa Valley Thrace r ★★★ Stephan von Neipperg (of Canon la Gaffelière, Bordeaux) and K-H Hauptmann's winery nr Pazardjik. Enira 08 and Enira Res 07. The only quality Bulgarian wine readily available in the UK.

Blueridge Thrace r w ★→★★ Large DOMAINE BOYAR winery. Gd everyday CHARD; CAB SAUV.

Borovitsa Danube r w ★★ One of the few old v'yds, distinctive terroir close to Danube. Dux 06, complex and oaky, recommended. Les Amis CHARD 08 and PINOT N 09 worth trying.

Castra Rubra Thrace r ★★ New winery of TELISH in south. Michel Rolland of Bordeaux advises young team. Try the Via Diagonalis **09**, Castra Rubra **09** and award-winning Butterfly's Rock **09**.

Chateau de Val Danube r ★★ Small producer of distinctive quality wines: Grand Claret Res 09. Cuvée Trophy 10.

Damianitza Thrace r (w) ★★ Specialists for MELNIK grape. Uniqato single varieties RUBIN and Melnik **08**. Try the smooth and elegant Kometa No Man's Land MERLOT and CAB SAUV 08.

Domaine Boyar Big exporter, own v'yds and wineries. Award-winning Solitaire Grands Cépages, single-v'yd, 09. Quantum range **11**. And a new range: Next 20 Years, esp the CHARD/SAUV BL.

Dragomir Thrace r (w) ★★ Promising winery nr Plovdiv. CAB SAUV/MERLOT brands such as Karizma **09** and Rezerva 09.

Katarzyna Thrace r w ★★★ Quality wines from this southern winery bordering Greece and Turkey. Encore SYRAH 11 is excellent; also recommended: Question Mark 11 (stylish CAB SAUV/MERLOT), and Contemplations Merlot and Malbec 11.

Korten Thrace r ★★ Boutique cellar of DOMAINE BOYAR; quality and traditional-style wines. Look out for Cluster, Ars Longa and Royal Res ranges.

Levent Danube (r) w ★★ Small winery in Russe, really gd whites, esp SAUV BL **11** and Levent Family Selection **10**. Also MERLOT Grand Selection **08** and CAB SAUV Grand Selection 11.

Logodaj Thrace r w ★→★★ Blagoevgrad winery: Nobile RUBIN **08**, Hypnose Res MERLOT single-v'yd 08. Nobile CHARD 11 is worth looking out for and the stylish Artis CABS SAUV and FR 10.

Malkata Zvezhda Thrace r w ★ Promising small winery aiming for high quality. Enigma range, esp MERLOT, and blended Experience both recommended.

Midalidare Estate Thrace r w ★→★★ Boutique winery making an impression with red and white. Try medal-winning Grand Vintage MALBEC, Mogilovo single-v'yd 10. Also SAUV BL/SÉM **10**, Grand Vintage SYRAH 10, Synergy Sauv Bl, PINOT GR 11.

Wineries to watch for

Medi Valley's name is a link with its Thracian predecessors, but it's producing some modern and fresh MERLOTS in the Struma Valley. **Strymon**, in the same region, is making smooth Merlots and blending with SYRAH. **Rossidi** from Sliven, Thracian Lowlands, has limited but high-quality production; **Domaine Marash** has several unusual blends incl Quattro 11, of MALBEC, CAB SAUV, CABERNET FR and Syrah.

Minkovi Brothers Thrace r w ★★ Smooth reds and fresh whites in the Cycle range: varietals and blends of two grapes (bicycles) or three (tricycles). Also look for Cuvée 10, Oak Tree 09. Season of Memories 09 is a dessert wine, unusual for Bulgaria and worth a try.

Miroglio, Edoardo Thrace r w ★★ Italian investor with v'yds at Elenovo. MERLOT **09**, elegant CAB SAUV Res **09**, ***Bulgaria's best fizz***, Miroglio Brut Metodo Classico **07**.

Pomorie Thrace (Black Sea Gold) (r) w ★ Golden Rhythm and Villa Ponte ranges **10**.

Preslav Thrace (r) w ★→★★ Gd TRAMINER, SAUV BL. Rubaiyat CHARD **09** recommended.

Slaviantsi Thrace (r) w ★→★★ Gd whites and some promising reds. Try Leva: CHARD, MUSCAT and DIMIAT **11**, also SYRAH Res 10.

Targovishte Danube (r) w ★→★★ Winery in the east, gd for CHARD, SAUV BL, MUSCAT and TRAMINER and some promising new reds.

Telish Danube r (w) ★★ Innovative winery in north. Gd value and quality. Nimbus SYRAH Premium **09**, CAB SAUV and MERLOT 10.

odoroff Thrace r (w) ★→★★ High-profile winery. Boutique MAVRUD 09. Look out for Gallery, Teres and Emotion ranges.

alley Vintners Danube *See* BOROVITSA.

arna Wine Cellar Danube (r) w ★→★★ Promising SAUV BL **12**, RIES, Varnenski MISKET **12**.

amantievi Thrace r w ★→★★ Villa Armira and Marble Land ranges worth looking out for; Res MERLOT and CAB SAUV smooth and stylish.

ambol r (w) ★ Old established winery in Thracian Plain, CAB SAUV, MERLOT specialists.

SLOVENIA

Slovenia has widely different regions and a long history of quality wine now brimming with modern ideas. Sadly, the economic pressures of being a tiny member of the Eurozone are hitting quality wine – with both cheap imports on the rise and a large grey market of so called "open wines" (bulk wine, often homemade and poor quality).

Batič Prim r w sw ★→★★ 06 07 08 09 Organic, low-intervention, variable estate in VIPAVA. Try Rosé, PINELA, Zaria.

Bjana Prim sp ★★ Gd traditional-method sparklers from BRDA, esp Brut Rosé and Cuvée Prestige.

Blažič Prim w ★★★ 06 07 08 09 10 11 BRDA producer making superb REBULA, aromatic SAUVIGNONASSE and complex white blend Blaž Belo in top yrs.

Brda (Goriška) Prim Exciting top-quality district in PRIMORJE and home to many leading wineries, incl BJANA, BLAŽIČ, EDI SIMČIČ, Erzetič, JAKONČIČ, Kabaj (famous for amber Amfora wine), Klinec, KRISTANČIČ DUSAN, MOVIA, Prinčič, MARJAN SIMČIČ, ŠČUREK, VINSKA KLET GORIŠKA BRDA, ZANUT.

Burja Prim r w ★★→★★★ 09 11 New venture in VIPAVA from Primož Lavrenčič (previously with brother at SUTOR), focusing on local varieties Zelen and MALVAZIJA. Also delicious PINOT N 09' 10.

Čotar Prim r w ★★ 03 04 05 07 08 Natural wine pioneer in KRAS. Long-lived, distinctive wines, esp Vitovska (w), MALVAZIJA, SAUV BL. Try: TERAN, Terra Rossa, CAB SAUV.

Čurin-Prapotnik (PRA-VinO) Pod r w sw 99' 04' 05' 06' 07 Pioneer of private wine production in 1970s. World-class, ★★★★ sweet wines (drier styles not so gd), incl fantastic Icewine (*ledeno vino*), botrytis wines from ŠIPON, LAŠKI RIZLING, CHARD).

Cviček Pos Traditional low-alcohol, sharp, light red blend of POSAVJE, based on Žametovka. Try Bajnof.

Dveri-Pax Pod r w sw ★★→★★★ 09 10 11 Consistent winery nr Maribor. Basic range is crisp,v.gd-value whites, esp SAUV BL, ŠIPON, RIES. Better are single-v'yd selections: try Šipon Ilovci, Sauv Bl Vagyen, Ries "M",Chard, MODRI PINOT. Also superb sweet wines, esp rare Šipon 09 straw wine.

Edi Simčič Prim r w ★★★→★★★★ **06 07** 08 09 10 Perfectionist in BRDA. Philosophy: low yields, quality without "trendy" maceration. Excellent SIVI PINOT, REBULA, white blend Triton Lex. Superb Kozana single-v'yd CHARD; reds Duet Lex, top-class Kolos.

Guerila Prim r w sp ★★ 08 09 11 Organic producer in VIPAVA making benchmark local DYA Pinela and Zelen and aged Roma white.

Istria Aka Slovenska Istra. Coastal zone extends into Croatia; REFOŠK, MALVAZIJA. Best: Bordon (E Vin rosé, MALVAZIJA), Korenika & Moškon (PINOT GR, Kortinca red), Rojac (Renero, Stari d'Or), Pucer z Vrha (MALVAZIJA), SANTOMAS, VINAKOPER.

Jakončič Prim r w ★★★ **07 09** 10 11 V.gd BRDA producer with elegant whites and reds, esp Bela Carolina REBULA/CHARD blend and Rdeča (r) Carolina.

Joannes Pod r w sp ★★ **08** 09 10 11 RIES focus, gd CHARD, MODRI PINOT and sparkling.

Kogl Pod r w sp ★★ 08 09 10 Small hilltop winery nr Ormož, dating back to 16th century. Main range is fine unoaked Mea Culpa wines.

Quality wines
Take a deep breath. *Vrhunsko vino z zaščitenim geografskim poreklom*, or *Vrhunsko vino ZGP*, is the term for top-quality AOP wines (*see* box p.47), and *Kakovostno vino ZGP* for quality wines. *Deželno vino PGO* is used for IGP wines. For quality sweet wines, descriptions are: Pozna Trgatev (Spätlese), Izbor (Auslese), Jagodni Izbor (Beerenauslese), Suhi Jagodni Izbor (TBA). (*See* German chapter for definitions.) Ledeno Vino is Icewine, Slamno Vino is straw wine from semi-dried grapes, Penina is natural sparkling wine.

Kras Prim Small, famous district on Terra Rossa soil in PRIMORJE. Best-known for TERAN but also whites, esp MALVAZIJA. Look for ČOTAR, Lisjak Boris, Renčel.

Kristančič Dusan Prim r w ★★ 08 09 10 11 BRDA producer straddling Italian border. Try Pavo CHARD and Rdeče red.

Kupljen Pod r w ★★ 09 10 11 Consistent dry wine pioneer nr Jeruzalem known for RENSKI RIZLING, SAUV BL, SIVI PINOT, CHARD, FURMINT, PINOT N. Wines age well.

Ljutomer Ormož Pod Famous subdistrict in PODRAVJE for crisp, delicate whites and top botrytis. *See* ČURIN-PRAPOTNIK, P&F, KOGL, Krainz, KUPLJEN, VERUS.

Marof Pod r w ★★→★★★ 09' 10 11 Exciting winery in Prekmurje raising the image of the district. DYA classic range: v.gd LAŠKI RIZLING Bodonci, RENSKI RIZLING; barrel-fermented Breg CHARD, SAUV BL and single-v'yd Cru Chard and BLAUFRÄNKISCH.

Mlečnik Prim w ★★★ Tiny VIPAVA producer; natural, long-aged, macerated whites.

Movia Prim r w sp ★★★→★★★★ 03 05 06 07 08 09 High-profile biodynamic winery. Extreme winemaking but excellent results, esp Veliko Belo (w) and Veliko Rdeče (r) and v.gd MODRI PINOT. Non-disgorged sparkling Puro is a showpiece but orange, macerated Lunar (REBULA) is a love/hate wine.

P&F Pod r w sp ★★ 09 10 11 Former Jeruzalem Ormož co-op returned to original family owners, renamed P&F (Puklavec & Friends). Now v.gd value, ***consistent crisp, aromatic whites*** in P&F range. Selected Gomila gold label wines excellent esp FURMINT, SAUV BL.

Penina Quality sparkling wine made by either *charmat* or traditional method. Look for RADGONSKE GORICE (biggest), Istenič, BJANA, Medot, MOVIA.

Podravje Region in the northeast. Much-improved quality, esp crisp, dry whites; better value than west. A few light reds from PINOT N and Modra Frankinja.

Posavje Region in the southeast. Most successful wines are sweet, esp PRUS, Šturm (amazing ★★★★ Icewine and botrytis versions of MUSCAT) and sparkling from Istenič (reliable Miha NV, best Gourmet Rosé and Prestige Brut).

Primorje Region in the southwest from Slovenian ISTRIA to BRDA. Aka Primorska.

Prus w sw Small family producer; stunning ★★★★ 01 03 04 06 09 sweet wines, esp Icewines, straw wines from Rumeni MUŠKAT, SAUV BL; luscious botrytis TRAMINER.

Oldest vine in production? Žametovka in Maribor, 400 years+, still making wine.

Ptujska Klet Pod r w sp ★★→★★★ 09 10 11 V.gd crisp, modern whites, esp Pullus SAUV BL, RIES, Ranfol. Excellent "G" wines (esp Sauv Bl and Sladko) and lovely *Renski Rizling* TBA (*see* Germany) 08'.

Radgonske Gorice Pod ★ Wine zone and name of co-op producing best-selling Slovenian sparkler Srebrna (silver) PENINA, classic-method Zlata (golden) PENINA, and popular demi-sec black label TRAMINEC.

Refošk The red to drink in Istria; should be nicely tannic, fruity, brusque.

Santomas Prim r w ★★★ 06 07 08 09 In ISTRIA with French consultant. Some of the country's best ***Refošk*** and REFOŠK-CAB SAUV blends with long ageing potential, esp Antonius, Grande Cuvée. Mezzoforte is v.gd-value, Casme Ré Rosé tasty.

Ščurek Prim r w sw ★★→★★★ 06 07 08 09 10 11 Gd consistent BRDA producer.

DYA varieties BELI PINOT, CHARD, REBULA. Best wines focus on local grapes, esp Stara Brajda (r w), Pikolit, Up.

imčič, Marjan Prim r w sw ★★★★ **06 07** 08 09 10 11 Whites, esp SIVI PINOT, SAUVIGNONASSE, REBULA, CHARD and SAUV BL Selekcija impress. Teodor Belo (w) and Teodor Rdeče (r) are superb. MODRI PINOT is elegant. Excellent Opoka single-v'yd range, esp notable Sauv Bl and MERLOT. Sweet Leonardo is great.

tajerska Slovenija Pod Important wine district since 2006. Check out Gaube, Frešer, Kušter, Conrad-Fürst, Miro Vino.

teyer Pod w sw sp ★★ 07 08 09 10 11 TRAMINER specialist in RADGONSKE GORICE: all styles from sparkling to excellent sweet Vaneja. Decent SAUV BL and Ranina.

utor Prim r w ★★★ 08 09 Excellent producer from VIPAVA. CHARD is one of country's best and ages well. V.gd SAUV BL and fine MALVAZIJA.

ilia Prim r w ★★ **08** 09 10 11 Husband-and-wife in VIPAVA, appetizing DYA whites: Sunshine label; premium Golden Tilia range, fine PINOT N, Nostra Zelen/Pinela.

aldhuber r w ★★ **09** 10 11 First dry whites in PODRAVJE. Notable SAUV BL, gd LAŠKI RIZLING.

erus Pod r w ★★★ **09' 10 11'** Young team doing well with fine, focused whites, esp v.gd FURMINT, crisp SAUV BL, flavoursome PINOT GR and zesty RIES. PINOT N due soon.

inakoper Prim r w ★→★★ 06 08 09 Large company, own v'yds in ISTRIA. Gd-value Capris line (DYA MALVAZIJA, REFOŠK); premium Capo d'Istria CAB SAUV, Refošk.

inska Klet Goriška Brda Prim r w ★→★★★ **06** 07 08 **09** 10 11 Modernized major winery in BRDA. V.gd-value DYA whites, esp Quercus SIVI PINOT, PINOT BL. Bagueri is higher-quality line; excellent A+ red and white only produced in best vintages.

ipava Prim Valley noted for cool breezes in PRIMORJE, recently source of some of Slovenia's best wines. Producers: BATIČ, BURJA, GUERILA, Štokelj (best Pinela), MLEČNIK, SUTOR, TILIA. Also try better Lanthieri range from co-op Vipava 1894.

anut Prim r w ★★ 06 09 small family winery in BRDA famed for aromatic SAUV BL and in top yrs single-v'yd MERLOT Brjač.

lati Grič Pod r w sp ★★ New investment nr Maribor, with 75ha and NZ winemaker.

CROATIA

At the time of writing Croatia was still on track to join the EU in July 2013, but it looks as though it will be the last entrant for some years. conomic necessity is driving exports, using a new "Vina Mosaica" logo o emphasize the huge variety of grapes and wine styles. As a result roatian wines are increasingly available at specialist importers, eg. in he UK and the USA. Undoubtedly the wine industry's greatest strength s the buoyant tourism market – and hopefully plenty of goodwill towards roatian wines when they get home.

grokor r w ★★ 09 10 11 Major group with over 30% of Croatian market, and several wineries, incl Vina Laguna Festigia (gd MALVAZIJA, Malvazija Riserva, MOSCATO rosé, TERAN, CAB SAUV), Vina Belje (esp MERLOT, Frankovka, Goldberg GRAŠEVINA and CHARD), Iločki Podrumi (Try Graševina selected, Principovac TRAMINAC).

rman, Franc Ist r w ★★ 07 08 09 11 Sixth-generation family winery. V.gd, precise whites and decent TERAN barrique.

abič Dalm Rare red from stony sea-terraces at Šibenic. At best almost burgundian.

adel 1862 Dalm r w ★★ 08 09 10 11 Major producer with four wineries; state-owned stake is being privatized. Quality surprisingly gd, esp Ivan Dolac from PZ Svirče, POSTUP & DINGAČ from PZ Vinarija Dingač, Korlat SYRAH from Benkovac. Gd-value Duravar range, esp SAUV BL, GRAŠEVINA.

enventi Ist r w ★★ Family winery using local grapes. Try both DYA and aged versions of MALVAZIJA and v.gd TERAN 09.

SLOVENIA/CROATIA

Bodren N Croa w sw ★★→★★★ 09 10 11 Excellent sweet wines in otherwise unregarded area, incl Château Bezanec CHARD, SIVI PINOT, RIES. Superb Icewine.

Bolfan N Croa w dr ★★ 09 10 11 New producer nr Zagreb with 20ha. Fresh, appetizing wines, incl gd PINOT N rosé, PINOT GR, RIES and SAUV BL.

Capo Ist w r dr ★★ New quality-focused producer in Istria since 2009. V.gd Stella range, esp SAUV BL Sagittarius, CAB FR Aries, PINOT N Gemini.

Cattunar Ist r w dr ★★ 09 10 11 One of ISTRIA's largest private producers. MALVAZIJA, esp late-harvest Collina, is v.gd.

Coronica Ist r w ★★ 09 11 Notable ISTRIAN winery, esp MALVAZIJA. The Gran TERAN is benchmark for this tricky grape.

Dalmatia Rocky coastal zone and islands. Warm Mediterranean climate gives weighty, full-bodied wines.

Dingač Dalm **06 07** 08 09 First quality designation in 1961, now PDO, on Pelješac peninsula in southern DALMATIA. Robust, full-bodied PLAVAC MALI. Look for: Bura-Mrgudič, Kiridžija, Lučič, Matuško, Madirazza, SAINTS HILLS, Vinarija Dingač.

Enjingi, Ivan N Croa w sw ★★ V.gd sweet botrytis, dry whites, esp GRAŠEVINA, Venje.

Galić N Croa r w ★★ 09 10 11 Promising new producer in SLAVONIJA, esp GRAŠEVINA, Crno 9 and fine PINOT CRNI.

Vrhunsko vino: **premium-quality wine;** ***Kvalitetno Vino:*** **quality wine;** ***Stolno Vino:*** **table wine.** ***Suho:*** **dry;** ***Polsuho:*** **semi-dry.**

Gracin, Leo Dalm r w ★★ Academic and owner/winemaker at Suha Punta (Babič 08 09 is excellent) and consultant to Stina on Brač island (v.gd POŠIP 11, PLAVAC MALI 09 and interesting rare Vugava).

Grgić Dalm r w ★★→★★★ Legendary Napa Valley producer returned to his roots to make PLAVAC MALI 07 09 and rich POŠIP 10 on Pelješac Peninsula.

Hvar Dalm Beautiful island in mid-Dalmatia: PLAVAC MALI, incl Ivan Dolac designation. Gd: Carič, Plančič, ZLATAN OTOK, PZ Svirče, TOMIČ (Bastijana winery).

Istria Dynamic region on North Adriatic peninsula. MALVAZIJA is the main grape. Gd also for CAB SAUV, MERLOT and TERAN. Look for ARMAN FRANC, BENVENUTI, CATTUNAR, Clai (orange wines esp Sveti Jakov), CAPO, CORONICA, Cossetto (Malvazija Rustica, Mozaik), Degrassi (MUSCAT, Terre Bianche), Gerzinič (Teran), Kabola (esp Malvazija Amfora and Unica), KOZLOVIČ, MATOŠEVIČ, Meneghetti (Red 08), Peršurič (Croatia's best sparkling wines, esp Misal Millenium Brut 09) Pilato (Malvazija, PINOT BL) RADOVAN, Ritoša, ROXANICH, SAINTS HILLS, BRUNO TRAPAN.

Korta Katarina Dalm r w ★★★ **06 07** 08 **09** 11 New-generation small producer with modern take on traditional styles. Excellent POŠIP, PLAVAC MALI, esp Reuben's Res

Kozlović Ist w ★★→★★★ 09 11 Benchmark producer of MALVAZIJA in all its forms, esp Santa Lucia and Akacia (matured in acacia barrels).

Krauthaker, Vlado N Croa r w sw ★★★ **08 09'** 10 **11** Top producer from KUTJEVO, esp CHARD Rosenberg, GRAŠEVINA Mitrovac, Zelenac (semi-dry and sweet) and sweet Graševina Izborna Berba. Improving reds.

Kutjevo N Croa Name shared by a town in SLAVONIJA, heartland of GRAŠEVINA, and ★→★★ Kutjevo Cellars with ★★★ GRAŠEVINA Icewine 09.

Matošević Ist r w ★★→★★★ 08 09 10 11 Benchmark MALVAZIJA, esp Alba Robinia. Also v.gd Grimalda (r) **08** 10 and white.

Miloš, Frano Dalm r sw ★★ 05 06 08 Highly regarded for powerful Stagnum, but PLAVAC 08 is more approachable.

Grape varieties

Croatia has 39 indigenous grapes, incl red Babič (best is GRACIN), Bogdanuša (from HVAR), Debit (try Bibich Lučica), Gegič (try Boškinac), Grk (try GRGIĆ), Maraština (Sladič is gd) and Vugava (Stina).

Postup Dalm Famous v'yd designation northwest of DINGAČ. Full-bodied, rich PLAVAC MALI. Donja Banda, Miličič, Mrgudič Marija, Vinarija Dingač are noted.

Prošek Dalm Passito-style dessert wine from DALMATIA, made from dried local grapes Bogdanuša, Maraština, Prč. Look for Hectorovich from TOMIČ.

Radovan Ist r w ★★→★★★ 09 11 Excellent family producer of impeccable whites and superb CAB SAUV and MERLOT.

Natural winemaking and amber wines are a notable trend, especially in Istria.

Roxanich Ist r w ★★→★★★ 06 07 08 Natural producer (*see* France) making powerful, intriguing whites (MALVAZIJA Antica, Milva) and impressive complex reds, esp TERAN Ré, Superistrian Cuvée, MERLOT.

Saints Hills Dalm, Ist r w ★★→★★★ 08 09 10 High-profile producer since 2008 with Michel Rolland consulting. V.gd Nevina MALVAZIJA/CHARD. Fun St Heels rosé. PLAVAC MALI St Roko 10 has potential.

Slavonija N Croa Subregion in north, historically for whites but gd reds now, esp PINOT N. Look out for Adzič, Bartolovič, Belje, ENJINGI, GALIĆ , KRAUTHAKER, KUTJEVO, Mihalj, Zdjelarevič. Also famous for growing oak.

Teran REFOSCO wine (REFOŠK) from the karst soils of Istria. Rustic, acidic, appetizing.

Tomac N Croa r w sp ★★ Family with 200-yr-old wine history nr Zagreb famous for sparkling wines and pioneering amphora wines.

Tomič Dalm r w ★★→★★★ 06 07 08 09 Bastijana winery on island of HVAR. V.gd barrique PLAVAC MALI and PROŠEK Hectorovich from dried grapes.

Trapan, Bruno Ist r w ★★→★★★ 09 10 11 Rising star, esp MALVAZIJA, incl aged Uroboros and fresh Ponente. Pioneer with SYRAH in ISTRIA.

Zlatan Otok Dalm r w ★★→★★★ 07 08 09 10 Much admired for huge reds, esp Zlatan Plavac Grand Cru 08 09. V'yd investments showing in better-balanced wines: Zlatan Plavac Barrique, Crljenak (rescued from extinction) and POŠIP 10.

Zlatan Plavac Dalm *Grand cru* designation for PLAVAC MALI. Usually v. high alcohol.

BOSNIA & HERZEGOVINA, MACEDONIA (FYROM), SERBIA, MONTENEGRO

Heartland of the Balkans; each country has its own grapes and wine culture. Modern winemaking, investment making wines accessible.

Bosnia & Herzegovina has its plummy red Blatina grape and grapey white Žilavka (try Hercegovina Produkt for both), plus characterful, ripe Vranac (try Vinarija Vukoje and Tvrdoš Monastery).

Macedonia (strictly FYROM due to ongoing disagreements with Greece over the name) is now producing some seriously interesting quality. Look out for giant Tikveš' exciting single-v'yd wines under Bela Voda and Barovo labels, while newcomer Stobi is seeking to make a major impression after investing €20m (MUSCAT Ottonel and Vranec Veritas best so far). On a smaller boutique scale, Chateau Kamnik impresses, esp 10 Barrels CAB SAUV, SYRAH, Cuvée Prestige and Temjanika, and look for Bovin, esp Dissan Barrique.

Serbia's nine wine regions now feature a couple of global-standard producers. Radovanović Cab Res is classy and Aleksandrović also impresses, esp Trijumf whites, PINOT N-based Trijumf Noir and Rodoslav. Interesting wines also from Vino Budimir (Triada and Svb Rosa, both reds based on local Prokupac), Spasić (Tamjanika), Vinarija Kovačevič and Zvonko Bogdan.

Montenegro's v'yds are confined to the coastal zone and around Lake Skadar: 13 Jul Plantaže is the (still state-owned) major producer but is consistent (try Procorde Vranac), also look out for the first private winery, Milenko Sjekloča (decent Vranac).

CZECH REPUBLIC & SLOVAK REPUBLIC

Czech Republic

Two wine regions: tiny Bohemia and 20-times-larger Moravia. Wine consumpti is increasing, taking over from traditional beer among smart classes, with patric drinkers consuming nearly all production despite high prices. Export not on th agenda. VOC (*Víno Originální Certifikace*) is first step towards focus on place a opposed to variety. Znojmo was first, now also Mikulov, Modré Hory, Pálava.

Czech the label: "Klaret" means Blanc de Noirs – nothing to do with Cabernet.

Bohemia Light, sufficiently agreeable wines; small region neighbouring Saxo similar styles. Elbe Valley best: Bettina Lobkowicz (outstanding PINOT classic-method sp RIES); Bohemia Sekt group (largest sparkling producer; al owns Víno Mikulov, Habánské Sklepy, Château Bzenec and Winery Pav in Moravia); other areas Karlštejn, Otmíče to the west, Kutná Hora and Ku to the east and small v'yds round Prague (Salabka, Gröbovka, Svatováclavsl Modřanská). Kosher wines from Chrámce nr Most in northwest.

Moravia The larger region. Small, interesting producers. Radomil Baloun: investi and modernizing; Dobrá Vinice: maverick inspired by Slovenia's Aleš Kristanč best white wines in the country; Sonberk: lauded straw wine; Stapleton-Spring joint-venture between Jaroslav Springer and ex-US ambassador Craig Stapleto all red, emphasis on PINOT N, finest reds around; Vinselekt Michlovský: hug varying quality; Znovín Znojmo: enterprising, award-winning.

Slovak Republic

Grapes and wines similar to Czech Republic. V'yds shadow the western and southern borders as far as the small district of Tokaj adjacent to its more celebrated Hungarian namesake in the east. As in the Czech Republic, few signs of any crisis here, with lots of big money continuing to flow into swanky new wineries. Sekt comes from JE Hubert, now nation's largest producer and in hands of Germany's Dr. Oetker. Also Château Belá: Egon Müller (Germany involvement, producing (not surprisingly) the best and longest-lasting RIES in Slovakia by far; Elesko: huge new facility unrivalled in Central Europe, with restaurant, art gallery (Andy Warhol artworks) and money coming from the cement industry. Kiwi Nigel Davies flies in to advise. Wide range of wines rapidly gaining in stature. Sister company in Tokaj with 15ha v'yds; Mrva & Stanko: reliable; J&J Ostrožovič: best of the few Slovak Tokaj producers; Víno Matyšák: highly successful family firm since 1989, now grown enormously.

ROMANIA

There is no question about the high potential of Romania, but when will i come good? At last some small estate wineries are appearing, challengin the lacklustre performance of the dominant big five companies. Even two of the big players are upping their game by bringing in internationally experienced winemakers. The economic crisis is still hitting domestic sales, forcing renewed (and successful) efforts to export.

Avincis Mun r w ★★ 10 11 (12) Stylish new family winery with own v'yds i DRĂGĂŞANI; Alsace winemaker. One to watch.

Banat Small wine region in west. *See* CRAMELE RECAŞ. Also location of promising ne Italian estate, Petro Vaselo (try Alb 11, Ovas 09, Melgris 11).

Budureasca Mun r w ★→★★ 11 Large 300ha estate in DEALU MARE. Budureasca, Origi labels. Consistent wines, esp Origini CAB SAUV, TĂMÂIOASĂ ROMÂNEASCĂ, SHIRAZ.

otnari Mold Region in northeast, famous for over 500 yrs for botrytized wines. Now mostly medium to sweet GRASĂ, FETEASCĂ ALBĂ, TĂMÂIOASĂ and dry Frâncusă. Also ★ Cotnari Winery, with 1,200ha. Collection wines esp ***sweet versions can be long-lived and impressive.***

rama Girboiu Mold r w ★ New winery (founded 2005) with 200ha in Vrancea. Gd FETEASCĂ ALBĂ Bacanta 11.

rama Oprisor Mun r w ★★→★★★ **08 09** 10 11 Val Duna and River Route are gd export labels. V.gd Crama Oprisor range, esp La Cetate CAB SAUV, TĂMÂIOASĂ ROMÂNEASCĂ, Maiastru MERLOT, and Smerenie. Top red blend: Fragmentarium.

ramele Recaş Ban r w ★★→★★★ 08 09 10 11 Progressive British/Romanian winery and v'yds in BANAT region. Quality better than ever, esp top blends Cuvée Uberland red and Solo Quinta white. Also v.gd Sole CHARD, FETEASCĂ REGALĂ, La Putere reds. Also value modern varietals under I heart, V, Frunza, Castel Huniade, Paparuda and Terra Dacica labels.

rişana and Maramures Region to northwest. Much-improved Wine Princess and Nachbil based here.

avino Winery Mun r w ★★★ 06 07' 08 **09'** 10 Top Romanian estate with 68ha in DEALU MARE. V.gd Dom Ceptura (r w), excellent Alba Valahica and Purpura Valahica showcasing local varieties. Flamboyant red blend (**07 09**) is superb, while Rezerva red **07** sets new quality standards for Romania.

ealu Mare/Dealul Mare Mun "The Big Hill". Important area in southeastern Carpathian foothills. Location of promising new boutiques: LACERTA, Rotenberg (MERLOT, esp Menestrel, Notorius), Crama Basilescu (Merlot and FETEASCĂ NEAGRĂ).

obrogea Black Sea region. Incl DOC regions of MURFATLAR, Badabag and Sarica Niculitel. Historically famous for sweet, late-harvest CHARD and now for full-bodied reds. New organic estate Vifrana shows promise.

omeniile Ostrov Dob r w ★ €20m investment with 1,200ha in DOBROGEA. Decent commercial DYA CAB SAUV and MUSCAT OTTONEL.

omanian Pinot Noir, in the past, often wasn't Pinot Noir at all. Now it is.

omeniile Sahateni Mun r w ★→★★ 70ha estate in DEALU MARE. Nomad (New-World style), Artisan (local varieties: try White Artisan, TĂMÂIOASĂ ROMÂNEASCĂ) and Anima for top wines (esp MERLOT).

omeniul Coroanei Segarcea Mun r w sw ★★ 09 10 11 Historic royal estate resurrected by former cardiologist. Best: aromatic whites, incl SAUV BL, TĂMÂIOASĂ (appealing rare rosé, semi-sweet version). Decent CHARD, CAB SAUV and PINOT N.

răgăşani Mun Dynamic region in Carpathians. PRINCE ŞTIRBEY pioneered renaissance, joined by AVINCIS, Negrini (try 11 SAUV BL and FETEASCĂ REGALĂ blend), Isarescu, Via Sandu. Gd for aromatic crisp whites, esp local Crâmposie Selectionată, TĂMÂIOASĂ and zesty Sauv Bl, and distinctive local reds: Novac, Negru de Drăgăşani.

alewood Romania Mun r w ★→★★ 09 10 11 British-owned company with new quality focus since 2009. Best wines incl: Hyperion FETEASCĂ NEAGRĂ, CAB SAUV, Chronos PINOT N, Theia CHARD. Also v.gd: La Catina Pinot N, SHIRAZ/Fetească Neagră, Scurta VIOGNIER /TĂMÂIOASĂ. La Umbra is gd-value commercial brand, esp Pinot N. Co-owns VITIS METAMORFOSIS in partnership with Antinori (Italy).

idvei w ★ Expensively modernized winery with 2,100ha in Jidvei subregion in TRANSYLVANIA. New wine consultant Marc Dworkin from 11 (also Bulgaria's BESSA VALLEY) already improving wines.

acerta Mun r w ★★ 09 10 (11) New quality-focused estate in DEALU MARE with 82ha (try Cuvée IX red and Cuvée X white).

iliac r w ★→★★ 11 First release from 60ha estate in TRANSYLVANIA. Delicate, fresh whites, esp FETEASCĂ ALBĂ and delicious sweet MUSCAT OTTONEL.

DOC
Denumire de Origine Controlata is the Romanian term for AOP (*see* France). Sub-categories incl DOC-CMD for wines harvested at full maturity, DOC-CT for late-harvest and DOC-CIB for noble-harvest. *Vin cu indicatie geografică* is term for IGP.

Moldova/Moldovia Largest wine region northeast of Carpathians. Borders Republic of Moldova. DOC areas: Bohotin, COTNARI, Huşi, Iaşi, Odobeşti, Coteşti, Nicoreşti.

Muntenia & Oltenia Hills Major wine region in south covering DOCS DEALU MARE, Dealurile Olteniei, DRĂGĂŞANI, Pietroasa, Sâmbureşti, Stefaneşti, Vanju Mare.

Murfatlar Dob DOC area in DOBROGEA nr Black Sea; subregions Cernavoda, Megidia.

Murfatlar Winery Dob r w ★→★★ Major domestic player with variable quality; best are MI SHIRAZ, Trei Hectare (FETEASCĂ NEAGRĂ, CAB SAUV, CHARD). New boutique winery MI Crama Atelier just launched with Nederburg (*see* South Africa) winemaker Razvan Macici consulting.

Prince Ştirbey Mun r w dr sw ★★→★★★ 08 09 10 11 (12) Pioneering estate in DRĂGĂŞANI. V.gd dry whites, esp local Crâmposie Selectionată, SAUV BL, FETEASCĂ REGALĂ, TĂMÂIOASĂ ROMÂNEASCĂ. Tasty rosé and local reds (Novac and Negru de Drăgăşani) plus new v.gd bottle-fermented sparkling.

Senator Mold r w ★ Newcomer based in Odobeşti with 900ha in MOLDOVA, BANAT and Danube Delta. Private Collection and Monser labels.

SERVE Mun r w dr ★★→★★★ 07' 08 **09'** 10 11 DEALU MARE winery founded by the late Count Guy de Poix of Corsica. Vinul Cavalerului (p w) gd, excellent Terra Romana range esp CHARD, Cuvée Amaury, notable quality flagship ***Cuvée Charlotte*** (r).

Transylvania Cool mtn plateau in centre of Romania. Mostly white wines with gd acidity from FETEASCĂ ALBĂ and REGALĂ, MUSCAT, TRAMINER, RIES ITALICO.

Vinarte Winery Mun r w ★★→★★★ 07' **08 09** 10 11 V.gd Italian investment with three estates: Villa Zorilor in DEALU MARE, Castel Bolovanu in DRĂGĂŞANI, Terase Danubiane in Vanju Mare. Best: Soare CAB SAUV, Prince Matei MERLOT. Gd-value Castel Starmina range esp TĂMÂIOASĂ ROMÂNEASCĂ, SAUV BL, Negru de Drăgăşani.

Vincon Vrancea Winery Mold r w dr sw ★ One of Romania's largest producers with 2,150ha in Vrancea, plus DOBROGEA and DEALU MARE.

Vinia Mold r w dr sw ★ Major producer of COTNARI wines at Iaşi.

Vitis Metamorfosis Mun r w ★★ 08 **09** 10 11 Joint venture between Italy's Antinori family and British-owned HALEWOOD. Top: Cantus Primus CAB SAUV (09). V.gd second label Vitis Metamorfosis, esp white blend, plus MERLOT, FETEASCĂ NEAGRĂ.

WineRo Dob r ★★ Premium estate owned by Stephan von Niepperg of Canon la Gaffelière (*see* Bordeaux), with Dr. Hauptmann and Marc Dworkin. Same team owns/runs Bulgaria's Bessa Valley. Appealing Alira MERLOT 09. To watch.

MALTA

Malta's vineyards cannot hope to supply the island's entire consumption – the place isn't big enough, and tourism tends to take precedence when it comes to land use. Plus much of the wine on sale here is made locally from grapes imported from Italy. Real Maltese wine is subject to *Demoninazzjoni ta' Origini Kontrollata*, or DOK, rules, which are in line with EU practices. The indigenous grapes are Girgentina (w) and Gellewza (r) but many international grapes are also grown. Antinori-backed Meridiana is in the lead, producing excellent Maltese Isis and Mistral CHARDS, Astarte VERMENTINO, Melquart CAB SAUV/MERLOT, Nexus Merlot, ***outstanding Bel Syrah*** and premium Celsius Cab Sauv Res from island vines. Volume producers of note are Delicata, Marsovin and Camilleri.

Greece

Greek wine is viewed by many Greeks as one of the few ways out of their problems, bringing foreign money into the country in the current financial crisis. The quality has been there for years – grapes like white Assyrtiko and Malagousia, or red Aghiorgitiko or Xinomavro – and Greece has more indigenous varieties than you could shake a stick at, giving wines of individuality in a world where individuality is the new luxury. Abbreviations: Aegean Islands (Aeg), Attica (Att), Central Greece (C Gr), Cephalonia (Ceph), Ionian Islands (Ion), Macedonia (Mac), Northern Greece (N Gr), Peloponnese (Pelop), Thessaloniki (Thess).

Aivalis Pelop ★★★ Boutique NEMEA producer of dark wines. Top (and pricey) wine "4", from 120-yr-old+ vines. Monopati, less ambitious Nemea. Interesting ASSYRTIKO.

Alpha Estate Mac ★★★ Impressive, highly acclaimed estate in cool-climate Amindeo. Excellent MERLOT/SYRAH/XINOMAVRO blend, pungent SAUV BL, exotic MALAGOUSIA, unfiltered New-World-style XINOMAVRO from old, ungrafted vines. Top wine, Alpha 1, demands ageing.

Antonopoulos Pelop ★★★ PATRAS-based winery, with top-class MANTINIA, crisp Adoli Ghis (w), burgundian Anax CHARD and CAB-based Nea Dris (stunning 04 and 06). Top wine: violet-scented Vertzami/CAB FR.

Argyros Aeg ★★★ Top SANTORINI producer; exemplary VINSANTO aged 20 yrs in cask (★★★★). Exciting KTIMA (w) that ages for a decade, oak-aged Vareli (w) and sweet Mezzo (lighter than Vinsanto). Try the rare MAVROTRAGANO (r).

Avantis C Gr ★★★ Boutique winery in Evia with v'yds in Boetia. Dense SYRAH, Aghios Chronos Syrah/VIOGNIER, pungent SAUV BL and rich MALAGOUSIA, interesting Oneiropagida value range. Top wine: Rhône-like single-v'yd Collection Syrah 03 04 05 **06** 07.

Biblia Chora Mac ★★★ Both top quality and huge commercial success. Pungent SAUV BL/ASSYRTIKO. Ovilos CAB S and Areti AGHIORGHITIKO are stunning. Ovilos (w) could rival top white Bordeaux. Easily.

Boutari, J & Son ★→★★★ Producer with several wineries around Greece. Excellent-value wines, esp ***Grande Reserve Naoussa*** to age for decades. V. popular MOSCHOFILERO. Top: Santorini Kalisti Res (oaked), Skalani (r) from CRETE and herbal Flliria (r) from GOUMENISSA.

Cair Aeg Large winery in RHODES specializing in sparkling (the 96 rosé is the ***best sparkling*** ever made in Greece) but Pathos still range (r w) is v.gd value.

Cambas, Andrew ★ Large-volume brand owned by BOUTARI.

Carras, Domaine Mac ★→★★ Estate at Sithonia, Halkidiki, with own OPAP (Côtes de Meliton). Chateau Carras 01 02 **03** 04 05, ambitious SYRAH and MALAGOUSIA.

Cava Legal term for cask-aged still white and red non-appellation wines, eg. Cava Amethystos KOSTA LAZARIDI, Cava HATZIMIHALI.

Cephalonia Ion Important island with three appellations: ROBOLA (w), MUSCAT (w sw) and MAVRODAPHNE (r sw). A must-visit for all wine-lovers.

Crete An exciting, ever-improving island region, with young producers taking a close, fresh look at tradition.

Daskalaki, Silva ★★ Imaginative producer, flirting with biodynamics. Try the Silva sweet Liatiko.

Dougos Thess ★★→★★★ On slopes of Olympus. Exciting range, esp Opsimo (r), Acacia (w) and RAPSANI. Exemplary Methymon (r) **08**.

Driopi Pelop ★★★ Venture of TSELEPOS in NEMEA. Serious (esp single-v'yd KTIMA), high-octane style. Tavel-like Driopi rosé.

Economou Crete ★★★ One of the great artisans of Greece, with brilliant, esoteric Sitia (r). Not for everyone, nor for the faint-hearted.

Emery Aeg ★→★★ Historic RHODES producer, specializing in local varieties.

Feggites Mac ★★ Winery in Drama. Interesting range: top Deka (w); Bandol-like rosé.

Gaia Aeg, Pelop ★★★ Top-quality NEMEA- and SANTORINI-based producer. Fun Notios range. New-World-like AGHIORGHITIKO. Thought-provoking, top-class, dry white Thalassitis SANTORINI and revolutionary ***wild-ferment Assyrtiko***. Top wine: Gaia Estate (99 00 01 03 04 05 06 07 08). Anatolikos sweet Nemea, dazzling "S" red (Aghiorghitiko with a touch of SYRAH).

Gentilini Ion ★★→★★★ Exciting Cephalonia whites, incl ***v.gd Robola***. V.gd dry MAVRODAPHNE (r), serious SYRAH. Selection ROBOLA is not an appellation wine since law forbids screwcap.

Age Assyrtiko for 10 years and try to tell it from Chablis Grand Cru. You'll be surprised.

Gerovassiliou Mac ★★★ Perfectionist miniature estate nr Salonika. Benchmark ASSYRTIKO/MALAGOUSIA, smooth SYRAH/MERLOT blend, top Malagousia. Complex Avaton (r) 03 04 05 06 07 from rare indigenous varieties and Syrah (01 02 03 04 05). For many, the quality leader.

Goumenissa Mac (OPAP) ★→★★ XINOMAVRO/Negoska oaked red, lighter than NAOUSSA. Esp Aidarinis (single v'yd is ★★★), BOUTARI (esp Filiria), Tatsis.

Hatzidakis Aeg ★★★ Low-tech but high-class producer, a "spiritual" leader redefining SANTORINI appellation. Stunning range, bordering on the experimental. Nihteri, Mylos and Pyrgos bottlings could age for decades.

Hatzimichalis C Gr ★→★★ Large estate in Atalanti. Huge range. Greek and French varieties, many bottlings labelled after v'yds. Top: Kapnias CAB SAUV, Veriki (w).

Helios Pelop New umbrella name for Semeli, Nassiakos and Orinos Helios wines. Top Nassiakos MANTINIA, complex NEMEA Grande Res.

Karydas Mac ★★★ Small estate and great v'yd in NAOUSSA crafting classic XINOMAVRO of great breed. Age for a decade.

Katogi-Strofilia ★★→★★★ V'yds and wineries in Attica, Peloponnese and east Epirus. Katogi was the first premium Greek wine. Top wines: KTIMA Averoff and Rossiu di Munte range. Charming Strofilia (w).

Katsaros Thess ★★★ Small winery on Mt Olympus. KTIMA red, a CAB SAUV/MERLOT has staying power. Esoteric CHARD. Broad-shouldered Merlot.

Kir-Yanni Mac ★★→★★★ V'yds in NAOUSSA and Amindeo. Vibrant Samaropetra (w) and Tesseris Limnes (w); Akakis sparkling a joy. Reds Ramnista, Diaporos and Blue Fox are exceptional.

Kourtakis, D ★★ Huge and reliable merchant trading as Greek Wine Cellars excellent-value reds and ***mild Retsina***.

Ktima Estate, domaine.

Lazaridi, Nico Mac ★→★★★ Wineries in Drama and Kavala. Gd Château Nico Lazaridi (r w). Top wines Magiko Vouno white (oaky SAUV BL) and red (CAB SAUV) enjoy cult status in Greece.

Lazaridis, Kostas Att, Mac ★★★ V'yds and wineries in Drama and Attika (sold under Oenotria Land label). Popular Amethystos label. Top: amazing CAVA Amethystos CAB SAUV (97 98 99 00 01 02 03 04). Michel Rolland (Bordeaux) consults.

Limnos Aeg Island making mainly dessert wines, from delicious, lemony MUSCAT of Alexandria but also some refreshing dry white. Best producer: Hatzigeorgiou.

Lyrarakis Crete ★★→★★★ V.gd producer from Heraklio. Solid range. Whites from the rare Plyto and Dafni varieties (single-v'yd versions are extraordinary). Deep complex SYRAH/Kotsifali.

Magel Mac, N Gr ★★ Up-and-coming KTIMA in uncharted territory in Kastoria, West Macedonia. Dressed-to-kill, rich, dense wines, mainly from Bordeaux varieties.

Manoussakis Crete ★★★ Impressive estate with Rhône-inspired blends. Delectable range under Nostos brand, led by age-worthy ROUSSANNE and SYRAH.

Mantinia Pelop (OPAP) w High altitude, cool region. Fresh, crisp, utterly charming, sometimes sparkling ***Moschofilero***. More German than Greek in style.

Matsa, Château Att ★★ Historic small estate, now owned by BOUTARI but still run by Roxani Matsa. MALAGOUSIA is a leading example of the variety.

Mavrodaphne Grape variety and usually sweet wine – meaning "Black laurel". Cask-aged Port-style/*recioto*-like, concentrated, fortifieds. Speciality of PATRAS, north Peloponnese but also found in CEPHALONIA. Dry versions (eg. ANTONOPOULOS) show great promise.

Mediterra Crete ★★ Gd producer from PEZA. Herbaceous Xerolithia (w), spicy Mirabelo (r). oaky Nobile (w) to age. V.gd-value Silenius range.

Mercouri Pelop ★★★ One of the most beautiful family estates in Europe. V.gd KTIMA (r), delicious RODITIS, age-worthy CAVA. Classy REFOSCO (r), stunning sweet Belvedere MALVASIA and leathery, dry MAVRODAPHNE.

Mezzo Aeg Sweet wine in SANTORINI from sun-dried grapes; lighter and less sweet than VINSANTO.

Mitravelas Pelop ★★→★★★ Outstanding producer in NEMEA, promising great things from AGHIORGHITIKO.

Moraitis Aeg ★★ Small, quality producer on the island of Paros. V.gd smoky (w) Monemvasia, (r) earthy and complex Paros Res.

Naoussa Mac (OPAP) High-quality region for sophisticated, excellent XINOMAVRO. The best examples are on a par with Italy's Barolo and Barbaresco, sometimes lasting even longer than these.

Nemea Pelop (OPAP) Source of dark, spicy AGHIORGHITIKO wines. Huge potential for quality here. High Nemea merits its own appellation. Koutsi is frontrunner for cru status (*see* GAIA, SKOURAS, NEMEION, PAPAIOANNOU, HELIOS, DRIOPI).

Nemeion Pelop ★★★ A KTIMA in NEMEA, high prices (esp Igemon red), with wines to match. Owned by Vassiliou, an Attica producer.

Oenoforos Pelop ★★→★★★ V.gd producer with fantastic high v'yds. Extremely elegant RODITIS Asprolithi. Also delicate Lagorthi (w), nutty CHARD (magnum only), and delicate Mikros Vorias (r w). Ianos is prestige range – try the Chard.

Wine bars in Athens are new hot trend, offering great, affordable Greek wines.

Papaïoannou Pelop ★★★ If NEMEA were Burgundy, Papaioannou would be Jayer. Classy reds (incl PETIT VERDOT); flavourful whites. A benchmark range of Nemeas: KTIMA Papaioannou, Palea Klimata (old vines), Microklima (a micro-single v'yd) and top-end Terroir (a super-strict, 200%-new-oaked selection).

Patras Pelop White OPAP based on RODITIS from v. diverse terroir: some great parts, some less so. Also home of both OPE MAVRODAPHNE and Rio-Patras sweet MUSCAT.

Pavlidis Mac ★★★ An ambitious estate at Drama. Acclaimed ASSYRTIKO/SAUV BL. Emphasis varietals incl classy Assyrtiko, SYRAH and TEMPRANILLO. KTIMA (r) from AGHIORGHITIKO/Syrah is dazzling. Top-ranking stuff.

Peza Crete Appellation nr Heraklio. Vilana (w) and Mandilaria/Kotsifali (r). Underperforming.

Pyrgakis Pelop ★★→★★★ Highly experimental KTIMA capitalizing on the highest parts of NEMEA. Esp new PETIT VERDOT and 24 CHARD. Opulent style.

Rapsani Thess ★★★ Historic OPAP from Mt Olympus. Introduced in the 1990s by TSANTALIS, but new producers, such as Liappis and DOUGOS, are moving in.

Retsina Speciality white with Aleppo pine resin added. Modern, high-quality versions, like The Tear of the Pine from Kehris are stunning. Damaged image is a pity.

Rhodes Aeg Easternmost island and OPAP for red and white. Home to lemony, elegant Athiri whites. Top wines: CAIR (co-op), Rodos 2400, and Emery's Villare. Also sparkling.

Samos Aeg (OPE) Island nr Turkey famed for sweet golden MUSCAT. Esp (fortified) Anthemis and (sun-dried) Nectar. Rare old bottlings can be ★★★★ without the price tag, such as the hard-to-find Nectar 75.

Santo Aeg ★★→★★★ Important co-op of SANTORINI. Vibrant portfolio with dazzling Grande Res and rich yet crisp VINSANTOS.

Santorini Aeg Volcanic island north of CRETE and OPAP for white, dry and sweet. Luscious VINSANTO and MEZZO, mineral, bone-dry white from ASSYRTIKO. Oaked examples can also be amazing. Top producers: GAIA, HATZIDAKIS, SIGALAS, SANTO, ARGYROS. Possibly the cheapest ★★★★ whites around.

Sigalas Aeg ★★★ Top SANTORINI estate, makes fine oaked Vareli. Stylish VINSANTO. Also excellent MOURVÈDRE-like MAVROTRAGANO (try the 08). Nyhteri and Cavalieros are simply sublime.

Skouras Pelop ★★★ Innovative estate, eg. screwcaps on CHARD Dum Vinum Sperum. Mineral, wild-yeast Salto MOSCHOFILERO. Top reds: Grande Cuvée NEMEA, Megas Oenos and solera-aged Labyrinth. V. stylish Fleva SYRAH.

Spiropoulos Pelop ★★ Organic producer in MANTINIA and NEMEA. Oaky red Porfyros (AGHIORGHITIKO, CAB SAUV, MERLOT). Sparkling Odi Panos has potential. Firm single-v'yd Astala Mantinia.

Tetramythos Pelop ★★ Promising winery exploring cool v'yds. Excellent MALAGOUSIA Mavro Kalavritino and the first natural (*see* French chapter) RODITIS of Greece.

Tinos Vineyards Aeg ★★★ Fascinating project on Tinos island, under the radar for some time. Expensive but convincing ASSYRTIKO and MAVROTRAGANO.

Tsantalis ★→★★★ Producer in Macedonia, Thrace and other areas. Gd Metoxi (r), RAPSANI Res and Grande Res, gd-value organic CAB SAUV, excellent Avaton and cul Kormilitsa. Major exporter.

Tselepos Pelop ★★★ Top-quality MANTINIA producer. Greece's best GEWURZ and bes MERLOT (Kokkinomylos). Others: oaky CHARD, v.gd spark Amalia, single-v'yc Avlotopi CAB SAUV. *See also* DRIOPI.

Vinsanto Aeg Sun-dried sweet ASSYRTIKO and Aidani from SANTORINI. Deserves long ageing, in oak and bottle. The best are ★★★★ and practically indestructible. *See also* MEZZO.

Voyatzi Ktima Mac ★★ Small estate nr Kozani. Classy XINOMAVRO, startling CAB F sold as Tsapournakos.

Zafeirakis Thess ★★→★★★ Small KTIMA in Tyrnavos, uncharted territory for qualit wine. Fastidious winemaker. Limniona red, a v. promising and rare variety MALAGOUSIA is sublime.

Zitsa Mountainous Epirus OPAP. Delicate Debina white, still, or sparkling. Bes from Glinavos.

Greek appellations

Changing in line with other EU countries. The quality appellations of OPAP and OPE are now fused together into POP (or PDO) category. Regional wines, known as TO, will now be PGE (or PGI). The base category of table wine (EO) will be phased out. Old terms steadily on their way off labels.

Eastern Mediterranean & North Africa

EASTERN MEDITERRANEAN

The wine industries in this historic region have been rejuvenated, and while Israel and Lebanon are ahead, Turkish wines are creating great deal of new interest, with new and attention-grabbing indigenous rape varieties. Why are there so many indigenous grape varieties, and hy are they constantly being rediscovered? Largely because the grape-ine was originally cultivated in the Golden Triangle, where civilization self began. There has been plenty of time for vines to mutate, for these nutations to have been cultivated and then forgotten. The vine is more arious than we'd imagined.

Cyprus

Vinemaking continues to make progress, especially where wineries have nvested in their own vineyards, and have better control and understanding of ow to manage grape-growing in this hot, dry climate. There's still scope for nore research into local grapes like tricky Maratheftiko and dominant local hite Xynisteri, and as the island is one of the few parts of Europe still free of hylloxera, it needs to be better prepared for the potential invasion of this pest. ix wine routes are now established to lure tourists away from sun and sand: a ital market as most wineries are too small for exports to be a realistic option.

rgyrides Estate (Vasa) r w ★★ 08 09 10 11 Immaculate pioneering estate winery. Excellent MARATHEFTIKO. V.gd CHARD and Agyrides red blend. VLASSIDES consults.

yia Mavri w sw ★★ 09 10 Gorgeous sweet MUSCATS (semi-dried Muscat of Alexandria).

ommandaria Legendary sweet, deliberately oxidized wine made from sun-dried XYNISTERI and MAVRO, grown in 14 villages in the Troodos Mts. The poet Hesiod mentioned it in 800BC. At its best, rich, complex and long-lived. Try St John (KEO), Centurion (ETKO) or the 100% XYNISTERI St Barnabas from SODAP.

onstantinou r w ★→★★ Self-taught winemaker in Lemesos region impressing with Ayioklima XYNISTERI 11 and SHIRAZ 09

TKO r w br ★→★★ 09 10 11 Previously one of big four, now focusing on higher quality from its Olympus winery, esp SHIRAZ and rosé. Produces St Nicholas and Centurion COMMANDARIA.

Iadjiantonas r w ★★ 09 10 11 Spotless small winery owned by pilot, making v.gd CHARD, XYNISTERI, rosé and SHIRAZ.

EO ★ Large drinks distributor with famous beer brand. Stick to estate wines from KEO Mallia. St John is ★★ COMMANDARIA.

ew discovery: Bronze Age microbrewery near Paphos dating back aound 3,500 years. Yes, beer.

yperounda r w ★★→★★★ 09 10 11 Probably Europe's highest v'yd at 1,450 metres. White Petritis from barrel-aged XYNISTERI is island's best. V.gd CHARD, CAB SAUV, SHIRAZ and excellent-value Andessitis red.

Iakkas r w ★★ 10 11 Boutique family winery with quality ambitions nr Pafos. V.gd MARATHEFTIKO, SHIRAZ and red blend.

ODAP r w ★→★★ 09 10 11 Largest producer and grower-owned co-op. Quality transformed since visionary move to state-of-art Kamanterena winery at

Stroumbi village in hills. DYA whites and rosé are gd-value and appetizing. Look for Island Vines, Mtn Vines (esp SÉM) and Kamanterena labels.

Tsiakkas r w dr ★★ Banker turned winemaker, help from VLASSIDES. Gd zesty whites, SAUV BL, XYNISTERI, CHARD. Intriguing reds: Vamvakada (aka MARATHEFTIKO), CAB SAUV.

Vasilikon, K&K r w ★→★★ 07 09 10 11 One of the biggest small wineries owned by Kyriakides brothers. Always reliable XYNISTERI and decent red Ayios Onoufrios.

Vlassides r w ★★→★★★ **08 09 10** 11 UC Davis-trained Sophocles Vlassides makes some of the island's best wines, new winery 2012. SHIRAZ shows variety's potential on Cyprus. Also v.gd XYNISTERI/SAUV BL, CAB SAUV, Private Collection red.

Zambartas r w ★★→★★★ **09 10** 11 Father and Australian-trained son run exciting new winery making intense CAB FR/LEFKADA rosé, v.gd SHIRAZ/LEFKADA red and excellent MARATHEFTIKO and zesty XYNISTERI.

Rules and regs

Lemesos, Paphos, Larnaca and Lefkosia have regional wine status (PGI). PDOs cover COMMANDARIA, Laona-Akamas, Pitsilia, Vouni-Panayias/Ambelitis and wine villages of Lemesos, though only 2% of Cyprus wine is produced as PDO, and most is COMMANDARIA.

Israel

The Israeli wine revolution has tended to be based on Bordeaux varieties, but there is a move to Mediterranean varieties, which suit the climate better. Already some excellent Shiraz, old-vine Carignan, Petite Sirah. No lack of advanced technology and agricultural expertise in Israel: the higher-altitude vineyards of the Upper Galilee, Golan Heights, Judean Hills used for quality. Abbreviations: Galilee (Gal), Golan (Gol), Judean Hills (Jud), Lower Galillee (L Gal), Negev (Neg), Samson (Sam), Shomron (Shom); Upper Galilee (Up Gal).

Adir Up Gal r ★★ V.gd herbal, peppery SHIRAZ and full-bodied Plato.

Amphorae Gal r w ★→★★ Bordelais and international consultant Michel Rollanc advises. Gd MERLOT/BARBERA.

Barkan-Segal Gal, Sam r w ★★ Owned by Israel's largest brewery. V.gd Barkar PINOTAGE and Segal Argaman (Israeli vine). Barkan Altitude and Assemblage reds are gd. The two brands, Barkan and Segal, are marketed separately.

Binyamina Gal, Sam r w ★→★★ The Cave red is full and oaky, with ripe fruit.

Bravdo Sam r w ★★ Big CHARD, spicy SHIRAZ and gd CAB FR-based blend Coupage.

Carmel Up Gal, Shom r w sp ★★→★★★ Founded in 1882 by a (Lafite) Rothschild Strong v'yd presence in Up Gal. Elegant Limited Edition (**04'** 05 07' 08). Award winning Kayoumi v'yd SHIRAZ. Characterful old-vine CARIGNAN and PETITE SIRAH Complex Mediterranean-style blend. Luscious GEWURZ dessert.

Château Golan Gol r (w) ★★ Flavourful SYRAH. Eliad is Bordeaux blend.

Chillag Gal r ★→★★ Primo CAB SAUV best. Vivo MERLOT gd-value.

Clos de Gat Jud r w ★★★ Classy estate with big, blowsy wines. The spicy, powerfu Sycra SYRAH (**06** 07 09) and buttery CHARD are superb. Chanson (r w) gd-value.

Dalton Up Gal r w ★★ Well-run winery owned by family with English roots. Wild yeast VIOGNIER. Flagship is rich Matatia. Spicy, concentrated PETITE SIRAH.

Domaine du Castel Jud r w ★★★★ Family estate in Jerusalem mtns, owned b perfectionist and Francophile Eli Ben Zaken. Characterful, supple Grand Vi (05 06' 07 08' 09). Second label, Petit Castel, great value, esp 08. Also gd CHARI

Ella Valley Jud r w ★→★★ New winemaker. Gd, lean CHARD. Aromatic CAB FR.

Flam Jud r (w) ★★★ Owned by sons of ex-CARMEL winemaker. Superb, elegant Nobl (08'), a Bordeaux blend. Earthy SYRAH/CAB. Classico and Rosé gd-value.

Galilee Quality region in north, esp higher-altitude Up Gal.
Galil Mtn Up Gal r w ★★ Gd-value Yiron and Meron blends. Owned by YARDEN.
Golan Heights High-altitude plateau, with volcanic tuff and basalt soil.
Judean Hills Mountainous region on the way to Jerusalem.
Kosher Means "pure". Requirements do not change winemaking procedures, so quality should not be affected. Not all Israeli wineries are kosher.
Lewinsohn Gal r w ★★★ Quality *garagiste* in a garage. Exquisite, lean CHARD. Red a blend of SYRAH, CARIGNAN and PETITE SIRAH.
Margalit Gal r ★★★ Father and son making elegant wines, in particular Bordeaux blend Enigma (08' 09 10) and ***Special Res.***
Mony Jud, Sam r w ★★ Israeli-Arab owned, producing kosher wine in a monastery. Fragrant COLOMBARD, v.gd CHARD, full-flavoured SHIRAZ.
Negev Desert region in the south of the country.
Pelter Gol r w (sp) ★★→★★★ Tight, well-made reds. Trio gd-value. V.gd CAB FR.
Recanati Gal r w ★★→★★★ Award-winning Special Res. (05, 06, 07, 08', 09'), complex CARIGNAN, chewy PETITE SIRAH blend, excellent SHIRAZ. Yasmin (r w) great-value.

Most native Israeli vines are table grapes; just four varieties show vinous promise.

Samson Region incl the Judean plain and foothills, southeast of Tel Aviv.
Saslove Up Gal r (w) ★→★★ Reds showing an avalanche of fruit and spice.
Sea Horse Jud r (w) ★→★★ Idiosyncratic *garagiste* with exotic blends.
Shomron Region with v'yds around Mt Carmel and Zichron Ya'acov.
Shvo r w ★★ Quality start-up. Rustic red from Mediterranean varieties.
Tabor L Gal r w sp ★→★★ Growing fast. Aromatic, crisp SAUV BL.
Teperberg Jud, Sam r w sp ★→★★ Efrat reborn. Israel's largest family-owned winery. MALBEC and Meritage are fruity, juicy reds.
Tishbi Jud, Shom r w sp ★→★★ Family of veteran grape-growers. Deep Bordeaux blend from Sde Boker in desert, best yet.
Tulip Gal r (w) ★→★★ Winery workers are people with special needs. **Tzora** Jud r w ★★→★★★ Terroir-led winery, talented winemaker. Neve Ilan exquisitely balanced CHARD. Misty Hills complex, deep CAB SAUV/SYRAH blend.
Vitkin Jud r w ★★ Small winery specializing in rarer varieties. V.gd CARIGNAN.
Yarden Gol r w sp ★★→★★★★ Pioneering winery. Yarden label best. CAB SAUV always gd. Well-balanced Odem V'yd CHARD. Rare Bordeaux blend Katzrin (00' 03 04' 07 08') and heralded Rom (06' 07 08) are flagships. Oustanding Blanc de Blancs sparkling and Heights Wine dessert. Other labels: Gamla & Hermon.
Yatir Jud, Neg r (w) ★★★→★★★★ Rich, velvety, concentrated Yatir Forest (03' 04 05' 06 07 08') outstanding. Edgy SYRAH, mouthfilling CAB SAUV and powerful PETIT VERDOT. Forest v'yds up to 900 metres altitude. Owned by Carmel.

Lebanon

A number of new wineries have sprung up, prepared and able to invest in quality. These represent the New Lebanon, and some are exploring areas other than the Bekaa Valley. Styles vary between traditional and modern; overoaking can be a problem, but producers are learning.

Cave Kouroum r w ★→★★ Vibrant SYRAH, full-bodied but well-balanced.
Château Belle-Vue r ★★★ Le Chateau and La Renaissance are top-notch reds.
Château Ka r w ★→★★ Great-value CAB SAUV/MERLOT/SYRAH blend.
Château Kefraya r w ★★→★★★ Spicy ***Comte de M*** (06 07 08): CAB SAUV, SYRAH, MOURVÈDRE, CARIGNAN. Juicy Les Bretèches. Plush Vissi d'Arte (CHARD, VIOGNIER).
Château Ksara r w ★★ Founded 1857 by Jesuits. Excellent-value wines. Mouthfilling, fruity Res du Couvent. Silky Le Souverain of interest (CAB SAUV and Arinarnoa).

Château Marsyas r (w) ★★ Powerful CAB SAUV/MERLOT/SYRAH blend. Also owners o impressive Dom Bargylus from Syria.

Château Musar r w ★★★★ Icon wine of the eastern Mediterranean. Next generatio taking over. Long-lasting CAB SAUV/CINSAULT/CARIGNAN (96 97 99 00' 01' 02 03 0 05'). People tend to love or hate the style, but it is totally original. Hochar re more approachable. Oaky white from indigenous Obaideh and Merwah.

Clos St-Thomas r w ★★ Gd-quality, deep, silky red wines. Les Emirs great-value.

Domaine de Baal r (w) ★★ Quality red from CAB S, MERLOT, SYRAH. Organic v'yd.

Domaine des Tourelles r w ★★→★★★ Upfront, fruity and meaty SYRAH. Elegar Marquis des Beys. Flowering of reborn winery.

Domaine Wardy r w ★→★★ New-World-style Private Selection. Crisp, fresh whites

IXSIR r w ★★ Ambitious winery. V.gd white. Promising Grand Res red.

Karam r w ★→★★ Gd boutique winery in Jezzine, south Lebanon. Exotic MUSCAT.

Massaya r w ★★→★★★ Entry-level Classic wines are v.gd value. Silver Selection red complex Rhône-style blend showing sun and spice. The prestige Gold Res is fu of fruit, herbs and spice, made from CAB SAUV, MOURVÈDRE and SYRAH.

Turkey

Fascinating to the wine historian, Turkey's indigenous grape varieties are new to many, like red Öküzgözü, Boğazkere, Kalecik Karasi; white Narince, Emir. Wines are improving, and so far without losing their native originality.

Büyülübag r (w) ★★ One of the new small, quality wineries. Gd CAB SAUV.

Corvus r w ★★→★★★ Boutique winery on Bozcaada island. Corpus is powerful.

Doluca r w ★→★★ Large winery. Karma label blends local and classic varieties.

Kavaklidere r w sp ★→★★★ Largest winery in Turkey. Specialist in local varietie Best are plummy Pendore ÖKÜZGÖZÜ and complex, sweet Tatl Sert NARINCE.

Kayra r w ★→★★ Californian winemaker. V.gd Imperial SHIRAZ and CAB SAUV.

Pamukkale r w ★→★★ Gd-value, flavourful Anfora CAB SAUV.

Sarafin r w ★→★★ Gd CAB SAUV and SAUV BL. Brand owned by DOLUCA.

Sevilen r w ★→★★ Lime-fresh FUMÉ BLANC with great acidity. Deep SYRAH.

Sulva r w ★★ New winery. Delicious ROUSSANNE/MARSANNE.

Urla r w ★ Organic and biodynamic. Deep, rich NERO D'AVOLA.

Vinkara r w ★ Flavourful wines from Kalecik Karasi grapes.

NORTH AFRICA

Some wines have improved, but a lack of ambition has meant that the are largely unknown. It is an area with a history of winemaking but largely unfulfilled potential.

Castel Frères Mor r p ★ Gd-value brands like Bonassia, Sahari, Halana, Larroque.

Celliers de Meknès, Les Mor r p w ★→★★ Dominates Moroccan market. Moder facility Château Roslane. Gd-value Riad Jamil CARIGNAN, fresh CHARD.

Ceptunes Tun r w ★ Gd wines, esp Jour et Nuit from classic varieties.

Domaine Neferis Tun r p w ★→★★ Calastrasi joint venture. Selian CARIGNAN best.

Les Deux Domaines Mor r ★★ Depardieu-Bernard Magrez (Bordeaux) joint ventur

Thalvin Mor r p w ★★ Gd whites from Domaine des Ouled v'yds. Raisiny Tander (★★★) is SYRAH with Alain Graillot (Rhône).

Val d'Argan Mor r p ★ Organic v'yds nr Essaouira on west coast.

Vignerons de Carthage Tun r p w ★ Best from UCCV co-op: Magon Magnus red.

Vins d'Algerie Alg r ★ OCNC marketing company. Best: Cuvée du President.

Volubilia Mor r p w ★★ Promising new joint venture. Excellent *vin gris*.

Asia & Old Russian Empire

ASIA

China One of the world's great wine secrets is the enormous scale of Chinese wine production – even though less than 10% of the population actually drinks wine. Even that figure makes China the world's fifth-largest consumer. China has the fourth-largest v'yd area on earth, producing around a billion litres of wine; volume has doubled since 2008. It could become the world's biggest producer within 50 yrs. It's also beginning to garner an international reputation: producers such as Changyu are fast changing the perception of Chinese wine, particularly with its Cabernet Gernischt (grown extensively in China but most likely of European origin) and its Icewine. Western investment in joint ventures comes from Pernod Ricard (Domaine Helan Mountain), Château Lafite, Torres (Symphony) and Moët & Chandon, particularly in Shandong and Ningxia; swanky new US$5.5m winery in Ningxia just unveiled. Top wines are from Grace V'yds and Silver Heights. Also look for Catai and Huadong.

Like something new? Surprise your friends with a Chinese Cabernet Gernischt.

India The Indian wine industry is small, with around one million cases produced from around 60,000ha of vines concentrated in Nashik, nr Mumbai, and increasingly from Karnataka, nr Goa. An increasing middle-class taste for wine and the start of a wine-focused restaurant sector are driving growth. Consumption is growing at 30%/annum, which may spur foreign investment as it has in China, reducing the dominance of the substandard and widely planted Sultana grape. Moët & Chandon works with Chateau Indage. Other key producers are Reveilo, Indus, Grover and Sula. SYRAH and CAB SAUV, plus CHARD and SAUV BL produce the best wines.

China has more land available to viticulture than France. Watch out, Europe....

Japan Japan has a proud winemaking history of nearly 140 yrs, largely unknown in the outside world. Koshu is starting to change that; it's an indigenous grape, and is helping to focus producers on quality, though it doesn't yet have a definitive style or taste profile. The dedication of American-born but long-time Japan resident Ernest Singer, president of the Japan Wine Project (Bordelais Denis Dubordieu consults), is helping to take Japanese wine to the West. The idea is to make wine that matches the delicacy of Japanese cuisine. The region of Yamanashi, with nearly 500ha, accounts for around 80% of Japan's vines, with Hokkaido the other significant area. Summer rain, high humidity and acidic, v. fertile soils rule out grapevines in most areas. Hybrids still dominate, incl Black Queen, Yama Sauvignon and Muscat Bailey A; more recent plantings of European varieties are helping to raise quality. But the antiquated law that allows imported wine to be blended with 5% domestic wine and then labelled "Wine of Japan" holds the country back. Japan's big brewery-based companies such as Suntory, Sapporo and Mercian produce around 75% of the country's wine, but it is small artisan producers such as Grace, Katsunuma and Takahata that are spurring on the 250+ family-run wineries. External influence is also significant; Bernard Magrez also consults in Japan.

Some 30–50% of Icewine on Chinese shelves is said to be fake. Choose carefully.

OLD RUSSIAN EMPIRE

It may take a while before the legacy of Soviet industrial production is superseded by quality winemaking, but it is happening. There are suitable, if risky, climatic conditions around the Black Sea, where most ex-Soviet vineyards are planted. International consultants shape modern styles for larger companies; a new wave of small local producers is emerging. Except for Georgia, all countries give priority to international grapes, not always justified. Armenia may be the next exciting place to make wine, while Russian producers are eyeing the 2014 Winter Olympics in Sochi as an opportunity to present their wines to the world.

The world's oldest winery (4100 BC) has been discovered in Armenia.

Georgia A unique viticultural heritage is the trump card. Georgia has been making wine for over 7,000 yrs; clay vats *(kwevris)* for fermenting wine constitute part of its national identity, but are rapidly disappearing in favour of modern equipment. There are around 500 indigenous grape varieties: red SAPERAVI (intense, structured; Russia's favourite red) and white RKATSITELI (lively, refreshing) cover most of the v'yds. There are five defined areas, with 70% produced in Kakheti (Southeast). Thirty leading producers have formed an association that incl GWS, Tbilvino, Telavi Wine Cellar, Teliani Valley, Askaneli Brothers, Château Mukhrani, Kindzmarauli Corporation, Pheasant's Tears, Badagoni, Shumi, Schuchmann. A country to watch.

Moldova Moldova made fine wines under the Tsars. Producers are feeling more confident again. There are four geographic areas, and European grapes are widely grown, with gd results for CHARD, SAUV BL, PINOT GR, MERLOT, CAB SAUV. Historic red blends Roşu de Purcari (Cab Sauv, Merlot, MALBEC) and Negru de Purcari (Cab Sauv, Rara Neagră, SAPERAVI) are revived by flagship Moldovan winery Vinăria Purcari. Other quality producers incl Acorex Wine Holding, Vinăria Bostavan, Château Vartely, Dionysos Mereni, DK Intertrade, Lion Gri, Cricova (sparkling).

Russia Nascent wine culture is under threat; wine, like other alcoholic beverages, can no longer be mentioned in the press or advertised. The industry continues to fluctuate between producing anonymous stuff from imported bulk, and genuine wines, both of which are made under Russian labels. Wineries with quality production are keen to win international recognition rather than nurture loyal consumers at home. Most v'yds and wineries are in the southwest; the Krasnodar region is the biggest producer. Foreign consultants lend expertise for companies of note: Château le Grand Vostock, Fanagoria, Kuban Vino, Gai Kodzor, Tsimlianskiye Vina, Abrau-Durso, Lefkadia. Russian *"garagistes"* are a new phenomenon, but volumes are tiny, quality inconsistent. European white and red varieties are widely used: indigenous red Krasnostop and Tsimliansky are on the rise.

Ukraine Wine is grown around the Black Sea and on the border with Hungary. Natural conditions are favourable, but most wines are simple semi-sweet red to suit local tastes. Odessa makes the most, but Crimea has greater quality potential. Traditionally the best Ukrainian wines were modelled on Sherry, Port, Madeira and Champagne. Shampanskoye is an essential of Russian life. Historic producers Massandra, Koktebel, Magarach and Solnechnaya Dolina have gd fortifieds. Try Novy Svet and Artyomovsk Winery for traditional method sparkling, Inkerman and Odessavinprom for dry wines. Names to watch: Veles (Kolonist), Guliev Wines. New association of independent winemakers is introducing gd small-volume wines.

United States

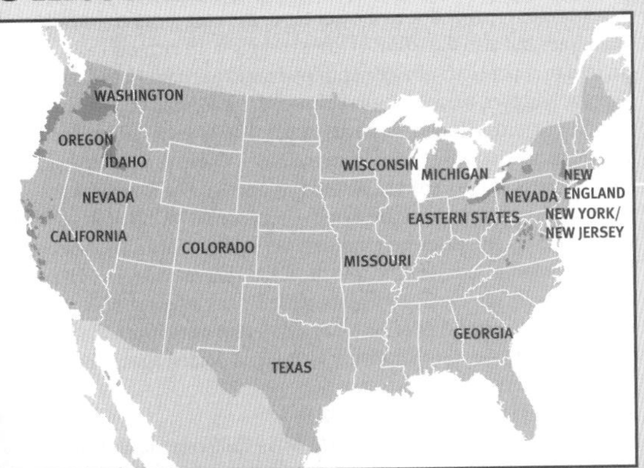

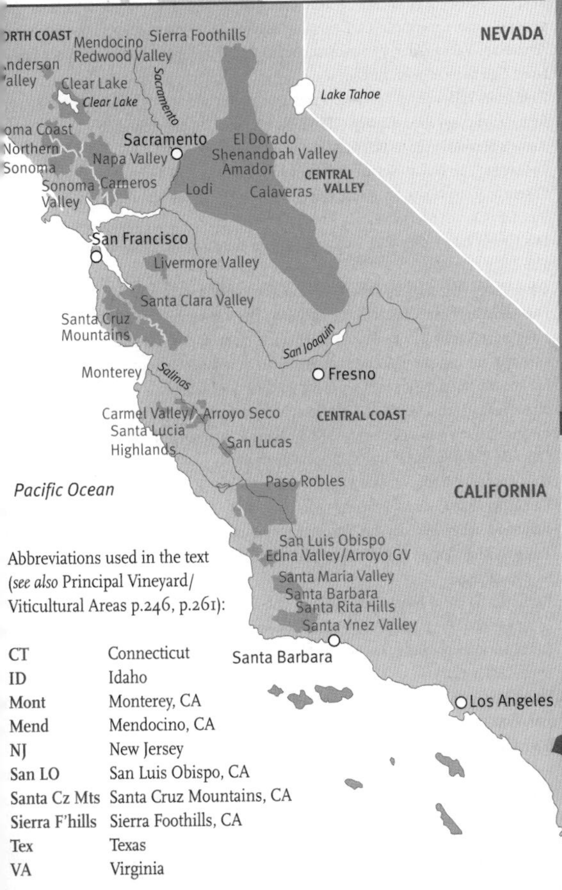

Abbreviations used in the text (*see also* Principal Vineyard/ Viticultural Areas p.246, p.261):

CT	Connecticut
ID	Idaho
Mont	Monterey, CA
Mend	Mendocino, CA
NJ	New Jersey
San LO	San Luis Obispo, CA
Santa Cz Mts	Santa Cruz Mountains, CA
Sierra F'hills	Sierra Foothills, CA
Tex	Texas
VA	Virginia

CALIFORNIA

California remains a work in progress. Regional variations can be enormous, partly due to the jumble of growing areas and weather conditions, but also the whim of the winemaker. In extreme cases this can lead to super-concentrated, jammy wines like certain Napa Cabernets. Happily, however, more and more winemakers seem to be paying attention to terroir and varietal type rather than to wine critics. You can find elegant, expressive wines from the North Coast, esp Pinot Noir and Chardonnay. On the Central Coast the second wave of Rhônistas are producing supple yet powerful Syrah, Grenache and white Rhônes with a California accent. Elsewhere vintners are bringing Spanish varieties like Tempranillo and Albariño into the California mainstream. Hence an explosion of alternatives: of grape varieties, techniques, philosophies and tastes that make California today a different world from that of 20, 15, 10 years ago – or for that matter last year. A golden age is opening up.

Principal vineyard areas

There are over 100 Viticultural Areas (AVAs) in California, some essential to know, some insignificant. Within them are scores of sub-AVAs, which are generally more meaningful. Below are the key AVAs mentioned in the text.

Alexander Valley (Alex V) Sonoma. Warm region in upper RRV. Gd Sauv Bl nr river; Cab Sauv, Zin on hillsides.

Anderson Valley (And V) Mendocino. Pacific fog and winds follow Navarro River inland; gd Ries, Gewurz, Pinot N; v.gd. Zin on benchlands.

Arroyo Seco Monterey. Warm AVA; gd Cab Sauv, Chard.

Calistoga (Cal) Napa. Northern end of Napa V. Red wine territory.

Carneros (Car) Napa, Sonoma. Cool AVA at north tip of San Francisco Bay. Gd Pinot N, Chard; Merlot, Syrah, Cab Sauv on warmer sites. V.gd sparkling wine.

Dry Creek Valley (Dry CV) Sonoma. Outstanding Zin, gd Sauv Bl; gd hillside Cab Sauv and Zin.

Edna Valley (Edna V) San Luis Obispo. Cool Pacific winds; v.gd,, minerally Chard.

Howell Mtn Napa. Classic Napa Cab Sauv from steep hillside v'yds.

Livermore Valley (Liv V) Alameda. Historic district mostly swallowed by suburbs but regaining some standing with new-wave Cab Sauv and Chard.

Mt Veeder Napa. High mtn v'yds for gd Chard, Cab Sauv.

Napa Valley (Napa V) Napa. Cab Sauv, Merlot, Cab Fr. Look to sub-AVAs for meaningful terroir-based wines. Note: Napa V is an area within Napa.

Oakville (Oak) Napa. Prime Cab Sauv territory.

Paso Robles (P Rob) San Luis Obispo. Excellent Zin, Rhône varietals; gd Cab Sauv.

Red Hills Lake County. Promising for Cab Sauv, Zin.

Redwood Valley Mendocino. Warmer inland region; gd Zin, Cab Sauv, Sauv Bl.

Russian River Valley (RRV) Sonoma. Pacific fog lingers; Pinot N, Chard, gd Zin on benchland.

Rutherford (Ruth) Napa. Outstanding Cab Sauv, esp hillside v'yds.

Saint Helena Napa. Lovely balanced Cab Sauv.

Santa Lucia Highlands (Santa LH) Monterey. Higher elevation with gd Pinot N, Syrah, Rhônes.

Santa Maria Valley (Santa MV) Santa Barbara. Coastal cool; gd Pinot N, Chard and Viognier.

Sta Rita Hills (Sta RH) Santa Barbara. Excellent Pinot N; for legal reasons calls itself Sta rather than Santa.

Santa Ynez (Santa Y) Santa Barbara. Rhônes, Chard, Sauv Bl the best bet.

Sonoma Coast (Son Coast) Sonoma. V. cool climate; edgy Pinot N.

Sonoma Valley (Son V) Son. Gd Chard, v.gd Zin; excellent Cab Sauv from Sonoma Mountain (Son Mtn) sub-AVA. Note Sonoma V is area within Son.
Spring Mtn Napa. Terrific Cab Sauv; v.gd Sauv Bl.
Stags Leap (Stags L) Napa. Classic Cab Sauv; v.gd Merlot.

Recent vintages

Because of the diversity and size of the California wine-growing regions it is almost impossible to produce an off-the-peg vintage report for the state. Keeping that in mind, the following assessments can be useful in a general way.

2012 Very promising; moderate heat; dry at harvest; could be outstanding.
2011 Another difficult year, below-average crop. Similar weather to 2010, but burst of heat during harvest helped bring sugar up to balance acidity. Those who picked later reported very good quality – Cab Sauv, Pinot N.
2010 A very difficult year, cool and wet. Picking continued into November. But some outstanding bottlings, esp Rhône varieties and Zin.
2009 A superb growing season, moderate temperatures. Both reds and whites show good balance and ageing potential.
2008 Uneven quality. Acid levels low; some areas grapes may not have ripened.
2007 Rain; results mixed, especially for Cab Sauv.
2006 Looking good, especially Pinot N and Chard. Cab Sauv improving with age. Overall, above-average.
2005 Cab Sauv especially good early on but fading fast.
2004 Some of the early promise has faded. Wines for short-term consumption.
2003 A difficult year all around. Overall, spotty.
2002 The growing season was cool, and quality superior.

Abreu Vineyards Napa V ★★★ 05 07 09 10 11 Supple CAB SAUV with a powerful opening and a long, layered finish. Gd cellar choice.
Acacia Car ★★★ Always gd and sometimes outstanding CHARD and PINOT N from single v'yds in Napa Carneros. Also a super VIOGNIER.
Acorn Vineyards RRV ★★→★★★ Newcomer has a way with ZIN, esp the Alegria V'yd Heritage Vines bottling: a silky, seductive wine with a long finish.
Alante St Helena ★★★ Low-production, outstanding CAB SAUV from a single v'yd. Gd structure with layered finish; capable of long ageing.
Alban Vineyards Edna V ★★→★★★ An original rider with the Rhône Rangers, still out in front of the rest. Top wines are VIOGNIER, GRENACHE.
Alma Rosa Sta RH ★★★ Richard Sanford, a Central Coast PINOT N master, has moved

American Viticultural Areas

Federal regulations on appellation of origin in the USA were approved in 1977. There are two categories. First is a straightforward political AVA, which includes an entire state, ie. California, Washington, Oregon and so on. Individual counties can also be used, ie. Santa Barbara or Sonoma. When the county designation is used, all grapes must come from that county. The second category is a geographical designation, such as Napa V or Will V within the state. These AVAs are supposed to be based on similarity of soils, weather, etc. In practice, they tend to be inclusive rather than exclusive. Within these AVAs there can be further sub-appellations, eg. the Napa V AVA contains Ruth, Stags L and others. When these geographical designations are used, all grapes must come from that region. A producer who has met the regulatory standards can choose a purely political listing, such as Napa, or a geographical listing, such as Napa V.

on to new ground with organic v'yds and palate-pleasing ***Pinot N*** that is bett than ever. V.gd rosé, CHARD.

Alpha Omega Napa V ★★★ New single-v'yd specialist. Era, a CAB SAUV-based blen offers engaging fruit within a balanced and elegant frame; Proprietary Red als v.gd; SAUV BL and CHARD well worth trying.

Altamura Vineyards Napa V ★★★ 01 02 03 **04 05** 06 08 09 10 CAB SAUV built to las Be patient and it will show gd depth and long, echoing flavours.

Amador Foothills Winery Sierra F'hills ★★→★★★ ZIN is a go-to; SAUV BL has brigh minerality. Rhône varieties under the Katie's Côte label are crowd-pleasers.

AmBeth Estate P Rob ★★★ Outstanding Rhône varieties, dry-farmed biodynami v'yds. Look esp for white blend Priscus, and red Majestes.

Ancient Oaks Cellars Son ★★→★★★ Delicious estate PINOT N backed by brilliant CHARD

Andrew Murray Santa B ★★→★★★ It's Rhônes around the clock here; the hits kee coming. The SYRAH is a favourite but don't overlook the VIOGNIER and ROUSSANNE.

Antica Napa V ★★★ 09 10 It took a few yrs to sort out Piero Antinori's (*see* Italy Napa v'yds, but the wines are at last meeting expectations, with a bright an balanced CAB SAUV and a lovely, rounded CHARD.

Araujo Napa V ★★★★ 01 02 03 **04 05** 06 08 09 10 Massive and long-lasting CA SAUV from historic ***Eisele v'yd***.

Au Bon Climat Santa B ★★★→★★★★ Jim Clendenen has been a leader in establishin the Central Coast style for toasty CHARD and rich PINOT N; also light-hearted PINO BL. Vita Nova label for Bordeaux varieties, Podere Olivos for Italianates. *See* QUPÉ

Babcock Vineyards Santa Y ★★★ Central Coast pacesetter sources outstandiing PIINOT N and v.gd CHARD and SAUV BL from cool-climate v'yds.

Barnett Vineyards Napa V ★★★ Carneros CHARD is a creamy treat, as is the spicy Tin Maria PINOT N from the RRV. Also look for the Spring Mtn MERLOT.

Beaulieu Vineyard Napa V ★★→★★★ **05** 07 09 10 You might say "Thanks for the memory" to this once-top estate; Georges de Latour Private Res CAB SAUV can stil hold up its head. Budget wines under the Beaulieu Coast label are acceptable.

Bella ★★→★★★ **09** ZIN specialist scouts Sonoma v'yds for superb bottlings, esp The Belle Canyon Zin, featuring quintessential Dry CV brambly fruit.

Benziger Family Winery Son V ★★→★★★ Best bets here are the biodynamicall farmed estate wines, esp CAB SAUV, MERLOT and SAUV BL.

Beringer Blass Napa ★→★★★ (CAB SAUV) **01 02** 05 07 09 10 Historic winery's single v'yd Cab Sauv Res's are massive, but are worthy of ageing. Velvety, powerfu Howell Mtn MERLOT is v.gd. Founder's Estate gd bargain line.

Bernardus Mont ★★→★★★ 07 08 09 10 The Marinus red Bordeaux blend is superb, gd for short-term ageing but delicious as a youngster. Gd SAUV BL, CHARD.

Bodegas Paso Robles P Rob ★★→★★★ A delicious glass of Spain on the Central Coast, incl Donna Blanca, a charming GARNACHA BLANCA/MALVASIA Bianca blend; Vaca Negra, TEMPRANILLO/MOURVÈDRE blend.

There were 190,683 acres of wine grapes in Fresno County in 2011: 4x that of Napa.

Boeger Central V ★★ Gd-value elbow-benders, fine for picnic or dinner. Best is ZIN.

Bogle Vineyards Central V ★→★★ Consistently gd and sometimes v.gd everyday budget wines. Old Vine ZIN leads the way.

Bokisch Lodi ★★→★★★ A leader in California's Spanish revival, with v.gd TEMPRANILLO backed by outstanding GARNACHA and ALBARIÑO.

Bonny Doon Mont ★★★→★★★★ 08 (Le Cigare Volant) Since terroirist Randall Grahm sold his mass-market budget brands to concentrate on biodynamic single v'yds, there has been a sharp improvement. Flagship ***Le Cigare Volant*** has moved into ★★★★ territory. Vin Gris de Cigare one of California's top rosés.

Bonterra *See* FETZER.

Bourassa Napa V ★★★→★★★★ 06 07 08 09 10 11 Symphony, one of Napa's best CAB SAUVS, is made from cool v'yds in the south of the valley. Also a v.gd CAB FR.

Bronco Wine Company Founded by Fred Franzia, nephew of the late Ernest GALLO. Franzia uses low-cost Central Valley grapes for his famous Charles Shaw Two-Buck Chuck. Other labels incl Napa Creek and Napa Ridge. Quality is not the point: Franzia is selling wine as a popular beverage.

Buehler Napa ★★★ 05 07 09 10 11 Buehler consistently delivers balanced CAB SAUV in a pleasing brambly style with gd structure. Also look for an outstanding ZIN from Napa grapes and a v.gd CHARD from RRV fruit.

Burgess Cellars Napa V ★★★ (CAB SAUV) 03 05 07 09 10 Powerful and age-worthy Cab Sauv from Howell Mtn grapes.

Napa V wine industry contributes an estimated $50bn/annum to the US economy.

Cafaro Cellars Napa V ★★★ Always reliable, sometimes outstanding CAB SAUV. Recent MERLOTS have been excellent.

Cain Cellars Napa V ★★★ 05 07 09 10 11 Cain Five, a supple and layered blend of the five Bordeaux reds from Spring Mtn grapes, is at the head of the class. Consistent and ***age-worthy***.

Cakebread Napa V ★★★→★★★★ 03 05 06 07 09 10 11 CAB SAUV, structured for ageing but delicious after four or five years in the bottle, is a gold standard. SAUV BL ranks among the best; CHARD also v.gd.

Calera ★★★★ 07 08 09 10 11 Josh Jensen, who fell in love with PINOT N while at Oxford, offers an outstanding portfolio of Pinot N, esp Reed, Selleck; also intense, flowery VIOGNIER and a rare ALIGOTÉ.

Cameron Hughes N Coast ★★→★★★ Small lots of North Coast wines of varying quality; CAB SAUV can be excellent, esp Lot 285 Rutherford. V.gd CHARD.

Carter Cellars Napa V ★★★ 07 09 10 11 It's all about single-v'yd CAB SAUV, beginning with outstanding Revillo V'yd bottling. Also look for Hossfeld V'yds Red Blend.

Cass P Rob ★★→★★★ They just keep coming. Yet another Central Coast specialist in Rhône varieties getting it right. SYRAH is superb, with deep, chocolate/coffee tones and a long finish.

Caymus Napa V ★★★→★★★★ 99 00 01 05 06 07 09 10 Special Selection CAB SAUV is a Napa icon, consistently one of California's most formidable: rich, intense, slow to mature. The regular Napa bottling is no slouch. V.gd CHARD under the Mer Soleil brand from Monterey grapes. Conundrum, a second label, offers gd value.

Ceja Vineyards Napa ★★→★★★ 07 09 10 Stylish Napa CAB SAUV; v.gd Carneros CHARD.

Cesar Toxqui Cellars Mend ★★★ Toxqui came north from Mexico when he was 16, and landed his first job at FETZER. He makes superb PINOT N from organic v'yds in Lake and Mendocino counties.

Chalone Mont ★★★ Historic Monterey mtn estate: intense PINOT N, minerally CHARD.

Chappellet Napa V ★★★→★★★★ 03 05 06 07 08 09 10 Pioneer (1969) on Pritchard Hill, St Helena. ***Signature label*** CAB SAUV is capable of serious ageing; also a v.gd CHARD, CAB FR and MERLOT: gd CHENIN BL. Chappellet owns Sonoma-Loeb, specializing in Chard and PINOT N from Carneros and the RRV.

Charles Krug Napa V ★★→★★★ Historically important winery enjoying a comeback led by a supple and elegant CAB SAUV; SAUV BL is excellent.

Chateau Montelena Napa V ★★★→★★★★ (CHARD) 08 09 10 11 (CAB SAUV) 01 03 05 06 07 09 10 11 Balanced and supple Cab Sauv for drinking young or putting away for at least a decade. The Chard is also a keeper.

Chateau St Jean Son ★★→★★★ Cinq Cépages, a blend of five Bordeaux red varieties, is top card here; gd SAUV BL and CHARD.

Chimney Rock Stags L ★★★→★★★★ 03 05 07 09 10 11 An often underrated producer of balanced, age-worthy CAB SAUV.

Clark-Clauden Napa V ★★★→★★★★ 05 07 09 10 Outstanding CAB SAUV: focused fruit, lasting wraparound flavours. Also v.gd SAUV BL. Much ***underrated*** producer.

Clayhouse P Rob ★★→★★★ Old-vine PETITE SIRAH restores faith in that variety. It has it all: lovely black-cherry, chocolate and black pepper tones and a long finish. More, please. Also look for Adobe, a delicious white blend.

Cliff Lede Stags L ★★★ 07 09 10 Often overlooked Stags L CAB SAUV, featuring lean minerality; built to age for 10-15 yrs.

Clos du Bois Son ★★→★★★ Briarcrest CAB SAUV and Calcaire CHARD can be v.gd. Rest of line-up are quaffable everyday wines. No problem there.

Clos du Val Napa V ★★★ 05 07 09 10 11 Consistently outstanding CAB SAUVS, never overstated in style, and much underrated. Chard ***is a delight*** and a SÉM/SAUV BL blend called Ariadne is a charmer.

Cobb Wines Son Coast ★★★ Cool-climate PINOT N, CHARD: crisp acidity, restrained fruit.

Conn Creek Napa V ★★★ 03 05 06 07 09 10 11 CAB SAUV with gd structure, sourced from several Napa V v'yds. A gd candidate for the cellar.

Constellation ★→★★★ Owns wineries in California, NY, Washington State, Canada, Chile, Australia and NZ. Produces 90+ million cases/yr, the world's biggest wine company? Once a bottom-feeder, now going for the top, incl ROBERT MONDAVI, FRANCISCAN V'YD, Estancia, Mt Veeder, RAVENSWOOD, Simi, among others.

Corison Napa V ★★★★ 95 96 97 99 00 01 02 05 06 07 09 10 11 Cathy Corison is a national treasure. While many in Napa V follow the $iren call of powerhouse wines for big scores and little pleasure, Corison continues to make flavoursome, ***age-worthy Cab Sauv***. Top choice is the luscious and velvety Kronos V'yd.

Cuvaison Napa V ★★★ 01 03 05 07 09 10 11 Superb Mt Veeder CAB; v.gd CHARD, SYRAH.

Darioush Napa V ★★★ 06 07 09 10 11 Outstanding Napa CAB SAUV with an eye on Bordeaux. Silky Signature Cab Sauv has depth and power. VIOGNIER is a treat.

Dashe Cellars Dry CV★★→★★★ A happy obsession with Dry CV ZIN, with single-v'yd bottlings capturing the classic brambly Dry CV style.

David Bruce Santa Cz Mts ★★★ Legendary mtn estate is still on top of the game with powerful, long-lasting CHARD and superb PINOT N.

Davis Bynum Son ★★★ V.gd single-v'yd PINOT N from RRV; lean yet silky CHARD.

Dehlinger ★★★★ Tom Dehlinger maintains his standing as a ZIN master, making consistently four-star wines from estate RRV v'yd. Also v.gd CHARD and SYRAH.

Delicato Vineyards ★→★★ Long-time (eight generations) wine family has moved beyond jug wines to more upscale bottlings from v'yds in Napa, Monterey, Lodi. Popular innovations are the Bota wines: premium varieties in three-litre boxes.

Diamond Creek Napa V ★★★★ 95 99 00 01 03 06 07 09 10 11 Austere CAB SAUV from hillside v'yds on Diamond Mtn – Gravelly Meadow, Volcanic Hill, Red Block Terrace. Wines age beautifully. One of Napa's jewels, overshadowed in recent years by some of Napa's more glitzy cult Cabs.

New Mexico's first winery preceded California's by 150 years.

Domaine Carneros Car ★★★→★★★★ Vintage Blanc de Blancs La Rêve consistently rates as one of the best sparklers in the state; also a v.gd NV bubbly rosé. An outstanding range of PINOT N and CHARD led by The Famous Gate Pinot.

Domaine Chandon Napa V ★★→★★★ Top bubbly is the NV Res Etoilé; also v.gd rosé sparkler. Still wines incl gd Carneros PINOT N.

Dominus Estate Napa V ★★★★ 97 99 01 02 05 06 07 08 09 10 11 Red Bordeaux blend is one of Napa's great treasures. Don't rush it; the wine amply repays cellar time with supple layers of intense flavours and a long, wraparound finish.

Donkey & Goat ★★★→★★★★ One of several artisan urban wineries that have sprung up in the San Francisco Bay area, sourcing grapes from selected v'yds. Current favourite is a delicious GRENACHE from El Dorado AVA in Sierra F'hills.

> Cuvée downtown
> Urban microbreweries have been around for a while; now we have urban wineries. They make wine where the customers are – in the city – and it's relatively easy to bring grapes in. Top urban wineries incl Bluxome and Dogpatch in San Francisco, A Donkey and Goat in Berkeley, City Winery in Manhattan and Red Hook Winery in Brooklyn.

Dry Creek Vineyard Dry CV ★★→★★★ Winery has been leader in Heritage ZIN movement: v. impressive line-up of single-v'yd bottlings. V.gd SAUV BL, CHENIN BL.

Duckhorn Vineyards Napa V ★★★→★★★★ Known for dark, tannic, plummy-ripe single-v'yd MERLOTS (esp Three Palms) and CAB SAUV-based Howell Mtn bottling. Also Golden Eye PINOT N, made in a robust style at an Anderson V winery.

Dunn Vineyards Howell Mtn ★★★★ 91 95 97 99 01 03 06 07 09 10 11 Randy Dunn makes superb and ***intense Cab Sauv*** from Howell Mtn estate that ages magnificently; more restrained bottlings from valley floor for short-term drinking. One of few Napa V winemakers to resist the stampede to jammy, lush wines to curry critics' favour.

Dutton-Goldfield ★★★→★★★★ Exceptional terroir-based PINOT N and CHARD from Son Coast and RRV v'yds. Wines are modern California classics.

Eagles Trace Napa V ★★★ 04 05 06 07 09 10 Long-time Napa grower producing terroir-driven wines. Top of line is Latitude 38, an age-worthy CAB SAUV-based homage to Bordeaux. Also a gd MERLOT.

Eberle San LO ★★ Gd range of Rhônes led by Steinbeck v'yd SYRAH; v.gd VIOGNIER, solid CAB SAUV. Rosé of Syrah a charming addition.

Edna Valley Vineyard Edna V ★★★ Lovely and true-to-variety SAUV BL for openers, then crisp CHARD with generous tropical fruit. Finish with impressive SYRAH.

Elke Vineyards And V ★★→★★★ Mary Elke makes an elegant and silky PINOT N in the Diamond series, and a beginner's fruit-forward wine under the Mary Elke label.

Elyse Vineyards Napa V ★★★ 05 08 09 10 11 Elyse has all bases covered, starting with small lots of single-v'yd CAB SAUV showing bright fruit with layered flavours and excellent ageing potential. V.gd old-vine ZIN.

Envy Cellars Napa V ★★★→★★★★ Superstar winemaker Nils Venge, known for CAB SAUV, has turned to PETITE SIRAH with a Vaca Mtn bottling: dark fruit balanced with peppery spice. A delicious SAUV BL and bright rosé are new.

Far Niente Napa V ★★★ 03 05 07 09 10 11 The game here is opulent, sometimes over-the-top CAB SAUV, and full-bodied and rich CHARD from estate grapes.

Fetzer Vineyards Mend ★★→★★★ A leader in organic/sustainable viticulture. Makes consistent-value wines from least expensive range (Sundial, Valley Oaks) to brilliant Res wines. Also owns BONTERRA v'yds (all organic grapes): ***Roussanne, Marsanne are stars.***

Ficklin Vineyards Madera ★★★ While other sweet wine producers have run for cover, the Ficklin family has continued to make impressive and tasty fortifieds from classic Portuguese varieties. Also a line of table wines, incl a TOURIGA rosé.

Firestone Santa Y ★★→★★★ Reliable Central Coast producer keeps the quality bar high with a splendid SAUV BL and a palate-pleasing ***off-dry Ries***. Also a gd rosé. Top of the line is The Ambassador, a red MERITAGE blend.

Flora Springs Wine Co Napa V ★★★→★★★★ A sometimes-overlooked Napa gem, esp the Signature series, which includes Trilogy, an amazing CAB SAUV-based jewel from hillside v'yds; Soliloquy, a v.gd SAUV BL from Oakville AVA and a fine CHARD.

Flowers Vineyard & Winery ★★★ Son Coast pioneer; 1st CHARD planted in 1991, Flowers now farms organically: won praise for intense coastal PINOT N and Chard.

Foppiano Son ★★→★★★ One of California's grand old wine families – established 1896. Outstanding ZIN yr in, yr out. Also leads in rich, firmly structured PETITE

SIRAH, better known as "petty sir" among the rearguard. Also appealing CAB SAU lively SAUV BL and gd estate rosé.

Forman Vineyard Napa V ★★★★ 00 01 03 05 07 09 10 11 Ric Forman, a dedicat (some might say "fanatical") terroirist, makes elegant, age-worthy CAB SAUV-bas wines from hillside v'yds. Also v.gd CHARD.

Franciscan Vineyard Napa V ★★→★★★ Magnificant, a red Bordeaux blend, consistently excellent; Cuvée Sauvage CHARD also quite gd.

Freeman RRV ★★★ Concentrates on PINOT N and CHARD from cool-climate Son Coa and RRV, with a nod to Burgundy. The Ryo Fu Chard (cool breeze in Japanese) amazing. Pinot N bottlings high on the A-list, esp the Keefer Ranch.

Freemark Abbey Napa V ★★★→★★★★ ***Stylish Cab Sauv worthy of cellar time*** fro often-underrated classic producer. Esp single-v'yd Sycamore, Bosche bottlings

Freestone Son Coast ★★★→★★★★ Intense but balanced CHARD, PINOT N from vin only a few miles from the Pacific – show gd structure, long finish, esp the Char

Frog's Leap Ruth ★★★→★★★★ 01 02 03 05 07 09 10 11 (CAB SAUV) John Williams, leader in organic/biodynamic movement, says it all starts in the v'yd. The Ca Sauv is supple and balanced, capable of ageing; a toasty CHARD, a zesty ZIN and lean, ***minerally Sauv Bl*** are all excellent.

Gallo, E & J ★→★★ California's biggest winery is an easy target, but Gallo has dor more to open up the American palate to wine than any other winery. Its 196c Hearty Burgundy was groundbreaking. Continues basic commodity wines, b has created line of regional varieties: Anapauma, Marcellina, Turning Leaf ar more, all wines of modest quality perhaps but predictable and affordable.

E&J Gallo started its family winery in 1933, with a $5,000 borrowed investment.

Gallo Sonoma Son ★→★★★ Coastal outpost of Central Valley giant sources grap from several Sonoma v'yds. CAB SAUV can be v.gd, esp the single-v'yd CHARD. Ne line of Gina Gallo signature wines are consistently three-star.

Gary Farrell Son ★★★ V.gd to excellent PINOT N and CHARD from cool-climate v'yd Gd ZIN and a splendid SYRAH.

Gloria Ferrer Car ★★ Built by Spain's Freixenet for sparkling wine, now producin spicy CHARD and bright, silky PINOT N and other varietals, all from Carneros frui Bubbly has developed a sweet tooth.

Grace Family Vineyard Napa V ★★★★ 01 03 05 06 07 09 10 11 Stunning CAB SAU for long ageing. One of the few cult wines that might actually be worth the pric

Greenwood Ridge And V ★★ Estate PINOT N made in a fleshy style is v.gd. Floral of dry RIES is a marvellous apéritif; gd ZIN.

Grgich Hills Cellars Napa V ★★★→★★★★ 05 07 08 09 10 11 Outstanding biodynami CAB SAUV; supple, age-worthy CHARD. SAUV (FUMÉ) BL and rustic ZIN worth a look.

Groth Vineyards Oak ★★★★ 97 99 00 01 05 06 07 09 10 11 Estate CAB SAUV offe supple, wraparound flavours, structured for ageing. Res Cab Sauv more tight wound. Excellent CHARD and SAUV BL.

Gustafson Family Estates Dry CV ★★→★★★ Terrific SYRAH, tempting PETITE SIRAH, bu watch for the ZIN and don't overlook the SAUV BL. Rosé is a super elbow-bender.

Hall Napa V ★★★★ 07 08 09 10 11 Napa CAB SAUV is a superb, with full-palate layer of flavour. A stunning Diamond Mtn Cab Sauv and a v.gd St Helena Bergfel Cab Sauv are offered in the small-lot Artisan series. Minerally SAUV BL is delicious

Halter Ranch ★★→★★★ Ancestor, a red blend of Bordeaux varieties plus SYRAH, i outstanding. Côtes du Paso (r w) v.gd. Gd ZIN.

Handley Cellars And V ★★★ Excellent CHARD, GEWURZ, PINOT N. V.gd SAUV BL, Char from Dry CV; sparkling wine can play with California's best, esp the bubbly rosé

Hanna Winery ★★★ A Sonoma classic with an outstanding SAUV BL and PINOT N fron RRV. CAB SAUV and MERLOT from Alex V v'yds are superb. New rosé is a treat.

Hanzell Sonoma V ★★★★ Historic artisan producer of outstanding and terroir-driven CHARD ***and Pinot N*** from estate vines. Both repay a few yrs' cellar time. Deserves to be ranked with the best of California.

Harlan Estate Napa V ★★★★ 06 07 09 10 11 Concentrated, sleek cult CAB SAUV from perfectionist estate commanding luxury prices. Harlan owns Meadowood Club.

HdV Wines Car ★★★★ Fine, complex ***Chard*** with a mineral edge from grower Larry Hyde's v'yd in conjunction with Aubert de Villaine of DRC (*see* France). Also a v.gd CAB SAUV and SYRAH from Hyde's v'yd.

Heitz Cellar Napa V ★★★ 01 03 05 07 09 10 11 History-making, deeply flavoured, minty CAB SAUV from Martha's V'yd. Martha's fans feel newer bottlings of Bella Oaks and Trailside V'yd can't match the early Martha. Now SAUV BLANC, too.

Heller Estate Mont ★★★ Layered and supple ***Cab Sauv*** is v.gd, as is the charming CHENIN BL and PINOT N. Recent addition of rosé is welcome.

Hess Collection, The Napa V ★★★ CAB SAUV from Mt Veeder estate v'yd hits a new quality level, esp the exceptional 19 Block Cuvée, a blockbuster with gd manners; Lake County SAUV BL is v.gd; CHARD crisp and bright; Hess Select label v.gd budget wines. Fabulous art gallery.

Howell at the Moon Howell Mtn ★★★ 06 07 08 09 10 11 Behind the painful pun is a terrific CAB SAUV: brambly fruit with an elegant structure and a good reflection of Howell Mtn terroir. Cab Sauv is all it does and it does it right.

Inglenook Oak Francis Ford Coppola is reviving historic winery and has vowed to make great CAB SAUV here.

Iron Horse Vineyards Son ★★★→★★★★ Joy, a new top-of-the-line NV bubbly, is amazing. Bottled in magnum with 10-15 yrs on the lees it combines elegance and power. Wedding Cuvée also a winning sparkler. V.gd CHARD and PINOT N; look for the Corral V'yd Chard and for a refreshing glass, the unoaked Chard.

Jordan Alex V ★★★★ (CAB SAUV) 98 99 00 01 02 05 07 09 10 11 Consistently balanced and elegant wines from showcase Alex V estate. The Cab Sauv is an homage to Bordeaux – and it lasts. Minerally and delicious CHARD is ditto to Burgundy.

Joseph Phelps Napa V ★★★★ (Insignia) 97 99 00 01 03 05 06 07 08 09 10 A true Napa "first growth". Phelps CAB SAUV, esp Insignia and Backus, are always nr the top, capable of long ageing. Ovation Chard is v.gd.

Joseph Swan Son ★★★ Long-time RRV producer of intense old-vine ZIN and bottlings of single-v'yd PINOT N. Often overlooked Rhône varieties also v.gd, esp the ROUSSANNE/MARSANNE blend from Saralee's v'yd.

J Vineyards Son ★★★ Outstanding bubbly: creamy Brut, zesty Brut Rosé, luscious late-disgorged Vintage. Gd PINOT N, CHARD, refreshing VIOGNIER. "J" is for "Jordan".

Kendall-Jackson ★★→★★★ Legendary market-driven CHARD, CAB SAUV. Even more noteworthy for developing a diversity of wineries under the umbrella of Artisans & Estates (*see* STONESTREET).

California sprawl is not an ugly suburb but a pruning system.

Kenefick Ranch Napa V ★★→★★★ A gd portfolio from a grower-turned-vintner in Calistoga, northern Napa. Pickett Road Red is a supple Bordeaux blend based on MERLOT. Pickett Road White blend – VIOGNIER and GRENACHE BLANC – is also v.gd.

Kent Rasmussen Winery Car ★★★→★★★★ Outstanding Carneros wines for more than a quarter-century. Let's hope he has another 25 yrs to go. Look esp for the minerally CHARD and the full-palate lushness of the PINOT N. Ramsay is an alternative label for small parcels.

Kenwood Vineyards Son ★★→★★★ (Jack London CAB SAUV) 01 03 05 07 08 09 10 11 Consistently gd quality at fair prices. The Jack London Cab Sauv is the high point. Also v.gd Artist Series Cab Sauv. Several v.gd bottlings of ZIN and a gulpable, delicious SAUV BL.

Kistler Vineyards RRV ★★★ Specialist in cool-climate Son County CHARD, PINOT N, over a dozen v'yd-designated wines in any given yr. Wines are much in demand.

Konsgaard Napa ★★★★ Several bottlings of CHARD, incl well-regarded Judge V'yd. CAB SAUV and SYRAH v.gd. Recently added a delicious ALBARIÑO.

Korbel ★→★★ Largest US producer of classic-method fizz, focus on fruit flavours Recently added an organic bottling and a gd Brut Rosé. For your next picnic.

Ladera ★★★ 05 07 08 09 10 11 Luscious, balanced CAB SAUV from estate v'yds, plus a more accessible Napa Valley Cab Sauv-based blend. Also v.gd MALBEC and gd SAUV BL. Estate Cab a keeper.

Lamborn Family Vineyards Howell Mtn ★★★→★★★★ Superstar winemaker Heidi Barrett makes intense, age-worthy CAB SAUV and full-flavoured ZIN from estate v'yd.

Landmark Son V ★★→★★★ CHARD from the Bien Nacido V'yd in Santa MV has deep fruit flavours; look also for Detour PINOT N from Son Coast grapes. Outstanding GRENACHE and a new estate rosé.

Lang & Reed Napa V ★★★ Bright Loire-style CAB FR. Why don't more Californians do this? North Coast bottling added, made in a pleasing fruit-forward style.

Larkmead Napa V ★★→★★★ Historic Calistoga estate being revived, offering ***outstanding Cab Sauv***, supple and balanced, and a bright, delicious SAUV BL.

Laurel Glen Son V ★★★★ 01 03 05 06 09 10 For more than 30 yrs Patrick Campbell made some of California's best CAB SAUV, supple, balanced, age-worthy, from a steep v'yd on Son Mtn. Too early to tell if new owners will keep standards high.

Lohr, J ★★→★★★ One of California's underrated treasures. Excellent CAB SAUV and a series of MERITAGE red wines are first-rate, made chiefly from P Rob fruit. Cypress is gd budget line.

Long Meadow Napa V ★★★ Destination winery in Napa: restaurant and working farm hasn't hurt the wines. Supple and age-worthy CAB SAUV; lively Graves-style SAUV BL. Ranch House Red is a true elbow-bender. V'yd is organically farmed.

Louis M Martini Napa ★★★ Napa treasure; a brilliant comeback since 2002 Gallo buyout. Gallo took a hands-off approach, giving Mike Martini the tools and letting him work with the great CAB SAUV and ZIN v'yds the family had owned for decades. Look esp for Cab Sauv from ***Monte Rosso*** and Alex V.

Lucas Lodi ★★→★★★ Terrific classic Lodi old-vine ZIN; v.gd VIOGNIER, CHARD; tasty rosé

L'Uvaggio ★★→★★★ Italian specialist offering excellent BARBERA; look for VERMENTINO from Lodi, splendid rosé reminiscent of northern Spain. Can't go wrong here.

McIntire Vineyards Santa LH ★★→★★★ McIntire family, long-time growers, now make their own wines and do a fine job. PINOT N offers rich cherry fruit backed by gd acidity. Brilliant CHARD, with deep minerality and long finish.

MacPhail Son ★★★ Intense and tightly wound PINOT N, gd CHARD and a refreshing Pinot N rosé from Son Coast.

Marimar Torres Estate RRV ★★★→★★★★ Several bottlings of CHARD and PINOT N from Don Miguel estate in Green Valley. Chard is complex, ages 5 yrs. Acero Chard is unoaked, ***a lovely expression of Chard fruit***. Pinot N from Doña Margarita v'yd nr ocean is intense. Look also for a gd SYRAH/TEMPRANILLO blend and a zesty ALBARIÑO Chard blend. V'yds now farmed organically and moving towards biodynamics.

Something for the laydeez

Sweet wines, incl MOSCATO, are flavour of the year in the USA: sales tripled in 2011 and are still rising. In the 1950s, sweet wines held 90% of the US market, but had declined to 2% by the end of the century. New drinkers in particular, incl women and "Millennials" (Generation Y), who are rediscovering these wines. As one Napa marketing person, who asked to remain nameless, put it: "Why is it surprising that Millennials, who drink Coke for breakfast, would like sweet wine?"

Mayacamas Vineyards Mt Veeder ★★★ Veteran Bob Travers makes outstanding ***Cab Sauv*** from estate vines, capable of long ageing; rich, edgy CHARD, v.gd SAUV BL.

Meritage Basically a Bordeaux blend, red or white. The term was invented for California but has spread. It's a trademark, and users have to belong to The Meritage Alliance. It's supposed to rhyme with "heritage" (but often doesn't).

Merry Edwards RRV ★★★★ Salute to Burgundy with California attitude. PINOT N is rounded, layered with flavour and edged with dark spice. As a bonus there is a lovely SAUV BL. Merry Edwards, who was voted into the Vintners Hall of Fame in 2012, is a national treasure.

Merryvale Napa V ★★★ Profile is a balanced and luscious CAB SAUV, backed by Silhouette, a rich CHARD; also a gd MERLOT and v.gd PINOT N. Fruit-forward line for early drinking under the Starmont label.

Milano Mend ★★→★★★ Artisan producer of ZIN, CAB SAUV, worth seeking out. Rare bottling of Charbono is v.gd. Several blended reds made in a pleasing rustic style, incl Bigass Red and Hopland Cuvée, unusual blend of Cab Sauv/PINOT N.

Miner Family Vineyards Oak ★★★ Powerful CAB SAUV-based reds with gd ageing potential. Look esp for the Icon bottling, a blend of Bordeaux varieties.

Miraflores Sierra F'hills ★★★ SYRAH and ZIN from El Dorado County are v.gd, with bright, engaging fruit. VIOGNIER, PINOT GRIGIO are also v.gd with excellent varietal type. First-rate rosé from BARBERA.

No specific age requirement for designation "old vines", in California or elsewhere.

Miura ★★→★★★ Master Sommelier Emmanuel Kemiji makes several single-v'yd wines; esp Pisoni PINOT N from Santa LH. V.gd Cuvée Kemiji CAB SAUV-based blend.

Morgan Santa LH ★★★ Top-end single-v'yd PINOT N, CHARD. Esp fine, unoaked Chard Metallico. Estate Double L v'yd farmed organically. Cotes du Crow's is charming.

Moshin Vineyards RRV ★★→★★★ Creamy, rich CHARD is the go-to wine here. Gd SAUV BL and PINOT N. New GRENACHE is excellent.

Mumm Napa Valley Napa V ★★★ Stylish bubbly, esp ***delicious Blanc de Noirs*** and rich, complex DVX single-v'yd fizz to age a few yrs in the bottle; also a v.gd Brut Rosé. CHARD and PINOT N are worth a glass or three.

Nalle Son ★★★★ Doug Nalle makes balanced, delicious ZINS: pleasure to drink when young but also age beautifully. Been doing it for decades and always gets it right.

Napa Wine Company Napa V *See* TRINCHERO FAMILY ESTATES.

Navarro Vineyards And V ★★★ V. gd RIES and GEWURZ from cool-climate pioneer. But star turn is PINOT N, in two styles: estate-bottled homage to Burgundy from And V. grapes, and a brisk and juicy bottling from bought-in grapes.

Newton Vineyards Spring Mtn ★★★→★★★★ 03 05 06 07 09 10 11 The Puzzle, a supple and elegant blend of Bordeaux varieties, consitently hits four stars. Gd ageing potential. Also v.gd CAB SAUV, MERLOT and CHARD. Red Label bottlings are fruit-forward, fun to hang out with.

Nickel & Nickel ★★★ Specialist in exceptional terroir-driven single-v'yd CAB SAUV, MERLOT, SYRAH, ZIN and CHARD from Napa and Sonoma. Line-up changes from yr to yr but always something to enjoy.

Niebaum-Coppola Estate ★★★ Francis Ford Coppola has been in an expansion mode for several yrs. There are now a bewildering number of labels, incl top-of-the-line FC Res and the Diamond label series. Two new bottlings are offered as flagship red wine blends: Eleanor and Archimedes. Sophia is a popular fizz named after the "Godfather's daughter". Coppola now owns the historic INGLENOOK brand as well as CHATEAU SOUVERAIN in Sonoma. New winemaker, ex-Château Margaux (Bordeaux), is charged with making Rubicon more elegant.

Oakville Ranch Oak ★★★ A sometimes overlooked jewel, this estate on the Silverado Trail produces consistently gd CAB SAUV and a creamy CHARD.

Ojai Santa B ★★★ Extensive list of v.gd PINOT N, CHARD, Rhônes and single-v wines offered by former AU BON CLIMAT partner Adam Tolmach. Look esp for t Presidio V'yd Pinot N and SYRAH.

Opus One Oak ★★★★ 05 07 09 10 11 Mondavi-Rothschild creation in the heart Napa has made glorious wines, though not always. ***Excellent current form***, esp t 2009, which is drinkable now but leave it alone for a few yrs.

Pahlmeyer Napa V ★★★ CAB SAUV-based Pièce de Résistance is superb. Sup MERLOTS are a treat. CHARD and PINOT N from Son Coast are excellent.

Parducci Mend ★★→★★★ Reliable, gd-value wines from historic winery. True G PETITE SIRAH is brilliant.

Patel Napa V ★★★ 07 08 09 10 11 Excellent CAB SAUV, MERLOT-dominated Bordea blend. Cab is esp gd with layers of flavours and a long finish. Gd ageing potenti

Patianna Vineyards RRV ★★★ Patty Fetzer makes incredibly gd SAUV BL fro biodynamic v'yds in Sonoma County. SYRAH a close second.

Paul Dolan Mend ★★★ Long-time organic and biodynamic leader Paul Dolan offe outstanding ZIN, SYRAH, CAB SAUV, CHARD, and SAUV BL.

Paul Hobbs ★★★ Carries the single-v'yd banner to extreme lengths, with eig different CHARDS, five PINOT NS, six CAB SAUVS and a single lonely SYRAH. They ha in common a depth and intensity, sometimes a lushness bordering on, b never quite becoming, jammy. All worth a look.

Pedroncelli Son ★★ Old hand in Dry CV producing bright, elbow-bending ZIN, C SAUV and a solid CHARD.

Peltier Station Lodi ★★→★★★ Growers for 50 yrs+, the Schatz family's own win are gd to outstanding. Look esp for the refreshing VIOGNIER and a yummy Z Hybrid, a second label, offers outstanding PETITE SIRAH and v.gd VERMENTINO.

Top Pinot Noirs

PINOT N has made itself at home in California, putting down roots and flourishing in cooler regions of the state. Key AVAs for Pinot N in the north include Carneros where black-cherry and other dark fruit flavours dominate; the RRV, offering a supple, bright fruit profile; the Son Coast, often dominated by a hard-edged minerality with layered flavours. On the Central Coast, Pinot N from Santa Barbara and Monterey, esp the Santa LH, tend to be softer with an appealing generosity. For top producers look to ALMA ROSA, CALERA, DEHLINGER, DUTTON GOLDFIELD, FREEMAN, MARIMAR TORRES ESTATE, MERRY EDWARDS, MORGAN, SAINTSBURY and R TALBOTT.

Periano Lodi ★★→★★★ Outstanding old-vine ZIN from new-wave Lodi producer; v.g VIOGNIER, CHARD; gd TEMPRANILLO.

Peter Michael Winery Mont ★★★★ Single-v'yd concept is driving force; a doze bottlings of excellent CHARD and PINOT N and two bottlings of Bordeaux varietie.

Philip Togni Vineyards Spring Mtn ★★★★ 00 01 03 05 07 09 10 11 Vetera winemaker makes v. ***fine, long-lasting Cab Sauv*** from Spring Mtn. Tanbark H CAB SAUV is less expensive for earlier drinking.

Pine Ridge Napa V ★★★ Tannic and concentrated CAB SAUVS, from several Napa v'yds, have a loyal following. Fortis red blend is massive, intense.

Preston Dry Creek Vineyards Dry CV ★★★ Lou Preston is a demanding terroiris making Dry CV icons: ZIN; v.gd range of Rhône varieties, esp gd GRENACHE BLAN

Quady Winery Central V ★★→★★★ Madera MUSCAT dessert wines incl fame orangey Essensia, rose-petal-flavoured Elysium and Moscato d'Asti-like Electr Starboard Port is v.gd.

Quintessa Napa V ★★★★ Supple red blend from this biodynamic Rutherford estate shows balanced fruit in an homage to Bordeaux. Can age.

Quivira Dry CV ★★★ A v.gd range of Rhône varieties, esp GRENACHE from a biodynamic estate. ZIN is excellent. Gd rosé.

Qupé Santa B ★★★★ Focus is remarkable range of Rhônes, esp a brilliant ***Marsanne***. Glass or two of PINOT BL or SYRAH would also be welcome. Don't forget the PINOT N.

Rafanelli, A Son ★★★ ZIN specialist makes intense wines with bright, brambly fruit. Also gd CAB SAUV. Zin will age, but it's so delightful young, why bother?

Ramey Wine Cellars RRV ★★★ V.gd single-v'yd CAB SAUV from Napa V; rich, complex CHARD from cooler v'yds, esp Hudson V'yd, Napa V-Carneros. V.gd, intense SYRAH.

Ravenswood *See* CONSTELLATION.

Raymond Vineyards and Cellar Napa V ★★★ 01 03 05 07 09 10 11 CAB SAUV is the story here and it is well told. The wines are balanced, understated but apt for long ageing, esp the flagship Generations blend. Also gd CHARD.

Ridge Santa Cz Mts ★★★★ (CAB SAUV) 99 00 01 03 **05** 07 08 09 10 11 Ridge founder Paul Draper is one of the key figures in modern California wine. Supple, harmonious estate ***Montebello Cab Sauv*** is superb. Also outstanding single-v'yd ZIN from Sonoma, Napa V, Sierra F'hills and P Rob. And don't overlook ***outstanding Chard*** from wild-yeast fermentation. Keep up the gd work, Paul.

Robert Mondavi ★→★★★ Top are Napa V Reserves, followed by Napa V appellation series (eg. Carneros CHARD, Oakville CAB SAUV, etc.), with Napa V bottlings at the base. Various Central Coast wines and Robert Mondavi-Woodbridge are gd-value brands. Robert Mondavi is owned by CONSTELLATION.

Rochioli Vineyards & Winery Son ★★★ Excellent estate PINOT N and a brilliant CHARD. Also v.gd SAUV BL.

Roederer Estate And V ★★★★ The house style tends to restraint and supple elegance, esp in luxury cuvée L'Ermitage. Overall, one of the top three sparklers in California and hands-down ***the best rosé***. Owned by Champagne Roederer.

Roger Craig Wines Napa V ★★★ CAB SAUV specialist focuses on power and complexity with a minerally, herbal side.

Round Pond Estate Ruth ★★★ Estate CAB SAUV from Ruth grapes is superb, with rounded flavours and bright fruit; v.gd SAUV BL.

Saddleback Cellars Napa V ★★★★ **01** 05 06 07 08 10 11 Owner-winemaker Nils Venge is a legend in Napa V. Lush ZIN and long-lived CAB SAUV. Gd SAUV BL.

St Clement Napa V ★★★ **99 00 01** 03 05 06 07 09 10 11 Several bottlings of single-v'yd CAB SAUV, esp Armstrong V'yds Diamond Mtn and multi-v'yd blend Oroppas, show supple power, deep flavours; also v.gd MERLOT, SAUV BL.

St Francis Son ★★★ Lagomarsino CAB SAUV from RRV is terrific; v.gd CHARD and classic old-vine ZIN.

Saintsbury Car ★★★ PINOT N and CHARD from Carneros. Wines are intense but balanced and engaging. A v.gd Vin Gris.

St-Supéry Napa ★★→★★★ SAUV BL one of the best in state; powerful, silky MERLOT; outstanding CAB SAUV and CHARD from Dollarhide Estate V'yd.

Santa Cruz Mountain Vineyard ★★★ Rich estate PINOT N, capable of ageing. GRENACHE from century-old Mendocino vines is remarkable; gd CAB SAUV in a rustic style.

Schramsberg Napa V ★★★★ J Schram, the creamy and utterly delicious luxury cuvée, has been called California's Krug. Blanc de Noirs is outstanding, as is Brut, while Res is rich and intense. Second label Mirabelle is v. agreeable. Also a v.gd CAB SAUV, J Davies, from mtn estate vines. Schramsberg stands the test of time.

Screaming Eagle Napa V ★★★★ Small lots of cult CAB SAUV at luxury prices for those who like and can afford that kind of thing.

Seghesio Son ★★★ Superb ZINS, drinkable when young, taking on depth with age. V.gd BARBERA and SANGIOVESE.

Selene Napa V ★★★★ Mia Klein makes small lots of Bordeaux varietals, and they a superb. Dead Fred V'yd Cab Sauv is top dog, sometimes facing a challenge fro Hyde V'yd SAUV BL. There's even a rosé: hurrah!

Sequana Son ★★★ PINOT N-only venture, focus on single-v'yd wines: complex, silk

Sequoia Grove Napa V ★★★ Several bottlings of single-v'yd CAB SAUV, all super intense, concentrated but balanced and built to last. CHARD is also v.gd.

Shafer Vineyards Napa V ★★★→★★★★ (CAB SAUV) 01 02 03 05 07 09 10 11 Ric intense Cab Sauv, esp the Hillside Select, and one of state's best MERLOTS.

Shannon Ridge Lake ★★→★★★ Outstanding line-up of wines from v'yds at 2,00 feet+ elevation in Lake County; esp gd ROUSSANNE, VIOGNIER; TEMPRANILLO, PETI SIRAH and CAB SAUV superb.

Signorello Napa V ★★★ Padrone, rich and concentrated CAB SAUV, is a treat. Vielle Vignes CHARD is silky and inviting; Seta a splendid SAUV BL/SÉM blend.

Silverado Vineyards Stags L ★★★ Solo CAB SAUV shows off Stags L AVA terroir and excellent; fine CHARD and SAUV BL.

Silver Oak Alex V ★★★ Separate wineries in Napa V, Alex V make CAB SAUV onl Classic Napa Cab Sauv, Alex V a bit more supple. Both have loyal following.

Sinskey Vineyards Car ★★★ Outstanding Carneros MERLOT and single-v'yd CAB SAU CHARD and esp bright and charming PINOT N.

Smith-Madrone Spring Mtn ★★★ Superb RIES: off-dry style, brilliant floral mineralit Also v.gd powerful CAB SAUV from high-elevation v'yd. Vines not irrigated.

Sodaro Estate Napa V ★★★ Veterans Bill and Dawnine Dyer are consultants at th newish family winery, so don't look for cult-wine knock-offs here. Wines a elegant and balanced, esp the CAB SAUV-based Felicity; also v.gd MALBEC.

Somerston Napa V ★★★ Priest Ranch CAB SAUV is outstanding, with gd structure an layers of flavour. SYRAH is rich and full-bodied. Also v.gd ZIN.

Ranging over Iberia

It's one new craze after another in California. Just when we get the Rhône Rangers sorted out, along comes the Tempranillo Advocates Producers and Amigos Society (TAPAS), a newish wine organization looking to the Iberian peninsula for vinous inspiration. Almost 100 wineries in California, Texas, Oregon, Washington and Arizona are members with a focus on not only Tempranillo but all wine grapes indigenous to Spain and Portugal. TAPAS has declared an ALBARIÑO Day and a Tempranillo Day. Considering the number of grape varieties in Spain and Portugal, the calendar is going to get crowded. But why not? The more wine choices the better, *¿verdad?* For a complete list of TAPAS producers, see www.tapasociety.org.

Sonoma-Cutrer Vineyards Son ★★★ Excellent CHARD and PINOT N from cool-climat v'yds in RRV and Son Coast. Chard, made in a flinty style, is capable of ageing.

Spottswoode St Helena ★★★★ 97 99 00 01 03 05 06 07 09 10 11 Add to the shor list of California "first growths". The ***outstanding Cab Sauv*** is irresistible, will age Brilliant SAUV BL is a bonus.

Spring Mountain Vineyard Spring Mtn ★★★ Signature Elivette CAB SAUV blend i concentrated: layers of flavour, will age. Estate Cab Sauv v.gd, as is the SAUV BL.

Staglin Family Vineyard Ruth ★★★ 03 05 07 09 10 11 An elegant CAB SAUV fro Rutherford Bench v'yd has gd ageing potential. Estate CHARD shows layere flavours and minerality; gd SANGIOVESE.

Stag's Leap Wine Cellars Stags L ★★★→★★★★ 99 00 01 03 05 07 09 10 Celebrated for silky, seductive CAB SAUVS (SLV, Fay, top-of-line Cask 23), MERLOTS

Gd CHARD often overlooked. Holds the line for balance and harmony against the local blockbusters.

Stags' Leap Winery *See* BERINGER BLASS.

Stama Lodi ★★ Grape-growers for five generations, starting in Greece. Friendly wines, incl a remarkably gd old-vine ZIN and a v.gd CAB SAUV.

Stephen Ross Edna V ★★★ A rising star for PINOT N and CHARD. The Burgundian approach adds complexity to single-v'yd bottlings mostly from Edna V grapes.

Sterling Napa V ★★→★★★ Showplace winery, early leader in serious MERLOT; gd CHARD and CAB SAUV.

Steven Kent ★★★ 06 07 09 10 11 When the family winery was sold, Steven Kent Mirassou set out to make great CAB SAUV in the historic Liv V. Some remarkable single-v'yd bottlings.

California's Korbel "Champagne" was served to Obama in 2013. Label-change time?

Stonestreet Son ★★★ Alexander Mtn CAB SAUV is balanced, with layers of flavours; excellent CHARD. Part of the KENDALL-JACKSON Artisans & Estates group.

Stony Hill Napa V ★★★★ (CHARD) **97 99 00** 01 03 05 06 07 09 10 11 Legendary pioneer of incredibly long-lived Chard, graceful and supple, and now a CAB SAUV, restrained and balanced: an instant Napa classic.

Sutter Home *See* TRINCHERO FAMILY ESTATES.

Swanson Oak ★★★ Alexis CAB SAUV is lean, supple with excellent fruit and a balanced finish. Also v.gd MERLOT. Gd SANGIOVESE and a gd Rosato under the Salon label.

Tablas Creek P Rob ★★★ Holy ground for Rhônistas. V'yd based on cuttings from Châteauneuf, a joint venture between Château de Beaucastel (*see* France) and importer Robert Haas. Côtes de Tablas Red and White are amazingly gd, as is the Tablas Creek Esprit.

Talbott, R Mont ★★★ Supple, engaging CHARD, PINOT N from single v'yds in Monterey, with a nod to Burgundy. Look esp for Sleepy Hollow Chard from Santa LH.

Terra Valentine Spring Mtn ★★→★★★ Excellent CAB SAUV, both the estate and the Yverdon v'yd bottling; brilliant Alsace-style RIES; gd rosé.

Terry Hoage P Rob ★★→★★★ Terry Hoage is a convinced Rhonista, with v. gd esults. Outstanding GRENACHE and ROUSSANNE lead the list.

Thacher P Rob ★★→★★★ Outstanding ZIN (several single-v'yd bottings) and SYRAH plus a brilliant VIOGNIER.

Thomas Fogarty Santa Cz Mts ★★→★★★ Secret weapon is the spicy and intense GEWURZ, about as gd as it gets in California. Estate CHARD is layered and complex with some ageing potential; gd PINOT N.

Thomas George Estates RRV ★★→★★★ Small producer of single-v'yd CHARD and PINOT N. Cresta Ridge Pinot N offers bright fruit and spice; Eagle Ridge Pinot N is darker. Deep and rich estate Chard and also a minerally and delicious unoaked Chard. Recently added a sparkling Brut Rosé.

Tor Wines Napa V ★★★ Napa veteran Tor Kenward on his own with several bottlings of CAB SAUV; best is from the famed To Kalon v'yd. Rich, intense wine to age.

Transcendence Santa B ★★→★★★ Parea, a GRENACHE-anchored Rhône blend, is outstanding; Zotovich v'yd CHARD is excellent as well.

Treana P Rob ★★ Only two wines: Treana Red, based on CAB SAUV, and Treana White, a blend of VIOGNIER and MARSANNE. You can't go wrong with either.

Trefethen Family Vineyards Napa V ★★★ **03 04** 05 07 08 10 11 Historic family winery in Napa. Off-dry RIES is splendid. CAB SAUV on an upward curve in recent vintages. CHARD can be excellent, also ages.

Tres Sabores Ruth ★★★ This estate is making a name for its ZIN, dry-farmed from organic hillside v'yds. Sleek and powerful with terrific long-lasting fruit and a rounded finish.

Tricycle Wine Company Lake ★★ New producer focused on mostly Lake County; excellent CAB SAUV from Obsidian v'yd.

Trinchero Family Estates Napa V ★→★★ Long-time Napa producer (remember SUTTER HOME White Zin?) moving upmarket with a series of CAB SAUVS. Look esp for Chicken Ranch V'yd bottling and Cab Sauv under Napa Wine Company label.

Trione Son ★★★ Top grower now making superb wines from estate v'yds. The velvety Block 21 CAB SAUV from Alex Val is a future four-star candidate with ageing potential; v.gd PINOT N and SYRAH from RRV.

Truchard ★★★ Carneros veteran now offering brilliant bottlings of TEMPRANILLO and ROUSSANNE. Also tangy, lemony CHARD, flavourful MERLOT. CAB SAUV, SYRAH also v.gd.

Tudal St Helena ★★★ Marvellous, elegant CAB SAUV. Could age well beyond a decade.

Turnbull Napa V ★★★ **06** 07 09 10 11 Understated CAB SAUV, Napa classic: powerful yet supple and balanced. The Res bottling should be cellared for at least a decade.

Valley of the Moon Son ★→★★ Reliable quaff; PINOT BL and ZIN can reach ★★ level.

Viader Estate Napa V ★★★★ **99 00 01** 03 05 06 07 08 09 10 Long-lived and powerful CAB SAUV-based blends from Howell Mtn hillside estate; Viader Black Label is a new estate MALBEC. Also look for small-lot bottlings, incl SYRAH TEMPRANILLO under the Dare label.

Vina Robles San LO ★★→★★★ Gd CAB SAUV and SAUV BL; everyday Red and White are super-affordable with bright fruit and pleasing acidity.

Volker Eisele Family Estate Napa V ★★★ **00** 01 03 05 07 09 10 Supple, luscious CAB SAUV-based blends; esp Terzetto bottling; new offering is Alexander, a 100% Cab Sauv. Gemini is a lovely, lively SAUV BL/SÉM blend. All from organic grapes.

Wente Vineyards Mont ★★→★★★ There is an obvious effort to raise the quality standard at this historic winery. New CHARD bottlings in particular are more complex. Also v.gd ***Livermore Sauv Bl*** and SÉM.

Whitehall Lane Ruth ★★★ Powerful yet elegant Res CAB SAUV edging into four-star territory. V.gd SAUV BL.

Williams Selyem Son ★★★ Intense, smoky RRV PINOT N, esp Rochioli V'yds and Allen V'yd. Now reaching to Son Coast, Mendocino for grapes. Cultish favourite can sometimes turn jammy and overconcentrated.

Willowbrook Son ★★★ Growing reputation for single-v'yd PINOT N from cool-climate vines; look esp for the RRV estate Pinot, deep and rich with layers of flavour.

Wilson Vineyards Son ★★→★★★ Focus is on outstanding Dry CV ZIN. Diane's Re and Carl's Res bottlings esp impressive.

Wine Group, The Central V ★ Third-largest producer of wine in the world b volume, offers range of everyday wines, eg. Glen Ellen, also Franzia bag-in-box

Zaca Mesa Santa B ★★→★★★ New focus on estate Rhône varieties showing g results. Black Bear Block SYRAH is one of the best in the state; also look for Z Three, a delicious blend of Syrah and GRENACHE, and check out the ROUSSANNE.

Zahtila Vineyards Napa ★★★ Elegant CAB SAUV, esp Bently bottling from Oakville intense Oat Hill Estate Zin. Exceptional Laura's Theme PETITE SIRAH/Zin.

Red, white and green

Wine geeks like to argue about the definition and possible merits of so-called "natural" wines (minimal or no artificial inputs to growing or making), but in Oregon the virtues of green viticulture are uncontroversial. Nearly 40% of the state's v'yds merit some manner of sustainable certification. They incl LIVE (Low Input Viticulture and Enology), Oregon Tilth (organic), Demeter Biodynamic®, and OCSW (Oregon Certified Sustainable Wine). Preserving the viability of their v'yds and surrounding environment for future generations is the aim; it's not a marketing ploy.

'HE PACIFIC NORTHWEST

It wasn't that many years ago you could tour the Northwest's major wine regions and visit all the important wineries in two weekends: one ı Oregon's Willamette Valley for Pinot Noir, and one in Washington's akima Valley for Cabernet Sauvignon or Merlot. Not any more. Today's Iorthwest is the second-largest wine region in North America (producon and number of wineries) and has 26 AVAs growing all manner of rape varieties. It seems a new winery opens every week, with just as ıany started on a shoestring by starry-eyed wine-lovers as are launched y well-heeled second-careerists. Why not? The northerly latitude provides ıore growing-season sunlight and cooler nighttime temperatures than 'alifornia, resulting in generally crisper wines with appealingly fresh, ɔod-friendly fruit flavours. This, plus a resurgent spirit of experimentation, ıeans an admirable diversity of wines, from well-made value bottles to rtisan-crafted boutique releases. This is a region ripe for vinous discoveries.

'rincipal viticultural areas

'olumbia Valley (Col V) Huge AVA in central and eastern Washington vith a touch in Oregon. Quality Cab Sauv, Merlot, Ries, Chard, Syrah. ey sub-divisions incl Yakima Valley (Yak V), Red Mountain, Walla AVAs.

nake River Valley (Snake RV) Idaho's only AVA; partially in Oregon.

outhern Oregon (S Oregon) Warm-climate region incl AVAs Rogue, ıpplegate (App V) and Umpqua Valleys (Um V). Tempranillo, Syrah, 'iognier are v.gd; lots of experimentation.

Villamette Valley (Will V) Oregon's home for cool-climate Pinot N and Pinot ;r, plus v.gd Chard and dry Ries. Important child AVAs incl Dundee Hills, 'hehalem Mts, Yamhill-Carlton (Y-Car), Eola-Amity Hills.

Valla Walla Valley (Walla) Child AVA of Col V with own identity and vines ı Washington and Oregon. Home of important boutique brands and restige labels focusing on quality Cab Sauv, Merlot, Syrah.

Recent vintages

2012 Long, warm harvest considered superb for balanced Washington and well-focused, richly fruity Oregon wines.

2011 Classic Oregon Pinot N, thanks to miraculous late-autumn weather. Washington's cool, late harvest resulted in higher-acid, age-worthy wines.

2010 Very cool vintage everywhere means lower alcohol, higher-acid wines with fresh varietal character.

2009 Washington braved very warm summer and harvest frost to produce concentrated wines. Challenging in Oregon, but wines ripe and pleasing.

2008 Warm vintage produced lush and crowd-pleasing Oregon wines; Washington was cooler with leaner, complex reds and crisp whites.

2007 Excellent Washington vintage; wines focused and balanced. Cool and wet in Oregon so wines are lean but likely long-lived.

Oregon

Abacela Vineyards S Or ★★★ A specialist in Spanish varieties and consistent leader in TEMPRANILLO and ALBARIÑO; v.gd SYRAH and VIOGNIER. look for excellent Rioja-style blend Paramour.

Adelsheim Vineyard Will V ★★★→★★★★ 07 08 09 10 Leading producer with top-notch single-v'yd PINOT N, v.gd Res CHARD, Pinot N and fun AUXERROIS.

Amalie Robert Estate Will V ★★★ Craft maker of multiple excellent estate PINOT N; v.gd CHARD, and interesting cool-climate Will V VIOGNIER, SYRAH.

Anam Cara Cellars Will V ★★★ Family winery making wonderful PINOT N with gra and depth, esp Nicholas Estate; Dry RIES is also superb.

Antica Terra Will V ★★★ 08 09 10 Maggie Harrison left California's Sine Qua N to make stylish Will V PINOT N. Namesake bottling is multisource blend; Errat is Shea V'yd; both highly sought after.

Archery Summit Will V ★★★ 08 09' 10 11 Five estate v'yds; Anna Matzinger mak dense, assertive PINOT N; Arcus, Red Hills bottlings always impressive.

Argyle Will V ★★→★★★ Versatile veteran Rollin Soles crafts reliably fine wines f all tastes: PINOT N, CHARD, dry and sweet RIES, plus multiple styles of ***v.gd bubb*** Brian Croser involvement.

New Northwest wine grapes: Vermentino, Albariño, Grüner Veltliner, Auxerro Lagrein, Grenache Blanc.

Beaux Frères Will V ★★★ 08 09 10 Prestige biodynamically farmed estate mak increasingly refined, collectible PINOT N. Partly owned by critic Robert Parker, Jr

Bergström Wines Will V ★★★→★★★★ 08 09 10 Josh Bergström's popular, punc biodynamic PINOT NS are a treat. Small lot, expensive Sigrid CHARD is spectacula

Bethel Heights Will V ★★→★★★ Second-generation family winery is an Oreg legend. Spicy and sophisticated PINOT N, ***v.gd Chard***, PINOTS GR and BL.

Brandborg Vineyard & Winery S Or ★★→★★★ Um V PINOT N specialist (Ferris Whe Estate has great complexity) also makes supple PINOT GR, v.gd GEWURZ, SYRAH.

Brick House Will V ★★★ Biodynamic leader producing earthy, powerful PINOT N (e Cuvée du Tonnelier), stylish CHARD. It's true GAMAY is a fun find.

Broadley Vineyards Will V ★★★ 08 09 10 Family winery; characterful PINOT N fro older estate vines and selected v'yds. Basic Will V release is a steal, Claudia Choice is top-end winner.

Brooks Winery Will V ★★★ Zesty dry and unctuous sweet RIES are among Oregon best, likewise Red Letter and Rasteban PINOT N.

Chehalem Will V ★★★ Powerhouse PINOT N producer, with equally strong RIES, CHAR PINOT GR. Ridgecrest Pinot N is age-worthy; unoaked ***INOX Chard is great value.***

Cowhorn S Or ★★★ App V Biodynamic purist makes knock-your-socks-off SYRA Spiral 36 white blend is sensational.

Cristom Will V ★★★ Consistently among the best PINOT N in Oregon. Jessie V'yd ha a fresh savouriness, Sommers Res truffle overtones.

Dobbes Family Estate Will V ★★→★★★ Eminent winemaker Joe Dobbes; prestig Will V PINOT N (Meyer V'yd is tops), plus SYRAH and GRENACHE BL from S Orego Second label Wine by Joe: great bargain Pinot N, PINOT GR.

Domaine Drouhin Oregon Will V ★★★→★★★★ 06 07 08 09' 10 New World branc of Burgundy's Domaine Drouhin. Consistently outstanding PINOT N, mineral CHARD. Barrel-select Laurène Pinot N is amazing.

Domaine Serene Will V ★★★ Premium PINOT N consistently wins critical rave Small-production CHARD is particularly tasty.

Elk Cove Vineyards Will V ★★→★★★ Excellent value wines from second-generatio winemaker. PINOT GR and RIES perennially tops; Estate Vineyard Pinot Noir delive delectable array of Will V terroirs.

Erath Vineyards Will V ★★→★★★ A founding Oregon winery now owned b Washington's Château Ste Michelle. Reliable, value-priced Pinot-family wine single-v'd PINOT NS are fabulous.

Et Fille Will V ★★★ Boutique father/daughter team make memorable PINOT N, es Kalita V'yd, and surprising cool-climate VIOGNIER and SYRAH.

Evening Land Will V ★★★ Seven Springs Summum PINOT N and CHARD a spectacular but expensive. Silver and Gold labels are v.gd estate wines, Blu Label wines are affordable versions.

rie Vineyards Will V ★★★ The prophet David Lett planted the first Will V PINOT N; today son Jason extends the legacy with terrific Pinot N in graceful, classically Oregon style. Also v.gd CHARD and PINOT GR.

en Wright Cellars Will V ★★★ Perennially popular; great single-v'yd PINOT NS show range of Will V terroirs. Canary Hill is pretty, forward; Freedom Hill dense, firm.

ing Estate Or ★★→★★★ One of the state's largest wineries offers strong PINOT GR (a speciality) and PINOT N with gd-value at multiple price points.

ange Estate Winery Will V ★★★ Venerable brand on second-generation roll; mouth-watering PINOT N (Lange Estate is luscious), barrel-aged Res PINOT GR, v.gd CHARD.

atello Will V ★★★ Artisan winery growing in importance, whose Lazarus and Souris PINOT NS are superb; a rising star.

helps Creek Vineyards ★★★ Quality-leading Columbia Gorge producer of v.gd CHARD (oaked and unoaked); pretty PINOT N releases show gorge fruit character.

onzi Vineyards Will V ★★★→★★★★ Legendary producer now in 2nd generation making excellent wines. Res CHARD is a standout, Aurora PINOT N a knockout. Don't miss the brilliant ARNEIS.

uady North S Or ★★→★★★ Herb Quady crafts top-quality CAB FR from cooler Rogue Valley AVA sites, also intriguing styles of VIOGNIER and concentrated SYRAHS.

ex Hill Will V ★★★ Resurgent label. Biodynamic farming and hand-crafting makes superb estate PINOT N, plus exceptional Old Vine CHARD.

oxyAnn Winery S Or ★★★ Solid warm-climate maker of flavourful PINOT GR, aromatic VIOGNIER, satisfying Claret red blend, and v.gd SYRAH.

cott Paul Wines Will V ★★★ 07 08 09' 10 PINOT N-only producer emphasizes elegance and grace with sophisticated burgundy-inspired character. Le Paulée approachable on release, Audrey gd for cellaring.

n Oregon, DRC stands for Deep Roots Coalition: growers who won't irrigate.

okol Blosser Will V ★★★ Second-generation maker of lovely PINOT N and PINOT GR from Dundee Hills; also inexpensive fun white blend called Evolution.

oter Vineyard Will V ★★★ California legend Tony Soter moved to Oregon to make PINOT N. Estate ***Mineral Springs Ranch Pinot N*** is sublimely balanced and harmonious, but don't miss the tremendous sparklers.

pangler Vineyards S Or ★★★ V.gd warm-climate reds, esp Res CAB SAUV and PETITE SIRAH; VIOGNIER is always top-notch.

toller Family Estate Will V ★★★ Beautifully balanced wines exemplify Dundee Hills intensity; Cathy's Res is exceptional. Also v.gd Res CHARD.

Villamette Valley Vineyards Will V ★★→★★★ Inexpensive RIES is a great buy; Estate CHARD and PINOT N are superb.

Vashington & Idaho

ndrew Will ★★★ 07' 08 08 09 10 Chris Camarda makes stunning red blends from outstanding Col V v'yds. Sorella has big fruit; Ciel du Cheval more structured.

etz Family Winery ★★★→★★★★ 05 06 07' 08 09 Master of Wine Bob Betz makes Rhône styles from top Col V v'yds. La Serenne SYRAH is extraordinary; powerhouse La Côte Patriarche comes from state's oldest Syrah vines.

rian Carter Cellars ★★→★★★ Only blends here, all masterful. Try unconventional PETIT V-driven Trentenaire, Byzance Rhône blend, or the aromatic white Oriana.

uty Walla ★★★ Top-quality wines in appealing variety of styles. Love the SYRAH/CAB SAUV blend Rediviva of the Stones; also delightful SÉM/SAUV BL/MUSCADELLE white.

adence ★★★ Compelling Bordeaux-style blends, incl powerful Coda from Red Mtn fruit, and spicy CAB FR-dominant Bel Canto.

ayuse Walla ★★★→★★★★ Cult biodynamic winery delivering ***spellbinding Syrah*** and amazing GRENACHE – but you have to be on the mailing list to get any.

THE PACIFIC NORTHWEST

Walla Walla is hot

The Walla Walla AVA is a hotbed of Washington vinous enterprise – even though many of its top v'yds are located in the Oregon part of the AVA. Grapes were grown here in the 1860s, but the modern industry took root in 1974, when Gary Figgins of LEONETTI CELLAR put an acre of CAB SAUV in the ground. With a charming rural town and around 120 wineries, today's wine tourists flock to Walla in search of the many boutique brands (CAYUSE, LEONETTI CELLAR, GRAMARCY CELLARS, LONG SHADOWS and others) as well as the tried-and-true (WOODWARD CANYON, L'ECOLE NO 41, PEPPER BRIDGE, SEVEN HILLS WINERY, WATERBROOK, among others).

Charles Smith Wines Walla ★★→★★★ Marketeer/winemaker Charles Smit commands high prices with powerful (too much so?) reds. Royal City SYRAH is favourite; also inexpensive Kung Fu Girl RIES.

Chateau Ste Michelle ★★→★★★★ Northwest's largest wine company flagship branc All prices/styles: from v.gd quaffers (Col V Dry RIES excellent) to TBA-styl rarities (Eroica Single Berry Select). Col V-labelled gd-value, Ethos Res premiur

Chinook Wines Col V ★★★ Husband (vines) and wife (wines) have a history of fine value CAB FR (the rosé is delightful), MERLOT, CHARD, SAUV BL.

Col Solare Col V ★★★ STE MICHELLE and Tuscany's Antinori partner to make a singl Col Solare red blend each vintage, invariably complex and long-lasting. Less expensive Shining Hill blend is more approachable.

Columbia Crest Col V ★★→★★★ Washington's largest winery makes masses of gd affordable wines under Grand Estates and Two Vines labels. Res wines dand esp Walter Clore red wine; H3 wines are all from Horse Heaven Hills AVA.

Cote Bonneville Yak V ★★★ V'yd on steep basalt wins medals for deep, sleek CA blends, esp *Carriage House.*

DeLille Cellars ★★★ Classy, age-worthy reds. Harrison Hill CAB SAUV from state's 2n oldest v'yd is penetrating; Chaleur Estate blends consistently superb.

Dusted Valley Vintners Walla ★★★ Fast-rising star, impressive wines. Popular fo Stained Tooth Syrah; beautiful Old-Vine CHARD or any single-variety release.

Efeste ★★★ Brilliant newcomer making zesty RIES, racy CHARD from cool Evergree V'yd, also v.gd SYRAHS.

Almost all Washington vines are own-rooted; phylloxera is not an issue.

Fidélitas Col V ★★★ Charlie Hoppes creates superior Bordeaux-styles. Optu re blend luscious; Ciel du Cheval V'yd CAB SAUV shows power of Red Mtn AVA fruit

Gramercy Cellars Walla ★★★ Sommelier-turned-winemaker Greg Harringto makes sophisticated, voluptuous SYRAHS. Recently added earthy TEMPRANILLO an herby CAB SAUV winners, too.

Hogue Cellars, The Col V ★★ Stylish value single-variety wines under Hogue brand Genesis- and Res-labelled wines are more focused and smaller production.

Januik ★★★ Artisan wines from a veteran winemaker. Cold Creek CHARD is superb Champoux Vy'd CAB SAUV is edgy and winning.

L'Ecole No 41 Walla ★★★→★★★★ Everything is gd here. Grab Apogee Pepper Bridge Vineyard or Perigee Estate (each from a different v'yd) red blend for a treat, o their cultish SÉM for a remarkably bright, aromatic white.

Leonetti Cellar Walla ★★★→★★★★ 04 05 **06** 07' 08 09 10 Legendary winery fo elegant, refined and collectable CAB SAUV, MERLOT and SANGIOVESE.

Long Shadows Walla ★★★→★★★★ Allen Shoup's unique venture brings sever globally famous winemakers to Washington to make their signature variet with Col V fruit. Pedestal MERLOT by Michel Rolland is luscious, Feather CAB SAUV by California's Randy Dunn is refined. All the others are equally impressive.

McCrea ★★★ Rhône-in-the-Northwest pioneer makes 1st-class wines. Sirocco blend has layers of complexity; don't miss exotic Counoise or multiple styles of SYRAH.

Maison Bleue Col V ★★★ Newish boutique turning heads, esp Upland V'yd GRENACHE and pinpoint-correct MARSANNE, VIOGNIER.

Maryhill Winery ★★ Popular Columbia Gorge AVA producer; huge range. Res ZIN and Res CAB FR are always v.gd, also RIES.

Millbrandt Vineyards Col V ★★ Well-made value varietal wines from the Wahluke Slope and Ancient Lakes AVAs.

Nefarious Cellars Col V ★★★ Wife-and-husband craft producer in the Lake Chelan AVA making v.gd SYRAH, VIOGNIER and RIES.

Northstar Walla ★★★ Winemaker "Merf" Merfeld is a MERLOT maven. Northstar Premier Merlot is drop-dead gorgeous; Walla Walla Merlot is sultry.

Pacific Rim ★★→★★★ RIES specialist making oodles of tasty, inexpensive yet eloquent Dry and Organic. For profoundity, ***single-v'yd releases*** are unbeatable.

Pepper Bridge Walla ★★★ Estate Pepper Bridge and Seven Hills V'yds, are among Washington's best. CAB SAUV sensuous and rich, MERLOT spicy and aromatic.

Quilceda Creek ★★★★ 01 02' 03 04 05 06 07 09 Extraordinary, often 100-point scoring, ***Cab Sauv*** from one of the most lauded producers in North America: dense, intense, tremendously long-lasting.

Seven Hills Winery Walla ★★★ Respected esp for silky CAB SAUV (Klipsun V'yds is massive and beautiful), though VIOGNIER is a delight, too.

Snoqualmie Vineyards Col V ★★→★★★ Innovative producer of v.gd CAB SAUV and MERLOT. Recent introduction of Naked Wines (no oak) from organic v'yds has been a hit. Look esp for luscious Naked RIES.

Spring Valley Vineyard Walla ★★★ Nina Lee SYRAH is lip-smackingly gd, Uriah MERLOT blend deep and refined, Frederick red blend suave and polished.

Syncline ★★★ James Mantone makes excellent wines from Columbia Gorge and Col V fruit. Subduction Red is hedonistic, GRENACHE BLANC is great.

Thurston Wolfe Col V ★★★ Family winery working with unusual Washington varieties. The Spaniard (GRENACHE/TEMPRANILLO/SYRAH) is yummy, PRIMITIVO v.gd.

Waterbrook Walla ★→★★★ Large producer of diverse, gd-value wines in multiple styles at many price points.

Waters Winery Walla ★★★ Intriguing Old-World-inspired wines. 21 Grams CAB SAUV needs age, Cappella CAB FR blend is big but approachable, rosé a creamy delight.

Woodward Canyon Walla ★★★→★★★★ (CAB SAUV) 02 03 04' 06 07 09 Impeccable wines. ***Old Vines Cab Sauv*** is refined and complex, Charbonneau red scrumptious and age-able.

Cinder Wines Snake RV ★★★ Breakout Idaho winery making small amounts of marvellous VIOGNIER, a unique MOURVÈDRE/TEMPRANILLO blend, and v.gd SYRAH.

Koenig Winery Snake RV ★★ Reliable SYRAH, MERLOT, CHARD. The CSPV is an unusual CAB SAUV/PETIT VERDOT blend.

Ste Chapelle Snake RV ★→★★ Idaho's first and largest winery makes quaffable RIES, inexpensive bubbly, and Icewines.

NORTHEAST, SOUTHEAST & CENTRAL

Those in search of more elegant wines can find respite in the steely Rieslings from New York, and the mid-weight Viogniers and Cabernet Francs of Virginia, and it's these that are making most impression abroad. Virginia in particular is starting to make waves. But there is also good Chardonnay and Bordeaux-inspired Cabernet and Merlot from the mid-Atlantic states, and sweet wines made from native muscadine grapes in the South.

Recent vintages

Winter 2011 was warmer than usual in many places and summer 2012 tended to be dry and hot, with record temperatures in Michigan and many other areas. Harvest was two to four weeks earlier than average throughout the region. Amazingly, acidity levels remained constant while sugar levels were high, thanks to the heat accumulation. All in all 2012 may prove to be a superior vintage for much of the East.

Alba NJ ★ Unique microclimate for gd PINOT N and CAB FR, and excellent RIES.

Anthony Road Finger L, NY ★★★★ 10 11 12 One of the best producers in the East with German winemaker turning out exceptional RIES and GEWURZ, plus fine PINOT GR, CAB FR, late-harvest Vignoles.

Barboursville VA ★★★ 09 10 11 12 Founded 1976 by Italy's Zonin family on stunning site once frequented by Thomas Jefferson. Outstanding Italian varieties, inc BARBERA and NEBBIOLO, plus succulent Bordeaux-style blend, excellent CAB FR, and *Malvasia*. Elegant inn and Tuscan-style restaurant.

Bedell Long I, NY ★★★ 09 10 11 12 Stylish LONG ISLAND establishment, one of first serious estates in the East with outstanding CHARD, GEWURZ and CABS plus toothsome blends. Sophisticated tasting room, gardens, etc.

Boxwood VA ★★ 10 11 12 Elegant estate notable for three Bordeaux-style blends plus two dry rosés.

Breaux VA ★ 10 11 12 Hilltop v'yd, hour from Washington DC. Gd CHARD, MERLOT.

Channing Daughters Long I, NY ★★★ 09 10 11 12 South Fork estate with v.gd Toca FRIULANO, PINOT BIANCO, PINOT GRIGIO, MUSCAT Ottonel; also MERLOT, CABS FR and SAUV and very creative blends.

Château LaFayette Reneau Finger L, NY ★★ 10 11 12 V.gd CABS, MERLOT, CHARD and RIES. Inn with scenic lake views.

Chateau O'Brien VA Established 2005; promising CHARD, PETIT MANSENG, PETIT VERDOT, CAB FR and TANNAT.

Chester Gap VA 11 12 High-altitude wines, incl fine VIOGNIER, MANSENG, ROUSSANNE CAB FR, PETIT VERDOT and a powerhouse red blend.

Chrysalis VA ★★ 10 11 12 Benchmark VIOGNIER, Norton; v.gd PETIT MANSENG, ALBARIÑO TANNAT and PETIT VERDOT.

Delaplane VA 10 11 12 Up-and-coming winery with notable CHARD, VIOGNIER, and Bordeaux-style red blends.

Finger Lakes NY Pastoral region in upstate NY encompassing 11 glacial lakes, though most of the 120 wineries cluster around four major ones. Known especially for RIES; top wineries incl ANTHONY ROAD, Bloomer Creek, CHATEAU LAFAYETTE RENEAU DR. KONSTANTIN FRANK, FOX RUN, HEART & HANDS, HERMANN J WIEMER, HERON HILL, KEUKA LAKE VINEYARDS, KING FERRY, Lakewood, LAMOREAUX LANDING, Ravines, RED NEWT, Red Tail Ridge, SHELDRAKE POINT, STANDING STONE and Swedish Hill.

Fox Run Finger L, NY ★★ 09 10 11 12 Helped raise bar for quality in the Finger L. Fine RIES, CHARD, GEWURZ, PINOT N. Winery, café overlook scenic Lake Seneca.

Frank, Dr. Konstantin (Vinifera Wine Cellars) Finger L, NY ★★★★ 08 09 10 11 12 Historic FINGER LAKES estate (celebrated 50 yrs in 2012) remains a leader in the east, with *excellent Ries*, GEWURZ; gd CHARD, GRÜNER VELTLINER and RKATSITELI. Fine Chateau Frank sparkling.

Georgia Now over a dozen wineries. Three Sisters (Dahlonega), Habersham V'yds and Château Élan (Braselton): Southern splendour with v'yds, wine and a resort.

Glen Manor Vineyards VA ★ 10 11 12 Gd, flinty SAUV BL and age-worthy Bordeaux varietal blends.

Grapes of Roth Long I, NY ★★★ WOLFFER ESTATE winemaker Roman Roth also has his own venture, turning out noteworthy RIES, among other wines.

Hamptons, The (aka South Fork) LI, NY Coastal NY AVA with three wineries: CHANNING DAUGHTERS, Duckwalk and WÖLFER ESTATE.

Heart & Hands Finger L, NY ★★★ Small operation specializing in RIES and PINOT N.

Hermann J Wiemer Finger L, NY ★→★★ 09 10 11 12 Established 1976; now one of the premier estates in the east. Superior RIES, CHARD, GEWURZ, also v.gd sparkling wine and late-harvest Ries.

Heron Hill Finger L, NY ★ 10 11 12 Estate and informal café with views of Keuka Lake. Notable RIES and dessert wines.

Hillsborough VA ★ 11 12 One of VIRGINIA's most promising wineries, with fine ROUSSANNE, PETIT MANSENG, PETIT VERDOT, TANNAT, FER SERVADOU and CAB SAUV.

Horton VA 10 11 12 Early VIRGINIA visionary (first vintage 91). Gd VIOGNIER, Norton.

Hudson River Region NY Borders the Hudson River 90 minutes' drive north of Manhattan. Home to some of America's oldest v'yds (first vines planted by French Huguenots 1677). Along with neighbouring Catskills region now has 38 wineries. Millbrook and Whitecliff are leaders.

Jefferson VA ★ 10 11 12 Minutes away from Thomas Jefferson's Monticello estate. Fine PINOT GR, VIOGNIER, Bordeaux blend, also gd CHARD and MERLOT.

Keswick VA ★★ 10 11 12 V.gd VIOGNIER, TOURIGA, plus CAB SAUV.

Keuka Lake Vineyards Finger L, NY ★★ 11 12 Tiny operation with excellent v'yd-designated RIES and other aromatic whites.

King Family Vineyards VA ★★ 10 11 12 Toothsome Meritage, fine PETIT VERDOT, luscious VIOGNIER/PETIT MANSENG dessert wine.

King Ferry Finger L, NY ★★★ 10 11 12 V. fine RIES, CHARD, Meritage. Exceptional dessert wines, incl late-harvest Vignoles and Ries.

Lake Erie Tri-state AVA, incl portions of NY, PENNSYLVANIA, OHIO. Rising stars, incl 21 Brix in NY appellation (excellent RIES, GEWURZ, CHARD, PINOT N); Mazza Chautauqua Cellars, with sister winery in NY: PINOT G, Icewine, high-quality eau de vie).

Lamoureaux Landing Finger L, NY ★★★ 09 10 11 12 Handsome winery with superb lake views. Some of ***NY's best Chard***, plus excellent RIES, GEWURZ and CAB FR.

Lenz Long I, NY ★★ 09 10 11 12 One of top producers in NORTH FORK AVA. Excellent brut sparkling wine, CHARD, GEWURZ, CABS and MERLOT.

Linden VA ★★ 10 11 12 60 miles west of Washington DC. Founded 1981, one of VIRGINIA's best and most influential estates, with notable mtn wines incl zesty SAUV BL, also CAB FR, PETIT VERDOT, Bordeaux-style red blends.

Long Island NY Easy access from NYC. One of earliest wine regions in the east (first winery established 1973; 73 now, and growing). Three AVAs: LONG ISLAND, NORTH FORK and THE HAMPTONS), with most estates on NORTH FORK. Leaders incl GRAPES OF ROTH, Jamesport, Rafael, Sherwood House. Also Bouké, Clovis Point, Comtesse Thérèse, Martha Clara, Paumanok, Raphael, Roanoke, Shinn Estate, SPARKLING POINTE and WÖLFFER ESTATE.

Maryland With 60 wineries, top estates incl Black Ankle, Knob Hall, Serpent Ridge, Slack, Sugarloaf and Bordeleau. Venerable Boordy and Elk Run have risen to new levels of quality.

Michael Shaps/Virginia Wineworks VA ★★★ 09 10 11 12 One of best VIOGNIERS in the east. Also complex CHARD, notable PETIT VERDOT, CAB FR, MERLOT, fine Meritage, plus dessert-style Raisin d'Être made with dried Petit Verdot and Cab Fr grapes.

Michigan 101 wineries: Bel Lago, Black Star, Bowers Harbor, Brys, Chateau Fontaine, Chateau Grand Traverse, Fenn Valley, Tabor Hill, L Mawby and St Julian leading the pack and turning out impressive RIES, GEWURZ and PINOT GR; v.gd CAB FR and blends. Also notable: Chateau Chantal, Circa Estate, 45 North, Lawton Ridge, Left Foot Charley, Longview, 2 Lads. Up-and-coming: Boathouse, Veraterra.

Millbrook Hudson R, NY ★ 10 12 Hudson Valley estate with new RIES v'yd. Decent CHARD, MERLOT, CAB FR.

Missouri The University of Missouri has a new experimental winery to tes techniques and grape varieties in local conditions. Best so far: SEYVAL BL, VIDAL Vignoles (sweet and dry versions) and Chambourcin. Stone Hill in Hermann produces v.gd Chardonel (a frost-hardy hybrid of Seyval Bl and CHARD), Norton and gd Seyval Bl and VIDAL BLANC. Hermannhof is also drawing notice fo Vignoles, Chardonel and Norton. Also notable: St James for Vignoles, Seyval Norton; Mount Pleasant in Augusta for rich fortified and Norton; Adam Puchta for fortifieds and Norton, Vignoles, Vidal Blanc; Augusta Winer for Chambourcin, Chardonel, Icewine; Les Bourgeois: gd SYRAH, Norton Chardonel, Montelle, v.gd Cynthiana and Chambourcin.

The first AVA, Augusta, was established in Missouri in 1980.

New Jersey Leading wineries in this small state are Cape May (CHARD, CABS SAUV and FR, PINOT GRIGIO), Unionville (Chard, Pinot Grigio, PINOT N) and ALBA (outstandin dry GEWURZ, RIES, Chard, plus the largest planting of Pinot N on the East Coast).

New York (NY) Dynamic wine-producing state (no.3 in USA with 321 wineries) A more diverse landscape than any other in the east. Regions incl FINGER LAKES, LONG ISLAND, HUDSON RIVER and Catskills, Central NY, LAKE ERIE, Niagar Escarpment, Greater Adirondacks, Lake Ontario, Lake Champlain, Thousand Islands, NY City.

North Carolina This southern state now has 115 wineries, incl Biltmore, Childress Duplin (for muscadine), Hanover Park, Iron Gate, Laurel Gray, McRitchie, Old North State, RagApple, RayLen, Raffaldini, Shelton, Westbend. Top varieties CHARD, VIOGNIER, CAB FR and native muscadine.

North Fork Long I, NY Popular getaway destination for Manhattanites. Among top estates are BEDELL, Jamesport, Lieb, LENZ, PALMER, PAUMANOK, PELLEGRINI, Pindar SPARKLING POINTE.

Ohio 179 wineries, five AVAs. Some exceptional PINOT GR, RIES, PINOT N, Icewine. Top producers: Breitenbach, Debonné, Ferrante, Firelands, Harpersfield, Henke Kinkead Ridge, Markko, Paper Moon, St Joseph and Valley V'yds.

Paumanok Long I, NY ★★★ 10 11 12 Family-run NORTH FORK estate, one of first on LONG ISLAND (founded 1982). Quality RIES, CHARD, MERLOT, CABS, and PETIT VERDOT. Exceptional CHENIN BL.

Pellegrini Long I, NY ★★ 10 11 12 Beautifully designed winery, gd PETIT VERDOT, CHAR and CAB FR.

Pennsylvania Top estates: Blair (burgundy-styled PINOT N, CHARD), Allegro (benchmar red Bordeaux blend), Galen Glen (GRÜNER VELTLINER and ZWEIGELT), Karamoo (CAB FR, red blends), Manatawny Creek (Chard, GEWURZ, PINOT GRIGIO, Cab F Meritage), Penns Wood (Chard, Pinot Grigio, MERLOT, Cabs) Waltz (Chard, Cabs Va La (interesting Italian varieties).

Pollack VA ★ 10 11 12 Superior VIRGINIA winery (founded 2003) with outstandin CHARD, PINOT GR, PETIT VERDOT, CAB FR, CAB SAUV, MERLOT, Meritage, VIOGNIER.

Ravines Finger L, NY ★★★ 10 11 12 Small but fast-growing producer of exceptiona *vinifera* wines, esp v'yd-designated ***Ries.***

RDV VA ★★★ 09 10 11 12 Fledgling estate (opened 2011) but already garnerin kudos for exceptional, complex and velvety Bordeaux blends.

Red Newt Finger L, NY ★★ 10 11 12 One of the FINGER LAKES' first quality estates, wit superb RIES, outstanding CHARD, GEWURZ, CAB FR, MERLOT and Bordeaux-inspire blend. Fine bistro for regional food.

Sheldrake Point Finger L, NY ★★★ 10 11 12 Beautifully situated winery and bistr on the shore of Lake Cayuga. Outstanding RIES, GEWURZ, CAB FR and CAB SAUV Also gd PINOT GR.

Sparkling Pointe Long I, NY ★★→★★★ A fledgling LONG ISLAND estate, whic specializes in high-quality sparkling wines with bottle age from French winemaker Gilles Martin.

Standing Stone Finger L, NY ★ 10 11 12 V.gd RIES, GEWURZ, CHARD and CAB SAUV.

Unionville Vineyards NJ ★ Noteable CHARD, RIES; fine Bordeaux-style red.

Veritas VA ★ 10 11 12 Fine producer with excellent sparkling, SAUV BL, CHARD, VIOGNIER, CAB FR, PETIT MANSENG, PETIT VERDOT.

Villa Appalaccia VA ★ 10 11 12 In the scenic Blue Ridge Mts, wines with a taste of Italy, incl PRIMITIVO, SANGIOVESE, PINOT GR and a MALVASIA Bianca blend.

Virginia One of the fastest-growing wine-producing states in the east, with 214 wineries. Overall quality has skyrocketed, with wines of real style and elegance now; esp gd VIOGNIER, PETIT MANSENG, CAB FR, TANNAT.

Wisconsin Best is Wollersheim Winery, specializing in variations of Maréchel Foch. Prairie Fumé (SEYVAL BL) is a commercial success.

Wölffer Estate Long I, NY ★★★ 09 10 12 Lovely Tuscan-inspired estate with fine CHARD, scintillating rosé and gd MERLOT from talented German-born winemaker.

THE SOUTHWEST

The constant growth of the Southwest's wine business continues. Tasting rooms are active, thanks to agro-tourism, ever-improving wines and a splash of state pride. All these factors allow small wineries to thrive even though they have scarce access to major distribution. Most of the states have widely varied climate and growing conditions. Arizona, Colorado, New Mexico, Nevada and Texas all boast cool areas at high elevations as well as hot, dry lowlands. Texas is the largest. With almost 275 wineries, it's the fifth-largest producer in the USA. Colorado has shown rapid growth and now has over 105 wineries, with Arizona (63), New Mexico (46), Oklahoma (21), and Nevada (3) following. Each state faces higher demand than they can meet with their own grapes, so many are supplementing with West Coast fruit. If your goal is to evaluate the wine from an AVA, always ask where the fruit comes from.

Arizona Arizona Stronghold: ★ excellent white blend Tazi and Merlot Nuevo, v.gd Rhône blend called Nachise. Caduceus Cellars: ★★ owned by Tool lead singer Maynard James Keenan with top reds Sancha, Anubis and Nagual del la Naga. Callaghan V'yds: ★★★ one of Arizona's best wineries, esp red blends Padres and Caitlin's. Cimarron: label of Dick Erath of Oregon, producing red blend Rojo del Sol. Dos Cabezas: ★ look for red blends Campo and Aguileon. Lawrence Dunham V'yds: gd VIOGNIER and v.gd PETITE SIRAH. Lightning Ridge: ★ MONTEPULCIANO ideally suited to Arizona terroir, and v.gd red blend Resonance. Page Springs: Rhône-style white and red wines, plus v.gd Petite Sirah. Pillsbury Wine Company: filmmaker Sam Pillsbury makes excellent WildChild White. Sonoita: a pioneer of Arizona wines with gd SYRAH, COLOMBARD, CAB SAUV.

Arizona's major growing areas are all in the high desert.

Becker Vineyards Tex ★★→★★★★ Superb collection of interesting wines. Esp CAB SAUV Res Wilmeth V'yds, Canada Family Cab Sauv, Newsom Cab Sauv, Res VIOGNIER, MALBEC, Clementine.

Brennan Vineyards Tex ★ Excellent VIOGNIER, v.gd CAB SAUV and SYRAH.

Brushy Creek Tex Owned by a nuclear physicist who likes to experiment. Wines change on an annual basis, but Rhône varietals always gd.

Cap Rock Tex Much-medalled High Plains winery with remarkable ***Roussanne.***

Colorado Bookcliff: ★★ excellent Bordeaux blend called Ensemble, v.gd PETITE SIRAH and SYRAH. Boulder Creek: ★ excellent red blends Consensus and Res Claret plu v.gd dry rosé. Canyon Wind: v.gd PETIT VERDOT and Bordeaux blends. Creekside ★ award-winning CAB FR and Syrah. Garfield Estates: v.gd SAUV BL, Cab Fr, Syrah Graystone: specializes in Port-styles, all v.gd, rich aftertaste. Grande River: Sau Bl, VIOGNIER, Petit Verdot, MALBEC. Guy Drew: ★★ excellent GEWURZ, CHARD, Syrah Metate. Infinite Monkey Theorem: top red blend 100th Monkey. Jack Rabbit Hill biodynamic and organic, RIES, M&N. Stoney Mesa/Ptarmigan: RIES, Gewurz MERLOT, CAB SAUV. Two Rivers: ★ excellent Ries, v.gd Chard, Syrah. Winery at Hol Cross: ★★ excellent Cab Fr, Syrah and sweet Merlot called Divinity.

Duchman Tex ★★→★★★ Among Texas's best; nr-perfect VERMENTINO and DOLCETTO.

Fall Creek V'yds Tex ★→★★★ One of Texas's oldest wineries. Gorgeous Salt Lick TEMPRANILLO, consistently excellent Bordeaux blend Meritus and occasionally burgundian Res CHARD.

Haak Winery Tex ★ Gd MALBEC, dry Blanc du Bois; one of US's best "Madeira" copies

Inwood Estates Tex ★★ Exceptional TEMPRANILLO and v.gd PALOMINO/CHARD blend.

Llano Estacado Tex ★★ One of Texas's earliest and largest wineries. V.gd Viviana (w) and Viviano (r), Port-style.

Lone Oak Tex ★ In Burleson. V.gd TEMPRANILLO, gd MERLOT.

McPherson Cellars Tex ★★ Owner Kim McPherson was first big award-winner in Texas. Delicious Rosé of SYRAH, excellent ROUSSANNE.

Messina Hof Wine Cellars Tex ★ Excellent RIES, esp late-harvest. V.gd Papa Paolo Port-style wines.

Wine was made from *vinifera* grapes in Rio Grande Valley, Texas, as early as 1620s

Nevada Tahoe Ridge, previously Churchill V'yds: Gd Res ZIN, PETITE SIRAH. Pahrump Valley: quite a showplace, with restaurant. Gd Symphony, Zin.

New Mexico Black Mesa: ★★ Coyote, PETITE SIRAH, Woodnymph RIES. Casa Abril V'yds: MALBEC, ZIN, TEMPRANILLO. Gruet: ★★★★ ***excellent sparkling wines***, esp Blanc de Noirs, also excellent CHARD, PINOT N. Luna Rossa: ★ v.gd MONTEPULCIANO, CAB SAUV. Matheson Winery: Chard, Cab Sauv, sweet Doce. Noisy Water: ★ esp Chard. Ponderosa Valley: v.gd Chard and sweet white called La Novia. Southwest Wines: ★esp Chard and Blue Teal MOSCATO.

Oklahoma Chapel Creek: ★★ excellent MUSCAT, v.gd VIDAL, CHARD. Greenfield V'yd: gd MERLOT, SAUV BL. Stone Bluff Cellars: gd Vignoles, Cynthiana, Chardonel. Ponderosa Valley: ★★ esp RIES and CAB SAUV. The Range V'yd: gd Traminette and Muscat Blanc. Whispering Meadows: ★ v.gd Cab.

Pedernales Cellars Tex ★ GARNACHA Dry Rosé great for a hot Texas afternoon. V.gd VIOGNIER. MERLOT is the best buy on the list.

Spicewood Vineyards Tex ★★ Exceptional Sancerre-like SAUV BL and v.gd SÉM.

Val Verde Tex r w fourth-generation tradition. V.gd Port-style; gd CHARD, PINOT GRIGIO.

William Chris Wines Tex ★ In tiny Hye, this winery is already considered one of Texas's finest. Best buys are red blends Emotion and Enchante.

Mexico

Nearly 55,000ha of wine grapes are planted in Mexico. Principle vines include Chardonnay, Sauvignon Blanc, Cabernet Sauvignon, Syrah, Grenache and Petite Sirah. Ruby Cabernet, a hybrid, is also widely planted. Much of the production goes into brandy. Grapes were planted in Mexico shortly after the Spanish conquest. The first winery, Hacienda San Lorenzo, was established in 1597. It's now called Casa Madero and is still in production in the Parras Valley. Although the centre is the historic wine-growing region of Mexico, quality is often spotty. The best hope for quality wine is in the coastal valleys of Northern Baja, especially the Guadalupe Valley southeast of Tijuana. Although the temperature can reach 38°C, cooling Pacific winds can drop the temperature by up to 16°C after sunset. In the past decades, there has been an explosion of boutique wineries, some showing good quality. In general, these new-wave Baja wines are only available locally.

Bodegas Santo Tomas ★★ The oldest winery in Baja, founded in 1888, has a huge portfolio of wines, covering all possible bases. Best offerings are TEMPRANILLO, CAB SAUV and SAUV BL.

Casa de Piedra ★★★ Artisan producer making only two wines, Vino de Piedra, a v.gd blend of CAB SAUV and TEMPRANILLO and Piedra del Sol, a CHARD.

Château Camou ★→★★ The focus here is on developing v'yd blocks for blending. Top marks to the Gran Vino Tinto, a velvety and balanced CAB SAUV-based blend, with a supple, elegant finish. The Gran Vino Tinto ZIN is a powerful statement of the variety.

LA Cetto ★→★★★ Baja's largest winery, established in 1928, offers a range of wines from simple quaffs to more complex CAB SAUV and ZIN from specific v'yds. Don Luis is top of the line with a v.gd Cab Sauv blend and a floral VIOGNIER.

Monte Xanic ★★→★★★ Established in 1987, Monte Xanic quickly built a reputation for top quality; the CAB SAUV is excellent, deeply flavoured with a long finish; also a v.gd MERLOT. CHENIN BL, with a dash of COLOMBARD, is a delightful apéritif.

The New World's first winery. Hacienda San Lorenzo, was established in Mexico in 1597.

Rognato ★★→★★★ Small new winery making excellent CAB SAUV and a super red blend called Tramonte, with layers of flavour and a lasting finish. Gd propects for the future.

Tres Mujeres ★★→★★★ Gd example of the new wave of artisan producers in Baja. Excellent TEMPRANILLO and v.gd GRENACHE/CAB SAUV blend La Mezcla del Rancho.

Vinos Bibayoff ★★→★★★ V'yds were first planted in the 19th century by Russian immigrants. Hillside vines are dry-farmed. Outstanding ZIN and a v.gd Zin/CAB SAUV blend. Zesty CHENIN BL.

Canada

Canadian wine continues to flourish not only from its historic footholds in Ontario's Niagara region and British Columbia's Okanagan Valley, but from new vineyards popping up on virgin terroir across the country. Canada now boasts well over 550 estate wineries from coast to coast, and a wide variety of table wines, including modest amounts of its iconic Icewine. The majority of production is red and white. It is mostly dry, and in the case of many whites, aromatic, with niche amounts of sparkling wine. The style is fresh, cool-climate, food-friendly – and thankfully, beginning to reflect its origins. While the country's newest producers are only beginning to discover their potential, more established producers are refining their selection. In Ontario, Chardonnay, Riesling, Pinot Noir and Cabernet Franc are making moves, while in British Columbia the stars are Pinot Gris, Chardonnay, Syrah and Merlot, with a smattering of aromatic white blends. From the Atlantic coast, Nova Scotia continues to hone impressive sparkling wine and a small mix of aromatic whites.

Ontario

Four appellations of origin, all adjacent to Lakes Ontario and Erie: Niagara Peninsula, Lake Erie North Shore, Pelee Island, Prince Edward County. Within Niagara Peninsula the vineyards are further sub-divided into ten growing areas.

13th Street r w sp ★★★ **09 10** 11 (12) Jean-Pierre Colas uses estate and purchased fruit. Impressive small-batch lots of GAMAY, CHARD, RIES, SAUV BL, SYRAH; sparkling.

Cave Spring r w sw sp ★★★ **09 10 11** (12) A respected producer of benchmark RIES, esp CSV (old vines) and Estate labels, elegant, old-vines CHARD, exceptional late-harvest and Icewines.

Chateau des Charmes r w sw ★★ 10 11 (12) 30 yrs on the Bosc family farms 114ha in Niagara-on-the-Lake. Excellent Ries from bone-dry to Icewine. Equuleus, Paul Bosc Estate V'yd is a standout. Bordeaux-style red.

Colaneri Estate Winery r w sw ★★ **09 10** 11 (12) Winemaker Andrej Lipinski is using a mix of *appassimento, ripasso* and *recioto* methods (*see* Valpolicella, Italy) on PINOT GR, GEWURZ, CAB FR, VIDAL and v.gd Visone SYRAH.

Creekside r w ★★★ **09 10** 11 (12) Gd buzz for Broken Press, Res SHIRAZ, red blends, CHARD, excellent SAUV BL; organic, single-barrel Undercurrent lots making waves.

Flat Rock r w ★★ **09 10** 11 (12) Crisp, modern, cool-climate style RIES, PINOT N and CHARD. Single-block Nadja's Ries is a standout.

Henry of Pelham r w sw sp ★★ 09 10 11 (12) Family-run, Niagara-centric; CHARD and RIES; unique Baco Noir and Ries Icewine. Great fizz Cuvée Catherine Brut and top Speck Family Res (SFR).

Inniskillin r w sw ★★ 09 10 11 (12) The pioneer Icewine house is changing focus under winemaker Bruce Nicholson. Look for delicious RIES, PINOT GR, PINOT N, super CAB FR and speciality RIES and VIDAL Icewine.

Jackson-Triggs r w ★★ **09 10** 11 (12) State-of-the-art winery in Niagara-on-the-Lake. Delaine V'yd, Gold Series special selection label CHARD, PINOT N, SHIRAZ lead pack.

Le Clos Jordanne r w ★★★ **08 09** 10 11 (12) Crafts excellent organic burgundian-style PINOT N and CHARD in three tiers: Village Res, Single V'yd and Grand Clos.

Malivoire r w ★★★ **07 08 09** 10 11 (12) Innovative, gravity-flow winery; v.gd organic PINOT N, CHARD, GAMAY, GEWURZ and top Tête de Cuvée in tiny quantities.

Ravine Vineyard r w ★★★ **09 10** 11 (12) The 14ha St David's Bench site is over an ancient Niagara River watercourse. Delicious drinking Sand and Gravel Red Coat blend and v.gd CHARD and CAB FR.

Stratus r w ★★★ 07 08 09 10 11 (12) Iconoclast JL Groux guides the LEEDS-certified (ie. green) winery with flagship white and red assemblage blends; v.gd RIES, SYRAH.

Tawse r w ★★★★ 09 10 11 (12) Among Canada's finest; outstanding CHARD, RIES; high-quality PINOT N, CAB FR, MERLOT; v'yds certified organic and biodynamic.

Thirty Bench Wine Makers r w ★★ 09 10 11 (12) Impressive single-lot estate v'yds from 27ha site in the Beamsville Bench appellation; standout old-vine RIES and CAB FR, MERLOT and PINOT N.

Vineland r w sw ★★★ 07 09 10 11 (12) Beautiful country estate with a first-class restaurant. Fine RIES, Icewine and Bordeaux-style reds.

British Columbia

BC has identified five appellations of origin: Okanagan Valley, Similkameen Valley, Fraser Valley, Vancouver Island and the Gulf Islands.

Blue Mountain r w sp ★★★ 08 09 10 11 (12) Respected producer of sparkling; high-quality, age-worthy PINOT N, GAMAY, CHARD, PINOT GR. Outstanding Res Pinot N.

Burrowing Owl r w ★★ 09 10 11 (12) Pioneer South Okanagan estate; excellent CAB FR and v.gd PINOT GR, SYRAH; acclaimed boutique hotel and restaurant.

CedarCreek r w ★★★ 09 10 11 (12) Terrific aromatic line-up led by RIES, GEWURZ, Ehrenfelser. Solid MERLOT; top-end Platinum VIOGNIER, CHARD, SYRAH, PINOT N.

Church and State Wines r w ★★ 09 10 11 (12) Stylish new Coyote Bowl winery in South Okanagan making Tre Bella (white Rhône blend) CHARD, VIOGNIER, SYRAH; signature red Bordeaux blend is Quintessential.

Hester Creek r w ★★ 09 10 11 (12) State-of-the-art facilities, six-suite guest villa and restaurant welcome visitors. Electric TREBBIANO from 40-yr-old vines, aromatic PINOT GR, PINOT BL and CAB FR.

Jackson-Triggs Okanagan r w sw ★★ 09 10 11 (12) Popular, easy-drinking style with gd SHIRAZ, Meritage (*see* California) and outstanding RIES Icewine. Impressive Rhône-style SunRock SHIRAZ.

Mission Hill r w ★★★ 08 09 10 11 (12) Architecturally stunning. V.gd Res varietal series and Legacy Series: Perpetua, Oculus, Quatrain and Compendium. Award-winning al fresco dining.

Nk'Mip r w ★★ 09 10 11 (12) Part of $25m Aboriginal resort, spa. Fine PINOT BL, RIES, PINOT N; top: Qwam Qwmt Pinot N; SYRAH. Desert Cultural Centre is a must-visit.

Osoyoos Larose r ★★★ 07 08 09 10 11 (12) A benchmark, single-v'yd, age-worthy Bordeaux blend created by Groupe Taillan and Constellation Brands. The second label is Pétales d'Osoyoos.

Painted Rock r w ★★★ 10 11 (12) Steep-sloped 24ha Skaha Bench site under guidance of consultant Alain Sutre (Bordeaux): v.gd SYRAH, CHARD, red blend.

Pentâge Winery r w ★★ 10 11 (12) 5,000-case Skaha Bench producer making fine VIOGNIER, PINOT GR, GEWURZ and exciting new red and white Rhône-style blends.

Quails' Gate r w ★★ 08 09 10 11 (12) Family-owned estate making terroir-based PINOT N and excellent Res. CHARD, aromatic RIES, CHENIN BL, with cult-like following for its Old-Vines Foch.

Red Rooster r w ★★ 10 11 (12) Fresh, aromatic, balanced wines are the signature of this Naramata Bench producer. Top: CHARD, PINOT GR, RIES and MERLOT.

Road 13 r w ★★★ 09 10 11 (12) Winemaker JM Bouchard is rocking South Okanagan with old-vine CHENIN BL, SYRAH, white and red Rhône blends and PINOT N.

Tantalus r w ★★★ 08 09 10 11 (12) LEED-certified facility complements one of the oldest (1927) continuously producing v'yds. Non-interventionist PINOT N and RIES are the story. Res Ries is v.gd.

South America

Abbreviations used in the text:

Aco	Aconcagua
Bío	Bío-Bío
Cach	Cachapoal
Casa	Casablanca
Cata	Catamar
Cho	Choapa
Col	Colchagua
Coq	Coquimbo
Cur	Curicó
Elq	Elqui
Ita	Itatá
La R	La Rioja
Ley	Leyda
Lim	Limarí
Mai	Maipo
Mall	Malleco
Mau	Maule
Men	Mendoza
Neu	Neuquén
Pat	Patagonia
Rap	Rapel
Río N	Río Negro
Sal	Salta
San A	San Antonio
San J	San Juan

Recent vintages

Today vintages differ more than they used to – certainly in the newer, more marginal areas. But the differences are still small compared with those of classic European regions. Few wines reward long ageing; the appeal of South America is that of youth, vigour, vibrancy. Current vintages are generally best for all but top reds.

CHILE

Chile might have made its reputation abroad with Merlot and Cabernet fit for chocoholics, but things have evolved since then. Merlot has given way to Carmenère in the fashion stakes, and while Maipo still seems to be tops for Cabernet, cooler regions are making Syrahs that recall the Rhône one moment and the cooler parts of Australia the next – in other words they have their own style. And, from Elqui and Limarí, a violets-and-black-olive flavour that can be thrilling. Sauvignon Blanc from Leyda, Limarí and other coastal regions likewise combines crispness with ripeness without getting shrill. These are the newest regions, and while there are still plenty of softly ripe and oaky wines available, it's clear that Chile is heading away from oak and towards elegance. With alcohol, though. The light in Chile is dazzling, and even the cooler regions are not all that cool. High alcohol is part of the package. The trick for producers is making wines with good enough balance for it not to show.

Aconcagua The river moderates the climate of this warm region, traditionally a source of sturdy reds. New coastal v'yds look interesting. SYRAH has star quality.

Almaviva Mai ★★★★ Expensive but classy claret-style red, CONCHA Y TORO/Baron Philippe de Rothschild joint venture. Also Epu red blend is v.gd.

Altaïr Rap ★★★ Complex, earthy, CAB SAUV/SYRAH/CARMENÈRE blend with Pascal Chatonnet of Bordeaux as consultant. Second label: Sideral, earlier-drinking.

Alto Las Gredas ★★★ Owner-winemaker María Victoria Petermann makes only this top CHARD from 2ha in Araucania. Tense, mineral and tasty.

Anakena Cach, Col, Ley ★→★★ Solid range. Flagship ONA label includes punchy SYRAH; ENCO Res Chard, PINOT N also gd; single-v'yd bottling Plot Lilén VIOGNIER.

Antiyal Mai ★★→★★★ Biodynamic specialist making fine, complex red blend from CARMENÈRE, CAB SAUV, SYRAH. Varietal Carmenère Viñedo Escorial is one of the best.

Apaltagua Rap ★★→★★★ CARMENÈRE specialist drawing on old-vine fruit from Apalta (Colchagua). Grial is rich, herbal flagship wine (the Res is also gd).

Aquitania, Viña Mai ★★★ Chilean/French joint venture: excellent Sol de Sol CHARD, v.gd PINOT N (The Malleco); v.gd aged Lazuli CAB SAUV from Quebrada de Macul.

Arboleda, Viña Aco, Casa, Ley ★★→★★★ Part of the ERRÁZURIZ/CALITERRA stable, with whites from Leyda and CASABLANCA. Also try the youngest SAUV BL and reds (CAB SAUV, SYRAH, MERLOT) from Aconcagua, incl excellent CARMENÈRE.

Aristos Cach, Mai ★★→★★★ Terroir specialist Pedro Parra and two French winemakers make intriguing Duquesa CHARD, two classy CABS (Duque d'A and Barón d'A), with a SYRAH/PETITE SIRAH bubbling under. Some fruit sourced from CALYPTRA.

Futrono, 350km south of Bío-Bío, is latest cool region. Penguin-spotting, anyone?

Bío-Bío Southern region, cool enough for interesting RIES, GEWURZ and PINOT N. Promising for fizz, too.

Botalcura Cur ★★ French winemaker Philippe Debrus makes big reds, incl NEBBIOLO. Try young and cheap Porfía G Res MALBEC.

Caliboro Mau ★★★ Francesco Marone Cinzano is the soul of Erasmo, a refined CAB SAUV, CAB FR, MERLOT blend, and a rare Late Harvest Torontel.

Caliterra Casa, Col, Cur, Ley ★→★★ Sister winery of ERRÁZURIZ. CHARD and SAUV BL improving, reds becoming less one-dimensional, esp Tributo range and flagship red Cenit. Bio-Sur is organic range.

Calyptra Cach ★★★ Frenchman François Massoc makes excellent Zahir CAB SAUV, Gran Res CHARD, gd SAUV BL from 900 metre v'yd. Among best of Cachapoal.

Carmen, Viña Casa, Col, Elq, Mai ★★→★★★ Organic pioneer; same ownership as SANTA RITA. Ripe, fresh CASABLANCA CHARD Special Res; v.gd reds like PETITE SYRAH and MERLOT, and top Chilean CAB SAUV Gold Res.

Casablanca This was as cool as Chile got 10 yrs ago; now newer regions are cooler, Casablanca is practically traditional. Gd CHARD, SAUV BL; promising MERLOT, PINOT N.

Casa Marín San A ★★★ V.gd RIES, GEWURZ, PINOT N; superb SAUV BL. Today Miramar V'yd SYRAH is a must.

Pinot cools down

Chile's top PINOT N have shed the excess oak and strawberry jam and gained crispness, savoury fruit and terroir expression that would do credit to Burgundy. Try FALERNIA, SAN PEDRO, Casa Silva (esp Cool Coast), CASA MARÍN, CLOS DES FOUS, MATETIC, MAYCAS DEL LIMARÍ, Outer Limits (terrific), TABALÍ.

Casas del Bosque Cach, Casa ★★→★★★ Since the 2010 vintage NZ Grant Phelps (ex-VIU MANENT) is winemaker. Elegant range, incl SYRAH Res and nice SAUV BL.

Casa Silva Col ★★★ Grown-up wines from this Colchagua estate, with v'yds in the coastal zone of Paredones (v.gd SAUV BL). Wines of great finesse and terroir expression: Cool Coast and Gran Terroir ranges do exactly what they say. Look out for Sauvignon Gris.

Clos des Fous Cach, Casa ★★ Specialists in extreme southern terroirs; natural (*see* France), minimal intervention.

Clos Ouvert Mau ★★ New winery; natural winemaking (*see* France). Interesting wines: Huaso (País), red blend Otono and Louis Antoine Luyt CARMENÈRE (MAULE).

Concha y Toro ★→★★★ You can learn almost everything about Chilean wines here. Don´t miss Terrunyo range: outstanding SAUV BL, plus RIES, CAB SAUV, CARMENÈRE and SYRAH; classic CAB SAUV Marques de Casa Concha (Puente Alto) and ***Don Melchor*** (MAIPO). Aslo Icon Carmenère Carmín (Peumo), subtle CHARD Amelia (CASABLANCA), remarkable Maycas Chard and PINOT N (Limarí), new Series Riberas MALBEC (Colchagua). Plus varietals and blends Trio and Casillero del Diablo. *See also* ALMAVIVA, TRIVENTO (Argentina).

Cono Sur Casa, Col, Bío ★★→★★★ V.gd PINOT N, headed by Ocio. Other top releases: 20 Barrels Selection (MERLOT, CAB SAUV); new innovations called Visión (Bío-Bío RIES Single V'yd Block 23 is superb). Also in the Res Especial look for ***dense, fruity Cab Sauv***, delicious VIOGNIER, rose-petal GEWURZ, impressive SYRAH. Second label: Isla Negra; owned by CONCHA Y TORO.

Cousiño Macul Mai ★★ Historic Santiago winery. Reliable Antiguas Res MERLOT; zesty Sauvignon Gris; top-of-the-range Lota now one of best blends in Chile.

De Martino Cach, Elq, Mai, Mau ★★→★★★ Subtle winemaking (top reds now see no new oak), best-known for single-v'yd, old-vine CARMENÈRE, CAB SAUV, MALBEC, CHARD, but also impressing with Legado range, Vigno CARIGNAN. CINSAULT is the hottest grape here, esp Viejas Tinajas made the old way in *tinajas*, big clay jars.

Elqui Northern region cooled by sea breezes; v'yd altitudes range from 350–2,200 metres (Chile's highest); brilliant SYRAH, top PINOT N, SAUV BL.

Emiliana Casa, Rap, Bío ★→★★★ Organic/biodynamic specialist involving Alvaro Espinoza (*see* ANTIYAL). Complex, SYRAH-heavy "G" and Coyam show almost Mediterranean-style wildness; cheaper Adobe and Novas ranges v.gd for affordable complexity.

Errázuriz Aco, Casa ★→★★★ Besides the top Don Maximiano, and fragrant KAI CARMENÈRE, pick the new wines from Aconcagua Coasta (SAUV BL and SYRAH), or top The Blend: GRENACHE, MOURVÈDRE, SYRAH, ROUSSANNE. *See* also ARBOLEDA, CALITERRA, SEÑA, VIÑEDO CHADWICK.

Falernia, Viña Elq ★★→★★★ ELQUI pioneer making Rhône-like SYRAH, fragrant CARMENÈRE (incl a dried-grape version) and tangy SAUV BL; also complex red blend Number One. Labels incl Alta Tierra and Mayu.

Fournier, Bodegas O Ley, Mau ★★→★★★ Sister venture of same-name Argentine winery, v'gd Leyda SAUV BL and MAULE red blends Centauri and Alfa Centauri.

Garcés Silva, Viña San A ★★→★★★ The brand at this no-expense-spared operation is Amayna; rich, ripe styles with a bit of alcohol removed for gd balance. Best of both worlds. SAUV BL is particularly gd.

Hacienda Araucano Casa, Rap ★★→★★★ François Lurton's Chilean enterprise. Complex Gran Araucano SAUV BL (CASABLANCA), refined CARMENÈRE/CAB SAUV blend Clos de Lolol, heady Alka Carmenère.

Haras de Pirque Mai ★★→★★★ Estate in Pirque. The Character SYRAH is top, also smoky SAUV BL, stylish CHARD, dense CAB SAUV/MERLOT. Solid, smoky red Albis (Cab Sauv/CARMENÈRE) is made with Antinori (*see* Italy).

Kingston Casa ★★ Exciting newcomer. Best are Cariblanco SAUV BL, Lucero SYRAH.

It's what they do in Norfolk
If you want a gimmick, go to South America. Ian Hutcheon did (from Norwich) and now makes meteorite-aged CAB SAUV in Chile. He's an astronomer, which sort of explains it. The meteorite is 4.5 billion yrs old; the Cab rather younger. Next up is a red blend sacrificed to the Inca gods. The bottles are wrapped in cloth, boxed and buried on Mt Tunca. Visitors can go and find them and dig them up. Fun....

Lapostolle Cach, Casa, Col ★★→★★★★ Impressive French-owned estate; v'yds biodynamically farmed. SÉM best of increasingly elegant whites; Cuvée Alexandre MERLOT and SYRAH and CARMENÈRE-based Clos Apalta pick of fine reds.

Leyda, Viña San A ★★→★★★ Pioneer in coastal Leyda. Elegant CHARD (Lot 5 Wild Yeasts is the pick), lush PINOT N (esp Lot 21 cuvée and lively rosé), tangy Garuma SAUV BL, firm, spicy Canelo SYRAH. Also nice RIES and Sauvignon Gris.

Limarí One of new cool areas that are actually deserts; what's not a vine is probably a cactus. Gd for SYRAH, SAUV BL and esp CHARD, thanks to limestone in many v'yds.

Loma Larga Casa ★★→★★★ A v. classic range. Top Chilean MALBEC with oceanic influence, and impressive CAB FR and SYRAH.

Maipo Famous wine region close to Santiago. Chile's best CAB SAUVS often come from higher, eastern subregions such as Pirque and Puente Alto.

Matetic San A ★★★ Stars are fragrant, ***zesty Sauv Bl*** (for ageing), spicy, berry EQ SYRAH. Gd PINOT N, CHARD from exciting winery. The label Corralillo is v. consistent.

Maule Southernmost region in Valle Central. Claro, Loncomilla, Tutuven Valleys. CARIGNAN from Cauquenes currently in vogue.

Maycas del Limarí Lim ★★→★★★ CONCHA Y TORO offshoot; SAUV BL, CHARD, PINOT N, SYRAH: full flavours with elegance. Quebrada Seca CHARD taut, minerally flagship.

Montes Casa, Col, Cur, Ley ★★→★★★★ Highlights of a wide first-class range from a feng shui winery: Alpha CAB SAUV, Bordeaux-blend Montes Alpha M, ***Folly Syrah from Apalta*** and intense Purple Angel CARMENÈRE (founder likes angels). Also v.gd SAUV BL and PINOT N from both Leyda and new, cool Zapallar. Look for Outer Limits range and Southern-Rhône-inspired blend (GRENACHE/CARIGNAN/MOURVÈDRE) in Apalta.

MontGras Col, Ley, Mai ★★→★★★ Fine limited-edition wines, incl SYRAH, pink ZIN. High-class flagships Ninquén CAB SAUV, Antu Ninquén SYRAH. Gd-value organic Soleus, gentle but fine Intriga (MAIPO) Cab Sauv, ripe SAUV BL from SAN ANTONIO.

Montsecano ★★★ Cool, high-altitude, small-scale, biodynamic PINOT N made by five Chileans and Frenchman, André Ostertag. Top stuff.

Morandé Casa, Mai ★★→★★★ Brut Nature NV (CHARD, PINOT N) is a top sparkling. Take a look at Edición Limitada CARIGNAN (Loncomilla), and spicy SYRAH/CAB SAUV; top wine is Cab Sauv-based House of Morandé.

Neyen Rap ★★★ Apalta project for Patrick Valette of France's St-Émilion; intense old-vine CARMENÈRE/CAB SAUV blend. Now owned by VERAMONTE.

Odfjell Mai, Mau ★→★★★ Red specialist with v.gd CARMENÈRE, CARIGNAN (from MAULE); pick the young Orzada CARIGNAN and entry-level Armador.

Pargua, Viña Mai ★★ Refined reds from QUEBRADA DE MACUL winemaker. Pargua is CARMENÈRE/CAB SAUV/CAB FR blend, Anka Pargua II mostly Cab Fr, Cab Sauv, MERLOT.

Pérez Cruz, Viña Mai ★★★ Interesting Chaski PETIT VERDOT, plus Edición Limitada COT and a spicy CAB SAUV.

Polkura Col ★★ Independent and focused on Marchigue SYRAH; also rich MALBEC.

Principal, El ★★→★★★ Fleshy yet grown-up CAB/CARMENÈRE blends from high-altitude v'yd: Calicanto, Memorias, El Principal.

Quebrada de Macul, Viña Mai ★★→★★★ Ambitious winery making gd CHARD, plus

Costa del Chile

Chile has a new appellation system (yes, just when you'd finally got to grips with the old), which divides the country into Costa (Coastal), Entre Cordilleras (between the Andes and the Coastal Range) and Andes. The existing appellations can mostly be used as well, but the point is: the Andes and the coast are mostly cooler than the Central Valley. So if you want a cool-climate wine, the label will give you more help than before.

excellent Domus Aurea, one of the most elegant and classic CAB SAUV from Chile.

Rapel Quality region divided: Colchagua, Cachapoal valleys. Best: hearty reds, esp CARMENÈRE, SYRAH, but watch for cooler coastal subregions Marchihue, Paradones.

RE Mai ★★★ Pablo MORANDÉ's innovative new project: unusual blends Cabergnan (CAB SAUV/CARIGNAN), Pinotel (PINOT N/MOSCATEL). Unorthodox flavours new to Chile.

San Antonio Coastal region west of Santiago benefiting from sea breezes; best for whites, SYRAH and PINOT N. Lo Abarca is top site. Leyda is a subregion.

San Pedro Cur ★→★★★ Massive Curicó-based producer. 35 South (35 Sur) for affordable varietals; Castillo de Molina a step up. Best are 1865 Limited Edition reds, Kankana del ELQUI SYRAH and elegant Cabo de Hornos. Under same ownership as ALTAÏR, VIÑA MAR, Missiones de Rengo, Santa Helena, TARAPACÁ.

Santa Alicia Mai ★→★★★ Red specialist. Best: firm but juicy Millantu CAB SAUV-based flagship wine, and lithe but structured Anke Blend 1 (CAB FR/PETIT VERDOT).

Biggest single producer of Pinot Noir in 2012? Cono Sur (says Cono Sur). All in Burgundy and NZ well down.

Santa Carolina, Viña ★★→★★★ Extensive range from several regions; highlights are the Specialties range (SAN ANTONIO SAUV BL, LIMARÍ CHARD, MAIPO SYRAH); pick Cauquenes CARIGNAN, Cachapoal MOUVÈDRE or Rapel PETIT VERDOT. VSC blends at all levels. New Herencia (CARMENÈRE) from Peumo excellent but pricey.

Santa Rita Mai ★★→★★★★ Long-established MAIPO winery working with Aussie Brian Croser. Best: ***Casa Real Cab Sauv***; but Pehuén and Casa Real (CARMENÈRE), Triple C (CAB SAUV/CAB FR/Carmenère) and Floresta range nearly as gd. Try also Medalla Real reds, especially Carmenère and MERLOT.

Seña Aco ★★★★ Established with ROBERT MONDAVI, but now wholly owned by the Chadwick family of ERRÁZURIZ, this blend of Bordeaux grapes from a hillside v'yd in ACONCAGUA holds its own against the world's best in comparative tastings.

Tabalí ★★→★★★ Source of refined cooler-climate wines, often influenced by limestone soils. Single v'yd, terroir-driven Talinay CHARD, SAUV BL and PINOT N. Also try Payen SYRAH.

Tarapacá, Viña Casa, Ley, Mai ★★ Steadily improving historic winery, part of VSPT group. Top: Tara-Pakay (CAB SAUV/SYRAH), Etiqueta Negra Gran Res (Cab Sauv).

TerraMater Rap ★→★★ Wines from several regions incl v.gd Altum CAB SAUV, cola-like SANGIOVESE and lively ZIN/SHIRAZ.

Terra Noble Mau ★→★★ Talca winery specializing in grassy SAUV BL and light, peppery MERLOT. Range now includes v.gd, spicy CARMENÈRE CA 2.

Torres, Miguel Cur ★★→★★★ Fresh whites include Nectaría RIES and gd reds, esp sturdy ***Manso de Velasco*** single-v'yd CAB SAUV and CARIGNAN-based Cordillera. Conde de Superunda is top cuvée, also organic range Tormenta, and Estelado Rosé NV Païs and pioneering plantings in the Empedrado zone of MAULE.

Undurraga Casa, Ley, Lim, Mai ★★ Revitalized MAIPO estate. Best wines are Altazor (CAB SAUV-based), Limarí SYRAH and the SAUV BL from Leyda and CASABLANCA under the TH (Terroir Hunter) label; also MAULE CARIGNAN. Try lively Brut Royal CHARD/PINOT N and Titillum sparklings, and peachy Late Harvest SÉM.

Valdivieso Cur, San A ★→★★★ Major producer impressing with Res and Single V'yd range (esp CAB FR and MALBEC) from top terroirs around Chile (***Leyda Chard*** esp gd), NV red blend Caballo Loco and wonderful CARIGNAN-based Éclat.

Vascos, Los Rap ★→★★★ Lafite-Rothschild venture now improving its Bordeaux wannabe reds. Top: Le Dix and Grande Rés.

Ventisquero, Viña Casa, Col ★→★★★ Ambitious winery; labels incl Chilano, Yali; top wines are two Apalta reds: rich but fragrant Pangea SYRAH and CARMENÈRE/Syrah blend Vertice. Promising Herú CASABLANCA PINOT N. Grey range incl Carmenère, MERLOT, esp juicy Mediterranean-blend GCM (GRENACHE, CARIGNAN, MATARÓ).

Veramonte Casa, Col ★★ Ripe, elegant reds from Colchagua (Primus blend is pick); fresher styles from CASABLANCA, where Ritual PINOT N and Res SAUV BL stand out.

Villard Casa, Mai ★★ Sophisticated wines made by French-born Thierry Villard. Gd MAIPO reds, esp PINOT N, MERLOT, Equis CAB SAUV and CASABLANCA whites.

Viñedo Chadwick Mai ★★★→★★★★ Stylish CAB SAUV improving with each vintage from v'yd owned by Eduardo Chadwick, chairman of ERRÁZURIZ.

Viu Manent Col ★★ Emerging Colchagua winery. MALBEC range includes fragrant Viu 1, Gran Res and Secreto. Also CARMENÈRE-based El Incidente; v.gd Late Harvest SÉM.

Von Siebenthal Aco ★★→★★★ Swiss-owned boutique winery. V.gd Carabantes SYRAH, elegant Montelig blend, fine-boned Toknar PETIT VERDOT and concentrated but v. pricey CARMENÈRE-based Tatay de Cristóbal.

VSPT Important wine group which owns ALTAÏR, Viña Mar, Missiones de Rengo, SAN PEDRO, Santa Helena.

ARGENTINA

Argentina is certainly dynamic, and Malbec is capable of great diversity where winemakers are prepared to rein back on extraction and oak and let the terroir shine through. Cooler, higher sites are the best for those wanting freshness and elegance: Tupungato in Mendoza or Río Negro in Patagonia. And it's worth remembering that for many producers, oak and extraction equal prestige; the most expensive wines are often the biggest.

Achaval Ferrer Men ★★★ Super-concentrated Altamira, Bella Vista, Mirador single-v'yd MALBECS. Quimera MALBEC/CAB/MERLOT and "basic" Malbec are wines to catch.

Aleanna Men ★★★ Alejandro Vigil (CATENA) and Adrianna Catena make innovative Enemigo: try Gran Enemigo blend.

Alpamanta Men ★★ Organic (becoming biodynamic) winery with Chilean Alvaro Espinoza (*see* ANTIYAL) consulting. V.gd top MALBEC, also gd entry-level range Natal.

Alta Vista Men ★→★★★ The French d'Aulan family produces top ***Alto*** (MALBEC/CAB SAUV) and a trio of pioneering single-v'yd Malbecs – Alizarine, Serenade (Luján de Cuyo) and Themis (Uco Valley). Also new Atemporal red blend and sparkling.

Altocedro Men ★★→★★★ Owner and winemaker Karim Mussi Saffie's trump cards are MALBEC and TEMPRANILLO, blended together for top wine Desnudos.

Altos las Hormigas Men ★★→★★★ Top single-v'yd MALBEC based on old Valle de Uco vines. Also impressive basic Malbec and BONARDA. Italian influences from Attilio Pagli, Alberto Antonini and others.

Organic-averse

Chile is a vinous paradise – or so we've been told for yrs now. In which case, why are Chilean growers so nervous about organic viticulture? If growers in soggy Bordeaux and Champagne can take the risk, so can Chileans, with their dry and reliable climate. Come on, now, people: no more of this scratching around for excuses.

Antucura Men ★★→★★★ The owners set out to create an super-ultra-premium wine, with advice from Michel Rolland (*see* Bordeaux). Besides Antucura blend, look for new Barrandica range.

Argento Men ★→★★ Gd commercial wine under the Libertad, Malambo and Argento labels. Also Res (MALBEC, BONARDA).

Atamisque Men ★→★★★ Impressive reds, esp MALBEC/MERLOT/CAB SAUV Assemblage. Also CHARD and PINOT N. Catalpa and Serbal (esp VIOGNIER) range also v.gd value.

Belasco de Baquedano Men ★★ Four bottlings of old-vine Agrelo MALBEC – Swinto and Ar Guentota are best – plus a rare late-harvest Antracita. Winemaker is Bertrand Bourdil, ex-Mouton-Rothschild (Bordeaux).

Benegas Men ★★→★★★ Top-notch CAB FR and Meritage Benegas Lynch label. Using old vines from Libertad v'yd (Maipú) and Uco Valley.

Bressia Men ★★→★★★ Family winery; classic MALBEC-dominated blends Profundo, Conjuro. Plus Monteagrelo range and excellent Lágrima Canela (CHARD/SÉM).

Callia San J ★★ Gd-value wines based on SYRAH. Top Grand Callia blend.

Canale, Bodegas Humberto Río N ★→★★★ The most traditional winery in Patagonia, now advised by Susana Balbo (wines) and Pedro Marchevski (v'yds).

Carmelo Patti Men ★★ Independent; classic CAB SAUV, MALBEC; a must for oenophiles.

Caro Men ★★★ Catena's joint venture with the Rothschilds of Lafite (France): seriously classy Caro and younger Amancaya.

Casa Bianchi Men ★→★★★ One of most traditional local wineries. V.gd sparkling balanced Famiglia range, esp CAB SAUV. Top Enzo (r blend), María Carmen (CHARD).

Casarena Men ★★→★★★ V.gd entry-level MALBEC and CAB SAUV, plus new Malbec from Luján de Cuyo.

Catena Zapata, Bodega Men ★★→★★★★ MALBEC pioneer. Consistently gd range from Alamos through Catena and Catena Alta to flagship Nicolas Catena Zapata and Malbec Argentino, plus Adrianna and Nicasia single-v'yd Malbecs. Now working hard with CAB SAUV and CHARD.

Chacra Río N ★★★ ***Superb terroir-driven Pinot N*** from tiny bodega owned by Piero Incisa della Rocchetta of Sassicaia (*see* Italy), top Treinta y Dos from 1932 v'yd also v.gd Mainqué MERLOT. Wines made at Noemia.

Chakana Men ★★→★★★ Winery to watch for v.gd varietals, top MALBEC Ayni. Alberto Antonini consults.

Might Argentina's import restrictions mean fewer new oak barrels? Every cloud....

Clos de los Siete Men ★★ Consistent Vistaflores (Uco Valley) blend of MALBEC MERLOT, SYRAH and CAB SAUV, winemaking overseen by Michel Rolland (*see* DIAMANDES, MONTEVIEJO, Cuvelier los Andes and Mariflor).

Cobos, Viña Men ★★★ Ultra-rich but elegant MALBECS from Californian Paul Hobbs the best from the Marchiori v'yd. Bramare and Felino are 2nd and 3rd tiers, esp CAB SAUV. Also look for Marchiori & Barraud wines from Cobos winemakers.

Colomé, Bodega Sal ★★→★★★ Bodega in remote Calchaquí Valley owned by California's Hess Collection. Pure, intense, biodynamic MALBEC-based reds, lively TORRONTÉS, smoky TANNAT. New Malbec Auténtico honours tradition.

Del Río Elorza ★★ New Río Negro estate; Alberto Antonini (*see* ALTOS LAS HORMIGAS consults, impressing with PINOT N and MALBEC under Verum label.

DiamAndes Men One of the CLOS DE LOS SIETE wineries, owned by Bonnie family of Château Malartic-Lagravière (Bordeaux), making solid, meaty Gran Res (MALBEC CAB SAUV) and lively VIOGNIER.

Dominio del Plata Men ★→★★★ Susana Balbo makes v.gd wines under Susana Balbo BenMarco, Zohar, Anubis labels. Nosotros is bold MALBEC/CAB SAUV flagship. Also v.gd BenMarco Expresivo, gd-value Crios range (incl excellent TORRONTÉS).

Doña Paula Men ★→★★★ Estate owned by SANTA RITA (*see* Chile). Best: Selecció

MALBEC, CHARD; consistent DP Estate, Los Cardos range. Top wines focus on Gualtallary and Altamira (Uco Valley) v'yds. Coming soon: CAB FR, RIES.

Etchart Sal ★★→★★★ Traditional, high-altitude producer. Gd TORRONTÉS and red blend Arnaldo B.

Fabre Montmayou Men, Río N ★★→★★★ French-owned operation; v'yds in Luján de Cuyo and RÍO NEGRO (labelled Infinitus); reds with a French accent, esp gd second label Phebus; also gd-value Viñalba, and top MALBEC, CAB SAUV and Grand Vin.

Finca Decero Men ★★→★★★ Wines from Remolinos v'yd in Agrelo, lush but modern. Go for PETIT VERDOT and blended Amano.

Fin del Mundo, Bodega Del Neu ★★ Top wine Special Blend (MALBEC/CAB SAUV/MERLOT); try single-v'yd Fin. France's Michel Rolland consults.

Flichman, Finca Men ★★→★★★ Owned by Sogrape (*see* Portugal), impressive SYRAH. Best: Dedicado blend (mostly CAB SAUV). Paisaje de Tupungato (Bordeaux blend), Paisaje de Barrancas (SYRAH-based); new top MALBEC Parcela 26 from Uco Valley.

Fournier, O Men ★→★★★ Spanish-owned. Urban Uco v.gd entry-level range; B Crux (TEMPRANILLO/MERLOT/MALBEC blend and SAUV BL) and Alfa Crux (Malbec and blend). Top site to visit in Uco Valley, v.gd restaurant. *See* Chile.

Kaikén Men ★★→★★★ Owned by Montes (*see* Chile); top Mai MALBEC, also Ultra CAB SAUV and Malbec, and Corte blend, with grapes from different regions.

Krontiras Men ★★→★★★ Greek-owned MALBEC specialist converting to biodynamics. Look for Doña Silvina.

La Anita, Finca Men ★★→★★★ High-class reds, esp CAB SAUV, MALBEC and MERLOT. Also SYRAH plus intriguing whites.

La Riojana La R ★→★★ Large Fairtrade producer. ***Raza Ltd Edition Malbec*** is top wine, but quality and value at all levels, esp TORRONTÉS.

Las Moras, Finca San J ★→★★ Leader in SAN JUAN with solid Gran Shiraz plus TANNAT, MALBEC and VIOGNIER. Also intense Malbec/BONARDA blend Mora Negra.

Luca/Tikal/Tahuan/Alma Negra Men ★★→★★★ Classy boutique wineries owned by Nicolas Catena's children Laura (Luca) and Ernesto (Tikal/Tahuan/Alma Negra). Plus v.gd sparkling. Winemaker Luis Reginato also makes excellent La Posta del Viñatero range, but PINOT N is the key.

Luigi Bosca Men ★★→★★★ Wise range now topped by stylish Icono (MALBEC/CAB SAUV). Classic Finca Los Nobles Malbec/PETIT VERDOT and Cab Sauv/Bouchet (aka CAB FR) also v.gd, as are the Gala blends, esp the white (VIOGNIER/CHARD/RIES). Plus gd entry label Finca La Linda.

Manos Negras ★→★★ Two ex-CATENA staff making wines in several parts of Argentina. Altamira MALBEC top wine. TeHo and ZaHa are related labels, also v.gd Res, plus fruity PINOT N and TORRONTÉS.

Masi Tupungato Men ★★→★★★ Owned by Masi of Valpolicella (*see* Italy). Passo Doble is fine *ripasso*-style MALBEC/CORVINA/MERLOT blend; Corbec is even better Amarone lookalike (Corvina/Malbec).

Mendel Men ★★★ Winemaker Roberto de la Mota makes high-end MALBEC, incl Finca Remota from Altamira, delicate Unus blend. Nice SÉM and CAB SAUV, too.

Mendoza Most important wine province (over 70% of plantings). Best subregions: Agrelo, Valle de Uco (incl Gualtallary, Altamira), Luján de Cuyo, Maipú.

Michel Torino Sal ★★ Big Cafayate enterprise making gd to v.gd wines in all ranges, incl Don David, esp MALBEC, and CAB SAUV. Altimus is rather oaky flagship.

Moët-Hennessy Argentina Men ★→★★ Top fizz under Moët et Chandon supervision; esp PINOT N/CHARD. Gd Latitude 33 varietals range. *See* TERRAZAS DE LOS ANDES.

Monteviejo Men ★★→★★★★ From Catherine Péré-Vergé (Pomerol): part of CLOS DE LOS SIETE. Tiny La Violeta, Lindaflor MALBEC; v.gd CHARD, and Monteviejo blend.

Neuquén Patagonian region to watch: huge developments since 2000, although salinity proving a problem.

Nieto Senetiner, Bodegas Men ★★→★★★ MALBEC at all levels, esp from Res to top-of-range Cadus, plus new single-v'yds and blends. Also BONARDA.

Noemia ★★★→★★★★ Outstanding Patagonian old-vine MALBEC made by Hans Vinding-Diers. Also J Alberto, A Lisa (incl rosé) and stylish Bordeaux blend "2" (CAB SAUV/MERLOT). (*See* Chacra.)

Norton, Bodega Men ★→★★★ V.gd reds, esp MALBEC and CAB SAUV, blends Privada and icon Gernot Langes plus lots of v.gd sparkling. New single-v'yd MALBEC Lote Único. All come from Luján de Cuyo.

Passionate Wine Men ★★ Montesco Parral (MALBEC/BONARDA/CAB SAUV), Agua de Roca SAUV BL and vibrant PINOT N.

Peñaflor Men ★→★★★ Argentina's biggest wine group, incl FINCA LAS MORAS, ANDEAN V'YDS (SAN JUAN), MICHEL TORINO (SALTA), SANTA ANA and finer TRAPICHE (MENDOZA).

Piatelli Sal ★→★★ Wineries in Cafayate and Luján de Cuyo. Nice TORRONTÉS and modern reds, esp CAB SAUV and MALBEC.

Piedra Negra Men ★→★★★ The top Piedra Negra MALBEC. Also Chacayes (Malbec-based blend), earthy CAB SAUV Gran Lurton, and fragant white Corte Friulano. Plus many entry label wines, esp PINOT GRIGIO.

Poesia Men ★★→★★★ Same owner as Clos l'Église of Bordeaux; dedicated to red wines, stylish and mouthfilling Poesia blend (CAB SAUV/MALBEC), also fine Clos des Andes (Malbec) and juicy Pasodoble Malbec/SYRAH/Cab Sauv.

Portillo, Finca El Men ★★ V.gd, value varietals from Uco Valley, esp MALBEC, SAUV BL.

Porvenir de Cafayate, El Sal ★★→★★★ Young Cafayate estate with juicy, oaky Laborum varietals, incl fine, firm TANNAT. Amauta blends also gd, and elegant TORRONTÉS. Advised by flying winemaker Paul Hobbs.

Pulenta Estate Men ★★→★★★ Owned by third generation. V.gd entry-level La Flor. Best: Pulenta Gran Corte (CAB SAUV/MALBEC/MERLOT/PETIT VERDOT) and CAB FR.

Raffy Men ★★ French enterprise making two lightly oaked versions of Tupungato MALBEC, Terroir and Rés.

Renacer Men ★★→★★★ Renacer (mostly MALBEC) is flagship, also v.gd Punto Final MALBEC, CAB SAUV. Interesting Enamore: Amarone-style red with Allegrini (Italy).

Riglos Men ★★★ Vines in Gualtallary area of Tupungato: Gran Corte blend, CAB FRANC, CAB SAUV and MALBEC.

Río Negro Patagonia's oldest wine region. Gd PINOT N, MALBEC, also SAUV BL, SÉM.

Ruca Malen Men ★★→★★★ Promising red specialist with v'yds in Luján de Cuyo and Uco Valley. Top range Kinien MALBEC and CAB SAUV, also rich PETIT VERDOT and SYRAH (Ruca Malen label) plus v.gd sparkling.

Salentein, Bodegas Men ★★→★★★ José Galante is new winemaker. Single-v'yd CHARD, PINOT N are elegant. Also try Numina, Res range and new sparkling wines.

Salta Northerly province with some of the world's highest v'yds, esp in Calchaquí Valley. Subregion Cafayate renowned for TORRONTÉS.

San Juan Second-largest wine region; focus on SYRAH, BONARDA, PINOT GRIGIO, TANNAT.

San Pedro de Yacochuya Sal ★★★ Cafayate collaboration between Michel Rolland (*see* France) and the Etchart family. Ripe but fragrant TORRONTÉS and dense MALBEC SPY, and powerful Yacochuya, a unique MALBEC from oldest vines.

Schroeder, Familia Neu ★★ V.gd Saurus Select range, esp PINOT N, fragrant MALBEC. Top Familia Schroeder Pinot N/Malbec. Also interesting CAB SAUV, sparkling.

Sophenia, Finca Men ★★→★★★ Pioneer in Tupungato, gd Altosur entry-level, v.gd Res MALBEC, CAB SAUV, Rhône-style SYRAH. Highlights: Synthesis Blend, SAUV BL.

Tapiz Men ★★ Punchy SAUV BL (from La Rioja), v.gd red range topped by serious Black Tears MALBEC and Res Selección de Barricas (CAB SAUV/Malbec/MERLOT), also Merlot. Sister label Zolo.

Terrazas de los Andes Men ★★★ Specialist in premium varietal wines, esp MALBEC and CAB SAUV. Top single-v'yds in Perdriel, Las Compuertas and Altamira.

Also perfumed TORRONTÉS (SALTA). Joint venture with Cheval Blanc (Bordeaux) making superb ***Cheval des Andes*** blend.

Toso, Pascual Men ★★→★★★ Californian Paul Hobbs heads a team making gd-value, tasty range, incl ripe but finely structured Magdalena Toso (mostly MALBEC) and Malbec/CAB SAUV single-v'yd Finca Pedregal.

Trapiche Men ★★→★★★ Leader in all ranges, esp MALBEC. Trio of single-v'yd Malbecs and Las Palmas CAB SAUV shines out; also Iscay blends, esp SYRAH-based. Better value under Oak Cask, Fond de Cave, Broquel (gd CAB FR) and Medalla labels.

Trivento Men ★→★★ Owned by CONCHA Y TORO of Chile. Eolo MALBEC is pricey flagship, but Golden Malbec, SYRAH and CHARD are top value.

Val de Flores Men ★★★ Michel Rolland owns this old (and biodynamic) MALBEC v'yd in Vistaflores. Deep, elegant, earthy, with firm tannins. For ageing.

Viña 1924 de Angeles Men ★★→★★★ Luján de Cuyo winery whose forte is old-vine MALBEC. Top wine Gran Malbec.

Viña Alicia ★★★★ Stylish and pricey range incl NEBBIOLO, PETIT VERDOT (Cuarzo) and Tiara white blend (RIES/ALBARIÑO/SAVAGNIN). Also MALBEC Brote Negro, and SYRAH.

Viña Vida Men ★★★ Amazing v'yds in Vistaflores: top-value MALBEC, and a PETIT VERDOT coming soon.

Weinert, Bodegas Men ★→★★ Potentially fine reds, esp Cavas de Weinert blend (CAB SAUV/MERLOT/MALBEC), occasionally spoiled by too long in old oak. Owns Argentina's most southerly v'yd, in Chubut.

Zuccardi Men ★→★★★ Dynamic estate producing gd-value Santa Julia range, better Q label (impressive MALBEC, CAB SAUV, TEMPRANILLO), spicy Emma Zuccardi BONARDA and deep yet elegant blend Zeta. Great new terroir wines Aluvional from Uco Valley. Also gd fortified Malamado (r w).

OTHER SOUTH AMERICAN WINES

Bolivia The Tarija Valley is the heart of Bolivia's tiny wine industry. With the heat tempered by altitude, SYRAH, CAB, MALBEC are produced with some success. Kohlberg, Aranjuez, Campos de Solana, La Conception, Casa Grande, Magnus, Uvairenda, are working to position their wines as an experience of height.

Brazil The last two vintages (2011/12), being drier, gave wines of better quality and concentration. The main regions are in the south: Santa Catarina (modern) and Rio Grande do Sul (traditional). The Vale dos Vinhedos, which recently received a DO (*see* Portugal), is the Brazilian birthplace of sparkling. Best are Salton, Lidio Carraro, Pizzato, Dom Cândido, Amadeu (for Geisse sparklers), Casa Valduga and the pioneering Miolo. From there also look for MERLOT and CHARD. But the region with the best potential is Campanha Gaúcha, on the border with Uruguay, especially for structured reds from TANNAT, TEMPRANILLO and Portuguese varieties. Brazilian wines tend to be more acidic and less ripe than their peers in the Southern Cone and therefore well-suited to food.

Peru Pisco was, is, and will continue to be the king of Peruvian drinks. Wine evolves slowly but steadily. Enjoy with Peruvian cuisine: Tacama Blanco de Blancos, Don Manuel, Gran Blanco Fina Res, Intipalka young MALBEC/MERLOT.

Uruguay TANNAT remains the Uruguayan USP, and one of the wine experiences you should not miss. SAUV BL and MERLOT are doing nicely, and ALBARIÑO is the latest news, while v'yds are being planted closer to the Atlantic. (A maritime climate means lower ripeness levels and moderate alcohol.) Juanicó and Pisano lead, and Bouza makes elegant boutique wines. Other producers making a lot of noise include Bodega Garzon, helped by Italian consultant Alberto Antonini; Alto de la Ballena with its maritime whites; Finca Narbona with the signing of Bordelais consultant Michel Rolland; and Marichal with its Res PINOT N/TANNAT.

Australia

Abbreviations used in the text:

Ad Hills	Adelaide Hills, SA
Beech	Beechworth, Vic
Coon	Coonawarra, SA
Kang I	Kangaroo Island, SA
Lang C	Langhorne Creek, SA
Mor Pen	Mornington Penninsula, Vic
N/S Tas	North/South Tasmania
Qld	Queensland

The 2011 vintage has changed the standard fare of Aussie wine flavour – which is quite something for what was supposed to be the worst vintage in clear-headed memory. The dogged rain in southeast Australia not only caused grapes to rot on the vine but had red grapes struggling to turn red at all. Many producers cut their losses and called a "no vintage"; others scrambled what they could and made makeshift, lower-tier wines. Yet others, like winemaker Jeffrey Grosset, suggested that this was exactly what all those trips to Europe during vintage were preparation for. Turns out he was right. What has become clear is that the 2011 vintage is a seminal one for many Australian producers. A wet year has produced lighter wines, but not necessarily lesser. It takes some research – 2011 produced a great number of dire Aussie wines – but it's worth taking a look. Over the past decade Australia has been beating the "diversity of styles" drum; more than any other, this vintage has delivered exactly that.

Recent vintages

New South Wales (NSW)

2012 A wet, cold year; bad run of vintages continued. Sem could pull a rabbit out and perhaps Cab Sauv too, but a generally disappointing season.

2011 The Hunter Valley escaped the flood problems of further south, but it was still a cold, damp year.

2010 Regular heavy rain made for a tricky year in most districts. Lighter reds, good whites.

2009 Excellent vintage all over although reds better than whites. Both rain and heat caused some damage but overall a warm/hot, successful year.

2008 Good whites; torrential rain then destroyed virtually all Hunter reds. Canberra reds outstanding.

2007 Full flavour across white and red wines. Peak Hunter red vintage.

Victoria (Vic)

2012 A good, mild year – if, that is, the winemaker wasn't too affected by significant rain midway through vintage. Reds and whites of very good to exceptional quality.

2011 Wet; lots of disease pressure in vineyards. Generally better for whites than reds. Avoid unless you've done your research.

2010 More or less normal transmission resumed. Temperate vintage, no great alarms or surprises. Whites and reds should be good from most districts.

2009 Bush fire (and resultant smoke taint). Extreme heat and drought. Yarra Valley worst affected. Central Victorian reds of good, concentrated quality.

2008 Reds excellent in Grampians, Mornington Peninsula, Yarra Valley.

2007 Frost and bush-fire smoke taint hit many regions hard.

South Australia (SA)

2012 Yields were down but a brilliant year. A great Ries year has already been confirmed; Cab Sauv should be a particular standout; but should be super across the board.

2011 Horribly cool and wet year. Lean whites and herbal/spicy reds. Some interesting results.

2010 Excellent year. Clare and Eden Valley Ries both very good. Shiraz from all major districts best since 2005. Coonawarra Cab Sauv on song.

2009 Hot. Adelaide Hills good whites and reds. Coonawarra reds excellent. McLaren Vale and Barossa Valley generally good for Shiraz.

2008 Excellent wines picked prior to March heatwave, non-fortified "Ports" for those picked after. Very high alcohols. Coonawarra produced Cab of note.

2007 A dry, warm vintage favoured red wines across the board. Good at best.

Western Australia (WA)

2012 The drought continues and so, too, the run of beautiful, warm vintages.

2011 Warm, dry, early vintage. Particularly good Cab. Delicate whites less successful. WA's great run of vintages continues.

2010 Reds generally better than whites. Some were caught by late rains but, in general, a very good vintage.

2009 Especially good for Margaret River (r w) and Pemberton (w). Margaret River so often experiences polar-opposite conditions to the regions of the eastern states; here so again.

2008 The best for many years across all regions and all varieties.

2007 A warm, quick-fire vintage made white quality variable; fine reds.

Accolade Wines Name for all wines/wineries previously under HARDYS, CONSTELLATION groups. Under new ownership.

Adelaide Hills SA Best SAUV BL region: cool 450-metre sites in Mt Lofty ranges. CHARD and SHIRAZ its best performers now.

Alkoomi Mt Barker, WA r w ★ (RIES) 01 02' 04 05' 07' 08 09 10 11 12 (CAB SAUV) 01' 02' 04 05' 07 08 A veteran of 35 yrs making fine RIES and rustic, long-lived reds. Quiet of late.

All Saints Rutherglen, Vic r w br ★ Producer with a history of great fortifieds. Wooded MARSANNE, CHARD and Pierre CAB blend. Gd table wines.

Alpine Valleys Vic Geographically and varietally similar to KING VALLEY. Best producers: Mayford and Ringer Reef. TEMPRANILLO is the region's comet.

Andrew Thomas Hunter V, NSW r w ★★★ Fine producer: old-vine SEM, silken SHIRAZ.

Angove's SA r w (br) ★ MURRAY VALLEY family recently celebrated 125 yrs in the wine business. Excellent-value (r w) varietals. New organic offerings. High-priced reds too oak-heavy.

Annie's Lane Clare V, SA r w ★ Part of TWE. Consistently gd, boldly flavoured wines. Flagship Copper Trail excellent, esp RIES and SHIRAZ. Could do with some more love from its owners.

Arrivo Ad Hills, SA r Long-maceration, tannic, minty NEBBIOLO. Dry, complex, sexy rosé. Minute quantities.

Ashton Hills Ad Hills, SA r w (sp) ★★→★★★ (PINOT N) 97 04 05 07 08 09 10 Long-lived RIES and compelling Pinot N made by the ever-thoughtful Stephen George from 30-yr-old v'yds.

Bailey's NE Vic r w br ★★★ Rich SHIRAZ and magnificent dessert MUSCAT (★★★★) and TOPAQUE. Part of TWE. V'yds now grown organically. PETIT VERDOT a gd addition. Run of tough vintages but rediscovering its mojo.

Balgownie Estate r w ★★ Old name for medium-bodied, well-balanced, minty CAB, BENDIGO. Now with separate YARRA VALLEY arm.

Balnaves of Coonawarra SA r w ★★★ Grape-grower since 1975; winery since 1996. Lusty CHARD; v.gd spicy, mid-weight SHIRAZ. Full-bodied Tally CAB SAUV flagship.

Bannockburn Vic r w ★★★ (CHARD) 00 02' 03 04 05' 06' 08' 10' (PINOT N) 02' 04' 05' 06' 07' 08' 10' Intense, complex Chard and Pinot N. Funkified SAUV BL. Winemaker Michael "Gloverboy" Glover kicking goals from all angles.

Banrock Station Riverland, SA r w ★ Almost 1,600ha property on Murray River, 243ha v'yd, owned by ACCOLADE. Gd budget wines. Not the force it once was.

Barossa Valley SA Spiritual home of full-bodied Australian red. Local specialties: v. old-vine SHIRAZ, MOURVÈDRE, CAB SAUV and GRENACHE. New lease of life.

Top Aussie Grenache is now priced like top Shiraz. Used to be a bargain.

Bass Phillip Gippsland, Vic r ★★★ (PINOT N) 99' 02' 04 07' 10' Tiny amounts of stylish, sought-after, at times exceptional Pinot N in three quality grades. Girl with a curl Pinot N; when it's gd, it's v.v.gd, but when it's bad.... CHARD improving (09 Premium v.gd). Long considered Oz's high priest of Pinot N.

Bay of Fires N Tas r w sp ★★ Pipers River outpost of ACCOLADE empire. Stylish table wines and Arras super-cuvée sparkler. Complex PINOT N. Accolade seems to do its best to keep it hidden.

Beechworth Vic Cool-climate, inland, undulating region in the lee of the Victorian Alps. CHARD, SHIRAZ best performing grapes, with Italian varietal reds (NEBBIOLO, SANGIOVESE) causing a buzz. CASTAGNA, GIACONDA, Sorrenberg and SAVATERRE are best-known wineries. Golden Ball and A Rodda ascendant.

Bendigo Vic Warm central Victorian region with dozens of small v'yds. Some v.gd quality: BALGOWNIE ESTATE, Sutton Grange, Bress, HARCOURT VALLEY V'YDS, Turner's Crossing, Water Wheel best performers.

Best's Grampians, Vic r w ★★★ (SHIRAZ) 97' **01' 03'** 04' 05' 06 08 09' **10'** Conservative family winery; ***v.gd mid-weight reds.*** Thomson Family Shiraz from 120-yr-old vines superb. Recent form excellent. To everyone's surpise, winner of Australia's big wine prize (Jimmy Watson Trophy) for a Shiraz from cold, wet '11 vintage.

Bindi Macedon, Vic r w ★★★→★★★★ (PINOT N) 04' **06'** 08' **10'** Ultra-fastidious, terroir-driven; outstanding, long-lived Pinot N. CHARD high-quality, less age-worthy.

Blue Pyrenees Pyrenees, Vic r w sp ★ 180ha of mature v'yds; better utilized than before across a broad range of wines. CAB SAUV quality resurgent. Reds with strong gum-leaf flavours/aromas.

Terroirism alert: new McLaren Vale project, Scarce Earth, explores and promotes the region's terroir.

Boireann Granite Belt QLD r ★★→★★★ Consistently the best producer of red wines in Queensland (in tiny quantities). SHIRAZ/VIOGNIER the standout. Hard to find.

Brand's of Coonawarra Coonawarra, SA r w ★ 91' **94 96 98'** 02' 03 05' 06' Owned by MCWILLIAM'S. Custodian of 100-yr-old vines. Quality has struggled of late.

Bremerton Lang C, SA r w ★★ Red wines with silky-soft mouthfeel and mounds of flavour. Has thrived since sisters Lucy and Rebecca Willson – who are definitely doing it for themselves – took over the family winery. Full-bodied CAB and SHIRAZ.

Brokenwood Hunter V, NSW r w ★★★ (ILR Res SEM) **03' 05'** 06' (Graveyard SHIRAZ) 93' **97'** 98' **00' 02'** 03' 05' 07' **09'** and Cricket Pitch Sem/SAUV BL fuel sales. Shows no sign of slackening.

Brookland Valley Margaret R, WA r w ★★★ Superbly sited winery doing exciting things, esp with SAUV BL, CHARD and CAB SAUV. Budget Verse 1 SEM/Sauv Bl v.gd value. Owned by ACCOLADE.

Brown Brothers King V, Vic r w br dr sw sp ★→★★ (Noble RIES) **99'** 00 02' 04' 05' 08' Old family firm. Wide range of mid-quality varietal wines. CAB SAUV blend is best red. Extensive GLERA (as in Prosecco) plantings. Recently bought extensive Tasmanian PINOT N v'yds. Sweet wine (table and dessert) specialist.

Buller Rutherglen, Vic br ★★★ Wide range of varietal wines (middling quality) but rated here for superb Rare Liqueur MUSCAT and the newly minted TOPAQUE. Went into voluntary administration in late 2012.

By Farr/Farr Rising Vic r w ★★★★ 08' 09' 10' Father Gary and son Nick's own, after departure from BANNOCKBURN. CHARD and PINOT N can be minor masterpieces. Nick mostly in charge of winemaking now. Quality soaring. Estate and single-patch Pinot N offerings.

Campbells Rutherglen, Vic r (w) br ★★ Smooth, ripe reds (esp Bobbie Burns SHIRAZ); extraordinary Merchant Prince Rare MUSCAT and Isabella Rare TOPAQUE (★★★★).

Canberra District NSW Both quality, quantity on increase; site selection important; cool climate. CLONAKILLA best-known. COLLECTOR WINES, EDEN ROAD the new guns.

Capel Vale WA r w ★★→★★★ 165ha estate with v'yds across four regions. Wide range of varieties and prices. Variable quality.

Cape Mentelle Margaret R, WA r w ★★★ (CAB SAUV) 01' 07' 08' **10'** In rich gd form. Robust Cab has become a more elegant, (and lower alcohol) style, CHARD v.gd; also ZIN and v. popular SAUV BL/SEM. SHIRAZ on the rise. Owned by LVMH Veuve Clicquot (*see* France).

Capital Wines Canberra, NSW r w ★★ Estate's Kyeema v'yd has a history of growing some of region's best. SHIRAZ (table, sparkling) and RIES standouts. V.gd MERLOT.

Carlei Estate Yarra V, Vic r w ★★ Winemaker Sergio Carlei sources PINOT N and CHARD from cool regions to make characterful wines. Organic/biodynamic.

Casella Riverina, NSW r w ★ The [Yellow Tail] phenomenon includes multimillion-case sales in the USA. Like Fanta: soft and sweet. High Aussie dollar a persistent threat. 12 CHARD awful but SEM/SAUV BL blend gd value.

Castagna Beech, Vic r ★★★★ (SYRAH) **01'** 02' 04' **05'** 06' **08' 10'** Julian Castagna, as much chef as winemaker, is deserved leader of the Oz biodynamic brigade. SHIRAZ/VIOGNIER and SANGIOVESE/Shiraz blends excellent. Rosé and Sparkling Shiraz often Oz best.

Chalkers Crossing Hilltops, NSW r w ★★ Cool-ish climate wines made by French-trained Celine Rousseau; esp SHIRAZ. Alcohol levels worryingly high of late.

Chambers Rosewood NE Vic (r) (w) br ★★★ Viewed with MORRIS as the greatest maker of sticky TOPAQUE and MUSCAT. Far less successful table wines.

Chapel Hill McLaren V, SA r Leading producer of MCLAREN VALE. SHIRAZ, CAB lead the way, but TEMPRANILLO and GRENACHE both v.gd. Il Vescovo white blend promising.

Charles Melton Barossa V, SA r w (sp) ★★★ Tiny winery with bold, luscious reds, esp Nine Popes, an old-vine GRENACHE/SHIRAZ blend. Shiraz continues to shine.

Clare Valley SA Small, picturesque, high-quality area 145km north of Adelaide. Best for RIES; also gumleaf-scented SHIRAZ and esp CAB SAUV.

Clarendon Hills McLaren V, SA r ★★ Full-monty reds (high alcohol, intense fruit) made with grapes grown on the hills above MCLAREN VALE. Less prominent of late.

Clonakilla Canberra, NSW r w ★★★★ (SHIRAZ) 01' 03' 05' 06' 07' 08 **09' 10' 11'** ***Deserved leader of the Shiraz/Viognier brigade.*** RIES and other wines also v.gd.

Chard on a diet
Various reasons are cited for the slimming-down of Australian CHARD. Some say restaurants were fed up with fat, blowsy wines; but more probably it was the threat of imported NZ SAUV BL – a huge problem for Aussie whites on their home market. Hooray for competition.

Coldstream Hills Yarra V, Vic r w (sp) ★★★ (CHARD) **02' 03** 04' 05' 06' 07' 08' 10' 11' (PINOT N) 92' 96' **02' 04' 06'** 10' Established in 1985 by wine critic James Halliday. Delicious Pinot N to drink young, and ***Res to age.*** V.gd Chard (esp Res). Recent single-v'yd releases added sparkle. Part of TWE.

Collector Wines Canberra, NSW r ★★★ (Res SHIRAZ) 06' 07' 08' **09' 11'** Winemaker Alex McKay is local star. Res Shiraz: layers of spicy, perfumed, complex flavour.

Constellation Wines Australia (CWA) *See* ACCOLADE WINES.

Coonawarra SA Southernmost v'yds of state: home to some of Australia's best (value, quality) CAB SAUV; successful CHARD, RIES, SHIRAZ. WYNNS region's beating heart.

Coriole McLaren V, SA r w ★★ (Lloyd Res SHIRAZ) **91'** 96' 98' **02' 04'** 06' To watch, esp SANGIOVESE, old-vine Shiraz Lloyd Res. Interesting white from FIANO.

Craiglee Macedon, Vic r w ★★★ (SHIRAZ) **96'** 97' **98'** 00' **02'** 04' 05 06' **08** Re-creation of famous 19th-century estate. Fragrant, peppery Shiraz, CHARD. Shiraz/VIOGNIER new addition. Gem.

Crawford River Heathcote, Vic w ★★★ Consistently one of Australia's best RIES from this ultra-cool region.

Cullen Wines Margaret R, WA r w ★★★ (CHARD) **00' 02'** 04' 05' 07 08' **09'** 10' (CAB SAUV/MERLOT) 94' 95' 98' 04' 05' 07' 09' Vanya Cullen makes substantial but subtle SEM/SAUV BL, outstanding Chard and elegant Cab/Merlot. Biodynamic.

Cumulus Orange, NSW r w ★ By far the largest v'yd owner and producer in ORANGE. Variable quality.

Curly Flat Macedon, Vic r w ★★★ (PINOT N) 03' 05' 06' **08'** 10' Robust but perfumed Pinot N (esp impressive) on two price/quality levels. Full-flavoured CHARD. Both are age-worthy.

Dalwhinnie Pyrenees, Vic r w ★★★ (CHARD) **04' 05' 06'** 08' (SHIRAZ) **99' 00 02** 04' **05'** 06' 07' 08' **10'** Rich Chard, CAB SAUV and Shiraz. Best PYRENEES producer.

d'Arenberg McLaren V, SA r w (br) (sw) (sp) ★★→★★★ Sumptuous SHIRAZ and (increasingly its best wines) GRENACHE, lots of varieties and wacky labels (incl The Cenosilicaphobic Cat SAGRANTINO). Regional stalwart.

Deakin Estate Vic r w ★ High-volume, high-value varietal table wines. V. low-alcohol MOSCATO. Spicy SHIRAZ. Remarkable consistency.

De Bortoli Griffith, NSW, Yarra V, Vic r w (br) dr sw ★★★★ (Noble SEM) Both irrigation-area winery and leading YARRA producer. Excellent PINOT N, SHIRAZ, CHARD, SAUV BL and v.gd sweet, botrytized, Sauternes-style Noble Sem. Yarra arm has become a seminal Oz winery over the past decade.

Devil's Lair Margaret R, WA r w ★★★ Opulent CHARD and CAB SAUV/MERLOT. Fifth Leg popular second label. New 9th Chamber Chard raises the quality bar substantially. Part of TWE.

Domaine A S Tas r w ★★★ Swiss owners/winemakers Peter and Ruth Althaus are perfectionists; v.gd SAUV BL (FUMÉ BLANC). Polarizing cool-climate CAB SAUV.

Domaine Chandon Yarra V, Vic (r) (w) sp ★ Gd sparkling wine, grapes from cooler wine regions. Owned by Moët & Chandon (*see* France). Known in UK as Green Point. Standards should improve with new winemaker.

Eden Road r w ★★★ Tip-top producer making wines from Hilltops, TUMBARUMBA, CANBERRA DISTRICT regions. V.gd SHIRAZ, CHARD and CAB SAUV.

Eden Valley SA Hilly, rock-strewn region home to HENSCHKE, TORZI MATTHEWS, Radford, PEWSEY VALE; RIES and (perfumed, bright) SHIRAZ of v. high quality.

Elderton Barossa V, SA r w (br) (sp) ★★ Old vines; rich, oaked CAB SAUV and SHIRAZ. Trialling organics/biodynamics.

Eldridge Estate Mor Pen, Vic r w ★★★ Winemaker David Lloyd is a fastidious experimenter. PINOT N, GAMAY, CHARD worth the fuss.

Epis Macedon, Vic r w ★★★ (PINOT N) Straight-shooting Alec Epis grows a mighty grape. Long-lived Pinot N; elegant CHARD. Cold climate.

Evans & Tate Margaret R, WA r w ★★ Owned by MCWILLIAM'S (2007). Commendable quality, esp Res SHIRAZ and Res CHARD. Known most for its budget offerings.

Faber Vineyards Swan V, WA r ★★★ (Res SHIRAZ) 03' 07' 08' 09' 10'. John Griffiths is a (young-looking) veteran of WA wine and a guru of the winemaking West. His home estate makes concentrated Shiraz of perception-altering quality.

Ferngrove Vineyards Gt Southern, WA r w ★ Cattle farmer Murray Burton's 223ha wine venture. Gd RIES, MALBEC, CAB SAUV.

Flametree Margaret R, WA r w ★★★ Exceptional CAB SAUV; spicy and seductive SHIRAZ. Winemaker Cliff Royle (ex-Voyager) has the range looking spirited.

Fletcher Pyrenees, Vic r Tiny production (less than 100 dozen per wine). NEBBIOLO-focused. New face of Australian wine.

Fraser Gallop Estate Margaret R, WA r w ★★ New breed of MARGARET RIVER; concentrated CAB SAUV and CHARD of note.

Freycinet Tas r w (sp) ★★★ (PINOT N) 96' 00' **02'** 05' 06' 07' 08' 09' **10'** East-coast winery; dense Pinot N, gd CHARD. Radenti sparkling could well challenge both.

Frogmore Creek Tas r w ★★★ One of the few Australian producers to move from organic/biodynamic back to conventional farming. Wine is excellent, regardless. Off-dry RIES, age-worthy CHARD, undergrowthy PINOT N.

Geelong Vic Region west of Melbourne. Excellent performer since re-establishment in the mid-1960s. Cool, dry climate. Names incl BANNOCKBURN, BY FARR, Curlewis, LETHBRIDGE, Bellarine Estate, SCOTCHMANS HILL.

Gemtree Vineyards McLaren V, SA r (w) ★★ Warm-hearted SHIRAZ alongside TEMPRANILLO and other exotica, linked by quality. Largely biodynamic.

Geoff Merrill McLaren V, SA r w ★ Ebullient maker of Geoff Merrill and Mt Hurtle brands. Wine report mixed.

Giaconda Beech, Vic r w ★★★★ (CHARD) 96' 00' **02' 04'** 05' 06' **08'** 10' (SHIRAZ) **02'** 04' 06' **08'** In the mid-1980s Rick Kinzbrunner did that rare thing: walked up a steep, rocky, untried hill and came down an elite wine-grower. Regarded by many as Australia's best Chard producer. Excellent Shiraz. NEBBIOLO of promise.

Glaetzer-Dixon Tas r w ★★★ The GLAETZER clan is famous in Australia for cuddly warm-climate SHIRAZ. Then Nick Glaetzer set-up shop in cool TASMANIA and hit the jackpot with Euro-style RIES, Rhôney Shiraz and meaty PINOT N.

Glaetzer Wines Barossa V, SA r ★★ Hyper-rich, unfiltered, v. ripe old-vine SHIRAZ led by iconic Amon-Ra. V.gd examples of high-octane style.

Goulburn Valley Vic Old region in temperate mid-Victoria. Full-bodied, savoury table wines. MARSANNE, CAB SAUV, SHIRAZ the pick, TAHBILK and MITCHELTON the mainstay wineries. Also referred to as Nagambie Lakes.

Grampians Vic Region previously known as Great Western. Temperate region in northwest Victoria. High-quality, spicy SHIRAZ and sparkling Shiraz.

Granite Belt Qld High-altitude, (relatively) cool, improbable region just north of Queensland/NSW border. Spicy SHIRAZ and rich SEM.

Grant Burge Barossa V, SA r w (br) (sw) (sp) ★★ Smooth reds and whites from the best grapes of Burge's large v'yd holdings. Beginning to stir.

Great Southern WA Remote cool area; Albany, Denmark, Frankland River, Mount Barker and Porongurup are official subregions. First-class RIES and SHIRAZ.

Greenstone Vineyard Heathcote, Vic r ★★ Partnership between David Gleave MW (London), Alberto Antonini (Italy) and Australian viticulturist Mark Walpole; v.gd SHIRAZ, gd SANGIOVESE.

Grosset Clare V, SA r w ★★★ (RIES) **00'** 02' 03' 06' 07' 10' 12' (Gaia) 90' 91' 96' **98' 99'** 02' 04' 05' 06' Fastidious winemaker. Foremost Australian Ries, lovely CHARD and v.gd Gaia CAB SAUV/MERLOT.

Hanging Rock Macedon, Vic r w sp ★★ (Heathcote SHIRAZ) **00' 01'** 02' 04' 06' **08'** Successfully moved upmarket with sparkling Macedon and Heathcote Shiraz, but quiet of late.

Harcourt Valley Vineyards Bendigo, Vic r ★★ Unremarkable for yrs but following a family tragedy this estate has sprung thoroughly to life. Dense, syrupy, seductive SHIRAZ, MALBEC, CAB SAUV. 2011 reds less successful.

Hardys r w (sw) sp ★★★ (Eileen CHARD) **01' 02' 04'** 05 **06'** 08' 09' 10' (Eileen SHIRAZ) 70' **96'** 98' **02'** 04' 06' **07'** Historic company now part of ACCOLADE. Top end excellent but looking for some love.

Heathcote Vic The 500-million-yr-old, blood-red Cambrian soil has great potential to produce high-quality reds, esp SHIRAZ. Just starting to live up to its hype.

Heggies Eden V, SA r w dr (sw) ★★ V'yd at 500 metres owned by S Smith & Sons with v.gd RIES and VIOGNIER. ***Chard is still the in-the-know tip.***

Henschke Eden V, SA r w ★★★★ (SHIRAZ) **58' 84' 86' 90' 91'** 96' 98' 01 02' 04' 06' 07' (CAB SAUV) **86' 88** 90' 96' 98 99' 02' 04' 06' Pre-eminent 140-yr-old family business known for delectable Hill of Grace (Shiraz), v.gd Cab Sauv and red blends, gd whites and scary prices.

Hewitson SE Aus r (w) ★★★ (***Old Garden Mourvèdre***) **98'** 99' 02' 05' 06' 09' **10'** Dean Hewitson sources parcels off v. old vines. SHIRAZ and varietal release from "oldest MOURVÈDRE vines on the planet".

Hollick Coon, SA r w (sp) ★ Gd CAB SAUV, SHIRAZ. Lively restaurant with v'yd views.

Houghton Swan V, WA r w ★★ Famous old winery of Western Australia. Now part of ACCOLADE. Soft, ripe Supreme is top-selling, age-worthy white; ***a national classic.*** V.gd CAB SAUV, SHIRAZ, etc. sourced from MARGARET RIVER and GREAT SOUTHERN.

Howard Park WA r w ★★★ (RIES) 97' 99' 02' 04 05' 07' 08' 09' 11' 12' (CAB SAUV) 88' 94' 96' **99'** 01' 05' 07' **09'** (CHARD) 01' 02' 04 05' 07' **08'** 09' **10'** Scented Ries, Chard; spicy Cab Sauv. Second label ***MadFish is excellent value.***

Hunter Valley NSW Great name in NSW. Mid-weight, earthy SHIRAZ and gentle SEM that can live for 30 yrs. Classic terroir-driven styles.

Islander Estate, The Kang I, SA r w ★ Interesting outpost of Jacques Lurton of Bordeaux. GRENACHE, MALBEC, CAB SAUV/SHIRAZ/VIOGNIER all gd.

Jacob's Creek (Orlando) Barossa V, SA r w (br) (sw) sp ★★ Pioneering company, owned by Pernod Ricard. Almost totally focused on various tiers of Jacob's Creek wines, covering all varieties and prices.

Jasper Hill Heathcote, Vic r w ★★★ (SHIRAZ) 85' 96' **97' 98' 99'** 02' 04' 06' 08' **09' 10'**. Emily's Paddock Shiraz/CAB FR blend and Georgia's Paddock Shiraz from dry-land estate are intense and long-lived. Biodynamic.

Jim Barry Clare V, SA r w ★★★ Great v'yds provide v.gd RIES, McCrae Wood SHIRAZ and richly robed and oaked The Armagh Shiraz.

First Aussie Assyrtiko on track from Jim Barry: vines from Santorini, 10 years+ from import to first wine.

John Duval Wines Barossa V, SA r ★★★ John Duval – former chief red winemaker for PENFOLDS (and Grange) – makes ***delicious Rhôney reds*** that are supple and smooth, yet amply structured.

Kaesler Barossa V, SA r (w) ★★ Wine in the glass generally gd (in heroic style) though alcohol levels often intrude. Old vines.

Katnook Estate Coon, SA r w (sw) (sp) ★★ (Odyssey CAB SAUV) 91' 92' 94' 96' 97' **98'** 00 01' 02' 05' 08' Pricey icons ***Odyssey*** and Prodigy SHIRAZ. Cannily oaked. Standard 2009 Cab Sauv v.gd.

Keith Tulloch Hunter V, NSW r w ★★ Ex-Rothbury winemaker fastidiously crafting elegant yet complex SEM, SHIRAZ, etc.

Kilikanoon Clare V, SA r w ★★→★★★ RIES and SHIRAZ excellent performers in recent yrs. Luscious, beautifully made, heroic reds in general.

Kingston Estate SE Aus r w ★ Kaleidoscopic array of varietal wines from all over the place, consistency and value providing the glue.

King Valley Vic Altitude between 155–860 metres has massive impact on varieties and styles. Around 30 brands headed by BROWN BROTHERS, Dal Zotto, Chrismont and PIZZINI.

Knappstein Wines Clare V, SA r w ★ Reliable RIES, CAB SAUV/MERLOT, SHIRAZ and Cab Sauv. Owned by LION NATHAN.

Kooyong Mor Pen, Vic r w ★★★ PINOT N and CHARD of power and structure, PINOT GR of charm. Single-v'yd wines. Winemaker Sandro Moselle and team have established this estate as among Australia's finest.

Lake Breeze Lang C, SA r (w) ★★ Long-term grape-growers turned winemakers; succulently smooth, value SHIRAZ and CAB SAUV.

Lake's Folly Hunter V, NSW r w ★★ (CHARD) **97' 99'** 00' 01' **04' 05' 07'** (CAB SAUV) **69' 89'** 93 97' 98' 03' 05' 07' Founded by Max Lake, pioneer of HUNTER VALLEY Cab Sauv. Chard often better than Cab Sauv blend.

Langmeil Barossa V, SA r w ★★ Owns the world's oldest block of SHIRAZ (planted in 1843) plus other old v'yds, making opulent Shiraz.

Larry Cherubino Wines Frankland R, WA r w ★★★ Ex-HOUGHTON winemaker now putting runs on the board under his own name. Intense SAUV BL, RIES, ***spicy Shiraz*** and curranty CAB SAUV. Ambitious label with multiple ranges.

Lazy Ballerina McLaren V, SA r ★★ Young viticulturist James Hook calls his winery newsletter *Wine Fight Club* and makes robust reds to match, mostly with SHIRAZ.

Leasingham Clare V, SA r w ★★ Once-important brand with v.gd RIES, SHIRAZ, CAB SAUV and Cab Sauv/MALBEC blend. Husk of its former self. Brand owned by ACCOLADE; v'yds and winery sold off. Classic Clare Sparkling Shiraz its best wine.

Leeuwin Estate Margaret R, WA r w ★★★★ (CHARD) 87' 92' 97' 99' **01' 02'** 04' 05' 06 07' 08' 09' Leading West Australia estate. Superb, age-worthy Art Series Chard. SAUV BL and ***Ries*** gd but not in the same class. CAB SAUV v. gd and improving.

Leo Buring Barossa V, SA w ★★★ 79' 84' 91' 94 98' 02' 04 05' 06' 08' 12' Part of TWE. Exclusively RIES; Leonay top label, ***ages superbly***.

Lethbridge Vic r w ★★★ Stylish, small-run producer of CHARD, SHIRAZ, PINOT N. Its reputation grows annually.

Limestone Coast Zone SA Important zone, incl Bordertown, COONAWARRA, Mt Benson, Mt Gambier, PADTHAWAY, Robe, WRATTONBULLY.

Lindeman's r w ★★ Owned by TWE. Low-price Bin range now its main focus, a far cry from former glory. Lindeman's COONAWARRA Trio reds v.gd but unexciting.

Lion Nathan NZ brewery; owns KNAPPSTEIN, PETALUMA, ST HALLETT, STONIER, TATACHILLA.

Macedon and Sunbury Vic Adjacent regions: Macedon higher elevation, Sunbury nr Melbourne airport. CRAIGLEE, Granite Hills, HANGING ROCK, BINDI, CURLY FLAT, EPIS.

McLaren Vale SA Historic region on southern outskirts of Adelaide. Big, alcoholic, flavoursome reds have great appeal in the USA, but CORIOLE, CHAPEL HILL, WIRRA WIRRA, GEMTREE and growing number of others show elegance as well as flavour. Single-site wines a growing regional emphasis.

McWilliam's SE Aus r w (br) (sw) ★★ Family-owned. Interesting stage of its long history. Quality of the much-loved Elizabeth SEM is wavering, though the cheaper Hanwood blends are still outstanding value in many parts of the world. ***Lovedale Sem*** so consistent that vintages irrelevant. O'Shea SHIRAZ can be v.gd.

McWilliam's new Mothervine bottling is made from Mothervine 6, from which most Pinot Noir in Oz – until the past decade – was propagated.

Main Ridge Estate Mor Pen, Vic r w ★★★ Rich, age-worthy CHARD, PINOT N. Peninsula pioneer Nat White boasts that the region has now made all of its mistakes "because I made them all".

Majella Coon, SA r (w) ★★★ Top of COONAWARRA cream. SHIRAZ and CAB SAUV often better than the super-premium Malleea Cab Sauv/Shiraz.

Margaret River WA Temperate coastal area south of Perth. Australia's most vibrant tourist wine (and surfing) region. Makes powerful CHARD, structured CAB SAUV, spicy SHIRAZ.

Mayford NE Vic, Vic r w ★★ Tiny v'yd in a private, hidden valley. Star producer of its region. SHIRAZ, CHARD, exciting TEMPRANILLO.

Meerea Park Hunter V, NSW r w ★★ Brothers Garth and Rhys Eather have taken 20 yrs to be an overnight success. Age-worthy SEM, CHARD, SHIRAZ.

Mike Press Wines Ad Hills, SA r w ★ Tiny production, tiny pricing. SHIRAZ, CAB SAUV, CHARD, SAUV BL. Has fast become a crowd favourite among bargain hunters.

Mitchelton Goulburn V, Vic r w (sw) ★ Reliable producer of RIES, SHIRAZ, CAB SAUV, plus speciality of ***Marsanne*** and ROUSSANNE. New owners to give the place a rev.

Mitolo r ★★ High-quality SHIRAZ and CAB SAUV; Ben GLAETZER winemaker. Heroic but (often) irresistible wines.

Moorilla Estate Tas r w (sp) ★★ Nr Hobart on Derwent River. V.gd RIES, CHARD; PINOT N. Superb restaurant and extraordinary art gallery.

Moorooduc Estate Mor Pen, Vic r w ★★★ Stylish and sophisticated (wild yeast, etc.) producer of top-flight CHARD and PINOT N. Influential.

Moppity Vineyards Hilltops, NSW r w ★★ Making a name for Res SHIRAZ/VIOGNIER (Hilltops) and CHARD (TUMBARUMBA).

Mornington Peninsula Vic Exciting wines in cool coastal area 40km southeast of Melbourne. Scores of quality boutique wineries. Brilliant tourist destination.

Morris NE Vic (r) (w) br ★★★★ RUTHERGLEN producer of Australia's greatest dessert MUSCATS and Tokays/TOPAQUES.

Moss Wood Margaret R, WA r w ★★★ (CAB SAUV) 80' 85' 90' 91' 04' 05' 07' 08' Makes MARGARET RIVER's most opulent wines from its 11.7ha. SEM, CHARD, super-smooth ***Cab Sauv***. Oak-heavy.

Mount Horrocks Clare V, SA r w ★★★ Fine, dry RIES and sweet Cordon Cut Ries; ***Chard best in region***. SHIRAZ and CAB SAUV getting better.

Mount Langi Ghiran Grampians, Vic r w ★★★★ (SHIRAZ) 89' 93' 96' 05' 06' 08' 09' Rich, peppery, ***Rhône-like Shiraz***, one of Australia's best cool-climate versions. V.gd sparkling Shiraz, too. Sister of YERING STATION.

Mount Mary Yarra V, Vic r w ★★★ (PINOT N) 97' 99 00' 02' 05' 06' (Quintet) 84' 86' 88' 90' 92' 96' 98' 02' 04' 06 The late Dr John Middleton made tiny amounts of suave CHARD, vivid Pinot N and (best of all) CAB SAUV blend. All age impeccably. Jury increasingly out on modern era.

Mudgee NSW Long-established region northwest of Sydney. Big reds, surprisingly fine SEM and full CHARD. Struggling to gain traction of late.

Murray Valley SA Vast irrigated v'yds. Now at the centre of the drought/climate-change firestorm.

Ngeringa Ad Hills, SA r w ★★ Perfumed, biodynamically grown PINOT N. Rhôney SHIRAZ. Complexity is king here.

Ninth Island Tas *See* PIPERS BROOK (Kreglinger).

Ochota Barrels Barossa V, SA r w ★★★ Quixotic producer making hay with (mostly) old-vine GRENACHE and SHIRAZ from MCLAREN VALE and the BAROSSA. Leader of the "new guard" from these regions.

O'Leary Walker Wines Clare V, SA r w ★★★ Low-profile winery but excellent quality. CLARE VALLEY RIES and CAB SAUV are the standouts. MCLAREN VALE SHIRAZ is oak-heavy but gd, too.

Orange NSW Cool-climate, high-elevation region. Lively SHIRAZ (when ripe) but excellent SAUV BL and CHARD.

Screwcap takes the cake

The Australian wine industry is so proud – and pleased with the performance – of its widespread move to screwcaps (from corks) over the past decade that in 2012 it honoured the convenient closure with its grandest prize: the Maurice O'Shea Award. Both red and whites are now proven to age under screwcaps, and no other closure presents wine in the condition its winemaker intended the way the screwcap does: the mainstay of Oz, winemakers believe.

Padthaway SA Large area developed as overspill of COONAWARRA. V.gd SHIRAZ and CAB SAUV. Salinity is an issue.

Pannell, SC McLaren V, SA r ★★★ Ex-HARDYS chief winemaker Steve Pannell now with his own label. Excellent SHIRAZ and (esp) GRENACHE-based wines. NEBBIOLO rising. Outstanding of late.

Paringa Estate Mor Pen, Vic r w ★★★★ Maker of spectacular PINOT N and SHIRAZ. Fleshy, fruity, flashy styles. Irresistible.

Paxton McLaren V, SA r ★★ Significant v'yd holder. Largely organic/biodynamic. Ripe but elegant SHIRAZ and GRENACHE. Hugely influential – by its deeds – in Australia's biodynamic movement.

Pemberton WA Region between MARGARET RIVER and GREAT SOUTHERN; initial enthusiasm for PINOT N replaced by RIES, CHARD, MERLOT, SHIRAZ.

Penfolds Originally Adelaide, now everywhere r w (br) (sp) ★★★→★★★★ (Grange) 52' 53' 55' 60' 62' 63' 66' 71' 76' 78' 83' 86' 90' 94' 96' 98' 99' 02' 04' 05' 06' (CAB SAUV Bin 707) 64' 66' 76' 86' 90' 91' 96' 98' 02' 04' 06' 07' 08 Consistently Australia's best warm-climate red wine company. Grange (was called Hermitage) deservedly ★★★★. Yattarna CHARD and Bin Chard now of comparable quality to reds. St Henri SHIRAZ much loved.

Penley Estate Coon, SA r w ★ Rich, textured, fruit-and-oak CAB SAUV; SHIRAZ/Ca Sauv blend; CHARD. Reds curiously, and persistently, high in alcohol.

Perth Hills WA Fledgling area 30km east of Perth, with a large number of growe on mild hillside sites. Millbrook and Western Range best.

Petaluma Ad Hills, SA r w sp ★★★ (RIES) 02' 04' 05' 06' '11 (CHARD) **01'** **03'** 04' c 06' (CAB SAUV COONAWARRA) 79' **90'** 91 **98'** 99' 04' 05' 07' '08 Created by industr leader Brian Croser. Reds richer from 1988 on. Fell prey to LION NATHAN in 200

Peter Lehmann Wines Barossa V, SA r w (br) (sw) (sp) ★★★ Defender of BAROSS VALLEY faith. Consistently well-priced wines in substantial quantities. Luxuriou Stonewell SHIRAZ and outstanding Res Bin SEM and RIES.

Pewsey Vale Ad Hills, SA w ★★★ Glorious RIES, esp The Contours, released unde screwcap with 5 yrs' bottle-age.

Piano Piano Beech, Vic r w New producer working a v'yd in the next paddock alon from GIACONDA. Powerful barrel-fermented CHARD.

Pierro Margaret R, WA r w ★★ (CHARD) **96'** **99'** 00' **01'** **02'** 03 05' **06'** **07'** **08'** **09** Producer of expensive, tangy SEM/SAUV BL and barrel-fermented Chard.

Pipers Brook Tas r w sp ★★ (RIES) **99'** **00'** **01'** 02' 04' **06'** 07' 09' (CHARD) **00'** 02' 0 07' 08' Cool-area pioneer; gd Ries, ***restrained Chard and sparkling*** from Tama Valley. Second label: Ninth Island. Owned by Belgian Kreglinger family.

Pirramimma McLaren V, SA r w ★ Century-old family business with large v'yd moving with the times; snappy new packaging, the wines not forgotten.

Pizzini King V, Vic r ★★ (NEBBIOLO) **98'** 02' 05' 06' Leads the charge towards Italia varieties in Australia. Nebbiolo, SANGIOVESE and blends. But vintages of late hav been difficult.

Plantagenet Mt Barker, WA r w (sp) ★★ The region's elder statesman: wide range c varieties, esp rich CHARD, SHIRAZ and vibrant, potent CAB SAUV.

Primo Estate SA r w dr (sw) ★★★ Joe Grilli's many successes incl v.gd MCLAREN VAL spicy SHIRAZ/SANGIOVESE, rich Shiraz, tangy COLOMBARD and potent Joseph CA SAUV/MERLOT.

Punch Yarra V, Vic r w ★★★★ The Lance family ran and established Diamon Valley for decades but when they sold, they retained the close-planted PINOT v'yd. It grows detailed, decisive, age-worthy wines. Fires of 2009 have onl strengthened their resolve.

Pyrenees Vic Central Victorian region producing rich, often minty reds. DALWHINNI TALTARNI, BLUE PYRENEES, Mt Avoca, FLETCHER and Dog Rock wineries all ascendant

Richmond Grove Barossa V, SA w ★ Gd RIES at bargain prices; not much else Owned by JACOB'S CREEK.

Riverina NSW Large-volume irrigated zone centred on Griffith.

Robert Oatley Wines Mudgee, NSW r w ★★ Robert Oatley created ROSEMOUNT ESTATE Ambition burns anew. Quality slowly improving. New Finisterre range v.gd.

Rockford Barossa V, SA r w sp ★★→★★★★ Small producer from old, low-yielding v'yds; reds best, also iconic sparkling Black SHIRAZ.

Rosemount Estate r w ★ A major presence in production terms. In the doldrums for nearly a decade but recent quality stirrings.

Ruggabellus Barossa V, SA r ★★★ New outfit causing a stir. Funkier, more savour version of the BAROSSA. Old oak, minimal sulphur, wild yeast, whole bunches, stems. Blends of GRENACHE, SHIRAZ, MATARO, CINSAULT.

Rutherglen and Glenrowan Vic Two of four regions in the northeast Vic zone, justly famous for sturdy reds and magnificent fortified dessert wines.

St Hallett Barossa V, SA r w ★★★ (Old Block) **86'** **90'** **91'** **98** 99' 01' 02' 05' 06' 08 **09'** Old Block SHIRAZ the star; rest of range is smooth, stylish. LION NATHAN-owned

Saltram Barossa V, SA r w ★★ Excellent-value Mamre Brook (SHIRAZ, CAB SAUV) and prestige No 1 Shiraz are leaders. Underestimated. TWE-owned.

amuel's Gorge McLaren V, SA r ★★★ Justin McNamee has hair like Sideshow Bob (*The Simpsons*) but is making SHIRAZ and TEMPRANILLO of character and place. The wines are getting better, too.

andalford Swan V, WA r w (br) ★★ Fine old winery with contrasting styles of red and white single-grape wines from SWAN VALLEY and MARGARET RIVER regions.

avaterre Beech, Vic r w ★★★ (PINOT N) 02' 04' 06' 08' **10'** Tough run of seasons but a v.gd producer of CHARD and Pinot N. Close-planted. SHIRAZ about to bear fruit.

cotchmans Hill Vic r w ★ Makes significant quantities of cool-climate PINOT N, CHARD and spicy SHIRAZ.

eppelt Grampians, Vic r w br (sw) sp ★★★ (St Peter's SHIRAZ) **71' 85 86' 91' 96' 97'** **99'** 02' 04' 05' 06 08' 09' Historic name owned by TWE. Impressive array of region-specific RIES, CHARD, SHIRAZ.

eppeltsfield Barossa V, SA r br ★★ National Trust Heritage Winery bought by KILIKANOON in 2007. Fortified wine stocks back to 1878. Table wines released in 2012 promising.

etanta Wines Ad Hills, SA r w ★★ The Sullivan family, first-generation Australians originally from Ireland, make wonderful RIES, CHARD, SAUV BL, SHIRAZ, CAB SAUV, with Irish mythology labels of striking design.

evenhill Clare V, SA r w (br) ★ Owned by the Jesuitical Manresa Society since 1851. Consistently gd SHIRAZ; RIES.

ifties revival: Orlando might relaunch Barossa Pearl (sw sp). Blame Moscato craze.

eville Estate Yarra V, Vic r w ★★★ (SHIRAZ) **94 97' 99'** 02' 04' 05' 06' 08' **10'** Exc CHARD, Shiraz, PINOT N. A buzz about this place of late.

hadowfax Vic r w ★★ Stylish winery, part of Werribee Park; also hotel based on 1880s mansion. V.gd CHARD, PINOT N, SHIRAZ.

Shaw & Smith Ad Hills, SA (r) w ★★★ Founded by Martin Shaw and Australia's first MW, Michael Hill-Smith. Crisp, harmonious SAUV BL; complex, barrel-fermented M3 CHARD and, surpassing them both, SHIRAZ.

Shelmerdine Vineyards Heathcote, Vic r w ★★ Elegant wines from estate in the YARRA VALLEY and HEATHCOTE. PINOT N can be v.gd.

South Coast NSW Zone NSW Incl Shoalhaven Coast and Southern Highlands.

Southern NSW Zone NSW Incl CANBERRA, Gundagai, Hilltops, TUMBARUMBA.

Spinifex Barossa V, SA r w ★★★ Small, high-quality producer of complex SHIRAZ and GRENACHE blends. Nothing over-the-top. Wonderful producer.

Stanton & Killeen Rutherglen, Vic r br ★★★ The untimely death of Chris Killeen in 2007 was major blow; his children carry on in gd style. Fortified vintage the star.

Stefano Lubiana S Tas r w sp ★★★ Beautiful v'yds on the banks of the Derwent River 20 minutes from Hobart. Excellent PINOT N, sparkling, MERLOT and CHARD.

Stella Bella Margaret R, WA r w ★★★ Humdinger wines. CAB SAUV, SEM/SAUV BL, CHARD, SHIRAZ, SANGIOVESE/Cab Sauv. Highly individual. Sturdy, lengthy, characterful.

Stoney Rise Tas r w ★★★ In another life Joe Holyman was wicketkeeper for the Tasmanian cricket team; he holds the first-class record for the most number of catches on debut. His outstanding PINOT N and CHARD now catch Tassie's cool rays; Joe looks after all sundry winemaking tasks.

Stonier Wines Mor Pen, Vic r w ★★ (CHARD) 02' 04' 05' 06' 07' 08' (PINOT N) 00' 02' 04' **05 06'** 07' 08' **09'** Consistently gd; Res's notable for their elegance. Owned by LION NATHAN.

Sunbury Vic *See* MACEDON AND SUNBURY.

Swan Valley WA Located 20 minutes north of Perth. Birthplace of wine in the west. Hot climate makes strong, low-acid wines; being rejuvenated for wine tourism. FABER V'YDS leading the quality way.

Tahbilk Goulburn V, Vic r w ★★★ (MARSANNE) 74' 82' 92' 97' 99' **01' 03'** 05' 06'

07' 08' 10' (SHIRAZ) 68' 71' 76' 86 98' 02' 04' 05 06' Historic family estate: long-ageing reds, also RIES and some of Australia's best ***Marsanne***. Res CAB SAUV outstanding; value for money ditto. Rare 1860 Vines Shiraz.

Taltarni Pyrenees, Vic r w sp ★★ SHIRAZ, CAB SAUV best shape in yrs. Long-haul wines but jackhammer no longer required to remove the tannin from your gums.

Tamar Ridge N Tas r w (sp) 230ha+ of vines make this a major player in TASMANIA. Acquired in 2010 by BROWN BROTHERS.

Tapanappa SA r ★★★ WRATTONBULLY collaboration between Brian Croser, Bollinger and J-M Cazes of Pauillac. Splendid CAB SAUV blend, SHIRAZ, MERLOT. Surprising ***Pinot N*** from Fleurieu Peninsula.

TarraWarra Yarra V, Vic r w ★★★ (CHARD) **02'** 04' 05' 06' 08' **09'** 10' (PINOT N) **00'** 01 **02'** **04'** 05' 06' **10'** Moved from hefty, idiosyncratic to elegant. Res better than standard.

Tasmania Production continues to surge but still small. Outstanding sparkling PINOT N and RIES in cool climate, CHARD, SAUV BL and PINOT GR v.gd.

Tatachilla McLaren V, SA r w ★ Significant production of whites and gd reds. Acquired by LION NATHAN in 2002. Off the boil.

Taylors Wines Clare V, SA r w ★★ Large-scale production led by RIES, SHIRAZ, CAB SAUV. Exports under Wakefield Wines brand with success.

Ten Minutes by Tractor Mor Pen, Vic r w ★★★ Wacky name, smart packaging; rapidly growing under Martin Spedding. ***Chard and Pinot N both excellent***, and will age.

Teusner Barossa V, SA r ★★★ Old vines, clever winemaking, pure fruit flavours. Leads a BAROSSA VALLEY trend towards "more wood, no good". All about the grapes.

Topaque Vic Iconic RUTHERGLEN sticky Tokay gains a (somewhat bizarre) new name thanks to the EU.

Australian growers are mad for Italian vines: Nero d'Avola, Arneis, Negroamaro, Vermentino...

Torbreck Barossa V, SA r (w) ★★★ The most stylish of the cult wineries beloved of the USA. Focus on old-vine Rhône varieties led by SHIRAZ. Rich, sweet, high alcohol – a sip goes a long way.

Torzi Matthews Eden V, SA r ★★ Aromatic, stylish SHIRAZ. Lower-priced wines often as gd. Torzi Schist Rock Shiraz difficult to say, politely, after a glass or two – but well worth a try.

Treasury Wine Estates (TWE) Aussie wine behemoth. Merger of Beringer Blass and Southcorp wine groups. Dozens of well-known brands, LINDEMAN'S, PENFOLDS, WYNNS, DEVIL'S LAIR, COLDSTREAM HILLS, SALTRAM among them.

Trentham Estate Vic (r) w ★★ 60,000 cases of sensibly priced wines, family-grown and -made, from "boutique" winery on Murray River.

Tumbarumba NSW Cool-climate NSW region nestled in the Australian Alps. Sites between 500–800 metres. CHARD the star.

Turkey Flat Barossa V, SA r p ★★ Top producer of bright-coloured rosé, GRENACHE, SHIRAZ from core of 150-yr-old v'yd. Controlled alcohol, oak. New single-v'yd wines.

Two Hands Barossa V, SA r ★★ Cult winery with gd SHIRAZ from PADTHAWAY, MCLAREN VALE, Langhorne Creek, BAROSSA VALLEY and HEATHCOTE stuffed full of alcohol, rich fruit and the kitchen sink.

Tyrrell's Hunter V, NSW r w ★★★★ (SEM) 99' 00' **01'** 05' **07'** 08' 09' 10' 11' (Vat 47 CHARD) **00' 02' 04'** 05' 07' **09' 10'** Australia's greatest maker of Sem, Vat 1 now joined with a series of individual v'yd or subregional wines. ***Vat 47***, Australia's first Chard, continues to defy the climatic odds. Outstanding old-vine 4 Acres SHIRAZ and Vat 9 Shiraz.

Vasse Felix Margaret R, WA r w ★★★ (CAB SAUV) **97' 98' 99' 01** 04' 07' 08' 09' With CULLEN, pioneer of MARGARET RIVER. Elegant Cab Sauv for mid-weight balance. Generally resurgent. Complex CHARD on rapid rise.

Voyager Estate Margaret R, WA r w ★★★ Sizeable volume of (mostly) estate-grown, rich, powerful SEM, SAUV BL, CHARD, CAB SAUV/MERLOT. Terrific quality.

Wendouree Clare V, SA r ★★★ Treasured maker (tiny quantities) of powerful, tannic and concentrated reds, based on SHIRAZ, CAB SAUV, MOURVÈDRE, MALBEC. Recently moved to screwcap. Buy for the next generation.

West Cape Howe Denmark, WA r w ★★ The minnow that swallowed the whale in 2009 when it purchased 7,700-tonne Goundrey winery and 237ha of estate v'yds. V.gd SHIRAZ and CAB SAUV blends.

Westend Estate Riverina, NSW r w ★ Thriving family producer of tasty bargains, esp Private Bin SHIRAZ/Durif. Creative, charismatic Bill Calabria is in charge. Recent cool-climate additions v.gd value.

Willow Creek Mor Pen, Vic r w ★★ Gd gear. Impressive producer of CHARD, PINOT N in particular. Ex-STONIER winemaker Geraldine McFaul in charge.

Wirra Wirra McLaren V, SA r w (sw) (sp) ★★★ (RSW SHIRAZ) 98' 99' 02' 04' 05' 06' 07' 09' **10'** (CAB SAUV) **97' 98' 01'** 02' 04' 05' 06' 09' 10' High-quality wines in flashy new livery. RSW Shiraz has edged in front of Cab Sauv. The Angelus Cab Sauv named Dead Ringer in export markets.

Wolf Blass Barossa V, SA r w (br) (sw) (sp) ★★ (Black Label) **90' 91'** 96' 98' 02' 04' 05 06' 07' **08'** Owned by TWE. Not noisy player it was but still a volume name.

Woodlands Margaret R, WA r (w) ★★★ 7ha of 30-yr-old+ CAB SAUV among top v'yds in region, plus younger but still v.gd plantings of other Bordeaux reds. Flying.

Wrattonbully SA Important grape-growing region in LIMESTONE COAST ZONE for 30 yrs; profile lifted by recent arrival of TAPANAPPA and Peppertree.

Wynns Coon, SA r w ★★★★ (SHIRAZ) 55' **63 86'** 90' 91' **94' 96'** 98' 99' 04' 05' 06' **09'** 10' (CAB SAUV) **57' 60'** 82' **85' 86' 90' 91' 94' 96'** 98' 00' 02' 04' 05' 06' 08' 09' **10'** TWE-owned COONAWARRA classic. RIES, CHARD, Shiraz and ***Cab Sauv*** are all v.gd, esp Black Label Cab Sauv and ***John Riddoch Cab Sauv***. Recent single-v'yd releases add lustre.

Yabby Lake Mor Pen, Vic r w ★★★ Joint venture among movie magnate Robert Kirby, Larry McKenna and Tod Dexter. Quality on sharp rise since winemaker Tom Carson arrived. Single-site PINOT N and SHIRAZ excellent.

Yalumba Barossa V, SA, SA r w sp ★★★ 163 years young, family-owned. ***Full spectrum of high-quality wines***, from budget to elite single-v'yd. In outstanding form. Entry-level Y Series excellent value.

Yarra Valley Vic Historic area northeast of Melbourne. Growing emphasis on v. successful PINOT N, CHARD, SHIRAZ, sparkling. Deceptively gd CAB SAUV.

Yarra Yarra Yarra V, Vic r w ★★★ Increased to 7ha, giving greater access to fine SEM/SAUV BL and CAB SAUV, each in classic Bordeaux style.

Yarra Yering Yarra V, Vic r w ★★★★ (Dry Reds) 80' **81'** 82' 83 **84 85'** 90' **91' 93' 94 97' 99'** 00' 01' 02' 04' 05' 06' 08' 09' Best-known Lilydale boutique winery. Powerful PINOT N; deep, herby CAB SAUV (Dry Red No 1); SHIRAZ (Dry Red No 2). Luscious, daring flavours in red and white. Much-admired founder Bailey Carrodus died in 2008. Acquired in 2009 by KAESLER.

Yellow Tail NSW *See* CASELLA.

Yeringberg Yarra V, Vic r w ★★★ (MARSANNE) **95 97 98' 00' 02'** 04 05 06' 09' (CAB SAUV) 77' 80 81' **84' 88' 90 97'** 98 00' **02** 04 05' 06' **08' 10'** Dreamlike historic estate still in the hands of founding family. Small quantities of v.-high-quality Marsanne, ROUSSANNE, CHARD, Cab Sauv, PINOT N.

Yering Station / Yarrabank Yarra V, Vic r w sp ★★ On site of Vic's first v'yd; replanted after 80-yr gap. Yering Station table wines (Res CHARD, PINOT N, SHIRAZ, VIOGNIER); Yarrabank (v.gd sparkling wines in joint venture with Champagne Devaux).

Zema Estate Coon, SA r ★ One of the last bastions of hand-pruning in COONAWARRA. Powerful, straightforward reds. Looking for a spark.

New Zealand

Abbreviations used in the text:

Auck	Auckland
B of P	Bay of Plenty
Cant	Canterbury
C Ot	Central Otago
Gis	Gisborne
Hawk	Hawke's Bay
Hend	Henderson
Marl	Marlborough
Mart	Martinborough
Nel	Nelson
Waih	Waiheke Island
Waip	Waipara
Wair	Wairarapa

In a world mad for variety, New Zealand's flagship Sauvignon Blanc is beginning to look a little repetitive. Sauvignon Blanc from Marlborough alone now accounts for 18,000ha of the country's total vineyard area of 35,000ha: that's quite a lot of eggs in one basket. Even there producers are starting to look for a little more complexity, a little more terroir expression, to vary the diet of grassy fruit with a touch of residual sugar. For consumers, more excitement can be found in Pinot Noir, especially in the bold, dried-herb, black-cherry flavours of Central Otago (known locally, bizarrely, as "Central", although it's the back of beyond) and the jammier notes of Martinborough. Cabernet-, Merlot- and Syrah-lovers should look to Gimblett Gravels, a car-park-flat area of Hawke's Bay in the North Island that seems to have the ability to turn out Bordeaux blends to rival the classed growths, and Syrah to rival the Northern Rhône. But those really in search of novelty are seizing on Grüner Veltliner, Albariño and Arneis – all grapes that were considered novel in their respective European homes of Austria, Iberia and Italy not so very long ago.

Recent vintages

2012 Low-yielding; exceptionally cool, dry season in Marlborough, producing very racy Sauv Bl. Cold and wet in Hawke's Bay, favouring white wines. Central Otago fared best, with a favourably sunny, warm, dry autumn.

2011 Biggest-ever harvest. Summer combined extreme heat with serious floods. Regions in middle of country, including Marlborough, fared best; elsewhere, a stiff test of grape-growing and winemaking skills.

2010 Aromatic, strongly flavoured Marlborough Sauv Bl with firm acid spine. Hawke's Bay had outstanding Chard.

2009 Aromatic, intense and zingy Marlborough Sauv Bl and concentrated, ripe Hawke's Bay reds. Central Otago frosty and cool, with variable Pinot N.

Akarua C Ot r (p) (w) ★★★ Well-respected producer at Bannockburn. Powerful Res PINOT N, v. impressive mid-tier Pinot N; v.gd, drink-young style, Rua. Fresh, racy CHARD, intense RIES, scented, full PINOT GR. Vivacious new sparklings: NV, Rosé.

Allan Scott Marl r w sp ★★ Medium-sized family producer. Gd, slightly sweet RIES; elegant, skilfully oaked CHARD; tropical-fruit-flavoured SAUV BL and sturdy, spicy PINOT N. Recent focus on single-v'yd, organic and sparkling wines.

Alpha Domus Hawk r w ★★ V.gd CHARD and VIOGNIER. Concentrated, Bordeaux-style reds, esp savoury MERLOT-based The Navigator (09), and notably dark, rich CAB SAUV-based The Aviator (10'). Top wines labelled AD (superb Noble Selection from SEM). Fragrant, finely textured Syrah. Everyday range, The Pilot.

Amisfield C Ot r p w ★★ Impressive, fleshy, smooth PINOT GR; tense, minerally RIES (dr sw); lively, ripe SAUV BL; classy Pinot Rosé and floral, complex PINOT N (RKV Res is Rolls-Royce model **07**). Lake Hayes is lower-tier label.

Ara Marl r w ★★ Huge v'yd in Waihopai Valley for SAUV BL and PINOT N. Dry, ripe, minerally Sauv Bl; floral, full-flavoured Pinot N. Top-tier: Resolute, followed by Select Blocks, then Single Estate, then Pathway. Typically gd-value.

Astrolabe Marl r w ★★ Label part-owned by winemaker Simon Waghorn. Best-known for rich, harmonious Voyage SAUV BL (oak-aged Taihoa Sauv Bl esp generous, complex.) Also gd PINOT GR, RIES, CHARD, PINOT N. Second label: Durvillea.

Ata Rangi Mart r (p) (w) ★★★ Small, highly respected. Seductively fragrant, powerful, long-lived ***Pinot N*** (06' 07 **08** 09' 10): one of NZ's greatest. V.gd young-vine Crimson Pinot N. Rich, concentrated Craighall CHARD and Lismore PINOT GR.

Auckland Largest city (northern, warm and cloudy) in NZ with 1% of v'yd area. Nearby wine districts are Henderson, Kumeu/Huapai/Waimauku (both long established) and newer (since 1980s) Matakana, Clevedon, Waiheke Island. Stylish, ripe, savoury, Bordeaux-style reds in dry seasons (05', **08'**, 10'), bold SYRAH (increasingly prominent); gd, underrated CHARD.

Auntsfield Marl r w ★★ Excellent wines from site of the region's first v'yd, planted 1873, uprooted 1931, replanted 1999. Strong, tropical-fruit SAUV BL, fleshy, rich CHARD; sturdy, dense PINOT N (Heritage **09'** esp powerful). New range of single-block wines, incl barrel-fermented, v. rich, ripe, rounded South Oaks Sauv Bl.

Awatere Valley Marl Key subregion, with few wineries but huge v'yd area (more than HAWKE'S BAY), pioneered in 1986 by VAVASOUR. Slightly cooler and drier than the WAIRAU VALLEY, with racy, herbaceous, minerally SAUV BL; tight, vibrant PINOT GR; and scented, often slightly leafy PINOT N.

Babich Hend r w ★★→★★★ Sizeable family firm (1916). HAWKE'S BAY, MARLBOROUGH v'yds. Refined, age-worthy, single-v'yd Irongate CHARD (10', **11**) and v. elegant Irongate CAB/MERLOT/CAB FR (10', 09', **07'** 05'). Ripe, dry Marlborough SAUV BL is big seller. Mid-tier Winemakers' Res (oak-aged Sauv Bl esp gd).

Bald Hills C Ot r (p) (w) ★★ Bannockburn v'yd with crisp, dry PINOT GR; floral, full-bodied, slightly sweet RIES and generous, savoury, complex PINOT N (**10'**).

Bell Hill Cant r w ★★★ Tiny, elevated v'yd on limestone, owned by Marcel GIESEN and Sherwyn Veldhuizen. Rare but strikingly rich, finely textured CHARD and gorgeously scented, powerful, velvety PINOT N. Second label: Old Weka Pass.

Bilancia Hawk r (w) ★★★ Small producer of classy SYRAH (incl v. powerful, nutty, spicy, hill-grown La Collina 09', **08**, **07**), floral, peppery Syrah/VIOGNIER; and PINOT GR (Res is richer, sweeter). La Collina White is Viognier/GEWURZ.

Blackenbrook Nel (r) w ★★ Small winery: outstanding aromatic whites, esp highly perfumed, rich, Alsace-style GEWURZ, PINOT GR and (rarer) MUSCAT. Punchy SAUV BL; fleshy, supple Res PINOT N; v. promising MONTEPULCIANO. Second label: St Jacques.

Borthwick Wair r w ★★ V'yd at Gladstone with lively, tropical-fruit SAUV BL; rich, dryish RIES; peachy, toasty CHARD; fleshy, dry PINOT GR; perfumed, muscular PINOT N.

Brancott Estate Marl r w ★→★★★ Brand formerly used by PERNOD RICARD NZ only in the USA, as a substitute for Montana, but since 2010 has replaced the Montana brand worldwide. Top wines: Letter Series (eg. "B" Brancott SAUV BL). Biggest selling: crisp, grassy MARLBOROUGH Sauv Bl (one million cases/annum.); floral smooth, easy-drinking South Island PINOT N. New, middle-tier Special Res range from 2012 (rich Sauv Bl and PINOT GR).

Brightwater Nel (r) w ★★ Impressive whites, esp crisp, flavour-packed SAUV BL; fresh pure, med-dry RIES; lively, citrus, gently oaked CHARD, and rich, gently sweet PINOT GR. PINOT N fast improving and gd value. Top wines labelled "Lord Rutherford".

Brookfields Hawk r w ★★ Established 1977, winery built in 1937. Powerful, long-lived, "gold label" CAB SAUV/MERLOT; gd CHARD, PINOT GR, GEWURZ, SYRAH (esp spicy Hillside Syrah). Satisfying, mid-priced Burnfoot Merlot and Ohiti Cab Sauv.

Cable Bay Waih r p w ★★ Mid-sized producer with v. refined Waiheke CHARD; sturdy complex VIOGNIER and outstanding, bold, yet stylish SYRAH. Subtle, fine-textured MARLBOROUGH SAUV BL. Second label: Selection (formerly Culley).

Canterbury NZ's 5th-largest wine region; almost all top v'yds are in warm, sheltered northern Waipara district. Greatest success with RIES and PINOT N. Emerging strengths in GEWURZ and PINOT GR. SAUV BL also widely planted.

Carrick C Ot r w ★★★ Bannockburn winery with intense RIES (dry, medium CENTRAL OTAGO, and sweetish Josephine) and densely packed PINOT N (10'), built to last. Drink-young style Unravelled Pinot N is also sturdy and rich.

Central Otago (r) 09 **10'** 12 (w) **10'** 12 Cool, low-rainfall, high-altitude inland region (now NZ's third-largest) in southern South Island. Centre is Queenstown. Scented, crisp RIES and PINOT GR; PINOT N notably perfumed and silky, with plenty of drink-young charm. Promising Champagne-style sparkling.

Chard Farm C Ot r w ★★ Rich, citrus, medium RIES, fleshy, oily PINOT GR and typically perfumed, mid-weight, supple PINOT N (River Run: floral, charming; Mata-Au more complex). Also light, smooth Rabbit Ranch Pinot N.

Church Road Hawk r w ★★→★★★ PERNOD RICARD NZ winery with deep HAWKE'S BAY roots. Rich style of CHARD; ripe, partly oak-aged SAUV BL; dark, full-flavoured MERLOT/CAB SAUV (v.gd-value). Top-flight Res wines; prestige claret-style red TOM (02' 07'). New McDonald Series – between the standard and Res ranges – offers eye-catching quality and value.

Churton Marl r w ★★★ Elevated, Waihopai Valley site with subtle, complex, bone-dry, finely textured SAUV BL; sturdy, creamy VIOGNIER; and fragrant, spicy, harmonious PINOT N (10') (esp The Abyss – oldest vines, greater depth).

Clearview Hawk r p w ★★→★★★ Coastal v'yd at Te Awanga (also drawing grapes from further inland) with bold, savoury Res CHARD (**10'**); impressive oak-fermented Res SAUV BL; dark, rich Res CAB FR; Enigma (MERLOT-based); Old Olive Block (CAB SAUV and Cab Fr blend). Second tier: Beachhead, Cape Kidnappers.

Clifford Bay Marl r w ★→★★ Easy, affordable wines – SAUV BL is best, with fresh, racy gooseberry and lime; floral, smooth PINOT N. Entry label of Foley Family Wines NZ; VAVASOUR is top brand.

Clos Henri Marl r w ★★→★★★ Established by Henri Bourgeois (Sancerre). Delicious, weighty, well-rounded SAUV BL (grown in stony soils and partly barrel-fermented), one of NZ's finest; vibrant, supple PINOT N (clay soils). Second label (based on less preferred soil type): Bel Echo. Third label (based on young vines): Petit Clos.

Clos Marguerite Marl r w ★★ Single-v'yd AWATERE VALLEY wines. Unusually sweet-fruited, mineral, long SAUV BL is the star (incl Aged on Lees, bottled after a yr lees-ageing in tank); also mid-weight, savoury PINOT N.

Cloudy Bay Marl r w ★★★ Large-volume SAUV BL (weighty, dry, finely textured, some barrel aging since 2010) – NZ's most famous wine (12'). CHARD (robust, complex, crisp) and PINOT N (rich, supple) both classy. Pelorus vintage sparkling (toasty, rich, elegant), Chard-led NV. Rarer GEWURZ, Late Harvest RIES, barrel-aged, medium-dry Ries and Te Koko (oak-aged Sauv Bl); all full of personality. CENTRAL OTAGO Pinot N (Te Wahi) since 2010. Owned by LVMH.

Constellation New Zealand Auck r w ★→★★ NZ's 2nd-largest wine company, was Nobilo Wine Group, now owned by US-based Constellation Brands. Strength in solid, mid-priced wines. Nobilo MARLBOROUGH SAUV BL (fresh, ripe, tropical) is now biggest-selling Sauv Bl in the USA. Superior varietals labelled Nobilo Icon (weighty, ripely herbaceous Sauv Bl esp impressive); v.gd Drylands Sauv Bl. *See* KIM CRAWFORD, MONKEY BAY, SELAKS.

Cooper's Creek Auck r w ★★ Innovative, medium-sized producer with extensive range of gd-value wines from four regions. Excellent Swamp Res CHARD; v.gd SAUV BL, RIES; MERLOT; top-value VIOGNIER. SV (Select V'yd) range is mid-tier. NZ's first ARNEIS (2006), first GRÜNER VELTLINER (2008), first ALBARIÑO (2011).

Craggy Range Hawk r w ★★★ High-flying, mid-sized winery: large v'yds in HAWKE'S BAY, MARTINBOROUGH. V. stylish CHARD, PINOT N; excellent mid-range MERLOT and SYRAH from GIMBLETT GRAVELS; strikingly dense, ripe Sophia (Merlot), The Quarry (CAB SAUV) and show-stopping SYRAH Le Sol (10' 09' **08** 07'). Most recent reds are more supple, refined. Cheaper regional blends labelled Wild Rock.

Darling, The Marl ★★ Winemaker Chris Darling and viticulturist Bart Arnst (ex-SERESIN) produce organic SAUV BL (rich, ripe, partly barrel-fermented) and seductively sweet, low-alcohol style Moscato Inspired Sauv Bl; as well as v.gd PINOT GR, GEWURZ, PINOT N.

Sauvignon Blanc with a difference

Most SAUV BL from NZ place their accents squarely on fresh, herbaceous fruit flavours, appetizingly crisp and direct. But some top labels (such as LAWSON'S DRY HILLS and SERESIN), although handled mostly in tanks, are 5–15% barrel-fermented, which adds a real touch of complexity while barely subduing their intense fruit aromas and flavours. Other, fully barrel-aged models, such as CLOUDY BAY Te Koko and DOG POINT Section 94, aim for a markedly richer, riper, rounder style: weighty, complex and creamy-textured. HAWKE'S BAY also produces some top-flight, wood-aged Sauv Bl, such as TE MATA Cape Crest and CLEARVIEW Res.

Delegat's Auck r w ★★ V. large company (two million cases/annum), controlled by brother-and-sister team, Jim and Rose Delegat. V'yds in HAWKE'S BAY and MARLBOROUGH. Res CHARD, MERLOT and CAB SAUV/Merlot offer v.gd quality and value. Hugely successful OYSTER BAY brand.

Delta Marl r w ★★ Owned by consultant-winemaker Matt Thomson, UK importer David Gleave and others. Vibrant, tropical single-v'yd SAUV BL; floral, silky PINOT N. Top label: Hatter's Hill (richer, more new oak) from elevated site with clay soils.

Destiny Bay Waih r ★★★ Expatriate Americans produce Bordeaux-style reds: lush, brambly and silky. Flagship is substantial, deep, savoury Magna Praemia (**08'** mostly CAB SAUV). Mid-tier: Mystae (**09**). All classy, but v. high-priced.

Deutz Auck sp ★★★ Champagne house gives name to refined sparklings from MARLBOROUGH by PERNOD RICARD NZ. NV is lively, yeasty, intense (min 2 yrs on lees). Vintage Blanc de Blancs (**08**) is finely scented, vivacious, piercing (NZ's most awarded bubbly). Rosé is crisp, yeasty, strawberryish.

Distant Land Auck r w ★★ Newish brand from old family winery (Lincoln.) Crisp, strong MARLBOROUGH SAUV BL; well-spiced GEWURZ and scented, rich, nectarine- and pear-flavoured Marlborough PINOT GR.

Dog Point Marl r w ★★★ Grower Ivan Sutherland and winemaker James Healy (both ex-CLOUDY BAY) make tight, minerally, complex, oak-aged SAUV BL (Section

94), CHARD (restrained, age-worthy), and rich, v. finely textured PINOT N (**10'**), or of region's greatest. Also weighty, dry, unoaked Sauv Bl.

Dry River Mart r w ★★★ Small winery, now US-owned. Reputation for elegant, long-lived CHARD, RIES, PINOT GR (NZ's first outstanding Pinot Gr), GEWURZ; late-harvest whites; floral, sweet-fruited, slowly evolving PINOT N (07' **08'** 09', 10).

Wai = water in Maori place names: Wairarapa, Wairau, Waiheke, Waitaki, Waipara, Waimea.

Elephant Hill Hawk r (p) w ★★ German-owned v'yd, stylish winery at Te Awanga (coast). Sophisticated pure VIOGNIER; rich CHARD; scented PINOT GR, floral SYRAH.

Eradus Marl ★★ AWATERE VALLEY producer of freshly herbaceous, strong-flavoured SAUV BL, v.gd PINOT GR and floral, supple, charming PINOT N.

Escarpment Mart r (w) ★★★ Fleshy, barrel-fermented PINOT GR; robust CHARD. Best known for concentrated PINOT N from Larry McKenna, ex-MARTINBOROUGH V'Y. Top label: Kupe (10'). Single-v'yd, old-vine reds launched (2006). Martinborough Pinot N is regional blend (**10'**). The Edge Pinot N: drink young.

Esk Valley Hawk r p w ★★→★★★ Owned by VILLA MARIA. Some of NZ's most voluptuous MERLOT-based reds (esp Winemakers Res 10' **09'** 07' 06'); excellent Merlot/MALBEC Rosé; full-bodied, peachy, buttery CHARD, crisp, dryish CHENIN BL and VERDELHO. Flagship red: The Terraces (fragrant, powerful, spicy, single-v'yd blend, Malbec/Merlot/CAB FR **09' 06'** 04').

Fairhall Downs Marl r w ★★ Single-v'yd wines from elevated Brancott Valley site. Weighty, dry PINOT GR; peachy, nutty, full-flavoured CHARD; rich, sweet-fruited SAUV BL; perfumed, smooth PINOT N. Second label: Torea (gd value).

Felton Road C Ot r w ★★★ Star winery in warm Bannockburn. Bold, supple, graceful PINOT N Block 3 and 5 (08' **09** 10', 11) from The Elms V'yd; light, intense RIES (dr s/sw) outstanding; rich, citrus, long-lived CHARD (esp Block 2); perfumed, beautifully poised, regular Pinot N (from three sites.) Other superb single-v'yd Pinot Noirs: Cornish Point, Calvert.

Forrest Marl r p w ★★ Mid-size winery with v. wide range. Reliable SAUV BL and RIES; gorgeous botrytized Ries; flavour-crammed HAWKE'S BAY Newton/Forrest Cornerstone (Bordeaux red blend). Distinguished flagship range, John Forrest Collection. Popular low-alcohol (9%) Ries and Sauv Bl: The Doctors'.

Foxes Island Marl r w ★★ Smallish producer, based in AWATERE VALLEY. Rich, smooth CHARD, finely textured SAUV BL, scented, rich RIES and elegant, supple PINOT N.

Framingham Marl (r) (p) w ★★ Owned by Sogrape (*see* Portugal). Fine aromatic whites: intense, zesty RIES (esp rich Classic) from 30-yr-old vines. Perfumed, lush, slightly sweet PINOT GR, GEWURZ. Subtle, dry SAUV BL. Scented, silky PINOT N. F-Series (innovative wines, incl several ravishing but v. rare sweet Ries).

Fromm Marl r w ★★★ Sturdy, long-lived PINOT N, esp Fromm V'yd (dense, firmly structured, 10' **09'**) and Clayvin V'yd (more perfumed, supple **10'**). Also stylish citrus, mineral Clayvin CHARD, RIES Dry. Earlier-drinking La Strada range also v.gd.

Gibbston Valley C Ot r p w ★★→★★★ Pioneer winery with popular restaurant at Gibbston. Most v'yds at Bendigo. Strong reputation for PINOT N – esp rich CENTRAL OTAGO blend and robust, exuberantly fruity Res (**09'**). Racy, medium-dry RIES and scented, full-bodied PINOT GR. Gold River Pinot N: drink-young charm.

Giesen Cant (r) w ★→★★ Large family winery. Most is fresh, tangy MARLBOROUGH SAUV BL. Generous, gently sw RIES gd-value. Punchy The Brothers Sauv Bl, weighty barrel-fermented The August Sauv Bl. Fast-improving PINOT N (esp The Brothers).

Gimblett Gravels Hawk Defined area (800ha planted), with mostly v. free-draining soils noted for rich, ripe Bordeaux-style reds (typically MERLOT-predominant, but stony soils suit CAB SAUV) and floral, vibrant SYRAH. Best of both are world-class. Also powerful, age-worthy CHARD, VIOGNIER.

Gisborne (r) 10' (w) 10' NZ's 4th-largest region, but planted area is declining. Abundant sunshine but often wet in autumn (esp 2012), with fertile soils. Key strength is CHARD (deliciously fragrant and soft in youth, but the best mature well.) Excellent GEWURZ, VIOGNIER; MERLOT, PINOT GR more variable.

Gladstone Vineyard Wair r w ★★ Tropical SAUV BL (Sophie's Choice is oak-aged, rich, creamy); weighty, smooth PINOT GR; gd dry RIES; classy VIOGNIER; v. graceful PINOT N under top label, Gladstone; 12,000 Miles is lower-priced brand.

Grasshopper Rock C Ot r ★★→★★★ Estate-grown at Alexandra. The subregion's finest red (10'): strong cherry and dried-herb flavours. Great value.

Greenhough Nel r w ★★→★★★ One of region's top producers, with immaculate RIES, SAUV BL, CHARD, PINOT N. Top label: Hope V'yd (complex Chard; powerful, old-vine PINOT BL; mushroomy Pinot N 08' 10.)

Greystone Waip (r) w ★★★ Emerging star with full-bloomed, rich, finely textured aromatic whites (esp RIES, but also superb GEWURZ, PINOT GR); fast-improving CHARD and SAUV BL; promising PINOT N. Purchased Muddy Water in 2011.

Greywacke Marl r w ★★→★★★ Label of Kevin Judd, ex-CLOUDY BAY. Named after a soil type (pronounced "greywacky"). Poised, pure and penetrating SAUV BL; weighty, complex CHARD; fleshy PINOT GR; gently sweet RIES and silky, savoury PINOT N.

Grove Mill Marl r w ★★ Attractive whites, esp punchy SAUV BL, slightly sweet RIES, reds less exciting. Gd-value, lower-tier Sanctuary brand. Financial problems in recent yrs, now part of Foley Family Wines empire (VAVASOUR, Goldwater, etc.).

Haha ★★ From Fern Ridge, based in HAWKE'S BAY. Flavour-packed MARLBOROUGH SAUV BL and fragrant, moderately complex Marlborough PINOT N, both bargain-priced.

Hans Herzog Marl r w ★★★ Hot, stony v'yd at Rapaura with power-packed, classy, long-lived MERLOT/CAB SAUV (region's greatest); MONTEPULCIANO; PINOT N; sturdy, dry VIOGNIER, PINOT GR; fleshy, oak-aged SAUV BL. Sold under Hans brand (Europe, USA).

Hawke's Bay (r) 07' 08 09' 10' (w) 10' NZ's 2nd-largest region. Long history of winemaking in sunny, warm climate. Full, rich, v. classy MERLOT and CAB SAUV-based reds in gd vintages; SYRAH (floral, vibrant plum and black pepper flavours) a fast-rising star; powerful, peachy CHARD; ripe, rounded SAUV BL (suits oak); NZ's best VIOGNIER. Central Hawke's Bay (elevated, cooler) suits PINOT N.

Highfield Marl r w sp ★★ Stunning views from Tuscan-style tower. Light, intense RIES; citrus, mealy CHARD; immaculate, racy SAUV BL and generous, savoury PINOT N. Elstree sparkling variable lately. Second label: Paua.

Huia Marl ★★ Smallish producer of organic wines, incl rich SAUV BL, CHARD, RIES, GEWURZ, PINOT GR and bold, savoury PINOT N. Lower-priced range: Hunky Dory.

Hunter's Marl (r) (p) w (sp) ★★→★★★ Pioneering (since 1982) medium-sized winery, with classic, dry, tropical-fruit SAUV BL. Vibrant, gently oaked CHARD. Excellent sparkling (MiruMiru). RIES, GEWURZ, PINOT GR all rewarding. Whites esp gd value.

Invivo Auck r w ★★ Energetic company with gd-value, intense, nettley, mineral MARLBOROUGH SAUV BL and CENTRAL OTAGO PINOT N (variable quality).

Isabel Estate Marl r w ★→★★ Family estate with formerly outstanding PINOT N, SAUV BL and CHARD, but lately variable quality. Crisp, dryish PINOT GR.

Jackson Estate Marl r w ★★ Rich, ripe Stich SAUV BL is consistently outstanding; v. attractive, gently oaked CHARD; classy, sweet-fruited PINOT N. Typically gd value.

Johanneshof Marl (r) w sp ★★ Small winery acclaimed for v. perfumed, gently sweet, soft GEWURZ (one of NZ's finest). Crisp, dry, lively sparkling; gd RIES and PINOT GR. Excellent botrytis Ries and late-harvest Gewurz.

Jules Taylor Marl r p w ★★ Growing volume of fleshy, rich, creamy PINOT GR, exuberantly fruity, concentrated SAUV BL and floral, charming PINOT N.

Julicher Mart r w ★★ Small producer: gd whites (esp vibrant, citrus, slightly biscuity CHARD), savoury PINOT N (10'). 99 Rows is 2nd-tier Pinot N and v.gd value.

Kim Crawford Hawk ★→★★ Brand owned by CONSTELLATION NEW ZEALAND. Easy-drinking Regional Res range; scented MARLBOROUGH SAUV BL (large volume, g quality). Top range SP (Small Parcel), incl weighty Spitfire Sauv Bl.

Kumeu River Auck (r) w ★★★ Rich, refined Kumeu Estate CHARD; single-v'yd *Mate V'yd Chard* (planted 1990) even more opulent. Both among NZ's greates Weighty, floral PINOT GR; sturdy, earthy PINOT N.

Lake Chalice Marl (r) w ★★ Medium-sized producer with vibrant, creamy CHAR and incisive, slightly sweet RIES; gd SAUV BL (esp The Raptor – intense, zingy Substantial PINOT N; gd value. Platinum premium label. Second label: The Nest

Lawson's Dry Hills Marl (r) (p) w ★★→★★★ Weighty wines, intense flavour Incisive, v. lightly oaked SAUV BL, exotically perfumed, sturdy GEWURZ. Dry, toast bottle-aged RIES and CHARD. Fast-improving PINOT N. Top-end range: The Pionee

Lindauer Auck ★★ Popular sparkling brand: esp bottle-fermented, low-priced Bru sold in 2010 by PERNOD RICARD NZ to Lion. Latest show v.gd maturity, complexity

Marlborough Pinot Noir

CENTRAL OTAGO and WAIRARAPA (incl MARTINBOROUGH) are the regions most acclaimed for PINOT N, but nearly half of NZ's Pinot N vines are in MARLBOROUGH. The high international profile of Marlborough's flavour-packed, zingy SAUV BL has slowed recognition of the outstanding quality of its best Pinot N, which lie midway between the weighty, savoury, masculine style of Martinborough and the more feminine, buoyantly fruity and floral style of Central Otago. Pinot N is yielding its most refined and supple wines in elevated, clay-based sites on the south side of the WAIRAU VALLEY. The top labels incl DOG POINT V'yd, FROMM Clayvin V'yd, TERRAVIN Hillside Res and VILLA MARIA Re.

Lowburn Ferry C Ot r ★★ PINOT N specialist. Flagship is The Ferryman (elegant feminine 10'). Also Home Block (fleshy, silky 10'); Skeleton Creek (not estate grown, but concentrated, complex.)

Mahi Marl r w ★★ Stylish, complex wines. Sweet-fruited, finely textured SAUV B (partly oak-aged), weighty, vibrant, gently oaked CHARD; full-bodied, bone-dr PINOT GR; and savoury, mushroomy PINOT N.

Man O' War Auck r w ★★ Largest v'yd on Waiheke Island. Crisp whites from CHARD SAUV BL and PINOT GR (grown on adjacent Ponui Island). Dense, Bordeaux-style reds (esp Ironclad) and powerful, spicy, firm Dreadnought SYRAH.

Margrain Mart r w sp ★★ Small winery with tight, age-worthy CHARD, RIES, PINOT GR, GEWURZ and CHENIN BL. Rich, complex PINOT N. River's Edge is early-drinking.

Marisco Marl r w ★★ Owned by Brent Marris, ex-WITHER HILLS. Fast-growing Waihopai Valley producer with two brands, The Ned and (latterly) Marisco The King's Series. Well-regarded SAUV BL, CHARD, PINOT GR, PINOT N.

Marlborough (r) 10' 12 (w) 12 NZ's largest region by far (over 65% of all plantings at top of South Island. Warm, sunny days and cold nights give aromatic, crisp whites. Intense SAUV BL, from sharp, green capsicum to ripe tropical fruit. Fresh medium-dry RIES (recent wave of sweet, low-alcohol wines); some of NZ's bes PINOT GR and GEWURZ; CHARD is leaner than HAWKE'S BAY but can mature well. High quality sparkling and botrytized Ries. PINOT N underrated, top examples (from clay hillsides) among NZ's finest.

Martinborough (r) 09 10 (w) 10' Small, high-quality district in south WAIRARAPA (foo of North Island). Warm summers, dry autumns, gravelly soils. Success with several white grapes (incl MARLBOROUGH-like SAUV BL) but acclaimed since mid-late 1980s for sturdy, rich, long-lived PINOT N.

Martinborough Vineyard Mart r (p) (w) ★★★ Distinguished small winery; famous

PINOT N (07' 10'): cherryish, spicy, nutty, complex. Rich, biscuity CHARD; intense RIES (dr s/sw); rich, medium-dry PINOT GR. Also single-v'yd Burnt Spur and drink-young Te Tera ranges (top-value Pinot N).

Matahiwi Wair r w ★→★★ One of region's larger wineries. Top range, Holly, incl rich CHARD; nutty SAUV BL; generous, savoury PINOT N. Second label: Mt Hector.

Matua Valley Auck r w ★→★★ Producer of NZ's first SAUV BL (1974). Now owned by TWE; v'yds in four regions. GISBORNE (esp Judd CHARD), HAWKE'S BAY, MARLBOROUGH wines; most pleasant, easy-drinking. Shingle Peak Sauv Bl (crisp, lively) top-value. New luxury range of Single V'yd wines, incl powerful, notably complex Marlborough Chard and bold, flavour-packed Matheson MERLOT, MALBEC.

Mills Reef B of P r w ★★→★★★ Impressive wines from estate v'yds in the GIMBLETT GRAVELS and other HAWKE'S BAY grapes. Rich, finely crafted CHARD. Top Elspeth range, incl powerful Bordeaux-style reds and SYRAH (both now more refined, supple). Res range reds also concentrated, fine value.

Millton Gis r p w ★★→★★★★ Region's top winery; wines certified organic. Hill-grown single-v'yd Clos de Ste Anne range (CHARD, CHENIN BL, VIOGNIER, SYRAH, PINOT N) is concentrated, characterful. Rich, long-lived ***Chenin Bl*** is NZ's finest. Riverpoint V'yd Viognier classy and gd-value. Lower-tier range: Crazy by Nature.

Misha's C Ot r w ★★ Large v'yd at Bendigo. Consistently classy GEWURZ, PINOT GR, RIES; vibrant, tangy SAUV BL; savoury, complex PINOT N (Verismo is oak-aged longer).

Mission Hawk r p w ★★ NZ's oldest wine producer, vines first planted in 1851, first sales in the 1890s – still run by Catholic Society of Mary. Solid varietals: creamy-smooth CHARD and fruit-driven SYRAH are top-value. Res range incl: gd Bordeaux-style reds, Syrah, oak-aged SAUV BL and CHARD. Top label: Jewelstone (v. classy Chard and CAB/MERLOT **09**'). Purchased 100ha MARLBOROUGH v'yd in 2012.

Mondillo C Ot r w ★★ Rising star at Bendigo with scented, citrus, slightly sweet RIES and enticingly floral, weighty, tasty PINOT N (10 **09**').

Monkey Bay r w ★ CONSTELLATION NZ brand, modestly priced, popular in USA. Easy-drinking CHARD; crisp, gently sweet SAUV BL; light PINOT GR; fresh, fruity MERLOT.

Morton Estate B of P r w sp ★→★★ V'yds in HAWKE'S BAY and MARLBOROUGH. Powerful Black Label CHARD and outstanding Coniglio Chard (10'). White Label Chard and Premium Brut gd and top-value; ditto VIOGNIER and PINOT GR. Reds less exciting.

Mount Riley Marl r w ★★ Medium-sized family producer. Punchy, gd-value SAUV BL; finely textured PINOT GR; easy-drinking PINOT N. Top range is Seventeen Valley (elegant, complex CHARD.) Savee (NZ's first sparkling Sauv Bl) since 2000.

Mt Difficulty C Ot r p w ★★ Quality producer in warm Bannockburn. Refined PINOT N Roaring Meg (from Cromwell Basin v'yds) for early consumption; Single-v'yd Pipeclay Terrace dense and lasting. Plus classy whites (RIES, PINOT GR) and satisfying rosé.

Muddy Water Waip r p w ★★→★★★ Small, high-quality producer, bought GREYSTONE in 2011. Intense, lively RIES (among NZ's best), mineral CHARD and savoury, notably complex PINOT N (esp Slowhand **09**' based on oldest, low-yielding vines).

Mud House Cant r w ★★ Large WAIPARA-based winery with mostly South Island wines (incl CENTRAL OTAGO and MARLBOROUGH). Brands incl Mud House, WAIPARA HILLS, Hay Maker (lower tier). Regional blends incl punchy, herbaceous Marlborough SAUV BL (classy and top-value). Excellent Estate selection (single-v'yd wines) and Single V'yd range (from growers).

Nautilus Marl r w ★★ Medium-sized, v. reliable range of distributors Négociants (NZ), owned by S Smith & Sons (*see* Yalumba, Australia). Top wines: stylish SAUV BL (released with bottle-age), classy CHARD (tight-knit); savoury PINOT N, Alsace-style PINOT GR; intense, yeasty sparkler. Mid-tier: Opawa. Lower tier: Twin Islands.

Nelson (r) 09 10 (w) 10' Smallish region west of MARLBOROUGH; climate wetter but equally sunny. Clay soils of Upper Moutere hills (full-bodied wines) and silty

WAIMEA plains (more aromatic). Strengths in aromatic whites, esp RIES, SAUV B PINOT GR, GEWURZ; also gd (sometimes outstanding) CHARD and PINOT N.

Neudorf Nel r p w ★★★→★★★★ Top small winery. Powerful, mineral Moutere CHAR (09 10' 11) one of NZ's greatest; superb, savoury Moutere PINOT N (esp Hom V'yd 09 10'). SAUV BL, PINOT GR, RIES also top-flight. Delightful, dry Pinot Rosé.

Ngatarawa Hawk r w ★★→★★★ Mid-sized producer, owned by Corban family. To Alwyn range: powerful CHARD; generous MERLOT/CAB (09')and honey-sweet Nobl Harvest RIES. Mid-range Glazebrook also excellent. Stables range is gd value.

No. 1 Family Estate Marl sp ★★ Family-owned company of Daniel Le Brun, ex Champagne. No longer owns the DANIEL LE BRUN brand. Specialist in sparklin wine, esp refined, tight-knit, NV Blanc de Blancs, Cuvée No 1.

Nobilo Marl *See* CONSTELLATION NZ.

Obsidian Waih r w ★★→★★★ V. stylish Bordeaux blend (The Obsidian 08' 10' top brand Obsidian VIOGNIER, CHARD, SYRAH, TEMPRANILLO. Gd-value Waiheke red (MERLOT, Syrah, MONTEPULCIANO, TEMPRANILLO) under 2nd-tier Weeping Sands labe

Oyster Bay Marl r w ★★ From DELEGAT'S, this is a marketing triumph, with sale exceeding 1.5 million cases (incl the no.1 white wine spot in Australia). Vibran fruit-driven wines with a touch of class, from MARLBOROUGH and HAWKE'S BAY. SAU BL, CHARD, PINOT GR; PINOT N, MERLOT and easy-drinking sparklings.

Palliser Mart r w ★★→★★★ One of the district's largest and best. Superb, tropical fruit SAUV BL, excellent CHARD, RIES, PINOT GR, bubbly, and perfumed, rich harmonious PINOT N 09'). Top wines: Palliser Estate. Lower tier: Pencarrov (great-value, rising share of output).

Pask Hawk r w ★★ Mid-size winery (was CJ Pask). Extensive v'yds in GIMBLETT GRAVELS SYRAH, CAB SAUV and MERLOT-based reds under mid-tier Gimblett Road label offe gd value in favourable vintages; CHARD and VIOGNIER, too. Top Declaration rang less convincing. Kate Radburnd and Roy's Hill: everyday drinking.

Pasquale r w ★★ Ex-pat Italian Antonio Pasquale produces v.gd, typically dry, aromati whites (RIES, GEWURZ, ARNEIS, PINOT GR, VIOGNIER; floral, fresh PINOT N from WAITAK VALLEY (North Otago) and nearby Hakataramea Valley (South CANTERBURY 10').

Passage Rock Waih r w ★★ Powerful, opulent SYRAH, esp Res (Waiheke's mos awarded wine 08 10'); non-Res also dense, fine-value (10'). Gd Bordeaux-styl reds, whites solid (esp VIOGNIER).

Pegasus Bay Waip r w ★★★ Pioneer family firm with distinguished range: taut, slow evolving CHARD; complex, oaked SAUV BL/SEM; rich, zingy, medium RIES (bigges seller); powerful, complex GEWURZ; lush, silky PINOT N (10'), esp Res, mature-vin Prima Donna. Second label: Main Divide (gd value).

Peregrine C Ot r w ★★ Crisp, concentrated whites (esp dry RIES; slightly swee Rastaburn.) Finely scented, silky, gd-value PINOT N. Saddleback Pinot N esp gd-value

NZ's c.700 wineries make c.5,000 wines, including 700+ Sauv Bl + 800 Pinot Noir

Pernod Ricard NZ Auck r p w ★→★★★ NZ wine giant, formerly Montana. Changes since 2010 incl sale of many brands (esp Corbans, LINDAUER) in 2010; axing o key Montana brand in favour of BRANCOTT ESTATE; sale of large GISBORNE winery Wineries in AUCKLAND, HAWKE'S BAY and MARLBOROUGH. Extensive co-owned v'yds for MARLBOROUGH whites, incl huge-selling Brancott Estate SAUV BL. Strength in sparkling, esp DEUTZ Marlborough Cuvée. Classy, rich, gd-value CHURCH ROAD reds and quality CHARD. Other key brands incl STONELEIGH (tropical fruit-flavoured Sauv Bl) and Triplebank (vibrant, racy AWATERE VALLEY wines).

Pisa Range C Ot r (w) ★★→★★★ Small v'yd with powerful, arrestingly rich Black Poplar PINOT N (08' 09 10') and crisp, dry PINOT GR.

Puriri Hills Auck r p ★★→★★★ Silky, seductive MERLOT-based reds from Clevedon (08' 10'). Res is esp rich and plump, with more new oak.

Pyramid Valley Cant r w ★★ Tiny elevated v'yd at Waikari. Estate-grown, floral, increasingly generous PINOT N (Angel Flower, Earth Smoke **10'**) and arrestingly full-bodied CHARD (**10'**). Classy Growers Collection wines from other regions.

Quartz Reef C Ot r w sp ★★→★★★ Small, quality producer with crisp, citrus and spice PINOT GR; sturdy, deep, spicy PINOT N (**10'** 11), Bendigo Estate particularly concentrated; intense, yeasty, ***racy sparkling*** (vintage esp gd).

Rippon Vineyard C Ot r w ★★→★★★ Stunning v'yd on shores of Lake Wanaka. Scented, feminine Mature Vine PINOT N (**10'**). Jeunesse Pinot N from younger vines; powerful, complex Tinker's Field Pinot N (from oldest vines **10'**). Slowly evolving whites, esp outstanding, steely, minerally RIES (**10'** 11).

Rockburn C Ot r p w ★★ Crisp, racy CHARD, PINOT GR, GEWURZ, RIES, SAUV BL. Fragrant, rich PINOT N (**10'**) is best and an emerging star.

Sacred Hill Hawk r w ★★→★★★ Partly Chinese-owned. Acclaimed Riflemans CHARD (**10'**), powerful but refined, from inland, elevated site. Powerful, dark, long-lived Brokenstone MERLOT, Helmsman CAB/Merlot and Deer Stalkers SYRAH from GIMBLETT GRAVELS (**09'** 10). Punchy MARLBOROUGH SAUV BL. Halo: mid-tier. Other brands: Gunn Estate, Wild South (gd-value Marlborough range).

Saint Clair Marl r p w ★★→★★★ Largest family-owned producer in the region with extensive v'yds. Highly acclaimed for SAUV BL – esp great-value regional blend and strikingly concentrated Wairau Res. Easy-drinking RIES, PINOT GR, CHARD, MERLOT and PINOT N. Richly perfumed, sweetly oaked Res Chard and Merlot. Bewildering array of classy, 2nd-tier Pioneer Block wines. Vicar's Choice is lower tier.

Seifried Estate Nel (r) w ★★ Region's biggest winery. Aromatic, medium-dry RIES and GEWURZ; now also gd-value, often excellent SAUV BL and CHARD. Peachy, spicy GRÜNER VELTLINER since 2011. Best: Winemakers Collection (also sold under Aotea brand). Old Coach Road is 3rd tier. Plain reds.

Selaks Marl r w ★→★★ Old producer of Croatian origin, now a brand of CONSTELLATION NZ. Solid, easy-drinking Premium Selection range. New Heritage Res selection is gd value, esp tangy, high-impact MARLBOROUGH SAUV BL. Winemakers Favourite range also offers excellent value, esp rich, creamy HAWKE'S BAY CHARD.

Seresin Marl r w ★★→★★★ Subtle, sophisticated SAUV BL (partly barrel-fermented and certified organic), is one of NZ's finest. Excellent CHARD, PINOTS N and GR, RIES; 2nd-tier Momo (gd quality/value). Overall, complex, finely textured wines.

Sileni Hawk r p w ★★ Large producer, with classy CHARD, MERLOT and MARLBOROUGH SAUV BL. Top wines: rare EV (Exceptional Vintage), then a range with individual names (incl lush Chard, The Lodge), then Cellar Selection (gd, easy-drinking Merlot and dry PINOT GR). Rich, smooth Marlborough Sauv Bl (esp The Straits).

Spy Valley Marl r p w ★★→★★★ High-achieving company; extensive v'yds. Rich, aromatic whites (RIES, GEWURZ, PINOT GR) and v.gd SAUV BL, CHARD, MERLOT/MALBEC and PINOT N; all priced right. Satisfying, dry Pinot N Rosé. Superb top selection: Envoy (incl rich, subtle Chard and Mosel-like Ries). Second label: Satellite.

Staete Landt Marl r w ★★ Dutch immigrants producing refined CHARD (biscuity, rounded), SAUV BL (fleshy, rich, tropical fruit) and PINOT GR (creamy, dry); graceful PINOT N. Promising VIOGNIER and SYRAH. Second label: Map Maker.

Stonecroft Hawk r w ★★ Small winery. NZ's first serious SYRAH (since 1989), more Rhône than Oz, Res (**10'**); Serine Syrah is lighter. Reputation for outstanding CHARD, rich Old-Vine GEWURZ. New ownership since 2010.

Stoneleigh Marl r p w ★★ Owned by PERNOD RICARD NZ. Gd, large-volume MARLBOROUGH whites – incl punchy, tropical SAUV BL; generous, floral, slightly sweet PINOT GR; fast-improving, savoury PINOT N. Mid-tier range: Latitude (incl fleshy, sweet-fruited Sauv Bl.) Top wines: Rapaura Series (fragrant, rich, silky Pinot N **10'**).

Stonyridge Waih r w ★★★→★★★★ Boutique winery. Famous for exceptional, CAB SAUV-based red Larose (05' **06 07** 08' 09 10'), one of NZ's greatest, matures superbly. Airfield is little brother of Larose. Also powerful, dense Rhône-style Pilgrim and super-charged Luna Negra MALBEC. Second label: Fallen Angel.

Te Awa Hawk r w ★★ GIMBLETT GRAVELS v'yd; reputation for Bordeaux-like MERLOT-based reds. Recent premium Kidnapper Cliffs range: classy CHARD; silky Ariki (mostly Merlot); bold, peppery PINOTAGE; elegant SYRAH. Purchased in 2012 by VILLA MARIA.

Te Kairanga Mart r w ★→★★ One of district's largest wineries; history of quality issues and financial problems. Purchased in 2011 by American Bill Foley (owner of VAVASOUR, GROVE MILL), who is keen to elevate quality (esp PINOT N). Moderately complex Estate Pinot N has been gd value; Estate RIES is strong, tangy.

Te Mania Nel ★★ Small producer with fresh, lively CHARD, GEWURZ, PINOT GR, RIES, racy SAUV BL and generous, cherry-, spice- and herb-flavoured PINOT N.

Te Mata Hawk r w ★★★→★★★★ Prestigious winery (first vintage 1895). Coleraine (CAB SAUV/MERLOT/CAB FR blend) (**98'** **00** **02** **04** 05' 06' 07' 08 09' 10') is NZ's closest parallel to great Bordeaux; lower-priced ***Awatea Cabernets/Merlot*** (**09'** 10') is also classy and more forward. Bullnose SYRAH (**09'** 10') among NZ's finest. Rich, elegant Elston CHARD (**10'** 11). Estate V'yds (formerly Woodthorpe) range for early drinking (v.gd Chard, SAUV BL, GAMAY Noir, Merlot/Cab, Syrah/VIOGNIER).

Terra Sancta C Ot r (w) ★★ Originally Olssens. Bannockburn's first v'yd, founded 1991, sold in 2011 and renamed. All wines are estate-grown. V.gd-value, generous, drink-young Mysterious Diggings PINOT N; Bannockburn Pinot N is mid-tier; dense, savoury Slapjack Block Pinot N is from oldest vines (10').

TerraVin Marl r w ★★→★★★ Weighty, dry, tropical SAUV BL, but real focus is rich, complex PINOT N, esp Hillside Res (now multisite) and Eaton Family V'yd (**10'**). Among region's best reds. New range of lower-priced wines: All That Jazz.

Te Whau Waih ★★→★★★ Tiny, acclaimed v'yd and restaurant. Ripe, complex CHARD; savoury, mostly CAB SAUV blend, The Point (05' **08'** 10'). Densely packed SYRAH.

Tiki Marl w ★★ McKean family owns extensive v'yds in MARLBOROUGH and Waipara. Winemaker: Evan Ward (ex-MORTON). Punchy, vibrant and expressive, easy-drinking SAUV BL; fleshy, smooth PINOT GR. Second label: Maui.

Tohu r w ★★ Maori-owned venture with extensive v'yds. Racy, v.gd-value SAUV BL; strong, medium-dry RIES; citrus, creamy, unoaked CHARD and increasingly complex PINOT N, all from MARLBOROUGH. Scented, weighty NELSON PINOT GR.

Trinity Hill Hawk r p w ★★→★★★ Innovative winery with concentrated reds. Bordeaux-style The Gimblett is rich, refined, v.gd value (**09'** 10) and stylish black label CHARD. Exceptional Homage SYRAH: muscular, dense (**09'** 10'). Impressive, plummy TEMPRANILLO. Scented, soft PINOT GR and VIOGNIER among NZ's best.

Tupari Marl w ★★ Classy, single-v'yd AWATERE VALLEY wines made by Glenn Thomas (ex-VAVASOUR). Authoritative, minerally, racy SAUV BL (drive, delicacy, depth); intense, lively dry RIES; scented, vibrant PINOT GR.

Two Paddocks C Ot r ★★ Actor Sam Neill makes several PINOT NS, incl single-v'yd First Paddock (more herbal, from cool Gibbston district), Last Chance (riper, from warmer Alexandra). Picnic by Two Paddocks: drink-young regional blend.

Two Rivers Marl ★★ Convergence SAUV BL – classy, deep wine from WAIRAU and AWATERE VALLEYS. V.gd CHARD (mouthfilling, rich, creamy), PINOT GR, RIES, PINOT N.

Unison Hawk r (w) ★★ Dark, spicy, GIMBLETT GRAVELS blends of MERLOT, CAB SAUV, SYRAH. Selection label is oak-aged the longest (07'). New owners since 2008.

Valli C Ot ★★★ Small company owned by Grant Taylor, ex-GIBBSTON VALLEY winemaker. Superb single-v'yd PINOT N (esp Gibbston, Bannockburn, Bendigo) and strikingly intense Old Vine RIES (from vines planted in 1981).

Vavasour Marl r w ★★→★★★ Planted first vines in AWATERE VALLEY in 1986. Rich, creamy CHARD and vibrant, pure, nettley SAUV BL; promising PINOT N and PINOT GR. Vavasour Awatere Valley is top label; Dashwood is regional blend (aromatic, vibrant Sauv Bl is top-value). Ownership link to GROVE MILL, TE KAIRANGA.

Vidal Hawk r w ★★→★★★ Est 1905, owned by VILLA MARIA since 1976. Superb Legacy Series (previously Res) CHARD (10'), fragrant, tight, long; and CAB SAUV/MERLOT (intense, complex 09' 10). Mid-tier: Res Series. Lower-tier: White Series Merlot/Cab Sauv is gd-value. Impressive SYRAH (esp Legacy 09' 10'.)

Villa Maria Auck r p w ★★→★★★ NZ's largest family-owned winery, headed by Sir George Fistonich. Recent 50th vintage celebrations. Also owns VIDAL and ESK VALLEY. Great success in competitions, esp (recently) with CHARD. Top ranges: Res (express regional character) and Single V'yd (reflect individual sites); Cellar Selection: mid-tier (less oak) is often excellent; 3rd-tier Private Bin wines can be v.gd and fine-value (esp SAUV BL, but also GEWURZ, PINOT GR, VIOGNIER, PINOT N). Thornbury brand: rich, soft MERLOT and v. perfumed, supple Pinot N.

Vinoptima Gis w ★★→★★★ Small GEWURZ specialist, owned by Nick Nobilo (ex-NOBILO Wines). Top vintages (06') are pricey but full of power and personality.

Voss Mart r w ★★ Small, respected producer of perfumed, weighty, Res PINOT N (10'); RIES (dryish, citrus) and Res CHARD (lush, complex).

Waimea Nel r p w ★★ One of region's best white producers. Punchy SAUV BL; rich, rounded PINOT GR and GEWURZ; vibrant VIOGNIER; v.gd RIES (Classic is honeyed, medium style). Top range: Bolitho SV. Spinyback and Takutai ranges: DYA.

Waipara Hills Cant r w ★★ Key brand of MUD HOUSE. Passion fruit/lime MARLBOROUGH SAUV BL; moderately complex CENTRAL OTAGO PINOT N. Top Equinox range: excellent dryish WAIPARA PINOT GR, v. floral Waipara Pinot N and rich, honeyed Waipara RIES.

Waipara Springs Cant r w ★★ Small producer of strong, racy RIES (dry and medium), gd SAUV BL, GEWURZ and CHARD. Impressive top range: Premo, incl fragrant, concentrated PINOT N (10') from district's oldest Pinot N vines.

Wairarapa NZ's 7th-largest wine region (not to be confused with Waipara). *See* MARTINBOROUGH. Also incl Gladstone subregion in the north (slightly higher, cooler, wetter). Driest, coolest region in North Island; strength in whites and esp PINOT N (full-bodied, warm, spicy).

Wairau River Marl r p w ★★ Ripe, tropical fruit SAUV BL; full-bodied, rounded PINOT GR; gently sweet Summer RIES. Res is top label (weighty, rich PINOT N).

Wairau Valley Marl MARLBOROUGH's largest subregion (first v'yd planted in 1873; modern era since 1973), still with most of the region's wineries. Three important side valleys to the south: Brancott, Omaka and Waihopai. SAUV BL thrives on stony, silty plains, PINOT N on clay-based, north-facing slopes.

Waitaki Valley C Ot Slowly expanding subregion in North Otago. Limestone soils; cool, frost-prone climate. V. promising PINOT N, PINOT GR and RIES. Nearby Hakataramea Valley is in South CANTERBURY.

Whitehaven Marl r w ★★ Flavour-packed, harmonious SAUV BL is top-value and a big seller in the USA. Rich, soft GEWURZ; citrus, slightly buttery CHARD and full-of-charm PINOT N. Gallo (*see* California) is part-owner. Top range: Greg.

Wither Hills Marl r w ★★→★★★ Owned since 2002 by Lion Nathan. Popular gooseberry/lime SAUV BL. Generous, gently oaked CHARD and fragrant, softly textured PINOT N. Latest vintages less oaky. Intense single-v'yd Rarangi Sauv Bl (racy, long); scented, poised PINOT GR. Other brands: Shepherds Ridge, Two Tracks.

Wooing Tree C Ot r p w ★★ Single-v'yd producer at Cromwell. Lemony, creamy CHARD. V.gd, strawberry, spicy rosé. Bold, dark, fruit-packed PINOT N (Beetle Juice Pinot N less new oak). Sandstorm Res, low-yielding vines, oak-aged longer.

Yealands Marl r p w ★★ Sweeping, privately owned v'yd, one of NZ's biggest, in AWATERE VALLEY. Estate range incl SAUV BL, vibrant, herbaceous, pure; RIES, refined, off-dry; v. promising, lemony, spicy, dry GRÜNER VELTLINER. PINOT N, floral, supple; 2nd tier: Peter Yealands. Full Circle (plastic bottles).

Zephyr, Marl r w ★★ Family estate by the Opawa River. V. successful RIES, GEWURZ, PINOT N, SAUV BL.

South Africa

Abbreviations used in the text:

C'dorp	Calitzdorp	Fran	Franschhoek
Ced	Cederberg	Rob	Robertson
Coast	Coastal Region	Stell	Stellenbosch
Const	Constantia	Swa	Swartland
Dar	Darling	Tul	Tulbagh
Dur	Durbanville	Wlk B	Walker Bay
Elg	Elgin	Well	Wellington

Exactly 20 years on from democracy and the return to the international community, South African wine is in full ferment. Growers are getting over their affair with ripeness and blockbusterism and, spurred on by consumers, beginning to flirt again with finesse and understatement. Minimalism and "less is more" are gaining currency, which is why chemicals are used more sparingly in the vineyard, winemakers are intervening less in the cellar, using less new oak, opting for lighter filtrations, adding less (or sometimes no) sulphur. Natural winemaking (*see* France) is de rigueur, whether you're a card-carrying member of the Swartland Independent Movement or simply a conventional wine-grower experimenting with native-yeast fermentation.

Organic and biodynamic farming are on the rise, along with a sense of urgency around issues like sustainability, conservation and monoculture. There's a new respect (reverence, even) for tradition – hence the predilection for old vines, *oopkuipe* (open fermentation vessels), "heritage" vines like Cinsault and Clairette Blanche, retro label designs and wax-sealed bottles. In kaleidoscope SA, "natural" coexists with science and technology; hands-off vinification cohabits with the interventionist winemaking required to produce, say, mocha-fragrant Pinotage, and time-honoured corks share shelf space with the very latest closures. For every winemaker reviving a faded local variety, there's a colleague tinkering with some novel or exotic grape. The next 20 years promise their share of challenges, notably around social justice. With luck, though, the future will be no less boisterous, paradoxical, or fascinating.

Recent vintages

2012 An unusually hot, dry-land-vine-stressing early season was followed by a good to very good vintage for both reds and whites; lower alcohol levels.

2011 Another variable year; producer track-record should guide buying/ cellaring decisions.

2010 Mixed bag; later-ripening varieties (reds, whites) generally performed best.

2009 South Africa's 350th harvest and one of its best. Stellar whites, most reds.

2008 Challenging but cool; ripe yet elegant wines; lower-than-usual alcohol.

2007 Sturdy whites for keeping; soft, easy reds for earlier drinking.

Note: Most dry whites are best drunk within two to three years.

Anthonij Rupert Wines W Cape r w ★→★★★ Well-delineated portfolio named after owner Johann Rupert's late brother. Emphatic reds in flagship Anthonij Rupert range; terroir explorations under Cape of Good Hope label; Italianate Terra del Capo food partners; snappy Protea everyday wines.

Anwilka Stell r ★★→★★★ KLEIN CONSTANTIA's red wine-specialist sibling, now entirely foreign-owned. Top label is modern SHIRAZ/CAB SAUV Anwilka (05 **06** 07 08 09').

Ashbourne *See* HAMILTON RUSSELL.

Ataraxia Wines W Cape r w ★★★ Acclaimed CHARD, SAUV BL and Serenity red (unspecified varieties) made by Kevin Grant from own HEMEL-EN-AARDE Ridge and bought-in ELGIN/WALKER BAY fruit. Given Grant's record at HAMILTON RUSSELL, much is expected from future PINOT N.

Avondale Paarl r p w sp ★★→★★★ Family-owned eco-pioneer, embracing organics, biodynamics and science to produce increasingly impressive Bordeaux- and Rhône-style reds, scented Rosé, VIOGNIER blend, wooded CHENIN BL and MCC.

Axe Hill C'dorp r br sw ★★→★★★ Noted Port-style exponent (Cape Vintage, mainly TOURIGA NACIONAL 01 02' 03' 04 05' 06 07 08 09) now also offers unfortified SHIRAZ and Port-grape blends.

AA Badenhorst Family Wines Coast r (p) w ★★→★★★ SWARTLAND-based cousins Hein and Adi Badenhorst vinify mainly Mediterranean varieties and CHENIN BL under serious but light-hearted and -textured AA Badenhorst and Secateurs labels. Occasional *vin jaune*-style Funky White is aptly named.

Bamboes Bay Tiny (5ha) maritime WARD in OLIFANTS RIVER region. Fryer's Cove first (and still only) winery, with racy SAUV BL and promising PINOT N.

Beaumont Wines Wlk B r (p) w (br) (sw) ★→★★★ Historic family estate (complete with 200-yr-old working watermill), home to expressive CHENIN BL, PINOTAGE, varietal and blended MOURVÈDRE, Bordeaux-blend red Ariane.

Bellingham W Cape r (p) w ★→★★★ Enduring DGB brand; limited-release Bernard Series, larger-volume Insignia and new Ancient Earth and The Tree ranges.

Beyerskloof W Cape r (p) (w) (br) (sp) ★→★★★ SA's PINOTAGE champion, nr STEL. Nine versions of the grape on offer, incl superlative varietal Diesel (06 07' 08' 09), various CAPE BLENDS, sparkling and Port-style. Also classic CAB SAUV/MERLOT Field Blend (00 01 02 03' 04 05 07 08).

Biodynamic Anthroposophic mode of wine-growing practised by small but expanding group, incl Elgin Ridge, Hannay, Iona. *See also* ORGANIC.

Black Economic Empowerment (BEE) Initiative aimed at increasing wine-industry ownership and participation by previously disadvantaged groups. Since late 1990s, with pioneers New Beginnings and Fairvalley, black-owned or part-black-owned cellars have increased steadily, incl majors like KWV. Other quality labels: Howard Booysen, Land of Hope (THE WINERY OF GOOD HOPE), SOLMS-DELTA.

Boekenhoutskloof Winery W Cape r w sw ★★→★★★★ Consistently excellent producer with cellars in FRANSCHHOEK, STELLENBOSCH and SWARTLAND. Spicy SYRAH (01' 02' 03 04' 05 **06'** 07 08 09' 10); intense, mineral CAB SAUV (01' 02' 03 04' 05 **06'**

07' 08' 09'). Also fine SÉM and Mediterranean-style red The Chocolate Block; uniquely packaged organic SHIRAZ Porseleinberg; gd-value labels Porcupine Ridge, Wolftrap and Helderberg Wijnmakerij.

Bon Courage Estate Rob r (p) w (br) sw (s/sw) sp ★→★★★ Extensive family-grown range led by Inkará reds, stylish Brut MCC incl new Rosé, and aromatic RIES and MUSCAT desserts.

Boplaas Family Vineyards W Cape r w br (sp) ★→★★★ Nel family vintners at CALITZDORP, best-known for Port styles, esp Vintage Res (99' 01 03 04' 05' 06' 07' 08 09' 10), Cape Tawny. Cool Bay (unfortified) range from ocean-facing blocks.

Boschendal Wines W Cape r (p) w (sw) sp ★→★★★ Famous old estate nr FRANSCHHOEK showing new élan under DGB ownership. Calling cards: SHIRAZ, SAUV BL, Bordeaux/Shiraz Grand Res and MCC.

Bot River *See* WALKER BAY.

Bouchard Finlayson W Cape r w ★★→★★★★ V. fine PINOT N grower: Galpin Peak (01 02' 03 04 05 07 08 09 10), barrel selection Tête de Cuvée (99 01' 03' 05' 07 09 10) and Unfiltered Limited Edition (07). Impressive CHARD, SAUV BL and exotic red blend Hannibal.

Breedekloof Large inland DISTRICT in Breede River Valley REGION; mainly bulk wine. Notable exceptions: Avondrood, Bergsig, Deetlefs, Mtn Oaks, Du Preez, Merwida, Opstal and Silkbush; Du Toitskloof Winery gd-value.

Buitenverwachting W Cape r (p) w sw (sp) ★★→★★★ Classy family v'yds, cellar and restaurant; standout SAUV BL, CAB FR, restrained Bordeaux-blend red Christine (00 01' 02 03 04 06 07 08), aromatic MUSCAT dessert "1769".

Calitzdorp DISTRICT in KLEIN KAROO REGION, climatically similar to the Douro and known for Port styles. Best producers: AXE HILL, BOPLAAS, DE KRANS, Peter Bayly, Quinta do Sul. New unfortified Port-grape "Calitzdorp Blends" show promise.

Cape Agulhas *See* ELIM.

Cape's ancient soils show c.40 soil forms (vs only 10+ in eg. South America).

Cape Blend Usually red blend, proportion of PINOTAGE. Top exponents incl BEAUMONT, BEYERSKLOOF, GRAHAM BECK, GRANGEHURST, KAAPZICHT, MEINERT, SPIER and WARWICK.

Cape Chamonix Wine Farm Fran r w (sp) ★★→★★★★ Recent vintages confirm excellence of these winemaker-run mtn v'yds. Individual and v.gd PINOT N, PINOTAGE, CHARD, SAUV BL and new Bordeaux-style Res White.

Cape Point Tiny (32ha) maritime district on southern tip of Cape Peninsula. Mainly white grapes. Sole winery CAPE POINT V'YDS consistent star performer.

Cape Point Vineyards W Cape (r) w ★→★★★★ Exciting, consistent producer of complex, age-worthy SAUV BL/SÉM blends, racy CHARD, thrilling SAUV BL; gd-value Splattered Toad label helps save endangered amphibians. Keep an eye open for red and white in cellarmaster Duncan Savage's eponymous own brand.

Cape South Coast Appellation in WO system, combining DISTRICTS of Cape Agulhas, ELGIN, Overberg, Plettenberg Bay, Swellendam, WALKER BAY, plus stand-alone WARDS Herbertsdale, Napier, Stilbaai East into cool-climate "umbrella" REGION.

Cape Winemakers Guild (CWG) Independent, invitation-only association of 45 top growers. Stages benchmarking annual auction of limited premium bottlings and, via a trust, provides development aid, education bursaries and mentorship.

Cederberg High-altitude stand-alone WARD in remote Cederberg Mts. Scant 70ha, mainly white varieties. Relative newcomer Driehoek and established star CEDERBERG PRIVATE CELLAR are sole producers.

Cederberg Private Cellar Ced r w (p) (sp) ★★→★★★ Combines cool-climate minerality with intense flavour in SHIRAZ, CAB SAUV, SAUV BL, SÉM, CHENIN BL and rare variety Bukettraube under top-tier Five Generations, ELIM-sourced Ghost Corner and Cederberg labels.

Central Orange River Stand-alone inland "mega WARD" (11,400ha) in Northern Cape GEOGRAPHICAL UNIT. Hot, dry, dependent on irrigation; mainly white wines and fortified. Major producer is Orange River Wine Cellars.

Coastal Large (31,000ha) REGION, incl sea-influenced DISTRICTS of CAPE POINT, DARLING, Tygerberg, STELLENBOSCH, SWARTLAND, and stand-alone maritime wards CONSTANTIA and Hout Bay, but also inland FRANSCHHOEK VALLEY, PAARL, TULBAGH and WELLINGTON.

Colmant Cap Classique & Champagne W Cape sp ★★★ Exciting FRANSCHHOEK *méthode traditionnelle* sparkling specialist. Currently a trio of well-priced MCC: Res, Rosé (PINOT N/CHARD) and Chard; all brut, NV and excellent.

Company of Wine People, The W Cape r (p) w (sw) (sp) ★→★★★ 2.6-million-cases-a-yr winery nr STELLENBOSCH with top brands Kumkani, now a BEE joint venture with winemaker/entrepreneur Allison Adams-Witbooi, and resurrected Credo; also Arniston Bay, Versus and Welmoed easy-drinkers.

Constantia Cool, scenic WARD on Constantiaberg; SA's original fine wine-growing area, revitalized in recent yrs by GROOT, KLEIN CONSTANTIA, Beau Constantia, BUITENVERWACHTING, Constantia Glen, CONSTANTIA UITSIG, Eagles' Nest, STEENBERG.

Constantia Uitsig Const r w br sp ★★★ Premium v'yds and tourist destination. Mainly white wines and MCC, all carefully crafted. Delicious and unusual fortified red MUSCAT d'Alexandrie dessert.

Creation Wines Wlk B r w ★★→★★★ Elegant modernity in family-owned/-vinified range, showcasing Bordeaux, Rhône and Burgundy varietals and blends. Kaleidoscopic cellar-door offering worth the detour.

Dalla Cia Wine & Spirit Company Stell r w ★★→★★★ Family patriarch Giorgio Dalla Cia vinifies a CAB SAUV, Bordeaux red Giorgio, lightly oaked CHARD, SAUV BL and recent PINOT N; advises select clients, ie. ambitious STELLENBOSCH start-up 4G Wines.

Danie de Wet *See* DE WETSHOF.

Darling DISTRICT (2,800ha) around eponymous west coast town. Best v'yds in hilly Groenekloof WARD. Cloof, Darling Cellars, Groote Post, Ormonde and Lanner Hill bottle under own labels; most other fruit goes into third-party brands.

De Grendel Wines W Cape r (p) w (sw) (sp) ★→★★★ Hillside property overlooking Table Bay, owned by Sir David Graaff. SHIRAZ, Koetshuis SAUV BL, VIOGNIER and PINOTS N and GR are standouts.

De Krans C'dorp r (p) w br (sw) ★→★★★ Family v'yds noted for Port-styles (esp Vintage Res 01 02 03' 04' 05' 06' 07 08' 09' 10'), fortified MUSCATS, and varietal bottlings of rarer grapes. Among first to market a "CALITZDORP Blend" (unfortified TOURIGA NACIONAL/TEMPRANILLO/Tinta Barroca).

Delaire Graff Estate W Cape r (p) w (br) (sw) ★★→★★★ International diamantaire Laurence Graff's eyrie v'yds, winery and opulent tourist destination. Jewel in the crown is new CAB SAUV-based barrel selection, Laurence Graff Res.

Delheim Wines Stell r (p) w sw s/sw ★★→★★★ Eco-minded family winery in prime Simonsberg foothills. Acclaimed Vera Cruz SHIRAZ; cellar-worthy CAB SAUV Grand Res (00 01 03 04' 05 **06** 07' 08).

De Toren Private Cellar Stell r ★★★ Consistent Bordeaux red Fusion V (02 03' 04 05' **06'** 07 08 09' 10); earlier-maturing MERLOT-based "Z", both five-way blends.

De Trafford Wines Stell r p w sw ★★→★★★★ Consistent boutique grower with international reputation for bold but elegant wines. Brilliant Bordeaux/SHIRAZ blend Elevation 393 (01 03' 04 05 **06** 07 08 09), CAB SAUV (01 03' 04 05 **06** 07 08 09 10), SHIRAZ and oak-aged Straw Wine from CHENIN BL. Characterful Sijnn (pronounced "sane") blends (r w) and Rosé from maritime Malgas WARD.

De Wetshof Estate Rob r (p) w (br) sw (sp) ★→★★★ Famed CHARD pioneer and exponent; seven versions, oaked and unwooded, under De Wetshof and Danie de Wet branding. New Thibault Bordeaux red honours noted Cape Colony architect upon whose design estate's elegant cellar-door is based.

DGB W Cape Well-established WELLINGTON-based producer/wholesaler, with brands like BELLINGHAM, BOSCHENDAL, Brampton and Douglas Green.

Diemersdal Estate W Cape r (p) w ★→★★★ Family farm with enterprising younger generation focusing on red blends, PINOTAGE, CHARD and SAUV BL. Burgeoning internet-inspired brand Sauvignon.com; west-coast joint-venture Sir Lambert.

Diemersfontein Wines Well r w ★★→★★★ Family wine estate and guest lodge, esp noted for full-throttle MALBEC, CHENIN BL, VIOGNIER in Carpe Diem range. Espresso-toned Diemersfontein PINOTAGE spawned much-emulated and -embroidered upon "coffee style". BEE brand is Thokozani.

Distell W Cape SA's biggest drinks company, headquartered in STELLENBOSCH. Owns many brands, spanning styles and quality scales. Also has interests in various top Stellenbosch wineries via Lusan Premium Wines, in BEE label Tukulu, and in Lomond Estate in cool-climate CAPE AGULHAS.

District *See* GEOGRAPHICAL UNIT.

Durbanville Cool, hilly WARD (1,500ha) nr Cape Town, known for pungent SAUV BL and MERLOT. Corporate co-owned DURBANVILLE HILLS and many family farms. Also thriving *garagiste* wineries, incl anaesthetist-owned Maison de Teijger.

Durbanville Hills Dur r (p) w (sw) ★→★★★ Maritime-cooled v'yds, restaurant and upgraded cellar-door owned by DISTELL, local growers and workers' trust. Best are Single V'yd and Rhinofields Res ranges.

Edgebaston W Cape r w ★★→★★★ Finlayson family (GLEN CARLOU fame). V.gd GS CAB SAUV (05 '**06** 07 08 10), new PINOT N, SHIRAZ, CHARD; classy early-drinking wines incl new Berry Box White.

Elgin Cool-climate upland and fast-developing Overberg DISTRICT; increasingly recognized for SAUV BL, CHARD, PINOT N, MERLOT and Bordeaux blends. Mainly family-owned boutique cellars, incl Almenkerk, ORGANIC Elgin Ridge, Highlands Road, Iona, Oak Valley, newcomer Oneiric, PAUL CLUVER and SHANNON.

Elim Sea-breezy WARD (143ha) in southernmost DISTRICT, Cape Agulhas, and home to The Berrio, Black Oystercatcher, Land's End and Strandveld, producing svelte SAUV BL, white blends and SHIRAZ. Also grape source for majors incl FLAGSTONE.

Ernie Els Wines Stell r (w) ★★→★★★★ SA's star golfer's wine venture, driven by big-ticket Bordeaux red Ernie Els Signature (01 02' 03 04' 05 **06** 07' 08 09'). Els' famously effortless swing gives name to Big Easy Red and White.

Estate Wine Official term for wine grown, made and bottled on "units registered for the production of estate wine". Not a quality designation.

Fable r w ★★★→★★★★ BIODYNAMIC TULBAGH grower and sibling of MULDERBOSCH, owned by California's Terroir Capital. Exceptional SHIRAZ (varietal and blend) and textured white blend Jackal Bird.

Stardom at last for Cinderella grape?

CHENIN BL historically has been SA's Cinderella grape, overshadowed by the more popular SAUV BL and CHARD. But a makeover begun more than 20 years ago by Chenin Bl champions like Irina von Holdt, creator of the pioneering old-vines Blue White Chenin Bl; Michael Fridjhon, initiator of the Chenin Bl Challenge, and an expanding group of passionate growers, endowed with many sites and some well-aged blocks, at last seems to be raising the quality and stature of SA's most-planted variety to the point where, some believe, it could become the country's signature grape. Doubtless proponents will be hoping that a string of recent international competition successes, favourable reviews, and high-profile developments such as a local Chenin Bl's inclusion among the London Olympics' "official" wines, will hasten the transformation of the perennial understudy into the national star.

Fairtrade The international Fairtrade network's sustainable development and empowerment objectives are embraced by a growing list of SA producers, incl big players such as Du Toitskloof, Groupe CDV and Riebeek Cellars.

Fairview W Cape r (p) w (br) (sw) (s/sw) ★→★★★★ Dynamic and innovative owner Charles Back with smorgasbord of sensibly priced blended, varietal, single-v'yd and terroir-specific bottlings, incl Fairview, Spice Route, ***Goats do Roam***, La Capra and Leeuwenjacht. Also, via shareholding/partnership, Six Hats (FAIRTRADE), Juno and, recently, Land's End.

FirstCape Vineyards W Cape r (p) w sp DYA Biggest-selling SA wine brand in UK. Joint venture of five local co-ops and UK's Brand Phoenix, with entry-level wines in many ranges, some sourced outside SA. Low-alcohol segment is a key focus.

Flagstone Winery W Cape r w (br) ★→★★★ Medalled winery at Somerset West, owned by Australia's CHAMP Private Equity. Idiosyncratically named labels (eg. Writer's Block PINOTAGE) in top-end Flagstone and earlier-ready Poetry, Rustler and Whispering Jack ranges.

Fleur du Cap W Cape r w sw ★★→★★★ DISTELL premium label; incl v.gd Unfiltered Collection and always-stellar botrytis Noble Late Harvest in Bergkelder Selection.

Franschhoek Valley French Huguenot-founded DISTRICT in COASTAL REGION. 1,200ha, mainly CAB SAUV, CHARD, SAUV BL, SHIRAZ. Many wineries (and restaurants): ANTHONIJ RUPERT, Allée Bleue, BOEKENHOUTSKLOOF, BOSCHENDAL, COLMANT, CAPE CHAMONIX, GlenWood, Grande Provence, LA MOTTE, Lynx, Môreson, SOLMS-DELTA, Topiary.

Geographical Unit (GU) Largest of four main WINE OF ORIGIN demarcations. Currently five GUs: Eastern, Northern and Western Cape, KwaZulu-Natal, Limpopo. The other WO delineations (in descending size): REGION, DISTRICT and WARD.

Glen Carlou W Cape r w (sw) (sp) ★★→★★★ Donald Hess-owned; first-rate v'yds; fine-art gallery, restaurant nr PAARL. Spicy SYRAH, fine Bordeaux red Grand Classique.

Glenelly Estate Stell r w ★★→★★★ Former Château Pichon-Lalande (*see* Bordeaux) owner May-Eliane de Lencquesaing's v'yds and state-of-the-art cellar. Impressive flagships Lady May (mainly CAB SAUV) and Grand Vin de Glenelly duo (Bordeaux/SHIRAZ and CHARD); readier-on-release Glass Collection.

Graham Beck Wines W Cape r (p) w sp (sw) ★★→★★★ Front-ranker with 30+ labels, incl classy bubbles, varietal and blended reds/whites, topped by superb Cuvée Clive MCC, Ad Honorem CAB SAUV/SHIRAZ and Pheasants' Run SAUV BL.

Grangehurst Stell r p ★★→★★★ Small, top-notch red and rosé specialist. V.gd CAPE BLEND Nikela (98 99 00 01 02 03' 05), PINOTAGE (97 98 99 01 02 03' 05).

Groot Constantia Estate Const r (p) w (br) sw (sp) ★★→★★★ Wines befitting tourism hotspot in Cape's original fine-wine-growing area. PINOTAGE, CHARD, Res SÉM/SAUV. Grand Constance upholds Constantia tradition of world-class MUSCAT desserts.

Guardian Peak *See* RUST EN VREDE ESTATE.

Hamilton Russell Vineyards Wlk B r w ★★★→★★★★ Burgundian-style specialist at Hermanus. Fine PINOT N (01' 03' 04 05 **06 07** 08 09' 10); exceptional CHARD. Super SAUV BL, PINOTAGE, white blends under Southern Right, Ashbourne labels.

Hartenberg Estate Stell r w ★★→★★★★ Consistent top performer. Quartet of outstanding SHIRAZ: extrovert single-site The Stork (03 04' 05' **06** 07 08 09'), savoury Gravel Hill, always serious Shiraz (01 02 03 04' 05 **06** 07 08 09), new entry-level Doorkeeper; also fine MERLOT, CHARD, RIES.

Haskell Vineyards Stell r w ★★★ American-owned v'yds and cellar receiving rave notices for pair of SYRAHS (Pillars and Aeon), red blends and CHARD. Ever-improving sibling brand Dombeya.

Hemel-en-Aarde Trio of cool-climate WARDS (Hemel-en-Aarde Valley, Upper Hemel-en-Aarde Valley, Hemel-en-Aarde Ridge) in WALKER BAY DISTRICT, producing outstanding PINOT N, CHARD and SAUV BL. ATARAXIA, BOUCHARD FINLAYSON, CREATION, HAMILTON RUSSELL and NEWTON JOHNSON are top names.

Hermanuspietersfontein Wynkelder W Cape r (p) w ★★→★★★ Leading SAUV BL and Bordeaux red blend specialist; creatively markets physical and historical connections with seaside resort Hermanus.

J C le Roux, The House of W Cape sp ★★ SA's largest specialist sparkling wine house, DISTELL owned. Best: PINOT N, Scintilla (CHARD/Pinot N), Brut NV, all MCC.

Jean Daneel Wines W Cape r w (br) (sp) ★→★★★ Family winery at Napier; outstanding Signature Series, esp Red (CAB SAUV/MERLOT/SHIRAZ), ***Chenin Bl***, rare MCC sparkling from Chenin Bl.

Jordan Wine Estate Stell r (p) w sw ★★→★★★★ Consistency, quality, value from entry-level Bradgate, Chameleon lines to immaculate CWG Auction bottlings. Flagship Nine Yards CHARD; Bordeaux blend Cobblers Hill (00 01 03 04' 05' **06** 07 08 09); CAB SAUV; MERLOT; SAUV BL (oaked and unwooded); RIES botrytis dessert Mellifera.

Kaapzicht Wine Estate Stell r (p) w (br) (sw) ★→★★★ Family winery with internationally acclaimed top-range Steytler: Vision CAPE BLEND (01' 02' 03' **04** 05' 06 07), PINOTAGE and Bordeaux red blend Pentagon.

Kanonkop Estate Stell r (p) ★★→★★★★ Grand local status for three decades, mainly with PINOTAGE (01 02 03' 04 05 **06** 07 08 09' 10'), Bordeaux blend Paul Sauer (01 02 03 04' 05 **06'** 07 08 09) and CAB SAUV. Second tier is Kadette (red and Pinotage Dry Rosé).

Ken Forrester Wines W Cape r (p) w sw (s/sw) ★★→★★★ STELLENBOSCH-based vintner/restaurateur Ken Forrester and grower Martin MEINERT collaboration. Three benchmark CHENIN BL: racy, dry Res; opulent off-dry The FMC (occasional Sélection Moelleux); sumptuous botrytis "T". Devilishly drinkable budget, Petit.

Klein Constantia Estate W Cape r (p) w sw (sp) ★★→★★★ Meticulously restored property, now foreign owned. Luscious (non-botrytis) Vin de Constance (00' 01 02' 04 05 06' 07') convincing re-creation of legendary 18th-century Constantia MUSCAT dessert. Also elegant Marlbrook blends, cellarable RIES, classy SAUV BL and earlier-ready KC range. Sibling property is ANWILKA in STELLENBOSCH.

Kleine Zalze Wines W Cape r (p) w ★★→★★★ STELLENBOSCH-based star with brilliant CAB SAUV, SHIRAZ, CHENIN BL and SAUV BL in Family Res and V'yd Selection ranges; tasty and affordable Cellar Selection, Foot of Africa and Zalze line-ups.

Klein Karoo Semi-arid REGION (2,500ha) known for fortified, esp Port-style in CALITZDORP DISTRICT. Higher-lying Tradouw, Tradouw Highlands, Outeniqua and Upper Langkloof WARDS show promise with PINOT N, SHIRAZ and SAUV BL.

Krone, The House of W Cape sp ★★★ Elegant Brut MCC, incl Borealis, Rosé and NV prestige cuvée Nicolas Charles Krone, from PINOT N/CHARD, made at Twee Jonge Gezellen Estate in TULBAGH.

Kumala W Cape r (p) w (s/sw) DYA Hugely successful export label and sibling brand to premium FLAGSTONE and entry-level Fish Hoek, all owned via Accolade Wines by Sydney-based CHAMP Private Equity.

KwaZulu-Natal Province and demarcated GEOGRAPHICAL UNIT on east coast; summer rainfall; sub-tropical or tropical climate in coastal areas; cooler, hilly central Midlands plateau home to nascent fine-wine industry led by Abingdon Estate.

KWV W Cape r (p) w (br) (s/sw) (sw) sp ★→★★★ Formerly the national wine co-op and controlling body, today a partly black-owned listed group based in PAARL. 80+ reds, whites, sparkling, Port styles, fortified desserts in 11 ranges. Best: Mentors, Cathedral Cellar, KWV Res and Laborie; Pearly Bay quaffers, Café Culture "coffee" PINOTAGE (still and fizzy) and BerRaz sweet SHIRAZ target pop palate.

Lamberts Bay West coast WARD (22ha) close by Atlantic. Trenchant SAUV BL, promising SHIRAZ by Sir Lambert, local joint venture with DIEMERSDAL.

Lammershoek Winery Swa r (p) w (sw) ★★→★★★ Traditionally vinified, deep-flavoured Rhône-style blends and CHENIN BL that epitomize SWARTLAND generosity and concentration. Younger-vines LAM quartet overdelivers.

La Motte W Cape r w (sp) ★★→★★★ Increasingly ORGANIC venture by the Rupert family, based at FRANSCHHOEK. Fine, distinctive SHIRAZ/VIOGNIER, SAUV BL and Shiraz/GRENACHE in flagship Pierneef Collection; improving MCC.

Lanzerac Stell r (p) w ★★→★★★ Venerable property (incl luxury hotel) long associated with PINOTAGE (1st vintage 1959), under new ownership. V. fine Le Général CAPE BLEND and new Mrs English CHARD.

L'Avenir Vineyards W Cape r (p) w (sp) ★→★★★ AdVini-owned property nr STELLENBOSCH, vinifying mainly SA stalwarts PINOTAGE and CHENIN BL with Gallic panache, esp in flagship Icon range.

Le Riche Wines Stell r (w) ★★★ Fine CAB SAUV-based boutique wines, hand-crafted by respected Etienne le Riche and family. Also v.gd CHARD.

MCC *See* MÉTHODE CAP CLASSIQUE.

Meerlust Estate Stell r w ★★★★ Prestigious family-owned v'yds and cellar. Elegance and restraint in flagship Rubicon (99 00 01' 03' 04 05 **06** 07' 08), one of SA's first Bordeaux blends; also excellent MERLOT, CAB SAUV, CHARD and PINOT N. Cellar-master Chris Williams' Rhône-orientated own label The Foundry also top-rated.

Meinert Wines Coast r (p) w ★★→★★★ Thoughtful producer/consultant Martin Meinert noted for fine Bordeaux/PINOTAGE blend Synchronicity. Recently more emphasis on white (SAUV BL and CHARD) and pink.

Méthode Cap Classique (MCC) EU-friendly name for bottle-fermented sparkling, one of SA's major success stories. 200 labels and counting. Ambeloui, BON COURAGE, BOSCHENDAL, Cabrière, COLMANT, CONSTANTIA UITSIG, ***Graham Beck***, J C LE ROUX, KRONE, SIMONSIG, ***Steenberg***, VILLIERA; newcomers Chabivin, Genevieve and The House of GM & Ahrens.

Morgenhof Wine Estate Stell r (p) w (br) (sw) (sp) ★→★★★ 1692 property revitalized by Anne Cointreau (of Cognac/liqueur family). Bordeaux red blend The Morgenhof Estate and CHENIN BL. Gd everyday Fantail range.

Morgenster Estate Stell r p w ★★→★★★ Prime Italian-owned wine and olive farm nr Somerset West, advised by Bordelais Pierre Lurton (Cheval Blanc). Classic Morgenster (00 01 03 04 05' **06'** 08 09 10); second label Lourens River Valley. SANGIOVESE, NEBBIOLO blends in Italian Collection; newer Bordeaux white blend.

Mulderbosch Vineyards W Cape r p w (sw) ★★→★★★ STELLENBOSCH winery owned by California investment group Terroir Capital. Individualistic offerings, incl SAUV BL, dry and botrytis; wood-fermented CHARD; high-priced CHENIN BL Small Change; juicy CAB SAUV Rosé a top-seller.

Mullineux Family Wines Swa r w sw ★★★→★★★★ Star husband-and-wife team Chris and Andrea Mullineux, specializing in smart, generous, carefully made SYRAH, Rhône-style blends (r w), CHENIN BL. Adventurous vinifications (eg. *vin jaune*-style ROUSSANNE) under The Three Foxes label with brothers Pascal and Olivier Schildt.

Mvemve Raats Stell r ★★★ Mzokhona Mvemve, SA's 1st university-qualified black winemaker, and Bruwer RAATS vinify acclaimed Bordeaux red MR De Compostella.

Nederburg Wines W Cape r (p) w sw s/sw (sp) ★→★★★★ Among SA's biggest (1.4 million cases) and best-known brands, DISTELL-owned. Exceptional Ingenuity Red (05 **06** 07' 08 09) and White; excellent Manor House label and new Heritage Heroes quartet, honouring key figures from winery's past. Also low-priced quaffers, still and sparkling. Small, sometimes stellar Private Bins for annual Nederburg Auction, incl CHENIN BL botrytis ***Edelkeur*** (02 03' 04' 05 06 07' **08 09'** 10' 11).

Neil Ellis Wines W Cape r w ★★→★★★★ Veteran cellarmaster Neil Ellis and viticulturist/winemaker son Warren source cooler-climate parcels for site expression. Top V'yd Selection CAB SAUV (99 00' 01 03 04' 05 **06** 07 09), SYRAH, SAUV BL, PINOTAGE; sensational old-vine GRENACHE Noir from Piekenierskloof WARD.

Newton Johnson Vineyards r (p) w ★★→★★★ Cellar and restaurant in scenic Upper

HEMEL-EN-AARDE Valley. Outstanding PINOT N, CHARD, SAUV BL and Rhône reds, from own and partner v'yds; lovely botrytis CHENIN BL, L'illa, ex ROBERTSON; widely sourced entry-level brand Felicité.

Olifants River West coast REGION. Warm valley floors, conducive to ORGANIC cultivation, and cooler, fine-wine-favouring sites in the mtn WARD of Piekenierskloof, and, nr the Atlantic, BAMBOES BAY and Koekenaap.

Organic Expanding category with variable quality; producers with track records incl AVONDALE, Bon Cap, FABLE, Groot Parys, Laibach, Lazanou, Mtn Oaks, REYNEKE, Stellar, Tukulu, Upland and Waverley Hills. *See also* BIODYNAMIC.

Outeniqua *See* KLEIN KAROO.

Paarl Town and demarcated wine DISTRICT 50km+ northeast of Cape Town. 9,500ha; WELLINGTON, previously a sub-appellation, now a separate DISTRICT. Diverse styles and approaches; best results with Mediterranean varieties (r w), CAB SAUV, PINOTAGE. Newer entrants Babylonstoren, Doran and Eenzaamheid worth a taste.

Paul Cluver Estate Wines Elg r w s/sw sw ★★★→★★★★ Elgin's standard bearer, Cluver-family-owned; convincing PINOT N, elegant CHARD, ***gorgeous Gewurz***, and knockout RIES (botrytis 03' 04 05' 06' 07 08' 09 10 11', and two drier versions).

Quoin Rock Winery r w (sp) (sw) ★★→★★★ Now Ukranian-owned, with established v'yds nr STEL and ELIM. Classically styled SYRAH, MERLOT, white flagship Oculus, distinctive SAUV BL The Nicobar and SYRAH blend The Centaur.

Raats Family Wines Coast r w ★★→★★★ CAB FR, two pure-fruited CHENIN BL (oaked and unwooded) and new Bordeaux blend Red Jasper, vinified by STELLENBOSCH-based Bruwer Raats, also a partner in boutique-scale MVEMVE RAATS.

Region *See* GEOGRAPHICAL UNIT.

Reyneke Wines Coast r w ★★→★★★ Leading ORGANIC/BIODYNAMIC producer nr STELLENBOSCH; luminous Res Red (mainly SHIRAZ), CHENIN BL, Res White (SAUV BL).

Rijk's Coast r w ★★→★★★ TULBAGH pioneer with Estate, Res, Private Cellar and Touch of Oak tiers focused on varietal and blended SHIRAZ, PINOTAGE, CHENIN BL.

Robertson District Low-rainfall inland valley; 13,800ha; lime soils; conducive climate for ORGANIC production. Historically gd CHARD, dessert styles (notably MUSCAT); more recently SAUV BL, SHIRAZ, CAB SAUV. Major cellars include BON COURAGE, DE WETSHOF, GRAHAM BECK, Rietvallei, ROBERTSON WINERY, Rooiberg, SPRINGFIELD, Weltevrede, Zandvliet; also many family boutiques.

Robertson Winery Rob r (p) w (br) sw s/sw (sp) ★→★★ Consistency, gd-value from co-op-scale winery. Best is No 1 Constitution Rd SHIRAZ; also v.gd V'yd Selection.

Rudera Wines W Cape r w sw ★→★★★ Hailed for consistently excellent CHENIN BL (dry/semi-dry and botrytis), CAB SAUV, SYRAH. Now has charming cellar-door high on PAARL Mtn. Second labels are Halala and Lula.

Rupert & Rothschild Vignerons W Cape r w ★★★ Top v'yds and cellar nr PAARL owned by the Rupert family and Baron Benjamin de Rothschild. Impressive Bordeaux blend Baron Edmond (98 00 01 03' 04 05 07 08 09 10'); CHARD Baroness Nadine is a deep-flavoured classic.

Rustenberg Wines W Cape r w (sw) ★★→★★★★ Prestigious family winery nr STEL. Flagship is CAB SAUV Peter Barlow (99' 01' 03 04 05 06 07 08). Outstanding Bordeaux red blend John X Merriman; savoury SYRAH; single-v'yd Five Soldiers CHARD; surprisingly serious new entry-level Ida's/Est. 1682 range duo.

Rust en Vrede Estate Stell r w ★★→★★★ Powerful, showy offering includes pricey single-v'yd SYRAH and limited-release SYRAH/CAB SAUV "1694 Classification"; Cirrus Syrah joint venture with California's Silver Oaks; recent STELLENBOSCH Ridge explorations of sites beyond Helderberg home farm; new Donkiesbaai CHENIN BL from old Piekenierskloof vines. Also v.gd Guardian Peak wines.

Sadie Family Wines Swa r w ★★★★ Organically grown, traditionally made Columella (SHIRAZ/MOURVÈDRE) (01 02' 03 04 05' 06 07' 08 09' 10') a Cape benchmark; complex, intriguing multivariety white Palladius; groundbreaking Old Vines Series, celebrating SA wine heritage. Revered winemaker Eben Sadie also grows the Sequillo Red and White with Cape Wine Master Cornel Spies.

Saronsberg Coast r (p) w (sw) (sp) ★→★★★ Art-adorned TULBAGH showpiece with awarded Bordeaux reds, Rhône (r w) varieties and blends, and newer MCC in eponymous and Provenance ranges.

Saxenburg Wine Farm Stell r (p) w (sp) ★★→★★★ Swiss-owned v'yds, winery and restaurant. Roundly oaked reds, SAUV BL and CHARD in high-end Private Collection; premium-priced flagship SHIRAZ Select (00 01 02 03' 05' 06' 07' 09). Cellarmaster Nico van der Merwe's eponymous own wines also v. fine.

Secateurs *See* A A BADENHORST FAMILY.

Sequillo *See* SADIE FAMILY.

Shannon Vineyards Elg r w (sw) ★★★ Exemplary MERLOT, PINOT N, SAUV BL and rare botrytis Pinot N, grown in ELGIN by brothers James and Stuart Downes, and vinified at NEWTON JOHNSON.

Simonsig Landgoed W Cape r w (br) (sw) (s/sw) sp ★→★★★ Malan family estate nr STELLENBOSCH admired for consistency, value and lofty standards throughout extensive range. Merindol SYRAH (01 02' 03 04 05 06 07 08 10'), Red Hill PINOTAGE (01 02 03' 04 05 06 07' 08 09). First (43 yrs ago) with bottle-fermented bubbly (Kaapse Vonkel) and still a leader.

Solms-Delta W Cape r (p) w (br) (sp) ★→★★★ Delightfully different wines from historic FRANSCHHOEK estate, partly staff-owned; Amarone-style SHIRAZ Africana, elegant dry rosé Lekkerwijn, musky white blend Koloni, *pétillant* Cape Jazz Shiraz.

Southern Right *See* HAMILTON RUSSELL.

SA's highest vineyard is at Sutherland, Northern Cape, 1,700 metres above sea level.

Spice Route Winery W Cape r w ★★→★★★ Charles Back (FAIRVIEW)-owned pioneer of SWARTLAND DISTRICT; Rhône-style reds, esp Malabar and Chakalaka blends; also perfumed VIOGNIER. Non-Rhône offerings include v.gd CHENIN BL and PINOTAGE.

Spier W Cape r w (sp) ★→★★★ Serious, multi-awarded player (one million+ cases/ annum) headquartered nr STELLENBOSCH. Flagship is brooding CAPE BLEND Frans K Smit (04 05' 06' 07); Spier and Savanha brands, each with tiers of quality, show meticulous wine-growing. ***Remarkable Creative Block series.***

Springfield Estate Rob r w ★★→★★★ Cult winemaker Abrie Bruwer traditionally vinifies pairs of CAB SAUV (Méthode Ancienne and Whole Berry), CHARD (Méthode Ancienne and Wild Yeast) and SAUV BL (Special Cuvée and Life from Stone), all oozing class, personality.

Steenberg Vineyards W Cape r w sp ★→★★★★ Top winery, v'yds and chic cellar door, known for arresting SAUV BL, SAUV BL/SÉM blends and, increasingly, MCC. Fine reds incl rare varietal NEBBIOLO.

Stellenbosch University town, demarcated wine DISTRICT (13,800ha). Heart of wine industry: Napa of SA. Many top estates, esp for reds, tucked into mtn valleys and foothills; extensive wine-tasting, accommodation and fine-dining options.

Swartland Increasingly acclaimed warm-climate DISTRICT in COASTAL REGION; 11,400ha of mainly shy-bearing, unirrigated bush vines producing concentrated, hearty but fresh wines. A A BADENHORST, LAMMERSHOEK, MULLINEUX, SADIE FAMILY, SPICE ROUTE, Porseleinberg; gd-value Riebeek Cellars and Swartland Winery.

Thelema Mountain Vineyards W Cape r w (s/sw) ★→★★★★ Pioneer of SA's modern wine revival, still top of game with ***Cab Sauv*** (00' 03 04 05 06 07 08 09), The Mint CAB SAUV (05 06' 07 08 09 10) *et al.* Sutherland range from ELGIN v'yds charts fresh course (eg. PINOT N, VIOGNIER/ROUSSANNE). Cellarmaster Rudi Schultz's eponymous own brand also critically acclaimed.

Tokara W Cape r (p) w (sw) ★★→★★★★ Wine, food, art showcase nr STELLENBOSCH.

V'yds also in ELGIN, WALKER BAY. Gorgeous Director's Res (r w) blends; pure, elegant CHARD, SAUV BL. Winemaker Miles Mossop's proprietary label as gd.

Tulbagh Inland DISTRICT historically associated with white wine and bubbly, now also with beefy reds, some sweeter styles and ORGANIC. 1,300ha. KRONE, resurgent Lemberg, RIJK'S, SARONSBERG, FABLE, Waverley Hills.

Twee Jonge Gezellen *See* KRONE.

Vergelegen Wines W Cape r w (sp) ★★★→★★★★ Historic mansion; immaculate v'yds and wines, recenty yet more stylish cellar-door at Somerset West; owned by Anglo American. Powerful mainly CAB SAUV "V" (01' 03 04 05 06 07), sumptuous Bordeaux Red, mineral ***Sauv Bl/Sém White***, new CHARD/PINOT N MCC.

Vilafonté Paarl r ★★★ California's acclaimed Zelma Long (ex-Simi winemaker) and Phil Freese (ex-Mondavi viticulturalist) partnering WARWICK's Mike Ratcliffe. Two superb Bordeaux blends: firmly structured Series C, fleshier Series M.

Villiera Wines Stell r w (br) (sw) sp ★★→★★★ Grier family v'yds and winery with excellent quality/value range. Cream of crop: Bordeaux red Monro; Bush Vine SAUV BL; Traditional CHENIN BL; six MCC bubblies (incl no-sulphur-added Brut Natural). Also boutique-scale Domaine Grier nr Perpignan, France.

Walker Bay Small (900ha), fast-developing and highly reputed DISTRICT, with sub-appellations HEMEL-EN-AARDE, Bot River and Sunday's Glen. PINOT N, SHIRAZ, CHARD, SAUV BL are standouts. Top: ATARAXIA, BEAUMONT, BOUCHARD FINLAYSON, CREATION, Gabriëlskloof, HAMILTON RUSSELL, HERMANUSPIETERSFONTEIN, NEWTON JOHNSON, Luddite, Raka.

Pinotage grapes make great eating. Baboons think so, too.

Ward The smallest of the WINE OF ORIGIN demarcations. *See* GEOGRAPHICAL UNITS.

Warwick Estate W Cape r w ★★★ Tourist-cordial Ratcliffe family farm on STELLENBOSCH fringe. V. fine Bordeaux-blend red Trilogy, perfumed CAB FR, opulent CHARD (wooded and new unoaked).

Waterford Estate W Cape r (p) w (sw) ★→★★★ Classy family winery nr STELLENBOSCH, with awarded cellar door. Savoury Kevin Arnold SHIRAZ (01 02' 03 04 05 06 07 08 09), mineral CAB SAUV (01 02 03' 04 05 06 07 08 09) and pricey Cab Sauv-based flagship The Jem. Library Collection is a highly potable record of experimentation with blends.

Waterkloof Stell r (p) w ★★→★★★ British wine importer Paul Boutinot's v'yds, winery and cantilevered cellar door nr Somerset West. BIODYNAMIC viticulture and natural/traditional vinification. Top tiers are Waterkloof and Circumstance; also gd-value False Bay and Peacock Ridge lines.

Wellington Historic DISTRICT (4,400ha) abutting PAARL. Traditionally source of grapes for some famous (and not-so-storied) names, but in-house vinification is increasing along with local/overseas recognition. Andreas, Bosman, DIEMERSFONTEIN, Doolhof, Jacaranda, Linton Park, Mont du Toit, Nabygelegen, Napier, Val du Charron, Welbedacht/Schalk Burger.

Wine of Origin (WO) SA's "AC" but without French crop yield, etc., restrictions. Certifies vintage, variety, area of origin. Opt-in sustainability certification additionally guarantees eco-sensitive production from grape to glass. *See also* GEOGRAPHICAL UNIT.

Winery of Good Hope, The W Cape r w (sw) ★★→★★★ Polished STELLENBOSCH producer as eclectic as its Australian-French-SA-UK ownership. Creative, compatible blend of styles, influences, varieties and terroirs (eg. Bordeaux, Burgundy, Rhône, Loire, Stellenbosch, SWARTLAND, sometimes in the same bottle) in eponymous, Radford Dale, Vinum and Land of Hope line-ups.

Worcester DISTRICT (6,500ha) with mostly co-ops producing bulk wine; exceptions are Conradie Family, Eagle's Cliff and ever-improving Alvi's Drift.

The taming of Pinot

Burgundy and other Pinot Noirs

Red burgundy is the wine of the moment, and Pinot Noir the grape. How on earth did it happen? How did the grape that for decades has been the Holy Grail of producers worldwide, compelling but elusive, suddenly become almost biddable? And how did red burgundy, the most complicated, fascinating and infuriating of red wines, suddenly become the wine everybody wants? The answer to the second question may lie in the price of equivalent Bordeaux wines. The answer to the first question involves years of research, experimentation and intuition. The precise conditions of the Côte d'Or (the mix of clay and chalk, complicated geology, latitude, temperature) cannot be replicated elsewhere. But other, different sets of conditions, equally precise (cloud cover in Oregon's Dundee Hills; shockingly brilliant light in New Zealand's Central Otago) combine in different ways to produce Pinots of purity and elegance. They're not copies of burgundy, though this was their inspiration. Instead they allow Pinot to do what it does best: transmit its terroir to the glass. This is the fascination of Pinot. The micro-mosaic of terroirs that is the Côte d'Or means that Sylvain Cathiard's hauntingly pure Vosne-Romanée Malconsorts, for example, tastes different to his Vosne-Romanée En Orveaux. Add to that the different viticultural and winemaking styles of umpteen winemakers and you have a three-dimensional puzzle that makes burgundy the most complicated of all wines to buy. Other regions have not sub-divided their terroirs to this extent. But Pinot from the Sonoma Coast is recognizably different to Australia's Mornington Peninsula. New Zealand's Martinborough Pinot is not like Oregon's Willamette Valley's. All are evolving, as is burgundy. And just as burgundy is better than it has ever been, so these regions are learning how their soils, sunlight, rain, spring mornings and autumn afternoons can be reflected in nuances of fruit, acidity and minerality.

Over the next pages we'll be exploring just how these influences affect the flavour in the glass from California to Germany, from 45°N to 45°S. The Pinot world, from being tiny, is suddenly remarkably large.

Vosne-Romanée: a closer focus

Pinot Noir didn't move far for millennia. It evolved or was bred from wild vines somewhere in southeast France, or in the Alps, maybe 2,000 years ago. Just when it was first planted on Burgundy's Côte d'Or we don't know, although the remains of a first-century vineyard have been discovered just outside Gevrey-Chambertin. Pinot appears in the written records from the 14th century.

This history matters, because if winemakers are going to work with a capricious grape on immensely complicated geology, it helps if they've had time to practise. The Sâone fault line runs the length of Burgundy, and the rock of the Côte is fractured by many, many smaller faults. This is why the soil in this part of the world changes so abruptly. Even though the drift of topsoil over the centuries might obscure the edges, this geology explains why one vineyard (they use the word *climat*) can be so different from its neighbour, why the soil even looks different, and why the wines taste so different. There can even be differences within the same vineyard.

The people who planted the vineyards, whether they were Roman farmers or Cistercian monks, paid close attention to what they could see and taste. That's why the vineyard and appellation boundaries follow the geological indications as closely as they do. They're not perfect – some vineyards vary enormously – but when you analyse the geology, it's remarkable how accurate they are.

So what is the soil? Think of a mix of clay and limestone, Jurassic in origin. Some soils are intrinsically better suited to white wines, some to red. Most soils are shallow, and the mid-slopes, where the soil is neither too thin nor too deep and prone to waterlogging, and where the temperature is neither too windy nor too frost-prone, are the best sites.

On this micro-mosaic of a canvas are superimposed winemakers who own not a whole vineyard (that's rare in Burgundy) but pieces of several vineyards, in several villages, perhaps 1ha here, 30 acres there. Domaine Dujac owns vines in 15 different vineyards. The Montrachet vineyard has 16 different owners. All these people work their vines and make their wines in subtly different ways. Some are more talented than others. Some work harder. That shows in the wine as well. From the point of view of the confused consumer, the most important piece of information on a burgundy wine label is still the name of the vigneron. *See also* pp.328–9.

Yet this is the place where terroir is crucial; where vignerons say they don't want their red wine to taste of Pinot Noir, but of the terroir. They want the grape to be merely the conduit for the flavour, the character of the vineyard. And therein lies the fascination of burgundy. It's so easy to mess up Pinot Noir: to make it oaky, dense, opaque in flavour, jammy, simple. Great burgundy isn't like this. It's delicate but concentrated, silky of texture, perfumed, redolent of black or red cherries according to the ripeness of the year; in youth it might have notes of incense or flowers and, with age, undergrowth and mushrooms. It has good acidity. And running through it it has (or can have) minerality – something that is difficult to define, and something that can be argued over for hours, or pages. To look for something on the palate that is neither fruit nor acidity, not greenness, either, but is a taste of stones, a bit like the smell of wet rock, may sound fanciful. But like great burgundy itself, when you come across it, you'll know.

Anyone wanting to make Pinot Noir in any part of the world starts by looking at the Côte d'Or, and says, "I want what they've got." And of course that's not possible. That particular mix of geology and climate cannot be replicated. But the first thing one notices about Pinot is that the warmer the climate, the jammier and more alcoholic the wine, and the further away from Burgundian complexity and minerality.

The problem encountered by most New World Pinotphiles is finding a climate cool enough, and the history of New World Pinotphilia is a search for extremes. In the USA those extremes seem to be in Oregon and on California's Sonoma Coast; in New Zealand, in Central Otago, Marlborough and Martinborough; in Chile, in Leyda, Elqui and Limarí; in Australia, the Mornington Peninsula; and in South Africa, Walker Bay. In Europe, Germany seems to have the right ready-made conditions – their weather, say the growers, comes from Burgundy, just a day or two later.

In California, Napa is too hot for Pinot – unless you like it boiled. And Russian River, and even Carneros, although it's soothed by the fog that drifts in every afternoon through the gap in the coastal hills, can seem warm for Pinot – certainly warmer than the Sonoma Coast (try Flowers), where the climate is about as close to marginal as any Californian is prepared to go. If Californians want to go further than that they go to Oregon, where every other winemaker seems to be a refugee from California – though not always for reasons of climate. The alleged crop sometimes known euphemistically as "Oregon ground cover" (marijuana) was sometimes allegedly a greater attraction.

But there's another factor at work here as well. Climate is not just about temperature; light intensity plays an enormous part. The southern hemisphere generally has more intense light than the northern. New Zealand's vineyards, bang under the hole in the ozone

layer, have incredible light intensity. Its Pinots, like those of Felton Road, for example, always have relatively high alcohol: 14–14.5%+. In Oregon, with more cloud cover and a far more sober level of light, alcohol hovers around the 12.5–13% mark. Central Otago's Pinots are bold, even showy; Oregon's are more subtle, more European.

If lightness is what you seek, don't forget Alsace. Pinot is having a revival here, with ripe, pure, complex wines (anyone raised on California Pinot might find them angular, just as those raised on burgundy might find California Pinot "solid".) Alcohol is 12.5–13.5%; look for Audrey et Christian Binner, Domaine Weinbach, Pfister, Marcel Deiss.

Can't hotter, brighter spots just pick earlier, before sugar levels rise? No, they can't. Tannins must be ripe: green, dry tannins are not pretty. Ideally tannin ripeness and sugar ripeness arrive together, but sugar ripeness comes with heat, tannin ripeness with time. Get sugar ripeness early, because you have hot summers, and you're liable to get whacking sugar levels while you wait for tannin ripeness. But even cool climates like Germany's Ahr (try Mayer-Näkel or Jean Stodden) can deliver 14%, albeit with perfect balance. If you regularly get sugar ripeness way before tannin ripeness, then either your viticulture is wrong, or you shouldn't be growing Pinot.

You can be too cool, though. Champagne is too cool, though it makes (obviously) superb white and rosé fizz from Pinot. Still red wine from Champagne, called Coteaux Champenois, is a rarity for a very good reason. In the New World there are very few winemaking areas that have been found to be too cool to make red Pinot: parts of Tasmania, probably. Both Australia and South Africa would have to extend quite a way further south to be too cool. In the former, try Kooyong from Mornington Peninsula, Coldstream Hills from the Yarra for places that seem to be just cool enough.

Again, we start with Burgundy, because that's the starting point for Pinot Noir. Clay and limestone: the soil mix familiar to so many vineyards in France. In South Africa, Hamilton Russell focuses on the importance of its stony clay for getting the right sort of tannins; in California, Josh Jensen, with some of California's most distinguished Pinots to his name, loves limestone.

But not all countries have limestone. According to soil scientist Claude Bourguignon, 55% of French soil is calcareous, but only 7% worldwide. Germany has some; Cistercian monks bringing both the *Rule of St Benedict* and Pinot Noir from Burgundy reckoned that the soil of what is now Malterdinger Wildenstein (try Huber) was the same as that of Chambolle-Musigny, and the southern Pfalz (Becker, Rebholtz) and Rheinhessen (Thörle, Gutzler) have shell-limestone (*Musselkalk* in German) in abundance. In Chile, Limarí has some limestone (try Talinay from Tabali). In Alsace, Domaine Weinbach is granite, Pfister marl-limestone, Schlumberger sandstone-volcanic soil. In Germany, the Ahr and parts of the Rheingau have slate, with as little as 0.2% organic matter. In New Zealand's Central Otago, Felton Road likes Waenga sandy loam, fine and deep, for Pinot. Gravel and calciferous clay produce Au Bon Climat's Bien Nacido Pinot from California's Santa Maria Valley. In Oregon, vines are planted on 92 of the state's 800 soil types.

We know that Pinot reflects its terroir – a term that embraces climate, altitude and exposure as well as soil – exceptionally faithfully, when it's allowed to. But our understanding of how a soil gives a particular character to a particular wine is in its infancy. We know that clay gives mid-palate weight. We know that wet soils are cold, dry soils are warm, and this affects ripening; we know that soil fertility affects

yields. We know that alkaline soils, like those in Chile's Elqui and Limarí regions, give wines with good acidity. But these are only the most basic points. Even though the vine takes 94% of its dry matter from the air in the form of carbon, oxygen and hydrogen, and just six per cent from the soil, the earth does far more than just hold the plant upright.

The vine takes nutrients from the soil by a series of processes involving soil microbes and ion exchange. Limestone, granite, or whatever do not literally enter the vine and pass to the wine. Nevertheless, different soils produce Pinots that taste differently. In Mornington Peninsula, the volcanic soil gives bright, lively wines, the sandstone bigger, more muscular ones. Non-terroirists put those differences down to obvious physical differences like topsoil depth or drainage – and these factors certainly have a big effect. But non-terroirists don't grow Pinot.

Terroirists, logically, should also care how the soil is treated. Years of chemical fertilizers and herbicides had reduced the soils of the Côte d'Or to a desert, with very low levels of microbial life. Potassium from fertilizers had built up in the soil and reduced acidity in the wines. Yet burgundy wine is supposed to reflect its terroir – how, with so few microbes in the soil, could it do that? The question has been enough to make the Côte d'Or a centre of biodynamism. Estates of the stature of domaines Leroy and Leflaive revel in the microbial life of their soil. Others prefer to be organic, or practise various levels of sustainability. Ploughing is back in fashion, replacing chemical herbicides and decompacting the soil. The soils of the Côte d'Or are in better health than they've been for years. It's no coincidence that the wines are better and more expressive than ever, too.

The hand of the vigneron

The Burgundian mantra that Pinot should taste of the vineyard, not the grape, relegates the winemaker to a mere conduit. He or she should leave not a single fingerprint on the wine.

Of course this is impossible. Winemaking and viticulture are a series of choices. Whether those choices are intended to express the vineyard or to steer the wine towards a house style, they're still choices. For example: do you ferment whole bunches, or do you destem? Do you rack under nitrogen, or under air? Old oak, or new? Wines from the same vineyard made by different winemakers will ideally all show the character of the site, but the hand of the winemaker will be evident, too.

The basic choices start in the vineyard: which clone(s), how to plant. There are umpteen commercially available clones of Pinot, and some are better than others. New regions tend to be fixated on clones. But in older regions they're also keen on taking cuttings from a wide selection of their own favourite vines – massal selection, this is called.

Is clone more important than climate or soil? Probably not. Nor, probably, is it more important than how you plant – how closely, on which rootstocks, and how many vines per hectare – which in turn needs to be adapted to your terroir. It's no good imitating Burgundian practice in conditions that are not Burgundian. Intuition and experience are what are needed here in order to arrive at Burgundian finesse and complexity in the glass, perhaps by methods that are the opposite of what they do in Corton. In Chile, for example, Cono Sur says that its Pinot started to become convincing when it stopped taking Burgundian advice.

Then there's vine age. Young Pinot vines make simple, drinking wines; only after ten years (or is it 20, or 30?) do more serious, age-worthy wines emerge. In Burgundy, Domaine de l'Arlot's "young" vines – around 25 years old – give wine that is markedly less complex than the vines of 40 years and more. But few of the Pinot vines in Chile, for example, have more than ten years of age. In Mornington Peninsula the oldest are 20–25 years, in Marlborough 15 years or less, unless you count earlier plantings of sparkling wine clones, which we don't.

Once the vineyard is in the ground, however, the most important decisions are the yield and when to pick. High-yielding vines do not make great Pinot. Gunther Künstler in the Rheingau reckons 40hl/ha is the absolute maximum. As for when to pick: we've touched on what happens if you get sugar ripeness way before tannin ripeness (*see* p.325): high alcohol at best, baked, raisiny flavours at worst. What we want is something like Nautilus Estate from Marlborough: floral and savoury black-cherry fruit. We want perfect balance, seductive aromas, bright fruit, a silky texture, no alcohol burn and a good, firm, tannic core.

It's nice to think that the best winemaking is simple, even hands-off. In practice it takes an awful lot of science to be that simple, and get it right. It's so easy with Pinot to get it wrong. And one of the most common problems, particularly in climates at the warmer end of the spectrum, is too much oak piled on overripe grapes. Pinot should not resemble Merlot. Pinot should dance; and the winemaker, ideally, should be the dancing master, no more.

The answer, almost, is "at any time". Pinot is precise in its choice of climates, fussy about how it's treated in the cellar, but when it comes to opening bottles, it's surprisingly obliging. Only the most tannic vintages of burgundy, like 2002, go through a period when they're really closed and inexpressive. Open, lush years like 2009 were seductive in extreme youth, are seductive now, and will still be seductive in a few years' time.

Young Pinot is so delicious that it's sometimes easy to wonder why anyone ever ages it. At *en primeur* tastings of each young burgundy vintage, freshly bottled, there are many wines (usually all but those of *grand cru* level) that would be perfect to take home and drink that night. It's that immediacy of aroma, those flowers and spices, those fresh, crunchy tannins; by putting bottles away you know you'll lose those. You hope you'll trade them for greater depth and complexity and the risky, edgy fascination of undergrowth and mushrooms and leather. But all wines age with a degree of unpredictability, and Pinot's capriciousness is particularly marked here. Once you've tucked away some favourite wines for ten for 15 years and then found them far less glamorous and glorious than they were in youth, you'd be forgiven for deciding to drink your burgundy young in future. (Or, of course, you could just leave them for a bit longer and see what happens.)

Generally speaking, simple Bourgogne Rouge should be drunk after a year or two, and village or lesser *premiers crus* wines at somewhere between four and ten years, depending on the vintage – earlier for lighter years, later in great years. *Grands crus* in a top vintage should last for decades if preferred, and it would be silly to open them before they're 15 or so. But forward, supple vintages like 2000 were drinkable even after five years.

Outside Burgundy, the ageing potential of Pinot is changing as the vines age. Oregon Pinots seem to age well; a tasting of Adelsheim back to 1987 last year revealed only a couple of wines that were getting past it; the others were in fine fettle. German Pinot seems to improve for at least five or six years, and a 1959 Kloster Eberbach Assmanshäuser Höllenberg tasted in 2012 was in excellent shape.

NUITS-SAINT-GEORGES

Pinot with food

Matching flavour

It would be quicker to give a list of the foods Pinot Noir doesn't go with: in its various manifestations it will match a vast array of dishes. In the Wine & Food chapter (*see* pp.27–39) burgundy and other Pinots appear regularly, and check, too, pp.38–9, with its dishes to serve with your very finest burgundies. Game is a natural – could there be a more perfect partner for roast grouse or woodcock, with their deep, exotic aromas, than a bottle of *grand cru*?

But life, alas, does not consist only of roast grouse. Those Monday nights of salmon fishcakes are just the time for a straightforward Bourgogne Rouge; piscivores need not abandon Pinot just because it's red. Red mullet is another good fishy match; (light) Pinot wins with fish because of its moderate and supple tannins.

The main thing to consider when matching Pinot with food is weight. Think of Pinot as a spectrum with, at one end, the delicacy of unoaked Alsace Pinot and, at the other, a Californian, or even a Chilean Pinot. After Alsace come the lightest burgundies, the Bourgogne Rouges and Côtes de Beaunes or Côtes de Nuits and the Hautes-Côtes; these, from a top grower, will have the punch for pigeon, for example. Oregon Pinot is probably the closest to burgundy in style and weight in the New World. Salami and other charcuterie are good with these wines.

But if you're serving the pigeon with sweet redcurrant jelly, or with a sauce made from it, then think about New Zealand or Mornington Peninsula, with their big fruit, or indeed the weight of *premier cru* burgundy or *Grosses Gewächs* German Pinot. This part of the Pinot spectrum will happily partner roast beef (quite a delicate but deep flavour) and duck – delicate again, but often with bright, sweetish accompaniments. Slow-cooked pork will be happy with Pinots of this weight, and roast chicken is a natural.

As the wine gets more New-Worldy – the intensity of the Sonoma Coast, the redcurrant fruit of Chile – then (providing there's not too much oak in the wine, which there can be) put it with the pungency of gammon, or roast goose with slow-braised red cabbage.

The sleek tannins of Pinot mean that it goes well with sauces, with texture matching texture; and mature Pinot, with its spectrum of flavours, can match the myriad nuances of Chinese food – though probably not Szechuan. Mature Pinot works here because complexity can match complexity, subtlety can match subtlety; and the silkiness of mature tannins will meld with the texture of the food, not bounce off it as young tannins will.

The very oldest wines will be more delicate, and deserve food tailored to flatter them. Younger wines, more robust in flavour, will handle a greater variety of foods. And if in doubt, add a bit of salt: it's a great shortcut to matching food and wine.

A natural with salmon

Key people

Who's who in Pinot

JIM CLENDENEN VERONIQUE DROUHIN

JIM CLENDENEN: AU BON CLIMAT

What is it about wine and law? Three of our six key figures studied law before deciding wine was more fun; and for Jim Clendenen it was his junior year abroad that shook his resolution to be a lawyer. After he graduated he stayed for a month in Burgundy and Champagne; and that was that. Law went out of the window and Pinot came in.

He started Au Bon Climat in 1982, and now it has vineyards in various parts of Santa Barbara: these are Pinots to make the Napa Valley weep. (Mind you, his shirts might make a tailor weep, though for different reasons, and his haircut might possibly upset a barber.) His wines are all about balance, finesse and complexity; about the influence of the Pacific Ocean, and of the Côte d'Or, and of southern California. He's also made a name for Italian varietals, but Pinot remains his first love. "I try to dance the most with the girl who brung me," he says.

VERONIQUE DROUHIN: DOMAINE DROUHIN

Veronique was always going to be a winemaker. She studied oenology at Dijon and then returned to the family domain to make wine; and in 1988, with her father Robert, she made the first vintage at a new Domaine Drouhin, this time in Oregon's Dundee Hills. The wines were unsettlingly Burgundian in character from the start – more than one burgundy expert has mistaken them, blind, for Côte d'Or.

Veronique's response is that the Oregon wines are darker and more spicy, but still fresh and elegant. That Drouhin should set up in Oregon gave a huge credibility boost to the state; and now she's rather amused when visitors to the domain say, "Oh, you make wine in France as well?"

NIGEL GREENING

JAMES HALLIDAY

NIGEL GREENING: FELTON ROAD

If you start with a love of burgundy and the sort of career that takes you to the Pacific Rim for BMW, then it's possible that you might find yourself in New Zealand, and you might there discover the best New World Pinot you'd ever tasted. You might then decide to buy a chunk of land yourself, and plant it. What Nigel Greening bought was Cornish Point in Central Otago, followed some years later by Felton Road. "I gave Stewart Elms [of Felton Road] everything I owned except my house, and he gave me Felton Road," he says.

Nigel is a scientist at heart, and his viticulture and winemaking are self-taught. Felton Road is biodynamic, though with a streak of scepticism: you get more benefits from biodynamism by having a top-class viticultural team, he reckons, than from a stag's bladder and a calender. Winemaking is non-interventionist, yeasts are wild – and Nigel cooks lunch for the entire team every day. And he plays the jazz guitar; that's self-taught, too.

JAMES HALLIDAY: COLDSTREAM HILLS

James's day job was law, but, you might say, only just. At college his prowess seemed to be for snooker rather than for his books, and he once went into a law exam never having gone to any lectures for it. For the last few decades, however, he has been a workaholic, combining winemaking with writing and wine-show judging, travelling the world and, on the rare occasions he's in his office, working 12-hour days. *Pocket Wine Book* contributor Campbell Mattinson relates that on one flight from Sydney to Singapore he wrote six newspaper articles and asked the cabin crew to post them back for him.

One of his roles was as a contributor to this book, but in the Pinot universe it's his wines from his Coldstream Hills winery in the Yarra Valley that give weight to his guidance of the Australian palate and his advice to other winemakers. He proved, at Coldstream Hills, that Australia could make great Pinot that is nevertheless thoroughly Australian.

KLAUS PETER KELLER AUBERT DE VILLAINE

KLAUS PETER KELLER: KELLER

Klaus Peter Keller is well aware of the irony of producing great Pinot close to where some of Germany's worst wines were made. His part of the Rheinhessen is near Worms, home of Liebfraumilch – and many of its imitators, grown in vast volume in the Rheinhessen, were even worse. The terroir here was never considered promising, though Klaus Peter's father, Klaus, began the meticulous vineyard work that his son has continued. Digging 60,000 holes in the vineyards enabled them to understand their soil, however, so that clones, rootstocks and viticulture can be adapted to each parcel.

Klaus-Peter set about acquiring some other top parcels of vines, too. And then, as so often, they found that their best sites – for Pinot, the *Grosses Gewächs* vineyard of Bürgel in Dalsheim, with shell-limestone soil – had been highly regarded in the Middle Ages. Minerality is the aim, and extending the ripening period for as long as possible, for freshness with lively acidity, is part of the method. Rheinhessen is now Germany's most lively and experimental region; and Klaus Peter makes its best Pinot.

AUBERT DE VILLAINE: DOMAINE DE LA ROMANÉE-CONTI

The DRC, the most famous of all Burgundy domains, is owned jointly by two families: the de Villaines and the Leroys. Aubert was by no means certain that he would end up running it, so studied law then worked in the wine trade in New York before asking if he could join the domain as an apprentice. He drove a tractor, he swept the yard; and in 1974 was appointed co-director with Lalou Bize-Leroy.

These were not the DRC's glory years, and the two of them made it their mission to restore the quality of the wines, starting in the vineyards. A mega-row over commercial matters led to Lalou Bize-Leroy's departure in the early 1990s, but Aubert has continued to work rigorously for quality: the domain is now biodynamic, and Aubert sees it as his life's work to interpret one of the world's great terroirs. He combines profound humility with deep determination.

A little learning...

A few technical words

The jargon of laboratory analysis is often seen on back-labels. It creeps menacingly into newspapers and magazines. What does it mean? This hard-edged wine-talk, unsympathetic as it is to most lovers of wine, is very briefly explained below.

Alcohol content (mainly ethyl alcohol) is expressed in per cent by volume of the total liquid. (Also known as "degrees".) Table wines are usually between 12.5° and 14.5°, though up to 16° is increasingly seen.

Acidity is both fixed and volatile. Fixed acidity consists principally of tartaric, malic and citric acids, all found in the grape, and lactic and succinic acids, produced during fermentation. Volatile acidity consists mainly of acetic acid, which is rapidly formed by bacteria in the presence of oxygen. A small amount of volatile acidity is inevitable and even attractive. With a larger amount the wine becomes "pricked"– to use the Shakespearian term. It turns to vinegar. Acidity may be natural, in warm regions it may also be added.

Total acidity is fixed and volatile acidity combined. As a rule of thumb, for a well-balanced wine it should be in the region of one gram per thousand for each 10° Oechsle (see above).

Barriques Vital to modern wine, either in ageing and/or for fermenting in barrels (the newer the barrel the stronger the influence) or from the addition of oak chips or – at worst – oak essence. Newcomers to wine can easily be beguiled by the vanilla-like scent and flavour into thinking they have bought something luxurious rather than something cosmetically flavoured. But barrels are expensive; real ones are only used for wines with the inherent quality to benefit long-term. French oak is classic and most expensive. American oak has a strong vanilla flavour.

Malolactic fermentation is often referred to as a secondary fermentation, and can occur naturally or be induced. The process involves converting tart malic acid into softer lactic acid. Unrelated to alcoholic fermentation, the "malo" can add complexity and flavour to both red and white wines. In hotter climates where natural acidity may be low canny operators avoid it.

Micro-oxygenation is a widely used technique that allows the wine controlled contact with oxygen during maturation. This mimics the effect of barrel-ageing, reduces the need for racking, and helps to stabilize the wine.

pH is a measure of the strength of the acidity: the lower the figure the more acid. Wine usually ranges from pH 2.8 to 3.8. High pH can be a problem in hot climates. Lower pH gives better colour, helps stop bacterial spoilage and allows more of the SO_2 to be free and active as a preservative.

Residual sugar is that left after fermentation has finished or been stopped, measured in grams per litre. A dry wine has virtually none.

Sulphur dioxide (SO_2) is added to prevent oxidation and other accidents in winemaking. Some of it combines with sugars etc and is "bound". Only the "free" SO_2 is effective as a preservative. Total SO_2 is controlled by law according to the level of residual sugar: the more sugar, the more SO_2 is needed.

Tannins are the focus of attention for red-winemakers intent on producing softer, more approachable wines. Later picking, and picking by tannin ripeness rather than sugar levels gives riper, silkier tannins.

Toast refers to the burning of the inside of the barrel. "High toast" gives the wine caramel-like flavours.